HISTORIA DE NUESTRA SEÑORA

LA VIRGEN DE LA CARIDAD DEL COBRE

REINA, MADRE Y PATRONA DE LA ISLA DE CUBA

TOMO II
1951-2010

COLECCIÓN FÉLIX VARELA #42

EDICIONES UNIVERSAL, Miami, Florida, 2011

SALVADOR LARRÚA-GUEDES

HISTORIA DE NUESTRA SEÑORA
LA VIRGEN DE LA CARIDAD DEL COBRE
REINA, MADRE Y PATRONA DE LA ISLA DE CUBA

TOMO II
1951-2010

...EDICIONES UNIVERSAL

Primera edición, 2011

EDICIONES UNIVERSAL
P.O. Box 450353 (Shenandoah Station)
Miami, FL 33245-0353. USA
Tel: (305) 642-3234 Fax: (305) 642-7978
e-mail: ediciones@ediciones.com
http://www.ediciones.com

Library of Congress Catalog Card No.: 2011925316
ISBN-10: 1-59388-219-X
ISBN-13: 978-1-59388-219-8
ISBN-10-OBRA COMPLETA: 1-59388-215-7
ISBN-13-OBRA COMPLETA: 1-59388-215-0

Composición de textos: María Cristina Zarraluqui

Diseño de la cubierta: Luis García Fresquet

ÍNDICE DEL TOMO II

Macagua, Calabazar de Sagua. Viana, Central Purio, Encrucijada, Central Constancia, El Santo, Sagua la Chica, La Mora, Central Nazabal, Vega Alta, La Quinta, Camajuaní, Central Fe, Taguayabón, Central Carmita, Vueltas, El Refugio, Hatillo, Seibabo, Mataguá, Manicaragua, Providencial, Esperanza, Tumba la Burra, Ranchuelo, Central Santa Rosa, Central Santa María. Central Santa Catalina, Central San Francisco, Santa Isabel de las Lajas, El Salto, Central Caracas, Rancho Grande, Cruces, San Juan de los Yeras, Central Pastora, Potrerillo, San Fernando de Camarones, Central Andreita, Manaquitas, Paradero de Camarones, Palmira, Central Hormiguero, Central Portugalete, Arriete. Ciego Montero, Central Manuelita, Central San Agustín, Cienfuegos, Caunao, Central Soledad, Los Guaos, Cumanayagua, Barajagua, Rodas, Congojas, Central Parque Alto, Cartagena, Lequeitio, Santiago, Turquino, Abreus, Central Constancia, Yaguaramas, Orquita, Guayabales. Real Campiña, Aguada de Pasajeros, Central Covadonga, Ciénaga, Central Perseverancia, Arimao, La Sierra, Pasa Caballo, Castillo de Jagua, Jaraguá, Casilda, Trinidad, Central Trinidad, Palmarito, San Pedro, Caracusey, Managas, Iznaga, Condado, Topes de Collantes, Alfonso, Fomento. Central Santa Isabel, Sipiabo, Pedrero, Central Agabama, Jíquima, Güinía de Miranda, Jicotea, San Diego del Valle, Santo Domingo, Rodrigo, Central Ulacia, Central María Antonia, Central Washington, Manacas, Mordazo, Cascajal: fin de la Peregrinación en Las Villas

CAPÍTULO XVIII-
PEREGRINACIÓN DE LA VIRGEN DE LA CARIDAD DEL COBRE POR LA ISLA DE CUBA EN EL 50 ANIVERSARIO DE LA INDEPENDENCIA, (PARTE II) Y LOS AÑOS POSTERIORES (1952-1959)

La Virgen de la Caridad se despide de Las Villas. La Peregrinación entra en la Provincia de Matanzas el 16 de enero de 1952. Comienza la Visita por los 125 Municipios y todos los pueblos y lugares habitados. La recepción oficial: Mons. Eduardo Martínez Dalmau, Obispo de Cienfuegos, entrega la Santa Imagen a Mons. Eduardo Martín Villaverde, Obispo de Matanzas. La Virgen de la Caridad pasa por San Pedro de Mayabón, Los Arabos, Aguedita, Jacán, Palmillas, Agüica, Cuatro Esquinas, el Central Zorrilla y Macagua. Nueva etapa del viaje: de San José de los Ramos a Colón, la Misionera Peregrina visita el Central Avila y Banaguises. Calurosa recepción en Colón. Continúa el recorrido por el Central Tinguaro, Finca Laberinto, Guareiras, Manguito, La Vega, el Central Araujo y Calimete. La Virgen llega a las fincas San Pablo y La Paz. En los Centrales Antiguo Central María y Por Fuerza. Recorrido por Céspedes, Amarillas, de nuevo la Finca San Pablo, Perico, El Roque, Central España, Agramonte y Central Santa Rita. La Caridad llega al sur de la provincia: trayecto por el Central San Ignacio, Torriente, Unión de Fernández, Jagüey Grande, el

6

Central Australia y La Playita. Traslado al centro del territorio matancero: la Peregrinación pasa por el Central Soledad, la Finca Gratitud, Jovellanos, Central Dolores, Pedro Betancourt, Central Cuba, Navajas, Pedroso, Isabel, Carlos Rojas y San Vicente. Cómo la Caridad viajó hacia el norte y el oeste: llegada a Tajonera, Central Progreso, San Miguel de los Baños, Sumidero, Coliseo, Lagunillas, La Merced, y los Centrales Carolina y Santa Amalia. La Virgen Peregrina rumbo a la costa norte y la recepción de la ciudad de Cárdenas. Recepciones en Cantel, Guásimas, el Central Dos Rosas, Bachiche, Varadero, Conchita, Bocas de Camarioca, Carboneras y el pueblo de Camarioca. La comitiva de la Virgen regresa hacia el este y pasa por Máximo Gómez, Admiración, Rancho del Medio, Carolina, Unión, Destino, Arroyo y Villalba. Hacia el noroeste en tránsito por Enriqueta, Algorta, San Carlos, Martí, el Central Guipúzcoa y Alameda. Continúa la Santa Peregrinación pasando Santa Ana, Favorito, Itabo, San Blas, San Vicente, El Sordo, Santa Getrudis, San Luis, Pintó, Telégrafo y Andorra. En dirección al oeste de Matanzas: Nuestra Señora es recibida en Limonar, Central Limones, Chacón, Central Triunfo, Francisco, Guanábana, Cidra, Condesa, Santa Ana y Sabanilla. La Peregrinación se dirige a Babiney, Las Palmas de Yumurí, Unión de Reyes, Güira de Macurijes, La Flora, de nuevo por Unión de Reyes y el Central Santo Domingo. Fin del recorrido en Matanzas por Alacranes, el Central Conchita, Bermeja, El Estante, San Antonio de Cabezas, Ceiba Mocha, Central Santa Elena, Corral Nuevo, Minas de San Antonio, Arcos de Canasí y el Central Puerto. La recepción triunfal de la Virgen en la capital, Matanzas: una verdadera apoteosis. Llegada de la Santa Imagen de la Virgen de la Caridad a Pinar del Río el 25 de febrero de 1952. Comienzo de la Peregrinación de este a oeste por el pueblo de Artemisa y paso por el Central Pilar, Puerta de la Güira, Las Cañas, Central Andorra, Pijirigua, Las Mangas. La recepción en Candelaria y tránsito por Bayate, Mango Dulce, Soroa y San Cristóbal. La Santa Imagen llega al Central San Cristóbal y avanza por Chirigota, Santa Cruz, Taco Taco, Azpiroz, Los Palacios, Paso Real de San Diego, Central Francia y Consolación del Sur. En dirección a la capital provincial, pasa por Pilotos y Puerta de Golpe: apoteosis en Pinar del Río. Continúa la Misionera hacia San Luis, El Corojo, El Retiro, San Juan y Martínez, Delicias, El Vivero, El Valle, Bernabé, Barbacoa y La Coloma. En dirección al cabo de San Antonio: paso por Isabel María, Sumidero, Luis Lazo, Los Acostas, Tenería, Guane, Mendoza, Cayuco y Las Martinas, en el extremo oeste. Regreso al norte y al este por La Fe, Mantua, Arroyos de Mantua, Dimas, Minas de Matahambre, Santa Lucía, Puerto Esperanza, San Cayetano, San Vicente y el Valle de Viñales. Etapa final de la Peregrina Misionera de la Caridad: San Diego de los Baños, Güira, Alonso Rojas, La Palma, Central Niágara, La Mulata, Las Pozas, Bahía Honda, Cabañas, Centrales Orozco y Merceditas, Cayajabos, Quiebra Hacha, Mariel, el Central San Ramón,

Guanajay y El Jobo. La Virgen de la Caridad del Cobre llega a la Provincia de La Habana el 23 de marzo de 1952: Mons. Evelio Díaz Cía entrega la Santa Imagen a S. E. el Cardenal y Arzobispo de La Habana, Manuel Arteaga Betancourt. Nuestra Señora entra en la provincia por el pueblo de Camito. Continúa el recorrido por el Central Habana, Guayabal, Bauta, Corralillo, Santa Rosa de Lima, la Playa Baracoa, Punta Brava y Cangrejeras. La Peregrina de la Caridad sigue viaje en dirección a la Playa Santa Fe.el Guatao, Arroyo Arenas, El Cano, Wajay, Mazorra. La comitiva de la Virgen Peregrina se dirige a Calabazar, Arroyo Naranjo, los Sanatorios La Esperanza, Infantil, Galigarcía y San Juan de Dios, Los Pinos, Calzada de Bejucal, Párraga, Rancho Boyeros, Mulgoba, Santiago de las Vegas, el histórico lugar del Cacahual y el Seminario Seráfico de Santiago de las Vegas. Continuación hacia la finca Kukine, Torrens, el Santuario de El Rincón, San Antonio de los Baños, La Ceiba (o Govea), Vereda Nueva, Ceiba del Agua y Capellanías. La Santa Imagen llega a Alquízar y sigue por Guanímar, Güira de Melena, Peñalver, El Junco, El Cajío, La Cachimba, El Gabriel, el Central Fajardo, La Salud, La Paleta y Buenaventura. Recepción fantástica en Bejucal y partida hacia Taguazo, Quivicán, Güiro de Boñigal, Güiro de Marrero, Central Occidente, San Agustín, San Felipe, Managua, Las Guásimas y Nazareno. Sigue la Peregrinación con rumbo a Menocal, Surgidero de Batabanó, La Playita, Pozo Redondo, Batabanó, Caimán, Camacho, San Manuel, Cucaracha, San Antonio de las Vegas, Julia y La Ruda. La comitiva de la Virgen sigue el camino hacia Guara, Melena del Sur, Aranguito, Sierra, Central Merceditas, Güines y Loma de Candela. La Virgen Misionera continuó su avance hacia los Centrales Providencia y Amistad, San Nicolás de Güines, el Central Gómez Mena, Jicotea, Nueva Paz, Palos, Central Josefina, Vegas, Aguacate, Central Rosario, Jaruco, Castilla y Casiguas. Continuó después la espléndida marcha de la Patrona de Cuba en dirección a Catalina de Güines, Ojo de Agua, Zaragoza, San José de las Lajas, Tapaste, Jamaica, Cuatro Caminos, el Central Portugalete, el Cotorro, Cristo Pobre, Santa María del Rosario, Loma de Tierra, San Francisco de Paula, La Rosalía y San Miguel del Padrón. Después la comitiva con la Santa Imagen tomó la dirección de Peñalver, Campo Florido, Guanabo, Tumba Cuatro, Minas, Arango, Aranguito, La Gallega, Barreras, Tarará, Bacuranao, Guanabacoa, Cojímar, Regla y Casablanca. Luego la Caridad Peregrina y Misionera marchó a San Antonio de Río Blanco, Jibacoa, Santa Cruz del Norte, Boca de Jaruco, Hershey, el Central Hershey, Caraballo, Bainoa, Madruga y Pipián. Luego la Virgen de la Caridad cruzó el mar para llegar a Isla de Pinos, donde llevó su Misión a Nueva Gerona, el Presidio Modelo, Santa Fe y Santa Bárbara, y volvió a cruzar el mar para hacer su entrada apoteósica y triunfal en La Habana, capital de la República de Cuba. Visitas a los Hospitales, las Parroquias, los Conventos y la Prisión de La Habana. Laicos que colaboraron en la Peregrinación por la capital. Luego, la Santa Imagen de la Virgen de la

Caridad conocida con el título de Virgen Mambisa regresó a Santiago de Cuba y la Iglesia de Santo Tomás Apóstol. Algunas valoraciones sobre la Peregrinación Nacional: la prensa. A modo de conclusión. Resumen y Acción de Gracias: Mons. Enrique Pérez Serantes. Los años posteriores. La Virgen de la Caridad en el período 1952-1958.

Antecedentes. Lo que pasó después del 1 de enero de 1959: el Ejército Rebelde, la religiosidad popular y la Virgen de la Caridad del Cobre. Primeras fricciones entre el estado cubano y la institución católica. Declaraciones de catolicismo de los dirigentes. Negaciones del carácter comunista de la revolución. Las primeras cartas pastorales. Actitud del Arzobispo de Santiago de Cuba, Mons. Enrique Pérez Serantes. Actitud del episcopado cubano. Opiniones de los prelados. Comienzan las represalias y los fusilamientos masivos, respuesta de la Iglesia. Actitud de los católicos.. En julio de 1959 la jerarquía de la Iglesia convoca a la Acción Católica, así como a todas las Organizaciones y Asociaciones Católicas, y designa un Comité Organizador para realizar un Congreso Católico Nacional los días 28 y 29 de noviembre de 1959. Los Comités Diocesanos, las órdenes religiosas y las asociaciones católicas en los preparativos del Congreso. Las órdenes religiosas. El Cardenal Manuel Arteaga Betancourt, Mons. Enrique Pérez Serantes, Arzobispo de Santiago de Cuba, y los objetivos y fines del Congreso. Palabras de Mons. Alberto Martín Villaverde. La Virgen de la Caridad del Cobre sale de su Santuario el 21 de noviembre de 1959: va a recorrer toda la Isla precedida por un Maratón alumbrado por las antorchas encendidas con el fuego del Santuario. Recorrido de la Virgen de Oriente a Occidente: una verdadera Marcha Triunfal. La Virgen llega a La Habana el 28 de noviembre. Memoria y testimonios de algunos incidentes y provocaciones que se realizaron. La Misa en la Plaza Cívica: el pueblo de Cuba honra a su Madre Amada, la Virgen de la Caridad. El Mensaje de Su Santidad, el Papa Juan XXIII. Actitud del nuevo régimen ante el Congreso Católico Nacional realizado en 1959. Las Pastorales de la Iglesia Católica Cubana. Nacionalización de los colegios católicos y la enseñanza privada. Conclusiones.

Continúan las fricciones entre la Iglesia y el Estado. Relaciones diplomáticas con los países socialistas y la Circular Colectiva de los

Obispos de Cuba el 7 de agosto de 1960. Las publicaciones católicas. Ataques de la prensa estatal. Confusión y desorden en la sociedad civil. Comienza a estructurarse la oposición al régimen. La Acción Católica y otras asociaciones comienzan a enfrentarse al gobierno. Dirigentes de Acción Católica detenidos y juzgados por tribunales revolucionarios. La Invasión de Playa Girón: presencia de sacerdotes católicos y de miembros de la Acción Católica en la Brigada 2506. Los Obispos cubanos son puestos bajo custodia. Mons. Evelio Díaz y Mons. Boza Masvidal, detenidos en las Oficinas de la Seguridad del Estado. Se declara oficialmente la Revolución Socialista. Se suprime la Universidad Católica de Santo Tomás de Villanueva. Repercusiones en la educación primaria, media y superior de la Ley de Nacionalización de la Enseñanza el 6 de junio de 1961. Provocación efectuada el 10 de septiembre de 1961 durante la Procesión de la Virgen de la Caridad del Cobre desde el Santuario Occidental: líderes católicos detenidos y sancionados. Una fecha simbólica y profética. Declaración del Ministerio del Interior el 11 de septiembre. Operación de detención y destierro de sacerdotes españoles y cubanos desde el 12 de septiembre de 1959, incluyendo a Mons. Boza Masvidal. La Iglesia Católica humillada y desarticulada, la Virgen de la Caridad que señala los caminos. Cierre de las publicaciones católicas. Desaparición de Seminarios, Iglesias y Conventos. Ataques a los templos. Los católicos son discriminados, apartados y humillados. El caso del P. Miguel Ángel Loredo, o.f.m. Los sacerdotes presos. Se reestructura la Iglesia cubana. Repercusión del Concilio Vaticano II. Efectos del Concilio en Cuba. Llegan años tristes y oscuros: la Virgen de la Caridad continúa en su Santuario, que ya tiene el título de Basílica Menor desde 1977.

CAPÍTULO XXI-
CÓMO LA VIRGEN DE LA CARIDAD ILUMINA LOS CAMINOS DE LA IGLESIA: EL SEGUNDO CARDENAL DE CUBA EN TIEMPOS DE OSCURIDAD

Primeros pasos en la Iglesia y en la vida del segundo Cardenal de la Isla de Cuba, Mons. Jaime Lucas Ortega y Alamino. Primeros años y vocación sacerdotal: un regalo profético de la Virgen de la Caridad a su pueblo. Estudios en el Seminario de los Padres de las Misiones Extranjeras en Quebec, Canadá. Ordenación sacerdotal. Primeros destinos y labores pastorales. Su internamiento en un campo de trabajos forzados por el régimen comunista. La Virgen de la Caridad y su Hijo Jesucristo preparan el camino del futuro pastor. Pastoral de los jóvenes en Matanzas. Trabajo en la catequesis y en el Seminario Mayor de San Carlos y San Ambrosio. Su elección como Obispo de Pinar del Río, en 1978: consagración episcopal y primeras experiencias en la diócesis más occidental de la Isla. Su promoción a la sede del Arzobispado de La Habana en 1981. Su participación en el Encuentro Nacional Eclesial Cubano, un regalo de la Excelsa Patrona de Cuba. Trabajo al frente de la Conferencia de Obispos Católicos de Cuba desde 1988 hasta 1999. La Conferencia Episcopal Cubana y las relaciones entre la Iglesia y el estado. Deterioro del Campo Socialista y sus repercusiones en Cuba. La caída del Muro de Berlín. El pueblo de Cuba regresa al seno de la Iglesia. Presencia en la IV Conferencia General del Episcopado Latinoamericano en Santo Domingo, 1992. El Arzobispo Mons. Jaime Ortega, la Carta Pastoral El Amor todo lo espera, y Nuestra Señora la Virgen de la Caridad del Cobre. El Consistorio del 26 de noviembre de 1994 y su creación como Cardenal Presbítero por Su Santidad Juan Pablo II. Nuestra Señora de la Caridad del Cobre en la Visita de Su Santidad Juan Pablo II a Cuba en 1998, y el Cardenal Jaime Ortega Alamino. Participación en la Asamblea Especial para América del Sínodo Especial de los Obispos. Enviado especial de Su Santidad al Congreso Eucarístico Nacional de El Salvador. Presidente de la Conferencia de Obispos Católicos de Cuba en el 2001. El cónclave para elegir al sucesor de Su Santidad Juan Pablo II, en el 2005. El segundo Cardenal cubano en la V Asamblea General del Episcopado Latinoamericano y del Caribe en Aparecida, Brasil, en el 2007. La difícil tarea de gobernar la Iglesia cubana en la oscuridad y la tormenta: la Virgen lleva el timón y su Hijo es el destino.

Cómo se mantiene y agiganta la memoria del pueblo de Dios: de cómo la Virgen de la Caridad nunca quedó aislada en su Santuario del Cobre. Los cubanos siguen implorando a su Madre del Cielo en tiempos difíciles: de qué forma se mantuvo la devoción a la Patrona de la Isla. Las peregrinaciones a la Casa de la Virgen, exvotos y promesas, cartas, donaciones y ofrendas. Primeros pasos del futuro Arzobispo de la Arquidiócesis de Santiago de Cuba. Sus primeros estudios. Vocación y ordenación sacerdotal. Estudios y trabajos posteriores. Muerte de Mons. Enrique Pérez Serantes La difícil tarea de ser sucesor de Mons. Enrique Pérez Serantes en la Arquidiócesis santiaguera. Mons. Pedro Meurice Estíu pone en el primer plano de la fe a la Virgen de la Caridad. De qué forma el Arzobispo de Santiago de Cuba pone la devoción a los pies de la Virgen: homilías, instrucciones, comunicados y cartas pastorales de Mons. Meurice. La Virgen sigue siendo la Primera Catequista, la Primera Misionera, la Primera Evangelizadora. Significado, vigencia e importancia Visita del Cardenal Bernardin Gantin a Cuba: la Bula Apostólica de Concesión de su Santidad el Papa Paulo VI por la que el Santuario fue elevado al rango de Basílica Menor en 1977. Mons. Pedro Meurice y la restauración de la Preciosa Imagen de la Santísima Virgen de la Caridad en 1982. Otros pronunciamientos del Arzobispo de Santiago de Cuba. La Virgen de la Caridad del Cobre y el Encuentro Nacional Eclesial Cubano (ENEC): una histórica convivencia del clero cubano en el Santuario de la Patrona de Cuba. Mis recuerdos del Arzobispo Pedro Meurice Estíu en el año 1997. El Arzobispado de Santiago de Cuba ante la Visita de Su Santidad Juan Pablo II a Cuba. La Histórica Misa de Santiago de Cuba el 24 de enero de 1998, presidida por la Virgen de la Caridad: las palabras del Arzobispo Meurice y de Su Santidad Juan Pablo II. Los 50 años de servicio pastoral de Mons. Pedro Meurice. La Virgen de la Caridad del Cobre, desde su Santuario, continúa inspirando y alentando la vida de la Iglesia. Conclusiones.

CAPÍTULO XXIII-
LA PATRONA DE CUBA Y SU MENSAJE DE VERDAD
La religión católica en Cuba y las religiones en general bajo el régimen comunista. Situación de Cuba al comenzar la década de los 80. La Teología de la Liberación en América Latina: ¿una nueva posición del régimen comunista?. La Iglesia cubana en las Conferencias de Puebla y Medellín. El episcopado latinoamericano. Se crea el Departamento de Asuntos Religiosos anexo al Comité Central del Partido Comunista. Leves síntomas de distensión entre la Iglesia y el estado: continúa la discriminación efectiva a los católicos a pesar de algunos «reconocimientos oficiales». La Virgen de la Caridad del Cobre sigue dirigiendo la espiritualidad del pueblo de Cuba: los combatientes cubanos en África y sus promesas y ex-votos en el Santuario del Cobre, a los pies de la Virgen. Otras formas en que se mantuvo el culto a la Virgen María de la Caridad. La Virgen y su presencia en las cárceles. Mons. Fernando Azcárate convoca a la Reflexión Eclesial Cubana (REC) y su continuación, el Encuentro Nacional Eclesial Cubano (ENEC): la Virgen de la Caridad, máxima inspiradora. Salida del país del P. Miguel Ángel Loredo. Las Constituciones Socialistas y la Iglesia Católica. La caída del Campo Socialista: su impacto en Cuba. Retorno masivo de la población al seno de la Iglesia: un ateísmo en proceso de extinción. La Pastoral «El Amor todo lo espera». La Visita de Su Santidad Juan Pablo II. Cambios relacionados con la Iglesia en la Constitución de 1991. Afirmaciones, manipulaciones y mentiras. Derrumbe del Campo Socialista: el denominado Período Especial y el regreso masivo del pueblo cubano a la Iglesia. Tanteos exploratorios previos a la Visita de Su Santidad Juan Pablo II a Cuba. Diversas gestiones e intercambios. La revista Vitral en Pinar del Río y otras revistas católicas en las diversas diócesis. Publicación de algunos libros. Continúan los tanteos para la Visita de Su Santidad. La decisión final: el Papa visitará Cuba en enero de 1998. La Iglesia ante la Visita de Su Santidad. El estado cubano ante la Visita de Juan Pablo II. Mons. Eduardo Boza Masvidal de nuevo en el Santuario Occidental de la Virgen de la Caridad del

Cobre: sus sentidas y emocionantes palabras. Las Misas y actividades realizadas por Su Santidad Juan Pablo II en Cuba: su impacto en el Pueblo de Dios que Peregrina en Cuba, bajo el amparo de la Santísima Virgen de la Caridad del Cobre. Santiago de Cuba, Camagüey, Santa Clara. La Gran Misa en la Plaza de La Habana. Un testimonio de lo que pasó ese día en la capital de la Isla de Cuba. Su Santidad en el Santuario del Rincón. Visita al Seminario San Carlos. Posición oficial del régimen de Cuba antes y después de la Visita: la mano de hierro envuelta en el guante de seda. Las peticiones de Su Santidad y las promesas que no se cumplieron. La Caridad de la Patrona de Cuba irradia desde las montañas de Oriente.

Cambios dramáticos en Cuba y el exilio masivo de miles de cubanos a los Estados Unidos. Nuestra Señora de la Caridad acompaña a sus hijos en el destierro. Llegada de la Virgen a la Florida. De cómo la Patrona de Cuba celebró su primera fiesta en Miami. La inspiración de hacer una Casa para la Virgen: el Arzobispo Coleman F. Carroll y la idea de erigir la Ermita de la Caridad. El P. Agustín Román queda al frente del nuevo Santuario. Construcción de la Ermita. La Virgen de la Caridad del Cobre, Madre y Patrona de Cuba: guía e inspiración de los católicos cubanos en el exilio. Los exiliados de todas clases, los balseros, los que escapan, los desamparados que sufren y la Virgen que mantiene la Fe, como Seguridad de la Esperanza. La devoción de los católicos cubanos en la diáspora. Sus manifestaciones a los pies de la Virgen. Los prelados de la Arquidiócesis de Miami fomentan la devoción y el culto a la Patrona de Cuba. Organizaciones y asociaciones católicas de cubanos desterrados en diversos países, bajo el manto de la Virgen de la Caridad, su devoción y su culto. La Archicofradía de la Caridad. Las revistas, la prensa católica del exilio y otras publicaciones, conservan la memoria de la Virgen. De qué forma los cubanos honran a la Virgen Mambisa en el continente americano y en muchas partes del Mundo. Los servicios que brinda la Ermita de la Caridad en Miami, una inspiración de Mons. Agustín Román, guía y centro de la vida de los católicos cubanos en la diáspora. La Ermita, uno de los principales símbolos de la Nación Cubana en el exilio. La Virgen de la Caridad del Cobre, Madre y Patrona de Cuba, y las perspectivas del futuro de la Patria.

Hemos contado la Historia de la Virgen de la Caridad. Qué pensaban los antiguos ermitaños de la Caridad. Cómo veían a la Virgen los habitantes de la villa del Cobre. Qué pensaban de Ella sus historiadores, qué decían los poetas, los escritores, los cineastas y los artistas. Cómo hablan los

13

cubanos actuales de la Virgen de la Caridad. Qué representa la Virgen para la Iglesia. Cómo hablan los Obispos de Cuba de la Virgen, a lo largo de la historia. De qué forma el Camino Misionero de la Virgen se bifurca y se expande por todas las tierras del Mundo. La Virgen de la Caridad del Cobre, Patrona de la Isla de Cuba, que llegó como Peregrina del Mar a nuestro suelo para ser la Estrella Mayor de nuestro Cielo y la primera Maestra, Compañera, Evangelizadora y Misionera de su amado pueblo, reinó, reina y reinará por siempre en las almas, las esperanzas, las alegrías, las ilusiones, las vidas y el futuro de sus hijos bien amados, los cubanos. La Peregrinación de la Virgen por tierras de Cuba abarca una historia de casi cuatro siglos: su recorrido triunfal desde el año 2010.

CAPÍTULO XVII

PEREGRINACION DE LA VIRGEN DE LA CARIDAD DEL COBRE POR LA ISLA DE CUBA EN EL 50 ANIVERSARIO DE LA INDEPENDENCIA, PARTE I (1951-1952)

> Obligados, por razón de nuestro cargo y por nuestra condición de católicos cubanos, a afianzar más y más esta devoción en nosotros mismos, y a inculcarla con todo ahinco en nuestro pueblo, confiado a nuestra solicitud Pastoral, no satisfechos con lo que hemos hecho hasta ahora en obsequio de nuestra excelsa Patrona, fomentando su devoción y organizando peregrinaciones a la casa de la Madre, cuya ruta debiera estar diariamente cubierta de romeros hacia El Cobre y de regreso de El Cobre; hemos acordado organizar una piadosa peregrinación mariana que, partiendo de El Cobre, recorra los pueblos todos de la Isla, presidida por la imagen de la Madre Amada, que vaya distribuyendo favores entre todos sus hijos, en particular sobre los más necesitados, entre los cuales se encuentran aquellos que no pueden ir a visitarla a El Cobre.

> Nuestra Señora de la Caridad del Cobre: Peregrina Nacional. Semanario Católico, I tomo: nros. de septiembre y octubre de 1952 (fragmento).

Los seis objetivos principales del episcopado cubano para organizar la Peregrinación. Documento Oficial dirigido por el Cardenal Arteaga y el episcopado cubano al clero, las comunidades religiosas y el Pueblo de Dios. Exhortación del Cardenal Arteaga

Nunca antes en la historia de Cuba, eclesiástica o civil, había tenido lugar un evento de dimensión tan gigantesca, que involucró a la inmensa mayoría del pueblo, a todas las asociaciones religiosas católicas, a la jerarquía y al clero secular y regular. Nunca antes la Patrona de nuestra Isla había recorrido su país de una punta a la otra, llevando su mensaje de Caridad a todos los lugares habitados, y llevando en una Misión Extraordinaria la Palabra de Dios a todos y en todas partes. Nunca había tenido lugar un suceso tan conmovedor, tan inspirador y de tanto relieve e importancia, en el que participaron activamente tantos centenares de miles de personas de todas las razas, de todas las edades, hombres y

17

mujeres, de la ciudad y del campo. Una de las particularidades más relevantes de este evento tan singular y especial, es el hecho de que todos los cubanos incluyendo a los más pobres que por sus escasos recursos no tenían posibilidad de hacer el largo viaje al Santuario de El Cobre, todos, repito; tendrían la oportunidad de ver la imagen de su Reina, Madre y Patrona, de postrarse ante ella para rezar y rogar, implorando su amparo y su misericordia. Hay que conocer Cuba y el carácter de los cubanos, hay que tener en cuenta que Nuestra Señora de la Caridad del Cobre es simultáneamente el Primer Símbolo de la Patria, el Primer Ícono de la Religión Católica, la Patrona de Cuba en general y en particular, y la Madre del Cielo que muestra una ternura especialísima por cada uno de los cubanos.

De manera profética, la salida de la Virgen de la Caridad tendría lugar en el mes de Mayo: mes de las flores, mes de María, mes de la Virgen. Ninguna etapa del año podría tener tan grande y especial significado, y por eso fue escogido este mes para que Nuestra Señora comenzara el recorrido por la Nación que la escogió como símbolo y emblema de la Religión y de la Patria.

Los seis objetivos

El pleno del episcopado cubano acordó por unanimidad que la venerada imagen de la Virgen de la Caridad del Cobre, Patrona de Cuba, viajara procesionalmente, como Primera Misionera y Evangelizadora de la Isla, por todo el territorio nacional. Los Obispos de Cuba examinaron seis poderosas razones para que se efectuara esta Peregrinación, que aparecieron relacionadas en aquella época en el *Semanario* Católico, en un artículo firmado por el Arzobispo de Santiago de Cuba, Mons. Enrique Pérez Serantes. Presentamos a continuación el texto completo de las mencionadas razones:

Primero.- Para despertar en unos y afianzar en otros la devoción, que debe anidar en el corazón de todo cubano, a la Santísima Virgen de la Caridad, declarada oficialmente Patrona de Cuba por el Sumo Pontífice a petición de los valientes y cristianos Veteranos de la Independencia.

Segundo.- Para contrarrestar la propaganda protestante, la cual, con empeño digno de mejor causa, trata tesoneramente de descatolizar a nuestro pueblo, invadiendo campos y ciudades. En Cuba cosa averiguada es que la devoción a la Virgen de la Caridad, como camino directo al Corazón de Cristo, ha sido y es medio poderoso para detener en la insensata carrera a los apóstoles de la herejía.

Tercero.- Para unificar, respetando otras devociones laudabilísimas, la devoción mariana, robusteciendo la tradición, arraigada en las entrañas *del pueblo de Cuba, y seriamente amenazada por quienes de buena fe, aunque equivocadamente, aspiran a una purificación doctrinal y litúrgica, que creemos sólo se puede obtener con éxito práctico por el camino de la evangelización de las masas, de la infiltración del espíritu netamente cristiano en los hogares y en la escuela, hasta lograr que la abundancia y la pureza de la doctrina ahogue la superstición y seque el laicismo, que nos está devorando por no encontrar a su paso la debida resistencia, **fuera de la que le viene presentando, en gran parte siquiera, la devoción salvadora a la Virgen de la Caridad.***

Cuarto.- *Para que el paso de la venerada imagen por el territorio nacional hasta sus últimos confines en esta grandiosa misión, la mayor y de mayores proporciones que se ha dado en Cuba durante un largo año consecutivo, fuese la Madre muy amada derramando copiosa lluvia de gracias sobre Cuba, su pueblo, en el primer cincuentenario de su Independencia, logrando hacernos sentir a todos ansias vehementes de espiritualidad, de más acercamiento a Dios y de vivir en todo como buenos cristianos, viendo alejarse de nosotros a los enemigos cubiertos o descubiertos de la fe, a los enemigos de nuestras bellas y caras tradiciones y a los enemigos del orden y de la paz.*

Quinto.- *Para que afianzadas y más nuestras creencias cristianas, al calor de la devoción a la Madre común, que tiene su trono en El Cobre, el hogar del catolicismo cubano, vivamos todos como buenos hermanos estrechamente unidos por los vínculos fuertes de la caridad que es virtud cristiana la que va pregonando el nombre bendito de nuestra excelsa Patrona.*

Sexto.- *Para despertar ansias de apostolado en la juventud, para lograr que las madres reconozcan el honor que Dios les hace llamando a sus hijos al sacerdocio y a la vida religiosa; para alimentar y aumentar los multicolores y perfumados vergeles de la Isla, encanto y orgullo del mundo cristiano, también para eso hemos organizado esta Peregrinación*[1].

Documento oficial

El Documento Oficial que proclamó la Magna Peregrinación de la Virgen de la Caridad del Cobre en 1952, firmado por el Cardenal-Arzobispo de la Isla y por los Arzobispos y Obispos de la Isla de Cuba, dirigido al claro secular y regular, a las comunidades religiosas y al Pueblo de Dios, dice textualmente como sigue:

La devoción a nuestra Santísima Madre la Virgen María, bajo la advocación de la Caridad, ha sido desde los primeros tiempos la gran

---

[1] Varios Autores. Nuestra Señora de la Caridad del Cobre: Peregrina Nacional. Semanario Católico, I tomo: nros. de septiembre y octubre de 1952.

devoción del pueblo cubano, el cual en la paz y en la guerra, en sus templos, en sus hogares y en la manigua misma levantó siempre un altar a la Madre de Dios, invocándola con el dulce nombre de la Caridad. Su templo máximo, su Santuario Nacional, estuvo siempre en El Cobre, lugar de su predilección, convertido en el hogar muy amado de nuestro pueblo, que dirige siempre su mirada hacia El Cobre, como hacia el trono de nuestra Soberana y tierna Madre.

A petición del pueblo cubano, representado por los Veteranos de la Independencia, el Jefe Supremo de la Iglesia, el Vicario de Jesucristo, declaró oficialmente Patrona de Cuba a la Santísima Virgen de la Caridad. Por este título quedaba la Santísima Virgen más obligada, si cabe, a derramar ternuras maternales sobre su pueblo, puesto oficialmente bajo su especial protección, y quedamos nosotros asimismo más obligados a adentrar cada vez más en la conciencia nacional el amor a Nuestra Señora de la Caridad.

*Obligados, por razón de nuestro cargo y por nuestra condición de católicos cubanos, a afianzar más y más esta devoción en nosotros mismos, y a inculcarla con todo ahinco en nuestro pueblo, confiado a nuestra solicitud Pastoral, no satisfechos con lo que hemos hecho hasta ahora en obsequio de nuestra excelsa Patrona, fomentando su devoción y organizando peregrinaciones a la casa de la Madre, cuya ruta debiera estar diariamente cubierta de romeros hacia El Cobre y de regreso de El Cobre; **hemos acordado organizar una piadosa peregrinación mariana que, partiendo de El Cobre, recorra los pueblos todos de la Isla, presidida por la imagen de la Madre Amada, que vaya distribuyendo favores entre todos sus hijos, en particular sobre los más necesitados, entre los cuales se encuentran aquellos que no pueden ir a visitarla a El Cobre.***

Al efecto, tras una solemnísima función en el Santuario Nacional, en presencia de la venerada imagen, que va a hacer el recorrido nacional, se pondrá en marcha esta tan ansiada procesión, dentro de pocos días, en este mismo mes de mayo.

Esperamos que los pueblos se han de volcar sobre las calles para recibir dignamente la imagen que llega, y para acompañarla hasta el templo y en el templo mismo, con un desbordamiento de entusiasmo nunca visto, de fervor religioso y de puro amor patrio, porque ambos amores se unen y estrechan en esta devoción a la Inmaculada Madre la Virgen de la Caridad, que es nuestra Patrona.

Sabemos que las autoridades, participando de los mismos sentimientos de la más legítima cubanidad, habrán de brindar toda la cooperación que estos actos de fervor popular de ellas demandan, y que ha de ser día de fiesta, día de inusitada alegría, día de gracias y de fervor el que la imagen de la amada Madre pase en cada pueblo.

Aspiramos, con el auxilio divino y con la protección de la excelsa Madre, terminar esta procesión mariana en la capital de la República el mismo 20 de mayo de 1952 con un acto tan fervoroso como lo es el amor de Dios y a la Patria que profesamos nosotros, y que deben profesar todos los cubanos. Queremos que esta manifestación de amor y gratitud a la Madre sirva para unificar y robustecer nuestros sentimientos, para estrechar más los lazos de la verdadera fraternidad entre cubanos, para lograr el triunfo de la justicia y de la caridad en el hogar cubano...

...Para que así sea, os bendecimos de todo corazón en el nombre del Padre, y del Hijo, y del Espíritu Santo.

MANUEL, *Cardenal Arteaga, Arzobispo de La Habana,*

ENRIQUE, *Arzobispo de Santiago de Cuba,*

EDUARDO, *Obispo de Cienfuegos,*

ALBERTO, *Obispo de Matanzas,*

EVELIO, *Obispo de Pinar del Río,*

CARLOS, *Obispo de Camagüey.*

Dada en 13 de Mayo de 1951[2]

Exhortación

La Virgen de la Caridad del Cobre ha bendecido con su presencia tan amada las ciudades y los campos de Cuba: las Iglesias, los hogares, los hospitales, las cárceles, las fincas, doquiera la devoción, la necesidad o el dolor la han llamado.

El pueblo cubano corresponde a la Santísima Virgen con peregrinaciones al Santuario del Cobre, entronizándola en altares hogareños, y colocando sus imágenes y estampas en vehículos, calles y caminos. La devoción a la Santísima Virgen de la Caridad no reconoce límites; y lo que produce un contraste mayor es lo infinitamente pequeño y lo infinitamente grande que hay en ella: tan pequeña imagen, y tan general y pujante devoción.

¡Es que en Ella se representa a la gran Madre de Dios!

Cuba es el pueblo de la Virgen de la Caridad.

✝ Manuel Cardenal Arteaga,
Arzobispo de La Habana.

---

[2] Ibídem, pp. 11-12

Cómo Mons. Pérez Serantes escogió al franciscano fray Manuel Oroquieta para Custodiar a la Virgen durante la Peregrinación. Detalles organizativos del magno evento de la Iglesia cubana.

Sin dudas, Mons. Enrique Pérez Serantes conocía a fondo la historia de la aparición de la Virgen y sabía muy bien que fue un franciscano, Fray Francisco Bonilla, Guardián del Convento de la Purísima Concepción de Santiago de Cuba, y Comisario del Santo Oficio en la Isla por designación del Tribunal de Cartagena de Indias, fue el encargado de reconocer la imagen y acompañarla en aquella su primera peregrinación desde el bohío donde se le tributaba culto en el Hato de Barajagua, hasta el pequeño pueblo de Santiago del Prado o de El Cobre, en las inmediaciones de Santiago de Cuba. Y como quiera que fue un franciscano el primer religioso en rendir homenaje a la Virgen del Cobre y andar a su lado en aquella su primera peregrinación por tierras de Cuba, nada más sensato que reanudar el hilo de la memoria y de la historia y que fueran de nuevo los Hijos de San Francisco los protagonistas de la nueva peregrinación, al cabo de tres siglos y medio, sobre todo en una ocasión tan trascendental: festejar el 50° Aniversario del establecimiento de la República, con un recorrido por toda la Isla de la venerada imagen de su Patrona, la Virgen de la Caridad.

La histórica Peregrinación de la Patrona de Cuba fue reseñada con palabras llenas de emoción:

> *...en ocasión de conmemorarse el Cincuentenario de la instauración de la República, de nuevo los fieles de la Arquidiócesis habanera, como los de toda Cuba, dieron una demostración grandiosa, tal vez la más elocuente que se registra en la historia eclesiástica de Cuba, de su profunda e inquebrantable devoción a la Santísima Virgen de la Caridad del Cobre, Patrona del pueblo cubano, cuya imagen sagrada salió de Oriente **bajo la tutela solícita de dos abnegados misioneros franciscanos**, y fue visitando una provincia tras otra, pueblos y ciudades, caseríos y bateyes, en santa misión redentora de almas. En la provincia habanera la Patrona de Cuba fue honrada con el mismo fervor religioso y el mismo entusiasmo que en el resto de la Patria. Pero en la capital de la República, donde palpita el alma de la nación, el homenaje que a ella se le tributara tenía que revestir necesariamente el carácter de un homenaje nacional*[3]

---

[3] del Valle, P. Raúl. El Cardenal Arteaga: Resplandores de la Púrpura Cubana. La Habana, 1954, p. 124. En: Larrúa Guedes, Salvador. Cinco Siglos de Evangelización Franciscana en Cuba. Custodia Franciscana del Caribe, Puerto Rico, 2004, t. II, p. 152 ss.

A todo esto se debe agregar que los Hijos de San Francisco siempre estuvieron muy cerca de la Virgen de la Caridad en los momentos culminantes de la historia. La Parroquia de Santiago del Prado o del Cobre muchas veces estuvo regida por frailes seráficos, como fray Luis de Colmenares. Los Obispos de Cuba pertenecientes a la Orden, como fray Juan Lazo de la Vega y Cansino, Cirilo de Alameda y Brea y Francisco Sáenz de Urturi, siempre hicieron todo lo que estuvo en sus manos para darle mayor esplendor y realce al culto a la Virgen de la Caridad, edificando nuevas iglesias y entronizando imágenes suyas en los altares. El famoso Apóstol del Camagüey, fray José de la Cruz Espí, el Padre Valencia, todos los días se encomendaba especialmente a la Caridad del Cobre, cuya imagen estaba colocada en un nicho de su celda, y de él se dice que fue uno de los Hombres de Dios que más hizo por fomentar la devoción a la Patrona de Cuba: de mano propia dibujó los planos de la Hospedería de San Roque, que construyó en los amplios terrenos del Hospital de San Lázaro de Puerto Príncipe, para que en ella pudieran descansar y reponerse de las fatigas del viaje los peregrinos y romeros que, procedentes del occidente de Cuba, se encaminaban al Santuario en las montañas de Oriente para visitar a la Virgen en su Casa de El Cobre.

El famoso viaje de la Virgen, desde El Cobre hasta La Habana pasando por numerosas etapas y tránsitos intermedios, requería de mucha precisión y grandes coordinaciones. Pero el sueño se pudo convertir en realidad gracias a las gestiones del Cardenal Arzobispo de La Habana, Manuel Arteaga Betancourt, y de la colaboración eficaz del Arzobispo de Santiago de Cuba, Mons. Enrique Pérez Serantes. Numerosas entidades civiles e incluso militares participaron e hicieron factible el viaje de la Virgen de la Caridad siempre al cuidado de los franciscanos Fray Manuel Oroquieta y Fray Lucas Iruretagoyena.

¿De qué manera se llevó a cabo por el Arzobispo de Santiago de Cuba, Mons. Enrique Pérez Serantes, para nombrar al franciscano fray Manuel Oroquieta a fin de que acompañara a la Virgen durante toda la Peregrinación Nacional, y se encargara de su cuidado y custodia. Veamos cómo sucedió la designación:

Un día de Febrero de 1951, las paredes del Arzobispado de Santiago de Cuba escucharon este breve diálogo sorprendente:

—Pero, Monseñor, ¿por qué me ha escogido a mí, teniendo tantos otros?

—Porque todavía no he encontrado otro más loco que Ud.

El «loco» era el R. P. Manuel Oroquieta, franciscano; y el Arzobispo metido a «loquero», Mons. Dr. Enrique Pérez Serantes, tan de viejo habituado a la aventura apostólica. El cielo había preparado el encuentro de estas dos grandes almas para una gran misión: sacar a la Virgen Patrona de Cuba, en peregrinación apostólica por toda la geografía de la Isla.

La atrevida idea había animado repetidamente las conversaciones de las almas de buena voluntad, especialmente de los sacerdotes, al leer en la prensa mundial el éxito de las peregrinaciones regionales, nacionales e internacionales de Imágenes benditas de la Madre de Dios. Cuando pase el barullo de esta generación y quede limpia en el aire del pasado la perspectiva histórica, estos días nuestros perturbados han de ser conocidos como «el siglo de María». Las almas de buena voluntad soñaban y querían esta felicidad para Cuba. ¡Y bien legítimamente, aquí, donde, si el mar y el cielo son permanentemente azulados y la tierra tenazmente verde, la religiosidad católica está teñida en la médula y en la superficie de amor mariano, más concretamente, de devoción a la Virgen de la Caridad, patrona celestial de la nación!

Mons. Pérez Serantes había soñado repetidamente con la ilusión de esta peregrinación nacional de Nuestra Señora del Cobre. Pero sólo al conocer a fines de 1950, en la misión de Manzanillo, la fibra heroica, la llama de apóstol y la resistencia más que de atleta, del Misionero P. Manuel Oroquieta Valiente, los grandes ojos francos y fuertes del Sr. Arzobispo miraron el futuro a la luz fulgurante de una decisión: «!Ya tengo al hombre!»[4]

De esta forma, un franciscano iba a acompañar a la Virgen en su segunda gran procesión en tierras de Cuba. La primera tuvo lugar en 1612 o 1613, alrededor del mes de octubre, poco después de su aparición, cuando fray Francisco Bonilla llevó la imagen desde la casita donde había sido colocada la imagen que apareció en Nipe, sobre un altar tapizado de flores de la tierra cubana, hasta la villa de Santiago del Prado: un recorrido de muchos kilómetros en el que la Virgen fue llevada en procesión conjunta por los monteros y rancheadores del hato, acompañando al franciscano, hasta el Real de Minas del Cobre, de donde salieron los habitantes en masa para recibir a la Virgen que iba a reinar, desde su Casa en el pequeño pueblecito de la montaña, sobre toda la Isla de Cuba, y que llegaba encabezando su Primera Misión en nuestra tierra.

Y ahora, casi tres siglos y medio después, la Virgen iba a salir otra vez de su Santuario, acompañada por el infatigable franciscano

---

[4] Ibídem (2), p. 36: La Caridad del Cobre, Peregrina Nacional. Reportaje de las Seis Provincias. Narra: El Capellán de la Virgen, R.P. Manuel Oroquieta, o.f.m. Escribe: Fray Gil, o.f.m.

fray Manuel Oroquieta, para recorrer toda la Isla de oriente a occidente, como el sol, iluminando corazones y conciencias con su infinito amor de Reina y Madre. Otro fraile seráfico de ejecutoria intachable y grata memoria, fray Lucas Iruretagoyena, acompañaría también a la Virgen en su largo recorrido, en el que la Madre iba a visitar a todos sus hijos.

La Patrona de Cuba y el primer Cincuentenario de la Independencia: reflexiones del Obispo Mons. Eduardo Martínez Dalmau

Tan importante peregrinación se prestaba a reflexionar honda y responsablemente, con serenidad y sosiego, sobre el futuro de la Iglesia Católica en la Isla de Cuba, tanto por los abundantes frutos que se esperaban como resultado del magno evento, como por la situación general del país, de la religiosidad en general y, sobre todo, de la religión católica, que había obtenido grandes avances desde comienzos del siglo XX, gracias a las enérgicas y decididas acciones de los prelados y del clero.

Una de las reflexiones más lúcidas que tuvo lugar entonces quedó plasmada en el papel por la inspiración del Obispo de Cienfuegos, Mons. Eduardo Martínez Dalmau. Con verdadero profetismo, el prelado trazó con mano maestra la trayectoria de la Virgen en tierras de Cuba, y en cierto momento deja para la posteridad algunas ideas medulares:

> No hay quien pueda negar que la forma espectacular y milagrosa en que Dios, escondida su benéfica actuación detrás de las Imágenes de María, interviene en el destino de los pueblos, sirve para mantener a éstos firmemente adheridos a las salvadoras enseñanzas de nuestra santa y sublime Fe.

> Contra la devoción mariana, se han desvanecido, deshechos sus conatos en polvo como las olas contra inconmovible peñón, los insensatos esfuerzos de un desmedrado laicismo, cuando sobre sus inestables y vacilantes cimientos pretende neciamente fundar una civilización con pretensiones de perdurabilidad.

> Que Cuba, nuestra querida Patria, se reconozca en deuda de gratitud con la **Sma. Virgen de la Caridad del Cobre** atribuyendo a su protección magnífica el que el depósito de nuestras tradicionales católicas creencias haya salido indemne de los **combinados ataques del comunismo, del protestantismo** y demás desviaciones del verdadero culto que ha de tributarse a la Divinidad, es cosa que ni siquiera intentamos demostrar, por lo sabido que resulta. Digamos, más bien, que de tal manera se ha compenetrado la enseñanza de nuestro pueblo con ese sagrado y bendito culto, que ya no hay quien pueda arrancárselo y dejarla con vida. Favor

extraordinario, que no agradeceremos nunca lo bastante al Dios Providente que nos lo ha concedido...[5]

*Luego han venido los azares de la vida y las vicisitudes de la historia, a estrechar con el sentimiento patriótico, los indestructibles y firmes lazos creados ya por la Fe. Esa fusión de la Virgen milagrosa con su pueblo, del patriotismo con la Religión, se ha visto en otras partes realizado en forma igual, no lo negamos. Pero que adquiera en cualquier parte un carácter más dramático, más intenso, más emocionante y más plebiscitario, es cosa de que no se logrará convencernos. **Patriotismo y religión, es decir, los dos fervores mayores de la tierra, se han combinado aquí en extraña manera, de modo que si el patriotismo sirve de sostén al sentimiento religioso, éste, a su vez, pone a disposición de la Patria augusta una de las fuerzas que con más vigor y mayor energía contribuyen tanto a su sostén como a su perdurabilidad...**[6]*

La emocionante unión de tres factores: la Patrona de Cuba, la Religión y la Patria, como decisivos en la formación de la Nacionalidad, resalta en el pensamiento de Mons. Eduardo Martínez Dalmau, que se resume en las palabras de Su Santidad el Papa Pío XII, quien, representando el máximo Magisterio de la Iglesia, envió estas enseñanzas con motivo de la celebración del Primer Congreso Eucarístico Nacional de Cuba, el 23 de febrero de 1947:

Pero precisamente en esta placidez y suavidad del fácil vivir, en esta perenne y casi irresistible sugestión de una naturaleza luminosa y exhuberante, en esta prosperidad alegre y confiada se esconde, acaso, el enemigo. Por el tronco airoso de vuestra palma real, que el suave soplo de la brisa hace cabecear airosamente, nos parece ver que, perezosamente se desliza la serpiente tentadora: «¿Por qué no coméis?... —os dice—; seréis como dioses.»

Y si todo el esplendor de esta poderosa atracción puramente natural no se compensara con una vida sobrenatural potente y robusta, la derrota sería cierta.

Corred, amados hijos, a este místico banquete, a este eterno sacrificio, a este perpetuo «Dios en medio vuestro», si no queréis veros hundir por la oleada de materialismo, si deseáis no ver ahogada vuestra palma real entre la mala hierba, bajo los cardos y las espinas.

---

[5] Ibídem, p. 8 ss. La Sma. Virgen de la Caridad, Madre y Patrona del Pueblo Cubano y el Cincuentenario de la Independencia. Martínez Dalmau, Mons. Eduardo, Obispo de Cienfuegos.

[6] Ibídem

Cuba es la tierra de la Madre de Dios, porque sobre ella reina como patrona, desde hace casi medio siglo, Nuestra Señora de la Caridad del Cobre; Cuba fue la liza de aquel varón apostólico, el Beato Antonio María Claret, que consagró su obra principal al Inmaculado Corazón de María, dejando este título como estandarte de victoria a sus celosos hijos.

Que por su intercesión y por las oraciones y las enseñanzas de este Congreso, el Dios Eucarístico os conceda veros libres de la plaga universal; pues aunque los efectos del materialismo neo-pagano han mostrado con macabra elocuencia al mundo de qué cosa es capaz el hombre cuando piensa que solamente es materia, sin embargo, estamos por desgracia, bien lejos de tener la impresión de que la lección haya sido aprovechada y nos embarga el temor de que a un materialismo no quiera suceder otro, no menos fatal y pernicioso[7].

La Virgen Mambisa va a hacer el recorrido. La Virgen Mambisa viaja al Cobre el 20 de mayo de 1951. Comienzo de la peregrinación el 21 de mayo. Técnica y organización del viaje de la Virgen

Con eficiencia y precisión se pusieron en marcha todos los mecanismos necesarios en función del éxito de la Peregrinación Nacional de la Virgen. Había que ajustar algunos aspectos jurídicos. Hubo reuniones con el clero oriental y se aprobó el plan del largo recorrido misionero. El Arzobispo de Santiago de Cuba escribió a todos los prelados diocesanos comunicándoles el acuerdo y pidiéndoles su apoyo y sus bendiciones, y el Episcopado cubano redactó una carta conjunta sobre el recorrido de la Virgen que salió en las primeras páginas de todos los periódicos del país y que provocó un estallido de entusiasmo en el pueblo[8].

Había que tomar, sin embargo, una decisión de trascendental importancia: si el inmenso recorrido sería efectuado por la antiquísima imagen de la Virgen de la Caridad que apareció en la bahía de Nipe a fines del año 1612, o si sería una réplica la que iba a realizar la Peregrinación. Se confrontaban muchas opiniones al respecto, porque podía resultar peligroso que la antigua imagen efectuara un viaje tan largo y zigzagueante para presentarse en todos los pueblos y lugares

---

[7] Cf. Internet: http://www.autentico.org.oa0900060.php: Párrafos del discurso de Su Santidad Pío XII al Primer Congreso Eucarístico Nacional de Cuba, La Habana, 23 de febrero de 1947

[8] Varios Autores. Nuestra Señora de la Caridad del Cobre: Peregrina Nacional. Semanario Católico, I tomo: nros. de septiembre y octubre de 1952, p. 36: La Caridad del Cobre, Peregrina Nacional. Reportaje de las Seis Provincias. Narra: El Capellán de la Virgen, R.P. Manuel Oroquieta, o.f.m. Escribe: Fray Gil, o.f.m.

habitados de la Isla, sometida a imprevistos de todas clases, y por otra parte no se quería privar a los fieles de la posibilidad de estar frente a frente a la Patrona de Cuba para arrodillarse ante ella, orar y presentarle sus peticiones. Y ¿qué dirían, además, los habitantes del pueblo de El Cobre, tan orgullosos porque la Virgen escogió ese sitio para tener allí su Casa y Santuario, y que la custodian, guardan y conservan con tanto celo, si la Caridad tuviera que salir para realizar un viaje tan largo? Por otra parte, si la imagen original salía del Santuario del Cobre, los peregrinos no podrían verla en el sitio donde estaba entronizada... finalmente, se tomó la sabia y ponderada decisión de que la imagen conocida con el sobrenombre de *la Virgen Mambisa,* también muy antigua, e idéntica a la original, que se venera en la Iglesia de Santo Tomás Apóstol de Santiago de Cuba y que es muy amada por los santiagueros aparte de tener un significado muy especial para los que lucharon por lograr la libertad y la independencia de la Patria, fuera la que realizara aquella Peregrinación Misionera:

> *Faltaba un detalle importantísimo: ¿era prudente someter la antiquísima imagen aparecida a la prueba de miles y miles de kilómetros, en toda clase de medios de transporte, a las conmociones del tráfico en las grandes ciudades y de los malos caminos en el despoblado? ¿Había derecho a privar durante un año el Santuario Nacional del Cobre de su reliquia mejor, propiamente de su alma, con desencanto de los centenares de peregrinos que incesantemente la visitan?*
>
> *Tales grandes dificultades se obviaron maravillosamente fácil y bien. En la Parroquia de Santo Tomás de Santiago de Cuba se venera de antiquísimo una imagen de la Caridad, réplica fiel de la del Santuario Nacional. Aparte de este culto secular, otros varios títulos «nobiliarios» le daban derecho a ser la Imagen Peregrina: primitivamente fue una Imagen del Cobre utilizada para las procesiones; desde que es venerada en la parroquia de Santo Tomás, suman millares los devotos que cada año cumplen ante Ella sus promesas a la Virgen de la Caridad. Ante Ella ofrendaron los mambises los votos de su valor arriesgado antes de la lid y las palmas de su victoria luego de la lucha. Así esta Imagen fue llamada «La Virgen Mambisa»[9].*
>
> *Ante Ella se postró, como el primer soldado de Cuba y el primer devoto de la Caridad, el incomparable Titán de la hazaña libertadora: **el general Antonio de la Caridad Maceo.** Coincidencia providencial: ante esta misma devotísima Imagen había llevado en sus brazos la gran patricia doña Mariana Grajales al que había de ser el más noble de los Maceo, para que fuera bautizado en esa parroquia de Santo Tomás. Quien fue, en*

---

[9] Ibídem, p. 37

frase de Martí, «el cubano más tenaz y el soldado más bravo», llevó siempre esta medalla de su devoción con más aprecio constante que sus mismas estrellas generalicias. Como él rezaba al santiguar sus más peligrosos combates: «Váleme hoy, Caridad del Cobre; que, si hoy me vales, serás más Caridad para mí en adelante»[10]

Con esta solución tan válida, los preparativos llegaron a su culminación. El Capellán estaba listo y Mons. Enrique Pérez Serantes, con gran precisión y eficiencia, dio los últimos retoques a los preparativos. Ya sólo faltaba comenzar el histórico y trascendental recorrido:

La histórica peregrinación mariana, llamada a ser una verdadera Invasión espiritual de la Virgen Mambisa a lo largo de toda el alma nacional, empezaría el 20 de Mayo, fecha patriótica en que la república entera iniciaba los festejos del año cincuentenario de su proclamación como tal: y tendría la característica de homenaje del Catolicismo a la Patria en la celebración cincuentenaria[11]

Técnica de la Peregrinación

¿Cómo estaban organizadas las Visitas de la Virgen de la Caridad? En cada lugar habitado se anunciaba previamente la llegada de la Patrona de Cuba. Una vez conocida la fecha y la hora, se reunían los Comités Parroquiales que se habían formado al efecto, y cada familia se comprometía a colaborar y participar de la forma que mejor se adaptara a sus posibilidades. Se imprimían volantes y se distribuían por los sitios más recónditos en las zonas campesinas y de montaña, para que la gente del campo conociera todos los detalles de la Visita en cada lugar.

Antes de que llegara la Imagen de la Virgen, ya se habían adornado las calles con flores, guirnaldas, banderolas y carteles alusivos a la ocasión, en las fachadas de las casas podían verse luces de colores, cuadros y estampas de la Caridad, y ya el pueblo se había reunido para esperarla en los accesos de cada pueblo, batey o lugar, formando una muchedumbre compacta y alegre, preparada para aquella fiesta de devoción y de fe. De antemano estaba organizada la procesión que escoltaría la entrada de Nuestra Señora, y la banda de música estaba preparada para entonar el himno nacional. Hombres, mujeres y niños habían procurado vestirse de la mejor forma posible para presentarse ante su Madre del Cielo, porque sabían que el acontecimiento era único e irrepetible y que lo recordarían toda la vida. Muchas personas se

---

[10] Ibídem,

[11] Ibídem,

agolpaban y trataban de infiltrarse entre la muchedumbre para llegar a los sitios mejores para poder mirar a la Virgen...

La procesión de entrada avanzaba lenta y solemnemente mientras el P. Mario Carassou Bordelois, Capellán de la Virgen, imponiendo su voz con la potencia de los altavoces, entonaba cantos y oraciones que eran coreados por la multitud. Cuando el cortejo llegaba a la Iglesia o al parque del pueblo (casi siempre, en las plazas de Cuba, la Iglesia se localiza en uno de los costados del parque), o al lugar señalado en la programación. Las crónicas de la época nos explican los sentimientos que embargaban a los fieles, y la forma en que muchos valoraban la esperada Visita:

> *La procesión avanza al paso lento de la multitud... ¡Cómo emociona sentir la presencia de todo un pueblo endomingado, aclamando estentóreamente a La Caridad, a la Iglesia Católica, a Cuba! El número varía según el perímetro de la población; pero siempre el cronista constata que todo el pueblo se ha volcado en la calle para la ceremonia. ¡Seis mil en San Luis, 20.000 en Bayamo, más de 30.000 en Manzanillo! Un político, con su pupila habituada a medir en números concentraciones populares, afirmaba todo sorprendido: «**Jamás, en mi larga vida política, he presenciado por estos pueblos tan enormes muchedumbres. Nadie, ni los políticos de mayor arrastre popular, han logrado movilizar tantos miles».*** [12]

Cuando terminaba la Procesión, el Párroco del Pueblo, o el Arzobispo Mons. Pérez Serantes, o el Sr. Alcalde, o todos ellos, tomaban la palabra para dar la bienvenida oficial a la Imagen de la Virgen de la Caridad. Muchas veces, mientras las multitudes aplaudían durante los discursos, se escuchaban los estampidos de los voladores y de los fuegos artificiales que llenaban el cielo con su luz[13].

Cada jornada de la Visita Nacional de la Virgen era, en cada pueblo una Misión en la que participaban, además de los habitantes, los campesinos que llegaban de lugares remotos de la sierra o del llano. El franciscano fray Manuel Oroquieta se multiplicaba en su empeño evangelizador. Cuando se disgregaba la muchedumbre, después de la emocionante recepción de la Imagen, quedaban los más devotos concentrados en la Iglesia del sitio o en sus alrededores: las palabras del capellán, llenas de emoción y sentimiento, llenaban de fervor a los fieles que hacían colas ante el confesionario: el fraile escuchaba confesiones hasta las 11, las 12, la 1 de la madrugada... a

---

[12] Ibídem, p. 41

[13] Ibídem,

las 5 de la mañana ya tenía que estar nuevamente de pie, con el Rosario de la Aurora, para recorrer el pueblo junto con la Virgen o visitar los barrios llevando la Imagen mientras se entonaban cánticos en su honor o se rezaba el rosario...

> *Rosario ejemplar, el de Bayamo, con más de 2.000 devotos sobre la doble acera interminable...*[14]

Por la mañana, tenían lugar la Santa Misa y la Comunión. En ocasiones, la multitud se reunía en un teatro o en una plaza. Se cuenta que

> *en el teatro de Río Cauto, transformado en templo de La Caridad, el pueblo entero se ensayaba con afán en el rezo del Padrenuestro y del Ave María... ¡Cuántos miles han aprendido a rezar bien el Ave María, al hilo de los labios sonoros del P. Manuel, en este año de misión perpetua!*[15]

Así era la técnica de la Peregrinación. Primero la recepción de la Imagen, que era una gran fiesta popular preparada de antemano, luego las confesiones, el Rosario de la Aurora, la Misa, la Comunión... durante el recorrido de la Virgen por la Arquidiócesis de Santiago de Cuba, Mons. Enrique Pérez Serantes acompañó en casi todos los pueblos la Imagen de la Virgen, y muchas veces, siguiendo su irrefrenable impulso misionero, permaneció durante horas y horas en el confesionario...[16]

En cada pueblo los fieles compraban un folleto con la Historia de la Virgen de la Caridad. Se imprimieron 30.000 ejemplares, pero mucho antes de que terminara la Peregrinación se habían vendido 130.000: las ganancias se destinaron a ampliar la Hospedería anexa al Santuario del Cobre. Aprovechando la Visita, el P. Capellán organizaba en cada pueblo la Cofradía de la Caridad, o la revitalizaba si ya existía, y proponía

> *que cada término reanude la antigua hermosa tradición de visitar el Santuario del Cobre, devolviendo la visita a La Caridad, en romería devota, una vez cada año, en una fecha señalada. Casi todos los términos parroquiales han adquirido este compromiso formal con su Virgen. También aprovechaban las parroquias y capillas la visita de La Caridad para ganar la Indulgencia del Jubileo, por el Año Santo...*[17]

---

[14] Ibídem,

[15] Ibídem,

[16] Ibídem,

[17] Ibídem, p. 41

Recorrido por la Provincia de Oriente: la Sierra Maestra. El recorrido: San Luis. El Hospital Antituberculoso. Palma Soriano. Aguacate. Contramaestre. Central América. Maffo. Baire. Jiguaní. El Salado. Santa Rita. Charco Redondo. Bayamo

Finalmente llegó el ansiado momento, el día que comenzaban los festejos del Cincuentenario de la República: la Peregrinación comenzó desde el Santuario del Cobre, adonde fue llevada la Virgen de la Caridad conocida como la Virgen Mambisa, desde la Iglesia de Santo Tomás Apóstol, para ser bendecida por Mons. Enrique Pérez Serantes junto con cientos de miles de estampas que serían repartidas a los fieles, a todo lo largo y lo ancho de la Isla. Esta ocasión singular fue reseñada con las siguientes palabras:

> **20 de Mayo de 1951. El Cobre.** *Traída la Imagen de su Iglesia de Santo Tomás, es bendecida por Mons. Dr. Enrique Pérez Serantes, ante la Convención Anual de los Caballeros de Colón. Con la Imagen, bendijo 200.000 (doscientas mil) estampas de la Caridad, para regalarlas a los devotos como recuerdo del paso de la Virgen Peregrina. Aquellos doscientos millares eran la esperanza hecha número. ¡Así fallan las matemáticas! Las estampas recordatorias se acabaron en Baraguá al poco de terminar la Peregrinación su recorrido por la primera de las provincias orientales*[18]

Y el 21 de mayo comenzó la Peregrinación cuando la Virgen salió solemnemente del Santuario del Cobre. El Arzobispo Enrique Pérez Serantes, despidió la querida Imagen con una pieza emocionante e inspirada de alto vuelo oratorio. Y cuando la Virgen echaba a andar se entonó una hermosa canción, interpretada por un cantante de fama mundial que interrumpió su gloriosa carrera para profesar en la Orden de San Francisco,

> *el R. P. Fr. José Francisco de Guadalupe Mojica, el antes celebérrimo cantante y ahora sencillo y pobre franciscano, ahora interpretó con su mágica voz una* **Plegaria a la Virgen de la Caridad,** *compuesta recientemente por ese adalid de nuestro pentagrama nacional que se llama Ernesto Lecuona*[19]

Así salió la Virgen Peregrina. Mientras, algunos habitantes de El Cobre pusieron en sus casas crespones negros de luto, porque la Virgen había partido, y el Rector del Seminario San Basilio Magno y San Juan Nepomuceno, P. Manuel Madariaga, tuvo que dar dos mítines para

---

[18]Ibídem, p. 37

[19] Ibídem.

calmar a los asustados cobreros. Finalmente, una nota de prensa firmada por Mons. Enrique Pérez Serantes que apareció en la prensa nacional el 26 de mayo, sirvió para apaciguar los ánimos: en ella se explicaba que la Imagen original de la Virgen de la Caridad permanecía en el Santuario del Cobre, y que la Peregrina era la Imagen de la Virgen Mambisa. Los comunistas, que eran los que habían aprovechado la oportunidad para hacer su labor de zapa difundiendo la noticia de que se habían llevado la Virgen de la Caridad de su Santuario del Cobre y sembrar, como siempre, la confusión y el desconcierto entre los habitantes, tuvieron que echar marcha atrás y reconocer su infundio ante el P. Madariaga:

> ...el primero en retractarse ante las explicaciones del P. Manuel Madariaga fue el jefe comunista (local) de El Cobre[20]

Recorrido de la Virgen por la provincia de Oriente

Tras largos meses de sequía en Oriente, la lluvia llegó para fertilizar la tierra de cada pueblo justo cuando salió la Virgen del Santuario y comenzó su viaje peregrino: durante 81 días de recorrido por Oriente, la lluvia se presentó en 79. Llovía cuando llegaba la Virgen a un pueblo, o inmediatamente después: pero la lluvia no tocaba la imagen y no hubo necesidad de romper la programación en ningún momento...

> Tras varios meses de sequía, la visita de La Caridad trajo la bendición de la lluvia, como quien tiene la gracia del rocío en la fimbria de su manto: durante los 81 días que duró la romería de la Virgen por su tierra de Oriente, 79 llovió en el pueblo donde se hospedaba La Caridad, o antes o después de su llegada. Y, para que la gracia fuera patente, la lluvia no rozó el manto de la Virgen, (por lo) que no se suprimió ninguno de los actos programados[21]

El primer pueblo que recibió a la Virgen fue **Dos Caminos de San Luis,** donde los habitantes fueron en masa a recibirla en medio de un júbilo desbordante: el Arzobispo y el P. Madariaga, embargados por la emoción, hicieron uso de la palabra ante la muchedumbre. Más de la mitad del pueblo, rezó el Rosario de la Aurora al día siguiente, 2 de junio de 1952 y a ellos se unieron centenares de campesinos que bajaron de las montañas, como una madre que vino con sus pequeñuelos y que residía en las lomas a más de 30 kilómetros[22]. La segunda etapa fue el

---

[20] Ibídem, p. 38

[21] Ibídem,

[22] Ibídem,

pueblo de **San Luis**, a 6 kilómetros de Dos Caminos. La multitud formada por todo el pueblo esperaba a ambos lados de la carretera la llegada de la Virgen, que fue recibida por el alcalde, los veteranos, funcionarios del gobierno, el párroco y las religiosas claretianas:

> *Más de 6.000 personas escucharon la ardida peroración del Sr. Arzobispo, que tuvo que hablar desde el pórtico de la iglesia. Más de 1.200 acompañaron el Rosario de la Aurora el día 2 de junio, rezando y cantando el Ave María durante dos horas. Y, a la despedida, el vecindario entero se volcó tras la carroza de La Caridad hasta fuera de la población. Había entrado bajo un cielo nublado y rodando sobre fango, y salía refulgiendo en la media carretera bajo un sol espléndido. Dejaba los corazones conmovidos, y más de un alma transformada*[23]

El mismo día la Virgen se presentó en el **Hospital Provincial Antituberculoso «Ambrosio Grillo»**, donde la esperaban los enfermos, que se postraron de rodillas ante la Imagen rogándole que les devolviera la salud. Aquella noche, La Caridad entró como Peregrina en **Palma Soriano**, donde fue acogida por 15.000 personas a los acordes del Himno Nacional, interpretado por la banda municipal. Luego pasó por el lugar habitado de **Aguacate**, donde también la esperaba el pueblo en masa. y el día 4, entró triunfalmente en **Contramaestre**, donde se confeccionó un adorno precioso en la entrada del pueblo, **verdadera filigrana tejida de guano**[24], para esperar a la Virgen. Allí el pueblo se volcó en la carretera y en las calles, y el día 5, después de pasar por el batey del **Central América** donde la aguardaba otra muchedumbre, llegó solemnemente a **Maffo**, seguida por la banda de música y una procesión de miles de personas que la acompañó desde Contramaestre los dos kilómetros que separan ambos pueblos. En Maffo no había iglesia católica pero sí dos templos protestantes, lo que no impidió que el pueblo en masa saliera a recibir a su Patrona y se hincara de rodillas en el parque para rezar ante Su Imagen, y escuchar las palabras del P. Capellán[25].

De allí la Virgen pasó a **Baire**, donde dieron misiones figuras de la talla de San Antonio María Claret, San Rafael Guízar Valencia y el Arzobispo de La Habana, Mons. Manuel Ruiz Rodríguez[26]. En Baire, las hijas del Mayor General Jesús Rabí contaron esta anécdota al P. Capellán:

---

[23] Ibídem, p. 40

[24] Ibídem, p. 42

[25] Ibídem, p. 40

[26] Ibídem,

*Una noche, el General mandó asaltar por sorpresa un pertrecho español. Resultó feliz la operación; y avanzaban alegres con su presa por las estribaciones de la Sierra Maestra, cuando se hallaron perdidos. Áspero el lugar, y la noche lóbrega. Nuestro papá, que peregrinaba al Cobre con frecuencia, **invocó ardientemente a la Virgen de la Caridad. Miró al cielo con inspiración repentina, y dijo a sus soldados: «SIGAN A ESA ESTRELLA, QUE ES LA CARIDAD». Siguieron la estrella... y se salvaron.***

Y afirmaban más las hijas del General Rabí: que entonces se pensó poner la estrella en la bandera cubana, simbolizando a La Caridad. La razón es tan bella como el simbolismo, y ha inspirado una de las estrofas populares más lindas, que han coreado miles y miles durante esta romería nacional mariana:

«Azul es el cielo,
rojo nuestro amor,
blanca nuestra alma,
y la Estrella, Vos»[27]

Al llegar a **Jiguaní,** los protestantes del pueblo quisieron perturbar la Peregrinación repartiendo unas hojitas de propaganda tendenciosa con las que querían probar que la Virgen de la Caridad había protegido a los ejércitos españoles durante las Guerras de Independencia y que por lo tanto, la Virgen Patrona de Cuba era anticubana... sus razonamientos eran tan pobres y sin base, que aquella propaganda sólo sirvió para enardecer el fervor de los habitantes de Jiguaní, que en su mayoría eran católicos[28], y la recepción que se dio a la Virgen en este antiguo pueblo superó a otras, en sitios donde los protestantes no realizaron aquella propaganda que sólo sirvió para dar más realce a Nuestra Señora: sólo en Jiguaní se incorporaron más de 150 personas a la Cofradía de la Caridad, respondiendo al llamado del P. Capellán...[29] Allí, donde los protestantes quisieron falsear la historia, el pueblo respondió con un maravilloso arco hecho de flores con el que esperaron a la Virgen, y que fue reseñado en la prensa con el nombre de ***adorno floral magnífico***[30].

De Jiguaní, la Virgen pasó a **El Salado,** donde fue recibida con la misma de alegría. Luego recorrió triunfalmente los pueblos de **Santa Rita y Charco Redondo,** donde tuvo lugar un momento de gran importancia: el Capellán fray Manuel Oroquieta, descendió a las minas

---

[27] Ibídem,

[28] Ibídem, p. 40

[29] Ibídem, p. 41

[30] Ibídem, p. 42

de manganeso por un pozo abierto, en un descenso de 2.700 pies, para llevar la sonrisa de la Caridad a los mineros que trabajaban en las entrañas de la tierra:

*La hazaña fue de mérito singular del P. Oroquieta y Valiente, y fue divulgada por la prensa nacional con fotos ilustrativas. En las minas de Manganeso de Charco Redondo tras un recibimiento apoteósico en que fraternizaron en torno a la Caridad dos dueños y los obreros, **el P. Manuel descendió en una de las vagonetas, armado de su casco protector, a un pozo de 2.700 pies de profundidad, para que la sonrisa de La Caridad iluminara también de gozo a aquellos minadores arriesgados.** No pudo bajar la misma venerada Imagen; pero descendió su Capellán con la medalla que tantos miles han besado y los bendijo en el nombre de la Madre de todos los cubanos. Los mineros comentaban animadamente, entretanto, que aquella era la primera vez que en Cuba bajaba un sacerdote tan hondo, alternando con los trabajadores. Y cuando la vagoneta surgió de la negrura de la mina, vibraron los aires con vítores frenéticos, y un grupo nutrido de obreros cargó en hombros al P. Manuel, y así alzado y vitoreado se lo llevó hasta el batey*[31]

Así fue el recorrido de Nuestra Señora hasta llegar a una de las más importantes ciudades de la provincia de Oriente, la antigua y legendaria **San Salvador de Bayamo,** donde la recepción fue apoteósica: una compacta muchedumbre de 20.000 personas[32] se concentró y la siguió en Procesión desde su entrada en la Ciudad Monumento. Aclaremos que durante el largo trayecto de Bayamo a Yara, pasando por Los Hornos, Río Cauto, Cauto Embarcadero, el Central Mabay, La Julia, el histórico pueblecito de Barrancas, Veguitas y el Central Sofía hasta Yara, punto principal de la historia, la Virgen hizo la travesía por carretera[33], seguida por una larga caravana de fieles que usaban todos los medios de locomoción posibles.

Continúa la Peregrinación: Los Hornos. Río Cauto. Cauto Embarcadero. Central Mabay. La Julia. Barrancas. Veguitas. Central Sofía. Yara. Estrada Palma. Zarzal

Después de la exitosa Visita a Bayamo, la Virgen Peregrina avanzó en dirección a **Los Hornos** y **Río Cauto,** donde se repitió el apoteósico y emocionado encuentro con el pueblo, que en ningún

---

[31] Ibídem, p. 43

[32] Ibídem, p. 41

[33] Ibídem, p. 43

momento dejó de acompañar a la Virgen a pesar de la tórrida temperatura de aquel día:

En Río Cauto, la Caridad recorrió en la procesión de despedida todo el pueblo, durante dos horas y con un sol calcinador[34]

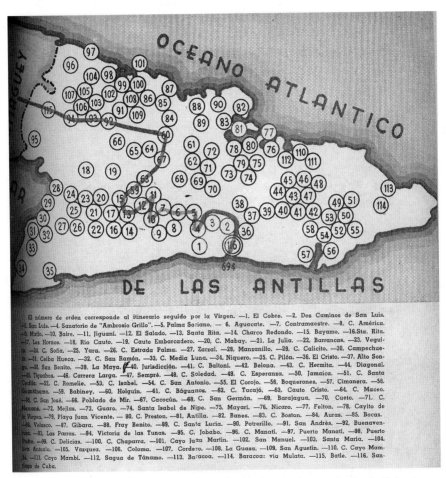

El número de orden corresponde al itinerario seguido por la Virgen. —1, El Cobre. —2, Dos Caminos de San Luis. —3, San Luis. —4, Sanatorio de "Ambrosio Grillo". —5, Palma Soriano. — 6, Aguacate. —7, Contramaestre. —8, C. América. —9, Maffo. —10, Baire. —11, Jiguaní. —12, El Salado. —13, Santa Rita. —14, Charco Redondo. —15, Bayamo. —16, Sta. Rita. —17, Los Hornos. —18, Río Cauto. —19, Cauto Embarcadero. —20, C. Mabay. —21, La Julia. —22, Barrancas. —23, Veguita. —24, C. Sofía. —25, Yara. —26, C. Estrada Palma. —27, Zarzal. —28, Manzanillo. —29, C. Calicito. —30, Campechuela. —31, Ceiba Hueca. —32, C. San Ramón. —33, C. Media Luna. —34, Niquero. —35, C. Pilón. —36, El Cristo. —37, Alto Songo. —38, San Benito. —39, La Maya. —40, Jurisdicción. —41, C. Baltoní. —42, Belona. —43, C. Hermita. —44, Diagonal. —45, Tiguabos. —46, Carrera Larga. —47, Sempré. —48, C. Soledad. —49, C. Esperanza. —50, Jamaica. —51, C. Santa Cecilia. —52, C. Romelie. —53, C. Isabel. —54, C. San Antonio. —55, El Corojo. —56, Boquerones. —57, Cimanera. —58, Guantánamo. —59, Babiney. —60, Holguín. —61, C. Báguanos. —62, C. Tacajó. —63, Cauto Cristo. —64, C. Maceo. —65, C. San José. —66, Poblado de Mir. —67, Cacocún. —68, C. San Germán. —69, Barajagua. —70, Cueto. —71, C. Marcané. —72, Mejías. —73, Guaro. —74, Santa Isabel de Nipe. —75, Mayarí. —76, Nicaro. —77, Felton. —78, Cayito de la Virgen. —79, Playa Juan Vicente. — 80, C. Preston. —81, Antilla. —82, Banes. —83, C. Boston. —84, Auras. —85, Bocas. —86, Velasco. —87, Gibara. —88, Fray Benito. —89, C. Santa Lucía. —90, Potrerillo. —91, San Andrés. —92, Buenaventura. —93, Las Parras. —94, Victoria de las Tunas. —95, C. Jobabo. —96, C. Manatí. —97, Puerto Manatí. —98, Puerto Padre. —99, C. Delicias. —100, C. Chaparra. —101, Cayo Juan Martín. —102, San Manuel. —103, Santa María. —104, San Antonio. —105, Vazquez. —106, Coloma. —107, Cordero. —108, La Guasa. —109, San Agustín. —110, C. Cayo Mambí. —111, Cayo Mambí. —112, Sagua de Tánamo. —113, Baracoa. —114, Baracoa: vía Mulata. —115, Batle. —116, Santiago de Cuba.

Lugares por donde pasó la Virgen Peregrina en la provincia de Oriente

En el teatro de **Río Cauto,** convertido en templo para la Virgen, el pueblo entero ensayaba el rezo del Padrenuestro y del Avemaría... después la Imagen pasó a **Cauto Embarcadero,** para recibir otro homenaje de los fieles concentrados en aquella ocasión irrepetible: luego la comitiva pasó al **Central Mabay,** donde los fieles trajeron del monte

---

[34] Ibídem,

las más bellas flores para adornar el sitio en el que iban a reunirse con su Reina, Madre y Patrona, confeccionando con ellas *un lindo altar*[35]. No se apartaron de la Virgen un solo instante y velaron junto a ella toda la noche, rezando el Santo Rosario[36], para aprovechar al máximo el tiempo al lado de la Santa Imagen. Al clarear el día, cuando salió la Imagen hacia **La Julia** y por buen trecho, a paso lento y solemne, los habitantes de Mabay escoltaron a la Virgen rezando el Rosario de la Aurora y cantando en su honor. Luego dijeron las crónicas que

> *del Central Mabay a La Julia, el traslado se verificó en un brillantísimo Rosario de la Aurora: dos kilómetros llevaron dos horas de caminos malos, y de rezos y cánticos fervorosos, y formaron filas nada menos que 500 personas*[37]

Como es de esperar, en **La Julia** se repitieron las escenas anteriores: las mismas caras deslumbradas por la vista de la Imagen, la misma expresión de fe, devoción y amor místico en todos los rostros. Al día siguiente la Virgen renovaba la historia al entrar en el pueblecito de **Barrancas** entre los vítores y aclamaciones de la jubilosa muchedumbre que la esperaba ansiosa. El pueblo de Barrancas fue el primero en que entró Céspedes a la cabeza del Ejército Libertador después del Grito de Yara: en la Iglesia de Barrancas, de donde era párroco el P. Jerónimo Emiliano Izaguirrre, que fue el primer Capellán del Ejército Libertador, se llevó a cabo una ceremonia impresionante cuando Carlos Manuel de Céspedes colocó la bandera y los mambises que lo acompañaban pusieron sus armas ante el altar, a los pies de la Virgen, para que ella bendijera la causa de la independencia... el P. Izaguirre bendijo las armas y la bandera que había sido confeccionada con el dosel del altar de la Virgen de la Caridad que se veneraba en la casa solariega de los Céspedes, cerró el templo y se marchó con los mambises...[38] con aquel profético acto de Fe comenzaron las Guerras por la Libertad y ahora, 84 años después, la Virgen volvía a Barrancas en ocasión de su Peregrinación Misionera Nacional al conmemorarse el Cincuentenario de la República de Cuba.

A continuación, la Imagen de Nuestra Señora hizo su entrada triunfal en **Veguitas,** con similares demostraciones de entusiasmo y

---

[35] Ibídem, p. 42

[36] Ibídem,

[37] Ibídem, p. 43

[38] Cf. Larrúa Guedes, Salvador. Grandes Figuras y Sucesos de la Iglesia Cubana. Ediciones Juan Montalvo s.j., Santo Domingo, 1997

devoción, y luego se presentó en el batey del **Central Sofía,** donde los vecinos rivalizaron para aclamarla... la Peregrinación y las Visitas sucesivas de la Patrona de Cuba iban agregando páginas y páginas tanto a la historia eclesiástica como a la historia civil de Cuba porque nunca en cuatrocientos años había tenido lugar un recorrido de tanta importancia y trascendencia nacional.

Ahora la Virgen llegaba a uno de los lugares más cargados de tradición y de historia: al pueblo de **Yara,** donde se pronunciaron los mambises para levantarse en armas y hacer efectiva la libertad de Cuba, que inmediatamente pusieron a los pies de su Reina y Madre del Cielo. Y lo mismo que pocos días antes la Caridad visitó Barrancas, ahora llegaba a Yara, al sitio donde nació la libertad de la Patria. Terminadas las celebraciones de rigor en Yara, después del Rosario de la Aurora, la Imagen, que hasta ese momento estuvo viajando con su comitiva en una larga caravana por las carreteras comenzó una nueva etapa del trayecto desplazándose hacia el **Central Estrada Palma** por las líneas de ferrocarril a través de un verdadero océano de cañaverales, utilizando el medio de locomoción que aún se llama *motor* en los campos de Cuba:

> *Y ya en Yara conoció un medio de locomoción muy de la manigua inmensa, que en adelante había de serle familiar: el motor. Lo montó ahora de Yara al Central Estrada Palma, y un poco más adelante en una extensa zona cañera, entre Niquero y los centrales San Ramón y Media Luna: seguían a la Virgen cuatro motores más, en escolta veloz y estridente, cruzando las infinitas y unánimes regiones azucareras*[39]

Nuevas aclamaciones y vítores, nuevas demostraciones de amor, fe y esperanza en el batey del Central Estrada Palma. Al llegar las 12 del día, otra vez la Virgen de la Caridad marcha por los campos que otorgan a Cuba su riqueza, hacia el pueblo de **Zarzal:**

> *El P. Capellán se despidió en el Estrada Palma a las doce meridiano, hablando a la intemperie de un sol canicular, porque el público no cabía en el teatro-iglesia. Y la comitiva partió hacia Zarzal, bajo el mismo sol implacable: cuatro horas de camino infame, enseñando rezos y cantos, entreteniendo a los peregrinos con frases alegres y edificantes, teniendo que desviarse largos tramos del camino por el fango de la lluvia reciente...*[40]

En **Zarzal,** fray Manuel Oroquieta, después del discurso y la exhortación inicial, bendijo la capillita recién construida en honor de la

---

[39] Ibídem, p. 43

[40] Ibídem,

Virgen, entre las demostraciones de júbilo de los vecinos[41]. Luego salió de romería por todo el pueblo, llevando la imagen de la Virgen y seguido por todos los habitantes además de cientos de personas que habían llegado de los alrededores, en una caminata que duró una hora hasta llegar al entronque del ferrocarril para colocar la Imagen en el motor y continuar el viaje.

La para siguiente era una de las más importantes del recorrido en tierras de Oriente: la gran ciudad de **Manzanillo.**

Apoteosis en Manzanillo. Central Calicito. Campechuela. Ceiba Hueca. Centrales San Ramón y Media Luna. Niquero. Central Pilón. El Cristo. Alto Songo. San Benito. La Maya y los espiritistas

En **Manzanillo**, más de 30.000 personas fueron a recibir a la Virgen Peregrina, en lo que puede calificarse de recibimiento apoteósico. Y la Peregrinación marchó acto seguido y pasó, de acuerdo con el programa establecido, por **Central Calicito, Campechuela, Ceiba, el Central San Ramón, el Central Media Luna,** el pueblo de **Niquero,** donde el gremio de pescadores hizo un homenaje especial a la Virgen, que recorrió toda la bahía en un bote, escoltada por 27 barcos de pesca[42]. Luego la comitiva marchó al **Central Pilón,** el pueblo de **El Cristo,** y los lugares habitados de **Alto Songo** y **San Benito.**

La comitiva continuó su viaje por la llamada Vía Mulata y, al llegar al pueblo de **La Maya,** 5.000 personas esperaban a la Virgen, y el Capellán fray Manuel Oroquieta pasó momentos de gran tensión cuando algunas personas del numeroso público, que eran conocidos espiritistas, desviaron la Imagen de su recorrido. El franciscano pasó no poco trabajo para recuperar la Virgen y continuar con el programa:

> *en el tumulto popular del recibimiento, el pisicorre y la carroza de la Virgen se detuvieron frente a la iglesia parroquial. El Capellán dio orden al chofer... de que bajara la sagrada imagen para introducirla en la parroquia. Fue cuestión de segundos: acababa el P. Manuel de cerrar el micrófono, luego de dar los últimos avisos para la entrada, cuando ve que las andas de la Virgen habían cambiado el rumbo y se las llevaban calle arriba entre una masa compacta que rezaba y aclamaba... hasta el Centro de Veteranos... dentro, **aquello era un ensordecedor vocerío de avemarías, súplicas... rezaban con su mejor voluntad el avemaría espiritista...** (pero) adoctrinados por el P. Manuel, (regresaron) en una*

---

[41] Ibídem,

[42] Ibídem, p. 44

devota procesión, y entraron en la Iglesia aclamando a La Caridad del Cobre, su adorada Virgencita[43]

La Virgen recorre Jurisdicción, Central Baltoni, Belona, Central Hermita, Diagonal, Tiguabos, Carrera Larga, Sempré. Por los caminos del azúcar: Central Soledad, Central Esperanza, Jamaica, Santa Cecilia, Central Romelia, Central Isabel, Central San Antonio, El Corojo, Boquerones y Caimanera

La sección de la Vía Mulata que estaba terminada en 1952 llegaba hasta **La Maya,** por lo que el viaje continuó de una forma singular: se enyugaron parejas de bueyes y el pisicorre y la carroza de La Caridad continuaron a remolque, subiendo y bajando lomas, porque el carro no quiso arrancar. Fueron duros días de camino cumpliendo la programación establecida: la Virgen pasó por **Jurisdicción, Central Baltoni,** el pueblo de Belona, el **Central Hermita, Diagonal, Tiguabos, Carrera Larga** y **Sempré.** Desde **Tiguabos** hasta **Carrera Larga** la carroza no pudo ser remolcada y la Imagen de la Virgen viajó montada sobre una carreta tirada por bueyes...[44]

Luego la marcha continuó por los caminos del azúcar. La Virgen salía del batey de un central para entrar en otro y así pasó por **Jamaica** y los Centrales **Soledad, Esperanza, Isabel, Santa Cecilia, Romelia, San Antonio...** el programa se cumplía magníficamente y aquella parte de la Peregrinación fue descrita de esta forma:

¿Para qué describir distintamente lo que en todos fue un acontecimiento similar? Bienvenida radiante, con las calles engalanadas, la estampa de La Caridad santiguando las casas, los voladores endomingando los aires; y, en procesión, los dueños, los administradores, los oficinistas, los obreros del batey, los cortadores de caña. El Capellán de la Virgen sembraba la gracia de su palabra misionera sobre unos corazones bien dispuestos...[45]

Luego la Virgen continuó por **El Corojo, Boquerones y Caimanera.** Durante la travesía, no exenta de peligros, tuvieron que cruzar dos veces el río Yateras...

---

[43] Ibídem, p. 44

[44] Ibídem, p. 47

[45] Ibídem, p. 47

Guantánamo. Babiney. Holguín. Central Báguanos. Central Tacajó. Cauto Cristo, Central Maceo, Central San José, Mir, Cacocún, Central San Germán, Barajagua, Cueto, Central Marcané, Mejías, Guaro, Santa Isabel de Nipe, Mayarí

Finalmente, La Caridad entró en **Guantánamo** por el puerto de Caimanera: iba en un hermoso yate que hacía la travesía regular, y al llegar a la ciudad encontraron 4.000 personas esperando la Imagen:

> *El público (aguardaba)... presidido por los Veteranos... la Virgen fue llevada en procesión triunfal: entre las aceras cubiertas por devotos innumerables, desfilaron, escoltando a La Caridad, los Bomberos, el equipo de ciclistas del Colegio de los Hermanos de La Salle, las alumnas uniformadas del Colegio Teresiano, la Banda Municipal. El parque era un inmenso cuadrilátero de cabezas apretadas. Y la Reina de Cuba fue elevada sobre el trono de un gigantesco altar, teniendo como fondo una monumental bandera patria*[46]

Se dice que el mejor homenaje que rindió Guantánamo a la Virgen fue el Rosario de la Aurora que se rezó el 8 de junio, de manera sincronizada y perfecta, por más de 3.000 personas: al terminar, los Veteranos de la Independencia, vestidos de blanco, llevaron en andas a la ***Virgen Mambisa*** desde la Parroquia hasta su Centro, donde celebraron un solemne acto de consagración presidido por su Madre del Cielo[47]

A continuación la Virgen Peregrina pasó sucesivamente por los pueblos de **Babiney, Holguín.** En la ciudad de Holguín, las dos Parroquias honraron espléndidamente a la Virgen:

> *La de San Isidro transformó su altar mayor en un maravilloso trono regio, para la Reina del Cobre; y luego celebró ante Ella y su divino Hijo Jesucristo una hermosísima función de Adoración Nocturna (primera vez en la peregrinación que se celebraba este acto solemne). Y en la de San José, una grandiosa Hora Santa Eucarístico-Mariana con el templo abarrotado... la voz del P. Manuel vibró desde el púlpito... y en ambas Iglesias laboraron con afán benemérito la Cofradía de la Caridad y la Acción Católica, que organizaron un rosario permanente mientras La Caridad se hospedó en ellas*[48]

En los demás pueblos y centrales azucareros se repitieron las emotivas manifestaciones de centenares y miles de fieles que rezaban, aclamaban y vitoreaban la Santa Imagen. Muchos llegaban de los

---

[46] Ibídem, p. 50

[47] Ibídem,

[48] Ibídem, p. 50

montes y campos próximos, por caminos ásperos y peligrosos y venciendo toda clase de dificultades y obstáculos, para venerar a la Reina de Cuba, la Virgen de la Caridad... así pasó la Santa Imagen de la Caridad por los **Centrales Báguanos y Tacajó,** el pueblo de **Cauto Cristo,** el **Central Maceo,** el **Central San José,** los lugares habitados de **Mir** y **Cacocún,** y el **Central San Germán.**

Para los amantes de la historia, la Peregrinación volvió a adquirir un carácter maravilloso y profético cuando la Virgen llegó, hacía entonces unos 340 años, al antiquísimo lugar de **Barajagua,** el primer sitio en que permaneció después de su aparición en la bahía de Nipe, y en el sitio donde se erigió su primera capilla y reinó en un altar cubierto de flores construido por los indios hermanos Hoyos, que eran naturales del hato de Barajagua igual que el negrito Juan Moreno, y protagonistas del momento de la aparición. Las gentes de los alrededores se concentraron en el histórico lugar de Barajagua, como si se percataran de la importancia del momento, y la caravana se retrasaba a causa de las multitudes que bloqueaban la carretera para poder ver a su amada Virgen, rendirle el tributo de su admiración y respeto, y tener la ocasión de orar ante ella:

> *(llegaban) muchos grupos (de fieles) por los caminos, entre Mejías y Barajagua; entramos en Cueto como con dos horas de retraso, **como entraremos, supongo yo, en adelante a todas partes, por la cantidad de grupos de personas que salen a la carretera a recibir a la Virgen y a rezar...; de Guaro a Mayarí, 5 kms. en un ininterrumpido desfile de grupos de personas*[49] *¿Cuánto tiempo llevan esperando a la Virgen? —preguntó el P. Capellán a uno de los grupos, junto a Santa Isabel de Nipe. —Desde las 10 de la mañana,—le respondieron. Y eran las 7 de la tarde: ¡nueve horas al borde de la carretera, bajo las nubes grises y preñadas de tormenta, en vigilia de amor para no pderderse el saludar a la Virgen del Cobre Peregrina y rezar de rodillas ante Ella!*[50]

Después de la preciosa recepción que se dio a la Virgen Peregrina en Barajagua, la comitiva siguió rumbo a los pueblos de **Cueto, Central Marcané, Mejías, Guaro, Santa Isabel de Nipe,** y **Mayarí.** Cuando la Santa Imagen llegó a la histórica bahía de Nipe, donde se presentó por primera vez a los cubanos, la emoción era inenarrable y parecía como si toda la naturaleza, el sol, el aire, la tierra, el cielo, los seres vivientes y las personas que se reunieron en el sitio, estuvieran

---

[49] Ibídem, p. 51

[50] Ibídem,

viviendo un momento especial, verdaderamente irrepetible. La Santa Imagen, con su comitiva de pisicorre y carroza, bordeó la gran bahía y llegó finalmente al pueblo de **Santa Isabel de Nipe,** aledaño a la inmensa bahía de su aparición. Luego la Santa Imagen Peregrina llegó a **Mayarí,** pueblo conocido como **Patria de la Virgen de la Caridad:** allí la Virgen pasó en Procesión ante el obelisco de Antonio Maceo, de donde arrancó el Mayor General para llevar a cabo la invasión de Oriente a Occidente...[51]

Nicaro, Felton, El Cayo de la Virgen. Playa Juan Vicente, Central Preston, Antilla, Banes, Central Boston, Auras, Bocas, Velasco, Gibara, Fray Benito, Central Santa Lucía, Potrerillo, San Andrés, Buenaventura, Las Parras, Victoria de las Tunas, Central Jobabo, Central Manatí, Puerto Manatí, Puerto Padre

Y la Virgen siguió adelante, Peregrina y Misionera, llevando con su presencia la Palabra de Dios. Después de las recepciones que le brindaron los habitantes del pueblo minero de **Nicaro** y después de **Felton,** la comitiva se presentó en otro lugar que rezumaba historia: **el Cayo de la Virgen.** Cuando llegó la comitiva expectante, fuertes vientos batían las ropas y desordenaban los cabellos, como de costumbre, porque el Cayo de la Virgen es un pequeño promontorio que se interna en el mar bravío, y las olas impactan con fuerza en sus laderas. Es inaccesible en la temporada de las grandes lluvias, y cuando llega la seca, se puede llegar a él por una lengua de tierra pedregosa que es la única vía de acceso... era el miércoles 25 de julio de 1951: La Virgen Peregrina iba a visitar, unos 340 años después,

> *la primera tierra cubana en que puso sus plantas de Reina Celestial, el día de su aparición... aquí fue, a principios del siglo XVII. Al fondo, el Cayo Francés, (sitio donde) se refugiaron (los dos monteros indios y el negrito) por salvarse de una espantable tempestad desencadenada, por tres días... al cuarto... impulsaron su pequeña embarcación... y hallaron... una pequeña y linda estatua de la Virgen María, Madre de Dios...*[52]

Y la Peregrinación continuó su marcha victoriosa, única en la historia de Cuba. El recorrido, según el programa establecido que ya había sufrido algunos cambios, pasó por el sitio de **Playa Juan Vicente,** el **Central Preston,** los pueblos de **Antilla** y **Banes,** el

---

[51] Ibídem, p. 52

[52] Ibídem, p. 53

Central Boston, los lugares habitados de **Auras, Bocas,** (entre estos dos pueblos hubo que hacer el trayecto enganchando yuntas de bueyes al pisicorre que remolcaba la carroza, y el viaje de media hora tardó nada menos que tres, escoltada la Virgen por una numerosa escolta de guajiros a caballo)[53]. De **Velasco** a **Gibara** los caminos eran pésimos y en cierto momento la carroza de la Virgen cayó cuesta abajo entre las lomas, deteniéndose de forma milagrosa justo al pie del precipicio, antes de despeñarse...[54] Pero la Peregrinación continuó imperturbable, logrando una gran cosecha de almas para el cielo. Pasó por **Fray Benito,** el **Central Santa Lucía,** y de inmediato por los pueblos de **Potrerillo, San Andrés, Buenaventura, Las Parras,** hasta llegar a **Victoria de las Tunas,** donde se le tributó a la Virgen

> *una entrada triunfal de alucinante belleza... la caravana motorizada de la Virgen de la Caridad llegó a contar, cuando ya entraba en el municipio, cerca de 200 máquinas. Parecía arrancado a la fantasía oriental de las Mil y una noches aquel espectáculo de centenares de ojos de luz, horadando la tiniebla de la noche, en un avance lento por la carretera central, amplia y recta. Y el coro múltiple de las bocinas disonantes ponía en el aire oscuro un embrujo triunfal, que regocijaba las almas y movía en el temblor del gozo los pechos y los corazones.*
>
> *Y la inmensa caravana fue nada, para la multitud del público que colmaba las calles, en espera del recibimiento...*[55]

Como culminación de aquella apoteosis, dos Rosarios de la Aurora, la visita al Centro de los Veteranos, al hospital, al Colegio del Verbo Encarnado, y la Hora Santa Eucarístico-Mariana...[56] y pasar después la Virgen Peregrina a los **Centrales Jobabo** y **Manatí,** y partir hacia los sitios de **Puerto Manatí** y **Puerto Padre,** que se convirtió durante 5 días en el centro de las incursiones misioneras de la Virgen. El 14 de julio, fray Manuel Oroquieta, el Capellán de la Virgen, recibió la noticia de la muerte de su madre en San Sebastián, España. Pero el franciscano no cesó en su trabajo ni se dejó abrumar por la pena: la Peregrinación de la Virgen de la Caridad lo llamaba con urgencia, y *precisamente por lo vivo de su dolor, él lo soportaba mejor trabajando*[57]

---

[53] Ibídem, p. 54

[54] Ibídem,

[55] Ibídem, p. 55

[56] Ibídem,

[57] Ibídem, p. 56

Central Delicias, Central Chaparra, Cayo Juan Martín, San Manuel, Santa María, San Antonio, San Pedro, Vázquez, Coloma, Cordero, La Guasa, San Agustín, Central Cayo Mambí, Sagua de Tánamo, Baracoa, Baracoa: Vía Mulata, Batle, Santiago de Cuba

La Peregrinación Triunfal de la Virgen de la Caridad por la provincia de Oriente iba llegando a su final. Desde Puerto Padre, como centro provisional, la Virgen viajó a los **Centrales Delicias y Chaparra** y los lugares habitados y pueblos cañeros de **Cayo Juan Martín, San Manuel, Santa María, San Pedro,** las colonias de **Guasa, La Coloma y Cordero,** y los pueblos de **Yarey de Vázquez** y **San Agustín.** Esta parte del viaje por las colonias de caña y las fincas, en lugares donde no había carreteras ni caminos, sino solamente trillos de monte que sólo se podían recorrer apelando a las tradicionales yuntas de bueyes uncidas al automóvil, fue terrible por el cansancio y lo difícil de los recorridos, tal como lo dejó dicho el Padre Oroquieta:

> *Ha sido la jornada más agotadora de todo este recorrido. Con la canícula de Agosto, y entre las nubes de polvo de los caminos. Pero, gracias a Dios, todo se ha hecho. Todo, menos dormir y descansar. Tengo tanto sueño retrasado, que temo quedarme dormido en cualquier lugar. No puedo ni con la pluma...*[58]

Después de todas estas peripecias y el tránsito terrible por los senderos del monte, llegó el momento de apelar a los más modernos medios de transporte: así fue como la Imagen de la Virgen de la Caridad fue declarada *pasajera de honor* de la Empresa Cubana de Aviación y, como Reina del Cielo, pasó rauda por el firmamento, hizo una escala de minutos en el Aeropuerto de Baracoa y luego fue en avión hasta **Cayo Mambí,** donde la esperaba una alegre multitud madrugadora[59]. En Cayo Mambí, la Virgen visitó el Central y el puerto de ese nombre: luego tomó en un motor el camino de hierro del ferrocarril para viajar a **Sagua de Tánamo**[60].

La Virgen de la Caridad llegó a **Sagua de Tánamo** casi junto con la noticia de la muerte del líder ortodoxo Eduardo Chibás, pero ni siquiera la muerte de un político tan apreciado pudo empañar el acontecimiento principal, que era la llegada de la Santa Imagen:

---

[58] Ibídem,

[59] Ibídem, p. 58

[60] Ibídem,

La entrada de la Virgen fue fantástica: a las 2 p.m., más de 6.000 personas colmaban el parque y las bocacalles adyacentes. Colocaron la Sagrada Imagen en la puerta de la parroquia, alta y dominante. El Sr. Arzobispo y el P. Capellán hablaron sin prisas desde aquel púlpito natural de la anteiglesia. Y el inmenso gentío se mantenía en atención fervorosa, sin importarle la hora canicular, bajo la cúpula dorada y azul de un sol furioso...

*Y a la prima noche se celebró en el templo... una solemne función de consagración a la Virgen de La Caridad. Sonaban en las calles, por radios y altavoces, las últimas noticias: y las radios nacionales combinaban emotivos programas, **trasmitiendo la muerte de Chibás.***

*Pero la Iglesia de Sagua resultaba esa noche pequeña para los devotos de María, y muchos seguían la función religiosa desde fuera. Para quien conozca la idiosincracia nuestra, quizá no pueda hacerse una ponderación mayor sobre la devoción de los cubanos a la Virgen de La Caridad: ni la muerte de Chibás restó interés a la visita de Ntra. Señora. Y un detalle más: hasta el Sr. Alcalde de Sagua de Tánamo, políticamente **chibasista**, oraba a esas horas en la iglesia ante la Virgen Peregrina, haciendo buena una frase de su líder batallador y entero: **La Virgen de La Caridad está por encima de todas las políticas**[61]*

De Sagua de Tánamo, la Santa Imagen Peregrina viajó de nuevo en avión hacia **Baracoa,** la Ciudad Primada de Cuba, puesta bajo la advocación de Nuestra Señora de la Asunción. La población había sido seleccionada como la última para la Peregrinación en la provincia de Oriente:

¿Podía haberse escogido mejor escenario para el final de la peregrinación por Oriente que esta bella ciudad de la Asunción de Baracoa, en la fiebre de sus fiestas anuales, y en la celebración solemnísima de la definición dogmática del misterio?[62]

Los habitantes de la más antigua ciudad, que esperaban la llegada de la Virgen con entusiasmo sin límites, habían preparado con esmero una carroza donde la Virgen, desde un alto trono, presidiría la Procesión de todo el pueblo que se iba a realizar en su honor:

era una preciosísima carroza, en la que se paseó Ella triunfal y magnífica, del aeropuerto a la ciudad primero, luego por la ciudad entera

---

[61] Ibídem, p. 58

[62] Ibídem,

durante tres horas, visitando el Hospital y la Cárcel, acompañada
siempre por un fervor y un amor delirantes[63]

El día 20 la Virgen pasó de nuevo por todas las calles, para despedirse del pueblo que entonaba el Rosario de la Aurora. Luego la Virgen de la Caridad del Cobre pasó de Baracoa, por la **Vía Mulata,** a **Batle;** regresó, otra vez en avión, a Santiago de Cuba. Así cumplió su inolvidable recorrido por tierras de la provincia de Oriente.

En su recorrido por la Provincia de Oriente, la Imagen Sagrada de la Virgen de la Caridad del Cobre, Misionera y Peregrina, pasó por 116 sitios entre ciudades, pueblos, lugares habitados, caseríos y bateyes, y recorrió 3,194 kilómetros en automóvil, avión, barco, carretas, ferrocarril y a pie, desde el 21 de mayo de 1951, fecha en que salió de su Santuario del Cobre, hasta el 20 de agosto, o sea, en 91 días. Eso significa que como promedio avanzaba 35 kilómetros diarios, aunque se debe considerar que en las ciudades importantes permanecía por más de un día.

La Caridad del Cobre llega a Camagüey. La Puerta Histórica de Guáimaro. Recorrido por la tierra de Agramonte. Guáimaro, Palo Seco, Hatuey, Sibanicú, Cascorro, Martí, Central Elia, Central Francisco, Guayabal, Central Macareño, Santa Cruz del Sur, Central Santa María, Vertientes

Cuando la Santa Imagen Peregrina de la Virgen de la Caridad dejó el territorio oriental para encaminarse a las inmensas llanuras de Camagüey, toda la prensa nacional reseñó el importante e histórico acontecimiento de que Nuestra Señora iba a entrar en la provincia *por la Puerta Histórica de Guáimaro, la Ciudad Monumento donde se redactó la Constitución de la República en Armas.*

En el momento en que iba a pasar la Santa Imagen a tierras de Camagüey, el día 20 de agosto, tuvo lugar el encuentro entre los prelados de Santiago de Cuba y de Camagüey, antes de que la Virgen pasara al otro territorio. En un gesto fraternal,

El 20 de Agosto se abrazaban en el límite oriental de la Provincia[64]
Mons. Dr. Enrique Pérez Serantes, Arzobispo de Santiago de Cuba, y
Mons. Carlos Ríu, Obispo de Camagüey, ***traspasándose el tesoro***
celestial de la Virgen Peregrina...[65]

---

[63] Ibídem,

[64] De la provincia de Camagüey

[65] Ibídem (63), p. 61

Pero regresemos a Guáimaro, la ciudad de nuestra Constitución en Armas, donde ocurrieron sucesos inolvidables por su tremenda carga profética y su alto significado histórico, cuando el cortejo de la Virgen, en el que marchaban las más altas representaciones del clero, del gobierno y de las asociaciones religiosas, llegó ante el Monumento de la Primera Constitución para ser colocada en un altar, del que fue tomada por Mons. Pérez Serantes para depositarla en las manos de Mons. Ríu Anglés. A continuación, el alcalde de Guáimaro pronunció un patriótico discurso de recepción...

> *El cortejo de Obispos, Sacerdotes, Autoridades, Veteranos y Asociaciones piadosas —la primera, la Cofradía de la Caridad, con sus 150 asociadas, como la escolta íntima de la Señora—, llegó procesionalmente hasta ese altar de la Patria que es el Obelisco de la Primera Constitución. Colocada la Reina Mambisa sobre un primoroso altarcito, Mons. Pérez Serantes hizo la entrega oficial de la Sagrada Imagen a Mons. Carlos Ríu. El Sr. Alcalde le dio emocionadamente la bienvenida. Y 4.000 cubanos vitorearon y aplaudieron a la Divina Visitante...*[66]

Poco después la virgen fue llevada al Centro de los Veteranos en Guáimaro, donde estos luchadores por la independencia, que prometieron solemnemente, ante la Santa Imagen gestionar de las autoridades civiles, que el Estado declara oficialmente a la Virgen de la Caridad del Cobre, Patrona Celestial de la Nación, declarando Fiesta Nacional el día 8 de septiembre[67].

Nuestra Señora de la Caridad del Cobre pasó 51 días en tierras de Camagüey, tierra de extensas llanuras y escasas poblaciones separadas por grandes distancias. Era la segunda provincia de la Isla por su tamaño, pero con una baja densidad demográfica: no obstante, era tal vez el territorio donde tenía más arraigo el catolicismo y, como es natural, la devoción a la Virgen de la Caridad era también muy fuerte.

De esta forma se inició el recorrido camagüeyano. De Guáimaro la Santa Imagen pasó a **Palo Seco**, escenario de la gran batalla donde se cubrieron de gloria los mambises en la Guerra de los Diez Años: la caballería invocó a la Virgen antes de empezar la carga...[68] de inmediato la Santa Imagen pasó al lugar habitado de **Hatuey**, donde una multitud de guajiros todos de rodillas, la recibieron para hacer en

---

[66] Ibídem, pp. 61-62

[67] Ibídem, p. 62

[68] Ibídem,

ese momento sus promesas[69] y luego continuó la marcha triunfal de la Patrona de Cuba por los pueblos de **Sibanicú, Cascorro, Martí,** hasta llegar al **Central Elia,** donde la Imagen Peregrina fue homenajeada por el gremio de choferes:

En este central, por primera vez, la Virgen recibió el homenaje oficial del gremio de choferes. Choferes la cargaron en procesión hasta el parque, donde un chofer le dio la bienvenida en nombre de sus colegas del volante[70]

Desde el **Central Elia** al **Central Francisco**, y desde allí hasta el **Puerto del Guayabal,** la Santa Imagen marchó por las líneas del ferrocarril a la cabeza de una caravana de motores recibiendo la clamorosa bienvenida de los habitantes de los pueblos y de los bateyes de los centrales. Así se realizó la travesía por el **Central Macareño,** el pueblo de **Santa Cruz del Sur,** al que llegó la Peregrina a bordo de una lancha sorteando cayos y arrecifes hasta el puerto del el **Central Santa María,** y el poblado de **Vertientes.** Al llegar a Santa Cruz del Sur, donde los hombres de mar engalanaron sus embarcaciones para venir con Ella en solemne procesión por el mar, se dio el caso de unos pescadores que no quisieron salir al encuentro de la Virgen en sus botes alegando que

La Caridad no nos va a dar de comer[71],

y se fueron a trabajar como de costumbre. Pero en alta mar se formó una tempestad y los motores de bloquearon: al ver que no podían arrancarlos a pesar de hacer numerosos intentos, pensaron en la Virgen que antes no tomaron en cuenta y según narraron ellos mismos, hicieron esta promesa:

Virgen de la Caridad, si nos sacas de este apuro, te prometemos ir de inmediato a unirnos con nuestros compañeros, para recibirte con ellos. Y además confesaremos públicamente nuestro pecado y tu beneficio...[72]

Cuando terminaron de emitir su voto sonó un estampido y los motores entraron en acción... entonces los pescadores enfilaron la proa hacia el lugar por donde venía la Virgen, escoltada por 25 barcos pesqueros, y ahí mismo explicaron lo ocurrido al párroco de Santa Cruz

---

[69] Ibídem,

[70] Ibídem,

[71] Ibídem, p. 63

[72] Ibídem,

del Sur. Enseguida se enteró el P. Capellán y a poco expuso lo sucedido desde el púlpito[73].

No fue éste el único hecho sobresaliente durante la visita de la Imagen Peregrina a Santa Cruz del Sur. En el Centro de Veteranos, los viejos mambises, repasando sus recuerdos narraron historias sobre la oportuna intervención milagrosa de la Virgen en varios episodios de las Guerras de Cuba, y el llanto brotó de sus ojos...

> *El Sr. Presidente (de los Veteranos) presenta honores a la Virgen Peregrina con un discurso de palabra fácil y cargada de emoción. Refiere episodios personales, en que anduvieron juntos la vida y la muerte, con la Virgen de la Caridad por medio:* **aquél día en que tuvo que atravesar el Río Cauto contra corriente en lo más crítico de una batalla; aquel otro en que, acorralado por los españoles que ya estaban a punto de prenderlo y pasarlo a machete, se salvó de milagro. Puros milagros de La Caridad, a la que él invocó desde lo más hondo de su alma.**
>
> *Con la Virgen Mambisa allí presente, y con aquella viveza gráfica y sentida de la narración, los viejos mambises contenían el aliento, y suaves lágrimas brillaban en sus ojos rojizos, en sus rostros resecos. ¡Quién sabe cuántas hazañas difíciles y cuántos milagros íntimos inflamaban el fuego del recuerdo bajo la ceniza de sus canas! El mismo P. Capellán se sentía conmovido. Cuando me lo cuenta... la belleza emocional de aquellos momentos se trasluce todavía en el timbre de su voz:*
>
> —*¡Yo los vi llorar!...*
>
> **El P. Capellán indagó con el Presidente las raíces de su devoción mariana. Y entonces escuchó de sus labios:**
>
> —**Mire, Padre: Martí nos dio el ideal, con sus soflamas; Maceo nos animaba con su ejemplo; pero no hubiéramos ido a la guerra, si no hubiéramos tenido la confianza de que La Caridad nos iba a salvar**[74]

La Virgen de la Caridad fue llevada en Procesión solemne a la terminal de ferrocarril de Santa Cruz del Sur, donde la comitiva que portaba la Santa Imagen tomó el tren regular hacia el **Central Santa Marta** y **Vertientes**. A continuación, Nuestra Señora pasó a la capital provincial, la antigua y prócer ciudad de Camagüey, donde se le iba a brindar un homenaje memorable y una de las recepciones más brillantes de la historia.

No en vano la ciudad fue designada, en el momento de su fundación, con el nombre augusto de **Santa María de Puerto**

---

[73] Ibídem,

[74] Ibídem, p. 63

Príncipe: por tanto, Camagüey fue desde sus inicios una ciudad puesta bajo la protección de la Madre de Dios.

Muy pronto los camagüeyanos demostraron que sabían honrar su antiguo nombre.

Camagüey, Altagracia, Minas, Central Senado, Colonias del Central, Redención, Las Piedras, Central Lugareño, Paradero de Lugareño, Colonias Vigil, San Miguel, El Salado, La Oriental, Nuevitas, Tarafa, Sola, Imías, Sergio Lombillo, Palma City, Central Jaronú, Jiquí, Donato, Esmeralda, Tabor, Central Cunagua, Velasco, Central Violeta, Florida, Central Florida

Antes de que la Virgen llegara a **Camagüey,** la tercera ciudad de Cuba después de Santiago y La Habana, solar de antiguas tradiciones patrióticas y democráticas y muy arraigado catolicismo, el Alcalde Municipal, Pedro González Lorenzo, entregó a la prensa local un histórico Decreto por el que declaraba *Huésped de Honor de la Ciudad de Camagüey y su Término Municipal, a la Virgen de la Caridad del Cobre.* El mencionado documento, cuyo texto completo se presenta, dice textualmente:

DECRETO

POR CUANTO: A las 8 de la noche del día de hoy hará su entrada en la ciudad de Camagüey la Imagen de la Virgen de la Caridad que salió del Cobre el día 20 de Mayo del año en curso para efectuar un recorrido por todo el territorio nacional.

POR CUANTO: La devoción y culto a la Virgen de la Caridad del Cobre, que ha sido intitulada Patrona de Cuba, es sentimiento grato no sólo a los cubanos que componen la Iglesia Católica, sino a una gran parte de los que no profesan dicha religión.

POR CUANTO: Es costumbre de esta Administración Municipal cooperar a la mayor solemnidad de los actos que se efectúan en este Municipio, sin distinción de credos religiosos ni matices políticos.

POR CUANTO: En distintas ocasiones personalidades e instituciones que han visitado nuestra Ciudad han sido declaradas «Huésped de honor en la ciudad de Camagüey».

POR TANTO: En uso de las facultades de que me encuentro investido y atendiendo el deseo de un numeroso núcleo de la población camagüeyana,

RESUELVO:

PRIMERO: Declarar Huésped de Honor de la Ciudad de Camagüey y de su Término Municipal, a la Virgen de la Caridad del Cobre, durante todo el tiempo que permanezca su Imagen entre nosotros.

SEGUNDO: Como consecuencia de la anterior declaración y al llegar la Imagen a la Iglesia Catedral, le serán entregadas al Señor Obispo las llaves de la Ciudad de Camagüey.

TERCERO: Publíquese la anterior resolución para general conocimiento.

Dado en Camagüey, a los 30 días del mes de Agosto de 1951.

(fdo.) Pedro González Lorenzo,
Alcalde Municipal p.s.r.[75]

Hasta este momento, la Virgen nunca había tenido una recepción tan espontánea, multitudinaria y fervorosa: 100.000 personas se aglomeraron en el terreno del Casino Campestre para saludar a la Santa Imagen Peregrina. En esa época, o sea, en 1951, se puede calcular la población de la ciudad de Camagüey en 106.000 habitantes, ya que el Censo de 1953 arrojó la cifra de 110.388 habitantes. Lo anterior significa que de 106.000 personas un total de 100.000 estaban presentes, o sea, el 94.3 por ciento. Sólo las personas imposibilitadas por la edad o por estar hospitalizadas, dejaron de estar presentes. Antes de que hiciera acto de presencia la comitiva de la Virgen de la Caridad,

> *La multitud colmaba ya el Casino Campestre, límite (territorial) de la recepción. Y, desde que se dejó ver la Sagrada Imagen nimbada de luz, sobre su regia carroza repleta de flores, los vítores atronaban los espacios.* **Ante Ella, la noche se transformó en una fiesta loca de fervor y júbilo.** *Muy lentamente se empezó a mover la Procesión: el Excmo. Prelado Diocesano, Mons. Carlos Ríu, el Clero, los Consejos Diocesanos de las cuatro ramas de la Acción Católica, los Veteranos, los Caballeros de Colón con sus esposas...* **y el pueblo, el pueblo a centenares, el pueblo a miles: en más de 80.000, en cerca de 100.000 calcularon luego los periódicos la asistencia**[76]

El autor de estas líneas contaba entonces 9 años de edad y estaba presente, formado en las filas de los alumnos del Colegio Marista de Camagüey, que en esa época tenía una matrícula de poco más de 500 alumnos. Por supuesto, estaban también los alumnos de otros colegios religiosos católicos: los de los Padres Escolapios, las niñas que enseñaban las Madres Teresianas, las que recibían clases de las Hijas de María Auxiliadora, los alumnos de las escuelas parroquiales y de Artes y Oficios[77].

---

[75] Ibídem, p. 64

[76] Ibídem,

[77] Recuerdos personales del Autor.

La Santa Imagen de la Virgen de la Caridad era transportada en andas por los Veteranos de la Independencia, a quienes nadie podía disputar ese honor. La policía motorizada abría la marcha del inmenso cortejo, y la música de la Banda Municipal alternaba con las oraciones y los vítores estruendosos. Un anciano sacerdote, conmovido ante el espectáculo, exclamó:

¡Jamás he presenciado un homenaje más espontáneo y grandioso a la Madre de Dios![78]

Después de la entrada solemne en la Catedral, la Imagen fue colocada tras la alta balaustrada del Presbiterio, y fue saludada con hermosos discursos de Mons. Carlos Ríu y del Alcalde Sr. Pedro González, que en ese acto hizo entrega oficial de las Llaves de la Ciudad de Camagüey al Obispo. Por último hizo uso de la palabra Fray Manuel Oroquieta... al día siguiente, en la Sala Consistorial del Ayuntamiento, el pleno del Consistorio, con la asistencia del Excmo. Sr. Obispo, del Vicario General, de los representantes del clero secular y regular, los Presidentes de los Consejos de Veteranos territoriales y locales y otras autoridades religiosas y civiles, y toda la masa de pueblo que pudo encontrar cabida, **se llevó a cabo la solemne ceremonia en que la Santa Imagen de la Virgen de la Caridad del Cobre fue declarada Huésped de Honor de la Ciudad de Camagüey**[79].

Después la Virgen, en calidad de Peregrina y Misionera, realizó un hermoso recorrido por todos los templos de Camagüey, del 1 al 7 de septiembre, que se reseña a continuación:

1 de Septiembre. Parroquia del Santo Cristo del Buen Viaje, Asilo Padre Valencia, lugar donde el santo franciscano conocido con ese mismo nombre erigió la Hospedería donde se albergaban en el siglo XIX los peregrinos que viajaban al Santuario del Cobre, el Asilo de los Ancianos Desamparados, y el Asilo de la Caridad.

2 de Septiembre. Parroquia de Santa Ana, donde la Virgen Peregrina visitó a su Santa Madre.

3 de Septiembre. Iglesia de Nuestra Señora de la Merced, el Colegio Teresiano, el Hospital de Maternidad y 2 catequesis.

4 de Septiembre. Parroquia de San José, donde la esperaban los alumnos de los H.H. Maristas[80], el Hospital General, la Cárcel, el Asilo

---

[78] Ibídem (76), p. 65

[79] Ibídem,

[80] Nota del Autor.

Amparo de la Niñez, el Reparto Batista, el Reparto Florat y la Capilla de San José.

5 de Septiembre. Parroquia de la Soledad. Visita con la Virgen a los enfermos de la Parroquia. La solemne función Eucarístico-Mariana se ofreció asimismo por las intenciones de todos los enfermos de la ciudad.

6 de Septiembre. Iglesia del Sagrado Corazón. Colegio de las Religiosas Salesianas, Religiosas Oblatas, Catecismo de las Madres Oblatas, Convento de las Reparadoras.

7 de Septiembre. Parroquia de la Caridad. El Taller de Artes y Oficios, la Clínica de la Colonia Española, varios Barrios y 3 Catequesis[81].

En la Parroquia de la Caridad, de forma deslumbrante y apoteósica, terminó el recorrido de la Virgen María, Madre de Dios, Patrona de Cuba bajo la advocación de la Caridad, en su Santuario local de la ciudad de Camagüey, la antigua Santa María de Puerto Príncipe, donde se honra tanto a la Patrona de los cubanos, que desde años atrás,

> *por iniciativa feliz de quien fue amadísimo Prelado de esta Diócesis, Mons. Dr. Enrique Pérez Serantes, todos los Ayuntamientos de Camagüey guardan el 8 de Septiembre como fiesta oficial*[82]

¿Cómo fue la maravillosa fiesta que se efectuó en la Parroquia de La Caridad, sita en el barrio de su mismo nombre, al que se llega por un puente sobre el Tínima puesto bajo la misma advocación? Las crónicas de la época lo expresaron de esta forma:

> *Con ese amor acendrado (de los camagüeyanos), y con la presencia de la Virgen del Cobre Peregrina, la fiesta de La Caridad revistió caracteres solemnísimos. Un Rosario de la Aurora maravilloso. Una Misa de Comunión General con muy cerca de 1.000 comulgantes. Y un desfile interminable de devotos ante la Sagrada Imagen.*

> *De víspera, invitado por el Sr. Arzobispo de Santiago de Cuba, el P. Capellán de la Virgen volado al Santuario Nacional del Cobre, donde predicó cada media hora, en un sermón casi ininterrumpido, desde las 5 a.m. hasta la 1 p.m. Y volando regresó a la Ciudad Prócer, para proseguir al día siguiente el itinerario nacional, al lado de su celestial Señora, la Divina Viajera*[83]

---

[81] Ibídem (75), p. 65

[82] Ibídem, p. 66

[83] Ibídem,

Acompañada por una muchedumbre de camagüeyanos, la Sagrada Imagen de la Caridad abandonó la Ciudad Prócer. Pasó la mañana del día 9 en el lugar habitado de **Altagracia** y la tarde en el pueblecito de **Minas,** donde los habitantes, acompañados por centenares de devotos campesinos que llegaron de los alrededores, precedidos por la Virgen Peregrina, marcharon

con una Procesión durante tres horas, al son de la Banda de Camagüey[84], y recitando misterios y misterios del Rosario, —la Virgen Peregrina y su Capellán llegaron al anochecer al Central Senado[85]

Cuando la Virgen hizo su aparición en el batey del **Central Senado,** se encontró una vez más con los vítores y las aclamaciones de una muchedumbre jubilosa. La estancia de la Divina Misionera en el Central estuvo delicadamente matizada por la amorosa devoción de los niños, ya que en el los momentos finales

clausuró sus espléndidos homenajes a la Caridad Peregrina con una ceremonia tierna y devotísima: la consagración y ofrenda de flores de 300 niños a la Madre Celestial[86]

A continuación siguió el maravilloso viaje de la Patrona de Cuba, en el que tuvieron lugar tantos hechos que parecen dignos de leyendas o fábulas, cuando la Misionera Peregrina pasó por las **Colonias del Central Senado,** situación que se repitió y fue típica del recorrido por tierras del Camagüey. De inmediato la Virgen pasó al lugar habitado de **Redención,** y de este sitio a **Las Piedras.** Ningún rincón de la campiña quedó sin visitar, y la Peregrina de la Caridad iba acompañada por numerosos campesinos a caballo que recordaban el tránsito de la caballería mambisa por esos mismos lugares:

*La Virgen Mambisa peregrinaba por la manigua camagüeyana con el empeño andariego de que nada le quedara por ver, por bendecir. **Cien jinetes, sobre Redención, y 150 de Redención a Las Piedras**[87]*

La comitiva siguió en dirección al **Central Lugareño,** donde se reunieron los campesinos de las fincas cercanas de forma que los que

---

[84] La Banda Municipal de Música de Camagüey, que estaba puesta a la disposición de la Divina Misionera (N. el A.)

[85] Ibídem (83)

[86] Ibídem, p. 66

[87] Ibídem,

recibieron a la Virgen eran más que los residentes fijos en el batey del Central. Fue especialmente emotivo el

> *magnífico Rosario de la Aurora, los hombres y niños eran muchos más que las mujeres y niñas, con gozosa extrañeza del P. Capellán y vergüenza del diccionario: aquí el sexo fuerte era también el sexo devoto*[88]

Como en el caso del Central Senado, la Imagen de la Caridad visitó el lugar habitado llamado **Paradero de Lugareño** y de allí salió para recorrer las colonias cañeras del Central, como las **Colonias Vigil, San Miguel y El Salado.** En viaje a las **Colonias Vigil** la Sagrada Imagen iba por los caminos de la caña, trillados de tradición y de siglos, hasta el punto que el P. Capellán expresó: *ha sido lo más típico que he visto en toda la peregrinación*[89]*:*

> *La Virgen Peregrina avanzó... escoltada por 170 jinetes, varias máquinas*[90] *y dos motores. Espectáculo emotivo y simpático: el automóvil, el ferrocarril y el caballo, representativos de tres épocas históricas, caminando por una misma senda, tras la honra de la Virgen de la Caridad, Reina Universal de los siglos*[91]

En aquella época, las **Colonias Vigil** eran un reducto del catolicismo, y también **La Oriental,** adonde la Sagrada Imagen pasó después. Las catequistas de la zona, Doña Eva y sus sobrinas, han hecho

> *unas colonias modelo, en lo social y en lo religioso. La Oriental, infestada de protestantes cuando la adquirieron los Vigil, ahora es íntegramente católica, y son los mismos obreros*[92]

A la salida de las **Colonias Vigil,** 180 jinetes acompañaban a la Virgen[93]. De camino hacia la ciudad de Nuevitas, cuya ubicación fue propuesta al Ayuntamiento y Cabildo de Camagüey por el famoso franciscano fray José de la Cruz Espí[94], conocido como el Padre Valencia, que tanto promovió la devoción a la Virgen de la Caridad, se reunió una pintoresca escolta:

---

[88] Ibídem, p. 67

[89] Ibídem, p. 67

[90] Automóviles (N. del A.)

[91] Ibídem (89)

[92] Ibídem, p. 67

[93] Ibídem, p. 67

[94] Cf. Larrúa Guedes, Salvador. *Vida y Obra del Padre Valencia.* Imprenta Nácher, Valencia, p. 395

la caravana de máquinas y camiones se animaba con los airosos corcoveos de ¡270! caballos, con sus vistosas monturas y erguidos caballeros[95]

La Visita de la Santa Imagen Peregrina a la ciudad de **Nuevitas** fue particularmente emotiva. Salió tanta gente a recibirla, de la ciudad y sus alrededores que se repitió la apoteosis de las grandes multitudes. Tal vez 15 o 20 mil personas aguardaban a la Virgen de la Caridad y la llevaron en triunfo, en hombros o en automóvil, por todos los barrios de la población. La Virgen estuvo en la Parroquia, donde fue recibida por Mons. Amaro, y en las 8 capillas de Nuevitas, en el Centro de Veteranos, fue recibida con honores militares en el Cuartel de la Guardia Rural, donde se celebró la Santa Misa por primera vez en la peregrinación ya que contaba con terrenos espaciosos. En solemne sesión del Ayuntamiento, la Caridad del Cobre fue declarada *Huésped de Honor* y tanto el Alcalde como el Presidente de la Cámara pronunciaron emotivos discursos. El Alcalde, dejándose llevar por sus recuerdos, narró una sentida anécdota personal:

> *...contaba cómo había hecho a la Virgen de La Caridad la promesa de ir al Cobre con su señora, para suplicar la salud de su hijita; y como fue «en secreto»; y obtuvo la gracia deseada; y cómo había prometido regresar al Santuario Nacional de la Virgen con toda su numerosa familia, lo cual juraba delante de todos los presentes, Mons. Amaro lloraba de dulce y honda emoción. Y sus lágrimas no eran las únicas...*[96]

El Rosario de la Aurora se rezó dentro de la Parroquia, porque la Virgen derramó sobre la ciudad la gracia de una copiosa lluvia. La gente de Nuevitas, compitiendo con Camagüey, celebró la Visita de la Sagrada Imagen Misionera con especial cariño. Se dijo que todo resultó bellísimo en Nuevitas, a tono con su paisaje maravilloso de casas y calles escalonadas, por donde transitaron las fervorosas Procesiones, y a los pies, la azul alfombra del infinito mar. Tanta era la alegría, tanto el agradecimiento de Nuevitas por la Visita de la Virgen,

> *que le regaló una preciosa carroza, esbelta y elegante, provista de una poderosa batería eléctrica. **Es la que ha llevado como trono móvil Ntra. Señora de la Caridad en todo el resto de la peregrinación. ¡Cuántos labios, al verla brillar ahí arriba, blanca entre flores, han exclamado encandilados y fervorosos:***

---

[95] Ibídem (93)

[96] Ibídem, p. 67

—¡Mírala... qué linda![97]

La etapa siguiente del viaje se realizó por ferrocarril. El tren salió de **Tarafa, Nuevitas,** tras visitar el sitio, hacia **Sola,** e **Imías,** el 14 de Septiembre, el día 15 siguió hacia **Segio Lombillo** y luego la comitiva, en camiones, pasó a **Palma City.** El día 16 llegó al **Central Jaronú,** uno de los mayores colosos azucareros de Cuba, donde fue recibida con gran entusiasmo y fervor por más de 1.000 personas que acompañaron a pie a la Virgen de la Caridad desde la estación de ferrocarril hasta la Iglesia del lugar, un tramo de más de 3 kilómetros[98]. El 16 de Septiembre viajó con destino a **Jiquí, Donato y Esmeralda,** donde llegó la Santa Imagen a media tarde, se formó de inmediato una Procesión en la que todo el pueblo acompañó a la Virgen hasta el Centro de los Veteranos y al Ayuntamiento para declararla *Huésped de Honor,* y a la Iglesia[99]. El día 17 pasó al pueblo de **Tabor** y al **Central Cunagua,** de cuya recepción dejó estas líneas el P. Capellán:

> *8 p.m.: Procesión por todo el Central rezando el Rosario. Confesiones hasta las 2 de la madrugada y Misa con 201 comuniones. Ha sido el central de Camagüey con más entusiasmo, generosidad y limosnas[100]*

y el 18 al lugar habitado de **Velasco,** y al **Central Violeta,** con lo que terminó esta etapa de la peregrinación por tierra camagüeyana. Sobre este periplo las crónicas escribieron hermosas palabras:

> *Etapa intensa, rica en emociones beatificantes y en frutos apostólicos. El P. Capellán apuró tanto el afán mariano de las gentes, que por ellas y por la Virgen no conoció la delicia de la cama durante tres noches seguidas. Entrada apoteósica en el C. Jaronú, en Esmeralda, en el C. Cunagua; sermón, muchas confesiones, Misa bien luego de la media noche. La fiesta finiquitaba a las dos o tres; dos o tres horas más para descabezar un sueño, en un rincón de la sacristía o del club del central; y vuelta a rezar, a predicar, a cantar, con el tempranero Rosario de la Aurora...[101]*

El 19 de septiembre volvió la Imagen de la Virgen Peregrina a la ruta de la carretera central y así llegó al pueblo de **Florida,** donde se estrenó la carroza de Nuestra Señora que regalara el P. Amaro gracias a la generosidad de los vecinos de Nuevitas. De inmediato la caravana se

---

[97] Ibídem,

[98] Ibídem, p. 67

[99] Ibídem,

[100] Ibídem,

[101] Ibídem,

dirigió al **Central Florida** y luego al **Central Agramonte,** llegando al **Central Céspedes** el 21 de septiembre. La ruta de la Santa Imagen Misionera pasó luego por el **Central Estrella, Piedrecita y Gaspar,** en un recorrido que se recogió con estas palabras:

> *La jornada siguiente (después del Central Céspedes) puede considerarse como otra de las ejemplares: Rosario de la Aurora y Misa de Comunión predicada; visita a todas las colonias del central, en una gira campestre que duró seis horas; función en la Iglesia para el jubileo del Año Santo; despedida. Y, con una curiosa caravana de 150 ciclistas, traslado de la Sagrada Imagen al C. Estrella; entrada y procesión, rezando el Santo Rosario; breve parada en la Iglesia; despedida. En caravana de máquinas, a Piedrecitas; gran recibimiento y procesión interminable por todo el pueblo, rezando, cantando, vitoreando a la Virgen de la Caridad; estancia en la Iglesia, donde todos tocaron la medalla. Y a las 11 p.m. era despedida la Virgen Peregrina, camino de Gaspar, donde la noticia inesperada de su llegada armó aquel revuelo festivo y devoto que ya conocen los lectores[102]*

Después la Sagrada Imagen de la Virgen Misionera se trasladó al **Central Baraguá,** precisamente en el momento en que llegaba al Central el Dr. Ramón Grau San Martín, ex-Presidente de la República y antiguo jefe del partido de gobierno:

> *(El Dr. Grau se encontraba) en plena campaña política... tuvo la gentileza de suspender su mítin en atención a la celeste Peregrina, y suplicó a sus acompañantes que se sumaran a la procesión...[103]*

La Virgen Peregrina fue después al sitio de **Colorado,** cuyos 500 vecinos sin excepción veneraron la Santa Imagen y besaron su medalla, y a continuación vino otra jornada esplendorosa cuando la comitiva llegó a **Ciego de Avila.** Se ha dicho que a su entrada en esta ciudad, la recepción del pueblo fue tan espléndida que opacó todas las anteriores, como si cada vez se hiciera un esfuerzo mayor para dar más y más brillo a las llegadas de la Patrona de Cuba en los pueblos. El mismo P. Capellán, que ya había sido testigo de tantas y tan grandes demostraciones de amor, devoción y fervor, calificó este momento con las palabras: ***Entrada monstruo...[104]***

> *Cuando se acude a calificativos... así, es que la realidad resulta indescriptible. Sobre 400 máquinas formaban aquel interminable cortejo de luz y de sonoridades que arrastraba la Madre Celestial Peregrina como*

[102] Ibídem, p. 68
[103] Ibídem,
[104] Ibídem,

*trofeo de amor por la carretera central. **Y, ya dentro de la ciudad, ¿para qué perderse en cálculos, si daba la impresión de que la populosa ciudad había duplicado prodigiosamente sus vecinos, y todos se habían dado la cita de alegre devoción en las amplias avenidas de las calles? Y lo que admiraba, sobre el incalculable número, era la perfecta organización, y la devoción sincera que trascendía de todos los rostros**[105]*

La formidable Procesión que encabezaba la Virgen Peregrina travesó la ciudad hasta el Centro de los Veteranos. Allí se habían reunido todas las autoridades e instituciones religiosas y cívicas. Había una inmensa algarabía de altavoces, instalados en la torre de la Parroquia, a los que se sumaban voladores, bocinas, campanas y sirenas. El alcalde de Ciego de Avila prendió unas artísticas llaves de la Ciudad, elaboradas en plata, al manto de la Virgen, pero llegaba tarde, porque ya la Patrona de Cuba se había apoderado de Ciego de Avila, lo mismo que hizo con todas las ciudades, pueblos y lugares habitados que visitara antes...

Desde el atrio de la Iglesia Parroquial, la Misionera Peregrina presenció un desfile de devotos que se prolongó por dos horas: todos estamparon un beso sobre la medalla. Por la noche, el P. Oroquieta comenzó una Santa Misión del 24 de Septiembre al 4 de Octubre, con los actos habituales: el Rosario de la Aurora y la Santa Misa, procesión, catequesis infantil, acto general de la Misión, conferencia para hombres solos... la Misión, que tuvo el fruto de 650 bautismos y 350 matrimonios, se aprovechó para que la Virgen visitara además 50 enfermos y se distribuyeran 1.900 comuniones se aprovechó para que los fieles ganaran el Jubileo del Año Santo y después se visitó el cementerio, hubo un Vía Crucis predicado en la parroquia y una Vigilia de Adoración Nocturna, otra noche recorrió la ciudad el Santo Rosario, rezado por más de 1.000 personas. El 4 de octubre, finalmente, tuvo lugar el Rosario de la Aurora de los Niños, en honor de la Virgen de la Caridad y de San Francisco de Asís: en la Misa hubo 394 comuniones[106].

Durante la Misión, el P. Oroquieta fue auxiliado por otros franciscanos: los PP. José María Biain, José Auzmendi, Pedro Otálora, que era el párroco, Eulogio Valdés y Jesús Alejaldre[107].

Luego regresó la Caridad Peregrina y Misionera su recorrido infatigable pasando por el lugar habitado de **Silveira,** el batey del **Central Stewart,** los pueblos de **Júcaro y Majagua,** el **Central**

---

[105] Ibídem,

[106] Ibídem,

[107] Ibídem, p. 68

Algodones, los sitios de **Guayacanes** y **Jicotea,** el **Central Pina,** la ciudad de **Morón,** el **Central Patria,** el caserío de **Falla,** los **Centrales Adelaida** y **Punta Alegre,** y los pueblecitos y sitios de **Punta Alegre, Chambas, Florencia** y **Jatibonico:** por sus magníficos adornos y por la recepción que dieron a la Sagrada Imagen, se destacaron el **Central Pina** y los pueblos de **Morón** y **Chambas.**

Un resumen del trayecto de la Sagrada Imagen por los últimos pueblos de Camagüey:

> *Los vecinos engalanaban hasta no poder más, sus casas y sus barrios y calles; los centrales vestían de flores para trasladar dignamente a la Virgen Peregrina; Chambas y el Central Punta Alegre le prepararon carrozas elegantísimas, propias de cada vecindad... en el C. Pina o Morón... esperaba un gentío inmenso. Procesión por todo el pueblo y todo el central, totalmente hecho un ascua de bengalas y luces de todos los colores, guirnaldas, guanos, banderas cubanas, letreros y estampas... la misma exclamación de gozo admirativo había de brotar (en los) labios en cada estación de esta etapa. Morón, Falla, el C. Adelaida, el C. Punta Alegre, Chambas, rivalizaron en ese afán de ofrendarse a la Virgen Peregrina transfigurados por el alarde de adornos que parecían robados a las estampas cromáticas de los cuentos de hadas... **la Virgen... resplandecía más, sonreía más, parecía que se sentía mejor...**[108]*

El último pueblo antes de pasar a la provincia de Las Villas fue Jatibonico. Era el 10 de octubre, caía un fuerte aguacero, pero nadie del público se movió de su lugar: todos esperaban la partida de la Virgen. A las 4 p.m. se rezó un solemne rosario y el Obispo de Camagüey, Mons. Carlos Ríu Anglés, que quería acompañar a la Imagen hasta la despedida, tomó la palabra para llenar de emoción los corazones...

> **Bajo un fervor de lluvia despidieron a la Virgen los camagüeyanos en Jatibonico. Centenares de villareños la esperaban a la otra banda del puente, con el mismo amor superador de la inclemencia. Palabras rituales de Mons. Carlos Ríu que la entregaba, y de Mons. Eduardo Martínez Dalmau, que la recibía, con la presencia prestigiosa del Sr. Gobernador y del Sr. Jefe del Distrito Militar de la Provincia, y del Alcalde de Sancti Spíritus[109].**

La Peregrina y Misionera Virgen de la Caridad entró en Camagüey el 20 de agosto y llegó a la provincia de Las Villas el 10 de octubre: su Misión en la provincia duró 51 días en los que visitó 67 ciudades,

---

[108] Ibídem, p. 69

[109] Ibídem, p. 73

bateyes, lugares habitados, etc., en un recorrido zigzagueante de 3,007 kilómetros utilizando todos los medios de locomoción posibles.

Entre Oriente y Camagüey, la Virgen ya había visitado 183 lugares habitados y viajado 6,201 kilómetros en 142 días, promediando 43,6 kilómetros cada día.

La Peregrinación de la Patrona de Cuba entra de lleno en la provincia de Las Villas: el extenso recorrido de la Virgen por tierras villaclareñas. Sancti Spíritus, Central Tuinicú, Zaza del Medio, Taguasco, Guasimal, Tunas de Zaza, Paredes, Guayos, Cabaiguán, Santa Lucía, Placetas, Central Fidencia, San Andrés, Guaracabuya, Báez, Nazareno, Central Zaza, Cacique, Falcón

Y la caravana de la Virgen de la Caridad del Cobre entró finalmente en Las Villas, dirigiéndose rectamente a la antigua ciudad de **Sancti Spíritus.** La multitudinaria escolta de automóviles era tan larga que ocupaba varios kilómetros de la Carretera Central[110], mientras la muchedumbre de vecinos aguardaba expectante la llegada de la Santa Imagen a la entrada de la ciudad, esperando bajo la lluvia. Pronto estallaron los aplausos y

> *la multitudinaria manifestación llevó a la Virgen Peregrina hasta el atrio de la parroquia centenaria, soberbiamente engalanado. Y el fervor admirativo alcanzó la emoción de la apoteosis, cuando la Celestial Visitante fue saludada por las alumnas del Colegio del Apostolado, uniformadas de azul, o revestidas deliciosamente de ángeles en un admirable cuadro escénico. Poesías. Discurso emocionado del Dr. José Francisco Valdivia, Presidente de la Junta Diocesana de Acción Católica[111]*

La estancia de la Santa Imagen en Sancti Spíritus se caracterizó por actos de gran brillantes. Más de 2.000 fieles acompañaron al Rosario de la Aurora el 12 de octubre y resultaron emocionantes las visitas al Ayuntamiento, a la cárcel, a los colegios. Cuando llegó el momento de la partida, el P. Oroquieta dirigió la palabra a la muchedumbre: la gente lloraba, no querían que la Virgen se fuera[112].

Al cabo salió la caravana hacia el **Central Tuinicú,** en el que se corrió gran peligro al atravesar un puente cuando el río estaba desbordado y el agua cubría las ruedas del automóvil, pero la Misionera Peregrina superó el peligro. Luego se marchó por tren a **Zaza del Medio** en un viaje

---

[110] Ibídem,

[111] Ibídem,

[112] Ibídem,

no exento de peligros, porque se formó un ciclón al sur de Cuba y el Observatorio Nacional anunció que iba a tomar tierra al sur de la provincia de Las Villas, en las proximidades del sitio a donde se dirigía la Virgen[113]. El Capellán fray Manuel Oroquieta, confiando en la ayuda divina, decidió continuar el viaje y mantener el itinerario, por lo que de **Zaza del Medio** continuó hasta **Taguasco,** donde resultó muy alentadora la visión de todo el vecindario, incluyendo los niños del Colegio de La Inmaculada con sus uniformes de gala empapados: todos estaban presentes a pesar de la lluvia de tormenta que era como el preludio del ciclón cercano. En **Taguasco** primero, y en **Guasimal** después, las autoridades y el vecindario solicitaban que la Santa Imagen Peregrina se quedara esperando que pasara el huracán... pero la mano de Dios había dispuesto las cosas de otra forma:

> *¿Qué pasó?* ***Los partes meteorológicos sucesivos comunicaron que el ciclón se había disipado.*** *Y el Sr. Director del Observatorio Nacional comentaba **que aquella había sido una de las perturbaciones más extrañas que él había conocido.** El P. Capellán, que había vivido momentos de preocupación intensa, **se preguntaba ese día en su diario ¿Milagro de la Virgen? Y se contestaba él mismo con otra pregunta: Y, ¿por qué no?**[114]*

Muchas personas, tanto en la provincia de Las Villas como en toda Cuba, pensaron lo mismo. Evidentemente, fue la Mano de Dios la que hizo desaparecer el poderoso fenómeno para que pudiera efectuarse, sin tropiezos, la Visita de su Madre, la Virgen Misionera y Peregrina.

El recorrido continuó a lo largo de la costa hacia **Tunas de Zaza,** se trataba de una verdadera Procesión Marítima porque la comitiva se trasladó por mar, bojeando la costa en una embarcación seguida por todos los botes y barcos disponibles[115]. Luego la Sagrada Imagen Visitadora pasó por el lugar habitado de **Paredes,** y continuó su ruta por **Guayos** hasta llegar a **Cabaiguán,** donde tuvo una recepción tan magnífica como la que se le tributó en Sancti Spíritus, ciudad en la que entró por el llamado «templete de los choferes». A pesar de que los protestantes habían hecho una campaña entre la población, imprimiendo una hojita en la que atacaban a la Virgen para deslucir la Visita, fray Manuel Oroquieta escribió en su diario:

> **Recepción «monumental».** *Resultó que gracias a la hojita sacrílega de los protestantes, que en ellos excitaba el odio y en los católicos enardecía la adhesión*[116]

---

[113] Ibídem, p. 74

[114] Ibídem,

[115] Ibídem, p. 74

[116] Ibídem,

En el Ayuntamiento de Cabaiguán se entregó un artístico pergamino en el que se nombraba *Huésped de Honor* a la Virgen de la Caridad. En la Iglesia le ofrendaron las primicias de un hermoso templo, obra de los Padres Carmelitas, que fue bendecido e inaugurado aquella misma tarde. Se dice que la Visita a **Cabaiguán** fue muy completa porque la Sagrada Imagen de

> *la Virgen visitó aquí las clínicas, escuelas seglares, sociedades, y hasta una fábrica, una refinería. El entusiasmo se desbordaba en todos los actos, y la bendita Imagen estaba sin cesar coronada de devotos. Día y noche...*[117]

Después de pasar por el lugar habitado de **Santa Lucía,** Nuestra Señora de la Caridad Peregrina hizo su entrada triunfal en el pueblo de **Placetas,** donde se le brindó una impresionante recepción gracias sobre todo al apoyo brindado por dos Hijos de San Francisco: fray Iñaki de Pértika, que era párroco de Placetas, y fray José María Biaín, que también prestó su colaboración[118]. Fray Iñaki organizó muy bien la Visita de la Sagrada Imagen a Placetas y casi desde el principio se convirtió en Capellán Ayudante de fray Manuel Oroquieta. Otros católicos villareños, hijos de Placetas, como Mardonio Santiago, Julio Herrera y Manolito Rodríguez, se pusieron incondicionalmente a disposición de los Capellanes, como ayudantes o choferes, para lo que fuera necesario[119].

Se ha dicho que la Visita de la Sagrada Peregrina a Placetas fue un verdadero milagro. La cifra de los que esperaban a la Virgen sobrepasó por lo menos en el doble la cantidad de habitantes de la pequeña ciudad. Una crónica la tituló así: *El Milagro de Placetas,* que fue narrado de esta forma:

> *En Placetas, caravana incontable de máquinas y sobre **20.000 almas** en el fervoroso recibimiento. **Más de 120 altares domiciliarios**. En el parque, ante la iglesia, un precioso cuadro plástico de la historia cubana, dominado por la Virgen de la Caridad; bienvenida oficial, entrega de las llaves y declaración de **Huésped de Honor,** por el Sr. Concejal Julito Herrera; discursos y poesías, entre ellas una majestuosa paráfrasis de la **Marcha Triunfal de Rubén Darío**, aplicada a la Peregrinación Mariana nacional; emocionante función de Consagración a María; visita al Reparto Amador, al Centro de Veteranos, a 4 escogidas y 1 fábrica de tabacos, 5 clínicas, el Colegio Franciscano de San Antonio y el de las*

---

[117] Ibídem,

[118] Ibídem,

[119] Ibídem.

Siervas de San José. Preciosa colección de fuegos artificiales, por primera vez en la peregrinación, con motivos artísticos de la bandera patria y de La Caridad. La cronista que firma Aleida Retana de Santiago publicó en la prensa nacional una emotiva y detallada descripción de lo que bien llama «el milagro de Placetas»[120]

El 15 de Noviembre, estando en Placetas, tuvo lugar el cumpleaños de fray Manuel Oroquieta, el dinámico e incansable Capellán de la Virgen. Ese día almorzó con los sacerdotes de la Parroquia y contó con la compañía de un gran amigo: Mons. Enrique Pérez Serantes, quien expresó en ese momento una preocupación: *Estoy extrañado de que la Imagen no se haya roto, y convencido de que, sin un milagro, no llegará sana hasta el fin*[121]. Gracias a Dios se hizo el milagro esperado, porque la Santa Imagen llegó sin percances al final de la Peregrinación.

Tomando como base de operaciones el pueblo de Placetas, como ya sabemos, la comitiva de la Virgen visitó sucesivamente el **Central Fidencia, San Andrés, Guaracabuya, Báez, Nazareno, Central Zaza, Cacique, Falcón, Santa Clarita, Santa Clara, Manajanabo,** y el **Central San José,** para llegar finalmente a **Guaracabuya,** que es el centro geográfico de la Isla, el 22 de octubre de 1951. Aquél precioso día,

*La escolta rodante de la Virgen Peregrina, aquel día lleno de emoción y simbolismo, fueron **dos guaguas, varios camiones y una procesión numerosa de máquinas.** Llegaron con los primeros velos de la noche, y los 2.000 vecinos de la población central los esperaban, iluminando el gozo con la luz de múltiples cirios. **Fue colocada la bendita Imagen bajo el árbol gigantesco que señala el punto equidistante de los límites extremos de la fermosa tierra que descubrió Colón,** y allí, bajo la cúpula de su follaje, fue la sentida ceremonia...*[122]

Santa Clarita y Santa Clara, Zaza del Medio, Taguasco, Guasimal, Tunas de Zaza, Paredes, Guayos, Cabaiguán, Santa Lucía

La Virgen Peregrina de la Caridad viajó de **Falcón** al lugar habitado de **Santa Clarita,** y de allí siguió rumbo a la capital provincial, **Santa Clara.** La recepción se organizó desde **Falcón** por el Obispo Mons. Eduardo Martínez Dalmau, que contó con el respaldo total de las autoridades civiles y militares de la ciudad. En un pequeño

---

[120] Ibídem, pp. 75-76

[121] Ibídem, p. 82

[122] Ibídem, p. 76

lapso de tiempo se preparó una caravana formidable que avanzaba con la Sagrada Imagen de la Virgen al frente:

> *las máquinas se contaban por cientos, el gentío por millares y millares; pero para el entusiasmo y el fervor no había número ni medida. La Imagen Peregrina estuvo un día en cada una de las tres Parroquias de la ciudad, y resultaba un verdadero problema el sacarla para visitas particulares; pues los templos permanecían el día entero abiertos al público, que suplicaba al P. Capellán no les privara de la presencia dulcísima de la Madre* [123]

Después de la fastuosa recepción, la Santa Imagen de la Caridad visitó varios sitios de gran importancia en la ciudad: el Centro de Veteranos, donde los heroicos luchadores de la independencia honraron a la Patrona de Cuba, la Escuela Politécnica de Mujeres, el Campamento Militar y su clínica, la Escuela Normal del Kindergarten, la Colonia Infantil, el Colegio Martí... [124]

En la Politécnica de Mujeres, durante el acto oficial de recepción a Nuestra Señora, entró de forma descompuesta un presbiteriano, de profesión médico: el Dr. Mario Ayala, que quería protestar por *la presencia de la Imagen en un centro oficialmente laico* [125]. Pero las alumnas reaccionaron airadamente contra él e increparon dura y valientemente al intruso, que tuvo que marcharse. Entonces las jóvenes solicitaron al P. Oroquieta rezar allí mismo el Santo Rosario para desagraviar a la Virgen, Rosario que entonaron las 200 jóvenes con infinito fervor y devoción [126].

El Dr. Ayala había ido antes a Placetas, y en un mítin que efectuaron los protestantes se refirió al amor con que el pueblo de Santa Clara honró a su Patrona, diciendo: *me avergüenzo de mi pueblo imbécil y estúpido, que se va tras un camión que lleva un pedazo de madera, revestido de ornamentos, al cual llaman La Caridad...* [127]

La respuesta de los vecinos de Santa Clara fue redoblar sus demostraciones de amor y fe, su fervor y devoción a la Virgen de la Caridad.

Después de Santa Clara la Virgen Peregrina pasó por varios lugares habitados: primero por una carretera en construcción hacia **Seibabo, Mataguá y Manicaragua,** donde además de los festejos religiosos, se

---

[123] Ibídem,

[124] Ibídem, p. 77

[125] Ibídem, p. 78

[126] Ibídem,

[127] Ibídem,

celebró la Visita de la Virgen con un banquete y fiesta popular[128]. En **Mataguá,** a pesar de ser un pueblecito que apnes contaba poco más de 4000 habitantes, los vecinos compraron 300 libritos de la Historia de la Virgen en el Liceo, donde estaba entronizada la Santa Imagen[129]. Luego la comitiva pasó al lugar habitado de **Hatillo,** donde la esperaban los vecinos imperturbables, cantando y rezando bajo la lluvia, y después a **Vueltas,** donde recibió iguales demostraciones de amor y devoción.

A continuación, la Sagrada Imagen Pegregrina llegó al pueblo de **Zaza del Medio,** los lugares habitados de **Taguasco, Guasimal, Tunas de Zaza, Paredes** y **Guayos,** y los pequeños pueblos de **Cabaiguán** y **Santa Lucía**[130].

Zulueta, Central San Agustín, Buenavista, Central Adela, General Carrillo, Jarahueca, Venegas, Perea, Iguará, Meneses, Yaguajay, Central Narcisa, Central Victoria, Central Nela, Mayajigua, Sestero, San José de los Lagos, Caibarién, Reforma

La Visita de la Virgen de la Caridad al siguiente pueblo, **Zulueta,** inspiró al P. Capellán estas palabras que quedaron en su diario para la posteridad:

> *Zulueta ha sido hasta ahora el pueblo mejor adornado y mejor preparado de cuantos yo he visto. Algo incomparable e inconcebible. No tienen cotejo con él ni el C. Pina, ni Morón, ni Chambas. Se han tenido que gastar un dineral en lo que han hecho*[131]

El día 1 de Noviembre salió la Imagen Visitadora y Peregrina de la Virgen de la Caridad hacia el extremo nororiental de la provincia de Las Villas. Fueron cuatro kilómetros de trayecto hasta el **Central San Agustín,** con etapas predeterminadas en **Buenavista, Central Adela, General Carrillo,** y **Jarahueca.** De **Jarahueca** en adelante la comitiva viajó en tren pasando por **Venegas** y **Perea,** hasta llegar a **Iguará** y luego a pie hasta **Meneses:** unas 1.500 personas seguían a pie la carroza de la Virgen durante este recorrido. En **Meneses,** la Peregrina del Cielo fue en procesión solemne, bajo un aguacero torrencial, hasta el Centro de Veteranos. De ahí siguió viaje, por montes y llanos, hacia el pueblo de **Yaguajay,** rodeado de colonias de caña...

---

[128] Ibídem,

[129] Ibídem,

[130] Ibídem, p. 75. Ver: recorrido de la Santa Imagen Peregrina

[131] Ibídem,

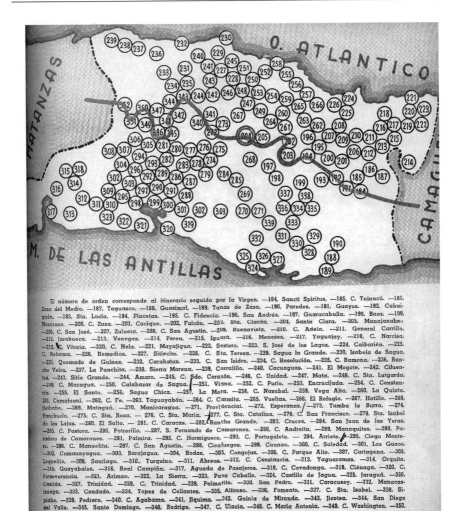

El número de orden corresponde al itinerario seguido por la Virgen. —184, Sancti Spiritus. —185, C. Tuinucú. —186, Zaza del Medio. —187, Taguasco. —188, Guasimal. —189, Tunas de Zaza. —190, Paredes. —191, Guayos. —192, Cabaiguán. —193, Sta. Lucia. —194, Placetas. —195, C. Fidencia. —196, San Andrés. —197, Guaracabulla. —198, Baez. —199, Nazareno. —200, C. Zaza. —201, Cacique. —202, Falcón. —203, Sta. Clarita. —204, Santa Clara. —205, Manajanabo. —206, C. San José. —207, Zulueta. —208, C. San Agustín. —209, Buenavista. —210, C. Adela. —211, General Carrillo. —212, Jarahueca. —213, Venegas. —214, Perea. —215, Iguará. —216, Meneses. —217, Yaguajay. —218, C. Narcisa. —219, C. Vitoria. —220, C. Nela. —221, Mayajigua. —222, Sestero. —223, S. José de los Lagos. —224, Caibarién. —225, C. Reforma. —226, Remedios. —227, Sitiecito. —228, C. Sta. Teresa. —229, Sagua la Grande. —230, Isabela de Sagua. —231, Quemado de Guines. —232, Carahatas. —233, C. San Isidro. —234, C. Resolución. —235, C. Ramona. —236, Rancho Veloz. —237, La Panchita. —238, Sierra Morena. —239, Corralillo. —240, Cacuaguas. —241, El Mogote. —242, Cifuentes. —243, Sitio Grande. —244, Amaro. —245, C. Sdo. Corazón. —246, C. Unidad. —247, Mata. —248, C. Sta. Lutgarda. —249, C. Macagua. —250, Calabazar de Sagua. —251, Vizma. —252, C. Purio. —253, Encrucijada. —254, C. Constancia. —255, El Santo. —256, Sagua Chica. —257, La Mora. —258, C. Nazabal. —259, Vega Alta. —260, La Quinta. 261, Camajuaní. —262, C. Fe. —263, Taguayabón. —264, C. Carmita. —265, Vueltas. —266, El Refugio. —267, Hatillo. —268, Seibabo. —269, Mataguá. —270, Manicaragua. —271, Providencial. —272, Esperanza. —273, Tumba la Burra. —274, Ranchuelo. —275, C. Sta. Rosa. — 276, C. Sta. Maria. —277, C. Sta. Catalina. —278, C. San Francisco. —279, Sta. Isabel de las Lajas. —280, El Salto. — 281, C. Caracas. —282, Rancho Grande. —283, Cruces. —284, San Juan de las Yeras. —285, C. Pastora. —286, Potrerillo. —287, S. Fernando de Camarones. —288, C. Andreíta. —289, Manaquitas. —290, Paradero de Camarones. —291, Palmira. —292, C. Hormiguero. —293, C. Portugalete. — 294, Arriete. —295, Ciego Montero. —296, C. Manuelita. —297, C. San Agustín. —298, Cienfuegos. —299, Caunao. —300, C. Soledad. —301, Los Guaos. —302, Cumanayagua. —303, Barajagua. —304, Rodas. —305, Congojas. —306, C. Parque Alto. —307, Cartagena. —308, Lequeitio. —309, Santiago. —310, Turquino. —311, Abreus. —312, C. Constancia. —313, Yaguaramas. —314, Orquita. —315, Guayabales. —316, Real Campiña. —317, Aguada de Pasajeros. —318, C. Covadonga. —319, Ciénaga. —320, C. Perseverancia. —321, Arimao. —322, La Sierra. —323, Pasa Caballo. —324, Castillo de Jagua. —325, Jaraguá. —326, Casilda. —327, Trinidad. —328, C. Trinidad. —329, Palmarito. —330, San Pedro. —331, Caracusey. —332, Manacasimaga. —333, Condado. —334, Topes de Collantes. —335, Alfonso. —336, Fomento. —337, C. Sta. Isabel. —338, Sipiabo. —339, Pedrero. —340, C. Agabama. —341, Jiquima. —342, Guinia de Miranda. —343, Jicotea. —344, San Diego del Valle. —345, Santo Domingo. —346, Rodrigo. —347, C. Ulacia. —348, C. María Antonia. —349, C. Washington. —350, Manacas. —351, Mordazo. —352, Cascajal.

Lugares por donde pasó la Virgen Peregrina en la provincia de Las Villas

Allí tuvo lugar un hecho significativo cuando el alcalde comunista de Yaguajay, el único alcalde en toda la nación que era miembro de ese partido, no honró a la Virgen de la Caridad con el título de *Huésped de Honor.* Pero los sencillos habitantes del pueblo, y sobre todo los Veteranos de la Independencia, desagraviaron a la queridísima Patrona de Cuba redoblando sus oraciones y sus manifestaciones de júbilo y entusiasmo[132]. El P. Manuel Oroquieta hizo este comentario:

---

[132] Ibídem, p. 79

Tal vez el alcalde estalinista no obró por fanatismo. Alguien me dijo que lo oyó decir, después de contemplar el amor unánime de su pueblo a la Madre del Cobre:

«Si me lo hubieran solicitado, no me hubiera opuesto».[133]

A continuación, un motor del **Central Narcisa** llevó a la Virgen Peregrina hasta el batey de esa fábrica y luego a los **Centrales Victoria y Nela.** El P. Oroquieta admiró la actitud ejemplar de los humildes vecinos del citado **Central Nela:**

Silencio y fervor ejemplares en la iglesia; Rosario de la Aurora con todos los hombres y mujeres en formación; Misa de Comunión General, en que 102 participaron del Pan Eucarístico, y sumaron más comulgantes los hombres que las mujeres; función vespertina devotísima. Escribió él esa noche: **Nela me ha hecho una impresión formidable. Aquí hay catolicismo práctico. Los niños están educados en una exquisitez cristiana digna de encomio...**[134]

La marcha triunfal de la Virgen Peregrina siguió por los pueblecitos de **Mayajigua** y **Sestero.** En **Mayajigua** hubo una gran manifestación de entusiasmo popular cuando los vecinos, que no cabían dentro de la Iglesia, se desbordaron en las calles. El itinerario hacia **San José de los Lagos** transcurrió por paisajes muy hermosos y luego Nuestra Señora de la Caridad Peregrina continuó hasta **Caibarién,** ciudad que según el P. Capellán, *estaba en ascuas por la horrible propaganda protestante que se ha hecho contra la Virgen*[135]. Sin embargo, el pueblo y las autoridades civiles no se dejaron provocar:

¿Que los protestantes se movieron para que la Virgen de la Caridad no fuera declarada Huésped de Honor? El Sr. Alcalde contestó decretando además que el día de su llegada fuera guardado oficialmente como fiesta municipal. ¿Que acudieron al Centro de Veteranos para evitar que éstos se sumaran a los «actos supersticiosos» del recibimiento? Los heroicos viejos reunidos en asamblea extraordinaria, decidieron por unanimidad rendir a la Virgen Mambisa todos los honores, invitarla oficialmente a su Centro, y levantar allí mismo para albergarla un bello trono y altar. ¿Que los protestantes echaron a la calle tres hojas volantes acidosas y envenenantes? El pueblo contestó con siete[136].

---

[133] Ibídem, p. 79

[134] Ibídem,

[135] Ibídem,

[136] Ibídem,

La Acción Católica y el párroco, un padre paúl de nombre Salomón, dieron la callada por respuesta a los protestantes. La Acción Católica se limitó a imprimir una invitación para recibir a la Virgen de la Caridad. Y el paúl, después de la partida de la Virgen,

> entregó a la imprenta un noble y generoso escrito, dando las gracias a todos, **concluyendo por dárselas a los protestantes**[137].

En la pequeña ciudad de Caibarién, como si se hubieran puesto de acuerdo para responder a los protestantes, 15.000 personas emocionadas aguardaban la llegada de la Virgen Peregrina. Dos años después, en 1953, el Censo de la República de Cuba arrojó una cifra de 26.244 habitantes para la ciudad, lo que significa que mucho más de la mitad estaba esperando a su Madre, Reina y Patrona.

Reforma, Remedios, Sitiecito, Central Santa Teresa, Sagua la Grande, Isabela de Sagua, Quemado de Güines, Carahatas, Central San Isidro, Central Resolución, Central Ramona, Rancho Veloz, La Panchita, Sierra Morena, Corralillo, Cacuaguas, El Mogote, Cifuentes, Central Macagua, Calabazar de Sagua

La Imagen Peregrina de la Caridad pasó después por el pueblecito de **Reforma** y a continuación, llegó a la antigua ciudad de **Remedios.** La recepción masiva que se dio a la Virgen fue tan fastuosa, que el P. Manuel escribió en su diario estas palabras:

> *Remedios, el triunfo y la apoteosis. La descripción resulta imposible. Luz, estampidos, vítores. Más de $700.00 se gastaron en pocas horas los remedianos en pólvora, recogidos centavo a centavo por suscripción popular. Magníficos altares se alzaban a cada paso del trayecto, con el gusto y el lujo de verdaderas obras de arte. Las gentes portaban bengalas en las manos a guisa de velas. Al pasar la Virgen ante la sociedad «La Tertulia», orgullo histórico de los intelectuales remedianos, 25 socios, colocados con apuesta estrategia, quemaron sendas luminosísimas bengalas. Y este rito se iba repitiendo de calle en calle, en un rosario de luz no interrumpido*[138].

Si Remedios contó 10.602 habitantes en el censo de 1953, podemos imaginar que en 1951 la cifra era muy parecida. Y todo el pueblo esperó a la Virgen... conmovían el aire de la noche blanca y magnífica los voladores, las bengalas y los fuegos artificiales mientras avanzaba la Virgen de la Caridad, espléndidamente iluminada, de forma que parecía

---

[137] Ibídem, pp. 79-80
[138] Ibídem, p. 80

flotar sobre el humo espeso de la pólvora. En el *Parque de la Libertad,* el Presidente del Ayuntamiento le entregó las llaves de la ciudad: siete llaves que simbolizan los siete caminos de acceso a la ciudad, y la declaró *Huésped de Honor* no en virtud de un decreto del Alcalde de la ciudad, sino por votación unánime del consistorio[139]

La Virgen Peregrina viajó en tren de **Remedios** a **Sitiecito,** luego fue vitoreada por la población en el batey del **Central Santa Teresa,** y luego la caravana alanzó la ciudad de **Sagua la Grande,** donde se estaba celebrando *la Asamblea Diocesana de las Juventudes de Acción Católica,* que se clausuró magníficamente a los pies de Nuestra Señora de la Caridad:

> *Era la noche de un sábado, 10 de Noviembre. Presidía la escolta el Excmo. Sr. Obispo Diocesano. Una vez en Sagua, una interminable procesión recorrió el pueblo. Formaban en las filas, en número y con fervor ejemplares, los jóvenes intrépidos de la A.C., la mejor esperanza de una Patria mejor... Misa de Comunión solemnísima, oficiada por Mons. Dr. Eduardo Martínez Dalmau...*[140]

Luego de visitar el Centro de Veteranos, los colegios, los hospitales y el Asilo de Ancianos, la caravana y la Sagrada Imagen se encaminaron al mar, al puerto de **Isabela de Sagua,** donde pudo admirarse un hermoso espectáculo cuando tres aviones siguieron la ruta del cortejo y escribieron con humo sobre el cielo azul, el letrero de *Viva Ntra. Sra. de la Caridad*[141]. Luego la Santa Imagen siguió hasta **Quemado de Güines:** a pesar de que llegó a media noche, tuvo un hermoso recibimiento, y el Rosario de la Aurora contó con 1.000 participantes[142].

A continuación la caravana, con la Sagrada Imagen al frente, marchó hacia el sitio de **Carahatas,** donde el P. Oroquieta anotó:

> *Visita breve. Más personas de las que viven ahí habitualmente*[143]

Situación que fue una constante durante toda la peregrinación, porque de los lugares más intrincados del monte llegaban los guajiros para engrosar las filas de los que aguardaban a la Santa Imagen en los pueblos que les quedaban más cerca. Luego el cortejo siguió por los

---

[139] Ibídem, p. 80

[140] Ibídem,

[141] Ibídem, p. 82

[142] Ibídem,

[143] Ibídem, p. 83

Centrales San Isidro, Resolución y **Ramona,** y luego al pueblo de **Rancho Veloz,** cuyo alcalde nombró *Huésped de Honor* a la Virgen y también a sus sufridos y estoicos Capellanes, que pasaron a la entrada del pueblo bajo un gran arco que lucía este letrero hecho de flores: *Viva la Virgen de la Caridad...*[144] Y la marcha triunfal de la Sagrada Imagen de la Patrona de Cuba continuó avanzando en dirección a los lugares habitados de **La Panchita** y **Sierra Morena,** el pueblo de **Corralillo,** donde por primera vez en la Peregrinación Nacional, la Santa Imagen visitó la Estación de Policía[145], el sitio de **Cacuaguas,** donde

> *el pequeño pueblo y los guajiros del campo se volcaron para recibir a la Virgen, a pesar de la lluvia y del frío atroz...*[146]

y luego el caserío de **El Mogote,** donde 600 personas esperaban a la Sagrada Imagen, y el pueblecito de **Cifuentes,** que honró a la Virgen con una grandiosa bienvenida en el parque[147], pasando después al **Central Macagua,** y el pueblo de **Calabazar de Sagua,** donde también fue espectacular el recibimiento.

Viana, Central Purio, Encrucijada, Central Constancia, El Santo, Sagua la Chica, La Mora, Central Nazábal, Vega Alta, La Quinta, Camajuaní, Central Fe, Taguayabón, Central Carmita, Vueltas, El Refugio, Hatillo, Seibabo, Mataguá, Manicaragua, Providencial, Esperanza, Tumba la Burra, Ranchuelo, Central Santa Rosa, Central Santa María

La comitiva con la Sagrada Imagen de la Caridad al frente viajó después al lugar habitado de **Viana** y a continuación llegó al batey del **Central Purio,** de inmediato al pueblecito de **Encrucijada** y al llegar al batey del **Central Constancia,** donde

> *se recibió a la Virgen como una Reina; arreglaron la carroza y adaptaron el pisicorre para trono; alojamiento de los Capellanes a cuerpo de rey; $150.00 de limosna, amén de todos los gastos pagados*[148]

El 23 de Noviembre, después de las 11 de la noche, la Virgen Peregrina llegó a **El Santo,** donde la aguardaba una verdadera

---

[144] Ibídem, p. 82

[145] Ibídem, p. 83

[146] Ibídem, p. 83

[147] Ibídem, p. 83

[148] Ibídem, p. 83

muchedumbre[149] que velaba, rezaba y cantaba. Luego, en procesión, la comitiva siguió rumbo a **Sagua la Chica,** donde tuvo la acogida habitual, y después siguieron al lugar habitado de **La Mora.** Desde allí continuaron a pie, siguiendo la línea del ferrocarril, hasta que llegó el motor y pasaron al batey del **Central Nazábal,** donde se rezó el Santo Rosario explicado y la Virgen fue en procesión *por todos los rincones,* y despedida. Luego pasaron por los sitios de **Vega Alta** y **La Quinta,** donde no pudo entrar a la Iglesia por su estado ruinoso, pero los habitantes del sitio

> *salieron a recibirla con una cruz antiquísima, que es todo su tesoro religioso, y la Cruz no se separó de Ella hasta el momento de su despedida[150]*

Después la piadosa caravana siguió el viaje a **Camajuaní,** donde

> *el recibimiento resultó estruendoso, casi exagerado. El humo de la pólvora no dejaba ver los adornos de las casas... la Virgen Peregrina visitó el Ayuntamiento, la estación de la policía y varias fábricas. Una nueva procesión, la noche siguiente. Y un gentío impresionante en todas las funciones[151]*

Luego la comitiva de la Sagrada Imagen pasó por el batey del **Central Fe,** el lugar habitado de **Taguayabón,** el batey del **Central Carmita,** y el pequeño pueblo de **Vueltas,** donde

> *no había una casa sin adorno. Para las gentes, fue cuestión de honor,* ***para echar en cara a los bautistas su falta de amor a la Virgen: ¡Habían querido exigir del Ayuntamiento que no la recibiera de modo oficial!****[152]*

La Peregrinación continuó su trayecto por el **El Refugio,** los lugares habitados de **Hatillo** y **Seibabo,** los pueblecitos de **Mataguá, Manicaragua, Providencial** y **Esperanza,** el caserío de **Tumba la Burra,** el pueblo de **Ranchuelo,** donde la recepción a la Santa Imagen Peregrina fue, según la apreciación del P. Oroquieta, *en verdad excepcional[153].* Después de la recepción oficial en el Ayuntamiento, llevaron la Virgen al parque y la colocaron, de forma simbólica, al lado del Monumento a las Madres: entonces el P. Oroquieta habló a los presentes *con tal elocuencia y devoción, que las lágrimas corrieron por muchos ojos[154].* Luego la Imagen peregrina recorrió el pueblo y siguió

---

[149] Ibídem,

[150] Ibídem, p. 84

[151] Ibídem, p. 84

[152] Ibídem,

[153] Ibídem, p. 84

[154] Ibídem,

en dirección a los bateyes de los **Centrales Santa Rosa y Santa María,** que rivalizaron en dar la mejor acogida a la Virgen Peregrina[155].

Central Santa Catalina, Central San Francisco, Santa Isabel de las Lajas, El Salto, Central Caracas, Rancho Grande, Cruces, San Juan de los Yeras, Central Pastora, Potrerillo, San Fernando de Camarones, Central Andreita, Manaquitas, Paradero de Camarones, Palmira, Central Hormiguero, Central Portugalete, Arriete

De inmediato la caravana continuó hacia los **Centrales Santa Catalina** y **San Francisco:** terminadas las celebraciones continuó hasta **Santa Isabel de las Lajas,** donde llegaron por la noche. Fue declarada *Húesped de Honor* por el Alcalde después de visitar el Centro de los Veteranos. Cuando partió tuvo que viajar por caminos malos al lugar habitado de **El Salto,** poblado de guajiros sanos y fuertes, que se portaron muy bien con la Virgen[156]. Posteriormente, la Santa Imagen llegó al batey del **Central Caracas,** pasó al sitio de **Rancho Grande,** donde fue honrada por gente muy pobre[157], y apareció después en el pueblo de **Cruces,** donde se le tributó una gran recepción que el P. Oroquieta comentó con estas palabras:

> *Cruces ofreció a Ntra. Señora, sobre sus demás actos, el esplendor de un magno recibimiento: declaración de **Húesped de Honor** por el Sr. Alcalde, inauguración de la luz fría del parque, y altos discursos en la puerta de la iglesia. Cruces me gustó...*[158]

Los habitantes de **Cruces** trasladaron la Sagrada Imagen Peregrina al **Central Andreita** donde no hubo fiesta, pero sí una gran emoción[159]... y luego llevaron a la Virgen al cercano Monumento que conmemora la batalla de Mal Tiempo, donde peleó el Mayor General Antonio Maceo, uno de sus hijos más devotos[160]. Después de este paréntesis misionero la Santa Imagen Peregrina regresó a **Cruces:** era el 7 de Diciembre y se rezó un Rosario Solemne por los muertos de la Patria. La caravana partió después rumbo al pueblo de **San Juan de los**

---

[155] Ibídem, p. 75. Ver: recorrido de la Santa Imagen de la Caridad

[156] Ibídem, p. 86

[157] Ibídem,

[158] Ibídem, p. 86

[159] Ibídem,

[160] Ibídem,

Yeras, donde los vecinos la recibieron con mucho entusiasmo[161], y después la acompañaron de forma multitudinaria al **Central Pastora,** para seguir su itinerario al pueblo de **Potrerillo:**

> *Más de2.000 personas la esperaban entusiastas. Fervor generoso: **todo el mundo besó su medalla y dio su limosna para La Caridad.** Se vendieron **más de 500 libritos.** El Capellán habló durante dos horas, primero en el parque y luego, ante la insistencia general, en el teatro que hacía de iglesia. A seguida de él discurseó... un maestro, que corroboró todo lo dicho por el P. Manuel **y alentó la idea de que se levantara una iglesia, comprometiéndose todos formalmente a ello...***[162]

A las 12 de la noche la Virgen de la Caridad continuó su viaje, al frente de una caravana de automóviles, hasta llegar a **San Fernando de Camarones:** originalidad única hasta la fecha, en la avenida principal todas las casas se adornaban con una jaculatoria de las letanías lauretanas. Después la caravana pasó de nuevo por el **Central Andreita** y luego visitó **Manaquitas,** donde *hubo respeto y ganas de rezar*[163] y luego, ante el reclamo popular, llegó al sitio de **Paradero de Camarones,** que no estaba en el programa pero no quedó otro remedio que complacer a los vecinos[164]. Después la caravana continuó a **Palmira,** donde *10.000 personas levantaron los brazos para saludar a la Virgencita, ya que les fue imposible llegar hasta ella. Dos horas continuó el rezo por la calle, y la gente cantaba:*

> *Del Cobre ha llegado*
> *la Madre de Dios,*
> *cantemos el Ave*
> *de su Aparición.*
> *Ave, Ave,*
> *Ave María...*[165]

Luego la Visita de la Sagrada Imagen llegó al batey del **Central Hormiguero** y de allí se trasladó al **Central Portugalete,** donde el Capellán apreció el fervor popular con estas expresiones sobre la Visita:

> *Ejemplar en su totalidad. La Virgen tuvo que derramar torrentes de gracias por lo bien que la recibieron*[166]

---

[161] Ibídem,

[162] Ibídem,

[163] Ibídem,

[164] Ibídem,

[165] Ibídem, p. 86

[166] Ibídem, p. 87

Luego la caravana regresó a Palmira, *porque se iba a celebrar la solemnísima función de la Consagración del pueblo a La Caridad, seguida de muchas confesiones*[167]. La comitiva siguió su marcha triunfal con la Virgen Peregrina al frente y llegó al pueblecito de **Arriete**, donde

> *había más habitantes (esperando a la Virgen) que los que tiene el pueblo, y acompañaron a la Virgen caminando hasta Ciego Montero*[168]

Ciego Montero, Central Manuelita, Central San Agustín, Cienfuegos, Caunao, Central Soledad, Los Guaos, Cumanayagua, Barajagua, Rodas, Congojas, Central Parque Alto, Cartagena, Lequeitio, Santiago, Turquino, Abreus, Central Constancia, Yaguaramas, Orquita, Guayabales

Efectivamente, la caravana con la Sagrada Imagen llegó al pueblo de **Ciego Montero** acompañada por la gente de **Arriete,** que había hecho en procesión y a pie el trayecto y a continuación realizó la visita en los **Centrales Manuelita y San Agustín.** Finalmente la Virgen de la Caridad, Peregrina y Misionera, llegó a la importante ciudad de **Cienfuegos,** donde su entrada fue realmente espectacular. El P. Capellán anotó en su diario:

> *Lo de Cienfuegos no tiene nombre. Superó en todos los sentidos todo lo anterior durante estos 7 meses largos de atrás. Todo imponente. La recepción: entramos a las 9 de la noche, **en caravana de cerca de 600 máquinas y 20 autobuses,** y terminó el acto a las dos de la madrugada, con más de 40.000 personas en el Parque, todo él vestido de gala*[169]

Dos años después de la Peregrinación, en 1953, Cienfuegos contaba 57.991 habitantes. Asumiendo una población similar en 1951, más del 80 por ciento de los habitantes de la Ciudad estaba esperando a la Virgen: el Obispo, Mons. Eduardo Martínez Dalmau, que la esperaba a la cabeza de todo el clero en la entrada a la población, no se separó un instante de la Patrona de Cuba[170]. En esta ocasión, la Peregrinación de la Caridad del Cobre recorrió hasta el lugar más apartado de la ciudad: los cienfuegueros regalaron a la Virgen un manto de terciopelo azul y un corazón de terciopelo rojo bordado de oro. La recepción fue descrita de esta forma:

---

[167] Ibídem,

[168] Ibídem,

[169] Ibídem, p. 87

[170] Ibídem

Cienfuegos presentaba un fantástico y solemne aspecto de cuento de las mil y una noches; todas las calles engalanadas con una profusión de luces tal, que no sabíamos si era de noche o había comenzado un nuevo día. Todos los árboles se hallaban fantásticamente iluminados por un sin fin de luces de colores que les daba un bellísimo aspecto. El parque situado frente a la Santa Iglesia Catedral se hallaba totalmente adornado de esta bella y original manera; y un gigantesco pino frente a la misma iglesia lucía, además de las polícromas lucecitas, una estrella de Navidad, dando la bienvenida a la Madre de Dios.

El Alcalde Municipal, Sr. Sueiros, que costeó y ordenó todo el bellísimo adorno lumínico, le hizo entrega, frente al Ayuntamiento, de una bellísima llave de flores y otra de plata, simbólica de la ciudad, pronunciando a continuación un bellísimo y emocionante discurso de salutación. Acto seguido pasó la Imagen a la Santa Iglesia Catedral, donde el Sr. Obispo hizo uso de la palabra enardeciendo a los miles y miles de personas allí congregadas, con su férvido amor por Cuba y por la Madre de Dios.

Eran ya más de las dos y media de la madrugada, cuando aquel inmenso contingente humano se decidió a abandonar la Iglesia Catedral. A las seis y media de la mañana se encontraba ésta otra vez abarrotada de público para recorrer las calles cienfuegueras llevando en andas a la Virgen Morena, y rezando ya el acostumbrado y hermosísimo Rosario de la Aurora[171]

En las calles más importantes se veían inmensos letreros con versos del Ave María, como en la Avenida de San Carlos. Hay casos de conversiones, como el caso de un cienfueguero que sintió el llamado de Dios durante la Visita de la Virgen[172]El Alcalde de Cienfuegos y Mons. Eduardo Martínez Dalmau hablaron cada uno media hora. El prelado dio gran importancia a la labor realizada por fray Manuel Oroquieta:

Invito al pueblo cubano a ponerse de rodillas y agradecer a este franciscano, español de cuerpo entero, que sabe pensar y sentir en cubano como el que más, lo que está realizando con la Virgen de La Caridad, al llevarla peregrinamente de un extremo al otro de la Isla. Que nunca tenga que decir este franciscano español lo que dijo Bolívar cuando hizo libre a su patria: he arado en el mar[173]

Y la Santa Peregrinación de la Patrona de Cuba siguió su marcha triunfal: al terminar un precioso Rosario de la Aurora en Cienfuegos

---

[171] Ibídem, p. 87

[172] Se trata del Sr. José G. Montes. La narración apareció en la hoja dominical *Vive con la Iglesia*, editada en el Convento de San Francisco de La Habana, de fecha 30.XII.1951

[173] Ibídem, p. 88

pasó al pueblo de **Caunao,** al batey del **Central Soledad, Los Guaos,** y de inmediato por **Cumanayagua,** y **Barajagua.** Fray Manuel Oroquieta sintetizó sus impresiones con estas palabras:

> **C. Soledad:** «*Me encantó el cariño de los católicos por la Virgen y el respeto de los jefes protestantes americanos*». **Caunao:** «*¡Qué espectáculo más tierno: todo el poblado con velas encendidas, dejando pasar por el medio a la Patrona!*». **Los Guaos:** «*Pueblo grande, hubiera merecido la estancia de la Virgen, un día por lo menos*». **Cumanayagua:** «*La Iglesia, por fuera, un ascua de luz; y la multitud, desbordante. Medalla de oro y llaves. A pesar del calor, despedida emocionante, por ingente multitud*». Y **Barajagua:** «*Gentío imponente. Para llegar, caminos muy malos y largos; tuvimos que pararnos mil veces por la gente*»[174]

La noche del 16 de Diciembre entró la Imagen Peregrina de Nuestra Señora en **Rodas,** donde *el Señor Alcalde le puso las llaves de la ciudad y leyó uno de los discursos más bellos que he leído y oído,* dijo el Capellán Manuel Oroquieta. A continuación la comitiva tuvo que seguir a pie y pasar por caminos malos, con un calor muy grande, para llegar a **Congojas.** La Procesión continuó su marcha caminando al **Central Parque Alto,** *donde la Reina ascendió por escalinata a un trono magnífico*[175]. Luego fue recibida de forma masiva por el pueblo de **Cartagena,**

> *y aclamada por esta presencia de la masa popular vivió todas las horas de su estancia*[176]

Después, todavía a pie, la Sagrada Imagen llegó a **Lequeitio:**

> *¡Otra vez al mediodía con un sol de justicia! Pero, ¡con qué cariño le rezan a la Virgen lo que saben!*[177]

Y la comitiva siguió adelante por los pueblos y lugares habitados de **Santiago, Turquino, Abreus, Central Constancia, Yaguaramas, Orquita, Guayabales.** El P. Oroquieta, al hablar de estas etapas, escribió:

> *En **Santiago:** «Llegamos hacia las dos de la tarde, y esperaban a la Virgen en plan de fiesta». En **Turquino:** «Todos estos lugares están abandonados por el sacerdote, creo que por eso ponen más amor al recibir a la Virgen». Y **Abreus:** «un gran municipio que declaró a la*

---

[174] Ibídem, p. 88

[175] Ibídem,

[176] Ibídem,

[177] Ibídem,

*Virgen **Huésped de Honor,** y un pueblo creyente que rezó con mucho fervor» (un dato del archivo del P. Manuel: en **Turquino** se pudo bañar, al fin, después de tres días sin ver el agua.*[178]

Después continuó la marcha, verdadera epopeya del catolicismo cubano, por el batey del **Central Constancia** y los pueblecitos de **Yaguaramas, Orquita** y **Guayabales.**

Real Campiña, Aguada de Pasajeros, Central Covadonga, Ciénaga, Central Perseverancia, Arimao, La Sierra, Pasa Caballo, Castillo de Jagua, Jaraguá, Casilda, Trinidad, Central Trinidad, Palmarito, San Pedro, Caracusey, Managas, Iznaga, Condado 90, Topes de Collantes, Alfonso, Fomento

La infatigable caravana, dirigida por aquel fraile de voluntad de hierro que era el P. Manuel Oroquieta, continuó su recorrido sin importar el viento, el sol, el caminar a pie o viajar en carreta, en tren, en una embarcación, en el pisicorre y su compañera la carroza, o en un avión. Tampoco eran obstáculos la lluvia o los malos caminos.

En esta nueva etapa la Santa Imagen Peregrina de la Caridad pasó por el pueblo de **Real Campiña**, donde otra vez tuvo una recepción devota y cariñosa. Al partir la caravana de detuvo para esperar a un campesino que venía corriendo desde una distancia de más de un kilómetro, que no quiso consentir que la Virgen se marchara sin darle una limosna: un dólar que apretaba en la mano y que quería dar a la Patrona de Cuba[179]. Entonces la comitiva continuó el viaje hasta **Aguada de Pasajeros,** donde la Patrona de Cuba fue recibida

*con grandes honores. Y con esta particularidad: **El Sr. Alcalde, protestante, la declaró Huésped de Honor en un hermosísimo discurso; y la Sra. Alcaldesa, protestante, le impuso las llaves del municipio***[180]

Al terminar la gran fiesta en **Aguada de Pasajeros,** la triunfal marcha de la Virgen de la Caridad, Mambisa, Peregrina y Misionera, entró en los inhóspitos tremedales de la Ciénaga de Zapata en dirección al **Central Covadonga.** Era el 22 de diciembre de 1951 y la comitiva viajaba en un motor del mencionado Central, que

se delizaba a largos tramos sobre los raíles sumergidos, y las aguas viscosas llegan a veces hasta la misma caja del motor, que se convierte

---

[178] Ibídem,

[179] Ibídem, p. 88

[180] Ibídem, p. 89

así en una lancha chirriante y rápida. Cruzan el extenso mar de aguas verdes y hierbajos húmedos, bajo un sol que el caldo y la llanura acuática tornaron doblemente acérrimo[181]

de esta forma la Virgen pasó también por el lugar habitado de **Ciénaga,** y la comitiva se desvió hasta el Cementerio de Júcaro, donde el P. Manuel oró por los difuntos. Después otro desvío no exento de peligro para visitar, fuera de programa, el pueblecito de **La Ceiba,** con la consecuencia de que casi llegaron al mar que baña la costa sur de la Isla. Regreso al **Central Covadonga** *sin haber probado líquido ni sólido,* comentó el P. Manuel.

El descanso duró muy poco. De allí la Sagrada Imagen de la Virgen partió con su caravana pasando consecutivamente por el batey del **Central Perseverancia,** los pueblos de **Arimao, La Sierra** y **Pasa Caballo,** los lugares habitados de **Castillo de Jagua** y **Jaraguá,** después el pueblo de **Casilda:** era el 30 de diciembre cuando la *Estrella del Mar,* como llamaban cariñosamente a la Virgen de la Caridad, llegó a Casilda, donde la escoltaron muchas embarcaciones:

> *En el puerto era esperada por una multitud innúmera, y flameaban al viento, como un saludo gigante, las banderas de todas las Américas. Este rito de todas las banderas, que en Casilda se (izaron) por primera vez durante la romería nacional, brillaba como un símbolo grandioso. ¡Salve, María, Virgen de La Caridad, Patrona de Cuba, Madre del Nuevo Mundo, Señora del Orbe!*[182]

Por la tarde la Virgen Misionera y Peregrina pasó del puerto a la antigua y legendaria ciudad de **Trinidad:** una marcha de 4 kilómetros, a paso y fervor de procesión. Ésta era tan numerosa que parecía multiplicarse por minutos y un periodista de la Sección Católica del Periódico «El Mundo», Sr. José Montó Sotolongo, la describió con estas palabras:

> *Cuando la cabeza de la Procesión llegaba a la Iglesia Parroquial, la Imagen se encontraba aún en la Alameda de Concha, es decir: la procesión ocupaba Trinidad de un extremo al otro*[183]

Fue muy impresionante la entrada de la Virgen de la Caridad del Cobre en la Iglesia Parroquial de la Santísima Trinidad:

---

[181] Ibídem

[182] Ibídem, p. 90

[183] Ibídem,

Llegó al cabo la Virgen Peregrina al pórtico de la más bella Iglesia de Cuba, convertido en trono tres veces regio para Ella. Allí fue la entrega oficial de las llaves simbólicas. Allí (habló el) P. Capellán al público. Allí la muchedumbre enfervorizada se apretaba en torno a la Reina Celestial, y parecía que la fiesta no iba a decaer nunca...

Introducido al cabo en el soberbio templo, las cinco majestuosas naves y los 50 metros de longitud parecían todavía poco palacio para Ella; **su casa mejor estaba en los transfigurados corazones.** *Y al filo de las 12 prosiguió la celebración con una Solemne Misa de la Adoración Nocturna, una vibrante plática del P. Capellán en acción de gracias por todos los bienes de la peregrinación y un grandioso* **Te Deum** *que resonó con emoción jamás antes conocida en el templo centenario*[184]

La Sagrada Imagen cumplió un itinerario apretado en **Trinidad.** Visitó el Centro de los Veteranos, las clínicas, las sociedades, el hospital, acompañada por un gentío inmenso que iba con Ella a todas partes, demostrando un catolicismo enraizado y ferviente[185].

Desde Trinidad, la Virgen salió en visitas programadas de antemano al **Central Trinidad, Palmarito, San Pedro, Caracusey, Manacas,** y **Iznaga,** donde se ubica la histórica torre del mismo nombre. La caravana llegó a Palmarito por caminos muy malos después de cruzar en lancha el río Manatí, y luego fueron en tren al pueblo de **Condado**, en cuya Iglesia el P. Capellán erigió el Vía Crucis[186]. Pero la hazaña mayor fue la de llegar, siempre subiendo entre las lomas, a **Topes de Collantes,** por una carretera en picada y rota, durante cuatro horas, y de ahí al lugar habitado de **Alfonso.**

Fomento, Central Santa Isabel, Sipiabo, Pedrero, Central Agabama, Jíquima, Güinía de Miranda, Jicotea, San Diego del Valle, Santo Domingo, Rodrigo, Central Ulacia, Central María Antonia, Central Washington, Manacas, Mordazo, Cascajal. Fin de la Peregrinación en Las Villas

El P. Capellán dijo que la Misión del pueblo de **Fomento** fue

El mejor regalo de la Virgen Peregrina en su recorrido por Las Villas[187]

Fomento hizo a la Sagrada Imagen un recibimiento tan bueno como el que más: la multitud, entusiasmada, aclamó a la Virgen en las

---

[184] Ibídem, p. 90

[185] Ibídem,

[186] Ibídem,

[187] Ibídem, p. 91

calles, se le entregó un precioso pergamino de **Huésped de Honor** y las simbólicas llaves de la ciudad, fue llevada en Procesión al Ayuntamiento, al Centro de Veteranos, al Cuartel... Pero la Santa Misión, en la que trabajaron organizadamente tres frailes franciscanos, fue lo más importante y fructífero de la Visita de la Virgen Peregrina a Fomento:

> *Pero lo grande, en Fomento, fue la Misión. Mientras el P. Pértika se hacía cargo de la Imagen Peregrina y la llevaba a los lugares aledaños, los PP. Manuel Oroquieta y Lucas Iruretagoyena se dedicaban de lleno al trabajo de la Misión. **Claro que la Virgen y el P. Pértika regresaban a la ciudad para los actos principales, porque, aquí también, fue Ella la primera misionera**[188]*

Tomando como base el pueblo de **Fomento,** la Imagen de la Virgen de la Caridad recorrió el **Central Santa Isabel,** donde

> *el entusiasmo fue sincero, ferviente, total. Caridad entre patronos y obreros: hablaron ante la Virgen el Administrador del Central y el Secretario del Sindicato. Se aprovechó la visita de la Virgen para administrar el Sacramento del Matrimonio[189]*

En el pueblo de **Sepiabo** hubo dos escenas impresionantes por la emoción:

> *un anciano, de rodillas en medio del camino, rezando la Salve cubierto de polvo; y un niño inválido, que se empeñó en acompañar a la Virgen al compás cansino y meritorio de sus muletas, hasta Pedroso[190]*

Más de 60 niños aguardaban a la Virgen de la Caridad en **Pedroso,** en perfecta formación, agitando banderitas cubanas. Más tarde, cuando la comitiva llegó al **Central Agabama,** tuvo lugar un milagro:

> *una mujer veterana, que tenía que ir al Cobre en promesa de la Guerra de Independencia, **y no había podido ir por estar paralítica, hasta hoy, en que caminó y fué a ver a la Virgen y cumplió su promesa**[191]*

La Santa Imagen Peregrina de la Patrona de Cuba pasó después por **Jíquima,** y luego se internó por las sierras de Trinidad hasta el

---

[188] Ibídem, p. 91

[189] Ibídem,

[190] Ibídem,

[191] Ibídem,

pueblo de **Güinía de Miranda,** donde fue recibida *por un gentío fenomenal[192].*

Entonces los franciscanos comenzaron a dar una Misión en **Fomento** que tuvo lugar entre el 6 y el 13 de enero de 1952, aunque la verdadera Evangelizadora era la Virgen Peregrina. Diariamente se rezaba el Rosario de la Aurora y luego se daba la Misa predicada, catecismo a los niños, conferencias separadas a hombres y mujeres, y un acto general de la Misión. En siete días, la asistencia al Rosario de la Aurora pasó de 300 a 400 personas, luego a 687, después a 1,066, enseguida a 1,200, y finalizó en 1,630 en aquél pueblo de 5.000 habitantes[193]. El primer día fueron 200 niñas al catecismo, los últimos días eran más de 400. Se confesaron 108 niños, 600 mujeres y 130 hombres, que comulgaron el último día. A las conferencias para mujeres asistían unas 200, y a las de hombres, entre 250 y 300: la gente no cabía en la Iglesia cuando se daba el acto general de la Misión[194].

El último día, la Virgen fue llevada al Cementerio, a la cabeza de una Procesión que duró dos horas, y estuvo presente tanto en la Visita a 33 enfermos como en el Vía Crucis penitencial del 11 de enero:

Se celebró en la noche del viernes. Resultó solemnísimo, ya que el parque frente a la Iglesia, que se hallaba totalmente engalanado con guirnaldas de luces multicolores, fue dejado completamente a oscuras; y a todo el derredor, se sembraron las 14 cruces del Vía Crucis, que iluminadas desde abajo con potentes focos reflectores ofrecían un fantástico aspecto...[195]

Fray Manuel Oroquieta predicó con palabras profundas en las 14 estaciones, conmoviendo profundamente las almas allí reunidas para acompañar a la Reina y Madre de Caridad y a su Divino Hijo en la conmemoración de la más formidable prueba de amor que se haya dado en la historia de la humanidad...

Y a las 3 p.m., en medio de un mar de lágrimas, la Virgen Peregrina salía de este gran pueblo que es Fomento[196]

Y en ese momento tremendo de la despedida, **Fomento** regaló a Nuestra Señora un rutilante manto, todo blanco, con una estrella de

---

[192] Ibídem, p. 91

[193] Ibídem,

[194] Ibídem,

[195] Ibídem,

[196] Ibídem, p. 92

plata en el centro. La estrella era María de la Caridad, la Estrella de Cuba, y era también la Luz que Ella encendió en las almas de los habitantes...

La caravana con la Sagrada Imagen Peregrina al frente, al salir de **Fomento,** avanzó por la carretera central hasta el pueblo de **Jicotea,** donde llegó el 13 de enero y tuvo la novedad de ser esperada por

*una joven vestida de **Cuba** y un gran entusiasmo reinante*[197]

Por la noche la comitiva dejó la carretera central para visitar **San Diego del Valle,** cuyos habitantes

recibieron a la Virgen con todo el pueblo vestido de fiesta hasta las 9 p.m., y duró la Procesión hasta las 12:15, visitando el Ayuntamiento[198]

Marchó después al pueblo de **Santo Domingo,** haciendo una breve escala en el Central María Antonia. En **Santo Domingo**

*había habido protestas **de los protestantes y los comunistas,** y la reacción del pueblo fue maravillosa, vibrando de entusiasmo y sinceridad*[199]

El día 15 tuvo lugar el Rosario Aurora en Santo Domingo, rezado al aire libre, y la comitiva salió rumbo al pueblo de **Rodrigo,** distante 14 kilómetros: allí visitó el sindicato y las sociedades, regresó a **Santo Domingo** y salió en dirección al **Central Ulacia,** protegiendo como siempre a sus fieles:

*iban tres máquinas por el camino no muy ancho, en un afán de llegar al Central antes que la bendita Imagen para verla llegar, cuando una de ellas, manejada por la Señora del Administrador y colmada de niños y niñas, **se salió de la carretera y volcó por completo, ¡y nadie sufrió ni siquiera un rasguño***[200]

La próxima parada de la Virgen Peregrina tuvo lugar en el **Central María Antonia** y después la caravana siguió adelante hasta el **Central Washington,** donde

llenaron a los Capellanes de finezas y atenciones. Era el primer día de zafra, y sonaron las sirenas en honor a La Caridad[201]

---

[197] Ibídem,

[198] Ibídem,

[199] Ibídem

[200] Ibídem, p. 92

[201] Ibídem,

Viajaron después a **Manacas,** adonde llegaron de noche, y a las 11:30 entraron en **Mordazo,** donde

> *se armó un escándalo, porque la Virgen no se iba a detener allí todo lo que los vecinos deseaban. Protestas, ira y hasta insolencias de los hombres. Argumentos y voces de las mujeres, que apoyaban el plan de los PP. Capellanes, de trasladar la visita más detallada para el día siguiente. Como al fin fue. **Y cuando regresaron, a media mañana del día 16, todo el mundo estaba humildito y amable...**[202]*

Para despedir a la Virgen de la Caridad Peregrina y Misionera, en el pueblo límite de **Cascajal,** vinieron autobuses abarrotados de Cienfuegos y Santa Clara, y muchos automóviles de particulares. A las 6:00 p.m. habló el Obispo de Cienfuegos, Mons. Eduardo Martínez Dalmau: enseguida, a los acordes vibrantes del Himno Nacional, salió de la provincia de Las Villas la bendita Imagen de la Virgen de la Caridad Peregrina.

La Sagrada Imagen de la Virgen del Cobre peregrinó por tierras villareñas desde el 10 de octubre de 1951 hasta el 16 de enero de 1952, que entró en la Provincia de Matanzas.

Su Peregrinación duró, por tanto, 98 días en la accidentada provincia, donde visitó un total de 168 lugares entre ciudades, pueblos, caseríos, centrales azucareros y demás, realizando una trayectoria quebrada de 4,133 kilómetros con todos los medios de locomoción conocidos, con una distancia recorrida de 24.6 kilómetros como promedio diario. Después de terminar el recorrido por Oriente, Camagüey y Las Villas, la Virgen había peregrinado a lo largo de 10,334 kilómetros, visitando 351 lugares habitados y avanzando, como promedio diario, 29,4 kilómetros[203] por mares, ciénagas, llanuras y por el aire, a bordo de embarcaciones, en su carroza, en tren, en carreta, en avión o llevada en andas por sus fieles devotos, los hijos del pueblo de Cuba, que caminaron a ella por el día y por la noche, bajo el sol más ardiente o ateridos por el frío y la lluvia, bajo la tempestad y en la calma, alimentados o hambrientos, pero siempre llenos por su Infinita Caridad.

---

[202] Ibídem,

[203] En realidad, el recorrido de la Virgen debe ser más largo. Las distancias mencionadas son el resultado de sumar el recorrido entre los pueblos, que se ha tomado en línea recta. Por razones obvias, las vías de comunicación siguen pocas veces la distancia más corta entre dos puntos.

CAPÍTULO XVIII

PEREGRINACION DE LA VIRGEN DE LA CARIDAD DEL COBRE POR LA ISLA DE CUBA EN EL 50 ANIVERSARIO DE LA INDEPENDENCIA, (PARTE II) Y LOS AÑOS POSTERIORES (1952-1959)

> ¿Quién podrá conocer nunca los frutos espirituales de la Peregrinación Nacional? ¿Quién podrá cuantificarlos? ¿Cuántas almas sanaron? ¿Cuántas heridas del corazón cicatrizaron? ¿Cuántos propósitos buenos se formularon? ¿Cuántas promesas se hicieron? ¿Cuántas formas de pensar variaron? ¿Cuántos corazones fueron tocados por la Santísima Virgen? ¿Cuántas existencias tomaron otro rumbo? Este inmenso mural de salvación y redención que pintó la Virgen de la Caridad durante su Peregrinación Nacional por tierras de Cuba, solamente podría ser conocido y valorado por los ángeles del cielo, porque el limitado entendimiento humano jamás podrá ni conocerlo ni abarcarlo...

La Virgen de la Caridad se despide de Las Villas. La Peregrinación entra en la Provincia de Matanzas el 16 de enero de 1952. Comienza la Visita por los 125 Municipios y todos los pueblos y lugares habitados. La recepción oficial: Mons. Eduardo Martínez Dalmau, Obispo de Cienfuegos, entrega la Santa Imagen a Mons. Eduardo Martín Villaverde, Obispo de Matanzas

La caravana de la Virgen Misionera y Peregrina, urgida por la Caridad, no descansaba. Terminó el larguísimo viaje por Las Villas, tan rico en cosechas espirituales, y de inmediato comenzó la Visita en la provincia de Matanzas. Cuando llegó el momento de salir de Las Villas, llegó gran cantidad de autobuses procedentes de Santa Clara y Cienfuegos, repletos de fieles, que acudieron al pueblo de Cascajal, limítrofe con Matanzas. Acompañaba a los ómnibus una multitud de automóviles particulares, de forma que a las 6:00 p.m. se formó una concentración de público en el pequeño pueblo: entonces, el Obispo de Cienfuegos, Mons. Eduardo Martínez Dalmau, hizo uso de la palabra para despedir a la Patrona de Cuba. Cuando terminó su alocución, estallaron solemnes las notas del Himno Nacional, y la caravana de la

Bendita Imagen salió de Las Villas y comenzó su viaje por Matanzas. El P. Manuel Oroquieta reseñó la ocasión de esta forma:

> No sabría el cronista terminar mejor su reseña de la provincia (de Las Villas) que con este elogio... **Las Villas —corazón de Cuba— ha sido todo corazón para la Virgen de La Caridad Peregrina**[204]

Y la Peregrina y Misionera Virgen de la Caridad del Cobre entró en territorio matancero el 16 de enero de 1952 en una Visita que terminó el 25 de febrero. Esto significa que durante 40 días, con una perfecta organización y de forma sincronizada, se llevó a cabo una intensa Peregrinación durante la cual la Bendita Imagen recorrió 125 lugares habitados entre pueblos, ciudades y bateyes de centrales azucareros, para un promedio de tres visitas diarias. Ningún sitio se quedó sin la anhelada Visita:

> No era posible dejar de ir a ningún lugar, porque el pueblo lo reclamaba[205]

La perfección organizativa fue la característica que no falló nunca en el recorrido matancero. La caravana entró en la provincia por el término municipal de Los Arabos, y en una sencilla pero impresionante ceremonia, en la que por primera vez la Patrona de Cuba fue declarada oficialmente **Huésped de Honor de toda la Provincia,**

> entregó la Imagen bendita el Excmo. Sr. Obispo de Cienfuegos, Mons. Eduardo Martínez Dalmau, y la recibió el titular de la diócesis matancera, Excmo. Sr. Alberto Martín Villaverde. Y el generoso Sr. Gobernador Dr. Juan Raúl Soberón, la nombró Huésped de Honor de toda la Provincia. Presenciaba el acto una nutrida representación del clero y de la ciudadanía[206]

Los Arabos es un pueblo pequeño, y para su escasa población fue grande la demostración de fervor: 120 personas recibieron la Sagrada Comunión y los dos Rosarios de la Aurora contaron con abundante público. La Imagen Peregrina visitó el Cuartel y el Colegio de las Madres Canadienses, y el Ayuntamiento la nombró Huésped de Honor[207].

---

[204] Varios Autores. La Caridad del Cobre, Peregrina Nacional. Reportaje de las Seis Provincias. Narra: El Capellán de la Virgen, R.P. Manuel Oroquieta, o.f.m. Escribe: Fray Gil, o.f.m. Semanario Católico, nros. de Septiembre y Octubre de 1952, p. 92

[205] Ibídem, p. 95

[206] Ibídem, pp. 95-96

[207] Ibídem, p. 96

La Virgen de la Caridad pasa por San Pedro de Mayabón, Los Arabos, Aguedita, Jacán, Palmillas, Agüica, Cuatro Esquinas, el Central Zorrilla y Macagua. Nueva etapa del viaje: de San José de los Ramos a Colón, la Misionera Peregrina visita el Central Avila y Banaguises. Calurosa recepción en Colón

Al finalizar el Rosario de la Aurora y la Misa predicada en Los Arabos, la Virgen Peregrina visitó todos los lugares habitados de la vecindad: **San Pedro de Mayabón,**

donde reinó el entusiasmo, pero sin extremismos[208]

y luego la Virgen Peregrina pasó consecutivamente por **Aguedita, Jacán, Palmillas, Agüica, Cuatro Esquinas, el Central Zorrilla y Macagua**. El Capellán anotó estas palabras:

*Hubo bienvenidas francamente buenas: en Agüica **todo el poblado era bandera cubana,** y en Macagua no se veía una sola casa sin su altarcito de la Caridad*[209]

Era el 18 de enero de 1952 cuando la Virgen Peregrina, después de recibir una emotiva despedida de los niños de los colegios y del público en general, salió del municipio Los Arabos, por ferrocarril, hacia el pueblo de **San José de los Ramos**, donde hubo más hombres para recibir la Sagrada Imagen que lo acostumbrado en los sitios anteriores. Según anotó el P. Manuel Oroquieta, fue recibida con más calor popular, aunque pocos hombres no asistieron al rezo del Rosario de la Aurora, en el que hubo numerosas mujeres y niños. A continuación se celebró una Misa cantada en la que comulgaron unas 100 personas, y de inmediato la Imagen de la Virgen de la Caridad, al frente de una comitiva de automóviles que encabezaba su carroza, inauguró la nueva carretera de **San José de los Ramos** al pueblo de **Colón,** donde tuvo lugar una gran recepción de las autoridades civiles:

*Había acudido allí (a Colón) el Presidente de la Comisión de Fomento Nacional, Ing. Carlos Hevia, candidato a la Presidencia de la República por el partido de gobierno, con su natural comitiva de curiosos, de interesados y de políticos. Todos los oradores, y el mismo Hevia, **se refirieron a la presencia de la Virgen de La Caridad en la carretera estrenada.** ¿No era esa coincidencia una verdadera bendición, indicio de buen agüero?*[210]

---

[208] Ibídem,

[209] Ibídem,

[210] Ibídem

No sabemos la respuesta. Pero lo que sí está claro es que los políticos sabían muy bien el inmenso poder de convocatoria de la Virgen de la Caridad, y quisieron estar presentes en este pueblo, como en otros muchos lugares del sinuoso y larguísimo trayecto que hizo la Patrona de Cuba durante la Peregrinación Nacional del Cincuentenario de la República, para atraer hacia ellos la simpatía y buena voluntad de los futuros votantes...

Por otra parte, los habitantes de **Colón** dieron una calurosa bienvenida a la Virgen Misionera de la Caridad, aunque fray Manuel Oroquieta había recibido noticias de la «frialdad» de ese pueblo en relación con la religión. Sin embargo, al final de la Visita concluyó que **Colón**

es el corazón y pulso de Matanzas, como Las Villas lo son de Cuba...

Todo ha resultado maravilloso. El Sr. Alcalde le entregó (a la Virgen) en la recepción unas finísimas llaves de oro, y la masa compacta y férvida del pueblo la acompañó primero a la iglesia de las Mercedes y luego a la parroquial de San José, en la que tuvimos un Rosario solemnísimo, y la sagrada Imagen siguió velada toda la noche[211]

El día 20 continuó la visita en la ciudad de Colón: al amanecer tuvo lugar un brillantísimo Rosario de la Aurora y se celebraron dos Misas en las que comulgaron 275 personas. Luego la Santa Imagen recorrió triunfalmente el Centro de Veteranos, el Hospital, la Estación de Policía, la Cárcel, el Liceo, las sociedades... y por la tarde, para cerrar con broche de oro su Visita, presidió la solemne

consagración de los Aspirantes de la Acción Católica a Ntra. Sra. de La Caridad, y despedida con la iglesia llena[212]

Los nuevos Aspirantes de la Acción Católica Cubana no olvidarían jamás que fueron consagrados a la Patrona de Cuba en presencia de la Imagen Bendita y en ocasión de su Peregrinación Nacional.

Desde San José de los Ramos, la Virgen Peregrina continuó en dirección **Central Avila** y el lugar habitado de **Banaguises.** En el batey del Central Avila la esperaba el pueblo entusiasmado. El P. Oroquieta, al describir la recepción, escribió estas líneas:

[211] Ibídem,

[212] Ibídem,

¡Esto sí era fiesta y júbilo! «El ambiente se había caldeado». En el C. Alava pasearon a la Virgen por todo el batey, y ante Ella se bendijo el nuevo sindicato[213]

En Banagüises, la llegada de la Santa Imagen Misionera fue acogida por el público desbordado de alegría como una verdadera bendición, porque tuvieron lugar sucesos de gran importancia para la pequeña población:

...en Banagüises se centuplicó repentinamente la festiva emoción: carretera nueva, visita de Ntra. Sra. de La Caridad... y he aquí que la radio anuncia una tercera nueva felicísima: ¡había caído en Banagüises el segundo premio de la lotería nacional![214]

Continúa el recorrido por el Central Tinguaro, Finca Laberinto, Guareiras, Manguito, La Vega, el Central Araujo y Calimete. La Virgen llega a las fincas San Pablo y La Paz. En los Centrales Antiguo Central María y Por Fuerza. Recorrido por Céspedes, Amarillas, de nuevo la Finca San Pablo, Perico, El Roque, Central España, y Agramonte

La caravana de la Imagen Bendita de la Caridad siguió avanzando hacia el **Central Tinguaro**, la **Finca Laberinto** y el sitio de **Guareiras**. Al llegar al batey, y de la misma forma en Laberinto y Guareiras donde el entusiasmo de la gente rayaba en la locura, los miembros de la comitiva encontraron una verdadera muchedumbre esperando a la Virgen, señal de que numerosas personas de los alrededores habían viajado hasta el Central para verla. En el batey del Central,

*hubo una procesión interminable y una Misa al aire libre con más de 1.000 personas; a la Finca Laberinto, «un paraíso de almas buenas»; y a Guareiras, donde topamos con unos fervores frenéticos, tanto, que «**nos costó Dios y ayuda dar a besar la medalla de la Virgen, y no fue posible organizar la procesión».***[215]

El 20 de enero por la noche la Imagen de la Virgen Peregrina hizo su entrada triunfal en el lugar habitado de **Manguito**, donde tuvo lugar otro magnífico recibimiento por los habitantes entusiasmados y los que acudieron de los alrededores. El pueblecito estaba decorado con un

arco triunfal lindísimo, autoridades civiles y militares esperando a la Imagen. Orden perfecto en la procesión: los jóvenes de la A.C. y los

---

[213] Ibídem,

[214] Ibídem,

[215] Ibídem,

*caballeros de Colón ayudaron mucho y bien. En el parque, entrega de las llaves de oro, declaración de **Huésped de Honor**, fuegos artificiales[216]*

A las 12:30 de la noche ocurrió un suceso lamentable, cuando alguien robó la medalla de la Virgen. Antes, el 17 de enero, alguien hurtó la cubierta de celuloide que protegía la Imagen Peregrina durante los traslados rápidos. Se pensó en ese momento en la posibilidad de que la acción fuera obra de los protestantes, para entorpecer el brillo de la Peregrinación Nacional, porque en Matanzas parecían estar particularmente revueltos. Aunque pudiera tratarse de un particular con creencias sincréticas o escasa formación religiosa que tratara de apropiarse de la medalla con fines supersticiosos o quizás pensando que de esa forma se apoderaba de sus supuestos poderes... el caso es que el Capellán fray Manuel Oroquieta vivió unos momentos dolorosos y terribles, que reseñó de esta forma:

¡Y aquí tenía que ser, en pleno esplendor del entusiasmo!... «A las 12:30 p.m. le robaron a la Imagen la medalla que han besado orientales, camagüeyanos y villareños. Fué un acto de sabotaje manifiesto, y ésta es la hora en que no se sabe quién fue. Ya el día 17 le habían robado el cristal de celuloide, que la protegía durante los traslados rápidos. A mí me da que en todo esto hay mano izquierda de los señores protestantes, que en todos los pueblos de Matanzas se están oponiendo virulentamente a la recepción oficial de la Imagen».

Pasé aquella noche unas horas amargas. Y el Rosario de la Aurora fue muy triste, porque todos estábamos impresionados por el robo sacrílego. Luego ofrecimos la Misa como desagravio[217]

Ante la ofensa realizada a la amada Virgen de la Caridad del Cobre, Patrona de Cuba, el pueblo de Manguito reaccionó con un acto de amor. Espontáneamente, una vez que se enteraron del suceso, los habitantes, encabezados por un doctor en medicina y los veteranos, hicieron una colecta, comenzaron a reunir dinero y se dice que en unos minutos recaudaron $80.00. Con este dinero se compró una medalla de la Virgen de la Caridad con su correspondiente cadena,

ambas de oro de subidos quilates, mucho más lindas y valiosas que las robadas. Y por la noche, una enorme cantidad de público besó la nueva medalla, en acto de reparación[218]

[216] Ibídem,

[217] Ibídem,

[218] Ibídem.

Al salir de **Manguito,** la caravana de la Virgen Peregrina, según el programa establecido, se internó profundamente en la campiña matancera, pasó por el lugar habitado de **La Vega,** los bateyes de los **Centrales Mercedes** y **Araujo,** y luego, festejada por los sencillos campesinos, transitó por los pueblos y sitios de

Céspedes, Calimete y Amarillas: pueblos atendidos por los PP. Canadienses. La Virgen Peregrina entró en ellos colmada de fervor y de atenciones. Orden, entusiasmo, delicadeza, colorido[219]

Según el orden establecido previamente, el viaje de la Virgen Peregrina de la Caridad debía pasar, acto seguido, por las fincas **San Pablo** y **La Paz,** así como por los **Centrales Antiguo Central María** y **Por Fuerza.** El P. Capellán, fray Manuel Oroquieta, dejó una reseña de esta parte del trayecto matizada con una valoración personal sobre la dedicación abnegada de los Padres Canadienses:

*Y en los Centrales **Mercedes, Araujo** y **Por Fuerza,** y en las fincas **San Pablo** y **La Paz,** y en el antiguo **C. María,** derroche de gente, de adornos y de luz. En el **C. Por Fuerza,** sin iglesia, la sagrada Imagen fue colocada en el «stadium» deportivo, y allí muy venerada. Como **en todas partes, lo mejor era para Ella.***

*Pero lo que más me agradó fue el número de las Comuniones. Lo había notado gozosamente en **Colón,** y antes en **San José de los Ramos** y en **Los Arabos.** Pero en esta zona de campo me sorprendió más: en **Manguito, Calimete y Amarillas** —los tres lugares donde se celebró la Sta. Misa con la Virgen—, comulgó un promedio de 100 personas cada día. Y tenía esta zona fama de ser muy tibia...*

¿No estará el secreto de ese milagro en el otro milagro del celo americano —acción apostólica y dólares— de los PP. Canadienses?[220]

A continuación, la caravana precedida por la Santa Imagen Peregrina de la Caridad pasó de nuevo por **la Finca San Pablo,** con el fin de mantener el itinerario establecido, para continuar hacia el pueblo del **Perico,** el lugar habitado que llaman **El Roque,** el batey del **Central España,** y el sitio de **Agramonte.** Fue un hermoso recorrido que el Capellán fray Manuel Oroquieta describió rápidamente con estas expresiones:

*He aquí algunos datos a vuela pluma: **Perico**[221] le preparó un trono precioso y rutilante en el pórtico de la iglesia, y si en la entrada me*

---

[219] Ibídem, p. 97

[220] Ibídem,

*desilusionó algo el poco calor de la gente, «**la despedida fué al reverso: un entusiasmo formidable**». La llegada de la bendita Imagen a **Agramonte «coincidió con la fiesta patronal de Ntra. Sra. de la Paz, y el recibimiento fue sencillamente monumental**», destacándose a la entrada del pueblo un motivo decorativo que se robó la admiración y los elogios de todos: una inmensa cruz blanca, un bello símbolo de la Virgen y un arco, todo fabricado de madera e intensamente iluminado. Pero, ¡con qué gusto! Me informaron que era regalo del dueño del C. San Ignacio*[222]

La Caridad llega al sur de la provincia: trayecto por los Centrales Santa Rita y San Ignacio, Torriente, Unión de Fernández, Jagüey Grande, el Central Australia y La Playita. Traslado al centro del territorio matancero: la Peregrinación pasa por el Central Soledad, la Finca Gratitud, Jovellanos, Central Dolores, Pedro Betancourt, Central Cuba, Navajas, Pedroso, Isabel, Carlos Rojas y San Vicente

Y la Santa Visita continuó su recorrido, dejando una estela de devoción, fe, amor, caridad... de central en central azucarero, de pueblo en pueblo, de ciudad en ciudad, de finca en finca, se dejaba atrás la emoción, el entusiasmo y la alegría para encontrar en otros rostros nueva alegría, redoblado entusiasmo y creciente emoción. Nuevas sorpresas deparaba esta parte del trayecto al Capellán de la Virgen Peregrina:

*En los centrales Sta. Rita y S. Ignacio, la Virgen Peregrina hizo algo más que recibir cálidos homenajes: **escuchó de los labios del pueblo la promesa formal de erigir cada uno su capilla***[223]

La caravana continuó su emocionante viaje en dirección al pueblo de **Jagüey Grande,** pasando en este trayecto por los sitios de **Torriente** y **Unión de Fernández.** Al pasar de **Agramonte** a **Torriente,** cuenta el P. Capellán, como si la Virgen de la Caridad quisiera mostrar otra vez su deferencia por uno de sus hijos más queridos,

paramos en la Ceiba de Maceo, bajo la que el héroe pernoctó en una de las jornadas de su invasión, bautizándola históricamente con su recuerdo[224]

Y cuando la comitiva llegó por fin a

---

[221] El pueblo de Perico tenía fama por el sincretismo y la religiosidad afrocubana de sus habitantes. Sin embargo, tributó una gran recepción a la Sagrada Imagen Peregrina de la Virgen de la Caridad

[222] Ibídem, p. 98

[223] Ibídem,

[224] Ibídem, p. 98

Torriente, *...todo el pueblo esperaba a Ntra. Sra. con antorchas encendidas*[225]

Durante el viaje de **Torriente** al pueblo de **Jagüey Grande,** una imponente caravana de 167 máquinas acompañaba a la Sagrada Imagen Misionera y Peregrina. En aquella época, ya se trataba de un pueblo de tamaño considerable, que tributó a su Patrona una de esas recepciones que se recuerdan de generación en generación:

¡El gran Jagüey! «La entrada fue semejante en todo a la de Cienfuegos: Ayuntamiento de gala, Veteranos de gala, y un público inmenso. Todo Jagüey engalanado, todo el mundo con cirios encendidos y todas las casas vestidas de fiesta. Misa a medianoche con 27 comuniones de hombres. Rosario de la Aurora hermosísimo e igualmente la Misa, con cerca de 100 Comuniones»[226]

Por la tarde tuvo lugar una procesión masiva que recorrió todo el pueblo de una punta a la otra. La Virgen de la Caridad fue llevada en andas por cargadores que fue muy difícil seleccionar, porque todos los hombres se disputaban ese honor, rivalizando los habitantes con las autoridades y las organizaciones para demostrar en todo momento su inmenso amor a la Virgen de la Caridad. El P. Oroquieta lo narró de esta manera:

Al atardecer, procesión con la Virgen a hombros por casi todo el pueblo, por calles convertidas en un hervidero de entusiastas devotos, deteniéndose en los lugares representativos, que era ya programa obligado de la Peregrinación[227]

Durante el recorrido procesional hubo momentos que hicieron palpitar con mucha fuerza los corazones e hicieron asomar lágrimas en los ojos de los presentes:

En el Centro de Veteranos, un curtido Mambí de más de 80 años se abrió paso entre la multitud con sus manos rugosas y trémulas, y extrajo de su bolsillo una estampa de La Caridad, y, alzándola con fervor de reliquia ante la concurrencia, exclamó:

---

[225] Ibídem,

[226] Ibídem,

[227] Ibídem,

—*¡Madrecita mía: hace 62 años que te llevo, y cada día te quiero más!*[228]

Como es natural, todos los presentes estaban embargados por la ternura ante la expresión, las palabras y la devoción del veterano luchador por la libertad de Cuba. Al terminar los actos programados dentro del pueblo, la caravana de la Santa Imagen de la Caridad pasó por dos barrios de Jagüey: Barrio Nuevo y Canta Ranas[229], para luego continuar con el itinerario programado dirigiéndose al **Central Australia** y **La Playita**. En el batey del Central se vivieron momentos inolvidables cuando

> *los mismos obreros pasearon a la Virgen por donde quisieron, e hicieron entre ellos una bonita colecta para la Hospedería del Cobre[230], centavo a centavo[231]*

Después de salir triunfalmente del batey del **Central Australia,** de la misma forma en que había llegado, la comitiva encabezada por la Virgen de la Caridad, Misionera y Peregrina, pasó a **La Playita**, en un sitio áspero y abandonado de la costa sur. Salió con toda su caravana en un motor del central, por la línea del ferrocarril, y adentrarse en las profundidades de la Ciénaga de Zapata en dirección a la Bahía de Cochinos, donde recibió grandes demostraciones de cariño y fervor de los carboneros, únicas personas que vivían en aquellos lugares que nadie visitaba. Aquella etapa de la Peregrinación fue narrada por el Padre Oroquieta con estas palabras:

> *Ese 27 de Enero… nos quedaron horas para largarnos hasta la costa sur de la Bahía de Cochinos, en motor del C. Australia. Ocho horas entre ida y regreso, todo por la viscosa y estéril ciénaga, sin un palmo de tierra firme hasta **La Playita**. Allí, los mismos carboneros, cargaron las andas de la Virgen Peregrina, y me pedían con gran interés estampas y medallas de la Caridad. ¡Los pobres, tan alejados de toda cultura y comodidad! Les hablé y me escucharon atentísimos…[232]*

acto seguido La Santa Imagen se trasladó al centro del territorio de la provincia de Matanzas y llegó al batey del **Central Soledad,** con idénticas demostraciones de fervor por parte de los fieles, y pasó luego por la **Finca**

---

[228] Ibídem, p. 98

[229] Ibídem,

[230] Para la Hospedería anexa al Santuario Nacional de la Virgen de la Caridad del Cobre, en Oriente

[231] Ibídem, p. 98

[232] Ibídem,

Gratitud, y **Jovellanos,** donde la comitiva había presenciado grandes demostraciones de amor a la Patrona de Cuba con un frío muy grande, tal vez el mayor de aquel invierno, acompañado por mucha lluvia. Las inclemencias, las bajas temperaturas y los aguaceros fueron constantes en esta parte del trayecto, y fray Manuel Oroquieta, sin olvidarse de su carisma y sensibilidad franciscana ante la naturaleza, lo expresó con estas palabras en sus crónicas:

> *Mis mejores recuerdos de la peregrinación de Nuestra Señora por esta zona central de Matanzas están ligados a esas tres expresiones de la inclemencia: la noche, los aguaceros, el frío.* **La hermana noche, la hermana agua, el hermano frío —que los llamaría así San Francisco de Asís— lo fueron en verdad del fervor mariano de las gentes: sublimaron su amor y su mérito.**
>
> *Habíamos disfrutado en Jovellanos una de las más completas y brillantes jornadas de la romería nacional...*[233]

A la salida de **Jovellanos,** la caravana de la Santa Imagen Peregrina de la Caridad continuó su recorrido misionero en dirección al batey del **Central Dolores,** y la acompañaba *una incontable caravana de máquinas... hasta el anochecer.* En el batey del central estaba lloviendo a cántaros, lo que no impidió que los lugareños mostraran su amor a la Virgen:

> *(en el Central Dolores) la maravillosa iglesia «rotonda» estuvo abarrotada de público, sincero, fervoroso, que escuchaba (la Misa) con religioso fervor*[234]

Eran las 11 de la noche cuando la comitiva, precedida por la Sagrada Imagen de la Virgen de la Caridad, salió del **Central Dolores** para tomar el rumbo de **Pedro Betancourt** en medio de una lluvia torrencial. Mientras, en el pueblo se había corrido la voz de que la hora de llegada de la Patrona de Cuba iba a retrasarse por el mal tiempo, por lo que muchos fieles se fueron a la casa hasta nuevo aviso, y otros continuaron esperando. Pero la Virgen llegó muy cerca de la hora prevista, y su poder de convocatoria era tan grande, que los que se habían ido regresaron bajo la lluvia y el frío para recibir a su Madre del Cielo y al final, la recepción fue más espléndida y grandiosa de lo que se esperaba, superando todos los cálculos preliminares. La entrada triunfal de la Virgen en este pueblo fue descrita de esta manera:

---

[233] Ibídem, p. 98

[234] Ibídem,

> *Serían las 12 p.m. cuando llegábamos, y habían corrido por allí varias versiones sobre nuestro arribo que confundieron y dispersaron al público.* **Pero llegar la Virgen de La Caridad y comenzar a brotar gente como de milagro según iba avanzando Ella por las calles, fue todo uno.** *Se reunió al cabo un gentío inmenso, y en la iglesia no cabía ni un alfile.r*[235]

Cuando terminaron los actos, festejos y celebraciones en el pueblo de **Pedro** Betancourt, la caravana de la Peregrina Celestial de la Caridad mantuvo su itinerario y pasó por el **Central Cuba,** donde hizo su llegada con el saludo atronador de las sirenas de la fábrica de azúcar y luego fue hacia los lugares habitados de **Navajas** y **Pedroso,** donde se repitieron las grandes y espléndidas ceremonias religiosas colectivas a pesar de las inclemencias y las bajas temperaturas de aquel invierno, que no parecían importar mucho a los fieles que esperaban para ver a su Madre del Cielo, y cuando arribaron al pueblo **Isabel,** situado al sur de Jovellanos, el Capellán fray Manuel Oroquieta escribió estas palabras para describir su llegada:

> *Llegamos a Isabel, poblado al sur de Jovellanos, a las 7.30 p.m. Hacía el frío más grande de este invierno, y estaba el pueblo entero esperando desde las tres de la tarde... con el frío recorrimos en procesión todo el poblado,* **y reinaba un fervor admirable, y un afán por hacerse todos con el pequeño devocionario e historia de La Caridad...**[236]

Luego aquella singular comitiva siguió su Santa Peregrinación presidida por una Sagrada Imagen que convocaba a todo lo largo y ancho del territorio nacional a millares de personas que ya se contaban por millones, sacándolos de sus casas bajo el calor más impresionante, el aguacero más grande o el frío más intenso, y moviendo a los guajiros que residían en los breñales más incomunicados del monte para que bajaran a los pueblecitos, a las sitierías, a los bateyes de los centrales azucareros. Todos la esperaban: las familias, los niños de las escuelas, fueran católicas o no, las madres y los padres, los abuelos, y las Iglesias de la Isla donde las imágenes de los Santos la aguardaban con expresivo silencio, y donde la Imagen del Hijo también estaba lista para el momento en que vería aparecer a Su Madre María, la Virgen de la Caridad. Y la aguardaban lo mismo los eclesiásticos que las autoridades civiles o los enfermos que guardaban cama en los hospitales, los convalecientes, los presos en las cárceles... todos sabían quién era. Todos confiaban en Ella, todos creían en Ella, todos esperaban de Ella

---

[235] Ibídem, p. 99

[236] Ibídem, p. 100

un Milagro o un hecho favorable en sus vidas, y esperaban aquella Ocasión Única, la Fiesta de su arribo, con una devoción extraordinaria que venía del pasado, de los ancestros más antiguos, de las hermosas tradiciones de la Nación, de la religiosidad popular o de la formación cristiana y católica más sólida...

Desde el pueblo de **Isabel** la Peregrina y Celestial Visitadora viajó al pueblo de **Carlos Rojas** y el lugar habitado de **San Vicente.** Con el paso de las horas, el frío de los campos de Cuba se iba haciendo más y más intenso, hasta ser prácticamente insoportable, pero no lo suficiente para impedir que los vecinos, desde el más viejo hasta los niños más tiernos, aguardaran imperturbables la Visita de la Virgen:

> *Y en **Carlos Rojas** aun más. Llegamos aquella misma noche «luego de las 10, y con un frío que tenía que ser horrible para el cubano: ¡12 grados!*[237] *...Pues esperaron hasta los niños».*[238]

Y en los días siguientes, nuevas sorpresas y maravillosos acontecimientos iban a tener lugar durante la Peregrinación Misionera de Nuestra Señora, la Virgen de la Caridad del Cobre.

Cómo la Caridad viajó hacia el norte y el oeste: llegada a Tajonera, Central Progreso, San Miguel de los Baños

Desde el punto ya mencionado, la comitiva precedida por la Santa Imagen cambió de dirección para marchar hacia el norte y el oeste. Iba rumbo al lugar habitado de **Tajonera,** donde tuvo una brillante recepción en la que participaron tanto los vecinos como los campesinos de los alrededores, y luego siguió la marcha hacia el **Central Progreso,** donde las sirenas atronaron el aire con sus toques como antes pasó en el **Central Cuba** y luego sucedería en el **Central Carolina:**

> *En el (Central) **Progreso** y en el de **Cuba** hicieron sonar en honor de la virgen Peregrina la trompetería ensordecedora de sirenas y locomotoras. En el **Carolina**, «un gran entusiasmo en el elemento obrero, y fervor en los dueños».*[239]

Hubo pocas palabras para expresar el imponente recibimiento que tributó a la Virgen de la Caridad el pueblo de **San Miguel de los Baños,** a pesar del aguacero interminable y el frío que calaba los

---

[237] Se trata de 12 grados centígrados.

[238] Ibídem (236), p. 99

[239] Ibídem, p. 100

huesos: pero nada de esto impidió que la Sagrada Imagen realizara el recorrido previsto y visitara a los enfermos en el Sanatorio:

> *(Fue un buen recuerdo el recibimiento) de **San Miguel de los Baños**, donde el pueblo y los invernantes recibieron a la Virgen Peregrina esplendorosamente. Visitó a los enfermos. Y llovió, y copiosamente, después que no llovía desde Octubre. Ese 2 de Febrero de 1952, en el magnífico sanatorio, **el agua del cielo estaba siendo mejor cotizada que la de sus famosos manantiales.**[240]*

Sumidero, Coliseo, Lagunillas, La Merced, y los Centrales Carolina y Santa Amalia. La Virgen Peregrina viaja rumbo a la costa norte: la recepción de la ciudad de Cárdenas

Cuando terminó la Peregrinación en **San Miguel de los Baños**, la comitiva con la Imagen Peregrina de la Virgen a la cabeza, avanzó hacia el pueblecito de **Sumidero.** Sobre esta parte del recorrido, el Capellán fray Manuel Oroquieta, al hablar sobre las personas y su recepción a la Madre del Cielo, expresó de forma resumida:

> *Gentes que doblaron su numerario habitual, finos adornos domésticos, emotivas escenas de familias arrodilladas, sincero fervor...[241]*

La caravana siguió peregrinando en dirección al histórico pueblo de **Coliseo**, donde se volvió a presentar el mal tiempo con toda su crudeza[242]. La visita, en este lugar, tuvo caracteres propios, gracias a la sensibilidad y sentimientos caritativos de las Damas Católicas del pueblo, cuyas iniciativas resultaron de gran interés por lo novedosas. Por ejemplo, el regalo de una preciosa canastilla para un niño que nació durante la Visita de la Celeste y Misionera Peregrina, y la filmación de una película para conservar la memoria de la llegada de Nuestra Señora al pueblo. Pero dejemos que el Capellán, fray Manuel Oroquieta, haga la narración con las palabras que escribió en el diario de la Peregrinación:

> *...entró la Virgen (a Coliseo) con el frío sol del 3 de Febrero, a las 6.30 a.m., un inmenso rosario de gentes acompañó por las calles el tradicional de la Aurora, hasta introducir triunfalmente la santa Imagen en la iglesia. Y por la noche, en el pueblo, «se celebró una maravillosa procesión de antorchas».*

---

[240] Ibídem,

[241] Ibídem, p. 100

[242] Ibídem,

*Pero Coliseo merece un aparte por otra razón: **por la delicadeza de su grupo de Damas Católicas.** Lo escribía sí su revista oficial «Pax» del mes de Abril: «**Hicimos una colecta extraordinaria para comprar adornos en honor de la Sma. Virgen de La Caridad, así como una película que se tomó desde la llegada triunfal de la Virgen… Ese día nuestro grupo entregó una canastilla al niño que tuvo la suerte de nacer con la visita de la Virgen Peregrina, efectuándose el bautizo del recién nacido y el matrimonio de sus padres».*[243]

El Padre Manuel Oroquieta aseguró que aquel detalle, el regalo de la canastilla, era algo que no se había visto antes en toda la Peregrinación, que ya venía recorriendo la Isla de Cuba desde hacía muchos meses. Se trataba de algo inédito: *una canastilla completa para el bebé venido al mundo bajo la buena estrella de la Virgen Peregrina. ¿Verdad que fue un gesto simpático?*[244]

Cuando terminó la Santa Visita en Coliseo, la comitiva de la Virgen de la Caridad, Peregrina y Misionera, tomó por el norte la dirección de la ciudad de **Cárdenas** pasando por los lugares habitados de **Lagunillas, La Merced,** y los bateyes de los **Centrales Carolina y Santa Amalia.** El Capellán franciscano recordó las grandes demostraciones de alegría, que ya hemos mencionado, en el batey del **Central Carolina**, que se repitieron en el **Santa Amalia.**

Y la Virgen Peregrina continuó peregrinando. La caravana iba ascendiendo por la carretera que va de **Coliseo** a la ciudad de **Cárdenas**, pasando por las grandes soledades silenciosas donde sólo se veían los sembrados de caña mecidos por la brisa. En cierto momento, la carretera llega a un punto tan alto que la ciudad de **Cárdenas**, edificada junto a la bahía, ofrece una vista espléndida. Y fray Manuel Oroquieta, al contemplar su belleza, no pudo evitar un sentimiento de inquietud. Aquella ciudad era el baluarte principal de las iglesias evangélicas en la Cuba de entonces. Y el franciscano no pudo menos que preguntarse

¿qué esperaría a la Peregrinación, en lo que es considerado como la meca nacional del protestantismo, con sus dólares y su colegio de La Progresiva?[245], [246]

Y lo que menos podía imaginar el esforzado Capellán de la Santísima Virgen de la Caridad es que, en **Cárdenas**, Nuestra Señora

---

[243] Ibídem,

[244] Ibídem,

[245] La Progresiva: gran colegio protestante en la ciudad de Cárdenas

[246] Ibídem (41), P. 101

iba a tener uno de sus mayores triunfos. Contra todos los pronósticos, llegar la Imagen Peregrina y que todos los fieles sintieran en el corazón el llamado de su Reina, Madre y Patrona, fue la misma cosa: entonces, el entusiasmo popular saltó todas las barreras, y el pueblo entero, jubiloso, se volcó en las calles para recibirla en una manifestación sin precedentes que fue narrada de esta forma:

La recepción fue apoteósica y vibrante. Sin pedírselo nadie, el pueblo aplaudía y vitoreaba sin cesar a la Virgen Peregrina. Llegamos al Ayuntamiento, y, mientras el Sr. Alcalde y los Sres. Concejales —protestante él y protestantes muchos de ellos— declaraban a Ntra. Sra. de La Caridad Huésped de Honor en una ceremonia que me lució académica y fría, el pueblo «rugía» de entusiasmo[247]

Ese día por la mañana, al llegar la Santa Imagen Peregrina a la Parroquia de Cárdenas, parecía que toda la ciudad, después de llenar hasta los topes el recinto del templo, se había concentrado en el parque frente a la iglesia para saludar a la Virgen y rendirle pleitesía, honores y el tributo de su veneración y respeto:

Al llegar a la iglesia, a las 10 p.m., el espectáculo era maravilloso: no cabía uno más en el templo parroquial, y el parque fronterizo se transformó todo él en una prolongación de la iglesia, repleto de gentes y de entusiasmos[248]

La Peregrinación de la Virgen de la Caridad del Cobre en Cárdenas, que era en realidad una verdadera Misión, duró tres días. Tres días esplendorosos que serían recordados durante muchos años y que los muy ancianos deben recordar aún con añoranza y al mismo tiempo con la serenidad de la fe y la seguridad del Amor de Dios. El recorrido de Nuestra Señora por aquella ciudad que hasta entonces parecía un predio indiscutido del protestantismo, fue minucioso y tranquilo. Todos pudieron ver a su Madre del Cielo, todos tuvieron la oportunidad de rezar ante Ella, de suplicarle y de prometerle:

El día 4 visitó el Centro de Veteranos, el Colegio Abrech, las Oblatas, el Apostolado, la Marina, la Playa, la Fundición y el Asilo de Ancianos. El día 5, las Siervas, la Colonia Española, el Cuartel, el Asilo de Niños, las Escolapias, una clínica, la casa Arechabala, la Iglesia y el Colegio de los PP. Trinitarios y la iglesia de San Antonio. Y el día 6, el Hospital, la

---

[247] Ibídem,

[248] Ibídem,

Cárcel, la Jefatura de Policía, el Cuartel de Bomberos y la Clínica municipal[249]

Y durante todo este largo recorrido dentro de la ciudad ¿dónde estaban los protestantes?. Ante la presencia de la Virgen, se quedaron quietecitos en sus casas. Muchos de ellos, seguramente, estaban impactados por las fervorosas demostraciones del pueblo, y las enseñanzas de su doctrina se tambaleaban ante el mensaje de la Virgen, ante la enseñanza inefable de la Caridad. La Misión que estaba llevando adelante la Imagen Peregrina era la mejor catequesis, era la apoteosis de la Evangelización. Estaba claro entonces que los temores del P. Capellán, carecían de fundamento, y sus propias palabras lo demuestran:

> *Y, doquiera que iba la Virgen Peregrina, allí estaba el concurso del pueblo, más o menos multitudinario, y siempre fervoroso. Al llegar la noche del 4 (de febrero) al Asilo de Ancianos, me forzaron a hablar, y lo hice durante una hora, encaramado en la cubierta del pisicorre. El mismo púlpito callejero utilicé la noche siguiente, durante la gigantesca procesión que se organizó de los Trinitarios a San Antonio, enfervorizando a la multitud ante las dos iglesias, durante tres horas entre ambas. **Me atrevo a afirmar que esa fue la manifestación más grandiosa de fe que ha conocido la Perla del Norte**[250]*

A continuación, fray Manuel Oroquieta agregó estas observaciones para ilustrar el sentido y los resultados de la Visita de la Santa Imagen Peregrina:

> *Ni fue todo fervor multitudinario. Hubo muchísimas Comuniones. Los Colegios la recibían y acompañaban con la gala de sus uniformes y el júbilo sonoro de sus bandas rítmicas. Flores y más flores eran depositadas sobre las andas, en otras tantas ofrendas del más filial amor. La fábrica Arechabala le ofreció una lindísima llave de oro y un homenaje fraternal de obreros y patronos. Y las Hermanitas de los Ancianos Desamparados confeccionaron para Ella un precioso manto azul, y limpiaron y repararon la Imagen, hasta dejarla bellísima...*[251]

Sin embargo, no faltó alguna nota discordante, aunque era algo así como una gota de agua retando al mar: en el barrio de «Corral Nuevo» se dio el caso de que los protestantes celebraron las ceremonias de su culto en su capilla, mientras los católicos festejaban a la Virgen de la Caridad en el parque. Al final, la Virgen de la Caridad partió de

---

[249] Ibídem,

[250] Ibídem,

[251] Ibídem, pp. 101-102

Cárdenas triunfalmente, despés del Rosario de la Aurora que la multitud rezó con intenso fervor.

Recepciones en Cantel, Guásimas, el Central Dos Rosas, Bachiche, Varadero, Conchita, Bocas de Camarioca, Carboneras y el pueblo de Camarioca. La comitiva de la Virgen regresa hacia el este y pasa por Máximo Gómez, Admiración, Rancho del Medio, Carolina, Unión, Destino, Arroyo, Villalba, Enriqueta, Algorta y San Carlos

Al salir de **Cárdenas**, la Santísima Virgen Peregrina encaminó su misión hacia el pequeño pueblo de **Cantel**, donde la recepción no estuvo a la altura de las anteriores. Sin embargo, fray Manuel Oroquieta, que como todo franciscano era un verdadero y estoico misionero, se impresionó por lo antigua y venerable que es la devoción a la Virgen de la Caridad del Cobre, e hizo este comentario:

> *(En **Cantel**) tuve el gozo de comprobar lo antiquísima que es en Cuba la devoción a Ntra. Sra. de La Caridad del Cobre. Ella es la titular de la iglesia (del pueblo), ahora renovada, desde hace cerca de 200 años. Lo cual demuestra que se la amaba ya bajo esta advocación en Matanzas, mucho antes de la guerra de la Independencia*[252]

La comitiva de la Virgen siguió hacia el pueblo de **Guásimas,** cuya población era casi toda protestante. La educación estaba a cargo de un colegio protestante, y sólo existía una catequesis católica. Según el diario del Capellán, a la recepción de la Virgen asistieron unos 30 niños y una docena de personas mayores, mientras que los menores que asistían a la escuela protestante no salieron del recinto del colegio.

En el batey **del Central Dos Rosas** y en el sitio de **Bachiche,** el entusiasmo y la devoción se limitaron a un corto número de personas. Al llegar al famoso pueblo y playa de **Varadero,** las demostraciones fueron mayores, sobre todo por los niños y un número menor de personas adultas sobre todo de la clase media. La Virgen de la Caridad fue recibida con gran estruendo de voladores y con las luces de fuegos artificiales multicolores. No obstante, se sintió poca presencia de los pobres. Al hablar de la recepción, el Capellán expresó:

> *El famosísimo lugar (Varadero) recibió a la Virgen con calor por parte de la gente de Cárdenas y de algunas almas buenas del mismo lugar de veraneo. El Colegio del Patronato Parroquial acompañó a la Virgen…*

---

[252] Ibídem, p. 102

Día 8: Hubo 200 personas en el Rosario de la Aurora (ningún pescador, ni pobre), y sus 30 Comuniones en la Misa. Durante el Rosario procesional, un volador mal dirigido fue a dar en pleno pecho de uno de los que cargaban las andas, hiriendo levemente a dos damas, con el consiguiente susto general. **Pero el valiente aguantó el golpe sin inmutarse, a pesar de que el cohete le quemó el saco y la camisa, y siguió con las andas y con la Virgen Peregrina.** *Me agradó el gesto*[253]

En el lugar habitado de **Conchita** la recepción fue fría. Era un reparto donde se cultivaba henequén y la gente acudió a ver a Nuestra Señora de la Caridad movida por el llamado ardiente de fray Manuel Oroquieta. En **Bocas de Camarioca** no hubo gran entusiasmo, pero el pueblo se presentó para saludar y recibir a la Virgen:

Llegamos a las 2 p.m., y estábamos caminando desde las 10 a.m. La iglesia se eleva en lo alto de una loma abrupta y típica. Nos esperaban para otra hora, y estaba el pueblo preparándose; por eso, también aquí hubo poco calor. Regalaron a la Virgen flores preciosas[254]

La caravana con la Santa Imagen al frente siguió hacia **Carboneras**, donde el interés por la Virgen fue escaso. En el pueblo de **Camarioca**, la recepción fue similar a la que se tuvo en **Bocas de Camarioca.** A continuación, la comitiva de la Virgen regresó hacia el este y pasó por el pueblo de **Máximo Gómez,** donde la impresionante y emotiva llegada de la Virgen fue recibida con una recepción triunfal, verdaderamente espléndida. Todos los que acompañaban a Nuestra Señora de la Caridad tuvieron la misma percepción, y el Capellán plasmó sus impresiones en estos términos:

Después de dos días de eclipse, surgió de nuevo el sol del amor cubano a Ntra. Sra. de La Caridad. Y tornó con luces esplendorosas, aquella misma noche de mis andanzas por las tierras áridas. Por el contraste, la entrada en **Máximo Gómez** *me gustó muchísimo.* **Reinaba un entusiasmo increíble, en el pueblo todo engalanado**[255]

La recepción oficial, espléndida, también estuvo a la altura de las circunstancias. Tanto la administración como todas las autoridades civiles, militares y por supuesto eclesiásticas, mostraron gran respeto y devoción a la Sagrada Imagen de la Virgen Patrona de Cuba, y el entusiasmo y la alegría popular demostraron el amor del pueblo a su

---

[253] Ibídem,

[254] Ibídem,

[255] Ibídem, p. 103

Reina y Madre de la Caridad, en las sucesivas Visitas de la Virgen Peregrina a los lugares habitados de **Admiración, Rancho del Medio, Carolina, Unión, Destino, Arroyo, Villalba, Enriqueta, Algorta** y **San Carlos.** Estas Visitas, durante las cuales la Virgen estuvo acompañada por una impresionante comitiva en la que marchaban innumerables automóviles y camiones repletos de fieles entusiasmados, fue la mejor demostración y prueba de los grandes frutos que había tenido el trabajo apostólico de los PP. Canadienses en aquella zona:

> *(En la recepción) estaba presente el Sr. Gobernador Provincial, Dr. Soberón, nativo de aquí, y él, y todas las autoridades civiles y militares, vestidos de gala, acompañaron a la Virgen Peregrina y besaron devotamente su medalla.* **El Ayuntamiento la declaró en función solemne Huésped de Honor y le entregó su alma en unas preciosas llaves, y la alegría de la fiesta religiosa animó durante todo el día las calles. Aquí sentí hasta qué punto el fervor religioso es la mejor fiesta de los pueblos y naciones.**
>
> *Se conocía también la presencia de los PP. Canadienses. Ellos organizaron desde* **Máximo Gómez** *una jornada intensa y espléndida, que se llevó a cabo en una sola tarde: visita al Cuartel; salida del pueblo y visita a las 10 fincas siguientes, con una caravana entusiasta de máquinas y camiones abarrotados:* **Admiración, Rancho del Medio, Carolina, Unión, Destino, Arroyo, Villalba, Enriqueta, Algorta,** *y* **San Carlos.** *Y estaban todas (las fincas) preparaditas y engalanadas, y en todas rezaron a La Caridad y besaron su medalla, consagrándose al fin a su amor maternal. Y tan buena fue la organización, que hicimos todo ese recorrido en 4 horas...*[256]

Eran las seis de la tarde cuando después del recorrido por fincas y barrios, la Santa Imagen Misionera regresó a **Máximo** Gómez, donde se rezó el Rosario en la Parroquia y se organizó la despedida[257]. Luego la Peregrinación de la Santa Imagen de la Caridad tomó el rumbo del pueblo de **Martí,** en el noroeste del territorio matancero.

Hacia el noroeste en tránsito por Martí, el Central Guipúzcoa y Alameda. Continúa la Santa Peregrinación pasando Santa Ana, Favorito, Itabo, San Blas, San Vicente, El Sordo, Santa Getrudis, San Luis, Pintó, Telégrafo y Andorra

En el recorrido hacia el pueblo de **Martí,** la caravana precedida por la Virgen Misionera de la Caridad cruzó por varias fincas, donde los habitantes disfrutaron la gracia y bendición de su presencia y llegó al batey del **Central Guipúzcoa,**

---

[256] Ibídem, p. 103

[257] Ibídem,

entre el impresionante estruendo de sirenas, silbo de locomotoras y cohetes, y bajo una verdadera fantasía de adornos multicolores,[258]

todo dispuesto y preparado por la piedad de los fieles lugareños. Luego la entrada triunfal en **Martí**, donde tuvo lugar una recepción brillante que fue muy parecida a otras salvo por dos innovaciones realmente importantes: en primer lugar, por consenso del pleno del Ayuntamiento, se declaró el 8 de septiembre como *Día de Fiesta Municipal,* y conservar el cuadro de la Patrona de Cuba, colocado en la Sala Capitular para esta ocasión, como uno más de los Símbolos de la Patria, por lo que no debería quitarse del sitio que le habían asignado. El Padre Capellán hizo este comentario al respecto:

*La recepción en **Martí**... una réplica de los honores y esplendores (anteriores). Con una ventaja en los homenajes oficiales del Ayuntamiento: **además de declararla Huésped de Honor y de entregarle las llaves simbólicas, tomaron la decisión de declarar el 8 de Septiembre, en honor de Ntra. Sra. de La Caridad del Cobre, fiesta municipal para todos los efectos.** En una sesión se pronunciaron discursos «que parecían de los Santos Padres», por lo ponderados y devotos. Y se tomó un acuerdo más: **no descolgar el cuadro de la excelsa Patrona, puesto en la sala consistorial para el acto de recibimiento, y que «en adelante figurará entre los símbolos de la Patria».**[259]*

Cuando terminó la Visita en el pueblo de **Martí**, la Virgen de la Caridad regresó al **Central Guipúzcoa** para realizar una procesión recorriendo toda la fábrica ante una cristiana armonía de obreros y patronos, todos portadores de un arraigado catolicismo. Luego la caravana con la Santa Imagen Peregrina pasó al pueblo de **Alameda** y desde allí continuó hacia los lugares habitados de **Santa Ana** y **Favorito** para luego encaminarse a **Itabo**. Al recordar los momentos de la Visita en la finca **Favorito**, fray Manuel Oroquieta hizo el siguiente comentario:

Todo engalanado, finca modelo de los Joraguría[260]*; y por la noche entrábamos en **Itabo**, que recibió a la Virgen con un fervor y un respeto admirables*[261]

Los PP. Canadienses eran los autores de esta organización, que desembocó en la preciosa jornada del 11 de febrero, día en que la

---

[258] Ibídem,

[259] Ibídem,

[260] Ibídem, p. 103. Los Joraguría eran los dueños del Central Guipúzcoa.

[261] Ibídem,

Virgen Peregrina realizó un minucioso y zigzagueante recorrido por varios lugares habitados y fincas en los alrededores de **Itabo**, que fue el centro de aquellas memorables funciones. Los sucesos de este día, tan rico en frutos espirituales, fueron relatados de esta forma en el diario del P. Oroquieta:

> *Rosario de la Aurora y Misa en **Itabo**, «con gran cantidad de público». Regreso con la Virgen Peregrina a **Favorito**, donde también se celebró la santa Misa y los dueños dieron el espectáculo ejemplar de acercarse corporativamente a comulgar: viejo y vieja, los 4 hijos varones con sus respectivas esposas, y todos los empleados de la casa. De 9 a.m. a 5 p.m., visita a las fincas **San Blas, San Vicente, El Sordo, Santa Getrudis, San Luis, Pintó, Telégrafo** y **Andorra**. Me llamó la atención, con el fervor y el aire de fiesta, el insospechado número de gentes congregado en algunas de ellas*[262]

Después de todo este periplo, la Virgen de la Caridad regresó a **Martí**, encabezando la cansada y satisfecha caravana. Poco después, el pueblo dio a la Virgen Peregrina, Misionera Celestial, una despedida apoteósica que fue el último de sus homenajes.

En dirección al oeste de Matanzas: Nuestra Señora es recibida en Limonar, Central Limones, Chacón, Central Triunfo, Francisco, Guanábana, Cidra, Condesa, Santa Ana y Sabanilla. La Peregrinación se dirige a Babiney, Las Palmas de Yumurí, Unión de Reyes, Güira de Macurijes, La Flora, de nuevo por Unión de Reyes y el Central Santo Domingo

Ahora la comitiva dobló hacia el oeste de la provincia para iniciar la siguiente etapa de su itinerario, que comenzaba en el pueblo de **Limonar**, a tres horas largas de viaje. El pueblo dio a su querida Patrona una de los mejores recibimientos: *Gentío enorme, magníficas llaves. Habló, y muy bien, Amalio Fiallo, la mejor voz oratoria de nuestras juventudes católicas. A la mañanita siguiente, «procesión del Rosario muy lucida, y 25 Comuniones en la Misa al aire libre en el Cuartel»*[263]. En **Limonar** el P. Oroquieta fue testigo y actor en una anécdota que nos permite valorar el entusiasmo de los humildes habitantes ante la llegada de su Reina, Madre y Patrona. A la salida del pueblo,

> *en un puesto de gasolina. Al pasar ante él la procesión, me hicieron detener. Tienen instalada en el puesto una imagen de La Caridad con su alcancía, y a todo el que viene a solicitar algún servicio le piden que eche*

---

[262] Ibídem,

[263] Ibídem, p. 104

por la ranura un centavito. Un centavito para La Caridad, nadie lo niega. Me entregaron lo recaudado durante los últimos 12 meses: $11.35, todo en centavos. Antes de seguir la procesión, dirigí allí mismo un fervorín[264] y alabé el gesto[265]

A continuación, la Virgen de la Caridad llevó su Peregrinación al **Central Limones**, donde los habitantes, a los que se juntaron muchos campesinos de los alrededores, esperaban a Nuestra Señora reunidos en el batey a pesar del calor intenso, con grandes demostraciones de alegría y de incontenible entusiasmo:

había un entusiasmo terrible, y un sol insoportable. Los obreros se «volcaron» sobre la sagrada Imagen, y ¡eso que políticamente son comunistas![266]

Del batey de **Limones** la Virgen peregrina fue trasladada a la finca cañera de **Chacón**, cuyos dueños aprovecharon aquella oportunidad única para contraer matrimonio ante la Santa Imagen de la Patrona de Cuba. Por los caminos cañeros continuó viajando la caravana de la Misionera Celestial hasta el **Central Triunfo,** en cuyo batey se repitió el homenaje devoto de los fieles, y la Virgen Peregrina continuó su viaje hasta el lugar habitado de **Francisco** y marchar a los sitios y pueblos de **Guanábana, Cidra, Condesa, Santa Ana y Sabanilla.** Durante este recorrido se destacan los festejos en el pueblo de **Cidra,** donde tuvo lugar un

Acto hermosísimo en el Ayuntamiento, muy bien organizado: recitales, discursos, lindo cuadro escénico de las seis provincias y La Caridad. Bello discurso del Sr. Alcalde, que corrió personalmente con todos los gastos. Y una lucidísima procesión por las engalanadas calles, precediendo a la carroza de la Virgen una máquina «convertible», convertida en flor. En la despedida, me regalaron para recuerdo un artístico pergamino en que estaban escritos y detallados todos los homenajes, pulcramente detallados con fotografías[267]

Igualmente se debe destacar la masiva religiosidad de los habitantes del pequeño pueblo de **Sabanilla**, donde según fray Manuel Oroquieta, hubo

---

[264] **fervorín.** (Del dim. de *fervor*). m. Cada una de las jaculatorias que se suelen decir para enfervorizar o enfervorizarse. U. m. en pl.

[265] Ibídem (264)

[266] Ibídem ,

[267] Ibídem,

muchísima gente en el Rosario de la Aurora. Y estuve confesando desde las 7.30 hasta las 9.30, y comulgaron luego 40 personas[268]

Acto seguido la Peregrinación se dirigió a **Babiney, Las Palmas de Yumurí, Unión de Reyes** y **Güira de Macurijes**, en otro recorrido sorprendente y aleccionador, porque durante estas semanas y meses, la Virgen, que siempre fue la Primera Catequista de Cuba, no se cansaba de impartir nuevas y didácticas lecciones. Hubo momentos, como siempre, de emociones sobresalientes y gran interés. En el pueblo de **Unión de Reyes,** la Virgen Peregrina y Misionera tuvo una de esas recepciones que hacen historia, cuando fue recibida por

*«una caravana impresionante, y una llegada apoteósica. Todas las calles, luz y color. Lluvia de pétalos al paso de la carroza. Y en el parque, una barquita auténtica con los tres Juanes» de carne y hueso, robados a la leyenda. Y, flameando en el aire iluminado de la noche, la bandera española y todas las banderas americanas... «**Unión de Reyes, en cuanto a la devoción a la Virgen, figura entre los primeros de la provincia»***[269]

Al llegar a Güira de Macurijes, el Capellán de la Caridad dio este testimonio:

*«un pueblo grande cuya capilla está dedicada a La Caridad», (allí) me encontré con un maestro, terciario carmelita, que es una bendición: «**Todos los niños saben rezar y hubo un entusiasmo inenarrable».*** *Los alumnos del maestro religioso y patriota recibieron a la Virgen Peregrina en perfecta formación vestidos de mambises de los pies a la cabeza —alta polaina, sable al cinto y sombrero de ala ancha— y con rosarios en la mano*[270]

Y siguió la Peregrinación. El próximo sitio que visitó la Sagrada Imagen fue **La Flora,** de nuevo por **Unión de Reyes** y el **Central Santo Domingo**, en cuyo batey la Virgen recibió otro espléndido homenaje de los humildes pobladores.

Fin del recorrido en Matanzas por Alacranes, el Central Conchita, Bermeja, El Estante, San Antonio de Cabezas, Ceiba Mocha, Central Santa Elena, Corral Nuevo, Minas de San Antonio, Arcos de Canasí y el Central Puerto. La recepción triunfal de la Virgen en la capital, Matanzas: una verdadera apoteosis.

Ya faltaban pocos de pueblos de Matanzas por visitar. La caravana marchó al pueblo de **Alacranes**, donde tuvo

---

[268] Ibídem,

[269] Ibídem,

[270] Ibídem,

un magnífico recibimiento. Bello cuadro, con la bandera más linda del mundo a los pies de la Virgen. Y profusión de encantadores angelitos, y fuegos artificiales enmarcando el triunfo de La Caridad[271]

y luego pasó sucesivamente por el batey del **Central Conchita** y los pueblos y sitios de **Bermeja, El Estante** y **San Antonio de Cabezas,** pueblo donde tuvo lugar, según testimonio del P. Capellán, un

acto muy serio y solemne en el Ayuntamiento. Otra función esplendorosa en el pórtico parroquial. Me gustó extraordinariamente la actitud de los vecinos de ***Cabezas***[272]

Es prácticamente imposible narrar todas las anécdotas y sucesos que iban ocurriendo al paso de la Virgen Peregrina de la Caridad. En ocasiones, sucesos maravillosos e incluso milagrosos, porque muchas veces sobrepasaron los límites de la percepción y el entendimiento humano. Las palabras no alcanzan y resultan pobres para describir los rostros emocionados, los ojos brillantes, las lágrimas, las personas arrodilladas con las manos unidas para que la oración vaya directamente a la Madre del Cielo, la actitud de los que pedían, imploraban, prometían, se reconciliaban, se arrepentían. Miles, decenas de miles, millones de personas sacudidas hasta lo más hondo, vibrantes de fervor, devoción y fe, agitando pañuelos, aplaudiendo, vitoreando en los recibimientos, rezando con unción los Rosarios de la Aurora, colmando los templos, asistiendo a las Misas, confesándose, comulgando, haciendo ante su Madre del Cielo, la Virgen de la Caridad del Cobre, su profesión de amor. Es innegable que la Virgen movió nuestros corazones, que nos hizo un poco mejores, que nos preparó con su Santísima presencia para las pruebas del futuro…

Durante los últimos días de la Peregrinación por la provincia de Matanzas, después de salir de San Antonio de Cabezas, la comitiva de la Virgen Misionera de la Caridad llegó al pueblo de **Ceiba Mocha,** donde las celebraciones tuvieron gran esplendor:

Descubrir a la Virgen en ***Ceiba Mocha*** *sobre la elegancia de líneas, luz y flores de su carroza peregrina, fue volver al disfrute jubiloso de los triunfos. **Enorme entusiasmo. Procesión incansable por el pueblo. Me emocionó uno de los letreros salutatorios: «¡Virgen de la Caridad, dame la vista!»***[273]

---

[271] Ibídem,

[272] Ibídem,

[273] Ibídem, p. 106

De este pueblo la Virgen de la Caridad, avanzando por la carretera que discurre entre el Pan de Matanzas y el Palenque, pasó al batey del **Central Santa Elena.** La Peregrinación visitaba ahora un lugar sumamente pintoresco, porque la diminuta fábrica de azúcar se levantaba en medio de un paisaje encantador, donde la Virgen fue recibida amorosamente por sus hijos:

en el más pequeño de los centrales de Cuba —una delicia de paisaje, con su valle de caña, y su arbolado y sus grutas encaramadas en los montes—, obreros y dueños dispensaron a la Virgen un recibimiento familiar y cálido. Los dueños, la familia Solaún, obsequiaron con un verdadero ágape a cuantos vinieron allí con Ntra. Sra.... y los comensales pasaron de 200[274]

Durante el tránsito del **Central Santa Elena** a **Corral Nuevo,** la caravana de la Virgen Peregrina tuvo que pasar por caminos accidentados que pasaban entre barrancos sombríos y plantaciones de henequén, según informó el Capellán de la Sagrada Imagen. La primera parada del trayecto fue en el sitio de **Minas de San Antonio,**

«donde los obreros llevaron a la santa Imagen a hombros por los barrancos de yeso, rezando y cantando». Y, como estaba escrito que este tramo de la romería nacional fuese mérito de los pies peregrinos, andando a hombros fue llevada la Virgen al C. Puerto, a 4 Kms. de Canasí[275]

Ya sabemos de qué forma la Imagen Peregrina de la Caridad llegó al pueblo de **Arcos de Canasí** y al **Central Puerto**, en medio de una multitud que la llevaba en andas rezando y aclamándola. El próximo hito de la Romería Nacional de la Virgen Peregrina, y último de la provincia, fue la ciudad de Matanzas, donde la recepción y el homenaje de los fieles superó todas las expectativas. La espectacular llegada de la Virgen fue descrita en estos términos por fray Manuel Oroquieta:

Matanzas es puerto de mar. Nosotros arribamos a él por tierra, la noche del 22 de Febrero. Y la Virgen Peregrina, en vez del mar en calma de la bahía, navegó el mar encrespado del fervor popular: por las calles se elevaba y descendía una gigantesca ola humana, que impulsó la nave de su carroza hasta el parque del palacio municipal. Y en el parque, 10.000 gargantas levantaban al cielo una gritería de triunfo, 20.000 palmas se

---

[274] Ibídem,

[275] Ibídem,

batían en maravilloso rumor, y era un puro milagro de espuma y de luz la fantasía de gallardetes y banderas[276]

Los que tuvieron la dicha de estar presentes en el momento en que la Santísima Virgen Peregrina de la Caridad hizo su esplendorosa entrada en la ciudad de Matanzas y contemplar el espectáculo de la muchedumbre llena de fervor que la aguardaba, pueden decir que la organización fue intachable desde el primer momento.

La Patrona de Cuba apareció al frente de una caravana que sobrepasaba ampliamente los 500 automóviles, que la acompañó desde el *Hogar del Niño* ubicado en la playa, hasta el centro de la ciudad. Fray Manuel Oroquieta fue testigo presencial de que cuando la querida Virgen entró al Palacio Municipal, fue recibida por el Sr. Alcalde, Sr. Pedro H. Uría, acompañado por todos los miembros del Ayuntamiento, los estruendosos *¡Vivas!* que coreaba la multitud estremecían el gran parque frontero al Ayuntamiento. Él mismo dijo después:

> *Pocas veces he arengado a multitudes en el acto inicial de la bienvenida con la emoción con que lo hice entonces, ante aquella población transfigurada. (Llevada en andas, la Virgen) ascendió las marmóreas escaleras, lujosísimamente ornamentadas por el Jardín Josefina, y fue colocada en uno de los balcones abiertos a la Plaza de la Libertad. Fue como subir a la torre de mando.* **Habló breves palabras el Excmo. Sr. Obispo, Mons. Alberto Martín Villaverde; el Secretario del Ayuntamiento leyó el acuerdo, por el que se confería flamantemente a Ntra. Señora Peregrina el título de Huésped de Honor de la Atenas de Cuba; discurseó magníficamente el Alcalde Sr. Uría, coronando su peroración con la entrega de las llaves de oro de la ciudad, que tenían grabados el escudo del municipio y esta leyenda: «Matanzas a la Patrona de Cuba»**[277]

Como si obedeciera a un impulso simultáneo, la extensa muchedumbre se movió en una oleada de miles de personas detrás de la Sagrada Imagen de la Caridad, cuando fue trasladada a la Parroquia de Pueblo Nuevo. Fue transportada desde la sede consistorial en las andas, que transportaron el Sr. Gobernador, el Sr. Alcalde y el Senador de la República Sr. Campanería, que por nada hubieran querido ceder este honor.

---

[276] Ibídem, p. 106

[277] Ibídem,

El recorrido que hizo la Virgen peregrina dentro de la ciudad de Matanzas ese día y durante los siguientes, fue descrito por el Semanario Católico. El día 22 de febrero,

> *cerca de la una de la madrugada, millares de matanceros desfilaron en triunfal procesión rumbo a la Parroquia de Pueblo Nuevo —una de las tres Parroquias de la ciudad— donde (la Virgen) estuvo esa noche y al día siguiente recibiendo magnos tributos de cariño de los neopoblanos[278]. Allí, en la Iglesia Parroquial de San Juan Bautista —en cuya torre ondeó por primera vez en la Ciudad de Matanzas la bandera de Narciso López, izada por el patriota Romeu— se dijo Misa de media noche, retirándose el inmenso público cerca de las tres de la madrugada[279]*

Pero una parte considerable de la muchedumbre no abandonó la plaza frente a la Iglesia de San Juan Bautista: querían quedarse allí y velar, seguir cerca de la Virgen de la Caridad para comenzar el día siguiente rindiéndole tributo de amor y pleitesía. Y al día siguiente, 23 de febrero, la caravana con la Misionera de la Caridad recorrió los sitios más importantes ubicados dentro de los límites parroquiales:

> *Al día siguiente, la Virgen salió a recorrer la Parroquia: visitó la Politécnica, la clínica «Matanzas», la Sociedad Milanés, el Matanzas Tennis Club, la fábrica de Jarcia —donde la saludó la sirena, paralizando sus labores, y el administrador, empleados y obreros le salieron al encuentro tributándole sentidos homenajes: las llaves de la fábrica y flores, muchas flores. Los trabajadores de las fábricas de fósforos, de gomas, de fideos, rivalizaron en homenajear a la Buena Madrecita de todos los cubanos, que también quiso visitar a los presos de la Cárcel, quienes le ofrecieron un acto conmovedor: cánticos, poesías, plegarias...[280]*

Fue, efectivamente, uno de esos días conmovedores dentro de la Peregrinación Nacional de la Caridad, que tuvo tantos durante los meses de su duración. Llegada la noche, la Madre Misionera y Peregrina fue trasladada al territorio de la Parroquia próxima, la de San Carlos, donde también hubo momentos tremendos, de los que permanecen indelebles en la memoria colectiva de los pueblos:

> *«Cerca de las ocho de la noche cruzó el puente Calixto García, que divide (el territorio) de la Parroquia de San Juan Bautista y la de San Carlos, y el cual fue bellamente engalanado. Cuando entró en la Parroquia de San Carlos, el Cuerpo de Bomberos la tomó en sus*

---

[278] Neopoblanos: habitantes del barrio de Pueblo Nuevo

[279] Ibídem, p. 107

[280] Ibídem

hombros, y, entre el estrepitoso resonar de su sirena, la llevó al cuartel, donde todos los carros de extinción de incendios hacían sonar sus campanas y sirenas en el más emocionante espectáculo. Ante el altar de la Virgen de los Desamparados, que tienen los Bomberos en su cuartel, se colocó la Patrona de Cuba, en tanto el Párroco Mons. Jenaro Suárez, pronunciaba una arenga desde lo alto de un carro de bomberos... De allí, en hombros de Oficiales y vigilantes de la Policía Nacional, fue llevada a la Estación de Policía donde el Capitán Jefe de la Sección le hizo, con su esposa, una ofrenda floral. Luego penetró la Virgencita en el Vivac Municipal donde los detenidos besaron su medalla. Y cargada por el pueblo, fue llevada a la Catedral de San Carlos, donde se dijo Misa de Comunión a media noche, ante una muchedumbre de fieles».[281]

Al arribar la importante fecha patria del 24 de febrero de 1952, con la especial circunstancia de estar presente como Visitante Celestial la Virgen de la Caridad del Cobre, Patrona de Cuba, se llevó a cabo una brillante procesión precedida por la Peregrina que recorrió en triunfo las calles de Matanzas, visitando todos los templos y sociedades de la ciudad. Fue un día de momentos estelares protagonizados, en primer lugar, por el pueblo de la capital provincial y su vanguardia religiosa de la Juventud Católica, que la honró de manera especialísima, los eclesiásticos, las órdenes y congregaciones religiosas, los estudiantes, las sociedades, centros de trabajo, el poder judicial, y el Centro de Veteranos, ***donde la Virgen fue condecorada con medalla de oro y en una ceremonia electrizante, a los acordes del Himno Invasor, fue proclamada Generala del Ejército Libertador...*** Fray Manuel Oroquieta reseñó este día memorable con estas palabras:

*El 24 de Febrero... Matanzas vibró de entusiasmo y fervor. La excelsa Patrona de Cuba paseó en triunfo todas las calles, visitando todos los templos y sociedades... Al colegio La Milagrosa, la Iglesia del Carmen, el Obispado... En la casa de la Juventud Católica se efectuó un acto extraordinario: los Consejos ofrendaron a la Virgen sus brazaletes **y le impusieron el botón distintivo de la Federación, proclamándola «Federada de Honor y entonando el himno de la Juventud...»***

«En los hombros de los federados fue conducida hasta las puertas del Instituto de Segunda Enseñanza, donde le esperaban cientos de alumnas uniformadas, profesores y empleados. El estudiantado cantó el Himno Nacional en tanto la excelsa Patrona subía la escalinata y entraba triunfante en el Instituto, donde recibió sendas ofrendas florales que le hicieron los profesores, alumnos y bedeles... Allí un estudiante alzó su voz; y un profesor —el Dr. Jorge Casals Llorente— recitó su «Plegaria a

---

[281] Ibídem, p. 107

la Virgen de la Caridad», resultando un acto pleno de emoción... Profesores y alumnos sacaron a la Virgencita, que después visitó la clínica Villar, la Iglesia de la Caridad, la Colonia Infantil, el Albergue Santa Ana, y el Colegio de San Vicente de Paúl...»

En todas partes fue aclamada fervorosamente. En la sociedad «Yumurí» declararon a la Virgen «Presidenta de Honor» entregándole un artístico diploma, en una magnífica velada, título no ostentado antes por nadie desde que la sociedad fue fundada hace 30 años...»

«Visitó luego las sociedades: La Unión, el Casino Español, el Liceo de Matanzas. En la Plaza de la Libertad, ante la estatua de Martí, el pueblo cantó el Himno Nacional. Visitó la Radio-Matanzas, el Colegio Sagrado Corazón, la capilla de los Paúles, las Siervas, el garaje Skidmore, el Gremio de Estibadores...

Por primera vez en la historia entró la Patrona de Cuba en el Palacio de Justicia: allí la esperaba el Presidente de la Audiencia, Magistrados y Jueces con sus esposas e hijos, que le hicieron ofrendas en el pórtico, ante una bandera cubana y entonando todos el Himno Nacional... Y en el Centro de Veteranos, los viejos libertadores, con sus familias, en un acto emocionante, le ofrecieron a la Virgen Mambisa una Medalla de oro, igual a la de ellos, proclamándola Generala del Ejército Libertador, a los acordes del Himno Invasor». [282]

A continuación siguió el itinerario de la Celestial Visitadora, en un minucioso recorrido que fue de la Parroquia de San Carlos, cruzando el Puente de la Concordia, a la de San Pedro de Versalles: en este territorio parroquial se vivieron intensas emociones, sobre todo en la solemne Misa de la media noche[283].

El día 25 fue el último que la Virgen Peregrina misionó en tierras de Matanzas, y la despedida que le tributó el pueblo fue una verdadera cascada de honores y alabanzas. Después de rezar el Rosario de la Aurora, la Sagrada Imagen visitó el Cuartel del Ejército, subió al Santuario de la Cumbre, consoló a los enfermos en el Hospital Civil, que le ofrecieron oraciones, flores y lágrimas; fue a ver a los viejecitos en el Asilo de Ancianos, visitó la Zona Franca del puerto matancero, donde fue llevada en andas primero por los miembros del Consejo de Administración y después por los trabajadores de los gremios portuarios, que la esperaron llevando al frente a su Patrona, la Virgen de Regla, para pasear después las dos imágenes por todos los muelles

---

[282] Ibídem, pp. 107-108

[283] Ibídem, p. 108

mientras los buques surtos en la bahía saludaban a la Patrona de Cuba con el bramido unánime de sus sirenas...[284]

En las crónicas del P. Oroquieta se recogieron muchos de los detalles más impresionantes de ese día. Algunos, muy sensibles, aparecen a continuación:

detalles que merecían... una descripción en que se hiciera perenne su emoción y belleza: Como la decoración del Puente Calixto García, en que los hierros reverdecieron, y el follaje florecía de banderas, y las guirnaldas se tejían con hilos de luces de mil colores. O el adorno que ostentó al paso de la Virgen el domicilio del Sr. Alcalde, tan bello que se llevó una espontánea salva de aplausos: en el marco lujoso de una gran vidriera, la Virgen de la Caridad, la lancha con los tres Juanes, el mar airado, todo a pleno color y en movimiento. La nota de que en el «Matanzas Tennis Club», la directiva en pleno y las asociadas rezaron el rosario y las letanías de Ntra. Señora, y la Coral de la Sociedad cantó exquisitamente un Avemaría.

*El magnífico editorial de la «Hora Berrinche» de Radio Matanzas contra los protestantes. Y esta minucia más, que dice mucho: los jardines quedaron exhaustos de flores... ¡Tantas obsequió a la Virgen Peregrina la devoción y gentileza de los matanceros! **Personalmente para mí, una de las emociones más gratas fue el ver en la procesión de bienvenida la sinceridad de aquellos miles y miles de personas, que al paso de la Virgen le tiraban ramos de flores y hasta dinero**[285]*

Y la Visita llegó a su fin después de aquella Peregrinación de tres días intensos. En el Palacio Provincial tuvo lugar el acto de despedida, donde las autoridades civiles la homenajearon nuevamente, según la descripción del P. Capellán:

*El meritísimo Sr. Gobernador, en función grandiosa, **le impuso la Medalla de Oro de la Provincia**. «Con toda justicia —dijo él— se le concede tal distinción, pues lleva prendidas en su manto las llaves simbólicas de nuestros 22 municipios». El profesor y poeta Dr. José Casals interpretó de nuevo sus aplaudidos versos. Habló brillantemente el Presidente de la Junta Diocesana, Dr. José M. Rodríguez Haded. Y hablé finalmente yo, agradeciendo en nombre de la Divina Viajera todos aquellos homenajes extraordinarios.[286]*

---

[284] Ibídem,

[285] Ibídem, p. 108

[286] Ibídem,

Con las llaves de sus 22 municipios, en frase del Sr. Gobernador, se llevaba lo que ellas simbolizaban y habían querido y logrado abrir: ¡el corazón de Matanzas![287]

Una multitud inmensa acompañó la Santa Imagen de la Virgen Peregrina para despedirla a la salida de la ciudad, y de inmediato, una caravana innumerable de automóviles acompañó la comitiva de la Madre del Cielo hasta la frontera de la provincia…

Llegada de la Santa Imagen de la Virgen de la Caridad a Pinar del Río el 26 de febrero de 1952. Comienzo de la Peregrinación de este a oeste por el pueblo de Artemisa y paso por el Central Pilar, Puerta de la Güira, Las Cañas, Central Andorra, Pijirigua y Las Mangas

El tránsito de la Sagrada Imagen por la provincia de Pinar del Río, trazado y aprobado por la jerarquía de la Iglesia, se cumplió a la perfección en un espacio de tiempo reducido, pero que alcanzó para llevar la Santa Visita a los lugares más apartados y remotos del territorio pinareño: la Patrona de Cuba pasó por él velozmente, pero dejando una huella de luz vivificadora y perdurable, una antorcha de Caridad, Fe y Esperanza, virtudes teologales que tienen su origen en Dios Nuestro Señor, que fundamentan las virtudes morales, y que nos facilitan el camino a la Vida Eterna.

El mismo día 25 de febrero de 1952, y en horas de la noche, la comitiva de la Virgen Misionera y Peregrina hizo acto de presencia en la ciudad de **Artemisa**, porque de Matanzas la Virgen pasó directamente a la provincia más occidental de la Isla: Pinar del Río, que iba a recorrer triunfalmente en el breve lapso de 25 días.

A pesar de la eficiencia de la caravana y la rapidez de su desplazamiento, el tiempo asignado era muy corto por la cantidad de pueblos y sitios a visitar y las grandes distancias a recorrer, a veces por caminos malos y fragosos: se trataba de llevar la romería religiosa a un total de 70 paraderos entre municipios, pueblos, bateyes de centrales y ciudades, lo que significaba casi tres paradas diarias… el Capellán de la Virgen anotó en su diario:

fue una pena dar tan pocos días a la provincia más sana y más alejada del Santuario del Cobre[288]

---

[287] Ibídem,

[288] Ibídem, p. 111

Después de la entrada triunfal de la Virgen de la Caridad en **Artemisa,** al día siguiente al amanecer se rezó el Rosario de la Aurora, y desde allí la comitiva salió en dirección al batey **Central Pilar,**

> *donde los trabajadores (para honrar a la Virgen) se comprometieron a levantar una capilla*[289]

Terminados los festejos y los homenajes en la fábrica de azúcar, la caravana que encabezaba la Patrona de Cuba hizo el trayecto hasta el lugar habitado de **Puerta de la Güira,** donde el pueblo entusiasmado y vehemente recibió a la Virgen con mucha piedad[290], y de allí pasó al pueblo de **Las Cañas**, donde se habían concentrado los habitantes de los alrededores junto con los vecinos. El P. Oroquieta, al comentar la recepción que hizo este pueblo a Nuestra Señora de la Caridad, escribió estas palabras:

> *poblado entusiasta y rico, que acompañó sin cesar a la Patrona en inmensa multitud*[291]

Para continuar con el intenso itinerario, la caravana de automóviles dirigida por la carroza de la Sagrada Imagen avanzó hasta llegar al batey del **Central Andorra.** El poderoso centro azucarero se había engalanado para la ocasión, decorando artísticamente la capilla, y una muchedumbre devota y alegre esperaba a la Virgen de la Caridad, que motivó estos comentarios del Capellán franciscano:

> *(tenía) la capilla más rica que he visto en ningún central, y más de 1.000 (personas) escoltando a la Virgen*[292]

La caravana que portaba la Virgen Peregrina para cumplir el programa misionero, salió del **Central Andorra** a las 9 p.m. y tomó la dirección del lugar habitado de **Pirijigua,** el que contaba con una sola calle, muy larga, que Nuestra Señora recorrió presidiendo la devota procesión. Luego regresó al **Central Andorra** pasara pasar al lugar habitado de **Las Mangas,** donde se celebraron los festejos en honor de la Virgen que siguió después hacia el nuevo hito de su apretado itinerario: el pueblo de **Candelaria.**

---

[289] Ibídem,

[290] Ibídem,

[291] Ibídem,

[292] Ibídem,

La recepción en Candelaria y tránsito por Bayate, Mango Dulce, Soroa y San Cristóbal. La Santa Imagen llega al Central San Cristóbal y avanza por Chirigota, Santa Cruz, Taco Taco, Azpiroz, Los Palacios, Paso Real de San Diego, Central Francia y Consolación del Sur

La entrada de la Virgen de la Caridad en **Candelaria** fue una verdadera apoteosis de entusiasmo popular. Al describir el magno suceso, fray Manuel Oroquieta consignó sus impresiones en su diario, de forma resumida:

> En Candelaria... fue recibida por todo el pueblo despierto y con todo el parque de fiesta[293]

Era el 26 de febrero cuando la Sagrada Imagen llegó al pueblo y al día siguiente, el 27, su recorrido fue descrito por el Padre Capellán con las palabras siguientes, lo mismo que la deslumbrante ceremonia en la Iglesia Parroquial y la multitudinaria procesión que tuvo lugar en el momento de la despedida:

> Por la mañana, visita a la fábrica de conservas, a varios enfermos, al Centro de Veteranos, a la Policía y al barrio Godines. Y por la tarde a (los lugares habitados de) **Bayate**, a **Mango Dulce** y a **Soroa**, la famosa por linda altura de las lomas de **Candelaria**. De regreso a la parroquia, visita a más enfermos en la iglesia totalmente abarrotada, y procesión de despedida hasta el Cuartel de la Guardia Rural[294]

Al partir de **Candelaria,** una procesión que estaba formada por una caravana de más de 60 automóviles le sirvió de escolta hasta el próximo pueblo, y según el testimonio de fray Manuel Oroquieta, la misma

> eslabonó la cadena de triunfos de la Virgen Peregrina con su entrada apoteósica en **San Cristóbal**[295]

Al amanecer el pueblo, acompañando a la Virgen Misionera de la Caridad, rezó con fervor el Rosario de la Aurora y después participó masivamente en la solemne Misa de Comunión General. Desde allí salió la Virgen de la Caridad de la ciudad de San Cristóbal para encaminarse al batey de la fábrica de azúcar próxima, que tenía el mismo nombre: **Central San Cristóbal,** donde se

---

[293] Ibídem,

[294] Ibídem,

[295] Ibídem,

pararon los trabajos todo el tiempo que estuvo la Virgen dentro del ingenio o paseándose por el Central, con mucha sinceridad y entusiasmo de las gentes[296]

Luego la caravana torció el rumbo hacia el sitio de **Chirigota** y de inmediato, llevada por la Virgen Misionera, cruzando por las fincas de **Arroyo Grande** y **Mango Jobo,** en un recorrido zigzagueante en el que entraba y salía constantemente en la carretera central, se presentó en el lugar habitado de **Santa Cruz:** en todas partes se repetían las mismas escenas de entusiasmo apasionado por la Virgen de la Caridad, siempre matizadas por situaciones desconocidas, por la búsqueda incesante de nuevas y mejores formas de homenajear a Nuestra Señora, de patentizar el amor y la devoción por ella. Hubo circunstancias especiales en las que el afán de ver a la Virgen hacía que los habitantes, acompañados por los vecinos cercanos a algún poblado, no esperaban a la Santa Imagen, sino salían a su encuentro. Este es el caso de los que residían en el poblado siguiente, **Taco-Taco**, donde

Era tal el ansia por contemplar a la Virgen Peregrina, que salieron muy lejos a esperarla, y luego tuvieron que correr detrás de la carroza hasta llegar al poblado[297]

Después de visitar a los vecinos del lugar habitado de Azpiroz, que esperaban expectantes la llegada de la Virgen Peregrina y Misionera para rezar ante Ella y admirarla, la Santa Imagen regresó al pueblo de **San Cristóbal,** que fue durante algún tiempo la base de operaciones de la caravana, para despedirse solemnemente de los habitantes. Fray Manuel Oroquieta describió los sucesos de esta forma:

*De regreso en **San Cristóbal**, Rosario solemne en la iglesia, y luego procesión de despedida caminando hasta el cementerio. Esa misma noche, a las 9.30 p.m., llegaba Ntra. Señora al entronque de la carretera central con la de **Los Palacios***[298]

Otra anécdota que revela los resultados de la Visita de la Virgen de la Caridad a **San Cristóbal**. Al ver el entusiasmo popular de la multitud reunida en el parque del pueblo parea saludar a su Reina, Madre y Patrona, las autoridades civiles y eclesiásticas se esforzaron por honrar a la Madre Celestial de los cubanos. Entonces,

---

[296] Ibídem,

[297] Ibídem,

[298] Ibídem,

el Alcalde, Sr. Juan Noriega, prometió colocar una capilla de La Caridad en aquel mismo parque que vibraba de entusiasmo en los esplendores del recibimiento, y Mons. Evelio Díaz volvió a tejer «un verdadero encaje de frases en honor de María», coronándose el acto con «unos finísimos fuegos artificiales».[299]

Y los vecinos de **Los Palacios** tenían una necesidad tan grande de ver a la Virgen de la Caridad, que no pudieron esperarla, con lo que se repitieron las mismas escenas que habían acontecido en **Taco-Taco**: sin ningún acuerdo previo, de manera espontánea, construyeron ellos mismos una carroza en la que habrían de trasladar a Nuestra Señora, y el pueblo salió a esperar a su Patrona, para de esa forma alargar el tiempo que la iban a tener ante sus ojos:

*Y allí estaba gran parte de este pueblo ferviente (los habitantes de **Los Palacios**), con una carroza propia para la Virgen Peregrina, a la que acompañó caminando ¡6 Kms.! Llegaron a las 11.30 p.m., y continuó por las calles una procesión lucidísima, hasta la 1 de la noche...[300]*

¿Se apresuró demasiado el trayecto de la Santa Imagen Peregrina y Misionera por tierras de Pinar del Río? Aunque la respuesta a esta pregunta es discutible, sobre todo si se la compara con el tiempo empleado para la Romería Nacional en otras provincias. En las Memorias de la Peregrinación Nacional de 1952 que aparece en el Semanario Católico de septiembre y octubre de ese año, la redacción nos dejó sus impresiones al respecto:

Y nadie tilde a esta prisa como sinónima de apresuramiento; porque, fueran cuantos fueran los lugares visitados, Nuestra Señora y su Capellán pasaban por ellos sembrando la gracia y el gozo y el consuelo del alma a granel. En todos se cumplía el rito de la procesión, de la prédica misionera, el rezo del Rosario, de la Consagración a la Madre del Cielo, del beso a su medalla, de la bienvenida y la despedida

*Ni un solo día dejó de rezarse el Rosario de la Aurora. Quizá sea este un dato que pasme a muchos: desde que la Virgen peregrina salió de Santiago de Cuba el 30 de mayo de 1951, hasta su entrada en la provincia de La Habana el 23 de marzo de 1952, **ni un solo día dejó de rezarse este simpático Rosario matutino allí donde se encontraba la Peregrinación, y casi siempre en una procesión por las calles, al estilo misionero**. ¿No es dulcísimo pensar que desde Baracoa hasta Mantua y hasta los Remates de Guane, cada vez que el sol besó nuestra Isla con la*

---

[299] Ibídem, p. 112

[300] Ibídem, p. 111

gracia de una nueva aurora, se encontró a la Invasión Mariana en marcha, y unas calles o unos caminos de Cuba resonando con los trinos matinales del Avemaría? Y más: la Romería de Ntra. Señora transfiguró así a Cuba, «de San Antonio a Maisí» en un arcangélico rosario de auroras marianas, este año de gracia y de gloria del cincuentenario patrio...[301]

Cuando la carroza de la Virgen Peregrina dejó finalmente **Los Palacios**, la comitiva cambió el rumbo para dirigirse a **Paso Real de San Diego**, donde el precioso paisaje se hizo todavía más esplendoroso con la presencia maravillosa de la Virgen de la Caridad. De este pueblo hay en los recuerdos del Capellán Oroquieta, el brillo de un homenaje particular:

no tenían flores, pero tenían un pergamino con las firmas de todos, y así el acto fue muy hermoso[302]

Luego la Romería siguió su avance esplendoroso. Cuando pasaba la Virgen Peregrina, todo resplandecía y el cielo se llenaba de una luz que no era, por supuesto, la del sol. Así llegó nuestra Primera Evangelizadora y Misionera al batey del **Central Francia**, donde fue difícil convencer al pueblo disgustado porque quería que Nuestra Señora de la Caridad se quedara más tiempo junto a ellos, lo que provocó airadas protestas que anotó en su diario el Capellán franciscano:

tanto amaban a La Caridad, que se molestaron porque no se les quedó más tiempo: querían la Virgen para ellos[303]

No fue posible convencer a los vecinos del **Central Francia** de que era necesario mantener el itinerario y las escalas de la Peregrinación Nacional según el tiempo programado. Finalmente la caravana continuó su avance y pasó al pueblo de **Consolación del Sur**, donde tuvo una recepción muy alegre y se lograron grandes cosechas espirituales, al tiempo que los habitantes rivalizaban para obtener el librito con la historia de la Patrona de Cuba. Dijo fray Manuel Oroquieta que esta localidad:

*se distinguió por sus ruedas de voladores retumbando apoteósicamente por doquier, por sus confesiones y más **confesiones; su precioso Rosario de la Aurora, que duró desde las 5.30 a.m. hasta las 8 a.m.; por su Misa***

[301]Varios Autores. Nuestra Señora de la Caridad, Peregrina Nacional. Semanario Católico sept-oct de 1952, La Habana, 1952, p. 111

[302] Ibídem, p. 116

[303] Ibídem, p. 111

cantada en la que se distribuyeron 200 Comuniones; y batió el record en la venta de libritos de La Caridad, que ascendió a 1.400[304]

Finalmente, la carroza de la Virgen Peregrina y Misionera de la Caridad volvió a coger la carretera para avanzar hacia la capital provincial de Pinar del Río, viaje en el que la Romería se iba a detener en varios pueblos y sitios intermedios.

En dirección a la capital provincial, pasa por Pilotos y Puerta de Golpe: apoteosis en Pinar del Río. Continúa la Misionera hacia San Luis

A donde primero llegó la caravana de la Patrona de Cuba fue al pueblo de **Pilotos**, a donde la Primera Misionera de la Isla de Cuba se presentó en medio de un entusiasmo delirante, ya que, según el diario del Capellán franciscano,

a pesar del calor sofocante, un gentío inmenso: nos costó tres horas liquidar aquel entusiasmo[305]

A la salida de **Pilotos** la Romería Nacional de la Caridad, precedida por la Virgen, marchó hasta el histórico pueblo de **Puerta de Golpe**, donde ocurrieron hechos históricos vinculados a la participación de la Iglesia Católica a favor de la independencia de Cuba, como el que se detalla a continuación:

En 1855, cuando la conspiración de Ramón Pintó, encontramos comprometidos a los Pbros. Calixto María Alfonso de Armas y José Cándido Valdés. El primero figuraba como jefe del movimiento que había de dirigir la sublevación (por la independencia) en **Puerta de Golpe**[306], [307]

Y como la Virgen de la Caridad es el Primer Símbolo de la Libertad, de la Nación y de la Patria cubana, se habrá sentido muy alegre cuando su Sagrada Imagen fue a visitar ese pueblo, donde un Sacerdote de Dios se preparaba a luchar en defensa de la libertad de Cuba desde el lejano 1855, mucho antes de que se iniciara la Guerra de los Diez Años.

---

[304] Ibídem, p. 112

[305] Ibídem, p. 116

[306] Se trata del pueblo de Puerta de Golpe, en Pinar del Río. Por error del editor, en el libro fuente (Larrúa Guedes, Salvador. Grandes Figuras y Sucesos de la Iglesia Cubana. Ediciones Juan Montalvo s.j., Santo Domingo, 1997) se ubica este pueblo en la provincia de Las Villas. (N. del A.)

[307] Libro fuente consignado en (103), p. 173

Y después de este recorrido meteórico por la más occidental de las provincias de Cuba, la Santa Imagen de nuestra Primera Misionera llegó por fin a la ciudad de **Pinar del Río**, la noche del 1 de marzo de 1952. Las primeras celebraciones y homenajes comenzaron a las 9:00 de la noche y terminaron después de la 1:00 de la madrugada del día siguiente, con una Misa Solemne y el rezo de la Salve en la Catedral. Las autoridades eclesiásticas, civiles y militares estaban presentes en el Parque Martí, donde se llevó a cabo la recepción oficial de Nuestra Señora de la Caridad, y donde se desbordaba un verdadero mar de pueblo que no encontró cabida en aquel espacio aunque era considerable. Allí estaban presentes e hicieron uso de la palabra el Obispo Diocesano, el Sr. Alcalde y el Padre Capellán de la Virgen, así como el Gobernador Provincial y altas representaciones de todos los partidos políticos y asociaciones cívicas[308].

En Pinar del Río, cuyos habitantes se habían multiplicado al rebosar la ciudad con miles de personas llegadas de pueblos y lugares de los alrededores, no se conservaba memoria de ningún acontecimiento tan multitudinario y trascendental. La recepción dada a la Virgen de la Caridad del Cobre superaba con creces cualquier acto similar en el pasado. Todos los actos sociales se suspendieron, ya que nadie habría concurrido a ninguno: todas las personas que pudieron levantarse y caminar fueron a reunirse con su Reina y Madre del Cielo. Las bandas militares estrenaron marchas en honor a Nuestra Señora, y el coro de la Acción Católica una Salve especialmente llevada al pentagrama para ofrecerla a la Virgen en su Visita, durante la cual estuvo constantemente acompañada por el Sr. Obispo Diocesano, Mons. Evelio Díaz… Las crónicas de fray Manuel Oroquieta reseñaron la estancia de la Imagen Santísima con estas palabras:

> *Y (había) un gentío innumerable desbordando las calles y plazas de la capital minúscula. «Según antiguos vecinos de Pinar, la ciudad no había presenciado jamás un recibimiento popular como el ofrecido a la Virgen Peregrina, ni siquiera con ocasión de la visita de los Presidentes de la República, pese a que entonces acuden al lugar numerosos vecinos y acompañantes de otros sitios[309]. Se hizo notar asimismo la*

---

[308] Ibídem (102), p. 113

[309] Es preciso aclarar que los pueblos, fincas y sitierías de los alrededores con más motivo se vaciaron en esta oportunidad para llenar la ciudad de Pinar del Río y al menos duplicando sus habitantes, con una multitud reunida para poder contemplar y rendir homenaje y honores a la Virgen de la Caridad (N. del A.)

presencia del ex-Presidente General Fulgencio Batista, escoltando a la Virgen...»[310]

Se suspendieron los actos oficiales de la Feria de San Lorenzo, debido a que todo el pueblo estaba con La Caridad[311]

En el recibimiento, la Banda estrenó una marcha militar dedicada a la Virgen del Cobre, y la Coral Federada, bajo la dirección de la Dra. Dolores Paredes Blanco, una Salve compuesta para esta ocasión por el P. Escolapio Luis Enseñat Daura[312]

La Virgen Peregrina dedicó el día 2 a visitar detalladamente la ciudad, y el piadoso Mons. Evelio Díaz no se separó de Ella[313]

Después de todos estos acontecimientos, vino la magna despedida de la población de Pinar del Río a la Virgen de la Caridad, Misionera y Peregrina. Todos los habitantes se reunieron para verla marchar, y todos los que pudieron hacerlo se incorporaron a la larga caravana de automóviles que acompañó a la carroza de Nuestra Señora, agregándose a su comitiva...

Una despedida popular que el P. Manuel califica de «inmensa», y una caravana de máquinas que rebasa con mucho el centenar, puso colosal fin a la inolvidable estancia de la Virgen Peregrina en la capital pinareña[314]

Y la Romería Nacional continuó su marcha indetenible. La Virgen Peregrina avanzó dirigiéndose en esta oportunidad hacia el pueblo de **San Luis,** donde Nuestra Señora tuvo una singular recepción con una carroza especialmente preparada y adornada para Ella:

Y en San Luis, el del mejor tabaco del mundo, el adorno de la Imagen y su carroza con hojas y flores de su precioso tabaco. Y aquí y (también) en Viñales, «el espectáculo fantástico de miles de velas alumbrando los rostros y la noche»[315]

La creatividad de los cubanos era inconcebible cuando se trataba de rendir tributo a la Patrona de la Isla en aquella Peregrinación Nacional previa al Cincuentenario de la Proclamación de la República en 1902, con lo que quedaba confirmado una vez más que Ella, la

---

[310] Diario de la Marina, 5 de marzo de 1952

[311] Ibídem,

[312] Ibídem (102), p. 113

[313] Ibídem,

[314] Ibídem,

[315] Ibídem, p. 112

Virgen de la Caridad del Cobre, era el Primer Símbolo de la Patria, y que de Ella surgió la Luz de la Libertad que en el siglo XIX iluminó toda la Isla. Esa creatividad estaba presente en los adornos florales, en las largas esperas nocturnas en que las velas alumbraban las noches con miríadas de puntos de luz, en las caravanas de automóviles y de caballerías que se unían a la comitiva de la Santa Imagen, en los festejos pirotécnicos con fuegos voladores, en las lluvias de flores, en las medallas, proclamaciones, discursos, documentos, declaraciones y actos públicos y personales de todas clases que salpicaron la Marcha Peregrina y Misionera, así como en las muestras de emoción, de sentimientos sublimados, en las lágrimas, en las sonrisas... ante la llegada de la Virgen, y en el momento de su partida, la gente hablaba con los ojos, con las manos, con los sentidos, con la respiración, con las lágrimas, con los gritos de alegría cuando llegaba, con las voces apenadas cuando se iba...

El Corojo, El Retiro, San Juan y Martínez, Delicias, El Vivero, El Valle, Bernabé, Barbacoa y La Coloma. En dirección al cabo de San Antonio: paso por Isabel María, Sumidero, Luis Lazo, Los Acostas, Tenería, Guane, Mendoza, Cayuco y Las Martinas, en el extremo oeste.

La comitiva salió de San Luis y encaminó su rumbo hacia los lugares habitados de **El Corojo** y **El Retiro** para detenerse después en el pueblo de **San Juan y Martínez,** donde lo más destacado de las celebraciones fue la gran cantidad de personas que tomaron la comunión durante la Visita de la Virgen Peregrina y Misionera. En esta parte del trayecto se hizo sentir fuertemente la obra realizada por las células de la Acción Católica Cubana preparando las celebraciones en todos los lugares que debían recibir la Visita de la Santa Imagen. Los resultados obtenidos realmente no se esperaban, y fray Manuel Oroquieta, hablando de las personas que los llevaron adelante, no fue parco en ponderaciones como éstas:

> *«Mucha piedad, mucho interés, mucho entusiasmo». «Vida patriarcal; me parece la gente más sana de la Isla». «Espléndidos, buenos, sanos». «Gentes sanas, amables, que miran y acompañan a La Caridad como yo nunca he visto a nadie...»*[316]

Tal como quedó recogido en las crónicas del P. Oroquieta, estos elogios u otros muy parecidos se unen en su memoria a los nombres de

---

[316] Ibídem, p. 116

lugares habitados y pueblos como **El Corojo, El Retiro, Delicias, El Vivero, El Valle, Bernabé, Barbacoa**... después la comitiva de la Santa Imagen realizó la Visita Misionera en el pueblo pesquero de **La Coloma,** donde ocurrieron sucesos inolvidables. La Virgen de la Caridad, que llegó a Cuba sobre las olas del mar, estaba de nuevo frente a la inmensidad azul, donde la piedad y la devoción de los pescadores, que recordaban la historia de su portentosa aparición, iba a levantar una capilla en su honor. Una vez llegaron a la playa,

> *los pescadores y marinos, con sano entusiasmo, cargaron a hombros las andas y llevaron a la Virgen Peregrina hasta la misma orilla del mar. Luego se dio a besar la medalla en el mismo lugar donde se le va a levantar una capilla. Y compraron afanosamente los libritos de la historia y la devoción de La Caridad, hasta agotarlos*[317]

A continuación la comitiva, Peregrina de la Caridad, torció el rumbo hacia el oeste, directo hacia el Cabo de San Antonio, donde la Isla termina. Durante ese recorrido, bastante largo por cierto, la caravana que encabezaba la Santa Imagen Peregrina de la Virgen de la Caridad pasó, siempre entre grandes celebraciones y festejos, por lugares muy humildes donde era muy querida: los sitios y pueblecitos de **Isabel María, Sumidero, Luis Lazo, Los Acostas, Tenería, Guane, Mendoza, Cayuco** y finalmente, **Las Martinas.**

Todo el camino que se recorre desde **Pinar del Río** hasta **Guane** es hermoso y especialmente pintoresco, que el P. Oroquieta denominó *Peregrinación bonita*[318] por sus paisajes espléndidos: primero, el paso entre las montañas, en el que curiosamente tenían, a un lado, montes ásperos y fragosos, formados por acumulaciones rocosas, y del otro, lomas suaves, de poca altura, que mostraban una vegetación exuberante y frondosos cultivos. En cierto momento, parece que las montañas y las colinas van a juntarse, pero entre ambas discurren un río y la carretera que lo atraviesa por un puente. Luego los campos fecundos sembrados de caña, tabaco, frutos menores, frutales... el franciscano, extasiado ante el paisaje que parecía el más a propósito para recibir a la Virgen Peregrina de la Caridad, y admirando a los sencillos campesinos que contemplaban a Nuestra Señora extasiados, reverentes, casi sin poder creer que por fin estaban delante de la milagrosa y querida Virgencita, nos cuenta que

---

[317] Ibídem, p. 118
[318] Ibídem, p. 119

*la Virgen paseó tal belleza geográfica, morosamente, a las luces poéticas de un atardecer, visitando todos los poblados aledaños, deleitándose más y mejor en la belleza de las almas. **Es aquí donde constata el P. Capellán que (los habitantes) seguían y miraban a la Virgen como él no ha visto a nadie**[319]*

En los remotos confines de **Guane,** que en el Censo de 1943 registró 2,248 habitantes y en 1952 no tendría más de 2,600, se reunieron otros miles de personas, muy sencillas y pobres, campesinos con sus familias procedentes de las fincas y sitierías de las proximidades para ver a la Virgen, saludarla, festejarla, rezar y rendir homenaje de amor y veneración. Dice el P. Oroquieta que era asombroso ver

el desfile interminable de personas para besar la medalla, con abundantes limosnas[320]

Más allá de Guane, pasaron por el lugar llamado **Remates de Guane,** y luego la comitiva siguió por difíciles caminos hasta los confines de la Isla, los sitios de **Mendoza, Cayuco** y **Las Martinas.** El viaje por estos territorios era realmente difícil y problemático, por lo que se había planeado que la Santa Imagen de la Virgen Peregrina fuera trasladada en un buque de guerra hasta el Cabo de San Antonio, pero el golpe militar del 10 de marzo hizo variar el programa. De todas formas, la Virgen de la Caridad llegó hasta los últimos lugares habitados del territorio nacional, y los campesinos que vivían aislados más allá, según el uso que se hizo costumbre desde el primer día de la Peregrinación Nacional, dejaron sus bohíos para llegar al lugar más cercano que visitara la Patrona de Cuba.

Y de esta forma, por caminos arenosos entre pinares, la Virgen Peregrina y Misionera llegó a los últimos pueblecitos de la Isla: primero a **Cayuco,** donde los fieles de ese terruño, campesinos muy humildes y muy pobres, pero muy devotos de Nuestra Señora, la aguardaban con una manifestación extraordinaria. En **Cayuco** no residía más que millar y medio de personas, pero los guajiros de los alrededores llegaron con sus familias y pronto se formó una muchedumbre. Efectivamente, era muy alentador presenciar

el espectáculo emocionante de 3.000 o 4.000 devotos con sus velas ardientes. Visitó las dos sociedades cívicas. Misa a media noche en la

---

[319] Ibídem,

[320] Ibídem, p. 112

sociedad de los blancos, y a las 9 a.m. en la de los de color, con mucha gente en ambas y creo yo que con algún provecho espiritual...[321]

Al salir del pequeño pueblo pasaron a **Las Martinas**, que es es el lugar habitado más lejano hacia el suroeste en la geografía de la provincia de Pinar del Río, o sea, es el sitio más occidental de la Isla al que había llegado la presencia humana de forma estable, sin contar la diminuta sitiería costera de **La Fe**. Este lugar habitado dio origen a una anécdota de gran interés que se narra a continuación. Había en la provincia de Pinar del Río, en el lugar habitado de **Cortés,** una señora que había hecho la promesa de visitar a la Virgen de la Caridad en su Santuario Nacional del Cobre, y al percatarse de que le resultaba imposible hacer el viaje, decidió cumplir la palabra empeñada ante la Santa Imagen de la Virgen Peregrina. Ocurrió, sin embargo, que en el programa establecido, por resultar imposible, se dio el caso extraño de que no se contempló visitar este lugar. Al conocer que por esta causa no podría presentarse ante Nuestra Señora, aquella devota mujer

se trazó un heroico plan penitencial: ¡Iría a pie y descalza hasta Las Martinas![322]

El camino de **Cortés** hasta **Las Martinas** era un recorrido de 32 kilómetros equivalentes a 20 millas de camino pedregoso y áspero, todavía más difícil de recorrer para una persona que ya no era joven y que iba a caminar si zapatos, pero la mujer se arredró ante las dificultades y echó a andar un día antes de la salida del sol. Caminó durante muchas horas y era las 4 de la tarde cuando empezó a llover fuertemente, cuando le faltaba solamente un kilómetro para llegar a la ansiada meta, donde fray Manuel Oroquieta la esperaba con expectación:

El P. Capellán, avisado previamente, esperaba, y ya con impaciencia: demorarse allí con el aguacero que se santiguaba, era exponerse a quedarse incomunicado, quién sabe con qué trastornos para la Peregrinación[323]

Viendo que la señora demoraba y el reloj seguía su paso inexorable, se tomó la decisión de mandar un automóvil para facilitarle el trayecto, pero ella rechazó la oferta, pues

---

[321] Ibídem, p. 119

[322] Ibídem, p. 117

[323] Ibídem,

quería llegar ante la Virgen Madre a pie y descalza, con su cansancio penitente, y, pues Dios lo quería así, bajo la lluvia[324]

El empeño era demostrar su amor a la Virgen llegando al sacrificio. Pero fray Manuel Oroquieta tenía que seguir el itinerario programado, y llegó a la conclusión de que no podía correr el riesgo de detener la Peregrinación, por lo que partió de inmediato al encuentro de la señora: llegó al lejano pueblecito de **La Fe**, continuó viaje hasta el recóndito pueblo de **Guane,** y antes de llegar a este pueblo, en el lugar habitado de **Mendoza,** donde

*la promitente heroica alcanzó a la Virgen Peregrina: ya en **Las Martinas**, y repuesta un tanto de su jornada agotadora, había tomado una máquina, lanzándose en seguimiento de la Divina Señora, ante la que cumplió su voto con gran consuelo de su alma y no menor emoción del P. Capellán y de todos los circunstantes*[325]

Así continuó la marcha de la Virgen Peregrina: era una sucesión interminable de celebraciones y festejos, de multitudes entusiasmadas, de discursos y de flores. Se salía de una emoción para entrar en otra mayor. Cada sitio visitado era una o muchas anécdotas nuevas. Cada uno de los presentes cuando la Virgen Peregrina de la Caridad llegaba a un pueblo tenía su propia visión maravillosa de la Visitante Celestial, y un sentimiento inefable que brotaba del corazón y que invade suavemente el cuerpo, el alma, los sentidos y los pensamientos:

La sensación que se produce cuando, después de mucho tiempo sin verla, uno llega al Santuario del Cobre y se detiene ante la imagen preciosa de la Virgen de la Caridad.

Regreso al norte y al este por La Fe, Mantua, Arroyos de Mantua, Dimas, Minas de Matahambre, Santa Lucía, Puerto Esperanza, San Cayetano, San Vicente y el Valle de Viñales. Etapa final de la Peregrina Misionera de la Caridad: San Diego de los Baños, Güira, Alonso Rojas, La Palma, Central Niágara, La Mulata, Las Pozas, Bahía Honda, Cabañas, Centrales Orozco y Merceditas, Cayajabos, Quiebra Hacha, Mariel, el Central San Ramón, Guanajay y El Jobo.

Terminada la Visita a **Las Martinas,** el último asentamiento humano ubicado en el extremo más occidental de la Isla de Cuba, continuó su marcha la Caravana Peregrina de la Caridad, llevando al frente la Santa Imagen de la Virgen, nuestra Primera Misionera y

[324] Ibídem,

[325] Ibídem,

Evangelizadora. Ahora la comitiva tomó la dirección del norte y luego pasó al este bajo un aguacero formidable llegando por fin al pueblo de **La Fe**, donde el infatigable Capellán escribió estas líneas

> *antiguo puerto y hoy Comandancia de Marina, sin más pena ni gloria que la de ser el pueblo más occidental... ¿No era brega bastante? Podía parecer que sí. Pero esa misma noche entraba la Virgen de la Caridad, Peregrina Nacional, en la lejana e histórica* **Mantua**[326]

El pueblo de **Mantua,** al que llegaron Máximo Gómez y Antonio Maceo, fue declarado Monumento Nacional en agosto de 1953, alrededor de un año después de la Visita de la Virgen Peregrina de la Caridad. El pueblo esperaba a la Patrona de Cuba con verdadero arrobamiento que se notaba inmediatamente al mirar cualquier rostro en la disciplinada multitud. El P. Oroquieta comentó brevemente:

> *(El pueblo manifestó) orden y respeto encantadores, la iglesia colmada en todos los actos, una procesión de 4 horas visitando el pueblo entero y todos los centros y sociedades...* **y las lágrimas de todos en la despedida**[327]

Pero estos no fueron los únicos hechos memorables de la Santa Visita de la Virgen Peregrina a **Mantua.** Cuando Nuestra Señora de la Caridad entró en el pueblo, relató después fray Manuel Oroquieta estas vivencias:

> *En* **Mantua,** *entre los miles de devotos de la Virgen, se le acercó una viejecita negra. Ella había conocido de niña al* **Mayor General Antonio de La Caridad Maceo y Grajales.** *Y su madre de ella había sido lavandera del glorioso mambí, aquellos días en que el bregar por la manigua tostaba las carnes y empapaba la ropa con un sudor heroico. ¡Cómo se encendían,* **ante aquel sol de La Caridad,** *las luces vivas del recuerdo!*[328]

Aquella viejecita aprovechó la oportunidad para conversar con el P. Oroquieta y narrarle algunos recuerdos personales que vinculan al Mayor General con la Virgen Patrona de Cuba:

> *Porque Maceo era muy devoto de La Caridad. ¡Se lo aseguro, Padre! Llevaba siempre prendida en su ropa interior una medalla de la Virgen del Cobre. Mi madre y yo se la vimos un día, que se descuidó y nos la dio con la ropa de lavar. Y mi madre le dice: «***General, ¿es usted católico? Y*

---

[326] Ibídem, p. 119

[327] Ibídem, p. 112

[328] Ibídem, p. 117

*él contesta: **Sí, y a mucha honra, y sobre todo devoto de La Caridad, como me lo enseñó mi madre desde niño…»***[329]

Al escuchar esa anécdota, el Padre Capellán no pudo menos que preguntarse si la medalla que Antonio Maceo llevaba prendida en su ropa sería la misma medalla milagrosa que según contaba el Obispo de Cienfuegos, Mons. Eduardo Martínez Dalmau, miembro de la Academia de la Historia de Cuba, salvó de la muerte al Mayor General cuando rebotó en ella una bala enemiga que hubiera podido atravesarle el pecho[330].

Y la viejecita siguió narrando anécdotas de la Virgen de la Caridad durante la Guerra de 1895-1898, en que vinculaba a la Patrona de Cuba con los Mayores Generales Antonio Maceo y Quintín Banderas. Entre ellas, vale la pena recordar estas décimas de una época heroica que quedaron grabadas en el romancero popular:

Cuando Linares copó
a Maceo en Vuelta Abajo,
eso se llamó trabajo
que ese cubano pasó.
Maceo reflexionó
que era el español tirano.
Mandó a su caballería:
«Muchachos, «marchá» entre hermanos!»…
¡Cabayero: é bobería,
rabia tienen los cubanos!
Cuando Maceo salió,
Maceo y Quintín Banderas,
con el cañón de madera
que en La Yaya reventó,
y el artillero cayó,
herido paró en el suelo.
Se quitó Maceo el sombrero
y le dijo a Socarrás:
«¡Válganos La Caridad,
si de este caso no muero!»[331]

Terminada la Santa Visita, la comitiva con la Santa Imagen pasó al sitio de **Arroyos de Mantua,** salida hacia el mar de la histórica y pequeña ciudad, y allí la Virgen de la Caridad, custodiada por su celoso

---

[329] Ibídem, p. 118

[330] Ibídem,

[331] Ibídem, p. 118

capellán, se embarcó para hacer la travesía hasta el lugar habitado de **Dimas**, donde tomaron desprevenidos a los pobres habitantes, que no esperaban que la Patrona de Cuba llegara ese día:

> *(Al salir de **Arroyos de Mantua**) la Virgen Peregrina y su Capellán volvieron a escuchar la música de las olas. Siete horas de travesía de **Los Arroyos** a **Dimas**, en un barco velero, cruzando por típicos manglares, con leyendas de tesoros de piratas en sus fondos y como para soñar con caimanes y cocodrilos. El día era largo y la mar tranquila; los tripulantes se dieron a pescar; y el P. Manuel, con un aparejo prestado, hizo presa de una aguja, larga de casi 1 m., que luego en tierra fue comida de todos los que navegaban. Pero no todo fue en **Dimas** saborear una buena pesca: el poblado no sabía nada de la llegada de la Virgen, y el P. Manuel tuvo que prepararlo y hacerlo todo...*[332]

La próxima parada de la Peregrinación fue el pueblo de **Minas de Matahambre**, pasando después al lugar habitado de **Santa Lucía**. Este viaje se realizó por mar, y el P. Capellán acompañó la Bendita Imagen Peregrina en un hermoso yate que facilitó el Dr. Romagosa, presidente de la Compañía que explotaba las famosas minas...

La entrada de la Patrona de Cuba en la sede de **Minas de Matahambre** fue una recepción apoteósica y triunfal. La devoción que demostraron los habitantes era sincera y genuina, y el denodado P. Capellán descendió con la Sagrada Imagen al socavón más profundos de las minas hasta llegar a un espacio situado a más de 1 kilómetro en las entrañas de la tierra, donde los obreros, el capellán y el patrón rezaron, ejemplarmente unidos, ante la Reina y Madre de Todos los Cubanos:

> *El entusiasmo (en Minas de Matahambre) fue enorme. Hubo colección de fuegos artificiales, acto en el Sindicato, en la iglesia Misa a media noche con muchas Comuniones y mucho respeto, otra Misa a las 9 a.m. de Primera Comunión.* **Y por la tarde descendió la sagrada Imagen a 3.400 pies de profundidad, en la mina más honda de cobre, y allí el Dr. Romagosa rezó de rodillas por sus mineros...**[333]

La despedida fue triunfal, igual que la recepción, y la caravana marchó a **Santa Lucía,** adonde llegó en la noche del 10 de marzo de 1952. En el pequeño caserío la gente tan sencilla y tan pobre homenajeó a la Virgen de la Caridad con todos los medios y de todas las formas a su alcance:

---

[332] Ibídem, p. 119

[333] Ibídem, p. 120

*El pueblo honró a la Virgen Peregrina con unos homenajes fervientes y solemnes, entregándole una medalla de oro y celebrando ante Ella la Primera Comunión de 40 niños. Y se hizo una vez más a la mar, en el aristocrático yate del Dr. Romagosa, hasta **Puerto Esperanza**[334]*

Después de recrear la vista en la hermosa vista del mar, la comitiva de la preciosa Imagen de la Caridad Peregrina llegó al pequeño pueblo de **Puerto Esperanza**, cuya población se había multiplicado con la afluencia de muchos vecinos de los alrededores que dieron a la Virgen una multitudinaria e histórica recepción:

*En **Puerto Esperanza**, muchísima gente; pero organizaron una procesión interminable[335]*

Así reza el comentario que escribió fray Manuel Oroquieta. Al terminar las celebraciones y homenajes ya era la 1 p.m., y la comitiva salió a pie por esos caminos de Dios, llevando como estandarte la Sagrada Imagen Peregrina y Misionera de la Caridad, avanzando hasta **San Cayetano** en medio de un calor espantoso. Y luego, en un verdadero alarde resistencia y fortaleza espiritual, pues aquí los cuerpos eran llevados en andas por las almas, continuaron la marcha hasta el **Valle de Viñales:**

*Y a la 1 de la tarde salimos para **San Cayetano**. A esas horas, caminando desde el pueblo anterior —¡8 Kms.!— fue horrible. Pues a las 7 p.m. volvíamos a reanudar la marcha para entrar en **Viñales**, el del internacionalmente famoso valle de los mogotes[336]*

Días después, luego de reponerse y descansar en esa antesala del paraíso que es el **Valle de Viñales,** donde los sencillos y humildes campesinos tenían el mejor paisaje del Mundo para honrar a la Santa Imagen de la Patrona de Cuba, la comitiva dirigida por la Virgen Peregrina marchó por los caminos del norte de la provincia y se dirigió directamente al pueblo de **San Diego de los Baños,** un lugar de poca población que se había multiplicado con la afluencia de campesinos de los alrededores, ansiosos de ver a la Virgen de la Caridad, a la que dedicaron una sentida y fastuosa recepción a pesar de sus cortos medios:

---

[334] Ibídem, p. 120

[335] Ibídem,

[336] Ibídem,

(llegaron a) **S. Diego de los Baños**, *donde dispensaron a la Virgen Peregrina un recibimiento devoto y bellísimo, con un lujo atronador de bengalas y voladores*[337]

La incansable caravana de la Peregrinación Nacional, llevando la Santa Imagen, salió después para visitar los sitios y lugares de **Güira, Alonso Rojas, La Palma, Central Niágara, La Mulata, Las Pozas, Bahía Honda y Cabañas.** Para dar una idea sobre estos pueblecitos, podemos decir que nueve años antes de la Visita de la Virgen Misionera, cuando se realizó el Censo de 1943, **Güira** contaba 2,111 habitantes, la población de **Alonso Rojas** llegó a 3,525, en el sitio de **La Palma** residían 1,885 personas, en el **Central Niágara**, solamente 433 habitantes, en el lugar de **La Mulata**, se registraron 1,846 residentes, en **Las Pozas** sumaban 2,876 y en el pueblo de **Bahía Honda**, se enumeraron 3,042 habitantes. En los siete pueblos, 15,718 personas, para un promedio de poco más de 2,000 habitantes en cada uno: pero la Santa Imagen llegó incluso a los bateyes de los centrales azucareros donde residían sólo 400 personas, y esto da una idea muy clara de la minuciosidad de la Peregrinación, durante la cual no se privó a nadie de la oportunidad de acudir al llamado de la Virgen, que como Madre tomó la iniciativa para visitarlos a todos...

En todas partes, por pequeño y humilde que fuera el pueblo, y aunque los vecinos fueran gentes de limitados recursos, era palpable el inmenso amor, la confianza en la Virgen de la Caridad y una infinita fe que los convocaba a todos, hombres y mujeres, niños y viejos, para recibir a la Patrona de Cuba, saludarla, rezar ante ella, ofrecerle sus promesas. Y ese amor, con un poder de convocatoria tremendo, llamaba a los vecinos de los alrededores que a veces llegaban desde sitios muy lejanos, sin que importaran los caminos, las inclemencias o las distancias. Era más importante estar presentes cuando la Virgen llegara. En el pueblo de **Cabañas,** que apenas tendría 2,000 habitantes en 1952 (el censo de 1943 registró 1,877 personas), el entusiasmo de los fieles alcanzó y sobró para organizar

la actuación de un coro muy lindo en las dos Misas, en la de media noche y en la de 9 a.m., y el homenaje ejemplar del Ejército y la Marina, cuyos tres Tenientes Jefes rivalizaron en agasajar a La Caridad, no dejándola sola ni un momento[338]

---

[337] Ibídem, p. 118

[338] Ibídem, p. 112

Desde el pueblo de **Cabañas**, la Santa Imagen de la Virgen Peregrina y Misionera de la Caridad, a la cabeza de la caravana, llegó al batey del **Central Orozco**, donde se presenciaron nuevas manifestaciones de fe y cariño verdaderamente edificantes y ejemplares. Por ejemplo, uno de los obreros que trabajaban en la fábrica de azúcar protagonizó un episodio de gran significado cuando

se desprendió del cuello una medalla y una cadena de oro puro, y se la entregó a la Virgen, ante la emoción de todos...[339]

La caravana de Peregrina de la Caridad, precedida por la Virgen Misionera en su carroza, alcanzó después el sitio de **Merceditas**, donde el pueblo esperaba con entusiasmo delirante, y luego pasó al diminuto pueblo de **Cayajabos**, que la aguardaba en compacta multitud porque su escasa población aumentó con algunos centenares de personas que llegaron de las fincas para estar presentes cuando llegara la Visita de la Madre de Dios. El P. Oroquieta nos dejó sus impresiones:

*Todo muy bien, en **Cayajabos**: el pueblo entero en el homenaje, y una banda rítmica de niñas que es una preciosidad. Pero es demasiado un día para tan pocas gentes*[340]

Ya se había entrado en la etapa final de la Peregrinación Nacional en la provincia de Pinar del Río. La Virgen Peregrina salió en su carroza de **Cayajabos** y se encaminó al lugar habitado de **Quiebra Hacha**, donde los campesinos y los habitantes de las sitierías se habían congregado, esmerándose en los preparativos para darle una calurosa recepción que el Capellán fray Manuel Oroquieta valoró con estas palabras:

todo muy bonito. El Avemaría en grandes letras a lo largo de la única calle. Y mucha gente en la iglesia[341]

La comitiva siguió su incansable marcha hasta llegar al pueblo costero del **Mariel**, donde tuvieron lugar sucesos que causaron honda impresión tanto en la muchedumbre que se encontraba presente como entre los miembros de la caravana de la Virgen Peregrina. La primera nota singular que dio el **Mariel** fue una admirable iniciativa de la Acción Católica y otras asociaciones, cuando

*además, por primera vez en la Peregrinación **ofrecieron a Ntra. Señora el meritorio Ramillete Espiritual de todas las Asociaciones Católicas***[342]

---

[339] Ibídem, p. 116

[340] Ibídem, p. 111

[341] Ibídem, p. 116

Otro punto culminante de la Visita de la Virgen Peregrina de la Caridad al pueblo del **Mariel,** tuvo lugar cuando la Madre del Pueblo de Cuba, recordando las glorias de uno de sus mejores hijos, el Mayor General Antonio de la Caridad Maceo y Grajales, fue a visitar el escenario de una de sus mayores hazañas. El momento resultó inolvidable para todos los que tuvieron la dicha de estar presentes, y el P. Oroquieta dejó constancia del emotivo suceso:

> *En provincia de tantas glorias de Maceo, como la de Pinar, no podía esquivarse, aun queriéndolo,* **el encuentro del Titán de Bronce y la Virgen Mambisa. Ella visitó el monumento levantado al héroe en el lugar mismo de una de sus hazañas más valientes y decisivas, el PASO DE LA TROCHA DEL MARIEL...**[343], [344]

En el **Mariel**, después de un prolijo recorrido por toda la ciudad, la Virgen Peregrina y Misionera visitó la **Boca** y **la Fábrica de Cemento El Morro,** llegando hasta *la alta y maravillosa atalaya de la Academia Naval*[345]*,* desde la que se domina toda la ciudad, el mar y los paisajes cercanos.

A la salida del pueblo, la comitiva de la Santa Imagen llegó al batey del **Central San Ramón** y luego al pueblo de **Guanajay,** donde recibió junto con el homenaje masivo, entusiasta y cariñoso de la población un fino regalo del Obispo de Pinar del Río, Mons. Evelio Díaz Cía. El Capellán fray Manuel Oroquieta lo consignó en sus crónicas:

> *se cerró el circuito mariano por los confines de Pinar. Mons. Evelio Díaz Cía, en su último gesto de filial devoción,* **regaló a Ntra. Señora un precioso manto blanquísimo, con los escudos de la nación y de la provincia lindamente bordados. Y la multitud escoltó a la Divina Reina Viajera hasta bien salida de la ciudad. Con un postrero grito de amor, entre música y vítores, se alejaba Ntra. Sra. de La Caridad. Terminaba la «Peregrinación bonita»**[346]

La comitiva de la Santa Imagen salió de la provincia de Pinar del Río después de visitar el lugar habitado de **El Jobo,** y continuó la Peregrinación hasta entrar en la provincia de La Habana, última etapa

---

[342] Ibídem, p. 112

[343] La trocha de Mariel a Majana (N. del A.)

[344] Ibídem, p. 117

[345] Ibídem, p. 120

[346] Ibídem,

de la Peregrinación Nacional de la Virgen de la Caridad por el Cincuentenario de la Proclamación de la República de Cuba.

En la provincia de Pinar del Río, cuyos habitantes habían impresionado al franciscano fray Manuel Oroquieta por su sencillez, humildad y naturalidad, por su candor y por su forma de vida patriarcal que conservaba incólumes los valores tradicionales de la vida familiar, se efectuó un acercamiento maravilloso de la Virgen de la Caridad con aquellos hijos pinareños. La Virgen, como Madre por Excelencia, como Madre Amantísima y *Regina Caritatis*[347], pudo valorar como nadie aquellas condiciones de sus hijos en la provincia que ha sido llamada, por su humildad, *la Cenicienta de Cuba.* Pero resulta que las Madres quieren y protegen sobre todo a sus hijos más desamparados y humildes. Y derramó sus gracias en aquellos hijos buenos que preservando y conservando sus familias, ayudaban a mantener la gran familia de la Iglesia y la gran familia de la Patria.

La Virgen de la Caridad del Cobre llega a la Provincia de La Habana el 23 de marzo de 1952: Mons. Evelio Díaz Cía entrega la Santa Imagen a S. E. el Cardenal y Arzobispo de La Habana, Manuel Arteaga Betancourt. Nuestra Señora entra en la provincia por el pueblo de Camito

Era el 23 de marzo de 1952 cuando Nuestra Señora, la Virgen de la Caridad del Cobre, entró como Peregrina y Misionera en la provincia de La Habana, donde comenzaba la última etapa de su Visita y Peregrinación Nacional que abarcó todo el territorio de la Isla de Cuba. Al llegar a la frontera entre las provincias de Pinar del Río y La Habana, la caravana de la Santa Imagen, en la que marchaba el Obispo de Pinar del Río, Mons. Evelio Díaz Cía, que iba a entregar a la Divina Misionera Celestial, se encontró con otra comitiva, la que presidía Su Eminencia el Cardenal-Arzobispo de La Habana, Mons. Manuel Arteaga y Betancourt, que había venido para recibirla.

Como era de esperar, en el sitio y a la hora prevista se había reunido una gran multitud de sacerdotes, entre los que se contaban los miembros de la jerarquía del Arzobispado de La Habana, una nutrida representación del clero secular y regular y de las asociaciones católicas, personalidades civiles y militares, la prensa con una amplia cobertura periodística para el magno evento, y la muchedumbre de fieles que habían llegado unos en ómnibus, otros en automóviles, para

---

[347] Reina de la Caridad (N. del A.)

saludar a la Reina y Madre de Todos los Cubanos en el momento de su entrada triunfal en la provincia.

En aquella ocasión tomó la palabra Mons. Evelio Díaz Cía, y con voz que reflejaba una emoción intensa, dijo estas palabras:

> *Con alegría y pena a la vez, hago entrega solemne de la sagrada Imagen en las manos dignísimas del Emmo. Cardenal Arteaga. Con alegría, por el bien inmenso que hará la excelsa Patrona en esa Provincia. Con pena, porque se nos va de esta Provincia donde ha ido bendiciendo pueblos, hogares y corazones*[348]

Y entregó con delicadeza la Sagrada Imagen de la Virgen de la Caridad al Cardenal Arteaga, que la recibió cuidadosamente al tiempo que estallaban los gritos de *Viva la Virgen de la Caridad del Cobre,* y el sonido de un aplauso interminable... cuando por fin se calmaron los aplausos, S. E. Mons. Manuel Arteaga y Betancourt tomó la palabra para declarar solemnemente:

> *Recibo con íntimo gozo esta Imagen Peregrina de la Caridad en mi corazón, más que en mis manos, para que siga colmando de bendiciones a la Provincia habanera, como lo ha verificado en las otras cinco Provincias; en especial, para que conserve la paz en la República*[349],[350]

Poco después, la Virgen Peregrina de la Caridad avanzaba al frente de su comitiva hacia el pueblo de **Caimito,** primera parada de su recorrido en la provincia de La Habana. Y en este pueblo, Nuestra Señora tuvo una de las mejores recepciones oficiales de la Peregrinación, cuando se le ofreció

> *un bonito homenaje del Sr. Alcalde, de la Primera Dama del municipio, y de los empleados del Ayuntamiento*[351]

La Virgen Peregrina debió quedar muy contenta con este recibimiento oficial, pero sobre todo agradecida por la muchedumbre de fieles que la esperaban rezando, vitoreándola y cantando himnos y canciones en su honor, y que le presentaron sus peticiones y promesas.

---

[348] Ibídem, p. 123

[349] Ibídem,

[350] Las últimas palabras de S. E. el Cardenal Arteaga tenían en esta ocasión el significado de un mensaje que llamaba al pueblo de Cuba a «conservar la paz en la República», puesto que menos de dos semanas antes había tenido lugar el golpe de estado del 10 de marzo de 1952 (N. del A.)

[351] Ibídem, p. 125

Continúa el recorrido por el Central Habana, Guayabal, Bauta, Corralillo, Santa Rosa de Lima, la Playa Baracoa, Punta Brava y Cangrejeras. La Peregrina de la Caridad sigue viaje en dirección a la Playa Santa Fe, el Guatao, Arroyo Arenas, El Cano, Wajay, Mazorra

Cuando la comitiva dejó atrás el pueblo de **Caimito,** se dirigió al batey del **Central Habana** para saludar a los vecinos, a los obreros de la fábrica de azúcar y en general a la multitud que se había reunido para rendirle homenaje. Luego de las celebraciones de rigor, avanzó en dirección a **Guayabal,** donde se repitieron las escenas acostumbradas de fervor, misticismo y oración, y llegó a continuación al pueblo de **Bauta,** donde la esperaba una alegre multitud de fieles y le ofrecieron un hermoso homenaje según testimonio de fray Lucas Iruretagoyena, que fungía desde el mes de marzo como Capellán Auxiliar[352] y que había acompañado a la Santa Imagen desde su llegada al lugar habitado de **La Palma,** en Pinar del Río. Fray Lucas comentó que el pueblo de Bauta ofreció a la Bendita Imagen

un par de funciones Eucarístico-marianas ejemplares[353]*,*

antes de que continuara su Peregrinación en el pueblo de **Corralillo,** estando todavía en **Bauta,** recibió un homenaje particular e inesperado del

*ex-Presidente de la República, Coronel Carlos Mendieta, que… acudió personalmente a la iglesia de **Bauta** para besar la medalla y cumplimentar a la Virgen Mambisa en su calidad de Veterano*[354]

Después, a su llegada a **Corralillo,** la Virgen Peregrina y Misionera de la Caridad se encontró con la grata sorpresa de un pueblo lleno de «lujosos adornos», según manifestó el Capellán Auxiliar, y «con las calles llenas de guirnaldas de flores»[355], donde los habitantes rivalizaron en muestras de fervor y devoción. Acto seguido, en el lugar

---

[352] Fray Lucas Iruretagoyena o.f.m. fue nombrado Capellán Auxiliar de la Virgen de la Caridad del Cobre por fray Serafín Ajuria, Comisario de los Franciscanos en Cuba, para que colaborara con fray Manuel Oroquieta (Semanario Católico, La Habana, septiembre-octubre de 1952, p. 132). Después de diez meses continuos de Peregrinación Nacional, verdaderamente el P. Oroquieta necesitaba un respiro. Posteriormente, desde el 20 de mayo de 1952, fray Lucas acompañó solo a la Virgen de la Caridad en su Peregrinación por la provincia de La Habana, pues el Capellán Oroquieta necesitaba un descanso antes de viajar a México, donde iba a adiestrar a sus hermanos seráficos en las técnicas misioneras.

[353] Ibídem, p. 124

[354] Ibídem, p. 187

[355] Ibídem,

habitado de **Santa Rosa de Lima**, los fieles dieron idénticas muestras de amor a la Sagrada Imagen de la Virgen de la Caridad[356].

Antes de continuar, vamos a hacer una aclaración: desde su entrada magnífica en la provincia de La Habana, la Comisión de la Virgen Peregrina formada por Su Eminencia el Cardenal-Arzobispo Mons. Manuel Arteaga y Betancourt, dispuso que la Visita de la Santa Imagen a cada parroquia se efectuara en un tiempo máximo de tres días, durante los cuales la Santa Imagen debería llegar a todos los lugares habitados de cada jurisdicción eclesiástica, o sea, de las mencionadas parroquias. En algunas, ese tiempo fue bastante para organizar alguna pequeña Misión, siempre con grandes frutos espirituales. Y el Padre Capellán agregó estas reflexiones:

> *Y en otras (parroquias) la lentitud fue sinónima de inacción durante horas y horas, con ardida impaciencia del P. Capellán.* **Y en la mayor parte, sirvió para que la Virgen Peregrina no dejara sin visitar barrio ni fábrica ni escuela ni poblado, por alejado que estuviera.**
>
> **Se me ocurre decir** —*continúa*— **que, así como en las otras cinco provincias la Invasión Mariana tenía la característica de avance y de conquista, aquí semejaba más bien un desfile de la victoria, una celebración del triunfo**[357]

A continuación, seguida por su comitiva, la Sagrada Imagen Peregrina de la Caridad salió de **Santa Rosa de Lima** y la Visita Misionera siguió adelante pasando por los pueblos de **Playa Baracoa** y **Punta Brava**, para seguir su itinerario en el lugar habitado de **Cangrejeras**. De inmediato, avanzando por los caminos de la costa norte de la provincia, la Peregrinación Nacional de la Caridad siguió avanzando en dirección a pueblo de la **Playa Santa Fe** y los lugares habitados del **Guatao, Arroyo Arenas, El Cano, Wajay** y **Mazorra**.

En el caso de **Arroyo Arenas** y **El Cano**, donde se celebró una espléndida Misa de Comunión General[358], el tiempo concedido de tres horas por parroquia

> *fue aprovechado para (dar) una pequeña misión, promoviendo la obra de matrimonios y bautizos*[359]

---

[356] Ibídem,

[357] Ibídem, p. 124

[358] Ibídem, p. 187

[359] Ibídem, p. 124

En **Arroyo Arenas,** la Sagrada Imagen de la Virgen Peregrina y Misionera pudo visitar un lugar muy grato a su corazón cuando se hizo presente en el *Seminario Interdiocesano «El Buen Pastor»*[360], donde su presencia muy edificante para los seminaristas que se preparaban, precisamente, como pastores del Pueblo de Dios, igualmente peregrino en la Isla de Cuba.

Por último, al visitar la Santa Imagen Peregrina de la Virgen de la Caridad el Hospital Psiquiátrico de Mazorra, donde se dirigió a continuación, los pobres enfermos mentales, agradecidos por la llegada de su Madre del Cielo, le dieron una bienvenida tan organizada y devota que el mismo Padre Capellán anotó en sus crónicas estas palabras:

¡Qué bien se portaron todos con La Caridad![361]

La Visita al Hospital de Mazorra de la Virgen de la Caridad fue tan buena que numerosas personas de los alrededores aún comentan sus resultados, ya que muchos de los enfermos que se encontraban en plena crisis nerviosa, en estado de gran confusión mental, sin posibilidades de captar la realidad o distorsionándola, se sintieron notablemente aliviados sólo por el hecho de enterarse de la que la Madre Celestial iba a venir a verlos. Otros muchos mejoraron notablemente durante la estancia de la Patrona de Cuba en el hospital, y para asombro de los médicos, fueron numerosas las altas de enfermos que recobraron para siempre el equilibrio espiritual.

Resulta que el amor sublimado que emana de la Virgen de la Caridad es el mejor medicamento para confortar las almas, que se sienten invadidas por una suave paz. Resulta que la maravillosa terapia de la Patrona de Cuba salta sobre los textos médicos y rehabilita las almas mostrándoles el único camino, el que lleva directamente a Dios Nuestro Señor.

La comitiva de la Virgen Peregrina se dirige a Calabazar, Arroyo Naranjo, los Sanatorios La Esperanza, Infantil, Galigarcía y San Juan de Dios, Los Pinos, Calzada de Bejucal, Párraga, Rancho Boyeros, Mulgoba, Santiago de las Vegas, el histórico lugar del Cacahual y el Seminario Seráfico de Santiago de las Vegas

Cuando terminó la útil Visita al Hospital de Mazorra, la comitiva de la Santa Imagen marchó al pueblo de **Calabazar,** donde la recepción fue magnífica y el Padre Capellán dio testimonio de que

---

[360] Ibídem, p. 192

[361] Ibídem, p. 190

organizó un recibimiento de los más completos[362],

En el pueblo de **Arroyo Naranjo**, donde se detuvo después la Marcha Triunfal de la Sagrada Imagen, las procesiones que avanzaron siguiendo a la Virgen fueron tales, que en opinión del cronista franciscano, fueron

unas procesiones que han hecho historia[363]

y a continuación la Virgen Peregrina, Misionera de la Caridad en toda la Isla, recorrió sucesivamente los Sanatorios de **La Esperanza, Infantil** (del Dr. Arturo Aballí), **Galigarcía** y **San Juan de Dios.** La Visita de la Virgen era especialmente útil para los enfermos y resultaba un valioso medicamento, por lo que el Capellán franciscano anotó, reseñando la estancia en varios hospitales:

*la Virgen Peregrina, consoladora de los afligidos, (pasó por) el hospital de dementes de Mazorra, el sanatorio de La Esperanza, el infantil del Dr. Arturo Aballí, el sanatorio Gali-García, el de San Juan de Dios... **quizá nadie como estos enfermos ha agradecido tanto la visita de la Virgen Peregrina ni ha sentido tan adentro la dulzura de sus consuelos de Madre***[364]

De la visita al **Sanatorio La Esperanza**, donde estaban recluidos los enfermos del terrible mal de la tuberculosis, difícil de curar en esa época, dejó este testimonio para la posteridad:

*En el sanatorio anti-tuberculoso de **La Esperanza**, con sus 5.000 pacientes, era emocionante ver que muchos, a pesar de su tisis, permanecían arrodillados (esperando que llegara la Virgen de la Caridad) al borde de la carretera*[365]

Y en otros hospitales acaecieron hechos como los que referimos a continuación:

*En el **Sanatorio Infantil**, «un niño enfermo, sin que nadie se lo indicara, corrió hacia la Virgen y le entregó su cadenita con su medalla».*[366]

*En el **San Juan de Dios** y en el **Gali-García**, derroche de fervor y de gusto decorativo, y en el último además la actuación de la excelente y*

---

[362] Ibídem, p. 187

[363] Ibídem,

[364] Ibídem, p. 190

[365] Ibídem, p. 190

[366] Ibídem, pp. 191-192

*vistosa banda de música del colegio «**Santa Susana**» de las Hijas de la Caridad de Bejucal.*[367]

Terminada esta etapa de la Peregrinación, la Santa Imagen de la Virgen de la Caridad se dirigió al reparto o lugar habitado de **Los Pinos**, donde todo el pueblo caminó detrás de Nuestra Señora en una larga procesión que también fue calificada de histórica[368], y luego la Patrona de Cuba siguió al frente de su comitiva hasta el lugar habitado que se encuentra en el entronque con la **Calzada de Bejucal,** donde su entrada se caracterizó, como en otros sitios, *con gran fervor y lujo de adornos*[369] dispuestos por la población. Luego continuó el recorrido hasta el reparto de **Párraga,** también resplandeciente por los adornos de las calles y la alegría popular[370], mientras que en **Rancho Boyeros,** los integrantes de la caravana de la Santa Imagen se asombraron ante la interminable procesión de personas[371] que avanzó detrás de la Virgen de la Caridad del Cobre, que fue acogida, como en otros sitios que visitó después, con el rango de *invitada de honor.*

Tiempo después la comitiva siguió avanzando en dirección al reparto **Mulgoba,** un barrio aristocrático en el que también fue declarada *invitada de honor*[372], y luego el fantástico recorrido prosiguió su itinerario hasta el pueblo de **Santiago de las Vegas,** donde la Virgen de la Caridad, en una impresionante ceremonia, fue honrada

con la medalla de oro de la ciudad[373]

Acto seguido, en el histórico lugar del **Cacahual,** la Virgen de la Caridad del Cobre, precediendo una comitiva de innumerables automóviles y otros transportes colmados de público, se encontró de nuevo con el hermoso recuerdo de su hijo querido, el Mayor General del Ejército Libertador y Lugarteniente General, Antonio de la Caridad Maceo y Grajales. La ocasión fue reseñada con hermosas palabras:

…nosotros terminamos la crónica en el Cacahual, la emoción y el sentido histórico lo consiente. Tarde del 6 de Abril, Domingo de Ramos. Tarde lluviosa, como si los Ángeles Guardianes de la Patria

---

[367] Ibídem, p. 192

[368] Ibídem, p. 187

[369] Ibídem,

[370] Ibídem,

[371] Ibídem.

[372] Ibídem, p. 187

[373] Ibídem, p. 124

agitaran al aire hisopos y palmas funerales. Una caravana de cientos de máquinas ascendía las curvas del monte-sarcófago, escoltando la carroza floreada de la Virgen Mambisa. Y un teniente y dos números de la Guardia rural, apuestos jinetes en briosos caballos, encabezando al trote lento la comitiva, daban al cortejo un doblado aire militar y solemne.

Así llegaron. Se encontraron por última vez, Ella, La Caridad, y él, el Mayor General Antonio de La Caridad Maceo y Grajales. La que había presidido su bautismo de fuego, la que le había seguido indefectiblemente en sus aprietos y en sus victorias, venía ahora a consagrar con su presencia el hálito inmortal de sus huesos heroicos. Allí la esperaba en su nombre, y en el de todos los gloriosos mambises, el Presidente de los Veteranos, Coronel Alfredo Lima. Viejos hombres guerreros, que temblaban al peso de la emoción, de los laureles y de los años, la cargaron y la colocaron sobre la misma tumba del Titán de Bronce[374].

Sonaron los acordes marciales del Himno de Bayamo, con unas nuevas vibraciones limpias y sublimadas. Y a seguida, ante un religioso silencio general, habló emocionado el Coronel Lima:

Durante 47 años, los Veteranos no hemos consentido en que se colocara sobre esta tumba ninguna ofrenda. Pero hoy, si se trata de La Caridad, la Patrona de los mambises, a la que amaba tanto el propio General que descansa bajo esta lápida[375]

El P. Capellán de la Virgen contestó las palabras del coronel con sus impresiones personales, llenas de emoción y remembranzas,

*poniendo de relieve el amor de los Maceo a La Caridad, con el fervor de unas palabras que hace tiempo tenía ilusión por decir. La hora era dramática, y dramático su simbolismo: sobre el Mausoleo convertido en Altar de la Patria, sobre las reliquias del más noble y valiente de sus héroes, reinaba la Caridad, excelsa Madre y Patrona de Cuba*376

Era aquella una noche muy especial. No cesaba de lloviznar, y las oscuras sombras fueron cubriendo lentamente la loma-monumento con su negro manto. Pero en medio de aquellas tinieblas densas,

*brillaba refulgentísima la Imagen Viajera, en su trono de flores y luces, como una viva estrella celeste, para perpetua esperanza de la Patria*377

---

[374] Ibídem, pp. 193-194

[375] Ibídem, p. 194

[376] Ibídem,

[377] Ibídem,

Después de aquel torrente de religiosidad, patriotismo y emociones, la caravana bajó del monte para dirigirse al **Seminario Seráfico de Santiago de las Vegas,** al que llegó el 6 de abril de 1952, Domingo de Ramos, y donde encontró, para gran alegría de sus Capellanes fray Manuel Oroquieta y fray Lucas Iruretagoyena, a los 31 seminaristas franciscanos[378] que en él se preparaban para recibir posteriormente la ordenación sacerdotal. La Virgen de la Caridad era una antigua conocida, muy cercana a los Hijos del Santo de Asís desde aquel día del siglo XVI en que el franciscano fray Francisco Bonilla, en su carácter de Comisario de la Inquisición, fue a reconocer la misteriosa imagen de aquella titulada Virgen de la Caridad que había aparecido, de forma maravillosa, en la gran bahía de Nipe: desde entonces, los frailes conservaban un nexo muy fuerte con la Madre de Dios que vino a la Isla de Cuba, para ser su Patrona, bajo la advocación de esa expresión máxima del amor cristiano que es la Caridad.

Y ahora, Ella estaba reunida con los seminaristas franciscanos que iban a vivir su vocación en Cuba y con sus profesores, presidiendo por derecho propio aquel momento tan especial...

Y allí, puesta la Virgen en su trono de Reina, por fondo una gigantesca y bruñida bandera patria, recogiendo toda la emoción de aquella jornada inolvidable, el R.P. Rector del Seminario Franciscano la saludó entre aplausos con la declamación de estos versos, que el cronista copia aquí como colofón de su trabajo:

¡Madre, Madre, Madre!... Cien veces mis labios
degustan la miel de tu nombre bendito.
No hay labios en Cuba, sencillos o sabios,
que no eleven hoy con orgullo la voz de mi grito:

¡La Caridad, salve!... Tu nombre unifica,
exalta, recrea, crea, santifica.

¡Tu nombre hace Patria!... En la aurora grávida
de siglos, cuando España impávida
miraba sin noches discurrir los soles,
tu amor, desde El Cobre, forjaba un hogar
de cubanos libres, hijos de españoles...
¡El alma de Cuba se hizo al calor de tu altar!

¡Tu amor hace Patria!... Cuando los mambises
corrieron los campos al trote marcial de viriles victorias,
tu amor santiguaba, en tu estampa, sus sombreros grises,
bendiciendo el laurel de sus glorias.

---

[378] Ibídem, p. 192

¡Tu amor crea Patria... hoy! Si la política
divide, y el oro hace al hombre egoísta,
y el odio florece en odios y orfandad,
nos queda una base firme, monolítica,
con dureza y fulgor de amatista:
¡Es tu amor, oh Madre de la Caridad!

No hay hogar sin Madre. ¡No hay Patria sin Ti!
Lo dice la tierra agitando en la gracia del aire sus palmas,
lo gritan frenéticamente las almas
desde el San Antonio hasta Punta Maisí.

No hay hogar sin Madre...
¡No hay Patria sin Madre!
¡La Madre de toda la Patria eres Tú!
¡La Patria eres Tú!

Fr. Gil, o.f.m.[379]

Si se considera que el 29 de marzo la Virgen de la Caridad había visitado, en su Peregrinación Misionera, el Noviciado de los Hermanos de La Salle en el Guatao, y después el Seminario Interdiocesano El Buen Pastor y el Seminario Franciscano, y la forma magnífica en que fue recibida en las tres casas formadoras de futuros sacerdotes y religiosos, se puede apreciar que los tres seminarios se vistieron de gala para honrar a la Reina y Madre de la Patria y de sus corazones, honrándola con espléndidas funciones[380].

Enseguida la Peregrinación Nacional de la Caridad continuó, imperturbable, su marcha triunfal.

Continuación hacia la finca Kukine, Torrens, el Santuario de El Rincón, San Antonio de los Baños, La Ceiba (o Govea), Vereda Nueva, Ceiba del Agua y Capellanías . La Santa Imagen llega a Alquízar y sigue por Guanímar, Güira de Melena, Peñalver, El Junco, El Cajío, La Cachimba, El Gabriel, el Central Fajardo, La Salud, La Paleta y Buenaventura

Por invitación del Presidente de la República, la caravana de la Virgen Peregrina y Misionera llevó la Sagrada Imagen a la finca **Kukine**, en una primera visita. Al llegar la Virgen, en el portón de entrada de la finca, la madre de la Primera Dama, Sra. Martha Fernández, le obsequió una bandera cubana enteramente confeccionada con claveles. Unos días después, el 8 de abril de 1952, durante el receso

---

[379] Ibídem, p. 194
[380] Ibídem, p. 192

de la Semana Santa, la Sagrada Imagen hizo otra visita a **Kukine**, donde pasó casi 24 horas, por solicitud expresa de Fulgencio Batista. Comentando el suceso, el P. Capellán anotó en su diario:

El mismo Batista pidió La Caridad, y sin afanes de propaganda política, ya que ni hizo público su intento, ni permitió fotógrafos ni periodistas. Fue un reconocimiento íntimo de gratitud a la Patrona de Cuba «por haberle salvado la vida» en el golpe de estado del 10 de Marzo, como me lo dijo su esposa, la Sra. Martha Fernández.

Pero por la Capilla, donde colocaron a la Imagen, pasaron todos los Ministros y muchos hombres de estado: y todos besaron la medalla de La Caridad. Ante la Virgen, la Primera Dama y un grupo de señoras rezaron el Rosario, y yo les hablé dos veces en el mismo plan que al pueblo, de la cruz, del deber, de la gracia. La Primera Dama, ella misma adornó con flores a la Virgen. Y el mismo Batista, a solas con su señora, veló y rezó ante la Virgen durante tres horas enteras de la noche, desde las 2 hasta las 5 a.m. Y luego, a media mañana, quiso que le llevaran la Virgen al lugar donde estaban en reunión los futuros miembros del Consejo Consultivo y los Ministros, y solicitó de ellos una limosna para el Santuario del Cobre, y él mismo la fue colectando con el primer sombrero que halló a la mano. Se recogieron $500, y la Primera Dama llevará para la Hospedería $5000, y Batista y ella le regalan a La Caridad una medalla de oro, con sus nombres grabados[381].

Luego la Santa Imagen fue a visitar el Reformatorio de **Torrens,** donde se reeducaban niños menores de edad con problemas delictivos o de conducta. Era, probablemente, uno de los lugares donde era más necesaria la presencia de la Caridad, porque el amor de la Madre de Dios podía significar, para aquellos pobres muchachos desafortunados y segregados momentáneamente de la sociedad, el socorro mejor y más oportuno: seguramente por esta causa, hubo momentos de esta visita que estuvieron cargados de hondo dramatismo y de un gran simbolismo profético. Por ejemplo,

*En **Torrens**, la escena emocionante de que los 270 recluidos acompañaron procesionalmente a Ntra. Señora, besaron su medalla, y en unión de sus directores juraron rezar diariamente tres Avemarías a la Virgen de la Caridad*[382]

Y como el trayecto pasaba ahora por lugares difíciles, donde el auxilio espiritual de la Patrona de Cuba era más que necesario

---

[381] Ibídem, pp. 189-190

[382] Ibídem, p. 192

imprescindible, la Santa Imagen Peregrina avanzó de inmediato al **Santuario de El Rincón**, tan famoso y con tantos devotos, donde su presencia fue celebrada con una inacabable procesión por los alrededores[383]. Los pobres leprosos recibieron a la Madre del Cielo con grandes demostraciones de veneración y ternura: ellos, desterrados y separados de los demás hombres, nunca habían estado lejos del amparo de la Virgen de la Caridad, ellos, doloridos y tristes, eran especialmente queridos por Ella…

> *Y también en Rincón besaron la medalla todos los 400 leprosos, y tributaron a la Madre de los cielos unos homenajes que transformaron durante unas horas el horrendo lugar en una envidiable antesala del paraíso: versos, cantos, banderas, cohetes, bengalas, júbilos, rezos, emoción desbordada… y lágrimas, hermosas lágrimas*[384]

al ver las demostraciones de alegría y los exquisitos sentimientos de los leprosos, al P. Capellán anotó estas palabras:

> **Quizá, nadie como estos enfermos ha agradecido la visita de la Virgen Peregrina, ni ha sentido tan adentro la dulzura de sus consuelos de Madre…**[385]

Al dejar el Rincón, la Peregrinación Nacional de la Santa Imagen de la Caridad tomó el rumbo del pueblo de **San Antonio de los Baños**, donde se pudo disfrutar del esplendor de una recepción fastuosa[386], para pasar según el itinerario al lugar habitado de **La Ceiba (o Govea)**, donde la Sagrada Imagen fue festejada *con fervor y lujo de adornos*[387].

Cuando salió de **La Ceiba**, lugar de las afueras de La Habana, la Sagrada Imagen Peregrina de la Caridad pasó con su comitiva al pueblo de **Vereda Nueva**, donde fue recibida por el fervor y la alegría de los vecinos y por una bendición que cayó del cielo en forma

de la lluvia, que fue hermana meritoria del fervor[388]

Después, la carroza donde iba como Peregrina la Santa Imagen de la Caridad llegó al pueblo de **Ceiba del Agua,**

---

[383] Ibídem, p. 190

[384] Ibídem, p. 192

[385] Ibídem, p. 190

[386] Ibídem, p. 124

[387] Ibídem, p. 187

[388] Ibídem,

donde la Misa de Comunión General tuvo una brillantez hasta entonces ignorada[389]

La caravana de la Virgen Peregrina no conocía el descanso. El Capellán franciscano y otros acompañantes, aunque no trabajaran tan intensa y continuamente como él, parecían hombres hechos de una materia especial para aguantar el ritmo intenso de aquel programa que no podía llevarse de otra forma si se quería que cumpliera sus objetivos. Al salir de **Ceiba del Agua**, la Santa Imagen Misionera de la Caridad pasó al lugar habitado de **Capellanías,** *donde la procesión que acompañó a la Virgen en su recorrido fue calificada de histórica*[390].

A continuación, la comitiva tomó el rumbo del suroeste hasta llegar al pueblo de **Alquízar,** donde se le tributó un recibimiento grandioso. Luego se comentó que **Alquízar** rivalizó con San Antonio de los Baños, Güira de Melena y Bejucal: fue difícil precisar cuál de estos pueblos festejó con más esplendor la Visita de Nuestra Señora[391]. Sin tomar el más mínimo descanso, la caravana de la Virgen Misionera y Peregrina salió a continuación hasta llegar al lugar habitado de **Guanímar**, donde se realizaron las celebraciones según el ritual acostumbrado antes de salir hacia el cercano pueblo de **Güira de Melena,** donde el techo de la Iglesia se adornó de forma que lo convirtieron en una inmensa enseña nacional, y donde el parque tuvo que convertirse en Iglesia para que todos los habitantes pudieran acomodarse para ver a la Virgen de la Caridad, expuesta al público desde el balcón central del edificio del Ayuntamiento, y el Padre Capellán pasó buenos apuros para hablar al público emocionado

con su discurso interrumpido una y otra vez por estruendosas ovaciones, ni el adorno original de la iglesia, con su techo transformado en una fantástica bandera patria, ni de sus 20 piñatas en las calles, dando al aire palomas, gladiolos, crisantemos, lluvia de flores...[392]

En **Güira de Melena**, el P. Capellán fue testigo de un episodio singular cuando un cieguito del pueblo, de nombre Luis Martín Salazar, improvisó ante la Santa Imagen de la Virgen de la Caridad una sentida décima que le brotó del corazón:

---

[389] Ibídem, p. 187

[390] Ibídem,

[391] Ibídem,

[392] Ibídem, p. 125

«¡A esta Virgen Milagrosa
que está metida entre flores,
recuerdo de los fervores
de personas amorosas,
yo le dedico esta glosa
y en ella va mi pasión.
Le digo con ilusión:
aunque esté lejos de mí,
esta Virgen… y Martí,
viven en mi corazón!»[393]

Como Madre Amorosa del Cobre, la Virgen siempre está viva en el corazón de sus hijos. Y de forma profética, hablando como un desterrado, aquel ciego de **Güira de Melena** habló en nombre de todos los cubanos que se encuentran lejos de su patria cuando afirmó con sentimiento muy hondo y auténtico: *aunque esté lejos de mí, / esta Virgen… y Martí, / viven en mi corazón…*

Así, de sorpresa en sorpresa, de emoción en emoción, iba transcurriendo la Peregrinación Nacional. El pueblo de Cuba, en todas las provincias, superaba constantemente su propia creatividad para hacer los más bellos adornos y preparar las ofrendas más hermosas. Fueron innumerables los aportes personales, y también lo fueron las inspiraciones colectivas con el único fin de mostrar su inmenso cariño a la Reina y Madre de la Caridad.

Cuando terminaron las celebraciones en Güira, la Santa Imagen se encaminó a los sitios de **Peñalver** y **El Junco**, y de allí pasó a recibir una sorpresa muy grande en la playa de **El Cajío**, donde la procesión con los fieles, en vez de hacerse por tierra, caminando por las calles del pueblo, se hizo sobre el cercano y majestuoso mar:

Y en la playa de El Cajío, la originalidad emotiva de pasear procesionalmente a la Virgen por el mar, sobre una lancha en la que iban también redivivos los tres Juanes[394], [395]

---

[393] Ibídem, p. 192

[394] Ibídem, p. 187

[395] Antes de que se conocieran los Autos de 1687-1688, la leyenda proclamaba que las tres personas que iban en la canoa en el momento de aparecer la Virgen de la Caridad en Nipe, tenían por nombre Juan: de ahí que se les denominara «tres Juanes». A través de las declaraciones contenidas en los citados Autos, se conocieron los nombres de los dos hermanos indios: Diego y Rodrigo de Hoyos, y el del muchachito negro que iba con ellos, Juan Moreno.

La Santa Visita de la Virgen Misionera y Peregrina de la Caridad llegó acto seguido a los lugares habitados que llamaban **La Cachimba** y **El Gabriel**: desde este sitió viajó hasta el batey del **Central Fajardo**, donde la esperaban con alegría y expectación porque

los obreros prepararon la sorpresa de una serie de piñatas preciosas[396]

Y la comitiva de la Santa Imagen llegó después al pueblo de **La Salud**, donde los habitantes la esperaban impacientes para tributarles su fervor y su devoción, y para marchar después con Ella en una

procesión larguísima que ignoraba el cansancio de los cuerpos y el desfallecimiento del fervor en las almas, coronadas con la celebración de la santa Misa avanzada ya la madrugada[397]

según anotó el Capellán franciscano en sus crónicas. Y de nuevo continuar el viaje en dirección a los sitios de **La Paleta** y **Buenaventura**, donde la Sagrada Imagen de la Virgen de la Caridad del Cobre, Misionera y Peregrina, recibió análogas demostraciones de entusiasmo por las muchedumbres reunidas para esperarla.

Recepción fantástica en Bejucal y partida hacia Taguazo, Quivicán, Güiro de Boñigal, Güiro de Marrero, Central Occidente, San Agustín, San Felipe, Managua, Las Guásimas y Nazareno

Y la Imagen Sagrada de la Virgen de la Caridad mantuvo su ruta para llegar a uno de los sitios donde tuvo una recepción más cálida y emocionante: el pueblo de **Bejucal**, donde la recepción fue calificada por el P. Capellán con el calificativo de *«fantástica»*: Nuestra Señora fue galardonada con medallas y se ve en las fotos de la época una muchedumbre tan densa reunida en el parque del pueblo, que muchos tuvieron que subirse en los faroles y los niños eran cargados por sus padres para que pudieran ver a la Virgen[398].

El programa condujo después la caravana de la Santa Imagen Peregrina y Misionera de la Caridad primero al lugar habitado de **Taguazo** y de allí al pueblo de **Quivicán**, donde los habitantes organizaron otra de tantas procesiones multitudinarias y larguísimas que culminaban con la celebración de la Santa Misa ya por la madrugada[399].

---

[396] Ibídem, p. 187

[397] Ibídem, p. 124

[398] Ibídem, p. 189

[399] Ibídem, p. 124

Luego la comitiva encabezada por la Santa Imagen pasó sucesivamente por las sitierías y lugares habitados de **Güiro de Boñigal** y **Güiro de Marrero**, donde la recepción fue fastuosa y las calles estaban magníficamente adornadas[400], para presentarse en el batey del **Central Occidente**, donde la esperaban todos los habitantes a los que se sumaron muchos campesinos de los alrededores que llegaron con sus familias, a pesar de los copiosos aguaceros de ese día que tornaron intransitables los caminos, y donde se vivió una jornada de sorprendentes emociones ya que

> *era tal el fervor, que hombres y mujeres cargaron las andas de la Virgen con el fango hasta media rodilla...*[401]

Y aquella caravana que nada ni nadie podía detener, y que iba encabezada por la Sagrada Imagen de la Patrona de Cuba, Peregrina y Misionera de la Caridad, continuó adelante sin tomar en cuenta las inclemencias del tiempo. Kilómetros más allá la esperaban nuevas muchedumbres, nuevas oraciones, nuevos vítores, nuevas alegrías, promesas, Eucaristías y Rosarios. Y no se podía llegar tarde cuando tanta devoción, tanto fervor y tanto amor estaban esperando... y al cabo de cierto tiempo, la Virgen de la Caridad llegaba al sitio de **San Agustín**, después al de **San Felipe**, donde se repitieron las sonrisas, las emociones y las maravillas del encuentro de una Madre con miles de hijos, y alcanzó inmediatamente el lugar habitado de **Managua**, donde encabezó como de costumbre una nutrida procesión[402]. Después, un nuevo avance hasta las sitierías de **Las Guásimas** y **Nazareno**, que tenía las calles adornadas con guirnaldas de bellísimas flores[403].

Sigue la Peregrinación con rumbo a Menocal, Surgidero de Batabanó, La Playita, Pozo Redondo, Batabanó, Caimán, Camacho, San Manuel, Cucaracha, San Antonio de las Vegas, Julia y La Ruda. La comitiva de la Virgen sigue el camino hacia Guara, Melena del Sur, Aranguito, Sierra, Central Merceditas, Güines y Loma de Candela

De vítores en vivas, de aplausos en oraciones, de promesas a Rosarios, de Misas a procesiones, la Peregrinación Nacional siguió su marcha y llegó al lugar habitado de **Menocal**. Al salir de allí tomó la

---

[400] Ibídem, p. 187

[401] Ibídem,

[402] Ibídem, p. 124

[403] Ibídem, p. 187

dirección del sur para avanzar hasta **Surgidero de Batabanó**, donde el sentimiento popular había preparado otra sorpresa, y esperaba a la Virgen de la Caridad con el delicado detalle de una especie de

arco (de triunfo, formado) de niños ángeles[404]

Y la caravana reanudó su marcha. Iba ahora hasta el lugar habitado de **La Playita** y después marchó a la sitiería de **Pozo Redondo** para llegar después al pueblo de **Batabanó,** pueblo costero con salida al mar al sur de la provincia donde la esperaba otra fervorosa multitud de vecinos y pescadores de los sitios cercanos: los habitantes habían preparado *dos carrozas elegantísimas*[405] para que fueran digno transporte de la Patrona de Cuba. Después la Sagrada Imagen de la Virgen Peregrina visitó sucesivamente las sitierías de **Caimán, Camacho, San Manuel** y **Cucaracha,** y alcanzó el pueblo de **San Antonio de las Vegas,** donde aguardaban a la Virgen con otra preciosa iniciativa, entre tantos detalles sensibles que habían matizado la Peregrinación Nacional, con la preparación de

un precioso arco, como fondo artístico y peana escalonada de 21 lindas jóvenes, que enarbolaban las 21 banderas americanas, y entonaron al paso triunfal de la Virgen el majestuoso Himno de las Américas[406]

Y continuó la marcha victoriosa de la Virgen, que no dejaba de estar presente ni en los lugares de menos importancia. Así, se presentó en el caserío de **Julia,** para pasmo de los sencillos vecinos, y después alcanzó el de **La Ruda**, un lugar de muy pocos habitantes que al parecer gastaron todos sus recursos en alabar y venerar a su Reina y Madre. Todo les parecía poco, ya que

es un pobladito de solamente 10 casas, y sus vecinos se gastaron generosamente el dinero trayendo banda de música y enguirnaldando su calle por completo...[407]

La Virgen debió sonreír ante aquel esfuerzo que sobrepasaba sus limitadas posibilidades, y devolver ciento por uno lo gastado, derramando sin tasa Su Gracia sobre aquellas personas tan nobles y desprendidas.

---

[404] Ibídem,

[405] Ibídem, p. 125

[406] Ibídem, p. 125

[407] Ibídem, p. 187

Al dejar **La Ruda,** la comitiva de la Virgen, portando la Santa Imagen de la Caridad Misionera y Peregrina, siguió su camino hacia el sitio de **Guara,** *donde la procesión que marchó detrás de la Patrona de Cuba hizo historia[408]*, avanzó hasta el pueblo de **Melena del Sur,** donde también encontró una muchedumbre fervorosa y entusiasmada que la vitoreó en su entrada triunfal y participó activamente en las acostumbradas celebraciones, y luego se encaminó hacia el lugar habitado de **Aranguito,** como Visitadora, Peregrina y Misionera de la Caridad, y por el sitio llamado **Sierra**: en ambos lugares, ganando cada vez más almas para Cristo. La próxima parada de Nuestra Señora fue el batey del **Central Merceditas,**

> *donde adornaron a la Virgen para la despedida con una ornamentación floral maravillosa[409]*

Después la Sagrada Imagen continuó su trayectoria según el itinerario programado, y realizó la visita al pueblo de **Güines** y el lugar habitado que llaman **Loma de Candela.**

La Virgen Misionera continuó su avance hacia los Centrales Providencia y Amistad, San Nicolás de Güines, el Central Gómez Mena, Jicotea, Nueva Paz, Palos, Central Josefina, Vegas, Aguacate, Central Rosario, Jaruco, Castilla y Casiguas

La próxima escala de la Sagrada Imagen Misionera se realizó en los bateyes de los **Centrales Providencia** y **Amistad.** En el primero, después de una recepción espléndida, los habitantes dieron ejemplo

> *de orden y devoción en todo, y generosidad en las limosnas[410]*

después de la acostumbrada y siempre triste despedida (aunque cuando se marchaba la Virgen de la Caridad los habitantes de los pueblos se daban cuenta siempre de que algo había cambiado en sus vidas para siempre) la carroza que portaba la Virgen Peregrina y Misionera llegó al pueblo de **San Nicolás de Güines,** donde la esperaban miles de personas con las acostumbradas manifestaciones de júbilo y fervor, que a la salida del pueblo la escoltaron mucho tiempo en una *procesión larguísima[411]* y luego la caravana de la Santa Imagen

---

[408] Ibídem,

[409] Ibídem,

[410] Ibídem, p. 187

[411] Ibídem, p. 125

de la Caridad avanzó hasta el batey del **Central Gómez Mena**, donde fue aclamada por el pueblo y los trabajadores, mientras que

los dueños regalaron a Ntra. Señora una linda corona de oro[412]

Inmediatamente, bajo una fina lluvia que empapaba el suelo ávido como un regalo expreso de la Virgen Madre de Dios que peregrinaba misionando por estas tierras, la Caridad llegó al lugar habitado de **Jicotea**[413] y después hizo una verdadera y grandiosa entrada triunfal en el pueblo de **Nueva Paz**, cabecera del último municipio visitado por la Peregrinación Nacional antes de la fecha culminante del 20 de mayo de 1952: fue allí donde se hizo proverbial que el pueblo aguardaba a la Patrona de Cuba, según palabras textuales del Padre Capellán, *con un fervor heroico*[414]. También en este pueblo tuvieron lugar cosas extraordinarias motivadas por la actitud de los protestantes: la respuesta sin palabras que les dio la Virgen fue más que suficiente para echar por tierra sus infundios y sus intrigas envidiosas. Las crónicas de la Visita reseñaron los hechos de esta forma:

> *Nueva Paz fue el último de los municipios habaneros visitados por la Virgen Peregrina en esta primera etapa anterior al 20 de Mayo. **Resultó una clausura heroica, alto hito de amor de los cubanos a La Caridad.** Desde que llegó a ella (la población) no cesó de llover, y tempestuosamente; pues los fervorosos vecinos de **Nueva Paz** acompañaron a la Virgen entre el fango y el agua, sin dejarla un momento. Era un fervor serio, que emocionaba.*

> *Mas no a todos. Los protestantes se burlaron de «**ese fanatismo, que llega hasta a poner en peligro la salud**». Esto era al día siguiente de la entrada, el 13 de Mayo. «**Y entonces la Virgen** —anota el P. Capellán—, **mientras en toda Cuba, al pie de la letra, seguía lloviendo en Nueva Paz hizo lucir un sol espléndido, y se organizó una procesión de tres horas, y al terminar empezó de nuevo a diluviar**». Un prodigio de sol en un 13 de Mayo: pero ¿acaso no es la misma Ntra. Sra. de La Caridad, la que se apareció en Fátima hace 35 años? **Como allí, Ella realiza sus maravillas a la** vista de los incrédulos, para que creyeran...*[415]

Continuaba lloviendo, como una verdadera gracia que la Virgen de la Caridad enviaba desde el cielo, cuando la caravana de la Santa

---

[412] Ibídem, p. 187

[413] Ibídem,

[414] Ibídem, p. 125

[415] Ibídem, p. 190

Imagen llegó al sitio de **Palos**[416] y el aguacero se mantuvo durante tantas horas que al llegar al batey del **Central Josefina** todo parecía indicar que la procesión no podría salir. Pero eran tan grandes la devoción y el entusiasmo popular de los que estaban reunidos

> *en el batey, (que) pidió con insistencia que se hiciera la procesión, a pesar de que llovía, y la hubo*[417]

Esta parte del trayecto cuando la caravana dirigida y encabezada por la Santa Imagen Peregrina, Misionera de la Caridad, pasó por los lugares habitados de **Vegas, Aguacate,** el batey del **Central Rosario** y el pueblo de **Jaruco**, sin que nada perturbara el maravilloso recorrido. Vale la pena conocer el testimonio del Capellán, fray Lucas Iruretagoyena, cuando pone de ejemplo la Visita a **Jaruco** porque es una especie de modelo para apreciar la forma en que se desarrollaron acontecimientos similares en otros pueblos:

> *Entramos (en **Jaruco**) a las nueve y media de la noche. El gentío que nos esperaba prorrumpe en vivas y vítores a la Virgen de la Caridad. La Imagen es llevada al Parque, y este servidor dice a la multitud breves palabras. Generalmente, como esta vez, solía exponer los motivos de esta Peregrinación, sin descuidar una clara alusión a la influencia de La Caridad en la gesta emancipadora. Enseguida el Sr. Alcalde, Francisco Díaz, declara a la Virgen «Huésped de Honor» y coloca a sus plantas la simbólica «llave». Doy a besar la medalla. A las seis de la mañana se organiza el Rosario de la Aurora, se dice la Santa Misa en el Parque en tanto les hablo sobre la intensificación de la devoción a la Virgen de La Caridad. Luego vamos al poblado del Perú; palabras de salutación del P. Capellán, rezo del Rosario con cánticos por las calles. De regreso a Jaruco, desde las 2 p.m. hasta las 5 p.m., visita al Centro de Veteranos, al Cuartel, a la Estación de Policía, a los Liceos. Aprovecho cada una de las visitas para «meter» un sermoncito. A las 8 p.m. una gran procesión por las calles de la población terminándola en el templo. Me encaramo en el púlpito y procuro enhilar una arenga sobre el Mensaje de la Virgen. Al día siguiente vamos de recorrido por algunos barrios. Y a las 5 p.m. se organiza la despedida, que es procesional. **Ahí tiene, en esquema, el programa, que detalle más o menos, era idéntico en todos los pueblos**[418]*

Casi nada. Como se ve, el esquema resultaba sumamente intenso, pero no hay ninguna duda: la Virgen de la Caridad dio a sus Capellanes

---

[416] Ibídem, p. 187

[417] Ibídem,

[418] Ibídem, p. 133

y acompañantes la fuerza, la resistencia, la lucidez y el estoicismo necesario para seguir y seguir adelante. Al terminar con las celebraciones en **Jaruco**, la Santa Imagen de la Madre de Dios de la Caridad, Misionera y Peregrina por su Isla, visitó los lugares habitados de **Castilla** y **Casiguas.**

Continuó después la espléndida marcha de la Patrona de Cuba en dirección a Catalina de Güines, Ojo de Agua, Zaragoza, San José de las Lajas, Tapaste, Jamaica, Cuatro Caminos, el Central Portugalete, el Cotorro, Cristo Pobre, Santa María del Rosario, Loma de Tierra, San Francisco de Paula, La Rosalía y San Miguel del Padrón

La próxima Visita en el itinerario de la Sagrada Imagen de la Caridad, Peregrina y Misionera, era el pueblo de **Catalina de** Güines, adonde llegó el 3 de junio[419]: como en otros muchos lugares, allí la esperaba un mar de pueblo fervoroso, incrementado con gran número de familias campesinas de los alrededores, y allí recibió otro regalo en nombre de todos los vecinos, en forma de un *precioso manto[420].* Además, en el Ayuntamiento dieron a la Virgen *una llave de oro, una medalla de oro en el Centro de los Veteranos, y candado de oro en la* iglesia[421]. Para mantener el ritmo del programa, la Virgen Peregrina siguió adelante con su caravana, realizó la Santa Visita los lugares habitados de **Ojo de Agua** y **Zaragoza**, y después se presentó en el pueblo de **San José de las Lajas** ante una muchedumbre de fieles que se había congregado a la entrada del pueblo para recibirla, y allí peregrinó los días 4 y 5 de junio, pasó después al lugar habitado de **Tapaste**, en cuyos alrededores hizo la Visita Misionera durante los días 6 y 7 de junio[422]. En este sitio tuvo lugar un precioso episodio: dos jóvenes evangélicas, bajo la influencia de la Visita de la Virgen de la Caridad y en medio de aquella oleada de fervor mariano que todo lo invadía, prepararon un altar para Ella en su domicilio, pero el padre, que profesaba la misma religión, lo destruyó. Lo reconstruyeron y el padre volvió a romperlo: finalmente, cuando llegó la Virgen Peregrina, la emoción que embargaba a todos también llenó su corazón y personalmente pidió a sus hijas que volvieran a poner el altar... fray Lucas Iruretagoyena lo narró de esta forma:

---

[419] Ibídem, p. 132

[420] Ibídem, p. 187

[421] Ibídem, p. 124

[422] Ibídem, p. 132

*Dos hermanas —protestantes— confeccionaron en su casa un lindo altarcito a la Virgen de la Caridad. El padre —protestante— lo desbarató enseguida. Un segundo empeño tuvo igual suerte. **Mas cuando la «Virgen Mambisa» entró en la población, el hombre no pudo resistir el oleaje de fervor mariano y él mismo ordenó a sus hijas que aliñaran el altarcito…**[423]*

Durante los días siguientes, la Sagrada Imagen Misionera de la Virgen de la Caridad del Cobre visitó los pueblos y sitios de **Jamaica,** pueblecito que es como una antesala de la ciudad de La Habana, y allí permaneció el 7 y el 8 de junio[424], llegando también en esos días al lugar habitado de **Cuatro Caminos,** y al **Central Portugalete,** también muy cerca de la capital de la República, el pueblo del **Cotorro,** y el barrio de **Cristo Pobre,** que visitó el 9 de junio, el 10 del mismo mes[425] visitó el pueblo de **Santa María del Rosario,** de antigua y hermosa tradición cristiana, fundado en la centuria del XVIII, año 1732, por el terciario dominico Conde de Casa Bayona, con su preciosa y antigua Iglesia de altares enchapados en oro: allí, en la pequeña ciudad que llaman Reina de los Campos de Cuba, se encontraron dos antiguas y veneradas advocaciones de la Madre de Dios Nuestro Señor, nuestra Reina y Patrona: la **Virgen del Rosario** y la **Virgen de la Caridad del Cobre.**

Pasó luego la Santa Imagen de la Virgen Misionera y Peregrina de la Caridad a visitar el sitio de **Loma de Tierra,** también el 10 de junio[426], el día 11[427], el pueblecito de **San Francisco de Paula,** de antigua tradición católica, con su iglesia que también data del siglo XVIII, el lugar habitado que llaman **La Rosalía** y por último, en junio 13[428], el pueblo de **San Miguel del Padrón:** en todas partes la oración, el fervor, el entusiasmo popular, los vítores a la Madre de Dios, las flores, las sonrisas, las promesas… en todas partes, cuando llegaba la Santa Imagen de la Caridad, las sonrisas que se desbordaban, los aplausos y una alegría infinita, y cuando la Virgen se marchaba, también las oraciones y los vivas, pero con las caras un poco largas porque Nuestra Señora ya se iba… y todos los días, por la mañana, el

---

[423] Ibídem, p. 136
[424] Ibídem, p. 132
[425] Ibídem,
[426] Ibídem,
[427] Ibídem,
[428] Ibídem,

160

Rosario de la Aurora, para comenzar el día honrando a la Madre de Dios, nuestra Reina, Madre y Patrona.

Después la comitiva con la Santa Imagen tomó la dirección de Peñalver, Campo Florido, Guanabo, Tumba Cuatro, Minas, Arango, Aranguito, La Gallega, Barreras, Tarará, Bacuranao, Guanabacoa, Wajay, Cojímar, Regla y Casablanca

Y el programa de la Virgen de la Caridad siguió adelante. Era una inmensa bendición que se derramaba sobre la Isla de Cuba: Nuestra Patrona pasaba por fincas, sitierías, pueblecitos, ciudades, como un río desbordado, inundándolo todo con su gracia y llevando a todas partes la luz del Evangelio, la Palabra y el ejemplo de su Divino Hijo... en los días siguientes el cortejo de la Sagrada Imagen Peregrina fue visitando consecutivamente los lugares habitados de **Peñalver** y **Campo Florido**, el pueblo costero de **Guanabo** y los sitios y pueblecitos de **Tumba Cuatro, Minas, Arango, Aranguito,** que visitó el 16 de junio[429]: acto seguido, **La Gallega, Barreras** y **Tarará**, donde estuvo el día 17[430].

La Sagrada Imagen de la Virgen de la Caridad del Cobre, Misionera y Peregrina dentro de la Isla de su Patronazgo, llegó al pueblo de **Bacuranao** el día 21 de junio. Como era de esperar, el pueblo le dio una recepción espectacular, por lo emotiva y cariñosa, a la Imagen de la venerada Virgencita. Y allí tuvo lugar un episodio muy bonito, que demuestra el poder curativo y milagroso de la Fe. A pesar de tener una dolencia en los pies que casi la imposibilitaba, una mujer siguió a la Santa Imagen en Bacuranao caminando por un lugar lleno de ásperas piedras. Pero en vez de lastimarse, golpearse o empeorar, se sintió tan aliviada que después siguió con la Peregrinación marchando tras la Virgen... pero dejemos que el Capellán, fray Lucas Iruretagoyena, nos lo cuente con sus palabras:

> *En Bacuranao se presentó una mujer, tan enferma de los pies, que apenas podía caminar. Con todo, hizo lo imposible para seguir a la Virgen entre piedras diseminadas de cantería. **Al día siguiente se halló muy mejorada, y agradecida a la Virgen de la Caridad, la acompañó a todos los pueblos**[431]*

---

[429] Ibídem,

[430] Ibídem, p. 132

[431] Ibídem, p. 137

Y siguieron adelante las Visitas de la Peregrinación Nacional: verdadera Misión de gran alcance que duró nada menos que dos años de recorrido incansable. Al dejar **Bacuranao** la Imagen Santa de la Caridad Misionera se dirigió a la antigua villa de **Guanabacoa**, lugar donde estaba muy arraigada la fe católica y donde la esperaba el pueblo en pleno, toda una muchedumbre de miles de fieles, para demostrar su devoción dándole una recepción muy singular. En el Semanario Católico correspondiente a septiembre y octubre de 1952, *la estancia de la Patrona de Cuba en Guanabacoa* fue reseñada con estas palabras:

> *La Virgen Peregrina en Guanabacoa. El miércoles 18 de Junio entró La Caridad, vitoreada por 20.000 devotos. Antes de ser conducida la Virgen a la Parroquia, fue recibida en el Ayuntamiento, donde el Alcalde, Sr. José Villalobos (teniendo a su lado al Capellán, fray Lucas Iruretagoyena o.f.m.), declaró a la Virgen Huésped de Honor de la Villa. A las doce de la noche tuvo lugar la misa armonizada en la que comulgaron centenares de fieles. Al día siguiente la Virgen visitó los centros principales de la villa[432]*

Efectivamente, la Virgen paseó por los barrios de Guanabacoa a continuación, para llevar su Santa Bendición a todos los habitantes. Las fotos de la época son muy elocuentes: aparece la Virgen en su carroza, bien escoltada y protegida, acompañada por el Padre Capellán, y la muchedumbre de pueblo que la rodea al llegar. Todos la admiran, todos la quieren, todos aplauden, todos se sienten invadidos por el fervor y la devoción a la Virgen, Patrona de Cuba, y por los mejores sentimientos cristianos...

Después la Visita llegó al pequeño pueblo de **Wajay**, donde otra visión sumamente agradable esperaba a la Santa Imagen Peregrina y Misionera, ya que allí,

> *en* ***Wajay****, se levantó en el Parque para la Virgen Peregrina una verdadera maravilla de altar, filigrana de flores...[433]*

Cuando continuó su viaje, la Santa Imagen Peregrina de la Caridad visitó los pueblos marítimos y costeros de **Cojímar, Regla y Casablanca**, en los que estuvo dando su Santa Misión desde el día 21 hasta el 24 de junio[434]. En el pequeño pueblo habanero del otro lado de la bahía, la *Caridad se encontró con la Virgen de Regla,* que es Ella misma bajo otra advocación pero que también tiene gusto por el mar...

---

[432] Ibídem, p. 138

[433] Ibídem, p. 187

[434] Ibídem, p. 133

Luego la Caridad Peregrina y Misionera marchó a San Antonio de Río Blanco, Jibacoa, Santa Cruz del Norte, Boca de Jaruco, Hershey, el Central Hershey, Caraballo, Bainoa, Madruga y Pipián

Y de nuevo adelante, para que la Caridad siga reinando en los corazones de los cubanos. Ahora la Santa Imagen Peregrina alcanza el pueblo de **San Antonio de Río Blanco,** próximo a la capital de la República, y allí permaneció durante los días 25 y 26 de junio[435] recorriendo además de la población las fincas y sitierías de los alrededores, el día 27 del mismo mes recibió el homenaje de los fieles en el lugar habitado de **Jibacoa**[436], los días 28 y 29[437] recorrió los pueblos de **Santa Cruz del Norte,** el marítimo de **Boca de Jaruco** y sus alrededores y, acto seguido, el pueblo de **Hershey** y el batey del **Central Hershey,** el 30 de junio[438].

La proximidad de las fechas demuestra fehacientemente tanto la intensidad de la Peregrinación Nacional como la férrea voluntad de los Capellanes franciscanos que fueron al mismo tiempo custodios de la Santa Imagen Peregrina de la Caridad, misioneros, predicadores, evangelizadores, que oficiaron Misas y rezaron Rosarios, que participaron en recepciones oficiales y eclesiásticas… hombres de hierro por la Fe que llevaban dentro y el amor a la Patrona de Cuba que latía junto con sus corazones.

La excelsa Imagen, Santa Misionera y Peregrina de la Caridad, llegó el día 1 de julio al pueblecito de **Caraballo**[439], al salir de ahí llegó el siguiente, 2 de julio[440], al de **Madruga,** donde estuvo también el día 3: realizó la Visita, recorrió los alrededores llevando su Presencia a los campesinos de las fincas próximas, y el 4 de julio[441] alcanzó el lugar habitado que llaman **Pipián**… los otros sitios que recorrió minuciosamente en una provincia tan densamente poblad a como la de La Habana, no fueron compilados por el Capellán y no aparecen en la nómina de la Peregrinación Nacional. El P. Lucas Iruretagoyena nos aclara al respecto que

---

[435] Ibídem, p. 133

[436] Ibídem,

[437] Ibídem,

[438] Ibídem,

[439] Ibídem,

[440] Ibídem,

[441] Ibídem,

por no enmarañar la lista, he dejado de apuntarle los numerosos barrios adyacentes que también visitó la Virgen...[442]

Esta confirmación del P. Capellán nos hace apreciar mejor la magnitud de la Peregrinación Nacional de 1951-1952. Una minuciosa medición del recorrido zigzagueante que aparece en los mapas, de un pueblo a otro, da como resultado una distancia recorrida total, como vimos en el capítulo XVI, de unos 11,000 kilómetros en la primera etapa de la Peregrinación.

Al terminar ésta, la Sagrada Imagen Misionera y Peregrina de la Caridad debe haber recorrido linealmente entre 22.000 y 23.000 kilómetros. Pero como no se cuentan en esta medición los numerosos desvíos de la caravana para visitar fincas particulares, ni tampoco los que no fueron nominalizados por los Padres Capellanes (porque sencillamente el recorrido era tan arduo y tan intenso que no tenían materialmente tiempo que para reseñar los hechos más importantes), se aprecia que en realidad el recorrido de la Patrona de Cuba fue mucho más largo y llegó a muchos más sitios que los casi 700 que fueron recogidos en la lista oficial.

No hubo rincón de Cuba que la Virgen de la Caridad no visitara. No hubo un cubano que no tuviera oportunidad de presentar su tributo de veneración, respeto y cariño a la Excelsa Madre del Cielo.

A continuación la Virgen de la Caridad cruzó el mar para llegar a Isla de Pinos, donde llevó su Misión a Nueva Gerona, el Presidio Modelo, Santa Fe y Santa Bárbara

El 12 de julio de 1952 comenzó una nueva etapa de la Peregrinación Nacional cuando la Sagrada Imagen de la Virgen Misionera de la Caridad cruzó el mar para comenzar la Visita a la pequeña Isla de Pinos, que inició en su capital, la ciudad de **Nueva Gerona**. Se cuenta que el viaje por mar fue delicioso, y que al divisar a las costas de la otra Isla pudieron ver en el pintoresco paisaje del mar cómo numerosas lanchas y pequeñas embarcaciones empavesadas con gallardetes y tremolando banderas cubanas, salían con mucha alegría a recibir a la Virgen.

Después comenzó un día memorable para los habitantes de los pueblecitos de **Nueva Gerona, Santa Fe y Santa Bárbara,** diminutos pueblecitos perdidos en los más remotos confines de la pequeña Isla de Pinos, que pudieron por fin contemplar a su querida Virgen de la Caridad, honrarla, rendirle tributo de veneración y respeto, postrarse

---

[442] Ibídem, p. 133

164

delante de ella para rezar... recordando los momentos más singulares de la Visita de la Virgen Peregrina de la Caridad a Isla de Pinos, el Capellán fray Lucas Iruretagoyena escribió estas palabras:

*Fuimos por mar. El 12 de Julio. Lanchas y barquichuelas empavesadas nos dieron una alegre y clamorosa bienvenida. En **Nueva Gerona**, igual que en **Santa Fe** y **Santa Bárbara**, la visita de la Virgen quedó señalada como un día inolvidable. En la «**Cárcel Modelo**» la visita fue particularmente emocionante. **Los presos hicieron a la Patrona un obsequio raro: una llave de mármol en forma de atril para el Misal.** Duró la visita tres días enteros. He de mencionar aquí las atenciones y solicitud extraordinarias que tuvo con nosotros el Comandante Capote. El regreso se hizo en avión militar, cedido por el susodicho Comandante...*[443]

Para los reclusos del **Presidio Modelo**, tan apartados del mundo, la Visita de la Patrona de Cuba fue una ocasión única, que acabó con la niebla y la ceguera de la prisión al aparecer la imagen esplendorosa de la Madre del Cielo como una luz en la oscuridad que quedó grabada en sus recuerdos para siempre, y le obsequiaron un digno presente aunque el mejor de todos es el que estuvo presente en las oraciones que le dirigieron.

Finalmente, dejando una gran paz en el alma de los presos y después de que su presencia cambiara la vida de muchos de ellos para siempre, la Santa Imagen de la Virgen de la Caridad terminó su fulgurante Visita en la vecina Isla de Pinos y regresó con su incansable Capellán a bordo de un avión del ejército, para comenzar la última etapa de la Peregrinación en la ciudad de La Habana propiamente dicha.

Entrada apoteósica y triunfal en la gran ciudad de La Habana, capital de la República de Cuba

Poco después del mediodía del 17 de mayo de 1952, la Sagrada Imagen de la Virgen de la Caridad, Peregrina y Misionera, Visitadora y Evangelizadora, llegó para inspirar con su presencia a los fieles de la capital del país. Llegaba como Patrona Coronada de la Isla de Cuba, como Reina y Madre Amantísima de todos los Cubanos, como el Gran Regalo de Dios Nuestro Señor a la Isla, como Primer Símbolo de la Patria y la Nación, como Primera Forjadora de la Cubanía, como Primera Bandera de nuestras Guerras por la Libertad, como Centro, Faro y Guía de Nuestra Historia: porque cuando se profundiza en la

---

[443] Ibídem, p. 133

Historia de Cuba, eclesiástica o civil, todos los caminos conducen a la Virgen de la Caridad…

La nave aérea en que fue transportada la Patrona de Cuba aterrizó en el Aeropuerto Internacional de Rancho Boyeros. Allí la esperaba el Cardenal Arteaga, al frente de los prelados de la Isla y de una digna y nutrida representación del clero. Allí estaban las autoridades civiles que la esperaban, allí estaba sobre todo la presencia de los fieles, convertida en un jubiloso mar de pueblo que esperaba a su Reina y Madre… todos, expectantes, ansiosos por contemplar la Santa Imagen de la Caridad que había llegado a la capital, última etapa de la Peregrinación Nacional.

Alumnos de los colegios católicos de La Habana esperando a la Virgen

Y luego, después de los honores eclesiásticos, civiles y militares rendidos a la Patrona, el traslado por carretera de la Sagrada Imagen desde el Aeropuerto hasta La Habana, en medio de las aclamaciones y los vítores de una muchedumbre colosal y entusiasmada, extendida a todo lo largo de quince kilómetros de carretera… en la medida en que la Virgen de la Caridad va avanzando, la multitud se incorpora a la fantástica procesión que va engrosando kilómetro tras kilómetro: miles, decenas de miles, cientos de miles de personas acompañan a su Reina del Cielo, y al mismo tiempo la caravana de automóviles que avanza tras Ella va creciendo también, multiplicándose hasta proporciones increíbles.

Para reseñar de forma breve la impactante Visita de la Virgen de la Caridad y en particular su recepción y posteriormente la despedida que se le dio en la capital de la República, nada mejor que reproducir aquí parcialmente la crónica escrita por Mons. Alfredo Llaguno, en aquel entonces canónigo de la Santa Iglesia Catedral de La Habana, que aparece a continuación:

> Las crónicas han registrado los hechos externos, la emoción de las almas la ha registrado Dios Nuestro Señor. El momento culminante en que el avión de las Fuerzas Aéreas de nuestro Ejército tomó la pista en el Aeropuerto de Rancho Boyeros y todo el Episcopado presidido por Su Eminencia y escoltado por el Cabildo Catedral de La Habana, en trajes de gala, se dirigieron hacia la nave, para presenciar el momento inolvidable en que apareció en la puerta del avión la Feliz Peregrina de los Aires, la dulce Imagen de nuestra Virgen Morena, eso no es para decir ni escribir; el silencio que a los acordes del Himno de Bayamo reinó en el Aeropuerto y la salva de aplausos que recibió la aparición de la bendita Imagen, son suficientemente elocuentes para que tengamos que añadir palabras.

> Son los hombros dignísimos de los Obispos los que llevan la dulce carga hasta depositarla en el magnífico Carro de Bomberos que se ha situado en las cercanías del avión. Los Bomberos de La Habana se arrogaron el honroso privilegio de custodiarla y llevarla hasta La Habana.

> **Son las tres de la tarde del sábado 17 de Mayo de 1952. Se inicia la marcha; es forzosamente lenta… por mucho que se quiera no puede adelantar el carro; es tal la aglomeración de fieles, es tal la insistencia de los que se acercan para ofrendarle flores, de los que quieren contemplarla de cerca, de los que insisten en acompañarla a pie. No importa el rigor del sol, ni la inclemencia de la lluvia; no se piensa en otra cosa más que en ésta: ¡vamos con la Imagen bendita de nuestra Caridad del Cobre!**

> A las cuatro llega la procesión al lugar de cita en La Habana; Carlos III y Rancho Boyeros; los automóviles que siguen a la Imagen suman cientos, los que esperan a pie suman millares. **De Carlos III a Malecón demoramos más de una hora y media**, al paso de la Virgen son escenas de emoción; lágrimas y flores, besos y plegarias, gestos y genuflexiones, es un concierto de espontaneidades salidas del corazón, que como flechas van a clavarse en la Imagen amada de la Caridad. Todas las manifestaciones del catolicismo habanero están allí representadas. Colegios, Asociaciones, Ramas de Acción Católica, Damas Isabelinas, Congregaciones Marianas, Caballeros de Colón, fieles en general… todos junto a la Virgen de la Caridad. No es exageración hiperbólica de periodista; es una realidad innegable que La Habana no presenció nunca,

en su larga y gloriosa historia de vida católica, una manifestación semejante por lo espontánea, por lo sentida, por lo magnífica…

El recorrido triunfal de la apoteósica procesión es majestuosamente lento; a su paso se cosechan todos los homenajes, y por no faltar hubo hasta el trágico homenaje de cuatro muertes; flores de dolor que cayeron a los pies de la Virgen, a su paso, en vez de flores perfumadas que manos devotas y filiales pretendieron arrojarle; fue el holocausto de cuatro vidas que se ofrendaron por la felicidad de la Patria y el homenaje a la Madre; sobre ellas las lágrimas y las oraciones de la caridad cristiana de los que conmovidos presenciaron el doloroso instante.

Y llega la Virgen al Campo Mariano en la explanada del Puerto. Allá arriba, en la urna de cristal con el retablo de la Bandera que flamea en La Cabaña y la majestad del Morro que se levanta airoso cerca del altar de nuestra Caridad, rodeada de una multitud que se apiña, que se estruja, que se rinde ante Ella, aparece la pequeña Imagen, imán de todas las miradas y centro de todas las plegarias. El Arzobispo de Santiago de Cuba, el piadoso Custodio, la entrega, y nuestro Eminentísimo Cardenal la recibe oficialmente. Mons. Martínez Dalmau, Obispo de la Perla del Sur, canta en lenguaje sentido, cristiano y patriótico, las glorias de la Madre y allí se inicia la serie ininterrumpida de actos en honor de la Venerada Imagen.

En la media noche del sábado 17 al domingo 18 se suceden cada hora las Misas; celosos sacerdotes dirigen fervorines[444]; a plena noche y al aire libre se ven confesores y penitentes, y en cada misa suman millares las almas que honran a la Madre recibiendo devotamente el Cuerpo Sacrosanto del Hijo; así pasan las horas de la noche para que la aurora los sorprenda en la abstracción sobrenatural y en ansias de Cielo; desde horas tempranas llegan por todas direcciones las multitudes que asistirán al solemne Pontifical de la mañana; el campo está lleno cuando cerca de las nueve hace acto de presencia en el Campo Mariano el Honorable Sr. Presidente de la República acompañado de su esposa y de su pequeño hijo; ya están allí las representaciones diplomáticas de las Embajadas y Misiones Especiales venidas con motivo del Cincuentenario de nuestra Independencia; el mundo oficial, las fuerzas militares, los dignos Veteranos, emocionados y obsequiosos, todas las manifestaciones de la vida católica, en una palabra: el pueblo entero de La Habana.

Llega Su Eminencia poniendo una nota de esplendorosa alegría en aquella mañana soleada; el rojo de la Púrpura Cardenalicia circundada por el litúrgico morado episcopal de la Jerarquía allí presente, da tonalidades de fuego a aquel entusiasmo desbordante de amor y de piedad. Se inicia el

---

[444] **fervorín.** (Del dim. de *fervor*). m. Cada una de las jaculatorias que se suelen decir para enfervorizar o enfervorizarse. U. m. en pl.

sagrado rito y como preparación se deja oír la voz dulce y persuasiva del Cantor pinareño: Monseñor Evelio Díaz, Obispo de Pinar del Río, canta las glorias de la Madre en aquella mañana inolvidable.

Al final se entona el Te Deum de acción de gracias por el Cincuentenario de la Independencia, pero antes Su Eminencia lee el acto de consagración a la Santísima Virgen de la Caridad del Cobre; la voz autorizada del Cardenal cubano pone vibraciones de emoción sentida al desgranar las dulces palabras de la consagración a María. Resuenan las voces del Te Deum, se cantan las oraciones finales y se da por terminado el acto. Antes ha querido el Honorable Sr. Presidente de la República, General Fulgencio Batista, acompañado de su esposa e hijo acercarse al altar a venerar a la Imagen Bendita.

Con satisfacción en todos los rostros se disuelve aquella multitud que no olvidará las glorias de aquella mañana históricamente inolvidable. La Virgen queda en su trono y a sus pies se suceden las peregrinaciones continuadas de fieles que suben para ver de cerca la Sagrada Imagen. Durante toda la tarde las Parroquias de la capital rinden culto cada media hora recitando el Santo Rosario a los pies de la Virgen de la Caridad y llega la noche y las multitudes se multiplican y no hay posibilidad de dar un paso entre aquella masa humana. A media noche se inician las Misas repitiendo la misma vigilia de la noche anterior; confesiones, comuniones, fervorines, un concierto de amor a la Madre Celestial.

Y llega la mañana del lunes 19 de Mayo. El Excmo. Sr. Arzobispo de Santiago de Cuba celebra la Misa de despedida; se ofrece por las almas de nuestros Veteranos recordando el día doloroso de la caída del héroe de Dos Ríos. Al final el P. Llaguno dice unas palabras de despedida a la Stma. Virgen y en medio de la emoción general se inicia el desfile hacia el Aeropuerto…

La llevan hasta la Parroquia de la Caridad y de allí al Aeropuerto de Columbia entre aplausos, vítores y lágrimas… y de allí un avión de nuestro Ejército nos la arrancó para llevarla por los aires, satisfecha y triunfal, sobre la campiña de nuestra Patria, y encerrarla de nuevo en su Santuario del Cobre en la esperanza que desde allí continuará bendiciendo esta tierra bendita que, porque la quiere, de Ella todo lo espera; Ella velará por la Patria en esta segunda etapa de su vida que se incia y Ella guardará que en la celebración del Cincuentenario seamos, como hoy y como siempre, hijos de la Caridad del Cobre somos hijos de su tierra por Ella bendecida que es nuestra Patria Amada: CUBA.

Mons. Alfredo Llaguno[445]

---

[445] Varios Autores. La Caridad del Cobre, Peregrina Nacional. Reportaje de las Seis Provincias. Narra: El Capellán de la Virgen, R.P. Manuel Oroquieta, o.f.m. Escribe:

Visitas a los Hospitales, las Parroquias, los Conventos y la Prisión de La Habana. Laicos que colaboraron en la Peregrinación por la capital

A continuación vamos a repasar las crónicas de la Visita de la Sagrada Imagen Peregrina de la Caridad por diversos barrios y repartos y por los centros eclesiásticos y civiles en la capital de la República. La Santa Imagen que salió en el año anterior de 1951 de la Iglesia de Santo Tomás Apóstol, esa Virgen de la Caridad cariñosamente conocida con el título de Virgen Mambisa, dio en La Habana una verdadera Misión que puede calificarse de fabulosa en el marco de la Peregrinación Nacional, durante la cual acontecieron tantas maravillas y se derramaron tantas gracias y bendiciones que cayeron del Cielo sobre la Isla de Cuba.

Por ejemplo, cuando comenzaba la Visita en la provincia de La Habana, fue legendario el recibimiento que le hizo a la Virgen Peregrina la hermana ciudad de **Marianao**, el 19 de marzo de 1952, cuando le

> ofrendó una llave de oro gigantesca, de unos 22 centímetros, y un decreto del Mayor de la ciudad declarando festivo el 29 de Marzo en todo el término[446]

Pero regresemos a los días posteriores al 17 de julio de 1952. Comenzando por las Visitas efectuadas por la Virgen Peregrina de la Caridad a los Hospitales de la capital de Cuba, podemos recordar, según las crónicas escritas por fray Lucas Iruretagoyena, el intenso recorrido:

> La «Virgen Mambisa» visitó una porción de Centros, Hospitales y Clínicas de La Habana. Vaya anotándolo. Las menciones van sin glosa. Julio 19-22: **Hospital Universitario «Gral. Calixto García»** (76 Salas); Julio 23: **Hospital «Curie» y «Domínguez Roldán»**; Julio 24: **Hospital de Cirugía Ortopédica**; Julio 25: **Hospital «Ntra. Sra. de las Mercedes»**, Julio 27: **Clínica «Instituto del Viejo»**; Julio 28: **Hospital Municipal «América Arias»**, y el local de los Consejos Nacional y Diocesano de la Liga de Damas de la Acción Católica Cubana; Julio 30: **Hospital Municipal de Emergencias**; Agosto 1: **Hospital de la Policía Nacional**, Agosto 3: **Hospital Militar «Gral. Arístides Agramonte»**; Agosto 5: **Hospital de Maternidad Obrera**; Agosto 11: **Hogar de Ancianos del Barrio Obrero de Luyanó y Creche «Elisa Aleida»**; Agosto 13: **Quinta «La Benéfica»**; Agosto 15: **Sanatorio «Hijas de Galicia»**; Agosto 17: **Cooperativa Médica «Ntra. Sra. de la Caridad»**; Agosto 18: **Sanatorio «La Milagrosa»** de Católicas Cubanas; Agosto 19: **Cooperativa de Médicos de La Habana**,

---

Fray Gil, o.f.m. Semanario Católico, nros. de Septiembre y Octubre de 1952, pp. 126-127

[446] Ibídem, p. 124

*Agosto 20: **Clínica «El Sol», Clínica «Acción Médica» y Clínica «Valdés González»**, Agosto 21: **Clínica «Cuba» y Asociación de Damas de la Purísima Concepción**, Agosto 22: **Clínica «La Inmaculada», Laboratorio «Pasteur» y Casa de Beneficencia;** Agosto 23: **Clínica «San Juan Bosco», Clínica «Lawton» y Asilo «Santa Marta»;** Agosto 25: **Quinta «La Covadonga»;** Agosto 26: **Clínica «La Milagrosa» y Hogar Clínica «San Rafael»;** Agosto 27: **Asilo «Carvajal»;** Agosto 28: **Asilo «Santovenia»;** Agosto 29: **Asociación Cubana de Beneficencia y Policlínica Nacional Cubana «La Bondad»** Agosto 30: **Asilo «Menocal» y Asilo «Aldecoa».**[447]*

Durante este emocionante recorrido por Hospitales y Clínicas de La Habana (nada nuevo para la Virgen Peregrina, que poco después de su llegada a Cuba debe haber estado algún tiempo presidiendo el ***Hospital de la Caridad del pueblo de Santiago del Prado y Real de Minas del Cobre***, para ser el gran alivio y la mejor medicina de los esclavos indios y negros que trabajaban en las minas y que ingresaban allí en caso de enfermedad. Por tanto, la Santa Imagen debe haber recordado con alegría este hecho de sus primeros años en Cuba). Ahora, recordando las hermosas palabras ***estaba enfermo y me visitaste,*** la Reina y Madre del Cielo iba a ver a sus hijos en los hospitales llevándoles la mejor medicina: la bendición de su presencia.

Durante las Visitas a las Clínicas y Hospitales, según el testimonio del Capellán fray Lucas Iruretagoyena, hubo varios sucesos muy destacados. Entre ellos,

> *Muy buena voluntad por parte de los Directores y Médicos y una vivísima emoción religiosa por parte de los enfermos y asilados. La Caridad pasó por esos lugares «haciendo el bien». Me place destacar aquí, por si lo estima publicable, lo bien que se portaron las Enfermeras y Alumnas federadas del «Calixto García», los médicos del Hospital de la Policía Nacional, las palabras que dijo en la Cooperativa de Médicos el Dr. Hernández Calzadilla y el gesto del Dr. Alfredo Petit, de la Cooperativa Médica de Ntra. Sra. de la Caridad, compuesta por él. Me edificó la actitud de los obreros que trabajaban en «La Milagrosa», del Cerro, los cuales por un impulso espontáneo se arrodillaron todos al paso de la efigie mariana. Apunte también lo ocurrido en el Laboratorio «Pasteur»: aquellas décimas a la Señora con acompañamiento de guitarras...*[448]

No se previó que durante la Peregrinación Nacional, la Santa Imagen de la caridad Peregrina y Misionera visitara las parroquias de la capital de la República, y tampoco las que se ubican en Marianao. En

---

[447] Ibídem, pp. 133-134

[448] Ibídem, p. 134

cambio, la Imagen Bendita de nuestra Virgen Mambisa fue acogida con mucho amor en varias capillas en las que encontró el alojamiento más amable y la atención más exquisita y delicada. El Capellán franciscano se encargó de dejar para la posteridad la relación de las capillas:

> *(Las Parroquias) estaban excluidas del programa que se me dio. En cambio, la Virgen Mambisa sí se alojó, y fue velada con amor exultante, en las Capillas siguientes: Siervas de María, Convento de las Madres Catalinas, Capilla del Colegio del Apostolado, Capilla de las Esclavas de Luyanó, Capilla de «La Milagrosa», de las Católicas Cubanas, Capilla de la Domiciliaria, Colegio de La Sagrada Familia, Capilla del Servicio Doméstico, Capilla del Colegio del Apostolado, de Marianao, Iglesia de las Madres Clarisas de Lawton, y Capilla de la Preciosa Sangre*[449]

El hecho de que la Sagrada Imagen Peregrina de la Caridad fuera acogida con ternura y velada en todas estas Capillas, nos da una idea de las dimensiones del recorrido interno por las clínicas, los hospitales, las propias capillas, la cárcel de La Habana y otros lugares de interés, como el ***Centro Nacional de Veteranos,*** donde fue acogida con la mayor devoción, admiración y respeto por los ya ancianos luchadores por la libertad y la independencia de la Patria.

Siempre fue proverbial el amor de los Veteranos de la Independencia a la Virgen de la Caridad del Cobre. Las primeras luchas por la libertad de los esclavos tuvieron lugar en la Villa del Cobre en el siglo XVIII, bajo los auspicios de la Virgen que imperaba desde su Santuario. Después, las Guerras de Cuba comenzaron y terminaron a los pies de su Patrona: antes de que Carlos Manuel de Céspedes se alzara en Yara el 10 de octubre de 1868, ya las mujeres de su residencia solariega estaban confeccionando la primera bandera de Cuba con las telas del dosel de la Virgen de la Caridad que se veneraba en aquella casona. Por tanto, cuando se dio el grito de Libertad y tremoló por primera vez esa Bandera, la Virgen tremolaba con Ella…

El 13 de octubre, en la Iglesia del pueblo de Barrancas, Céspedes y sus seguidores depositaron la bandera y las armas de Cuba en el altar, a los pies de la Virgen de la Caridad, para que Ella bendijera la causa de los cubanos junto con el párroco, P. Jorge Emiliano Izaguirre. Y con este Acto de Fe comenzó la Guerra de los Diez Años, Primera de la Independencia. Terminada la emocionante ceremonia, el P. Izaguirre cerró el templo y se fue con los cubanos: era el Primer Capellán del Ejército Libertador.

---

[449] Ibídem, pp. 134-135

Es digno de notar el ferviente amor de los patriotas cubanos a la Virgen de la Caridad. El Mayor General Ignacio Agramonte y Loynaz no cargaba al machete sin implorar el auxilio de la Virgen. El Lugarteniente General Antonio de la Caridad Maceo y Grajales no cesaba de decir *que la Virgen de la Caridad peleaba con los mambises en la manigua*, y no se cansaba de decir que varias veces Ella había salvado su vida durante la contienda, librándolo de las balas españolas. Además de Maceo, que llevaba junto a su nombre la advocación de la Patrona de Cuba, otros generales como Máximo Gómez, Quintín Banderas y Jesús Rabí, invocaban siempre a la Virgen antes de entrar en batalla... Por si esto fuera poco, varios generales del Ejército Libertador nacieron en la Villa del Cobre, y fueron bautizados en el Santuario y encomendados a la máxima protección de la Caridad:

Entre ellos, el Mayor General José María Rodríguez, natural del Cobre donde nació el 13 de junio de 1849, el también Mayor General Flor Crombet Tejera, que vino al mundo en Hongolosongo, villa del Cobre, el 22 de noviembre de 1850, el General de División Vidal Ducasse Revee, hijo del pueblo del Cobre, donde nació el 10 de octubre de 1852, el Mayor General Agustín Cebreco Sánchez, que nación también en El Cobre el 25 de agosto de 1855. ¡Tres Mayores Generales, el grado más alto que podía alcanzarse en las tropas mambisas, y el grado jerárquico siguiente de un General de División, nacieron en menos de seis años en la Villa del Cobre, el pueblo más rebelde de la provincia de Oriente, cuya población no alcanzaba entonces los 900 habitantes y sin embargo fue el que proporcionó el mayor número de altos oficiales!

También en 1868, Carlos Manuel de Céspedes subió la montaña con el Estado Mayor y los oficiales de más alto rango del Ejército Libertador. Todos van a invocar a la Virgen, todos van a poner el triunfo en sus manos. Acompañaban a Céspedes, Perucho Figueredo, autor de nuestro Himno Nacional, Luis Marcano, Francisco Vicente Aguilera, después Presidente de la República en Armas, el Mayor General Calixto García Iñiguez, el Mayor General Máximo Gómez Báez, el Mayor General Donato Mármol...

Eran memorables aquellos 8 de septiembre cuando los mambises, en la Manigua Redentora, celebraban el Día de la Virgen de la Caridad y su gran fiesta encendiendo miles y miles de velas para convertir la campiña de la Isla en un inmenso altar de fuego en honor a la Patrona de la Nación, la Patria y las Armas Cubanas.

Y cuando en 1895 terminó la Segunda Guerra de Independencia, después de la muerte de José Martí, que había escrito en honor de la Virgen el Avemaría que lleva su nombre, el Mayor General Calixto

García Íñiguez envió al también Mayor General Agustín Cebreco, hijo de la villa del Cobre, para que subiera al Santuario a fin de que leyera a los pies de la Virgen de la Caridad la **Proclamación Mambisa de la Independencia del Pueblo Cubano**, durante el solemne **Te Deum** con el que se celebró la victoria de las armas de Cuba sobre España.

Tiempo después, en 1915, el 24 de septiembre fue un día inolvidable en la memoria del pueblo de Cuba, ya que, **para solicitar a Su Santidad que declarada Patrona de Cuba a la Virgen de la Caridad del Cobre**, se reunieron dos mil veteranos del Ejército Libertador en una nutrida agrupación, y marcharon a caballo desde Santiago de Cuba hasta El Cobre para leer allí, a los pies de la Virgen, **el documento que dirigían a Su Santidad el Papa Benedicto XV, el más importante que se ha escrito en nuestra Isla.** Estaban encabezados por Jesús Rabí y Agustín Cebreco, que ostentaban el grado máximo de Mayor General del Ejército Libertador, los Brigadieres Generales Luis Bonne, Tomás Pedro Griñán, Vicente Miniet y Tomás Pedro Camacho, el Coronel Pedro Díaz, los Tenientes Coroneles Arturo Villalón, Francisco Pérez y José D. Vicente, y los Comandantes Antonio Santa Cruz Pacheco, Rafael Gutiérrez y Ramón Garriga Prieto.

En 1916, Su Santidad aprobó la petición de los Veteranos de la Independencia, y en 1936 se llevó a cabo en Santiago de Cuba la Coronación Canónica de la Virgen de la Caridad del Cobre…

Todo lo anterior confirma el poderoso vínculo establecido entre la Virgen de la Caridad del Cobre, Patrona de la Isla de Cuba, y los Veteranos del Ejército Libertador. Y ahora era precisamente la Sagrada Imagen de la Virgen Mambisa de la Caridad la que llegaba, como colofón de la Peregrinación Nacional por el Cincuentenario de la Independencia de Cuba, al Centro Nacional de Veteranos en La Habana, capital de la República… la Santa Imagen, por acuerdo de la inmensa mayoría, visitó aquel Sancta Sanctorum de los viejos luchadores por la libertad[450] y el 16 de agosto de 1952 hubo una segunda y tercera ocasiones en el Hospital Calixto García y en el Hogar de los Veteranos de la Víbora, según testimonio del P. Capellán Lucas Iruretagoyena:

> en la visita a la Sala de Veteranos en el Hospital Calixto García durante la cual un veterano brindó a la Señora ingenuos versos improvisados. Y la recepción que se le hizo en el Hogar de Veteranos, en la Víbora (16 de Agosto) fue en extremo cordial y devota[451]

---

[450] Ibídem, p. 135

[451] Ibídem, p. 135

Al reseñar en detalle la visita a la ciudad de La Habana, capital de la República de Cuba en la que la Santa Imagen de la Virgen de la Caridad, Misionera y Peregrina, siempre escoltada por su Capellán franciscano, y en la que además estuvo acompañada en varios momentos por el P. Ismael Testé y por el Cardenal Primado de la Isla de Cuba, S. E. Mons. Manuel Arteaga y Betancourt, el Padre fray Lucas Iruretagoyena, que ya había sido testigo de tantos sucesos emocionantes acaecidos durante la Peregrinación, se sintió muy motivado por los resultados de la Visita de la Virgen Mambisa a la Cárcel de La Habana, y trabajando como cronista de esta hermosa historia para precisar y ampliar los detalles relativos a la Visita de la Sagrada Imagen de la Caridad a la Cárcel de La Habana, narró estos momentos de aquel día inolvidable:

> *Fue algo muy bello. Los epítetos palidecen ante la realidad. En el patio central se había levantado un artístico altar, ornado por el Jardín «Cuba», obsequio de Marta García de Hermida. Cooperó la Banda de Música de la Marina de Guerra. **Aquellos «vivas» de los reclusos a la Patrona aún me están retiñendo en los oídos. Habló también el P. Testé. El Cardenal Arteaga dijo la misa (10 de agosto) y habló a los reclusos con palabras en verdad paternales. En la tarde de ese día se tuvo una gran Procesión con la Imagen, que recorrió todos los patios del establecimiento y la enfermería. Sor Mercedes Alvarez**[452] **estará satisfecha con el éxito de esta visita**[453]*

Luego, la Santa Imagen de la Virgen de la Caridad conocida con el título de Virgen Mambisa regresó a Santiago de Cuba y la Iglesia de Santo Tomás Apóstol

Después de la preciosa Misa de despedida del lunes 19 de mayo de 1952, en la que ofició el Arzobispo de Santiago de Cuba Mons. Enrique Pérez Serantes y que fue ofrecida como sufragio por las almas de los Veteranos caídos en las Guerras de Independencia y en particular por el Héroe Nacional José Martí, que cayera en combate ese día, la Sagrada Imagen de la Virgen de la Caridad del Cobre, Visitadora, Misionera y Peregrina en la Isla que le fue confiada por Dios Nuestro

---

[452] Sor Mercedes Álvarez fue la fundadora de la gran Obra de San Vicente al Servicio del Preso, gran aporte a la Pastoral Penitenciaria de la Iglesia Católica en Cuba. Era ésta una rama de la Obra de las Misiones Parroquiales que promovió el P. Hilario Chaurrondo Izu C.M. desde la Iglesia de la Merced, en buena medida inspirado por la práctica misionera incansable del P. Rafael Guízar Valencia, después Obispo en Méjico y quien recientemente fue elevado a los altares.

[453] Ibídem (239), p. 135

Señor, fue llevada y venerada en el Santuario Occidental de la Caridad, en Manrique entre Salud y Dragones, y luego trasladada al Aeropuerto Militar de Columbia, donde la muchedumbre entusiasta y conmovida hasta las lágrimas la despidió con aplausos y vítores atronadores, para terminar su Peregrinación y Misión Nacional en la heroica ciudad de Santiago de Cuba, donde había comenzado su extraordinario y maravilloso viaje.

Fray Lucas Iruretagoyena escribió al respecto que

> La Peregrinación cerró su periplo nacional en Santiago de Cuba, siendo conducida la Imagen por el Capellán oficial. Tuve la satisfacción de asistir al magno recibimiento que se le hizo en la capital oriental y al Te-Deum solemne que se cantó en acción de gracias en la Parroquia de Santo Tomás, donde quedó de nuevo instalada la efigie de la «Virgen Mambisa». En tal oportunidad habló el P. Oroquieta, y por último, con palabra entonada y férvida, Mons. Enrique Pérez Serantes. La Imagen partió de la Iglesia de San Francisco, donde Ella fue honrada con un Triduo solemne[454]

Algunas valoraciones sobre la Peregrinación Nacional: la prensa

Recordando la tremenda Peregrinación Nacional de la Sagrada Imagen de la Virgen de la Caridad del Cobre, que derramó a su paso gracias y bendiciones para facilitar la Redención del Pueblo de Cuba, haciéndolo **creyente y dichoso** bajo el reinado de Jesucristo, **el Monarca Ideal** según señala el Himno de la Acción Católica, fray Lucas Iruretagoyena describe una serie de episodios y momentos que puedan darnos una idea, siempre pálida, de la magnitud de uno de los hechos históricos más importantes de las historias eclesiástica y civil de Cuba.

Entre sus remembranzas, el franciscano recrea en su imaginación la hidalguía y la generosidad con que el pueblo cubano obsequió a su Reina, Madre y Patrona. Escribió después el Padre Capellán que

> en todos los pueblos las Asociaciones Católicas donaron alguna medalla, algún recordatorio valioso. No puedo entrar en detalles. Sólo llevo apuntados los obsequios de La Habana. Las Madres Catalinas: un pasador de oro y una medalla y cadenita de oro; Liga de Damas de la Parroquia de Monserrate: un corazón de oro y una cadena de oro con medallas; Liga de Damas de la Parroquia de San Nicolás: un medallón

---

[454] Ibídem, p. 137

de plata; los reclusos de la Cárcel del Príncipe: una medalla de plata dorada, labrada por uno de los mejores orfebres de Cuba[455]

Si a estos presentes unimos las medallas, las llaves de oro de municipios y pueblos, los pergaminos nombrando a la Virgen de la Caridad Huésped de Honor, las flores, las carrozas, las luces, los altares, los adornos de muchas clases, las pirotecnias, los retablos, los coros, las canciones, los poemas, las oraciones, las promesas… y todo lo demás que quedó como un tesoro en el corazón de los creyentes, llegamos a la conclusión de que son incontables los presentes que se hicieron a la Madre del Pueblo de Cuba durante tantos meses de Peregrinación Nacional.

Muchas fueron las personas que colaboraron para que las Visitas de la Virgen tuvieran un éxito resonante en todas partes, y se han ido nombrando en las páginas de estos capítulos. En La Habana, según los apuntes del Padre Iruretagoyena, se lee lo siguiente:

*He de citar, en primer lugar, al **Sr. Acosta**, Jefe de Ventas de la International Harvester, quien gentilmente cedió la camioneta «Metro» para la conducción de la Imagen; al **Sr. Julio de Cárdenas**, y a la **Sra. Henriette Le Matt**, viuda de Labarriere, que gestionaron esa concesión; a **Eugenia Noguerol, Herminda Doval, Josefina Hernández, Esther Rodríguez, Marina Barbazán, Manuel Pérez, Manuel Barbazán, y Miguel Baijes**, todos los cuales acompañaron, día tras día, a la «**Virgen Mambisa**».*[456]

Durante tantos meses y pasando por tantos lugares diferentes de campos, pueblos, lugares habitados y ciudades, ocurrieron innumerables hechos. Nadie sabrá nunca cuántos no fueron recogidos por la prensa o guardados en las memorias. Y las transformaciones ocurridas en las almas, muy íntimas en infinidad de oportunidades, sólo pueden ser reconocidas por aquellos que disfrutan los resultados. Muchos de estos hechos aparecen, en rápida secuencia, al leer estas páginas, porque fueron recogidos por los Capellanes franciscanos. Y hay otros que revisten caracteres heroicos, como el que se narra a continuación:

(Cuenta el Padre Capellán:) …íbamos del Ingenio Josefita a Nueva Paz por malísimos caminos. Entró el carro en un bache imponente y estuvo a punto de volcarse y la Imagen con él. En ese instante vi a un moreno asir fuertemente la Imagen, mientras decía en alta voz: <u>así me quede</u>

---

[455] Ibídem, p. 136

[456] Ibídem, p. 136

177

bajo las ruedas, pero la Virgen no toca el suelo. Muy edificante el gesto…[457]

¿Quién podrá conocer nunca los frutos espirituales de la Peregrinación Nacional? ¿Quién podrá cuantificarlos? ¿Cuántas almas sanaron? ¿Cuántas heridas del corazón cicatrizaron? ¿Cuántos propósitos buenos se formularon? ¿Cuántas promesas se hicieron? ¿Cuántas formas de pensar variaron? ¿Cuántos corazones fueron tocados por la Santísima Virgen? ¿Cuántas existencias tomaron otro rumbo? Este inmenso mural de salvación y redención que pintó la Virgen de la Caridad durante su Peregrinación Nacional por tierras de Cuba, solamente podría ser conocido y valorado por los ángeles del cielo, porque el limitado entendimiento humano jamás podrá ni conocerlo ni abarcarlo… cuando le preguntaron al Padre Iruretagoyena si el provecho espiritual de la Peregrinación había sido grande, contestó:

Incuestionablemente. En eso hay lo que se ve y lo que no se ve. Y lo que no se ve es más que lo que se ve. Esto es a manera de una lluvia que embebe la tierra para dar, a su hora, la flor y el fruto. Se reanima una flor agostada y macilenta, y se prepara el terreno para el arraigo de la simiente. También en números se puede calibrar el fruto. En el Parque de Jaruco, por ejemplo, comulgaron 143 personas. Es un índice animador[458],[459]

La prensa

Fue una labor sumamente ardua y compleja relatar a través de los medios masivos de comunicación, la gran Peregrinación Nacional de la Patrona de Cuba. Realmente, los radios no hubieran parado de dar las noticias vinculadas al viaje de la Virgen durante meses, matizándolas con numerosos episodios. Los periódicos hubieran tenido que dedicar muchas páginas a relatar aquella marcha triunfal pueblo a pueblo, batey tras batey, sitio tras sitio, y para qué hablar de la inmensa cantidad de anécdotas edificantes que se generaban cada día al paso victorioso de la Virgen…

Contando los lugares visitados en Isla de Pinos, la Peregrinación Nacional de la Santa Imagen Misionera de la Virgen de la Caridad del

---

[457] Ibídem,

[458] Ibídem, p. 137

[459] Según el Censo más cercano a la fecha, el pueblo de Jaruco tenía en esos momentos 4000 habitantes. En uno de los momentos de su estancia en el pueblo, como dice el testimonio, comulgaron 143 personas…

Cobre pasó oficialmente por 697 lugares habitados entre ciudades, pueblos y otros sitios. Esto fue lo que recogió el itinerario del tenso programa del viaje colosal. En realidad, mientras la Santa Imagen iba de uno a otro de estos 697 puntos, pasaba por otros, algunos apenas recogidos en los mapas, pero que aparecen constantemente relacionados en los relatos de los Capellanes franciscanos. Al llegar estos sitios, también había una recepción en escala muy pequeñita, también unas palabras del Capellán. Y como en todas partes, había emociones, y oraciones, y peticiones, y promesas, y bendiciones de la Virgen que se derramaban desde el Cielo como un manantial de gracia. ¿Cuántos lugares fueron? No se sabe. A vuela pluma, y dentro de la provincia de La Habana, encontramos sitios como *Aguacate, Tapaste, Loma de Tierra, Rosalía, Barreras, Jibacoa, Central San Antonio, El Cano, Calabazar, Guara, Central Occidente, La Cayuga, Mulgoba, Textilera Ariguanabo, Politécnica de Cangrejeras, Govea, Castillo del Príncipe, Güiro Marrero, Amafi, Párraga, Santa Rosa de Lima...* y otros que, si bien aparecen en los relatos, no están señalados en los mapas. Todo eso, cuando se piensa en seis provincias, puede añadir tal vez más de 100 nombres a los nominalizados en el programa que se siguió al pie de la letra.

Seis provincias, 697 visitas en sitios nominalizados, tal vez en total unas 800 si se cuentan los puntos no relacionados. El recorrido se estima en 24.000 kilómetros o 15.000 millas, al medir en el mapa las distancias entre los sitios programados, que conforma una trayectoria zigzagueante. Lo anterior equivale a decir que la Peregrinación Nacional recorrió dentro de la Isla, 24 veces su largo de 1,000 kilómetros. Equivale también a recorrer seis veces la distancia de 4.000 kilómetros que separa la costa oeste de la costa este de los Estados Unidos de América. Esta parecer ser, a mi juicio, la Peregrinación más grande, el recorrido más extenso que haya realizado nunca la Sagrada Imagen de una Virgen Católica visitando paso a paso y sitio a sitio, toda la geografía del Pueblo que le fue encomendado por Dios Nuestro Señor.

¿Qué dijo la prensa sobre este fenómeno nunca antes visto, al parecer, en ninguna parte del Mundo? Oficialmente se visitaron 103 lugares en Oriente, 77 en Camagüey, 180 en Las Villas, 125 en Matanzas, 73 en Pinar del Río, 135 en La Habana, 3 en Isla de Pinos, sin contar los otros lugares que también tuvieron la dicha de la Visita de la Virgen de la Caridad. Dijo el Padre Capellán:

> *Había producido en cada uno de ellos conmociones del alma popular no igualadas jamás por ningún otro acontecimiento; y cuantos hayan*

leído las presentes páginas sabrán que no es hipérbole afirmar que sería más fácil contar cuántos se mantuvieron al margen de esta Invasión Mariana, que los que formaron férvidamente en sus filas. Y digamos una vez más que no era un simple viajar con ojos turísticos o con afanes exhibicionistas: iba por donde iba resucitando el espíritu, vigorizando la devoción, exaltando las emociones más nobles. Por donde pasaba, producía literalmente una transfiguración[460]

En cuanto a los periódicos, tuvieron la noticia de ir reseñando, día a día, la noticia más importante de la historia nacional. Pero en los pueblos del interior, muchas veces la prensa subestimó la Peregrinación y no estuvo a la altura de las circunstancias. Poco a poco, sin embargo, los hechos de la Peregrinación, que al principio sólo aparecían en las primeras planas de las publicaciones católicas, porque en la prensa nacional quedaba circunscrita a páginas interiores, fue ganando espacios en las primeras páginas. En esto tuvo mucho que ver, también, el reclamo popular, que comenzó a increpar por su dejadez a los periódicos locales, criticando su actitud. Nadie mejor que el Capellán de la Virgen de la Caridad para decirnos con sus palabras cómo sucedieron los hechos. Por ejemplo, la hojita dominical *Vive con la Iglesia* publicó en octubre de 1951 una carta procedente de Ciego de Avila que expresaba lo siguiente:

El pueblo de Ciego de Avila está muy disgustado con el silencio de la prensa. Vino la Virgen de la Caridad, y se le rindió el homenaje más grandioso que jamás ha visto Ciego de Avila... Muchas personas se preguntan: ¿Por qué el silencio de la Prensa? ¿Acaso los periodistas están a mal con la Patrona de Cuba? La misma queja pudieron proferir cientos de pueblos...[461]

Al comentar este fenómeno que se manifestó sobre todo durante la primera etapa de la Peregrinación Nacional, y que tal vez fuera digno de un examen particular, el Padre Capellán expresó estas ideas:

¡La Prensa!, ¡los periódicos!, ¡los periodistas!... Los millonarios de palabras, que cada día obran el prodigio de colmar apretadamente esas planas inmensas, regatearon a diario su espacio para reseñar lo que estaba siendo sin lugar a dudas el acontecimiento histórico actual de más hondas y amplias resonancias dentro de las fronteras de la Patria. Así resultaron posibles anécdotas que al Capellán de la Virgen hacían reír al par que se llevaba las manos a la cabeza: en uno de los municipios de más alta categoría de la Provincia de La Habana, un decreto alcaldicio declaraba Huésped de Honor a la Virgen de la Caridad, y, con

---

[460] Ibídem, p. 123

[461] Ibídem, p. 123

Ella, «¡¡¡a la comitiva de Acción Católica y Veteranos que la acompañaban!!!». Esa admiración triple es de las manos asombradas del P. Manuel (Oroquieta), cuyo nombre brillaba por su ausencia, con todo y ser en frase de Angela Domingo, y por sus méritos como Capellán de la Virgen Peregrina, «el más dinámico e incansable misionero que hayamos conocido en Cuba» («Información», Marzo 25).[462]

En una entrevista de prensa efectuada en el pueblo de Guanajay, el P. Oroquieta inculpó con fuerza a los representantes de la prensa por su dejadez y negligencia al dejar pasar por alto en varias ocasiones un suceso que cada día tenía más resonancia y relieve en la vida nacional, adquiriendo el significado de un fenómeno único y trascendental. Por supuesto, la prensa católica tuvo un tratamiento aparte, por su trabajo abnegado y satisfactorio. Para citar un ejemplo,

*Hubo en Las Villas una benemérita **Zaida Retana**, que, con esmero de mujer y con paciencia de benedictino, fue recortando y reuniendo cuanto se iba publicando en periódicos y revistas sobre la Peregrinación Mariana, y llegó a formar un álbum voluminoso, que ha constituido la base de esta crónica, junto con el diario de viaje del P. Capellán. Repasando las hojas de ese álbum, destaca honrosamente la colaboración de la cronista católica de «Información», Srta, **Angela Domingo**, que siguió con avidez todos los pasos de la Virgen Peregrina desde el alminar de su «Vida Católica»*[463]

En la provincia de La Habana y en la capital del país, la maravillosa Peregrinación Nacional, con caracteres de Misión Extraordinaria dirigida por la propia Virgen de la Caridad del Cobre, encontró buenos ecos en la prensa. El fenómeno era de tal magnitud, que nadie podía negarlo: hubiera sido más fácil apagar el sol. El mismo Padre Capellán lo había anunciado con palabras proféticas que pronto se convirtieron en certeza:

*Ya en La Habana, la cosa cambió. Lo esperaba el P. Capellán: «**Ya verán qué grande es esto, cuando se les meta por los ojos…**»*[464]

Y los sucesos le dieron la razón cuando todos los periódicos de La Habana, capital de la Isla de Cuba, rivalizaron entre sí para publicar las

---

[462] Ibídem. Esta valoración de fray Manuel Oroquieta, Capellán de la Virgen de la Caridad, apareció en uno de los periódicos de mayor tirada y circulación de toda la Isla: **Información**, en su número correspondiente al 25 de marzo de 1952

[463] Ibídem, p. 124

[464] Ibídem,

mejores crónicas, las fotografías más espectaculares, las reseñas mejor logradas para describir la Visita de la Virgen:

Así fue. **Juan Emilio Friguls** *publicó en* **«El Diario de la Marina»** *toda una serie de crónicas bien logradas sobre la Peregrinación.* **Y cuando Ntra. Sra. del Cobre vino a ser Huésped de la Capital,** <u>*se robó el corazón y la mente de la Prensa, como lo que era: el Visitante más destacado del Año de la celebración cincuentenaria*</u>[465]

A modo de conclusión. Resumen y Acción de Gracias: Mons. Enrique Pérez Serantes

Después de su salida de La Habana, la Virgen regresó al punto en que comenzó la Peregrinación Nacional: la ciudad de Santiago de Cuba, capital de la Provincia de Oriente, y la Iglesia de Santo Tomás Apóstol, donde impera la Santa Imagen de la Caridad del Cobre que el pueblo venera con el honroso título de la Virgen Mambisa, donde se celebró un solemne Te Deum por su retorno victorioso.

A continuación, Mons. Enrique Pérez Serantes, Arzobispo de Santiago de Cuba, redactó una Circular como *Resumen y Acción de Gracias* de la Peregrinación Nacional, cuyo texto se presenta a continuación:

Resumen y Acción de Gracias

Cuando se iba a iniciar el recorrido de la imagen de nuestra excelsa Patrona por todo el territorio nacional, el Episcopado cubano expresó sus anhelos en estos términos:

«Esperamos que los pueblos se han de volcar en las calles para recibir dignamente a la viajera que llega, y para acompañarla hasta el templo y en el templo mismo, con un desbordamiento de entusiasmo nunca visto, de fervor religioso y de puro amor patrio, ya que ambos amores se unen y estrechan en esta devoción a la Inmaculada Madre, la Virgen de la Caridad, que es nuestra Patrona».

Estos votos han quedado plenamente cumplidos; nuestras esperanzas, sobreabundantemente colmadas. El recorrido que la secular imagen acaba de hacer tras quince meses de viaje de extremo a extremo de la Isla, ha sido sencillamente triunfal y apoteósico. Fuera de las dos visitas que la venerada y muy amada imagen de la Santísima Virgen de la Caridad hizo a Santiago para ser coronada; y a La Habana para conmemorar el Cincuentenario de la Independencia, jamás se han presenciado recibimientos iguales a los que le fueron dispensados en todas partes a esta imagen, a nuestra Virgen Mambisa. Fuera de los dos casos citados, no se recuerda que haya habido en

---

[465] Ibídem,

ningún pueblo explosiones de entusiasmo tan popular y tan clamoroso y a la vez de fervor tan hondamente sentido, como los que se produjeron al paso de la imagen viajera constantemente desde Dos Caminos de San Luis, primer pueblo visitado, hasta el último de Pinar del Río. Pudiera pensarse que los pueblos y ciudades trataban de superarse en agasajos a la Madre común, a la que lo es en particular del pueblo cubano.

Y han rivalizado en testimoniar su amor a la que tanto ama a Cuba, a nuestra Virgencita morena, los cubanos todos, desde el Primer Magistrado de la Nación hasta el más humilde ciudadano; desde los beneméritos Veteranos de la Independencia hasta el último miembro de las Fuerzas Armadas, desde los Magistrados y Catedráticos hasta los últimos funcionarios públicos y estudiantes, lo mismo los patronos que los obreros, y los miembros militantes de todos los partidos, habiéndose puesto de manifiesto el hecho conocido, esperado y procurado de que, ante nuestra Patrona, se funden todos los corazones en el corazón de la gran familia cubana, la cual la Santísima Virgen de la Caridad tiene siempre algo que agradecer, algo que pedir, algo que decir.

A su paso en plan de dulce conquista y de invasión amorosa, ¡cuántos han vuelto de nuevo sus ojos a la Madre, cuántos los han vuelto luego al Hijo, regresando humildes y contritos a la casa paterna, fuera de la cual se vive mal! Al paso de la Madre amada, ¡cuántos vuelcos de corazones!. Dichosa e inolvidable visita.

Gracias, por fin, a las Autoridades todas, a los Veteranos y al pueblo en general de toda la República; y una calurosa felicitación a todos porque con su ayuda, con su cooperación, con su presencia y su fervor, tan alto han levantado el nombre de nuestro pueblo ante el mundo entero. Gracias a los venerables Sacerdotes, Religiosos y Asociaciones religiosas. Gracias al incansable **P. Manuel Oroquieta** y a su digno auxiliar el **P. Lucas Iruretagoyena.** Gracias muy sentidas a la venerable **Orden Franciscana**, que con su generosidad tanto ha contribuido al mayor éxito de esta brillante y gloriosa jornada. En nombre del Episcopado cubano, gracias y parabienes a todos.

La Santísima Virgen de la Caridad, nuestra Patrona, nos bendiga a todos y que el fruto de **este año misional mariano sin precedentes** permanezca y fructifique.

Santiago de Cuba, 1 de Septiembre de 1952.

Los años posteriores. La Virgen de la Caridad en el período 1952-1958

Después comenzaron los años duros. Parece como si la Virgen de la Caridad, durante aquellos 15 meses de Peregrinación Nacional que abarcó parte de los años 1951 y 1952, hubiera querido abarcar todo el territorio de su Isla para abrazar amorosamente a sus hijos. Llegaban tiempos difíciles y oscuros, y era como si la Virgen nos visitara provincia por provincia, pueblo a pueblo, sitio a sitio, convocándonos a todos, reuniéndonos a todos, para decirnos *que Ella y su Hijo siempre estarían con nosotros, hasta el final de los tiempos y todavía más allá, que siempre nos acompañarían, que nunca dejarían de consolarnos, que siempre nos levantarían en nuestras caídas, que sonreirían con nosotros y con nosotros llorarían...*

Grandes convulsiones nacionales provocaron un enfrentamiento entre los cubanos que se agudizó en la segunda mitad de la década de los años 50. El culto a la Virgen de la Caridad del Cobre, en aquellos tiempos amargos, se fortaleció: *la necesidad de la esperanza y de la fe animó el culto y la veneración a la Caridad del Cobre en estos años...*

Se ha dicho de esta etapa oscura que

> *para distraer la atención de la ciudadanía en cuanto a la suspensión de garantías constitucionales, y al término de una férrea censura de prensa, comenzó a divulgarse el caso de Irma Izquierdo, La Estigmatizada. Esta joven de 19 años procedía de Güira de Melena en La Habana y en la familia de su esposo, de campesinos acomodados, había algunos miembros en las filas del ejército del régimen. La Estigmatizada emprendió un largo peregrinaje a través de la Carretera Central para llegar hasta El Cobre con una cruz al hombro. La Iglesia Católica no se prestó a lo que consideraba una farsa, (y) muy poca información cubrió sus últimas marchas antes de llegar en septiembre al Santuario*[466]

Durante el enfrentamiento entre las tropas del régimen y el llamado Ejército Rebelde, los combatientes de uno y otro bando usaban medallas de la Virgen de la Caridad o portaban estampas y resguardos con la efigie de la Virgen, lo mismo que habían hecho los mambises durante las Guerras de Independencia. El primero que llevaba encima una medalla de la Virgen de la Caridad del cobre era el auto titulado comandante en jefe, Fidel Castro.

Desde los primeros momentos se incorporó al Ejército Rebelde, en la Sierra Maestra, el P. Guillermo Sardiñas, quien

> *ofreció su tercera misa, desde un improvisado altar portátil, a la Virgen de la Caridad del Cobre, un 8 de septiembre de 1957*[467]

---

[466] En septiembre del año 1956. Cf. Portuondo Zúñiga, Olga. La Virgen de la Caridad del Cobre: Símbolo de Cubanía. Editorial Oriente, Santiago de Cuba, 2001, pp. 270-271

[467] Ibídem, p. 271

Otros sacerdotes, en momentos posteriores, fungieron como Capellanes del Ejército Rebelde en lo que no era más que una maniobra política. Pocos meses después del triunfo de la revolución se demostró hasta la saciedad que el Ejército Rebelde no quería capellanes en sus filas. Al mismo tiempo, otros sacerdotes, religiosas y religiosos colaboraban con los rebeldes haciéndoles llegar dinero, medicinas, suministros y auxilios de diversas clases. Muchos revolucionarios perseguidos se escondieron en iglesias y conventos donde encontraron refugio seguro y salvaron sus vidas. Todos los cubanos conocen que el propio Fidel Castro debía su vida a la acción decidida, enérgica y valiente de Mons. Enrique Pérez Serantes, Arzobispo de Santiago de Cuba. También es muy conocido que el joven dirigente católico de la juventud universitaria, José Antonio Echevarría, se mantuvo defendido tras la seguridad de los muros del Convento Franciscano, antes de salir el 13 de marzo de 1957 antes de salir a la acción contra el régimen que le costó la vida…

En el mes de abril de 1958, un suceso extraño conmovió a la provincia de Oriente: un polvorín muy cercano al Santuario Nacional de la Virgen de la Caridad del Cobre, estalló produciendo daños de consideración en el templo, la hospedería y otros edificios, por un monto elevadísimo que no se pudo apreciar. Las puertas y ventanas del Santuario quedaron destrozadas y no quedó un solo vidrio sano en los preciosos vitrales. Muchas imágenes y altares fueron pulverizados o sufrieron serios daños, y sólo una Imagen quedó incólume: hablo de la Santa Imagen de la Virgen de la Caridad del Cobre, Reina, Madre y Patrona de todos los cubanos.

No llegaron a conocerse las causas. En su momento, alguien dijo que el hecho había sido perpetrado por enemigos jurados de la Iglesia. El Arzobispo, Mons. Enrique Pérez Serantes, declaró que estaba seguro de que los que provocaron la explosión no pensaron jamás que podrían causar daño al Santuario…

El 16 de abril, Mons. Pérez Serantes publicó un escrito titulado *Explosión del Polvorín de El Cobre*, en el que explica los hechos de esta forma:

Primero.- Que en la relación dada a la prensa, publicada en los periódicos locales, dijimos escuetamente lo siguiente:

«La explosión del polvorín, situado a poca distancia del Santuario Nacional de El Cobre, produjo pérdidas en el templo y en los edificios anexos por valor incalculable. Casi todos los grandes ventanales, verdaderas joyas artísticas, puertas y ventanas, casi todos los altares e

185

imágenes fueron totalmente destruidos o seriamente dañados, y, <u>sólo</u> <u>por un verdadero milagro, la Venerada Imagen de nuestra Excelsa</u> <u>Patrona y todo el camarín de cristal no se han movido ni dañado en lo</u> <u>más mínimo, como si la Imagen de la Madre tan amada contemplara</u> <u>con dolor los efectos de una guerra fratricida, y como para enseñarnos</u> <u>que en Ella debemos confiar.</u> Al dar al pueblo católico de Cuba esta relación, que seguramente hará estremecer las fibras más delicadas del corazón cubano, herido en lo más sensible, de rodillas ante la buena Madre, confiadamente imploramos su protección, pidiendo vuelva sus ojos misericordiosos sobre su pueblo, el pueblo de Cuba, que la ama, que desea vivir en paz, y que ésta, bajada del cielo, llegue tan pronto, que les sea a todos fácil llegar hasta su trono de El Cobre en testimonio de gratitud y de amor».

Segundo.- Que esto fue lo que dijimos por escrito y de palabra.

Tercero.- Que absoluta y totalmente incierto, falto de todo fundamento de verdad, lo que por algunos voceros de la opinión pública, se nos ha dicho decir, a saber: «Es un acto de barbarie, manos anticristianas lo han perpetrado para ofender la fe religiosa de los orientales». Otros han dicho cosas parecidas e igualmente falsas.

Cuarto y último.- Todos los que han estado cerca de Nos saben que tenemos por cierto que los causantes de la explosión no pensaron en manera alguna que del hecho perpetrado por otros fines se produciría el menor daño en el Santuario Nacional.

Santiago de Cuba, Abril 16 de 1958.

ENRIQUE, Arzobispo de Santiago de Cuba.

El comunicado de Mons. Pérez Serantes es bien claro y definitorio y no deja lugar a dudas en relación con lo que él, tan humanitario, tan sensible y tan noble, pensaba en ese momento sobre los causantes del trágico hecho, en el mes de abril del año 1958.

No podemos saber cuáles hubieran sido los pensamientos del excelente Arzobispo unos meses después, ya bien entrado el año 1959, cuando en sus Pastorales alertaba sobre los peligros que se cernían en el horizonte de la Patria, y que habían llegado junto con los jefes intelectuales de los que causaron la explosión en un polvorín tan cercano al Santuario…

Cuando triunfó la revolución el 1 de enero de 1959, el pueblo de Cuba, agradecido, volvió la mirada hacia el Santuario del Cobre, para dar las gracias a la Virgen de la Caridad por el fin de la contienda fratricida. Poco después de conocerse la noticia de que el general Batista había abandonado el país, *una inmensa oleada de peregrinos se volcó sobre El Cobre desde los primeros meses de 1959 para dar las gracias a la Virgen por la caída de la dictadura y para cumplir las promesas de madres y esposas que temieron por las vidas de sus familiares «alzados» en las montañas o comprometidos con la clandestinidad en las ciudades de la Isla...*[468]

Los acontecimientos que se desencadenaron durante muchos meses y años a partir de 1959, demostraron que realmente era necesario mirar y volver a mirar hacia el Santuario del Cobre y pedir orientación a la Virgen de la Caridad: allí sigue la Patrona de Cuba, velando por nosotros, como el Principal Personaje de nuestra Historia y el Primer Símbolo de la Patria y de la Nación, como Reina, Madre y Patrona del Pueblo Cubano, como Centro, Faro y Guía de Nuestra Santa Madre, la Iglesia.

---

[468] Ibídem,

CAPÍTULO XIX

LA PATRONA DE CUBA EN TIEMPOS DE REVOLUCIÓN: UNA LUZ EN LA OSCURIDAD, PARTE I: LA IGLESIA DEFRAUDADA (1959-1961)

Virgen Mambisa

Madre, que en la tierra cubana
Riegas desde lo alto tu amor;
Madre del pobre y del que sufre,
Madre de alegría y dolor:

Todos tus hijos a ti clamamos,
Virgen Mambisa, que seamos hermanos.
Madre, que en tus campos sembraste
Flores de paz y comprensión:

Dale unidad a tu pueblo,
Siembra amorosa la unión.
Madre, que el sudor de tus hijos

Te ofrezca su trabajo creador.
Madre, que el amor a mi tierra
Nazca del amor a mi Dios.

Música: Orlando Rodríguez
Letra: Rogelio Zelada

Antecedentes

Durante la lucha, las acciones terroristas se desataron en gran escala por los dos bandos en pugna, de forma no conocida antes en la historia de Cuba, alcanzando grandes dimensiones en los años 1957 y 1958. Como siempre a lo largo de toda nuestra historia, el pueblo de Cuba volvió la mirada hacia el Santuario del Cobre: sólo la Muy Amada Virgen de la Caridad, su Patrona, Reina y Madre, podía ayudarlos en aquella coyuntura como antes, como siempre. Esto motivó reiteradas intervenciones de los prelados cubanos que trataban de aminorar los efectos del enfrentamiento, y en particular de Mons. Enrique Pérez Serantes, en cuya arquidiócesis era particularmente fuerte la violencia.

En el mes de mayo de 1957 la situación llegó a ser tan crítica, que se emitió la llamada Circular del Arzobispo de Santiago de Cuba titulada «Al Pueblo de Oriente», después de realizar un vehemente llamado a los hombres de buena voluntad para que cesara la barbarie,

188

terminaba proponiendo la intercesión de la Madre de Todos, la Sublime Virgen de la Caridad, para lograr el fin de la destrucción, del derramamiento de sangre y la violencia:

CIRCULAR
ARZOBISPADO DE SANTIAGO DE CUBA
AL PUEBLO DE ORIENTE

1. *Ante el estado de terror y violencia, que venimos contemplando, en una rápida carrera de disgustos, de incomprensión y de represalia, provocados por hechos por todos conocidos, hemos guardado silencio, esperando que los hombres de buena voluntad de los bandos contendientes, dieran solución satisfactoria al estado de aguda crisis a que tristemente hemos llegado y que todos deploramos.*

2. *Pensando así, hemos dado tiempo al tiempo, defraudando quizá más de una vez las esperanzas y las súplicas de muchas madres que, adoloridas, nos pedían actuásemos en este pleito tan enojoso, tan intrincado y de tanta trascendencia.*

3. *Hoy creemos ha llegado ya el momento de romper el silencio, y de dirigirnos con el corazón acongojado a nuestros amados diocesanos de todo Oriente para decir:*

4. **PRIMERO: -***Que el presente estado de cosas debe ser liquidado lo más pronto posible, pero no a sangre y fuego, por no ser éstos elementos que puedan propiciar la paz verdadera y estable que necesitamos urgentemente.*

5. **SEGUNDO: -***Que siendo el sacrificio la medida del amor, debemos estar todos dispuestos a abrazarnos con el sacrificio, el que sea, el más costoso, en aras de la paz, por la cual debe interesarse todo el que en verdad ame a Cuba.*

6. **TERCERO: -***Puesto que los hombres parece que han dicho ya la última palabra, y la paz, como suele ocurrir en estos casos, se aleja cada día más de nuestra sociedad, que se halla literalmente consternada y llena de espanto, brindamos un recurso, del cual no se ha echado mano hasta ahora. Nos falta invocar el auxilio de lo alto, el favor de Dios, Dador de todo bien; y por aquí vamos a comenzar, para tratar de devolver a nuestro pueblo la paz, la confianza y la seguridad perdidas, sin las cuales el vivir es una continua angustia y un tormento. En todo caso, queremos una paz que el mundo no puede darnos, y que brota como de propio manantial del Corazón de Cristo.*

Como primera medida, ordenamos que el próximo domingo, después de recibido este escrito, en todas las Iglesias de nuestra Archidiócesis, convocados los fieles de antemano, se celebre una

Hora Santa delante de Jesucristo Sacramentado, solemnemente expuesto, y se recen ante Él las Letanías de los Santos, terminando con una bellísima oración por la paz, compuesta por el Excmo. y Rvmo. Sr. Obispo de Pinar del Río. Asimismo y hasta nuevo aviso, ordenamos que diariamente, a continuación del Santo Rosario, se rece la ya recomendada Oración por la Paz.

*A estos actos invitamos ya a nuestros amados diocesanos, **y les sugerimos acudir al Trono de nuestra Excelsa Patrona, la Santísima Virgen de la Caridad de El Cobre, donde ella seguramente habrá de despachar favorablemente nuestras súplicas, alcanzándonos de su Hijo Jesucristo, la Sabiduría infinita, (que) inspire a todos, a los cubanos todos el camino a seguir para lograr la mayor comprensión necesaria y la debida inteligencia propia de hermanos, a fin de que no se derrame más sangre en nuestro suelo, que cese el llanto y la angustia, y que en un ambiente de amplio y limpio espíritu cristiano, de unión perfecta y de amor, renazca la tan anhelada paz.***

Santiago de Cuba, 28 de Mayo de 1957.

ENRIQUE, *Arzobispo de Santiago de Cuba*[469].

En aquellos tiempos amargos, la Acción Católica estaba ofrendando su sangre. Los jóvenes católicos, que participaron en la contienda con el mayor ejemplo de heroísmo, presionaron a sus dirigentes para que actuaran contra el régimen. Como resultado de sus gestiones, el 11 de febrero de 1958 la Juventud de Acción Católica Cubana lanzó un rotundo documento al país pidiendo el restablecimiento de un régimen de derecho[470]. Dos semanas después, el 25 de febrero de 1958, en vistas de que la lucha fratricida continuaba con gran intensidad, el Venerable Episcopado Cubano firmaba la titulada **Exhortación del Episcopado en favor de la Paz**, en el que hacía un urgente llamado a los contendientes:

... El Episcopado Cubano contempla con profundo dolor el estado lamentable a que hemos llegado en toda la República, y en particular en la región oriental. Los odios crecen, la caridad mengua, las lágrimas y el dolor penetran en nuestros hogares, la sangre de hermanos se derrama en nuestros campos y en nuestras ciudades...

---

[469] Secretariado General de la Conferencia de Obispos Católicos de Cuba (COCC). 100 Documentos Episcopales. Obra Nacional de la Buena Prensa, México, D.F., 1995, pp. 38-39

[470] Larrúa Guedes, Salvador. Historia de la Iglesia Cubana (en su contexto socioeconómico y cultural). Original en poder del autor. La Habana, 1994, t. V, p. 888

... Guiados por estos motivos, exhortamos a todos los que hoy militan en campos antagónicos, a que cesen en el uso de la violencia, y a que, puestos los ojos únicamente en el bien común, busquen cuanto antes las soluciones eficaces que puedan traer de nuevo a nuestra Patria la paz material y moral que tanta falta le hace. A este fin, no dudamos que quienes de veras amen a Cuba, sabrán acreditarse ante Dios y ante la historia, no negándose a ningún sacrificio, a fin de lograr el establecimiento de un gobierno de unión nacional, que pudiera preparar el retorno de nuestra Patria a una vida política pacífica y normal... [471]

Pero se seguía derramando la sangre de los jóvenes católicos, que eran la mejor esperanza para el futuro de la Patria. En la huelga de abril de 1958 murieron varios militantes de la Juventud Obrera Católica...[472]

Ante la presión de los tristes acontecimientos desencadenados, se creó una *Comisión de Concordia Nacional* y el Cardenal-Arzobispo de La Habana, Mons. Manuel Arteaga Betancourt, ofreció su mediación personal. Pero la Comisión no tuvo éxito en sus trabajos y el 24 de marzo de 1958, apenas un mes después de hacerse pública la anterior exhortación de fecha 25 de febrero, el Arzobispado de Santiago de Cuba emitía una nueva Circular bajo el título *Queremos la Paz*, que terminaba con una fervorosa invocación a la Santísima Virgen de la Caridad del Cobre, a la que corresponden estos fragmentos:

*... Al cesar en sus gestiones la **Comisión de Concordia**, que con laudable espíritu patriótico se había ofrecido a Su Eminencia el Cardenal Manuel Arteaga, Arzobispo de La Habana, para mediar entre las partes en pugna en el doloroso drama nacional, en nuestra condición de ciudadano y de Pastor de la grey católica en esta porción del territorio nacional más terriblemente afectada y durísimamente castigada, creemos nuestro ineludible deber volver a exhortar a unos y otros a que quieran realizar cuantos sacrificios sean necesarios para dar término a los sufrimientos de la Patria en general y en particular, de esta muy amada y muy poblada región de Oriente, teatro durante largo tiempo de cruentas luchas fratricidas; y para evitar los males todavía mayores que la amenazan en su penoso y harto prolongado martirio...*

... Entiendan todos que este llamamiento es un eco de la voz de Dios, y la expresión genuina de los sentimientos de todo el pueblo cubano, que aborrece el derramamiento de sangre de hermanos, que ansía y ama la concordia y la paz, y que está convencido de que el camino para la

---

[471] Ibídem, pp. 40-41

[472] Larrúa Guedes, Salvador. Cinco Siglos de Evangelización Franciscana en Cuba. Custodia Franciscana del Caribe, Puerto Rico, 2004, t. II, p. 163

consecución de estos nobilísimos fines existe y quizá pudiera fácilmente encontrarse.

Quiera el Señor, a Quien de hinojos invocamos, mover los corazones y alumbrar las inteligencias de unos y otros, a fin de que se logre con el sacrificio que todos debemos estar dispuestos a imponernos, la paz definitiva, la que es obra de la justicia y no de las armas.

En las maternales manos de nuestra excelsa Patrona, la Santísima Virgen de la Caridad, depositamos confiados este llamamiento[473]

Poco después, en abril de 1958, tuvo lugar la explosión en el polvorín cercano al Santuario del Cobre, a la que hicimos referencia en el capítulo anterior, que fue objeto de una circular aclaratoria emitida por Mons. Enrique Pérez Serantes el 16 de abril del mismo año.

Y la jerarquía de la Iglesia cubana, sumamente preocupada por los acontecimientos, continuó llevando adelante su misión profética y pacífica, tratando de mostrar los caminos del Señor a su pueblo, en medio de aquellas circunstancias tan difíciles. La contienda arrastraba en su vorágine de terror y muerte a muchos de los mejores hijos de Cuba, y el Arzobispo de Santiago de Cuba, tan cercano a los acontecimientos que se desenvolvían en la Sierra Maestra, redactó una nueva Circular que fue emitida el 22 de agosto con el título *Invoquemos al Señor,* con la orientación expresa de que fuera leída en todas las Iglesias de la Arquidiócesis. Los objetivos eran medularmente simples: rogar al Padre el perdón de nuestros pecados, pedirle que nos iluminara con su amor, e impetrar de la Dulce Patrona de la Caridad del Cobre el auxilio de su gracia a fin de que la Paz volviera a reinar en la Isla:

1 A grandes males, grandes remedios. Por eso, para recuperar el precioso tesoro de la paz perdida; para lograr el pronto retorno a la normalidad; para que el luto, el llanto, la angustia, la zozobra y la miseria cesen y se alejen de nosotros; para que no se siga derramando más sangre de hermanos en el suelo de Oriente; es necesario que todos elevemos nuestros ojos al Cielo; **se impone que cuanto antes nos propongamos todos hacer cesar la causa primordial de éstos y de todos los males: el pecado, pues todo pecador es enemigo de la paz, por ser enemigo de Dios. Es necesario que todos públicamente invoquemos al Señor, al Cual privada y públicamente se ofende a diario en el quebrantamiento de sus mandamientos, de los cuales es el primero: Amarás a Dios sobre todas las cosas y al PRÓJIMO como a ti mismo**...

4 Para ir a Jesucristo, el camino seguro y eficaz es la Santísima Virgen. Para suerte nuestra, tenemos en Oriente el Santuario Nacional dedicado

---

[473] Ibídem, pp. 42-43

a la que, por ser Madre de Dios, es la dispensadora de todas las gracias, la Santísima Virgen de la Caridad, declarada oficialmente Patrona de Cuba, que en El Cobre, tiene su trono de gracias donde dispensa sus favores al pueblo de su amor.

Al aproximarse el 8 de septiembre, festividad de nuestra amada Patrona, sentimos especial deber de invitar a todos nuestros amados diocesanos a hincar sus rodillas, sea ante la imagen aparecida en Nipe y guardada y venerada en el Santuario de El Cobre, sea ante cualquiera otra suya que se venere en otro templo, para implorar al Señor, por intercesión de tan dulce Madre, las gracias que todos necesitamos, especialmente la paz con Dios y con nosotros mismos: la paz de nuestras almas y la paz de Cuba...[474]

La angustia del episcopado y sobre todo de Mons. Pérez Serantes siguió creciendo durante las semanas y meses siguientes. La violencia de la lucha llegó a extremos de mucha crueldad: en octubre de 1958, el cadáver de un joven opositor fue paseado por las calles de Santiago de Cuba, como advertencia brutal para los que luchaban contra el régimen. Ante estos extremos de odio y de venganza, que hacían cada día más lejanas las posibilidades de diálogo, de paz y de concordia, el prelado volvió a emitir otra circular con el título de **Paseo Macabro** el 7 de octubre de 1958, que terminaba solicitando sus oraciones y sacrificios a los fieles para que fueran puestos por la Virgen de la Caridad, Patrona de Cuba, como ofrenda para que Dios Nuestro Señor iluminara con su Paz a los cubanos, de la que presentamos estos párrafos:

4 Se nos informa por personas que nos merecen entero crédito que, después de haber perdido la vida en las inmediaciones de esta ciudad un joven rebelde, su cadáver fue paseado por algunas calles a la vista de multitud de personas que con horror e indignación tuvieron necesidad de verlo...

... Por eso, en nombre de las familias santiagueras consternadas, y en nombre de todos los delicados sentimientos cristianos de que es rico el corazón de nuestro pueblo, que se siente ofendido y lastimado por este y por otros hechos igualmente deplorables, en abierta disonancia con el alto grado de cultura alcanzado, respetuosamente pedimos a quien corresponda una palabra de reprobación del hecho bochornoso, una actitud de justa represión, y la seguridad de que hechos de esta naturaleza no habrán de repetirse...

Esto que en justicia pedimos, para tranquilidad y seguridad de nuestra sociedad, despojados de todo espíritu partidarista, representa en sí un bien positivo y de gran valor para todo y para todos, a la vez que un paso firme

---

[474] Ibídem, pp. 46-47

en el camino que conduce a la paz tan anhelada, la que seguramente no se alcanzará jamás por los caminos extraviados, quienquiera que los siga, divergentes del espíritu genuinamente cristiano...

Para que el Señor, Dador de todo bien, nos conceda los dones preciosos de la comprensión y de la paz; para que entre todos los cubanos, tras de amar y servir a Dios, sea aspiración común y suprema amar a la patria con el mayor desinterés, procurando su máximo engrandecimiento; a nuestros muy amados diocesanos pedimos el óbolo precioso de sus oraciones y de sus sacrificios, gratos a Dios, ofrecidos por nuestra excelsa Madre y Patrona, la Santísima Virgen de la Caridad... [475]

Esta Circular, como la anterior, debía leerse en todas las Iglesias de la jurisdicción eclesiástica del Arzobispado.

El 24 de diciembre de 1958, Mons. Pérez Serantes firmaba y publicaba la última de sus circulares anteriores al 1 de enero de 1959. Ésta, que fue titulada **Basta de Guerra**, lanzaba una exhortación al gobierno y al pueblo para que recordando la gloriosa y especialísima fecha, sin dudas la Más Trascendental de la Historia, en que Dios Nuestro Señor se hizo hombre para habitar entre nosotros y darnos el Mensaje de su Palabra conviviendo con nuestras miserias, con nuestros errores y nuestras faltas, se sensibilizaran los corazones y terminara al fin la sangrienta guerra civil con sus secuelas espantosas de muerte, terror, hambre, miseria y desgarramiento del pueblo de Cuba. La súplica, que se realizaba al pueblo, también se ponía a los pies del Padre y quedaba en manos de la Virgen de la Caridad. Terminaba diciendo:

Por último, nos dirigimos a los cubanos todos, a los más alejados y a los más próximos del teatro de la guerra. No quiera nadie seguir divirtiéndose despreocupadamente, mientras millones de cubanos se retuercen y gimen en angustias de intenso dolor y de miseria.

Al Niño de Belén, Príncipe de la Paz, pidámosle todos en estas Navidades, como riquísimo aguinaldo, el más ambicionado: la PAZ, la que vino a traer a la tierra «a los hombres de buena voluntad».

Esta petición depositamos en las manos de nuestra excelsa Patrona la Santísima Virgen de la Caridad [476]

Al amanecer del día 1 de enero de 1959, cuando se supo la noticia de la caída del régimen, una actividad inusitada se desbordó de pronto por la ciudad de La Habana. Docenas de automóviles cargados de jóvenes de ambos sexos, algunos portando armas, recorrían la urbe en

---

[475] Ibídem, pp. 48-49

[476] Ibídem, pp. 50-52

todas direcciones tocando el claxon, cantando el himno nacional y dando vivas a Fidel Castro y a la revolución triunfante. La luz se antojó distinta de pronto, y el aire parecía ser más puro y llenar más los pulmones. Se había acabado la pesadilla, la tenebrosa noche de la dictadura y con ella las bombas, los disparos, la juventud inmolada de ambas partes. Ahora vendría otro gobierno, una administración nueva. Existía la posibilidad de alcanzar un porvenir esperanzador. La gente se asomaba al futuro, pero el futuro era una tremenda interrogante. Ahora sólo importaba la alegría... detrás de la atmósfera tensa, eléctrica, los sentidos alertas trataban de captarlo todo. No había augurios, no aparecieron señales en el cielo: sin embargo, algunas personas profetizaron la desgracia, aunque no fueron escuchadas. La emoción de la victoria lo embargaba todo y no se podía pensar en el porvenir. Por otra parte, el porvenir parecía ser muy fácil, estar muy al alcance de la mano.

Las primeras personas que salían a la calle aquella mañana, confusas, se interrogaban unas a otras. Batista se había ido del país, se había escapado, junto con el se marchó su familia y algunos colaboradores muy cercanos. La radio comenzó a dar la noticia. Había triunfado un tal Fidel Castro, pero era una figura que no conocía todo el mundo. Algunas gentes se felicitaban, otras reían, otras lloraban de emoción. No se veía ni un solo militar por las calles. Los policías permanecían recogidos en las diversas estaciones. A veces, el sonido seco de algún disparo desgarraba la atmósfera de la mañana.

En el edificio de la Manzana de Gómez se parapetó un grupo de partidarios del régimen. Los jóvenes de La Habana —tanto los que eran miembros de las milicias urbanas del Movimiento 26 de Julio como los simpatizantes que se agregaron después— desarmaron y capturaron pronto a aquellas personas, después de dejar acribilladas a balazos las paredes de los edificios de la famosa Manzana de Gómez, porque los adversarios del gobierno anterior no habían demorado mucho tiempo en armarse: desde las primeras horas del primero de enero habían asaltado las estaciones de la policía cuyos miembros, desmoralizados y estupefactos por la caída del régimen, impotentes además ante aquella avalancha de pueblo y sin que pudieran recibir órdenes porque ya nadie los dirigía, no atinaron a hacer más nada que entregar las armas.

Los mandos militares se sentían derrotados y estaban completamente desarticulados e inactivos. No hubo grandes convulsiones y las represalias, al menos en la capital, fueron mínimas. Algunas turbas se amotinaron y aprovechando las circunstancias, cometieron algunas fechorías. En cierto momento, se abalanzaron sobre los odiados parquímetros —aquellos aparatos habían sido catalogados como un medio dispuesto por la dictadura para extraer más dinero a los contribuyentes—, los arrancaron y se lanzaron sobre las monedas desparramadas en las calles, pero aquello duró muy poco, porque las milicias de jóvenes revolucionarios controlaron la situación con rapidez. Sin embargo, esos violentos sucesos resultaban premonitorios, y no auguraban la tranquilidad que tanto ansiaba la gente.

Si los militares se quedaron aplastados y confusos, otras personas observaban los sucesos con gran cautela. Los políticos partidarios del régimen estaban sumamente preocupados, al igual que los empresarios que habían apoyado a la dictadura. Los más ricos, también preocupados, buscaban una señal para orientarse. Otros no tan ricos, personas de la clase media y también muchos pobres que conocían la historia o que tenían un sentido más claro de los acontecimientos, miraron el triunfo de los rebeldes con reserva y desconfianza. Muchos pensaron que el desorden inicial pasaría muy pronto, y que las aguas volverían a tomar su cauce. No todo estaba claro para todos, pero era demasiado pronto para orientarse. En esos momentos sólo importaba la esperanza. La Isla de Cuba era muy rica, y había progresado mucho en comparación con los demás países de América Latina... sin dudas, todo terminaría de forma favorable ahora que regresaba otra vez la democracia...

Pero la cascada de sucesos que comenzaron a desencadenarse con mucha rapidez se encargaron de demostrar todo lo contrario.

Por radio, desde las montañas de Oriente, Fidel Castro, líder del Movimiento Revolucionario 26 de Julio, comenzaba a dar orientaciones a sus seguidores en la nueva situación creada y exhortaba al pueblo a mantener la unidad, sobre todo la unidad ante sus postulados — los postulados de una revolución cuyo triunfo nadie parecía poner en duda. Las demás fuerzas que habían intervenido en la caída de la dictadura eran menos numerosas, tal vez no estaban tan bien organizadas, se encontraban desconectadas unas de otras, y sus líderes no contaban con suficiente apoyo popular. Fidel Castro y el Ejército Rebelde no demoraron en tomar el control de la nueva situación. Sin embargo, el auto titulado comandante demoraba mucho en bajar de las montañas, y durante los primeros días sólo se escuchaba su voz, mientras otros se encargaban de asegurar y allanar sus caminos.

Nadie en esos momentos pudo prever la magnitud del cambio que iba a operarse en la Isla, la magnitud del huracán que iba a abatirse sobre Cuba y sobre todo, sobre las personas. Se trataba de una tragedia colosal que iba a mutilar el alma de la gente y que trató de socavar los mismos cimientos de la Patria.

En aquellos instantes, a pesar de la guerra civil que se había librado en algunas zonas del país, la Isla de Cuba había alcanzado cierto nivel de progreso y había esperanzas bien fundadas de que en pocos años pudiera lograr un desarrollo mucho mayor[477]. No era, entonces, un país subdesarrollado, sino que competía entre los primeros por ser líder de América Latina en cuanto a su crecimiento en todas las esferas.

Lo que pasó después del 1 de enero de 1959: el Ejército Rebelde, la religiosidad popular y la Virgen de la Caridad del Cobre. Primeras fricciones entre el estado cubano y la institución católica.

Como ya sabemos, después de varios meses de una contienda cuyos efectos se sintieron sobre todo en las ciudades de La Habana y Santiago de Cuba, en las montañas de Oriente y en algunas zonas del macizo del Escambray en Las Villas, el general Fulgencio Batista abandonó el país en la noche del 31 de diciembre de 1958. Poco tiempo después hacían su entrada los rebeldes en La Habana, y finalmente, cuando la Isla estaba pacificada y los cuarteles tomados por sus partidarios, Fidel Castro salió con cautela de su comandancia oriental para emprender el viaje hacia la capital de la República.

La mayor parte de los rebeldes que lo acompañaban en su caravana victoriosa llevaban al cuello medallas de la Virgen de la Caridad o estampas de la Patrona de Cuba que guardaban como preciosas reliquias. El primero que llevaba encima una muy visible medalla de la Virgen colgada del cuello, era el propio Fidel Castro, y así apareció en varias fotografías de los periódicos de la época que todo el mundo conoce. También era ostensible que la mayoría de los miembros de su ejército rebelde llevaban medallas y estampas de Nuestra Señora de la Caridad, o de otras vírgenes y de santos venerados por la Iglesia Católica, y no se puede dudar de que muchos de ellos portaran con gran sinceridad aquellos símbolos de la religión y de la fe, aunque otros, seguramente descreídos, los llevaron por solicitud de sus madres, y algunos vacilantes, sencillamente «por si acaso».

En realidad, era muy pronto para que la nueva fuerza que había surgido en el escenario de la dirección política del país se declarara atea. Estuvieron muy lejos de hacerlo durante los años de lucha contra el régimen de Batista, pues si lo hubieran declarado, seguramente no

---

[477] Larrúa Guedes, Salvador. Cinco Siglos de Evangelización Franciscana en Cuba. Custodia Franciscana del Caribe, Puerto Rico, 2004, t. II, pp. 171-172, todo este asunto

habrían podido contar con el poderoso apoyo que dieron los católicos a la revolución en todos los niveles: desde los miembros más prominentes de la jerarquía de la Iglesia hasta el más simple de los creyentes de filas, pasando por las numerosas, bien articuladas y organizadas asociaciones católicas —sobre todo la Acción Católica Cubana en sus ramas universitaria, estudiantil y en general los jóvenes— hasta las órdenes religiosas, el clero secular y los prelados diocesanos.

El nuevo régimen que comenzó a perfilarse no perdió tiempo para iniciar sus ataques contra la Iglesia. Sus figuras personales intuían o sabían muy bien que no tenían mucho tiempo para hacerlo. Tenían que aprovechar el estado de embriaguez en que se encontraba el pueblo, jubiloso por el fin de la contienda. Tenían que incrementar, además, aquella embriaguez de las masas para poder lograr sus propósitos, porque en la medida en que fueran enseñando colmillos y garras, diversos sectores de la opinión pública comenzarían a volverse contra ellos. Y así lo hicieron: promesas sobre promesas, se prometió el Cielo en la tierra y se hizo ver que se abrían las puertas del Paraíso cuando en realidad se cerraban las de la cárcel. De esa forma se amontonaron mentiras sobre provocaciones, y al mismo tiempo, se aseguraba que la nueva felicidad estaba amenazada por poderosos enemigos y por eso el pueblo tenía que agruparse y cerrar filas al lado del nuevo régimen...

Y de esa forma se dividió la gente, se enfrentaron las razas, se pusieron los pobres contra los ricos, los negros contra los blancos, los maleducados contra los educados, la grosería contra las buenas costumbres. Todo se utilizó. Sólo el titiritero sabía cómo manejaba los títeres. El próximo paso era atacar el sentimiento religioso, tan profundamente arraigado en la conciencia humana: y en la Isla de Cuba, la manifestación más extendida y arraigada de este sentimiento estuvo y sigue estando representando por la Santa Madre Iglesia Católica y Romana.

Y muy pronto el estado comenzó a virar el fuego de toda su artillería contra la Iglesia Católica.

Declaraciones de catolicismo de los dirigentes. Negaciones del carácter comunista de la revolución. Las primeras cartas pastorales. Actitud del Arzobispo de Santiago de Cuba, Mons. Enrique Pérez Serantes. Actitud del episcopado cubano. Opiniones de los prelados.

Como pasa muchas veces en política, cuando un dirigente empieza a hablar a favor de algo es que piensa hacer exactamente lo contrario, pero que para poder lograr sus fines tiene que «dormir» a sus contrincantes, aletargarlos para que permanezcan confiados y así lograr sus propósitos.

La medalla de la Virgen de la Caridad que llevaba al cuello Fidel Castro era una señal visible para asegurar a la Iglesia y en general a los católicos que no había nada que temer. En los primeros momentos, algunas figuras de la jerarquía se deben haber sentido confundidas. Pero los hechos maniobreros y manipuladores del cambiante y versátil personaje que estaba al frente del nuevo régimen, se encargaron de confirmar el versículo *por sus frutos los conoceréis:*

> *Por sus frutos los conoceréis.*
> *¿Acaso se recogen uvas de los espinos*
> *o higos de los abrojos?*
> *Así, todo árbol bueno da frutos buenos,*
> *pero el árbol malo da frutos malos (Mt 7, 16-17)*

La cambiante estrategia del personaje (a veces los cambios constantes de rumbo, eran parte de la estrategia general para tener a todo el mundo confundido) era, no obstante, una maniobra zigzagueante, porque la dirección general de su pensamiento era siempre la misma. Por ejemplo, en enero de 1959, afirmó ante la prensa nacional e internacional:

> *Son calumnias contra la revolución decir que somos comunistas, de que estamos infiltrados de comunistas*[478]

al comenzar el mes de marzo, y ante la prensa extranjera, Fidel Castro confirmó que en breve tiempo se haría una convocatoria para las elecciones con el fin de elegir un nuevo gobierno[479]. De la misma forma, las reiteradas y públicas declaraciones de anticomunismo, que comenzaron en enero de 1959 y se reafirmaron públicamente en abril[480]. El 15 de abril de 1961, dos años después, Fidel Castro se desmintió a sí mismo al proclamar el carácter socialista de la revolución con la frase de *viva nuestra revolución socialista,* y lo confirmó a principios de diciembre de ese mismo año al anunciar:

---

[478] El 13 de enero de 1959

[479] Esta declaración se realizó en La Habana el 2 de marzo de 1959 en presencia de un grupo de periodistas norteamericanos

[480] El 15 de abril de 1959, invitado a visitar Estados Unidos por medios de prensa norteamericanos, Fidel Castro declaró ante las cámaras de televisión *que no era comunista*. De igual forma declaró al Secretario de Relaciones Exteriores, en Washington, *que no haría más confiscaciones.* Evidentemente, estaba mintiendo de forma deliberada para ganar tiempo.

puedo decir con plena satisfacción, que soy marxista-leninista y lo seré hasta el último día de mi vida[481]

Estas declaraciones de no comunista y comunista, separadas por un lapso de pocos meses, demuestran el carácter artero y falaz de este personaje camaleónico, capaz de asumir tantas caras como corresponda a sus conveniencias, sin ningún pudor o escrúpulo y con una falta absoluta de honor, honestidad y principios.

Por otra parte, se debe tomar en cuenta que lo que estaba sucediendo en Cuba no tenía antecedentes en ninguna parte del Mundo: nunca una pretendida revolución se había realizado con estos métodos, nunca se había utilizado tanta desvergüenza, tanta falta de escrúpulos, tanta carencia de decoro ni una capacidad tan grande para engañar y mentir.

Comienzan las represalias y los fusilamientos masivos, respuesta de la Iglesia.

En realidad, desde el 1 de enero de 1959, ese señor no había dejado de hacer lo que le venía en gana: apenas comenzaba el primer mes de su llegada al poder, cuando comenzaron los fusilamientos de los posibles opositores a su régimen o partidarios del régimen anterior, en una orgía de muerte y sangre que parecía no tener fin[482], en juicios sumarísimos y muchas veces por simples sospechas que nunca fueron confirmadas. El terror, que nunca se ha detenido durante medio siglo, sólo en el año 1950 alcanzó una cifra de varios miles de fusilados que crece constantemente con nuevos testimonios y adiciones.

Actitud de los católicos. Los colegios católicos

Entre los católicos, las opiniones estaban divididas. La mayor parte de los fieles demoró mucho en reaccionar ante los acontecimientos, o sencillamente no reaccionó. Incluso hubo sectores dentro del clero que simpatizaron con los cambios revolucionarios en los momentos iniciales sin que por eso dejaran de observar con gran preocupación los fusilamientos masivos, el odio y las represalias que

---

[481] El 1 de diciembre de 1961, en La Habana, al comparecer en el programa de televisión «La Universidad Popular».

[482] El 12 de enero, en el Campo de Tiro del Valle de San Juan, cerca de Santiago de Cuba, se realizó el primer fusilamiento masivo de 72 personas. Los fusilamientos habían comenzado el día 2 de enero de 1959.

rompieron todos los diques: a pesar de la colosal experiencia de la Iglesia Católica, Madre y Maestra en Humanidad, a pesar de las no lejanas experiencias de los sucesos que tuvieron lugar en la España Republicana de los años 30, cuando se desató la persecución religiosa junto con la implantación del comunismo, hubo sacerdotes, tanto regulares como seculares, que se dejaron confundir. Claro, se trataba de un lobo que venía disfrazado con su pasada educación católica, que se había criado en los colegios Dolores y Belén, de la Compañía de Jesús, que llevaba al cuello una medalla de la Santísima Virgen de la Caridad, que había permitido Capellanes en el Ejército Rebelde y que los había encumbrado al cargo máximo entre los guerrilleros, el de comandante, y que además había declarado varias veces que no era comunista, al tiempo que prometía todos los cambios y beneficios sociales que la gente naturalmente ansiaba… por otra parte, resultaba difícil creer que se pudiera mentir y engañar de forma tan solapada, impúdica e inescrupulosa, o que se tuvieran tamañas facultades histriónicas, junto con una capacidad interminable de manipulación, tergiversación y utilización de personas, acontecimientos y coyunturas.

Hasta el Arzobispo de Santiago de Cuba, Mons. Enrique Pérez Serantes, había intercedido por él cuando escapó a las montañas después del fracasado intento de asalto al Cuartel Moncada… el camaleón tenía muchas circunstancias a su favor además de que adoptó los colores necesarios no para adaptarse y sobrevivir, sino para ilusionar a la gente con falsas promesas mientras iba ganando terreno y asegurando posiciones.

Dividida y vacilante la masa de los fieles, que en su mayoría creía en la cascada de promesas verbales que no cesaba de correr, dudosos los sacerdotes, nada se pudo hacer ante aquella situación nueva, resbaladiza, que carecía de antecedentes en la joven historia del país.

En julio de 1959 la jerarquía de la Iglesia convoca a la Acción Católica, así como a todas las Organizaciones y Asociaciones Católicas, y designa un Comité Organizador para realizar un Congreso Católico Nacional los días 28 y 29 de noviembre de 1959. Los Comités Diocesanos, las órdenes religiosas y las asociaciones católicas en los preparativos del Congreso. Las órdenes religiosas

En aquella coyuntura histórica, como quiera que ya hacía varios años que el catolicismo cubano no hacía una gran movilización nacional, surgió la idea de realizar un gran Congreso de Apostolado Seglar en el que se rindiera un magno homenaje a la Virgen de la Caridad del Cobre,

Patrona de Cuba. También sería un medio eficaz para reafirmar y consolidar el prestigio de la Iglesia en la Isla, en el momento en que el materialismo y el ateísmo comenzaban a afilar dientes y garras, en la coyuntura en que el estado de derecho comenzaba a transformarse, a pasos agigantados, en un estado de izquierda...

Para lograr este objetivo, ya a mediados de 1959 el Episcopado cubano convocó a todas las Organizaciones Católicas Nacionales y designó el Comité Organizador del Congreso. Este, a su vez, nombró a las personas responsables de las distintas comisiones, en total ocho (Liturgia, Propaganda, Alojamiento, Transporte, Actos Públicos, Caridad, Estudio y Finanzas) que se encargarían de la organización del evento. Para el trabajo de estas comisiones se movilizaron centenares de personas que trabajaron de forma coordinada y que lograron un gran éxito. En poco más de tres meses había que organizar el Congreso: las fechas de los días 28 y 29 de noviembre fueron escogidas tomando en cuenta que la Acción Católica celebraría precisamente entonces sus asambleas nacionales.

Muy pronto los Comités Diocesanos dieron a conocer la preparación del Congreso en todos los rincones de Cuba. La formidable estructura territorial de la Iglesia (arquidiócesis, diócesis, parroquias) facilitaba llegar a todas partes, como se probó hasta la saciedad en 1951-1952 cuando la Peregrinación Nacional de la Sagrada Imagen Misionera y Peregrina de la Santísima Virgen de la Caridad del Cobre, llegó a los rincones más abruptos y apartados de la geografía cubana. Ahora, en 1959, se trabajaba arduamente: reuniones, conferencias de prensa, visitas, publicaciones, ensayos... de múltiples maneras se trataba de llegar a todos los hogares para dar a conocer el significado del Congreso y divulgar el gran homenaje que se iba a dar a la Virgen de la Caridad del Cobre, la querida Virgen Mambisa.

Todo el clero secular y regular de Cuba participó en la preparación del Congreso, así como todas las congregaciones masculinas y femeninas y las diversas asociaciones. Como siempre, los franciscanos estaban en la primera línea, colaborando incluso más allá de la medida de sus fuerzas. Junto a los frailes, la Venerable Orden Tercera de San Francisco participaba en los preparativos, al igual que las Venerables Ordenes Terceras de Santo Domingo y del Carmen. De la misma forma trabajaron los dominicos, los carmelitas, los padres paúles... todas las órdenes religiosas colaboraron de muchas maneras y en muchos sentidos. Con la misma orientación trabajaba la Acción Católica Cubana, con todas sus ramas, así como los Caballeros Católicos, los Caballeros de Colón, las Conferencias de San Vicente de Paúl y la Asociación de Hijas de María de la Medalla Milagrosa, los terciarios franciscanos, la fraternidad seglar dominicana, la Confederación de Colegios Cubanos Católicos, la Confederación Nacional de Asociaciones de Padres de Familia, la Federación de Maestras Católicas de Cuba, las Damas Isabelinas de Cuba, las Confederaciones Nacionales de Congregaciones Marianas Masculinas y Femeninas, el Movimiento Familiar Cristiano...[483].

Por primera vez se utilizaban para realizar la propaganda católica todos los medios de que disponía la publicidad en aquella época. Prensa, radio, televisión, cine, revistas y vallas. Además calcomanías, telas, carteles, distintivos, plegables, volantes, etc., fueron colocados y distribuidos en todos los hogares cubanos, lográndose una cifra record de producción.

La amplia colaboración que se recibió de todos los sectores del país hizo posible que a pesar de que no se contaba con grandes recursos económicos, se utilizaran con la mayor eficacia todos los medios masivos de comunicación...

La Comisión (de propaganda) trabajó incansablemente. Fue necesario movilizar a centenares de personas, periodistas, publicitarios, artistas, locutores, músicos, etc. Hubo que hacer cientos de gestiones entre comerciantes e industriales. Todos respondieron generosamente. Así se logró la magnífica propaganda del Congreso[484]

Miles y miles de prendas de vestir, que serían repartidas entre las personas más pobres, fueron recogidas como parte de las actividades que antecedieron al magno evento del catolicismo cubano. Miles y miles de pesos fueron recogidos al hacerse popular la consigna de «un peso para el Congreso» que recorrió la mayoría de los hogares cubanos. El Congreso, en aquellos meses de agosto y septiembre de 1959, se convirtió en un tema obligado de conversación en los hogares cubanos, fueran o no católicos. Las personas se preguntaban unas a otras, y los más enterados daban la buena noticia: sí, la Virgen de la Caridad viene a La Habana...

El Cardenal Manuel Arteaga Betancourt, Mons. Enrique Pérez Serantes, Arzobispo de Santiago de Cuba, y los objetivos y fines del Congreso. Palabras de Mons. Alberto Martín Villaverde

Bajo la protección y el amparo de la Virgen de la Caridad del Cobre, la Santísima Patrona de Cuba, y la sabia orientación de Su Eminencia Mons. Manuel Arteaga Betancourt, Cardenal-Arzobispo de La Habana, el

---

[483] Cf. Varios Autores. Congreso Católico Nacional de 1959. Memorias. La Habana, 1959

[484] Ibídem,

Congreso Católico Nacional comenzó a organizarse firmemente, sin que se escapara a la atención de las Comisiones Diocesanas ninguno de los innumerables detalles de su organización. Muchas personas, de todas las tendencias, especularon sobre las causas y finalidades del magno evento de los católicos cubanos. Algunos, los más acérrimos partidarios del nuevo sistema, pensaban que era una provocación al gobierno, otros, que era una demostración de fuerza de la Iglesia, tal vez una forma de polarizar la opinión pública a su favor y en contra del régimen... y no faltaban los que querían y deseaban que la jerarquía católica se enfrentara directamente a los representantes de la dirección del país.

Afiche del Congreso Católico Nacional, 1959

Mons. Enrique Pérez Serantes, en un Comunicado del Arzobispado de Santiago de Cuba con fecha noviembre de 1959, definió con palabras inspiradas y suprema exactitud los objetivos del Congreso Católico Nacional:

1. *Nuestro Congreso va a ser lisa y llanamente un Congreso exclusivamente católico.*

2. *Los actos todos del Congreso habrán, pues, de ajustarse rigurosamente al rígido marco católico, vale decir genuinamente cristiano.*

3. ***Cierto es que nada tenemos que salir a buscar fuera, ya que todo lo tenemos dentro: verdad, bondad, justicia, caridad, paz, familia, patriotismo... pues todo eso es parte del riquísimo contenido que se alberga en el alcázar de la Iglesia Católica. El que, por lo tanto, tras mucho rondar por otros predios, aspira a la posesión de la paz y del bien, tiene por fuerza que recalar en este hogar de la familia, donde está y le espera Dios.***

4. *¿A qué vamos a este Congreso, y cuál es su finalidad?*

5. ***Vamos sencillamente a alabar y bendecir al Señor. Vamos a dar público y solemne testimonio de nuestra fe. Es la grandiosa representación de la familia cubana, que quiere expresar el acendrado amor y la gratitud inmensa al Padre, el Dador de todos los bienes. Vamos a repetir todos con el corazón, más aún que con los labios, la oración dominical, rezada en voz alta, la que es Código de sublime grandeza y de la más elevada dirección de las almas, que aspiran a lo más alto.*** *Jamás podrán pronunciarse en ningún lugar frases más emocionantes, ni más prometedoras de los más ricos tesoros a que pueden aspirar las almas grandes.*

6. Vamos a hablar con Dios, que recibe con esto gran gozo y contento, y tiene pleno derecho a este singular homenaje de parte de sus hijos. Esta oración sagrada, el Padre Nuestro, que ha de brotar a una de centenares de miles de labios de hermanos en la fe, que por primera vez se unen en oración, va a tener repercusión imponente en todas partes, y va a herir ternísimamente el corazón de Cristo en el trono de la Gloria. **Otros sentimientos no tienen cabida en nuestros pechos, ni otras palabras brotarán de nuestros labios. Somos romeros pacíficos, conscientes de nuestra condición y de nuestro destino, que vamos por el camino real, al clásico estilo cristiano.**

   Cuando en la Plaza Cívica, en medio del mayor recogimiento, dentro del más profundo silencio, al rayar de la media noche, el celebrante eleve la Sagrada Hostia, confesaremos todos que tendrá aquél en sus manos al Señor, y las miradas de la concurrencia habrán de fijarse a una en el disco blanco, levantado en alto, como en el centro y cumbre máxima del Congreso, sabiendo con seguridad que estaremos viendo al Hombre-Dios...

*...Y allí mismo, al lado del Hijo, la imagen de María, la Madre, la de Belén, la de Nazaret, la de Egipto, la del Calvario, la de la Gloria, la muy amada del pueblo cubano, su joya más preciada e intangible, **la que con transporte de amor filial, de San Antonio a Maisí, invocamos todos con el dulcísimo nombre de Virgen de la Caridad del Cobre, llevada a la Plaza Cívica desde su trono, para presidir al lado de su Hijo esta grandiosa manifestación de amor a su amado pueblo...***

*Celebramos este Congreso, y nos reunimos de todos los ángulos de la Nación para hacer revivir en nuestras mentes, y para acariciar en nuestros corazones el Mandato nuevo de la Ley nueva, de actualidad y vigencia plena siempre y en todo lugar; promulgada por el Supremo Legislador con estas palabras: «**Que os améis mutuamente, como yo os amé. En esto reconocerán todos que sois mis discípulos**». Es éste el distintivo del Mandato nuevo y su medida para todos, sin excepción alguna. Este, nuestro distintivo de cristianos y de congresistas...*

*... Vamos al Congreso a grabar o a bruñir en nuestras mentes y en nuestros corazones, la petición que Jesús hace al Padre, en la maravillosa oración sacerdotal, cuando dice: «**Que todos sean una sola cosa, que sean perfectos en unidad**»...*

*...**Robustecida nuestra fe, reavivada nuestra Caridad, ansiosos de prodigarla a nuestros hermanos,** salgamos tan íntimamente unidos, tan deseosos de trabajar a una por Cristo, por la Iglesia, tan embriagados de amor fraternal, que el mundo entero se sienta obligado a repetir, como otrora: **Mirad cómo se aman.***

Quiera Nuestra Excelsa Patrona obtenernos esta gracia, de que un hálito de Caridad entre en nuestros corazones y los encienda en amor a Dios y a nuestros prójimos por Dios.

Noviembre 1959.

*   **ENRIQUE**, Arzobispo de Santiago de Cuba*[485]

La Virgen de la Caridad del Cobre sale de su Santuario el 21 de noviembre de 1959: va a recorrer toda la Isla precedida por un Maratón alumbrado por las antorchas encendidas con el fuego del Santuario. Recorrido de la Virgen de Oriente a Occidente: una verdadera Marcha Triunfal.

El 21 de noviembre de 1959, Nuestra Señora la Virgen de la Caridad, en medio de una atmósfera densa a fuerza de amor, salió del Santuario del Cobre: fue despedida con gran emoción por su Capellán, el P. Mario Carassou Bordelois. Ese día iba a comenzar el Maratón

---

[485] Secretariado General de la Conferencia de Obispos Católicos de Cuba (COCC). 100 Documentos Episcopales. Obra Nacional de la Buena Prensa, México, D.F., 1995, pp. 88-90

organizado por la Acción Católica: se iba a encender una antorcha con el fuego de las velas del Santuario, y la luz de esa antorcha recorrería toda la Isla, de oriente a occidente, llevada por los portadores que se irían relevando, para que el fuego del amor a María, Madre de Dios, calentara los espíritus y les sirviera además de estrella y de guía. Dijo el Presidente Nacional de la Acción Católica, en los momentos en que se iniciaba el Maratón: «Esta Antorcha representa el fuego del ideal que arde en el corazón de los jóvenes cubanos: amor a Dios y amor a la Patria. Al pasear orgullosa por los campos y ciudades irá encendiendo los corazones de todos los cubanos en este ideal»[486]. Cuentan las crónicas de esos momentos que

> *Aquel sábado 21 de Noviembre el cielo santiaguero amaneció encapotado. El día transcurrió a intervalos entre la fina llovizna y el copioso aguacero. Era como un anticipo de lo que después había de ser signo distintivo de la magna concentración pública del Congreso. También estuvo presente la lluvia en la salida de la Antorcha del Santuario del Cobre.*

> *El Maratón comenzó con un acto sencillo pero emocionante. Se cantó una Salve solemne y a continuación la antorcha fue encendida con las luces que iluminan la imagen venerada de nuestra Patrona.*

> *A las nueve de la noche salió del Santuario bajo la lluvia. Un repique de campanas en todos los pueblos y ciudades de Cuba, anunciaba el inicio del Maratón...*[487]

La Antorcha, en manos de los corredores, salió del Santuario del Cobre en dirección al Puerto de Moya. La lluvia y el viento azotaban sin tregua a los corredores, cansados por la empinada cuesta... el pueblo de Palma Soriano se lanzó a la calle bajo la lluvia para recibir la Antorcha: «Hoy me siento orgulloso de mi pueblo que sabe hacer honor a su fe cristiana»[488], comentó el párroco del lugar.

En la mañana del 22, la Antorcha llegaba a Contramaestre, que se había engalanado para recibirla. De allí pasó a Baire y después a Jiguaní, cuyos federados la llevarían hasta Bayamo. En la Ciudad Monumento la Antorcha fue recibida con una gran caravana de bicicletas que se extendía más de dos cuadras... el acto se prolongó hasta el anochecer del domingo. Luego siguió hacia Holguín, en manos de los federados de Bayamo y de Manzanillo. En Holguín, las tiendas habían cerrado: todo el pueblo participó en el gran acto.

---

[486] Ibídem,

[487] Ibídem,

[488] Ibídem,

Eran las 9 de la noche del lunes 23 de noviembre cuando llegó la antorcha a Victoria de las Tunas y luego continuó su marcha haciendo escala en Guáimaro, Cascorro y Sibanicú hasta llegar a Camagüey. En la Ciudad Prócer, donde nacieron los primeros luchadores de la independencia de Cuba junto con las ideas de Patria y Libertad, iba a tener lugar el acto más emocionante y espectacular de toda la ruta, que hizo recordar la apoteósica recepción que se dio en 1951 a la Santa Imagen de la Virgen de la Caridad, cuando llegó a Camagüey durante la Peregrinación Nacional de 1951-1952 por el Cincuentenario de la República:

> *Una interminable caravana de autos, bicicletas y público siguió al corredor desde la entrada de la ciudad hasta la Plaza de las Mercedes. Allí S. E. el Sr. Obispo de Camagüey recibió la Antorcha de manos del maratonista. Televisión Camagüey trasmitió el acto por control remoto. El público sobrepasó con mucho las diez mil personas...*[489]

Desde Camagüey la Antorcha continuó rumbo a Ciego de Ávila, adonde llegó al mediodía del miércoles 23 tomando rumbo hacia Sancti Spíritus y Santa Clara. Llegó a Cienfuegos el jueves 24 por la noche y al mediodía del viernes 25 entraba en Colón para seguir hasta Matanzas, ciudad a la que arribó el sábado 28. La ruta hacia La Habana se iba haciendo cada vez más difícil y sobre todo desde que la Antorcha salió de Matanzas, por la incontable caravana de ómnibus, camiones y automóviles llenos de peregrinos de toda la Isla que iban a tomar parte en el Congreso[490].

La Virgen llega a La Habana el 28 de noviembre. Memoria y testimonios de algunos incidentes y provocaciones que se realizaron

Alrededor de las 7 de la noche la Antorcha entraba en La Habana por la Virgen del Camino, y unos minutos después de las ocho el último de los maratonistas la entregaba al Presidente Nacional de la Juventud Masculina de Acción Católica, quien procedió a colocarla en un trípode ante la estatua del Apóstol José Martí, en el Parque Central de La Habana. La luminaria encendida con el fuego del Santuario del Cobre había recorrido más de mil kilómetros y había pasado por las manos de más de mil federados. Ahora, en la llama prendida ante la estatua de Martí, se comenzaban a encender miles y miles de antorchas: la luz se multiplicaba en decenas de miles de luces como si las estrellas

---

[489] Ibídem,

[490] Ibídem,

del cielo hubieran bajado a La Habana para saludar a la Virgen de la Caridad realizando en su honor un grandioso desfile[491].

Cerca de las 4 de la tarde del sábado 28 aterrizaba en el Aeropuerto de Rancho Boyeros el Avión Presidencial, en el que algunos miembros del Ejército Rebelde habían acompañado la imagen venerada de la Patrona de Cuba, que venía a recibir el homenaje de su pueblo. La comitiva que acompañó a la Virgen desde que saliera del Santuario estaba presidida por el Arzobispo de Santiago de Cuba, Mons. Enrique Pérez Serantes, y estaba integrada por varios funcionarios del gobierno. Acompañaba a Pérez Serantes un fraile franciscano, Fray Rafael Monterrey[492], que en 1959 custodió la Santa Imagen de María igual que 346 años antes, en noviembre de 1613, Fray Francisco Bonilla, Superior del Convento de San Francisco de Santiago de Cuba, acompañó y custodió a la Virgen de la Caridad desde el Hato de Barajagua hasta el pueblecito del Cobre, y de la misma forma que en 1952, cuando el primer viaje de la imagen de Nuestra Señora de la Caridad a La Habana, Fray Manuel Oroquieta, franciscano, la acompañara en el trayecto: en La Habana la recibiría Fray Lucas Iruretagoyena, en esa continuidad histórica de Cuba por la cual los franciscanos están siempre presentes en los viajes de la Virgen.

Los más altos dignatarios de la Iglesia, el Comité Organizador del Congreso y autoridades del gobierno, recibieron a la Virgen y muy pronto se puso en marcha seguida de una gran caravana de autos que la llevó en triunfo desde el Aeropuerto de Rancho Boyeros hasta la Catedral donde fue recibida por Mons. Manuel Arteaga Betancourt, Cardenal Arzobispo de La Habana, y por miles de devotos que se apiñaban en la vetusta plaza ante la Iglesia...

> *Millares de cubanos hicieron guardia continua hasta las diez de la noche, hora en que fue colocada en la urna de cristal sobre la carroza, para desfilar con el pueblo hasta la Plaza Cívica*[493]

Mientras la imagen de Nuestra Señora de la Caridad del Cobre hacía este recorrido, en la Plaza Cívica —la actual Plaza de la Revolución—, todo un mar de cubanos, una muchedumbre colosal de cientos de miles de personas, esperaba bajo la lluvia. Era una selva de

---

[491] Ibídem,

[492] Varios Autores. Encuentro-Reflexión sobre la Historia Franciscana en Cuba. Folleto. Convento de Santo Domingo, Guanabacoa, 21-24.X.98, p. 5

[493] Cf. Varios Autores. Congreso Católico Nacional de 1959. Memorias. La Habana, 1959

cruces levantadas al cielo, de banderas cubanas, de estandartes religiosos, de enseñas de congregaciones y asociaciones y cofradías, era un murmullo de oraciones que lanzaban al infinito la esperanza, era una multitud inmensa que esperaba rezando bajo la lluvia y el frío movida solamente por la fe, mientras que desde La Habana iba avanzando por la calle Reina hacia Carlos III para seguir luego por la Avenida de Rancho Boyeros hacia la Plaza Cívica, otro río de cruces, de enseñas nacionales, de banderas, de gallardetes, de estandartes, de insignias sagradas, de miles y miles de antorchas encendidas en el mismo fuego del Santuario del Cobre que precediera a la Virgen desde las montañas de Oriente. Delante marchaban las enseñas nacionales desafiando el aire y la lluvia, luego las insignias, los gallardetes y las banderas de las diversas instituciones católicas. A continuación marchaban los miembros de la Jerarquía Eclesiástica y el Comité Organizador del Congreso en pleno, detrás iban las representaciones de todas las Parroquias de la Isla de Cuba de Oriente a Occidente, que se iban uniendo gradualmente al larguísimo recorrido... detrás, el pueblo, un mar de pueblo que esperaba en las aceras el paso de la Virgen para ir con ella hasta la Plaza.

Imagen del Congreso Católico Nacional, 1959. Desfile a la Plaza Cívica

Nada puede turbar los recuerdos de aquella noche. Como ya se ha comentado por el autor, que fue testigo presencial de los acontecimientos, no faltaron provocaciones de personas minúsculas, como por ejemplo en la esquina de Belascoaín y Carlos III donde algunos seres poco felices —nunca faltan— se ensuciaron la boca profiriendo ofensas. Era como el zumbido de una mosca al lado de un elefante, y allí se quedaron sin que nadie les hiciera caso, como la gota que no puede nada ante el mar...

Era una noche espléndida. 'Una de las más extraordinarias demostraciones católicas del mundo', según el propio decir de uno de nuestros ilustres prelados. Eran los dos amores: la Virgen y la Patria presentes en el más grande acontecimiento católico de la historia de Cuba. El pueblo cubano demostró una vez más, ser un pueblo de hondas raíces cristianas... [494]

Jerarquía de la Iglesia en el Congreso Católico Nacional, 1959

La Misa en la Plaza Cívica: el pueblo de Cuba honra a su Madre Amada, la Virgen de la Caridad. El Mensaje de Su Santidad, el Papa Juan XXIII.

En la Plaza Cívica la muchedumbre esperaba a la Virgen rezando y cantando. Cuando apareció la pequeña imagen morena dentro de su urna de cristal, ya perlada por la lluvia, se alzaron las antorchas, las cruces y las banderas y más de un millón de pañuelos blancos se agitó

---

[494] Ibídem,

en la noche mientras una voz poderosa, coreada por la multitud, entonaba las letanías de Nuestra Señora saludando a la Madre de Dios: «Ave inesperada, Gaviota de Nipe, Paloma del Cobre, Madre de la Caridad, Patrona de Cuba, Virgen Mambisa...» algunos miembros del Ejército Rebelde llevaron la querida imagen hasta su altar y de inmediato comenzó la Santa Misa en la que ofició Mons. Enrique Pérez Serantes, Arzobispo de Santiago de Cuba, quien dirigió emotivas palabras a la multitud[495].

Era el acto cumbre del Congreso Católico Nacional: un momento solemne en el que la Gracia del Señor se derramó, extensa y numerosa, sobre todos los presentes. Mucho necesitábamos aquella Gracia en momentos en que se iniciaban la confusión y el desconcierto: quién sabe qué habría sido de nosotros si la Virgen y Dios no hubieran estado presentes.

Terminada la Misa, llegó el momento que más esperaban los congresistas, por el pueblo, en general por todos los presentes y por aquellos que imposibilitados de asistir, miraban por la televisión o escuchaban por radio el desarrollo del grandioso evento: el momento de escuchar las palabras que dirigiría directamente desde Roma al pueblo de Cuba, Su Santidad el Papa Juan XXIII. Nunca el silencio religioso fue más grande entre aquel millón de personas que cuando oyeron las palabras llenas de sabiduría y amor que les dedicaba el Santo Padre:

La faz del mundo podría cambiarse si reinara la verdadera caridad. La del cristiano que se une al dolor, al sufrimiento del desventurado, que busca para éste la felicidad, la salvación de él tanto como la suya. La del cristiano convencido de que sus bienes tienen una función social y de que el emplear lo superfluo a favor de quien carece de lo necesario no es una generosidad facultativa, sino un deber...

La convivencia humana y el orden social han de recibir su mayor impulso de una multiforme labor orientada, por convicción de los miembros de la comunidad, hacia el bien común.

Cuando la angustia y el tormento tienen aún frescas las rosas de las heridas, esta caridad impone un gesto preciso: amistad, estima, respeto mutuo, una actitud interior de algo continuado, un perdón sin distingos, una reconciliación que se ha de reconstruir día a día y hora a hora sobre las ruinas del egoísmo y de la incomprensión.

Si el odio ha dado frutos amargos de muerte, habrá que encender de nuevo el amor cristiano, que es el único que puede limar tantas asperezas, superar tan tremendos peligros y endulzar tantos

---

[495] Ibídem,

sufrimientos. Este amor, cuyo fruto es la concordia y la unanimidad de pareceres, consolidará la paz social. Todas las instituciones destinadas a promover esta colaboración, por bien concebidas que parezcan, reciben su principal firmeza del mutuo vínculo espiritual que deriva del sentirse los hombres miembros de una gran familia, por tener el mismo Padre Celestial, la misma Madre, María.

Mucho esperamos de vuestra Asamblea de Apostolado Seglar. Las consignas de estos días para promover la unión y salvar la paz cristiana de Cuba y de afianzar sus tradiciones católicas, tendrán como denominador común y recabarán su mayor eficacia de la caridad vivida por vosotros y puesta en práctica en el seno de vuestras organizaciones... [496]

Las palabras de Su Santidad Juan XXIII estaban llenas de sabiduría, se correspondían perfectamente con los signos y augurios de la época que comenzaba, y constituían un alerta para los católicos: la caridad y el amor debían prevalecer sobre todas las consideraciones para consolidar la paz social. Solamente el amor cristiano, libre de pasiones, de revanchas y de rencores, podría trazar los objetivos más justos y más adecuados.

Pero la gente estaba demasiado confundida. Y aunque la Virgen de la Caridad del Cobre, la de la bahía de Nipe en 1612, la de la rebelión de los mineros en el siglo XVIII, la que liberó por primera vez a los esclavos al alborear el XIX, la que fue como Virgen Mambisa el Primer Símbolo de la Patria y el faro que guió a los primeros luchadores por la libertad, la que donó la tela con que fue confeccionada la Primera Bandera que ondeó en la Demajagua, la que recibió la victoria que pusieron a sus pies los mambises en 1898 cuando se celebró en el Santuario del Cobre el Te Deum y la Misa Solemne que sirvieron de marco a la Declaración Mambisa de la Independencia del Pueblo Cubano, la que fue declarada Patrona de Cuba por inspiración patriótica de los veteranos, la que recibió la Coronación Canónica como Reina y Madre de todos los cubanos en 1936, la que llevó a cabo la Peregrinación Nacional por el Cincuentenario de la República en 1951-1952, sin que un solo rincón de la Patria quedara sin la Visita de la Madre Celestial, Peregrina y Misionera, la que presidió el Congreso Católico Nacional y la Misa Solemne en noviembre de 1959, la Madre a la que todos acuden en las alegrías y en las penas, la Reina de los Hogares cuyo cuadro se venera en todas las casas... aunque la Virgen seguía allí, viva en las mentes y en los corazones, reinando sobre su pueblo, pareció como si una densa niebla la ocultara

---

[496] Ibídem.

a nuestra vista entre las montañas, aunque su luz seguía brotando entre las sombras que se abatieron sobre la Patria.

Y allí siguió Ella, esperando el regreso de los Hijos. Cuando los hijos emprenden un viaje, cuando van a un lugar peligroso, cuando marchan a la guerra, las madres permanecen esperando. Las madres siempre esperan el retorno de sus hijos con el corazón apretado, y siempre intuyen el momento en que van a regresar.

Y la Virgen de la Caridad siempre supo que sus hijos regresarían, lacerados y maltrechos, para arrodillarse ante su altar: y allí los esperó para arroparlos y protegerlos, para envolverlos amorosa en su manto.

Pocos días después comenzaron a apagarse los últimos ecos del Congreso Nacional. Muchos de los católicos que escucharon las palabras de Su Santidad no pudieron, no supieron o no quisieron interpretarlas, llenos como estaban de la emoción y del fervor que soplaron sobre Cuba durante la celebración del gran evento.

Actitud del nuevo régimen ante el Congreso Católico Nacional realizado en 1959

La cascada de sucesos que se desencadenó durante los meses siguientes, llena de golpes y contragolpes, de pasiones enfebrecidas y de la voluntad de ganar a toda costa, se encargó de demostrar hasta la saciedad que el Papa tenía toda la razón. El odio había gestado frutos amargos de muerte y no se pudo contar con todo el amor cristiano que hacía falta para contrarrestar su furia.

Dentro de la Iglesia se formaron numerosas contradicciones. Los católicos más poderosos, en general los más afectados por las leyes revolucionarias, se inclinaban a favor de sus intereses lesionados. Los católicos de la clase media veían con gran simpatía muchas medidas del nuevo régimen, pero esa simpatía en no pocas oportunidades estaba mezclada con una gran desconfianza. Al mismo tiempo un tercer grupo de católicos mantenía una gran confianza en la revolución, y en muchas de sus medidas, la realización de varios ideales evangélicos. Para la jerarquía y una buena parte del clero, los hechos y las palabras del nuevo gobierno se inclinaban peligrosamente hacia el socialismo, el adversario filosófico e ideológico por antonomasia.

El establecimiento de relaciones diplomáticas, comerciales y culturales con los principales países socialistas alarmaron a los miembros de la jerarquía católica en los primeros meses de 1960.

Una Circular Colectiva firmada por todos los Obispos de Cuba el 7 de agosto de 1960, que fue leída en todas los templos de la Isla durante las misas dominicales, dejaba ver claramente la posición asumida por la Iglesia: las reformas sociales emprendidas contaban con la simpatía de la institución católica, que alertó al mismo tiempo sobre las consecuencias de algunas medidas tomadas:

> *Las reformas sociales que, respetando los legítimos derechos de todos los ciudadanos, tiendan a mejorar la situación económica, cultural y social de los humildes, tienen, pues, hoy y tendrán siempre el más decidido apoyo moral por parte de la Iglesia.*
>
> *Podríamos señalar algunos puntos en que las medidas de carácter social antes mencionadas no han sido llevadas a cabo con el respeto debido a los derechos de todos los ciudadanos con que fueron inicialmente anunciados... será mejor que nos ciñamos a un problema de extraordinaria gravedad que ninguna persona de buena fe puede negar en este momento, y es el creciente avance del Comunismo en nuestra Patria.*
>
> *En los últimos meses el gobierno de Cuba ha establecido estrechas relaciones comerciales, culturales y diplomáticas con los gobiernos de los principales países comunistas... nos inquieta profundamente el hecho de que... haya habido periodistas gubernamentales, líderes sindicales y aún altas figuras del gobierno que hayan elogiado repetida y calurosamente los sistemas de vida imperantes en esas naciones y aún hayan sugerido... la existencia de coincidencias y analogías, en fines y procedimientos, entre las Revoluciones Sociales de esos países, y la Revolución Cubana. Nos preocupa este punto muy hondamente, porque el Catolicismo y el Comunismo responden a dos concepciones del hombre y del mundo totalmente opuestas, que jamás será posible reconciliar.*
>
> *Condenamos, en efecto, al Comunismo, en primer lugar, porque es una doctrina esencialmente materialista y atea... condenamos también al Comunismo porque es un sistema que niega brutalmente los más fundamentales derechos de la persona humana. Porque... establece en todas partes un régimen dictatorial en que un pequeño grupo se impone por medio del terror policial al resto de los ciudadanos...*
>
> *Al condenar la Iglesia las doctrinas y procedimientos comunistas no lo hace, por tanto, en forma parcial, en nombre de determinados grupos de la sociedad que pudieran verse afectados por el establecimiento de un régimen de esta clase; lo hace en nombre de derechos inalienables de todos los hombres...*[497]

A esta Carta Pastoral siguieron otras que fijaban igualmente la posición de la Iglesia Católica ante los acontecimientos. En esencia, las

---

[497] Pérez Serantes, Mons. Enrique. Circular «Por Dios y por Cuba». Arzobispado de Santiago de Cuba, mayo de 1960

Pastorales siguientes no se diferenciaban mucho de la primera, en la que se deslindaron perfectamente los campos.

Cinco semanas después de leerse la Circular del 7 de agosto de 1960, o sea, el 14 de septiembre de 1960, se promulgó la Ley Constitucional de Reforma Urbana, que limitó la propiedad sobre las viviendas urbanas a las que estuvieran ocupadas personal o familiarmente por los propietarios, a quienes sólo se les autorizó la propiedad de una segunda vivienda en lugares de recreo —el campo, la playa—expropiándosele el resto. Al mismo tiempo la ley propiciaba que los antiguos arrendatarios u ocupantes legales de viviendas urbanas pudieran adquirir la que estaban ocupando en esos momentos, mediante la amortización del precio con el pago de sus antiguas rentas. El precio de las expropiaciones se fijó en relación inversa a la antigüedad del inmueble y directa al valor en renta declarado por el antiguo propietario a los efectos del impuesto sobre la propiedad inmobiliaria[498].

Esta medida benefició a una inmensa masa de inquilinos y sus familiares que se convirtieron en adquirentes de las viviendas que ocupaban, al paso que afectó a un limitado número de antiguos propietarios.

La Iglesia y muchas órdenes religiosas tenían importantes inversiones en el sector inmobiliario, por lo que se vieron afectadas en sus rentas al igual que el resto de los propietarios urbanos. Algunas personas vieron en esta medida una agresión directa contra la Iglesia y contra su autonomía desde el punto de vista económico, la que le facilitaba el ejercicio de su apostolado.

De cualquier forma, la Ley de Reforma Urbana fue la primera gran afectación a la economía de la Iglesia[499].

Durante los meses siguientes, las medidas del estado y sobre todo las dirigidas a la socialización de la economía, se fueron sucediendo una tras otra de manera que el gobierno iba acumulando en sus manos todo el poder efectivo. El tránsito hacia el socialismo se fue haciendo cada vez más rápido en la medida en que una tras otra, se iban implantando y aceptando muchas medidas, cada vez más radicales, dirigidas al mismo objetivo.

Ante la nueva situación creada, la Iglesia se iba convenciendo cada vez más de la veracidad y necesidad de sus propios planteamientos. El

[498] Cf. Gaceta Oficial de la República de 14.VIII.1960, La Habana, 1960

[499] Larrúa Guedes, Salvador. Cinco Siglos de Evangelización Franciscana en Cuba. Custodia Franciscana del Caribe, Puerto Rico, 2004, t. II, p. 178

último gesto de acercamiento realizado en público del que se tiene memoria,

> *...lo encarnó Mons. Evelio Díaz Cía, entonces Arzobispo Coadjutor de La Habana, con derecho de sucesión, cuando fue expresamente invitado y asistió a la magna Cena Martiana ofrecida por el Gobierno revolucionario en la Plaza de la Revolución al pueblo, la noche del 27 de enero de 1960, víspera del aniversario del natalicio del Héroe Nacional José Martí. Allí cenó Mons. Evelio junto al Comandante Fidel Castro en la mesa presidencial, La televisión nacional trasmitió la celebración y el pueblo pudo captar los reiterados diálogos sostenidos por ambos comensales. No tardó Mons. Evelio en recibir las críticas de importantes sectores católicos desafectos a la revolución*[500]

Durante los próximos meses, el desarrollo de los acontecimientos condujo prácticamente al choque entre la institución católica y el estado cubano.

Dentro de los franciscanos, las opiniones estaban divididas. Al igual que sucedía con muchos religiosos y hombres de Iglesia y multitud de laicos, algunos de los frailes seráficos estaban de acuerdo con numerosas reformas sociales emprendidas por el nuevo gobierno, al mismo tiempo que miraban con reserva y desconfianza ciertos pronunciamientos y actitudes.

Cuando se iniciaba la revolución, sobre todo, los franciscanos —al igual que grandes sectores del pueblo y de la propia Iglesia— pensaban que no había nada que temer. El domingo 17 de mayo de 1959, en la hoja dominical «Vive con la Iglesia» dirigida por Fray Marino Martínez y administrada por Fray Antonio Camiñas desde la Iglesia de San Francisco, en un artículo titulado **De los comunistas y otras cosas**. En aquella época los Obispos todavía no habían lanzado la famosa Circular del Episcopado de 7 de agosto de 1960, y para la dirección de la hoja «Vive con la Iglesia» el comunismo no era más que un espectro y en relación con el fantasma del comunismo «era más el ruido que las nueces, y hay más alarde fanfarrón en las filas comunistas que verdadera y seria acción» (sic). Por lo tanto, no le dieron mucha importancia a la amenaza comunista.

Decía textualmente el artículo citado:

> *Esta dirección de la hoja «VIVE CON LA IGLESIA», piensa sencillamente que la alarma (a causa del comunismo) no está bien justificada y que el miedo produce cobardes, pero no héroes ni mártires. Creemos que no está*

---

[500] Ibídem,

bien justificada esta alarma, porque nuestros señores Obispos, que son Pastores puestos por Dios para cuidar el rebaño de Cristo, no han escrito, que yo sepa, una Carta Pastoral ni ninguna Circular sobre el espectro del Comunismo, y creo que tienen suficiente confianza en los pronunciamientos democráticos hechos por los más fieles representantes del gobierno, como para no dudar de que esos pronunciamientos sean fieles intérpretes de la mayoría de un pueblo que detesta las dictaduras, todas las dictaduras. Lo cual se ha demostrado evidentemente por lo menos en dos grandes ocasiones: primera en las elecciones sindicales azucareras, que después de tanta alharaca y tanta agitación comunista, solamente lograron ganar seis sindicatos; segunda, en las elecciones del magisterio, que tampoco lograron, ni mucho menos, la mayoría. Son dos botones de muestra, pero creo que son suficientes... [501]

Nadie sabe si los que escribían estas líneas pensaban de la misma forma catorce meses después, cuando los Obispos de Cuba firmaron la Circular Colectiva del 7 de agosto de 1960 y el paso del tiempo y con él de los sucesos había ido aclarando la situación de la Isla, que todavía en esos momentos era un verdadero enigma para muchos.

Las Pastorales de la Iglesia Católica Cubana.

Para el nuevo régimen que iba avanzando sinuosamente para apoderarse de Cuba, los colegios católicos representaban un formidable adversario ideológico. En ellos se formaban los jóvenes en la tradición del pensamiento humanista y cristiano que había guiado la conciencia y los pasos de los primeros libertadores. Era la tradición en que se habían forjado los PP. José Agustín Caballero y Félix Varela, la que moldeó el carácter de Céspedes, Agramonte y tantas otras figuras que siempre serán cimeras de la Patria... y muchos de los jóvenes de ambos sexos que egresaban de las aulas de los colegios fundados por las órdenes religiosas masculinas y femeninas continuaban después su educación superior en la Universidad de Santo Tomás de Villanueva, en el Colegio de Belén, próximo a convertirse en Universidad regida por la Compañía de Jesús, o en la que estaban fundando los Hermanos de La Salle.

De más está decir que los alumnos que terminaban los estudios de bachillerato o comercio en los grandes colegios católicos, y los profesionales graduados de las Universidades Católicas, donde habían recibido una sólida formación cristiana e intelectual que permitía una amplia comprensión de la realidad y una gran extensión del pensamiento,

---

[501] Le Riverend, Julio. Breve Historia de Cuba. Editorial de Ciencias Sociales. La Habana, 1978, p. 123

representaban un gran peligro para un régimen que estaba a punto de sustituir y erradicar la visión plural del Mundo por la visión singular, a fin de que todos los cubanos discurrieran según la voluntad, los fines y los objetivos personales y particulares del gobierno que deseaba perpetuarse en la terrible soledad de una persona.

Junto con los colegios católicos, las escuelas privadas también representaban una amenaza potencial para la dictadura en ciernes, ya que significaban la posibilidad de que cierto número de jóvenes, bastante considerable, se educara al margen de la influencia del estado que ya comenzaba a ser omnipresente.

Nacionalización y despojo de las escuelas privadas

La instrucción primaria estaba inspirada, de acuerdo con Las Constituciones de 1901 y 1940, establecieron los principios de gratuidad y obligatoriedad. En particular, el artículo 51 de la Constitución de 1940 garantizó la existencia de la educación privada conjuntamente con la pública. Las leyes cubanas, de acuerdo con este artículo, regularon la educación privada, disponiendo que estuviera organizada, subordinada y dirigida técnicamente por el Ministerio de Educación[502].

Al amparo de esta legislación, en 1959 existían en Cuba más de 1,300 escuelas privadas, tanto laicas como de orientación religiosa. Entre estas últimas había buenas escuelas protestantes, pero la gran mayoría de las escuelas religiosas habían sido fundadas por casi sesenta órdenes religiosas y congregaciones católicas existentes en Cuba, que con gran dedicación y amor habían contribuido a difundir y mejorar la educación en la Isla, y a inculcar en la población los más elevados principios y los valores de la tradición humanista y cristiana del Mundo occidental. Estas escuelas se dedicaban sobre todo a la educación primaria, pero muchas ofrecían también educación secundaria (bachillerato, comercio, otras) y también surgieron varias universidades privadas, al amparo de la Constitución de 1940 y de la Ley de Universidades Privadas de 20 de diciembre de 1950. La primera fue la Universidad Católica de Santo Tomás de Villanueva, fundada por los Padres Agustinos en 1946, que llegó a contar con una excelente biblioteca pública, y magníficos laboratorios y museos. También existieron, aunque no todas completamente desarrolladas, la Universidad José Martí, la de San Juan Bautista de La Salle, la

---

[502] de la Torre, Rogelio. El Sistema Educacional. Cuban Center for Cultural, Social & Strategic Studies, Inc., Miami, 1999

Masónica, la de Candler, la de Belén[503], y un proyecto de Universidad de la Compañía de Jesús cerca de La Habana.

Algunas de las escuelas privadas de Cuba se dedicaban exclusivamente a la enseñanza gratuita de estudiantes pobres, y en casi todas las demás existía cierta cantidad de becas y medias becas para los alumnos cuya economía no les permitía pagar parte o toda la matrícula[504].

Un gobierno marxista y totalitario como el que estableció el nuevo régimen, no podía permitir la existencia de una educación privada alternativa y tan desarrollada. Por eso, mientras que con la campaña de alfabetización garantizó el control sobre las escuelas públicas, el gobierno revolucionario puso los ojos en la escuela privada[505].

Desde el mismo año 1959 se hostilizaba a las escuelas privadas, con el objetivo final de apoderarse de ellas. A mediados de ese año, por ejemplo, un grupo de profesores del colegio Baldor de La Habana, confabulados con el régimen, presentaron un problema laboral, con el fin de apoderarse de la administración del plantel. Este problema, como otros similares, fue resuelto sin mayores consecuencias, pero fue un antecedente y claro de lo que venía habría después[506].

Eran frecuentes los ataques verbales a las escuelas privadas, especialmente a las religiosas, por parte de algunos extremistas impacientes, y hasta de ciertos personeros del gobierno, pero los eran catalogados por el régimen y sus defensores, como iniciativas personales. Esto no impidió que a fines de 1959 se promulgara el Decreto 2099, que establecía controles a la enseñanza privada mucho más estrictos que los que se habían aplicado anteriormente y que limitaba su pleno ejercicio, imponiendo la obligación de instruir a los alumnos con los mismos programas de formación socialista que se comenzaban a aplicar en las escuelas públicas[507].

Siguiendo el curso natural y preparado de antemano de los acontecimientos, las acusaciones contra los colegios privados, que muchas veces se realizaban so pretexto de denunciar al clero extranjero y se hacían provenir de fuentes privadas, se convirtieron en acusaciones públicas. Por otra parte, los ataques que al principio se

---

[503] Ibídem,

[504] Ibídem,

[505] Ibídem,

[506] Ibídem,

[507] Ibídem,

presentaban como iniciados por grupos no oficiales que actuaban por cuenta propia «en defensa de la revolución», pronto pasaron a ser ataques directos del gobierno: el 4 de febrero de 1961, el entonces Presidente de la República, Osvaldo Dorticós Torrado, declaró inaceptable la «neutralidad política» de los educadores, con lo que anunciaba prontas medidas tendientes a unificar y controlar en su totalidad la educación privada bajo la férula estatal[508].

Inmediatamente se realizó la intervención esporádica de algunas escuelas, y se destituyeron maestros bajo presiones de diferentes sectores: diez días después de la declaración de Dorticós, el 14 de febrero de 1961, el gobierno finalmente comenzó una intervención sistemática de los colegios católicos. El 2 de marzo del mismo año el Ministro de Educación, Armando Hart Dávalos (que había cursado estudios en una escuela privada de Matanzas), acusó a los colegios católicos de fomentar la contrarrevolución, y el día 4 de ese mismo mes, el propio Fidel Castro, que había cursado la educación primaria y secundaria en escuelas privadas católicas, acusó a la Iglesia de contrarrevolucionaria. Desde entonces la situación se hizo insostenible para la mayoría de las escuelas privadas que no habían sido intervenidas. Muchos de los propietarios y de los directores de colegios privados, y sobre todo los profesores extranjeros de las mismas, comenzaron a abandonar la Isla. Algunos estaban motivados por la imposibilidad de llevar a cabo libremente su misión, y otros bajo la presión que ejercían sobre ellos los grupos para-gubernamentales que los atacaban sin tregua[509].

La invasión que se realizó en Bahía de Cochinos en abril de 1961 dio oportunidad al gobierno comunista para incrementar las hostilidades contra los colegios privados. En ese momento se realizó una redada gigantesca: decenas de miles de cubanos, en todas partes de la Isla, fueron llevados por la fuerza a lugares previamente designados donde los concentraron para evitar que brindaran su apoyo a los invasores. Naturalmente, en esta redada se incluyeron los Directores y Maestros de la mayoría de las escuelas privadas del país y sobre todo a los profesores de instituciones u órdenes religiosas, como los Hermanos de La Salle, los Hermanos Maristas, los Padres que enseñaban en los colegios jesuitas, y las monjas de la gran variedad de institutos femeninos dedicados a la educación. Los maestros detenidos y en algunos casos encarcelados, llevados a las cárceles, fueron objeto

---

[508] Ibídem,

[509] Ibídem,

de insultos y vejaciones. Sin embargo, como la orden final de nacionalización y despojo no se había hecho pública por el régimen, cuando terminó el peligro representado por la invasión los Maestros fueron libertados y muchos retornaron a sus colegios[510].

Pero la tregua duró poco. El 1 de mayo del mismo año 1961, en un discurso pronunciado en la Plaza de la República, Fidel Castro afirmó *que era, había sido y continuaría por siempre siendo comunista, declarando que Cuba se convertiría en la primera nación socialista del nuevo mundo*. En ese alegato, el máximo líder proclamó la nacionalización de la enseñanza privada y anunció que los sacerdotes extranjeros que trabajaban como profesores en ellas, serían expulsados del país[511].

Amparados en estas palabras sin que se hubiera dictado ninguna disposición oficial por el gobierno, se iniciaron las incautaciones de las escuelas privadas. Muchos de sus directores y profesores fueron encarcelados y todos, sin excepción, fueron obligados a abandonar los centros educacionales a los que pertenecían, donde residían casi todos. En algunos colegios se levantó acta para dejar constancia de la incautación y de los bienes de los que se tomaba posesión. En otros no se siguió formalidad alguna, y las incautaciones se realizaron de forma sumaria[512]. Desde el primer momento los interventores actuaron como dueños absolutos de todo lo que había caído en su poder. Las bibliotecas, que en la mayoría de los casos estaban muy bien organizadas y contenían grandes cantidades de libros, fueron trasladadas de uno a otro sitio, mezcladas unas con otras, y muchos libros fueron robados, dañados, lanzados a la basura o simplemente destruidos. Entre el 1 y el 5 de mayo de 1961 todos los colegios privados de Cuba fueron confiscados ilegalmente, eliminando definitivamente la enseñanza privada en toda la nación, por medidas de fuerza y sin sustentación legal[513].

Las confiscaciones no fueron legitimadas hasta que un mes después se promulgó la Ley de Nacionalización de la Enseñanza, de 6 de junio de 1961, publicada el siguiente día 7 en la Gaceta Oficial de la República. Dicha Ley, en su primer artículo, proclamó que la función de enseñanza era exclusiva del Estado, y en el artículo segundo oficializó las confiscaciones realizadas, consignando expresamente que

---

[510] Ibídem,

[511] Ibídem,

[512] Ibídem,

[513] Ibídem,

222

«se dispone la nacionalización y, por consiguiente, se adjudican a favor del Estado cubano, todos los centros de enseñanza que, a la promulgación de esta Ley, sean operados por personas naturales o jurídicas privadas, así como la totalidad de sus bienes, derechos y acciones que integran los patrimonios de los citados centros». Los redactores de estas líneas no se percataron de que la citada ley era inaplicable, pues cuando se promulgó ya no existía en Cuba ninguna escuela que fuera *«operada por personas naturales o jurídicas privadas»*... ya que habían caído sin excepción en manos del gobierno, que se había apoderado de ellos ilegal y arbitrariamente[514].

Bajo la protección de estas medidas, las cuentas bancarias privadas de los colegios confiscados, incluyendo muchas veces las cuentas particulares de sus propietarios, fueron congeladas y en definitiva confiscadas también por el gobierno. Muchos locales de estas escuelas fueron destinados a objetivos incompatibles con la educación. Por ejemplo se puede citar el de un Colegio que tenían los Hermanos Maristas en La Habana, que pasó de ser un magnífico centro de educación de la juventud a ser sede de uno de los organismos represivos más temidos del régimen, la policía política: de esta forma las aulas en que antes se educaba y se enseñaba a amar a Dios, a la familia y a la Patria, se convirtieron en locales donde se da un trato bestial a los disidentes y donde muchas veces soportan bárbaras torturas físicas y sicológicas.

Otras escuelas fueron convertidas en locales de los temidos Comités de Defensa de la Revolución, una de las organizaciones que utiliza el gobierno para vigilar, espiar controlar a la población. El Seminario «El Buen Pastor» en Arroyo Arenas, donde se formaban los sacerdotes diocesanos, se convirtió en sede de una unidad militar Los edificios que tenían los Hermanos de la Salle en Santa María del Rosario pasaron a ser un establecimiento de artillería. La excelente biblioteca de la Universidad Santo Tomás de Villanueva, que contenía miles de valiosos volúmenes, fue casi enteramente destruida. La Capilla del Colegio de la Salle del Vedado pasó a ser un dormitorio de niños becados. Y la Capilla del Colegio Protestante Candler fue transformada en salón de reuniones de los Pioneros donde se enseñaban cantos y bailes comunistas y se hacían burlas a Dios y a la religión[515].

El resultado final de estas medidas fue que en el gobierno totalitario y comunista controló totalmente la enseñanza en Cuba,

---

[514] Ibídem

[515] Ibídem.

allanando el camino a la implantación de los métodos y técnicas de enseñanza implantados por los comunistas en la Unión Soviética y en los países de Europa del Este. Con estos métodos y técnicas la dictadura comunista emprendió la tarea de utilizar la educación para propagar e imponer el socialismo a la fuerza, con el fin de crear el tan cacareado «hombre nuevo», sueño y pesadilla de las dictaduras marxistas.

Conclusiones

En innumerables ocasiones, durante medio siglo, una gran cantidad de católicos cubanos con mayor o menor grado de compromiso han formulado preguntas cuyo contenido aproximado es este:

Mientras ocurría todo esto en nuestra Cuba, ¿dónde estaba Dios? ¿dónde estaba la Virgen de la Caridad? ¿por qué Dios y la Virgen han permitido que ocurriera todo esto? ¿por qué no nos ayudaron?

Estas interrogantes que muchas veces están fijas en el pensamiento de personas mutiladas por el desgarramiento, doloridas por la ausencia, barrenadas por los recuerdos, parecen una forma de evadir la realidad.

Nuestro Padre Dios, y nuestra Madre, la Virgen de la Caridad, no pueden negar a sus hijos la libre determinación que es propia de los adultos. Ningún psicólogo preguntaría por qué los padres dejaron que los hijos cometieran equivocaciones, porque sería negar a los hijos el derecho y la facultad de decidir por sí mismos. Y los cubanos, por innumerables causas que tal vez deben ser objeto de un estudio sociológico, económico, político, religioso, psicológico… se equivocaron colectivamente. La revolución fue como una embriaguez inmensa que abarcó una buena parte de la sociedad y el resultado fue que millones de personas confundidas y aturdidas vieron en el nuevo régimen la posibilidad de lograr objetivos de paz, de justicia, de beneficios sociales: cuando despertaron, todavía mareados, la mayoría se percató de que lo sucedido no respondía a sus expectativas iniciales, y una minoría no supo, ni pudo, ni quiso aceptar el tremendo fracaso colectivo.

Pero nosotros, los hijos de Cuba, hombres y mujeres, debemos ser responsables. Por supuesto, es más fácil y más cómodo dejárselo todo a Dios y a la Virgen, y achacarles responsabilidades que son exclusivamente nuestras: es una actitud facilista y confortable que nos libra de nuestros errores e inculpa a la divinidad de nuestro propio pecado.

Sucede que somos pecadores, que el pecado nos arrastra a las tinieblas de la muerte, y por eso debemos reconocer y asumir con mansedumbre nuestra culpa, hacer acto de contrición y pedir perdón a

Dios por nuestras faltas para enmendarlas y rectificarlas. Esa es la única actitud madura, adulta, responsable, católica y cristiana. La otra no es más que una evasión infantil que conduce sencillamente a la perpetuación del pecado.

¿Hasta cuándo vamos a descargar sobre nuestro Padre el peso de nuestras culpas? ¿Hasta cuándo vamos a hacer que recaiga en Él la responsabilidad de nuestros actos? Ya Dios fue a la Cruz una vez, en la persona de Su Hijo Jesucristo, en un gesto de amor que no rehusó el mayor de los sacrificios con tal de redimirnos de nuestros actos.

¡Qué sencillo resulta exclamar: Dios mío, por qué me has abandonado, y echar a un lado la propia responsabilidad, como se desecha una carga molesta que ciertamente nos agobia! ¡Qué sencillo resulta esto, qué confortable, qué cómodo!

Y al recordar todos los sucesos que tuvieron lugar en Cuba después de 1959, y que culminaron en ese estado de aturdimiento, de confusión, de enajenación profunda y embriaguez colectiva que conocemos todos, alguien pudiera preguntar:

¿Dónde estaba el Buen Padre Dios, mientras tanto? ¿Dónde estaba nuestra Madre de Amor, la Excelsa Virgen de la Caridad?

La respuesta es muy sencilla: nunca dejaron de estar con nosotros. Nunca dejaron de estar a nuestro lado. El Padre y la Virgen estaban ahí, mirándonos, caminando con nosotros, esperando por nosotros, aguardando nuestro regreso. Y de esa forma padecieron con nuestros errores, cayeron con nuestras caídas, se angustiaron con nuestra angustia… y de la misma manera que sufrieron con nosotros, siguen padeciendo con nosotros, y esperan por nosotros.

Ocurre que Dios no puede ser apartado de nosotros por ninguna circunstancia. El Señor es Nuestro Padre, y nosotros somos creaturas suyas, formadas por Él a su imagen y semejanza. La idea de Dios es por otra parte, tan natural que no puede ser segregada de nuestra naturaleza. De innumerables formas creemos en Dios y Él está con nosotros siempre, eternamente. Aún los ateos más acérrimos confirman muchas veces con actos no pensados y de la manera más espontánea, que la idea de Dios está en ellos y con ellos: ¡cuántas veces en los momentos de mayor desgracia o de penas más grandes, en las catástrofes más dramáticas y en los dolores profundos, estos seres tan tristes y tan solos invocan a Dios Nuestro Señor y a Nuestra Madre, la Virgen!

Finalmente, es preciso afirmar que Cuba nunca ha sido abandonada por Dios y por la Virgen: siempre han enviado ángeles que la defiendan, tanto en el cielo como en la tierra. Si no los veíamos entonces, durante el desgarramiento espantoso que comenzó con la revolución, o no los vemos ahora, debe ser porque andamos en la noche o porque llevamos la noche adentro.

Y la historia nos ofrece pruebas irrefutables. El 8 de septiembre de 1961, en Miami, una muchedumbre de 30,000 desterrados cubanos, llenos de angustia, separados de la Patria, crucificados por el odio y la mentira y al mismo tiempo con la esperanza segura de una Fe infinita, esperaban la llegada de la Virgen de la Caridad, su amada Reina, Madre y Patrona, para celebrar su Fiesta.

¿Por qué estaban tan seguros de que la Virgen de la Caridad del Cobre iba a estar con ellos ese día para festejar el 8 de septiembre? ¿qué les proporcionaba esa certeza? Nadie había confirmado la noticia, se trataba tan sólo de rumores. Pero una intuición profética y colectiva, unida a una Fe infinita, los había convocado, los había reunido, y allí estaban reunidos, formando una muchedumbre expectante de miles de personas. ¿Cómo explicar las lágrimas que inundaron sus ojos, como narrar de qué forma latieron los corazones de aquellos miles de hombres y mujeres cuando vieron que llegaba, entre aclamaciones, lágrimas y aplausos, la imagen de Nuestra Señora de la Caridad? ¿Qué sintieron los exiliados al saber que estaba con ellos la Virgencita morena del Cobre? ¿De qué manera latieron los corazones, cuánta angustia quedó sanada de pronto, cómo fue que la Madre los colmó con su serena paz, cuántas palabras quisieron salir y no pudieron ser escuchadas?

Aquellas personas que llegaron a otro país sin ninguna riqueza material, que lo habían perdido todo, que habían abandonado sus casas, sus pueblos, sus barrios, las Santas Iglesias que los recibieron en su niñez donde habían recibido desde el bautismo hasta el matrimonio, donde habían escuchado por primera vez la Palabra de Dios, aquellas personas que perdieron sus vecinos, sus casas, sus trabajos, sus costumbres, su aire, su sol, sus paisajes, que dejaban atrás muchos años de sus vidas, que estaban lejos de su Patria y de muchos seres queridos, que se habían visto obligados a dejar todo eso atrás y que ahora tenían que pararse sobre sus propias ruinas, erguirse y empezar a reconstruir sus vidas contando solamente con el tesoro intangible de la Fe, que es el don más precioso del cielo, pudieron tener el inmenso consuelo de la presencia de la Virgen recién llegada de Cuba en la solemne Eucaristía de esa noche de Fiesta…

Nuestra Señora de la Caridad vino a inspirarlos y a conducirlos, a levantar el ánimo a una comunidad desterrada que se había visto robada y despojada material y espiritualmente; que había experimentado la expulsión de los sacerdotes, el cierre de sus colegios y universidades católicas, la pérdida de todas sus instituciones, el derrumbe de la historia, y como colofón, la fulminante disminución de la presencia de la Iglesia y la fe en la vida de su pueblo.

De esta forma, para aquella multitud de cubanos desterrados que padecían en la diáspora, para aquellas gentes angustiadas por la nostalgia y por la ausencia, se cumplieron las palabras de Jesús recogidas en el Evangelio, con la presencia de la Mensajera preferida del Buen Padre Dios, su querida Reina y Madre, la Virgen de la Caridad…

Decía (Jesús) a todos:

«Si alguno quiere venir en pos de mí,
niéguese a sí mismo,
tome su cruz cada día, y sígame.
Porque quien quiera salvar su vida,
la perderá;
pero quien pierda su vida por mí,
ése la salvará.
Pues, ¿de qué le sirve al hombre
haber ganado el mundo entero,
si él mismo se pierde o se arruina?
Porque quien se avergüence de mí
y de mis palabras,
de ése se avergonzará el Hijo del Hombre
cuando venga en su gloria,
en la de su Padre
y en la de los santos ángeles»

Lc 9, 23-26

También es preciso recordar que Dios y su Madre, la Virgen de la Caridad, Reina del Sublime Amor, aguardan anhelantes el regreso de sus hijos perdidos: y que el retorno de un hijo siempre es considerado, por el Padre y la Madre del Cielo, como una inmensa victoria. Porque ¿con quién mejor estarán los hijos perdidos que con sus Padres, en el calor y la seguridad y la ternura del hogar? Por eso traemos a la memoria, nuevamente, la Palabra de Dios:

Y, levantándose, partió hacia su padre.

Estando él todavía lejos, le vio su padre,
y, conmovido, corrió, se echó a su cuello
y le besó efusivamente.
El hijo le dijo:

Padre, pequé contra el cielo y contra ti,
ya no merezco ser llamado hijo tuyo´.
Pero el padre dijo a sus siervos:
´Daos prisa, traed el mejor vestido y vestidle,
ponedle un anillo en la mano
y unas sandalias en los pies.
Traed el novillo cebado, matadlo,
y comamos y celebremos una fiesta,
porque este hijo mío había muerto
y ha vuelto a la vida;
se había perdido y ha sido hallado.

Y comenzaron la fiesta.

Su hijo mayor estaba en el campo
y, al volver, cuando se acercó a la casa,
oyó la música y las danzas;
y, llamando a uno de los criados,
preguntó qué era aquello.

Él le dijo: ´Ha vuelto tu hermano
y tu padre ha matado el novillo cebado,
porque le ha recobrado sano´.

Él se irritó y no quería entrar.
Salió su padre y le rogaba.
Pero él replicó a su padre:
´Hace tantos años que te sirvo,
y jamás dejé de cumplir una orden tuya,
pero nunca me has dado un cabrito
para tener una fiesta con mis amigos; y
¡ahora que ha venido ese hijo tuyo,

que ha devorado tu hacienda con prostitutas,
has matado para él el novillo cebado!

Pero él le dijo:
´Hijo, tú siempre has estado conmigo,
y todo lo mío es tuyo;
pero convenía celebrar una fiesta y alegrarse,
porque este hermano tuyo
había muerto y ha vuelto a la vida,
se había perdido y ha sido hallado´.

Lc 15, 20-32

El católico es libre. Nadie puede desvirtuarle sus creencias, ni hacerle pensar lo que no quiere pensar. Nadie debe impedirle quedarse cuando quiere irse, ni forzarlo a marchar cuando desea permanecer. Él se va cuando quiere aunque deba esperar mucho para hacerlo, y si él en cierto momento se olvida de Dios, ocurrirá que Dios no lo abandona, y la Virgen, como Madre amorosa de Caridad, siempre lo espera. Dios y María de la Caridad siguen a nuestro lado aunque los apartemos. Exactamente lo mismo ocurrirá si son los que se quedan los que rehúsan a Dios, porque Dios y la Patrona de Cuba están con nosotros aún cuando solamente los recordemos cuando tocan a nuestras puertas las desgracias o los peligros. No nos piden nada, sólo quieren abrigarnos con su amor. Dios y la Virgen solamente quieren que regresemos, solamente anhelan que los encontremos otra vez, que nos encontremos seguros en la Casa de nuestro Padre...

*A lo largo de casi cuatro siglos, los cubanos nos hemos encontrado siempre juntos, sin distinción de razas, clases u opiniones, en el mismo camino que lleva a El Cobre, donde la amada Virgencita, **siempre la misma aunque nosotros hayamos dejado de ser los mismos, nos espera para acoger, bendecir y unir a todos los hijos de Cuba bajo su manto de madre. A sus pies llegamos sabiendo que nadie sale de su lado igual a como llegó. Allí se olvidan los agravios, se derrumban las divisiones artificiales que levantamos con nuestras propias manos, se perdonan las culpas, se estrechan los corazones**[516]*

Y como la Virgen de la Caridad es Madre de todos los cubanos, piensen lo que piensen, estén donde estén, hagan lo que hagan, y la Madre que siempre aguarda para recibirnos con un abrazo, con una sonrisa, con un beso, siempre perdona a sus hijos, se hizo presente entre nosotros para sanarnos y está también en la Ermita de la Caridad de Miami: allí espera, a apenas unos metros del mar que nos separa, de las aguas que besan las playas de la Florida y las playas de nuestra amada Cuba, el momento en que las prohibiciones se derrumben y todos nosotros podamos reconocernos como hermanos, hijos todos de Dios y de la Virgen María de la Caridad, poniendo nuestro futuro en sus manos y nuestras oraciones a sus pies.

---

[516] Mensaje de la Conferencia de Obispos Católicos de Cuba. El Amor todo lo Espera (La Habana, 8 de septiembre de 1993). La Voz de la Iglesia en Cuba: 100 Documentos Episcopales. Obra Nacional de la Buena Prensa, México, D.F., 1995, p. 399

CAPÍTULO XX

LA PATRONA DE CUBA EN TIEMPOS DE REVOLUCIÓN: UNA LUZ EN LA OSCURIDAD, PARTE II: LA IGLESIA QUE SE PURIFICA (1960-1980)

Ante la estampida de miles de cubanos que se vieron forzados a abandonar la Isla porque además de perder sus medios de vida vieron amenazada la práctica de su religión, su libertad de acción y de expresión y las tradiciones, valores y costumbres que formaban parte inseparable de la existencia, Nuestra Señora de la Caridad del Cobre, con su infinito amor, propició que una imagen suya llegara a Miami justamente el 8 de septiembre de 1961, y que se presentara ante una muchedumbre de fieles que había acudido, empujada por una maravillosa intuición colectiva, a celebrar la fiesta de su Santísima Madre, que era también la Madre de la Nación y de la Patria.

Por otra parte, la Virgen de la Caridad del Cobre iba a acompañarlos siempre, y esta verdad estaba muy bien grabada en los corazones y en las entretelas de las almas que formaban la grandiosa muchedumbre, porque dondequiera que esté un hijo de Cuba, a su lado estará la Virgen para acompañarlo en su camino, para levantarlo cuando caiga, para animarlo cuando esté triste, para sonreír con él y llorar con él y esperar con él que florezca y fructifique la nueva simiente del futuro...

Continúan las fricciones entre la Iglesia y el Estado. Relaciones diplomáticas con los países socialistas y la Circular Colectiva de los Obispos de Cuba el 7 de agosto de 1960. Las publicaciones católicas. Ataques de la prensa estatal

Realmente, se vivía una convulsa situación en la Cuba de 1960. Los cubanos de ese momento, imbuidos de no se sabe cuántas ideas, azuzados por incontables provocaciones, exhortados a cambios violentos y radicales, tenían poco que ver con las multitudes fervorosas que recibían a la Virgen de la Caridad del Cobre, Peregrina, Misionera y Mensajera, durante su larga Visita realizada en los años 1951-1952, en ocasión del Cincuentenario de la República. Siete años después, en 1959, las multitudes volvieron a reunirse convocadas por el paso de la

Virgen y por el Maratón de Antorchas que precedió al Congreso Católico Nacional de 1959. En ese año, y de forma colectiva, el pueblo volvió a postrarse ante su Patrona para presentarle su tributo de oración y con él, su admiración y respeto. Muy lejos estábamos los cubanos de poder vislumbrar que era la última ocasión en que nos reuníamos delante de la Virgen Nuestra Madre en tierras de Cuba, y que habrían de pasar muchísimos años para que pudiéramos hacerlo otra vez…

Para los conocedores de la Historia de la Salvación, sin embargo, se podían apreciar señales proféticas que anunciaban peligro. Jesús había entrado en Jerusalén de la misma forma que su Santísima Madre, la Virgen de la Caridad, llegó a La Habana en noviembre de 1959 para presidir el Congreso Católico Nacional. La recepción del Hijo en Jerusalén y de la Madre en La Habana fueron análogas con veinte siglos de separación: en ambos casos el pueblo recibió su advenimiento con palmas y ovaciones, y en ambos casos, mezclados entre la muchedumbre de los fieles, había fariseos y escribas, verdaderos sepulcros blanqueados, y como dos mil años atrás, igualmente podridos por dentro. Como entonces, los nuevos fariseos comenzaron a deslizar palabras aviesas, insinuaciones, interpretaciones y provocaciones en la multitud: como antes, agitaron a las masas, confundiéndolas, para lograr que prefirieran al asesino Barrabás antes que la sublime Doctrina del Amor…

Los nuevos fariseos iban a crucificar de nuevo a Jesús en La Habana, y estaban listos para clavar nuevas espadas de dolor en el corazón de la Madre Celestial de la Caridad.

Pronto comenzarían a escucharse los gritos de *paredón para los curas*, como una reminiscencia monstruosa de los alaridos que un día, para vergüenza de la historia, se escucharon en Jerusalén: *crucifícalo, crucifícalo…*

Y de la misma forma que se preparaban para crucificar a Jesús, estaban prestos para acabar con los apóstoles, eliminar a los fieles, exterminar la Iglesia y lograr que la Excelsa Patrona de Cuba, la Madre Hermosa de la Caridad, fuera olvidada para siempre, después de traspasar su amoroso corazón…

De esa forma se gestó y se incubó la traición contra Cuba y su Iglesia, lo que constituía un retroceso a lo peor del pasado, y el destierro y el olvido de los principios básicos, los valores, las tradiciones y toda la existencia de la Nación Cubana.

En efecto: la ruptura del ritmo democrático de la Nación, estipulado en la Constitución de 1940, apenas comenzaba en esos momentos y se prolongaría hasta el siglo siguiente, durante un período de tiempo indefinido. La jerarquía de la Iglesia se mantenía en estado de alerta, porque había una contradicción evidente entre las continuas afirmaciones de no militar en las filas del comunismo, que el titulado comandante en jefe no cesaba de proclamar, y el acercamiento en muchos campos a los países de Europa del Este, al mismo tiempo que se tomaban medidas radicales para comenzar a construir el paraíso en la tierra, a la fuerza y caiga quien caiga, y naturalmente, sin explicar quiénes iban a ser los que tendrían acceso a ese inefable paraíso... al unísono, se efectuaba un enfrentamiento de las clases sociales bajo la tesis marxista de la dictadura del proletariado, con lo cual no se había hecho más nada que derribar una dictadura que dejaba resquicios a ciertas libertades, para implantar otra monolítica que sólo aseguraba la implantación de la esclavitud colectiva.

Muy pronto comenzaron a entablarse relaciones diplomáticas y comerciales con los países del Campo Socialista, al tiempo que se iniciaban acercamientos en el orden militar con los firmantes y miembros del Pacto de Varsovia: mientras ocurrían todas estas cosas, y aprovechando el fuerte prestigio y simpatía popular que capitalizaron a partir de la caída del régimen de Batista, se mantenía aletargada la opinión pública sobre la base de varios postulados:

1. Negar rotundamente que la revolución era socialista, atea o marxista,

2. Afirmar en todos los tonos que los cambios beneficiarían a los humildes, los pobres y los desamparados, que tendrían asegurada una vida plena, decorosa y digna,

3. Asegurar de forma tajante que eran enemigos todos los que se opusieran a la titulada revolución, estuvieran dentro o fuera del país.

Simultáneamente, se preparaban todas las condiciones para garantizar que todos, absolutamente todos los controles del poder pasaran a manos del estado, y se daban pasos firmes hacia la implantación del comunismo bajo la égida de un partido único, la anulación de la Iglesia Católica y la implantación del ateísmo oficial, al tiempo que se entronizaba una «dictadura del proletariado» en la que el proletariado no tenía ni voz ni voto, porque lo que se implantaba era el capitalismo de estado unido a la dictadura estatal.

El episcopado cubano, iluminado e inspirado por la Virgen de la Caridad del Cobre, la Madre Celestial que siempre guía a su pueblo en todas las circunstancias y en todos los momentos, emitió una esclarecedora Circular Colectiva el 7 de agosto de 1960 con la finalidad de guiar al pueblo que les había sido confiado por Dios Nuestro Señor para que fueran sus pastores. Esta Circular ponía los puntos sobre las íes fijando la postura de la Iglesia Católica ante los peligrosos síntomas que comenzaban a destruir la sociedad cubana tradicional, infiltrándola con ideologías extranjeras, ajenas por completo a nuestra civilización forjada en el pensamiento humanista, cristiano y occidental, y a las tradiciones, costumbres y principios que tanto contribuyeron a forjar la nacionalidad cubana.

Los Obispos de Cuba expresaron detalladamente su posición con estas aleccionadoras palabras:

Las reformas sociales que, respetando los legítimos derechos de todos los ciudadanos, tiendan a mejorar la situación económica, cultural y social de los humildes, tienen, pues, hoy y tendrán siempre, el más decidido apoyo moral por parte de la Iglesia.

Faltaríamos, sin embargo, a nuestra obligación de decirles a nuestros fieles, y en general al pueblo de Cuba, toda la verdad, si en el balance de los aspectos positivos y negativos del histórico momento que hoy vive nuestra Patria no les dejáramos saber también, con no menor claridad, nuestras principales preocupaciones y temores.

*Podríamos señalar algunos puntos en que las medidas de carácter social antes mencionadas no han sido llevadas a cabo con el respeto debido a los derechos de todos los ciudadanos con que fueron inicialmente anunciadas, pero creemos que será mejor que nos ciñamos **a un problema de extraordinaria gravedad que ninguna persona de buena fe puede negar en este momento, y es el creciente avance del Comunismo en nuestra Patria.***

En los últimos meses el Gobierno de Cuba ha establecido estrechas relaciones comerciales, culturales y diplomáticas con los gobiernos de los principales países comunistas, y en especial con la Unión Soviética. Nada tendríamos que decir desde el punto de vista pastoral sobre los aspectos estrictamente comerciales o económicos de estos acercamientos, pero sí nos inquieta profundamente el hecho de que, con motivo de ellos, haya habido periodistas, gubernamentales, líderes sindicales y aun altas figuras del Gobierno que hayan elogiado repetida y calurosamente los sistemas de vida imperantes en esas naciones, y aun hayan sugerido, en discursos pronunciados dentro y fuera de Cuba, la existencia de coincidencias y analogías, en fines y procedimientos, entre las revoluciones sociales de esos países y la Revolución Cubana.

Nos preocupa este punto muy hondamente, porque el Catolicismo y el Comunismo responden a dos concepciones del hombre y del mundo totalmente opuestas que jamás será posible conciliar.

Condenamos, en efecto, al Comunismo, en primer lugar, porque es una doctrina esencialmente materialista y atea, y porque los gobiernos que por ella se guían figuran entre los peores enemigos que ha conocido la Iglesia y la humanidad en toda su historia. Afirmando engañosamente

233

que profesan el más absoluto respeto a todas las religiones, van poco a poco destruyendo, en cada país, todas las obras sociales, caritativas y apostólicas de la Iglesia, y desorganizándola por dentro, al enviar a la cárcel con los más variados pretextos, a los obispos y sacerdotes más celosos y activos.

Condenamos también al Comunismo por ser un sistema que niega brutalmente los más fundamentales derechos de la persona humana. Porque, para alcanzar el control total del Estado sobre los medios de producción, establecen en todas partes un régimen dictatorial, en que un pequeño grupo se impone por medio del terror policial al resto de sus conciudadanos. Porque someten completamente la economía a la política sacrificando muchas veces el bienestar del pueblo a las ambiciones y conveniencias del grupo gobernante. Porque van anulando progresivamente el derecho de propiedad y convirtiendo a la larga a todos los ciudadanos, más que en empleados, en verdaderos esclavos del Estado. Porque le niegan al pueblo el derecho que tiene a conocer la verdad, al hacerse dueño el Estado de todos los medios de información y no permitir que les lleguen a los ciudadanos otras opiniones que las que mantiene el grupo gobernante. Porque subordinan indebidamente la vida de la familia al Estado, impulsando a la mujer a dejar el hogar para que realice, fuera de su casa, las más rudas tareas, y educando a los hijos en la forma que el Gobierno desea, sin contar a derechas con la voluntad de los padres.

Al condenar la Iglesia las doctrinas y procedimientos comunistas no lo hace, por tanto, en una forma parcial, en nombre de determinados grupos de la sociedad que pudieran verse afectados por el establecimiento de un régimen de esta clase; lo hace en nombre de derechos inalienables de todos los hombres, que, en una forma o en otra, son vulnerados sin escrúpulos por los gobiernos comunistas.

Recuérdenlo, pues, nuestros hijos, y díganlo muy alto a toda Cuba, que la Iglesia nada teme de las más profundas reformas sociales siempre que se basen en la justicia y en la caridad, porque busca el bienestar del pueblo y se alegra de él, pero precisamente por esto, porque ama al pueblo y quiere su bien, no puede por menos de condenar las doctrinas comunistas. La Iglesia está hoy y estará siempre en favor de los humildes, pero no está ni estará jamás con el Comunismo...[517]

Antes de que se emitiera esta Circular Colectiva y durante los días siguientes, diversos prelados de la Isla de Cuba continuaron enviando diversas Pastorales, Circulares y Comunicados, con la intención definida de guiar al Pueblo de Dios, con el carisma de la Caridad, que

---

[517] Episcopado Cubano. La Voz de la Iglesia en Cuba: 100 Documentos Episcopales. Obra Nacional de la Buena Prensa, México, D.F., 1995, pp. 116-118

es el de la Virgen Patrona de Cuba, para que pudiera cruzar los inmensos y procelosos mares donde comenzaba a navegar la Patria, en medio de una tormenta incalculable.

Virgen de la Caridad en La Habana, 1952

Algunas respuestas de los prelados de Cuba en sus alocuciones, circulares, comunicados y Cartas Pastorales

En las semanas y meses que vinieron a continuación, continuaron los mensajes esclarecedores y urgentes. El siguiente 15 de agosto, día de la Fiesta de la Asunción, Mons. Enrique Pérez Serantes, Arzobispo de Santiago de Cuba, emitía la Pastoral *La Santa Misión,* para exhortar al pueblo de la capital de Oriente a participar en la obra misionera con el objetivo de mostrar el verdadero camino a los fieles cuando el laicismo amenazaba con su sombría peligrosidad la cuatro veces centenaria Obra de la Iglesia Católica en la Isla, bajo el amparo y la guía de su Patrona, la Santísima Virgen de la Caridad del Cobre:

Por obra del laicismo, en esta hora aciaga de la historia se sabe poco de Dios, se conocen poco los caminos del espíritu, y se suele vivir lejos de las fuentes de la vida. Al empeño de elevar el naturalismo al plano más alto,

235

descuidando y aun negando el sobrenaturalismo, **se debe que la ignorancia religiosa haya adquirido proporciones alarmantes,** *no siendo por ello de admirar que sean muchos los que viven alejados de Dios y de su Santa Ley y aun a veces al margen de toda ley, y que, por la misma razón, abunden los que sin rumbo vagan por los caminos más extraviados...*

Efecto del laicismo en todas sus manifestaciones, el desorden social, que reviste caracteres de anarquía y de plena subversión de valores, se ha extendido tanto, que para imponer algo de disciplina, aunque sólo sea superficial, se han llegado a emplear en todas partes procedimientos extremadamente duros. Por falta de principios sólidos, no es tampoco extraño se resienta la moralidad, y aun que llegue a entronizarse en la sociedad el vicio más desenfrenado...

En esta hora de intensísimo frío espiritual vayamos, pues, todos a Jesús, al único que puede caldear nuestras almas en el fuego de su ardentísimo Corazón. Vayamos presurosos a Jesús, a participar ya de aquellos bienes inefables que hicieron en cierta ocasión exclamar a los apóstoles: «!Maestro, qué bueno es estar aquí!», o «¡quédate, Señor, con nosotros!», como los discípulos de Emaús...

Mas preguntarán algunos: ¿cómo ir a Jesús, cómo gozar de su compañía y cómo participar de sus bienes acá en la tierra?

A éstos los invitamos a asistir a la santa Misión que del 21 de Noviembre al 4 de Diciembre, Dios mediante, se va a dar al menos en veinte lugares distintos y a un tiempo en esta ciudad de Santiago de Cuba...

A la misión, pues, todos.

A la misión los creyentes y los incrédulos; aquellos para que se afiancen en la fe; éstos, para que el Señor se la conceda.

A la misión los justos y los pecadores; los primeros, para que se enfervoricen más; los segundos, para que se purifiquen sus conciencias...

A todos nuestros amados diocesanos pedimos, de un modo especial a las almas consagradas a Dios, <u>**el favor de impetrar diariamente, por conducto de nuestra excelsa Patrona, la Sma. Virgen de la Caridad del Cobre, el auxilio divino para el mayor éxito de esta Misión, la que también Nos bendecimos con paternal amor...**</u>[518]

Mons. Enrique Pérez Serantes firmó en esos días otros documentos rotundos en los que dejó fijada para la posteridad y la memoria la posición de la Iglesia Católica que comenzaba una durísima Peregrinación acompañando al Pueblo de Dios que tan sólo buscaba la verdad. Tal parece que la Excelsa Patrona de Cuba, la Madre Hermosa de la Caridad, derramaba a raudales su luz sobre él y lo inspiraba de forma que sus

---

[518] Ibídem, cf. pp. 119-123

palabras y argumentos desbordaban con una irresistible fuerza interior. Era aquél un momento tremendo, en el que algunos voceros de la revolución, por supuesto impulsados y exhortados por sus líderes, comenzaron a propagar calumnias acusando a los católicos nada menos que de traición. Basta con los fragmentos de la Pastoral *Ni traidores ni parias*, emitida el 24 de septiembre de 1960, que se presentan de inmediato, para mostrar la opinión y las preocupaciones de la Iglesia:

> *Estamos envueltos en un mar de confusiones, producidas por una densa niebla, que es necesario despejar rápidamente para dar paso a la luz, y con ella, a la verdad, que se está echando mucho de menos.*
>
> *Para no andar con inútiles rodeos, ni tratar de tapar el sol con un dedo, decimos que este confusionismo gira todo alrededor del problema del comunismo, incubado por el capitalismo materializado y por el racionalismo; bien elaborado y dado a luz por los hábiles discípulos de Marx.*
>
> *Hubo un tiempo, que recordamos muy bien, en que se calificaba de execrable traidor al que no estaba enteramente de acuerdo con el régimen y los procedimientos de Machado, aunque fuese tan cubano como Martí, como Maceo o Agramonte.*
>
> ***Hoy, para no divagar mucho, resulta que se considera igualmente traidor al que se permite el lujo de combatir el comunismo, o de expresar abiertamente que no está conforme con las directrices o el adoctrinamiento y procedimientos marxistas; a veces, no hace falta ni tanto. Tal parece que, para algunos, sólo los comunistas y sus seguidores tienen derecho a trazar la línea de conducta obligatoria para todos...***
>
> ***...¿Quién puede tener derecho a afirmar que alguien es traidor a la Patria, porque amándola con toda su alma, se atreve a decir que no piensa en todo, como piensan los enemigos de Dios, los enemigos de la libertad y de los derechos humanos, los comunistas y sus secuaces...?***
>
> *Hay indicios, por cierto muy expresivos, y hasta algunos muy elocuentes, de que los comunistas del patio, iguales a todos los demás (los de Rusia, los de China y Hungría, y de todas partes), parece no merecen los honores de la ciudadanía, cuando no se les moteja abiertamente de antipatriotas, los que, aferrados a los principios básicos de la lealtad a Dios y a sus Mandamientos, que son y han de ser siempre el Código de honor de los humanos en todas partes, manifiestan, por lo mismo, su hostilidad o repugnancia a la amalgama de ideologías extrañas, espurias, ajenas y contrarias al recio y tradicional sentir religioso, principalmente católico, de nuestro pueblo...*
>
> ***Por la Revolución, se dio en esta provincia de Oriente, y todo el mundo lo sabe, cuanto había que dar: a su favor, se movilizó todo el pueblo. Por la Revolución... se dio todo: dinero, ropas, oraciones, sacrificios, y todos los hombres que se necesitaron, los cuales, con el mayor***

desinterés, con gran fervor, como quien va a una Cruzada, escalaron la Sierra dejándolo todo, sin volver la vista atrás. Por la Revolución, hemos visto los templos repletos de fieles y lo mismo las calles abarrotadas, principalmente de madres, de esposas e hijas de combatientes, que eran en su mayoría católicos, marchando en abiertas y bien conocidas manifestaciones por la causa, Rosario en mano, desafiando las amenazadoras represalias...

Por la Revolución, muy identificados con ella, nuestros capellanes, los sacerdotes Sardiñas, Rivas, Lucas, Guzmán, Castaño, Cavero y Barrientos, los cuales con el mismo espíritu que los valientes soldados de las Sierras, acompañaron a éstos y los alentaron por los caminos de la lucha y de la victoria.

Luchando por la Revolución, nunca pensaron los nuestros, nunca pensó el pueblo cubano, que la mano férrea y sin entrañas del comunismo había de pender amenazadora sobre nuestras cabezas; ni que habrían de ser los escasos devotos de Marx y de Lenin los que pretendieran arrebatarnos el bien ganado laurel de la victoria; los que dieran la pauta de la conducta a observar a los heroicos voluntarios de la patria, llegando hasta a ordenarnos que nos confinemos a nuestros templos, y nos atengamos en ellos a normas trazadas osadamente por los que, a fuer de descreídos, nada entienden de eso.

Si esto es así, nos sentimos obligados a levantar nuestra voz para pedir se conceda a los católicos y a todos los no comunistas el disfrute del pleno derecho que a la libertad tienen los ciudadanos todos; y puesto que somos indiscutiblemente muy superiores en número, y nada inferiores en calidad a nuestros opositores, que se nos respete y se nos deje ocupar el puesto que de derecho nos corresponde dentro de los justísimos cánones de la democracia; y esto, en todas partes, y no sólo en los templos, ya repetidas veces en poco tiempo profanados, merced a las irreverentes y atrevidas incursiones realizadas en ellos so pretexto de defender intereses que jamás han conculcado los católicos...

Amamos a Cuba, y a Cuba nos debemos totalmente, como la aman los católicos todos y todos los hombres honestos que con nosotros tienen la dicha de convivir. Por amor a Cuba estamos dispuestos a que nos llamen contrarrevolucionarios y traidores los que seguramente mejor harían si se callasen...

De todo lo dicho, de lo cual somos Nos exclusivamente responsables, queremos estén debidamente informados nuestros diocesanos, a fin de evitar confusiones lamentables; para que conozcan sus derechos y las maquinaciones de los declarados enemigos de la Iglesia; y para que, por intercesión de nuestra excelsa Patrona, la Virgen de la Caridad, pidan incesantemente al Señor nos libre de las insidias de los arreligiosos y de los irreligiosos, y nos propicie el don precioso de la fraternal convivencia de todos los cubanos en un ambiente de verdad, de justicia, de amor y de paz...[519]

La Virgen de la Caridad, actuando como fuente maternal del más sublime Amor de Dios, inspiraba al mismo tiempo a otros prelados y figuras señeras de la Iglesia Católica que peregrinaba junto al Pueblo de Dios en Cuba. Los alertas que daban, como clarinadas en la conciencia de la gente, eran urgentes y constantes. Mons. Eduardo Boza Masvidal, entonces Obispo Auxiliar de La Habana y Rector de la Universidad Católica de Santo Tomás de Villanueva, hizo otro llamado a la atención del pueblo al emitir un rotundo documento titulado *¿Es cristiana la revolución social que se está verificando en Cuba?*, el que vio la luz el 30 de octubre de 1960 en la revista franciscana *La Quincena*. En este artículo, Mons. Boza Masvidal comenzó afirmando que eran cristianos varios principios que constantemente proclamaban los voceros del estado revolucionario que avanzaba rápidamente hacia la implantación del comunismo. El Obispo Auxiliar de La Habana señaló que efectivamente *es cristiano propender al mejoramiento de los humildes, tratar de que las riquezas estén justamente distribuidas entre todos los hombres, hacer que los beneficios de la educación y de la cultura lleguen a todos, ocuparse de que los pobres puedan disfrutar de los dones de la naturaleza, del campo y de la playa que Dios creó para todos.* Y de inmediato, el prelado lanzó esta pregunta:

¿Qué le falta a la revolución social que se está verificando en Cuba para ser cristianos, o al menos para no chocar con los principios cristianos?[520]

Y respondió inmediatamente con las respuestas que se resumen a continuación:

1. *En primer lugar le falta partir de un concepto espiritualista de la vida y del hombre. Se empezó por borrar el nombre de Dios de la Constitución y sólo se consideran importantes las necesidades materiales y la vida terrena...*

2. *También le falta basarse en el amor y no en el odio y en la lucha de clases. El amor cristiano no está en querer y procurar el bienestar de un grupo o de una clase social sino de todos. Enfrentar a los pobres contra los ricos porque antes los ricos abusaron de los pobres, no es sino llevar la injusticia al extremo opuesto...*

---

[519] Ibídem, pp. 126-130
[520] Ibídem, p. 132

3. *Falta el reconocimiento de la dignidad de la persona humana y la libertad de los hijos de Dios, el cual ha dado a cada hombre el derecho de pensar, de escribir, de hablar, de actuar, de tener iniciativas, sin más limitaciones que el respeto a la ley moral y al derecho ajeno...*

4. *Falta el respeto al derecho natural de la propiedad, indispensable para el ejercicio de la libertad individual...*

5. *Falta respeto a la fama y buen nombre del prójimo. Cuando se discute no hay que destruir al adversario sino destruir sus argumentos. La persona del adversario debe ser inviolable, aun para el ataque verbal...*

6. *Por otra parte, existe un ataque que es ya sistemático, contra los Estados Unidos y las naciones occidentales, y una amistad demasiado íntima para ser casual con Rusia y los países socialistas...*

7. *Puede ser que se me haya quedado alguna cosa en el tintero pero creo que bastan las señaladas...*[521]

Confusión y desorden en la sociedad civil. Comienza a estructurarse la oposición al régimen

Pocos días después comenzaron a apagarse los últimos ecos del Congreso Nacional. Muchos de los católicos que escucharon las palabras de Su Santidad no pudieron, no supieron o no quisieron interpretarlas, llenos como estaban de la emoción y del fervor que soplaron sobre Cuba durante la celebración del gran evento.

La cascada de sucesos que se desencadenó durante los meses siguientes, llena de golpes y contragolpes, de pasiones enfebrecidas y de la voluntad de ganar a toda costa, se encargó de demostrar hasta la saciedad que el Papa tenía toda la razón. El odio había gestado frutos amargos de muerte y no se pudo contar con todo el amor cristiano que hacía falta para contrarrestar su furia.

Dentro de la Iglesia se formaron numerosas contradicciones. Los católicos más poderosos, en general los más afectados por las leyes revolucionarias, se inclinaban a favor de sus intereses lesionados. Los católicos de la clase media veían con gran simpatía muchas medidas del nuevo régimen, pero esa simpatía en no pocas oportunidades estaba mezclada con una gran desconfianza. Al mismo tiempo un tercer grupo de católicos mantenía una gran confianza en la revolución, y en muchas de sus medidas, la realización de varios ideales evangélicos. Para la jerarquía y una buena parte del clero, los hechos y las palabras del

---

[521] Ibídem, pp. 131-134

nuevo gobierno se inclinaban peligrosamente hacia el socialismo, el adversario filosófico e ideológico por antonomasia.

Como ya hemos dicho, el establecimiento de relaciones diplomáticas, comerciales y culturales con los principales países socialistas alarmaron a los miembros de la jerarquía católica en los primeros meses de 1960, por lo que se redactó la ya citada

Circular Colectiva firmada por todos los Obispos de Cuba el 7 de agosto de 1960, que fue leída en todas los templos de la Isla durante las misas dominicales, y que dejaba ver claramente la posición asumida por la Iglesia: las reformas sociales emprendidas contaban con la simpatía de la institución católica, que alertó al mismo tiempo sobre las consecuencias de algunas medidas tomadas, como ya hemos visto.

A esta Carta Pastoral siguieron otras: en esencia, las Pastorales emitidas después no se diferenciaban mucho de la primera, en la que se deslindaron perfectamente los campos.

Cinco semanas después de la leerse la Circular del 7 de agosto de 1960, o sea, el 14 de septiembre de 1960, se promulgó la Ley Constitucional de Reforma Urbana, que limitó la propiedad sobre las viviendas urbanas a las que estuvieran ocupadas personal o familiarmente por los propietarios, a quienes sólo se les autorizó la propiedad de una segunda vivienda en lugares de recreo —el campo, la playa— expropiándosele el resto. Al mismo tiempo la ley propiciaba que los antiguos arrendatarios u ocupantes legales de viviendas urbanas pudieran adquirir la que estaban ocupando en esos momentos, mediante la amortización del precio con el pago de sus antiguas rentas. El precio de las expropiaciones se fijó en relación inversa a la antigüedad del inmueble y directa al valor en renta declarado por el antiguo propietario a los efectos del impuesto sobre la propiedad inmobiliaria[522].

Esta medida benefició a una inmensa masa de inquilinos y sus familiares que se convirtieron en adquirentes de las viviendas que ocupaban, al paso que afectó a un limitado número de antiguos propietarios.

La Iglesia y muchas órdenes religiosas tenían importantes inversiones en el sector inmobiliario, por lo que se vieron afectadas en sus rentas al igual que el resto de los propietarios urbanos. Algunas personas vieron en esta medida una agresión directa contra la Iglesia y contra su autonomía desde el punto de vista económico, la que le facilitaba el ejercicio de su apostolado.

---

[522] Cf. Gaceta Oficial de la República de Cuba, 14.VIII.1960

De cualquier forma, la Ley de Reforma Urbana fue la primera gran afectación a la economía de la Iglesia[523].

Durante los meses siguientes, las medidas del estado y sobre todo las dirigidas a la socialización de la economía, se fueron sucediendo una tras otra de manera que el gobierno iba acumulando en sus manos todo el poder efectivo. El tránsito hacia el socialismo se fue haciendo cada vez más rápido en la medida en que una tras otra, se iban implantando y aceptando muchas medidas, cada vez más radicales, dirigidas al mismo objetivo.

Ante la nueva situación creada, la Iglesia se iba convenciendo cada vez más de la veracidad y necesidad de sus propios planteamientos. El último gesto de acercamiento realizado en público del que se tiene memoria,

> ...lo encarnó Mons. Evelio Díaz Cía, entonces Arzobispo Coadjutor de La Habana, con derecho de sucesión, cuando fue expresamente invitado y asistió a la magna Cena Martiana ofrecida por el Gobierno revolucionario en la Plaza de la Revolución al pueblo, la noche del 27 de enero de 1960, víspera del aniversario del natalicio del Héroe Nacional José Martí. Allí cenó Mons. Evelio junto al Comandante Fidel Castro en la mesa presidencial, La televisión nacional trasmitió la celebración y el pueblo pudo captar los reiterados diálogos sostenidos por ambos comensales. No tardó Mons. Evelio en recibir las críticas de importantes sectores católicos desafectos a la revolución[524]

Durante los próximos meses, el desarrollo de los acontecimientos condujo prácticamente al choque entre la institución católica y el estado cubano.

En la Delegación Franciscana de Cuba y en las casas de otras órdenes del clero regular se conservaron numerosos testimonios, verbales y escritos, sobre los dramáticos sucesos que acontecieron en esa etapa, y que arrojan luz sobre las situaciones que vivió la Iglesia. Algunos de esos testimonios se presentan en estas páginas para ilustrarlas.

Dentro de los franciscanos, las opiniones estaban divididas. Al igual que sucedía con muchos religiosos y hombres de Iglesia y multitud de laicos, en los primeros momentos algunos frailes seráficos estaban de acuerdo con numerosas reformas sociales emprendidas por

---

[523] Larrúa Guedes, Salvador. Cinco Siglos de Evangelización Franciscana en Cuba. Custodia Franciscana del Caribe, Puerto Rico, 2004, t. II, p. 180

[524] Ibídem,

el nuevo gobierno, al mismo tiempo que miraban con reserva y desconfianza otros pronunciamientos y actitudes.

Cuando se iniciaba la revolución, sobre todo, los franciscanos, o para decirlo mejor, algunos de ellos —al igual que grandes sectores del pueblo y de la propia Iglesia— pensaban que no había nada que temer. El domingo 17 de mayo de 1959, en la hoja dominical «**Vive con la Iglesia**» dirigida por Fray Marino Martínez y administrada por Fray Antonio Camiñas desde la Iglesia de San Francisco, en un artículo titulado **De los comunistas y otras cosas**. En aquella época los Obispos todavía no habían lanzado la famosa Circular del Episcopado de 7 de agosto de 1960, y para la dirección de la hoja «**Vive con la Iglesia**» el comunismo no era más que un espectro y en relación con el fantasma del comunismo «**era más el ruido que las nueces, y hay más alarde fanfarrón en las filas comunistas que verdadera y seria acción**» (sic). Decía textualmente el artículo citado:

> *Esta dirección de la hoja 'VIVE CON LA IGLESIA', piensa sencillamente que la alarma (a causa del comunismo) no está bien justificada y que el miedo produce cobardes, pero no héroes ni mártires. Creemos que no está bien justificada esta alarma, porque nuestros señores Obispos, que son Pastores puestos por Dios para cuidar el rebaño de Cristo, no han escrito, que yo sepa, una Carta Pastoral ni ninguna Circular sobre el espectro del Comunismo, y creo que tienen suficiente confianza en los pronunciamientos democráticos hechos por los más fieles representantes del gobierno, como para no dudar de que esos pronunciamientos sean fieles intérpretes de la mayoría de un pueblo que detesta las dictaduras, todas las dictaduras. Lo cual se ha demostrado evidentemente por lo menos en dos grandes ocasiones: primera en las elecciones sindicales azucareras, que después de tanta alharaca y tanta agitación comunista, solamente lograron ganar seis sindicatos; segunda, en las elecciones del magisterio, que tampoco lograron, ni mucho menos, la mayoría. Son dos botones de muestra, pero creo que son suficientes...*[525]

Nadie sabe si los que escribían estas líneas pensaban de la misma forma catorce meses después, cuando los Obispos de Cuba firmaron la Circular Colectiva del 7 de agosto de 1960 y el paso del tiempo y con él de los sucesos había ido aclarando la situación de la Isla, que todavía en esos momentos era un verdadero enigma para muchos.

---

[525] Ibídem, p. 181

La Acción Católica y otras asociaciones comienzan a enfrentarse al régimen. Dirigentes de Acción Católica detenidos y juzgados por tribunales revolucionarios. La Invasión de Playa Girón: presencia de sacerdotes católicos y de miembros de la Acción Católica en la Brigada 2506

Ya desde el año 1960 y con mayor fuerza durante 1961, en ciertas zonas como las montañas de Pinar del Río y del Escambray en el centro de la Isla, en algunos territorios de Camagüey y algunas zonas de Oriente, comenzaron a aparecer bandas de alzados que eran enemigos de la revolución y tomaron las armas contra ella. Los núcleos más activos y numerosos de esas bandas se concentraron en las montañas del Escambray, donde comenzaron a realizar sabotajes y atentados. Se organizaron numerosos batallones de milicianos (estas tropas se denominaron de «Lucha contra bandidos» que comenzaron las operaciones de limpieza en estas zonas con el objetivo de aislar, vencer y atrapar a los alzados. En las ciudades también se organizaban los desafectos al régimen y pronto comenzaron a sucederse los incendios, sabotajes y las explosiones de bombas, causando daños a diversas instalaciones y la muerte de algunos ciudadanos: desde el 23 de agosto de 1960 se crearon los Comités de Defensa de la Revolución como órganos de vigilancia colectiva encargados de la observación continua de todos los elementos desafectos al régimen.

Diversos líderes católicos comenzaban a definir sus posiciones. Manuel Artime, líder de la Agrupación Católica Universitaria, desertó del Ejército Rebelde y se marchó a los Estados Unidos, donde se integró a los grupos de disidentes. Muchos católicos connotados que ocupaban cargos en la administración estatal, como el Dr. Andrés Valdespino, que era Subsecretario de Hacienda, presentaron la renuncia y muchos de ellos comenzaron a participar activamente en diversos movimientos contrarrevolucionarios. De igual forma, varios dirigentes de la Juventud Obrera Católica (JOC), de la Juventud Estudiante Católica (JEC) y de la Juventud Universitaria Católica (JUC) comenzaron a solicitar asilo en embajadas extranjeras. Otros fueron detenidos y juzgados por los Tribunales Revolucionarios al estar implicados en actividades contrarias al gobierno[526].

En el mes de abril de 1961, procedente de los Estados Unidos, la Brigada de Asalto no. 2506, formada por un grupo heterogéneo de cubanos a los que unía fundamentalmente su oposición al nuevo régimen, desembarcó en las arenas de Playa Girón. Su ataque había

---

[526] Ibídem, p. 183

sido precedido mediante ataques a las bases aéreas que no obtuvieron el éxito esperado de neutralizar la aviación del régimen, y los miembros de la Brigada contaban con un rápido apoyo de las fuerzas armadas y en particular de la aviación de los Estados Unidos, que no llegó a materializarse. La historia es muy conocida. Contra los invasores se movilizaron con mucha rapidez gran cantidad de fuerzas y medios de combate, y en tres días de combate, del 16 al 19 de abril, fueron derrotados. En aquella expedición militar

> *...venían tres sacerdotes católicos: el Padre Ismael Lugo, capuchino, Tomás Macho, jesuita; y Segundo de las Heras, escolapio. Los tres fueron capturados junto con el resto de los sobrevivientes de la invasión y fueron presentados por la televisión al igual que otros miembros de dicha brigada. La expedición estuvo encabezada por el ex líder católico Manuel Artime Buesa, como su jefe político[527]*

Cuando estaba a punto de iniciarse la invasión, el primer ministro Fidel Castro, durante la ceremonia del entierro de los fallecidos en los ataques aéreos del día anterior, anunció su voluntad de crear, desarrollar y consolidar el primer estado socialista de América Latina: ya nadie podía albergar dudas en relación con que todos los pasos dados anteriormente conducían a la implantación de un régimen socialista en la Isla.

Un mes y tres semanas después de haber sido derrotada la Brigada 2506 en Playa Girón, el 6 de junio de 1961 se publicó la Ley de Nacionalización de la Enseñanza, por la cual dicha función pasaba a ser pública y gratuita y se disponía la nacionalización de todas las escuelas. La medida afectó a todos los colegios privados incluyendo a los de la Iglesia, que constituían tradicionalmente una de sus principales fuentes de ingresos y uno de los más fuertes pilares de la Evangelización.

Como quiera que las catequesis parroquiales no estaban preparadas para sumir la formación religiosa de los niños y jóvenes y tomando en cuenta que en aquella época prácticamente no existían ni la catequesis familiar o doméstica, la de adultos y la pre-sacramental, la nacionalización de los colegios católicos dejó a la Iglesia en una situación muy frágil para realizar su labor catequística.

Aquél duro golpe a las órdenes y congregaciones religiosas dedicadas por entero o parcialmente a la enseñanza, provocó la salida del país de muchos religiosos y de numerosas familias católicas que querían que sus hijos se educaran dentro de la religión:

---

[527] Ibídem,

A partir de la nacionalización de los colegios se acrecentó la emigración de miembros de órdenes religiosas, en especial de aquellas dedicadas a la enseñanza, las cuales establecieron sus actividades educacionales en otros países latinoamericanos e incluso en los Estados Unidos. Aumentó también notablemente la salida de familias católicas con sus hijos. Una notable excepción en el proceso emigratorio la constituyó la decisión de los jesuitas de dejar un grupo de sus miembros en Cuba, los que se ofrecieron a los Obispos para dedicarse a la pastoral, principalmente. Algunas órdenes religiosas sólo dejaron escasos miembros, generalmente ancianos, a fin de conservar la posesión de sus locales[528]

Aunque la medida no afectó a los alumnos del Seminario Mayor de Arroyo Arenas (El Buen Pastor) ni al Seminario Menor de San Basilio Magno de Santiago de Cuba, pero el de Matanzas cesó en sus funciones por falta de profesores. A los noviciados de las diversas órdenes religiosas les sucedió algo por el estilo, aunque algunos fueron ocupados durante la invasión de Playa Girón sin que nunca fueran devueltos mientras que otros —sobre todo los que pertenecían a órdenes femeninas— han permanecido funcionando incluso con incrementos de matrícula, como en el caso de las Hijas de la Caridad de San Vicente de Paúl[529].

La medida de la nacionalización de los colegios católicos fue sin dudas un golpe muy duro para la Iglesia Católica. No era, sin embargo, el último: había que apurar el cáliz de la amargura hasta la última gota, como lo habrían de demostrar los acontecimientos siguientes.

Los Obispos cubanos son puestos bajo custodia. Mons. Evelio Díaz y Mons. Boza Masvidal, detenidos en las Oficinas de la Seguridad del Estado. Se declara oficialmente la Revolución Socialista. Se suprime la Universidad Católica de Santo Tomás de Villanueva. Repercusiones en la educación primaria, media y superior de la Ley de Nacionalización de la Enseñanza el 6 de junio de 1961

Cuando se desencadenó el ataque de la Brigada 2506 en Playa Girón, con la que desembarcaron en Cuba algunos sacerdotes católicos, como ya hemos visto, los efectivos del Ministerio del Interior, auxiliados por las milicias y guiados en muchos casos por los Comités de Defensa de la Revolución, recogieron a numerosas personas sospechosas de simpatizar con los invasores. Miles y miles de personas

---

[528] Ibídem, p. 184

[529] Ibídem,

fueron confinadas en verdaderos campos de concentración como el que se improvisó en la Ciudad Deportiva de La Habana, con el fin de reducir a la impotencia a los presuntos adversarios, porque el régimen quería tener todas las ventajas de su parte y todas las ventajas que pudiera obtener, le parecían pocas, por brutales y lesivas que fueran, sin tomar en cuenta en ningún momento la dignidad ni la fragilidad de los opositores desarmados, reducidos a la impotencia y maniatados. En todas las provincias de la Isla se tomaron medidas análogas y se establecieron campos de prisioneros para mantener reducidos y controlados a los opositores, y en todas partes se actuó contra la Iglesia invadiendo las sedes de los Obispados y Arzobispados, donde no fueron respetadas las oficinas y los documentos custodiados y guardados durante siglos fueron rotos y revolcados en patios y pasillos. La mayor parte de los locales eclesiásticos fueron ocupados por las milicias durante las horas que duró el estado de guerra, y aunque no se suspendió el culto de forma oficial, en muchos templos dejó de efectuarse por la ausencia o el temor de sacerdotes y feligreses...

Una de las medidas principales adoptadas por el régimen fue la de mantener bajo prisión domiciliaria a los miembros de la jerarquía católica. Entre ellos, los opositores más destacados fueron conducidos, presos, a los siniestros establecimientos del Departamento de Seguridad del Estado, en La Habana.

Todos los Obispos de Cuba fueron puestos bajo la custodia externa en sus respectivas casas episcopales, salvo Mons. Evelio Díaz y Mons. Boza Masvidal, quienes fueron retenidos en las oficinas del Departamento de Seguridad del Estado por varios días[530]

Muchos católicos que en los primeros momentos simpatizaban con el régimen fueron cambiando de idea en la medida en que se iban poniendo de manifiesto sus tendencias y proyecciones. En la Universidad Católica de Santo Tomás de Villanueva se formó un núcleo de opinión y varios de sus integrantes, pertenecientes en su mayoría a las clases acomodadas, pasaron a la oposición. Lo mismo ocurrió con algunos colegios católicos, después de que algunos líderes de la misma religión fracasaran en un intento de introducirse en la dirigencia de la Federación Estudiantil Universitaria (FEU) seguramente para frenar el apoyo de esta institución a las medidas del nuevo gobierno[531].

---

[530] Ibídem, p. 183

[531] Ibídem, p. 184

Todas estas medidas contra la Iglesia fueron complementadas, como ya sabemos, con la eliminación de los colegios católicos, la expulsión de los miembros de congregaciones religiosas masculinas y femeninas dedicadas a la enseñanza, el cierre de la Universidad Católica de Santo Tomás de Villanueva y otras instituciones.

El duro golpe dejó dolorosas secuelas en la instrucción y en todos los niveles de enseñanza en el país. Como siempre, el pueblo salió perdiendo con el cierre de centenares de colegios regidos por las órdenes y congregaciones religiosas, además de la extinción de muchísimas escuelas parroquiales y el cierre de las Universidades católicas, tanto las ya fundadas como las que se encontraban en vías de creación. Todo el sistema educacional católico funcionaba sin gravar los fondos del estado cubano.

Provocación efectuada el 10 de septiembre de 1961 durante la Procesión de la Virgen de la Caridad del Cobre desde el Santuario Occidental: líderes católicos detenidos y sancionados. Una fecha simbólica y profética. Declaración del Ministerio del Interior el 11 de septiembre

Durante los meses siguientes del año 1961 se precipitaron los acontecimientos. Por la Ley 963 del 4 de agosto de ese año se dispuso la cancelación de todos los billetes de banco que estaban circulando y su canje a partir del lunes 7 del mismo mes, por una nueva moneda. A cada familia se le canjeó hasta un total de 10 mil pesos: en el acto se les entregaban 200 pesos, hasta 1000 poco después y el resto quedaba depositado en cuentas bancarias especiales.

Esta medida afectó la capacidad financiera de los disidentes y al mismo tiempo lesionó los recursos económicos con que contaba la Iglesia. Casi al mismo tiempo, el 4 de agosto, el llamado Cementerio de Colón fue nacionalizado. No se consideró, ni les importó mucho tampoco, estar al tanto de que el Obispado de La Habana lo había construido en el siglo XIX en terrenos de su propiedad y que desde entonces había sido administrado por la Iglesia. Lo único que les interesaba era borrar la institución católica de algo que tocaba tan hondo los sentimientos de la gente como la pérdida de un ser querido, quitarle protagonismo y presencia.

Mientras más se atacaba a la Iglesia, más se prolongaba la pasión de Jesús: más espinas se agregaban a su corona para punzarle las sienes, más clavos le taladraban las manos y los pies, más latigazos le rompían la piel para incrustarse en la sagrada carne, nuevas lanzas lo herían en el costado. Una vez más se cumplían las palabras proféticas

me cerca una turba de malvados, han taladrado mis manos y mis pies, y se pueden contar todos mis huesos. Ellos reparten entre sí mi ropa y se echan a suertes mi túnica (Salmo 21, 17-18)

Y por momentos aumentaba más y más el sufrimiento de la Mater Dolorosa, la Santísima Virgen de la Caridad, convertida ahora en Virgen de los Dolores ante el nuevo martirio que tantos siglos después, una turba de fariseos y doctores de la ley infligía otra vez a su Hijo Jesucristo, crucificándolo nuevamente en tierras de Cuba... en verdad la Virgen, Primera Mártir de la Iglesia, fue de nuevo martirizada ahora para que se cumplieran las palabras de San Bernardo, Abad:

El martirio de la Virgen queda atestiguado por la profecía de Simeón y por la misma historia de la pasión del Señor. Éste —dice el santo anciano, refiriéndose al niño Jesús— está puesto como una bandera discutida; y a ti —añade, dirigiéndose a María— una espada te traspasará el alma.

En verdad, Madre santa, una espada traspasó tu alma. Por lo demás, esta espada no hubiera penetrado en la carne de tu Hijo sin atravesar tu alma. En efecto, después que aquel Jesús —que es de todos, pero que es tuyo de un modo especialísimo— hubo expirado, la cruel espada que abrió su costado, sin perdonarlo aun después de muerto, cuando ya no podía hacerle mal alguno, no llegó a tocar su alma, pero sí atravesó la tuya. Porque el alma de Jesús ya no estaba allí, en cambio la tuya no podía ser arrancada de aquel lugar. Por tanto, la punzada del dolor atravesó tu alma, y, por esto, con toda razón, te llamamos más que mártir, ya que tus sentimientos de compasión superaron las sensaciones del dolor corporal.

¿Por ventura no fueron peores que una espada aquellas palabras que atravesaron verdaderamente tu alma y penetraron hasta la separación del alma y del espíritu: Mujer, ahí tienes a tu hijo? ¡Vaya cambio! Se te entrega a Juan en sustitución de Jesús, al siervo en sustitución del Señor, al discípulo en lugar del Maestro, al hijo de Zebedeo en lugar del Hijo de Dios, a un simple hombre en sustitución del Dios verdadero. ¿Cómo no habían de atravesar tu alma, tan sensible, estas palabras, cuando aun nuestro pecho, duro como la piedra o el hierro, se parte con sólo recordarlas?[532]

De esa misma forma, la Patrona de Cuba, Madre de la Caridad, estuvo al tanto de la nueva Pasión y presenció otra vez la muerte de su Divino Hijo... y la Reina Celestial de los cubanos volvió a sufrir en lo más hondo de sus delicadísimos sentimientos.

---

[532] San Bernardo, Abad. Sermones. Sermón, Domingo infraoctava de la Asunción, 15 de septiembre

Pero faltaba apurar las gotas más fatídicas del cáliz de la amargura.

El 10 de septiembre de 1961 iba a tener lugar la tradicional Procesión de la Virgen de la Caridad, que este año iba a recorrer la ciudad desde la propia Iglesia de la Caridad hasta la Catedral. Poco después de iniciada la Procesión, se intercambiaron palabras e improperios entre los asistentes al acto religioso y parte del público que contemplaba la marcha del cortejo. Al cabo de algunas cuadras, se escucharon disparos que dieron muerte al joven Arnaldo Socorro[533].

No se pudo encontrar al culpable de aquella muerte, aunque algunos líderes católicos fueron involucrados y sancionados.

El mismo día del entierro del joven, el 11 de septiembre, se publicó una declaración del Ministerio del Interior en la que se anunciaba que la Iglesia Católica estaba siendo utilizada por los enemigos del pueblo para conspirar contra la Revolución, con la complicidad de miembros de la jerarquía.

Operación de detención y destierro de sacerdotes españoles y cubanos desde el 12 de septiembre de 1961, incluyendo a Mons. Boza Masvidal. La Iglesia Católica humillada y desarticulada, la Virgen de la Caridad que señala los caminos. Cierre de las publicaciones católicas. Desaparición de Seminarios, Iglesias y Conventos. Ataques a los templos. Los católicos son discriminados, apartados y humillados.

Al día siguiente comenzó una gran operación para detener y enviar a España a numerosos sacerdotes. En general, se trató de sacar del país a los que se habían pronunciando contra la Revolución o criticado sus medidas, aunque había en el grupo de 132 religiosos muchos que no se encontraban en ese caso, como era el caso del Padre Francisco Oves Fernández, que tiempo después fue exaltado a la mitra de la Arquidiócesis de La Habana.

> *El día... 12 de septiembre, comenzó una operación de detención de sacerdotes en toda la Isla. Eran conducidos al buque español 'Covadonga', bajo custodia policíaca. El día 17 zarpaba dicha nave del puerto con 132 sacerdotes católicos. La mayoría de los expulsados del país eran españoles, aunque el grupo incluía cubanos, y entre estos últimos figuraba el Obispo Boza Masvidal*[534]

---

[533] Larrúa Guedes, Salvador. Cinco Siglos... o.c., p. 185

[534] Ibídem, p. 185

La nueva medida debilitó enormemente a la Iglesia. Mermó aún más al clero existente en el país y por reflejo, atemorizó más a los feligreses que no estaban de acuerdo con la revolución, y muchos de ellos comenzaron a gestionar su salida definitiva del país, con la consiguiente disminución adicional de católicos practicantes.

De esta forma el clero secular o diocesano sufrió un golpe durísimo, que de la misma forma experimentaron las órdenes religiosas. A continuación se exponen los sucesos que afectaron a los Hijos de San Francisco, a partir de los cuales se puede apreciar perfectamente la embestida que sufrió la Iglesia cubana.

Esta salida de sacerdotes y religiosos que comenzara oficialmente en septiembre de 1961, se había iniciado en una fecha muy anterior para los franciscanos. Desde hacía ya ocho meses, o sea, en los primeros días de 1961, los franciscanos habían comenzado a ser objeto de grandes presiones. Una carta de Fray José A. Mendizábal, el Delegado Provincial, dirigida al Padre Provincial en San Sebastián con fecha 21 de enero de 1961, le informa de que el 3 del mismo enero un grupo de 35 soldados femeninos ocuparon la azotea de la Iglesia de San Francisco, y que a partir del día 4 pusieron postas en las puertas del Convento para registrar a todos los que entraban o salían...

> *El día 3 de enero se nos presentó un destacamento de 35 soldados femeninos, no milicianas, con la orden de ocupar la azotea de la iglesia y allá se instalaron, utilizando al mismo tiempo la escalera que sube junto a la sacristía, todo el descanso en el piso y el baño contiguo. Desde el día 4 pusieron postas en la entrada del convento y en la entrada a la iglesia por la calle Cuba; la entrada por Amargura (la) teníamos anulada desde algún tiempo. Registraban a las personas que entraban al convento o a la iglesia. En realidad, no nos ocasionaron más molestia que la de su presencia en la clausura, ni registraron el convento... al mediodía del día 7 se retiró la tropa. Hubo días en que llegaban a 50 las muchachas que estaban en el convento...* [535]

Lo anterior demuestra claramente que para los franciscanos se habían aplicado medidas extraordinarias desde los primeros días de 1961, apenas siete meses después de que en la hoja dominical «Vive con la Iglesia» los editores franciscanos expresaran las más halagüeñas y optimistas opiniones sobre la situación imperante en el país.

El hecho de que la Delegación Franciscana de Cuba conservara celosamente testimonios, escritos y memorias de los sucesos de aquellos

---

[535] Ibídem (23), p. 136

días, facilita obtener una visión panorámica de los acontecimientos, ya que lo sucedido a los frailes seráficos ilustra muy bien lo que pasó la Iglesia cubana en aquellos años terribles.

Después de la fracasada invasión de Playa Girón, que comenzara el 16 de abril de 1961, las presiones sobre los franciscanos se hicieron mucho mayores. Si el gran grupo de sacerdotes enviados al éxodo salió de Cuba en el mes de septiembre, los frailes seráficos tuvieron que comenzar a marcharse mucho antes. Según una «Relación de los Religiosos trasladados de la Comisaría Provincial de Cuba y de los que quedaban en la misma el día 22 de julio de 1961», firmada en San Sebastián el día 30 de ese mismo mes por el Delegado Provincial Fray José A. Mendizábal, en apenas tres meses salieron de la Comisaría de Cuba 52 religiosos. La situación se había vuelto tan tensa que muchos de los frailes temían por su seguridad, al tiempo que otros se hallaban en un verdadero estado de postración nerviosa, y otras causas...

> *A partir del día 17 de Abril de este año, han salido de la Comisaría de Cuba para otros países 52 religiosos. Los motivos de estos traslados han sido: a) la seguridad personal, por ser algunos religiosos, muy pocos, buscados por la policía; b) el estado de nerviosismo, que enfermó a algunos religiosos o que tendía a desmoralizar a otros religiosos; c) unos pocos especializados en misiones, cuya actuación se hizo imposible en Cuba; d) el corresponder a algunos religiosos sus vacaciones en la Provincia, al juzgar que estas circunstancias de Cuba han de ser pasajeras y evitar de esa manera que los años próximos haya un número excesivo de peticiones con dicho fin; e) por enfermedad y por las condiciones y cualidades personales que aconsejaban que esos religiosos estarían mejor en la Provincia...*[536]

Lo anterior significa que desde el 16 de abril al 22 de julio de 1961, marcharon a España 23 religiosos franciscanos, 8 fueron para los Estados Unidos, bajo la dirección del P. Provincial del Santísimo Nombre de Jesús de Nueva York, y otros 2 para Hebbombrille, también en los Estados Unidos bajo la dependencia del Padre Provincial de los Ss. Francisco y Santiago; para Venezuela marcharon otros religiosos subordinados al Delegado Provincial de Santiago de Compostela, 5 fueron para Colombia para ubicarse en el Equipo Misional Internacional bajo la dependencia del P. Francisco Martínez de Apellaniz, y otros 4 quedaron subordinados al Padre Provincial de Colombia...

---

[536] Ibídem,

A esta relación hay que añadir que 3 Seminaristas de nuestro Colegio Seráfico de Santiago de las Vegas, terminados ya los estudios de las humanidades, han venido aquí para ingresar en el Noviciado y que 5 más, a quienes falta un curso para completar dichos estudios, llegarán en breve...[537]

De esta manera, el total de franciscanos en Cuba se redujo a 44 religiosos, lo que quiere decir que los efectivos de la orden fueron disminuidos en un 54 por ciento aún antes de que se produjera el éxodo de sacerdotes y religiosos que marcharon de Cuba en el buque Covadonga, en septiembre de 1961.

También se habían presentado problemas con la residencia-parroquia de Guáimaro, de donde salieron los religiosos «en condiciones especiales» (45). Se suponía en esos momentos que la recién creada Oficina de Asuntos Religiosos tomaría cartas en el asunto.

En cuanto a las monjas Clarisas de Luyanó, quedan solamente 7 religiosas. Las restantes marcharon 3 a España, 3 a México y las demás al monasterio de Clarisas de Nueva Orleáns.

De la misma manera, de las religiosas Terciarias del Buen Consejo, quedan en Cuba solamente 3 religiosas. Las restantes salieron a distintos países y en mayor número a un colegio de Estados Unidos...538

El éxodo no era de extrañar. Los frailes que saludaban en 1959 las medidas sociales puestas en marcha por la revolución, se comenzaron a sentir acosados poco tiempo después y para algunos, la existencia en la Isla se llegó a hacer insoportable e incluso aterradora. En un **«Memorándum acerca de algunos de los hechos más sobresalientes de algunas Iglesias y Conventos de la Orden Franciscana en los últimos días»**, a partir del 17 de Abril, se describe la situación de esta forma:

Nuestras iglesias y conventos franciscanos de La Habana fueron invadidos por las milicias, fuertemente armadas... algunas Iglesias fueron tomadas militarmente, en el mismo momento de la celebración de la Santa Misa, sin respeto ni consideración de ninguna clase para los sagrados oficios. Los religiosos fuimos acorralados en la sacristía u otra estancia parecida, mientras se iniciaba el registro minucioso de la Iglesia, Convento, dependencias, habitaciones, biblioteca, etc.

Del registro no se excluían ni los efectos más personales: cartas, correspondencia, consultas, todo era detenidamente leído, escrutado, y muchas veces seleccionado para ser llevado a las oficinas del G-2 (uno

---

[537] Ibídem,

[538] Ibídem,

de los cuerpos más represivos...). Los religiosos fuimos registrados personalmente, algunos despojándoseles de su hábito para que el registro fuera más exhaustivo y completo. Los registros de las Iglesias y Conventos fueron tan meticulosos, que ninguno bajó de seis a siete horas de duración: algunos mucho más. El registro era acompañado en algunas casas, con trato inconveniente e irrespetuoso para los religiosos; en otras, el trato no fue irreverente. En este sentido hubo alguna arbitrariedad, pues cada jefe de milicias que mandaba los pelotones de registros, era omnipotente, y de su manera de ser dependían muchas cosas. Esa fue la causa de que, al quedar después presos y detenidos, cada religioso en su Iglesia o Convento (prisión que duró cuando menos doce días —en algunos casos mucho más-) en algunas Iglesias permitieron decir la Santa Misa (registrando, por supuesto, a cada fiel que entrara al templo), y otras Iglesias las clausuraron al culto mientras duraba el encierro de los religiosos.

Lo que más nos aterraba en aquellos días de angustia, en que todos nos encontrábamos presos, era la noticia que nos hizo llegar el Sr. Nuncio, y algún miembro de la jerarquía, de que éramos rehenes, y que cualquier cosa anormal que sucediera, sería la causa de nuestra muerte. Fueron días de terror, miedo, pánico, desamparo, pues no era posible orientación jerárquica de ninguna clase[539]

Estas líneas bastan para retratar el momento que estaban viviendo los frailes. Ante el hecho consumado de que sus filas habían quedado muy diezmadas, y teniendo que atender como siempre las diversas casas y parroquias que estaban a su cargo, los frailes seráficos se reorganizaron. El P. Serafín Ajuria fue nombrado Pro-Delegado Provincial y se le otorgaron facultades para hacer los cambios y ajustes en el personal de acuerdo con las necesidades y según las circunstancias, después de consultar a los Padres Pro-Consejeros, y los Padres Guillermo Bastarrechea, Pedro Narbaiza y José María Biaín Urrutia fueron designados Pro-Consiliarios. Se aclaró que para hacer cambios de personal por otros motivos, a no ser que se presentara un caso urgente, habría que consultar previamente al Padre Provincial[540].

Con anterioridad a todos estos acontecimientos, se había producido la dolorosa desaparición de la revista franciscana «La Quincena», cuyo lema: «una respuesta cristiana a los problemas de hoy» se había hecho famoso en los medios católicos de toda la Isla y que se consideraba la más importante publicación católica de Cuba y

---

[539] Ibídem,

[540] Ibídem,

un ejemplo para la prensa católica de América Latina. En ella colaboraban intelectuales de gran prestigio como Mons. Ángel Gaztelu, Párroco de la Iglesia del Espíritu Santo, pero la figura que más había aportado al perfeccionamiento de esta publicación era la de Fray Ignacio Biaín, franciscano.

El Padre Biaín simpatizaba con el proceso revolucionario e incluso, en la época de la clandestinidad, durante la dictadura de Fulgencio Batista, había alentado las inquietudes insurreccionales de muchos jóvenes católicos. Se trataba al parecer de una persona de gran apertura ideológica y en cierto momento demostró simpatía por el proceso revolucionario, justo en el momento en que la Iglesia y por supuesto la Orden de San Francisco comenzaban a recelar ante algunos síntomas inquietantes que, además de a los cambios socioeconómicos, se vinculaban a la transición filosófico-ideológica.

Este franciscano, que gozaba de reconocido prestigio intelectual, formó un equipo de jóvenes colaboradores que aportaban su talento a la revista y que representaban las direcciones de pensamiento más actualizadas de los católicos de aquellos tiempos. En las páginas de «La Quincena» aparecían con frecuencia numerosos artículos extranjeros cuyo contenido era la avanzada del pensamiento social católico, y en los editoriales comenzó a interpretar de forma positiva y con visión de futuro el proceso que tenía lugar en Cuba[541].

En cierto momento, entró en contradicción con sus superiores jerárquicos, hizo entrega de la publicación a una nueva dirección a fines de 1959. Pero la revista «La Quincena» no pudo sobrevivir al cambio y dejó de publicarse a comienzos de 1961...

En su informe dirigido al P. Provincial el 21 de enero de 1961, Fray José A. Mendizábal habla a su superior sobre el P. Biaín en estos términos:

No sé lo que piensa de lo que le dije en una anterior sobre el P. I. Biaín. Aquí estamos convencidos de que sería un gran bien para todos su pronta salida de Cuba. No escribe ni habla en público más que las homilías y en esto habla muy bien; pero en las numerosas visitas que recibe y en las que hace, perjudica mucho. Todos los males que ocurren son cosas accidentales y el más mínimo bien que se observe es un testimonio de lo bien que van las cosas...[542]

---

[541] Larrúa Guedes, Salvador. Cinco Siglos... o.c., p. 187

[542] Ibídem (540), p. 136

El Padre Ignacio Biaín falleció el 15 de septiembre de 1963 en el seno de la Orden de San Francisco. Sus honras fúnebres se celebraron en el Convento de San Francisco de La Habana, y de allí partió el cortejo fúnebre hacia el Cementerio de Colón, donde descansan sus restos[543].

En todas las residencias, casas y conventos de los franciscanos se presentaron miembros de las milicias, números del Ministerio del Interior, fueran de la policía o la Seguridad del Estado. Todos los establecimientos de los frailes fueron invadidos a veces por varios días, y registrados. Los religiosos, algunos de los cuales además fueron detenidos, registrados al igual que su correspondencia, documentos y efectos personales, a criterio de los militares. Como ya se ha dicho antes, a algunos los maltrataron verbalmente, de acuerdo con el carácter de las personas que efectuaban los registros, y no en todos los casos fueron humillados o vejados...

Los 44 frailes que todavía estaban en Cuba fueron repartidos entre el Convento de San Francisco de La Habana, el Convento de Santo Domingo de Guanabacoa, la Residencia de San Antonio, la Residencia de la Santa Cruz de Jerusalén, las Residencias del Colegio Seráfico, San Cristóbal, Candelaria, Mariel, Unión de Reyes, Remedios, Ciego de Ávila, Manzanillo y Santiago de Cuba, pues no se abandonaron las Residencias de Placetas y Camajuaní, que eran atendidas desde Remedios. Esta reestructuración, de fecha 22 de julio de 1961, quedó sin efecto al cabo de unas pocas semanas, porque luego vino la segunda reducción en el mes de septiembre, cuando 21 franciscanos más tuvieron que embarcarse en el vapor Covadonga:

> En ese momento (1959) teníamos los franciscanos en la Isla dos conventos, 15 Residencias-Parroquias y 109 religiosos: todo en normal actividad. Hasta que llegó aquel fatídico 16 de abril de 1961, que vino a cortar en seco toda la vida religiosa. Y con la persecución, la dispersión: para julio de ese año habían salido de la Isla 52 franciscanos y en septiembre, con la expulsión de los 21 franciscanos embarcados a España en el vapor 'Covadonga', quedaron reducidos a la mínima expresión. Antes de un año, de los 109 franciscanos sólo quedaban en Cuba unos veintitantos[544]

De los 132 sacerdotes que tuvieron que partir en el buque Covadonga, 21 eran franciscanos. Sólo tres de las residencias de los frailes seráficos quedaron libres de la gran redada que se realizó en

[543] Ibídem (536)
[544] Ibídem (540), pp. 138-140

septiembre de 1961: Unión de Reyes, Placetas y Santiago de Cuba. Las demás parroquias amanecieron al día siguiente vacías y cerradas... ¿Cómo salieron de Cuba los franciscanos que embarcaron en el Covadonga? Tiempo después, Fray Victorio Beaín hizo el relato de los sucesos de Ciego de Ávila:

...era el 12 de septiembre. Al sonar el timbre y asomarnos abajo por la ventana, lo sabíamos ya: un registro con tres milicianos... al final nos dijeron: 'vístanse de paisanos, cojan sus pertenencias y vengan con nosotros'. Nos llevaron al G-2 del pueblo, nos acomodaron en la parte de atrás del coche y ellos bien armados... a las 12 de la noche nos llevaron carretera adelante, sin decirnos nada, hasta que nos apeamos en Camagüey, en el cuartel del G-2, donde nos encontramos con un buen grupo de curas a quienes habían hecho lo que a nosotros. Y allí hasta las 9 de la mañana, sin un lugar donde dormir... y a la salida, creo que es cuando más importante me he sentido en mi vida: en la calle nos esperaba un tremendo despliegue de fuerzas armadas: milicianos, policías, soldados... nos acompañaron al aeropuerto, subimos en el avión de 'Cubana'... una vez en la capital, nos embutieron a todos en un coche policíaco... como final de ruta nos llevaron al muelle de Santa Clara, nos hicieron bajar y simplemente nos dijeron: 'ahora suban allá'. Y ese 'allá' era el barco español 'Covadonga'. Y entonces sí respiramos tranquilos... todo fue rápido, eficiente, correcto y sin una palabra de más. Al menos con nosotros...[545]

En apenas unos meses la situación había dado un vuelco dramático, como de pesadilla. Y en aquella convulsión social desgarradora, que aplastó a grandes sectores de la sociedad, estaba involucrada toda la Iglesia Católica de Cuba y dentro de ella, de manera muy especial, los frailes franciscanos.

No fueron, por supuesto, los únicos. Hubo congregaciones religiosas que desaparecieron de la tierra cubana cuando se produjo la nacionalización de los colegios católicos, como los HH. Maristas y los de La Salle, y casi no quedó nadie de los Padres Salesianos. Hubo que cerrar muchas iglesias por falta de sacerdotes. El clero secular quedó mutilado, y las órdenes religiosas quedaron reducidas a la mínima expresión. Los archivos del Arzobispado de La Habana, que contenían miles de documentos valiosos, algunos muy antiguos, fueron vaciados en los patios por energúmenos que no tenían la menor idea de lo que estaban haciendo y que tampoco les importaba. Nadie sabrá nunca

---

[545] Ibídem,

cuánto se perdió en esa oportunidad, y el trabajo de reorganización de los archivos espera realizarse algún día.

En el caso de los dominicos, otra orden de regulares que contribuyó en gran medida a la formación de la nacionalidad cubana a través de la Real y Pontificia Universidad de San Gerónimo, el Estudio General de Bayamo y otras importantes fundaciones, las comunidades de Cuba también quedaron casi anuladas, y el Convento de San Juan de Letrán de La Habana fue invadido y ocupado militarmente por las milicias. Poco tiempo después, en el buque español *Covadonga,*

> *tuvieron que marcharse los dominicos Fray Feliciano del Val O.P., Fray Eugenio Pérez O.P. y Fray Francisco Blanco O.P. En cuanto a Fray José Ramón Fidalgo O.P., que trabajaba en Trinidad desde 1956, fue detenido y encarcelado hasta que el Nuncio Apostólico Mons. Césare Zacchi, en 1963, pudo obtener su libertad y hacerlo viajar a España. Cuando fue ocupado el Convento de San Juan de Letrán, se encontraba presente el Hno. Jesús de los Reyes O.P. que trasladó el Sagrario a una embajada. Fue detenido y encarcelado en la prisión de La Cabaña hasta el 20 de abril (y después regresó) al convento...*

> *Cuando tuvo lugar la ocupación del Convento (de San Juan de Letrán) por las milicias, tuvo lugar un hecho de singular valentía y serenidad: Fray José Manuel Fernández vino desde la Iglesia de Nuestra Señora del Rosario, vestido con su hábito dominico, para San Juan de Letrán. Allí conversó con los milicianos y se ofreció para encargarse del edificio. Luego de consultar con sus superiores, el (jefe) miliciano concluyó que Fray José Manuel quedara a cargo del Convento y su Iglesia...*[546]

El caso del P. Miguel Ángel Loredo, o.f.m. Llegan años tristes y oscuros: la Virgen de la Caridad continúa en su Santuario.

En octubre de 1962, la llamada «Crisis de Octubre» o «Crisis de los Misiles» estremecía a la Isla de Cuba y causaba gran pavor en el resto del mundo. Pero la famosa crisis duró poco tiempo, aunque en la Isla se vivieron momentos de gran tensión y la economía se resintió por la movilización de cientos de miles de soldados y milicianos que abandonaron sus puestos de trabajo civiles algunas semanas.

La vida de la Iglesia en 1962 transcurrió bajo el signo del estupor. No existen palabras apropiadas para describir el marasmo en que se vieron confundidos muchos religiosos y laicos comprometidos. Después de los días de gloria y fervor del Congreso Católico Nacional,

---

[546] Larrúa Guedes, Salvador. Historia de la Orden de Predicadores en la Isla de Cuba. Editora Siglo XXI Ltda., Santafé de Bogotá, 1998, pp. 510-511

era muy difícil imaginar que la Iglesia Católica de Cuba, antes tan influyente y poderosa, se viera sumamente disminuida en sus cuadros pastorales y en las órdenes religiosas y que perdiera de repente sus colegios, numerosas propiedades, varios templos, las mayores fuentes de ingresos, sus publicaciones, los espacios radiales y televisados, y que numerosas asociaciones católicas quedaran minimizadas o simplemente dejaran de existir: y que al mismo tiempo, el gobierno y una buena parte del pueblo mantuvieran hacia la institución una actitud de reserva y de desconfianza, mientras que muchos ciudadanos dejaban de acudir a los templos sencillamente por miedo, o porque en las planillas de solicitud de empleo a los centros de trabajo estatales —que eran prácticamente todos los del país— había que consignar y firmar que el interesado no tenía creencias religiosas.

Solamente las personas más ancianas acudían a los templos, porque los que se encontraban en edad de trabajar se cuidaban mucho de hacerlo, aunque muchas parejas insistían en bautizar a sus hijos menores.

En muchos templos, los sacerdotes eran también personas de edad avanzada que no inspiraban recelos ni sospechas... bajo numerosas presiones sicológicas, fundadas o no, y bajo la real desconfianza del gobierno, la Iglesia tuvo que sobrevivir y coexistir durante muchos años.

Un nuevo golpe para la institución católica fue el del fallecimiento, el 20 de marzo de 1963, del Cardenal Arzobispo de La Habana, Mons. Manuel Arteaga Betancourt, primer prelado cubano que alcanzaba el capelo, ya con edad muy avanzada y después de una larga enfermedad. El Cardenal Arteaga, que fue uno de los Obispos cubanos que más contribuyó a exaltar al clero de origen cubano a las principales posiciones de la Iglesia, ya desde 1959 presentaba síntomas alarmantes al aumentar el deterioro de su capacidad y lucidez, por lo que fue nombrado Mons. Evelio Díaz Cía como Arzobispo Coadjutor de la Arquidiócesis con derecho a la sucesión, en lo que constituyó una precavida decisión de la Santa Sede, donde no se podían prever los sucesos que ocurrieron a continuación, ya que

la desaparición del Cardenal no varió sustancialmente la composición y orientación pastoral de la Arquidiócesis, ya gobernada por Mons. Evelio Díaz Cía desde antes, ni de la Iglesia cubana...[547]

---

[547] Larrúa Guedes, Salvador. Cinco Siglos... o.c., p. 189

El Cardenal Arteaga fue sepultado el 21 de marzo y ese mismo día fueron puestos en libertad y entregados a la Nunciatura Apostólica cuatro sacerdotes que se encontraban encarcelados en la prisión de Isla de Pinos por actividades contrarrevolucionarias: Reynerio Lebroc, cubano, y los españoles Francisco López, Ramón Fidalgo y Luis Rojo, los que permanecieron algunos días en la sede de la Nunciatura hasta que salieron definitivamente del país:

> Detrás, sin embargo, quedarían laicos católicos involucrados en hechos contrarrevolucionarios instigados a veces por sus consejeros eclesiásticos... que tuvieron que afrontar el rigor de los tribunales[548]

Por esta época pudieron regresar a la Isla varios jóvenes sacerdotes que se habían ordenado en Roma y que sus respectivos Obispos habían enviado a terminar sus estudios en el extranjero poco después del triunfo de la revolución o desde 1961, cuando se cerraron los Seminarios a raíz de los sucesos de Playa Girón. Por otra parte, el gobierno autorizó el regreso de algunos que habían formado parte del grupo de 132 expulsado en 1961. Entre ellos estaba el P. Francisco Oves, que después fue Obispo de La Habana, y otros de nacionalidad extranjera que habían trabajado muchos años en Cuba.

Mientras tenían lugar estos sucesos, se celebraba en Roma el Concilio Vaticano II, inaugurado por Juan XXIII y llevado a su culminación por Paulo VI. El trascendental acontecimiento

> pasó casi inadvertido para la Iglesia cubana, inmersa en tensiones y preocupaciones muy específicas, y en particular para su feligresía, a la que los cambios conciliares llegaban esporádicamente y eran a veces arbitrariamente interpretados por muchos feligreses[549]

Los Obispos José Maximino Domínguez, de Matanzas, Fernando Azcárate, Auxiliar de La Habana, Manuel Rodríguez Rosas de Pinar del Río y Adolfo Rodríguez Herrera de Camagüey, asistieron a varias sesiones del Concilio y cuando regresaban a Cuba, ofrecían conversatorios y conferencias por las diversas parroquias y centros de apostolado con la finalidad de divulgar los aspectos principales de la renovación eclesial promulgada por el magno evento. A estos eventos asistían miembros de las órdenes religiosas, y como es natural los padres franciscanos, sobre todo cuando tenían lugar en alguna de sus residencias o en las Iglesias a su cargo. Al igual que las demás órdenes,

---

[548] Ibídem, p. 190

[549] Ibídem,

los franciscanos también recibían orientaciones e informaciones procedentes de sus superiores, cuando podían tener contacto con ellos.

Antes de que terminara el Concilio Vaticano II en 1965, sus primeros efectos comenzaron a influir tímidamente sobre la Iglesia cubana. La liturgia fue la primera que comenzó a experimentar cambios, con escasa oposición de la feligresía habitual, bastante restringida en aquella época. Mayor importancia tuvo la reforma de la disciplina de los Seminarios, que comenzó en El Buen Pastor y se trasladó después al gran edificio del Seminario San Carlos cuando las instalaciones del primero fueron convertidas en una unidad militar por la intervención del gobierno. Todavía tuvo más relieve la reestructuración del Apostolado Seglar: se disolvió la Acción Católica Cubana y se implantaron otras estructuras eclesiales recomendadas por el Concilio tales como las Comisiones Episcopales, los Consejos Presbiterales y las Vicarías Territoriales.

Los intentos de diálogo con los no creyentes tuvieron escaso resultado, porque dentro de la Iglesia muchas personas no los vieron con buenos ojos y en el ámbito político chocó con la desconfianza y la incomprensión de varios dirigentes.

Para los Hijos de San Francisco, lo mismo que para las demás comunidades de regulares, la asimilación de los resultados del Concilio Vaticano II fue un proceso lento y largo por la dificultad que había para mantener una corriente fresca de información sobre lo que pasaba en el exterior. Los cambios en la liturgia fueron muy fuertes y muy importantes. Algunos se asimilaron con bastante rapidez en el orden interno, como las modificaciones en los horarios de vida religiosa, el dejar de usar la sotana, etc. Por otra parte, la música sacra de grandes compositores que se usaba con mucha frecuencia fue sustituida por otra de un nivel no tan alto, pero más al alcance de la gente común, que al mismo tiempo entendía la letra de las canciones y las encontraba más cercanas a sus tradiciones y sus costumbres.

En la Arquidiócesis se comenzó a publicar una especie de boletín. Había personas en La Habana que se encargaban de recortar noticias que aparecían en publicaciones católicas extranjeras cuando éstas llegaban al Arzobispado, las ordenaban y las mecanografiaban para después imprimirla con un mimeógrafo. De esta forma, tanto el clero secular como el regular, y por supuesto los franciscanos, dependían del buen criterio con que fueran manejadas las tijeras para obtener alguna información sobre el Concilio. Como quiera que dicho boletín era la principal fuente de información sobre el desarrollo del Concilio y las novedades que se iban produciendo, se puede comprender que los resultados del gran evento se conocieron tardíamente en Cuba y se pusieron en marcha con lentitud. Los franciscanos, además del famoso boletín, contaban con las comunicaciones con la Orden en el exterior, y con los contactos con otros frailes seráficos que de vez en cuando pasaban por Cuba. Y con los escasos elementos que iban conociendo se fueron implementado las orientaciones del Concilio.

Por esos tiempos se fueron cerrando paulatinamente, por falta de personal, otras casas y residencias de los franciscanos. El Seminario Menor de Santiago de las Vegas, por ejemplo, se perdió en 1965.

El 11 de abril de 1966 ocurrió un incidente lamentable, que tuvo por consecuencia la detención de dos sacerdotes franciscanos y un hermano lego de la misma orden: finalmente, uno de ellos, el joven Padre Miguel Ángel Loredo García, fue condenado a 15 años de privación de libertad.

Miguel Ángel Loredo arribó a La Habana en el verano de 1964 procedente de Guipúzcoa, España, donde acababa de ordenarse como sacerdote. Muy pronto se destacó por su celo religioso y su ardiente fervor juvenil: aunque en sus sermones no decía nada que pudiera tener implicaciones políticas, su forma de hablar llamaba mucho la atención.

> *En pleno 1964, silenciosamente, se experimentaba un resurgir espiritual operándose a lo largo y ancho de las seis provincias bajo signos distintos al cliché latinoamericano... la gente salía de su letargo ancestral, la religiosidad daba serias señales de vida... no cupo la menor duda de que la personalidad carismática de Miguel Ángel contribuyó en no poca medida al resurgir. En menos de un año se había convertido en un pilar de la fe más límpida, sin compromiso terreno alguno. Era el orador obligado en cualquier acto de la Diócesis capitalina y continuamente hacía uso de la palabra en Camagüey, Las Villas u Oriente...*
>
> *Su carrera fue rápida y el éxito, lejos de beneficiarlo, marcó su (destino). Miguel Ángel había tomado en serio el mandato divino de 'Id y enseñad a todas las gentes'...*[550]

Regresemos al deplorable suceso de 1966. Días antes, un ciudadano que pretendía abandonar el país ilegalmente, intentó secuestrar un avión comercial de pasajeros de la Compañía Cubana de Aviación y desviar su vuelo hacia los Estados Unidos. Pero una maniobra del piloto, que en vez de poner proa a Miami regresó a Cuba sin que el secuestrador se diera cuenta de la maniobra, indujo al

---

[550] Testé, P. Ismael. Historia Eclesiástica de Cuba. Barcelona, 1974, t. IV, pp. 70-71

asaltante a disparar su pistola cuando descubrió que se hallaba de nuevo en el territorio nacional, lo que trajo por consecuencia la muerte de uno de los tripulantes de la nave aérea. Dado a la fuga el secuestrador y perseguido durante varios días por las fuerzas de la policía, fue finalmente detenido en la carretera de Guanabo.

Realmente, en el Convento de San Francisco de la Habana Vieja no había nadie escondido entonces, aunque sí se escondieron antes de 1959 algunos revolucionarios. En 1959 sí se escondió una persona dentro del órgano del Santuario de San Antonio de Padua, en Miramar[551].

Pero regresemos al raptor del avión de Cubana. En su ocultación fueron involucrados por las autoridades los religiosos que habitaban el Convento de San Francisco.

La investigación judicial consiguiente determinó se pusiera en libertad al P. Serafín Ajuria o.f.m., Superior de la Orden en Cuba (que estuvo 3 meses detenido e incomunicado por esta causa) y al hermano portero del Convento. Con posterioridad, los dos fueron absueltos de los cargos que se les imputaron. No sucedió lo mismo con el Padre Loredo, que ni siquiera se encontraba en el Convento cuando fue detenido el prófugo: fue mantenido en prisión preventiva y finalmente sancionado a 15 años de prisión bajo la acusación de haber ocultado al asaltante del avión.

Una narración de los sucesos explica que el 15 de abril de 1966, estando el P. Miguel Ángel Loredo fuera del Convento de San Francisco, —ya que era Párroco de Casablanca—recibió una llamada por teléfono de un tal Gerardo Pérez, antiguo seminarista que le asistía en sus funciones parroquiales, quien le insistió para que fuera lo más pronto posible a San Francisco, porque algo muy grave estaba ocurriendo.

El P. Loredo montó en una máquina de alquiler y al llegar al Convento, se había reunido allí una multitud, el edificio estaba custodiado por la policía, y estaban allí las cámaras de TV, periodistas y muchos curiosos. Cuando Loredo atravesó el pórtico para encaminarse a la casa comunitaria, dos oficiales de la Seguridad le preguntaron si él era Miguel Ángel Loredo, y lo arrestaron. Lo llevaron hasta donde se encontraba detenido el secuestrador Ángel María Betancourt y le preguntaron si lo conocía, pero el joven franciscano respondió que nunca lo había visto... fue arrestado junto con él el P. Serafín Ajuria, Guardián del Convento, y el hermano portero. La vieja

---

[551] Ibídem,

Iglesia de San Francisco, a partir de ese momento, fue clausurada por mucho tiempo.

El Padre Miguel Ángel Loredo fue acusado por encubrimiento. Una versión del interrogatorio realizado por el fiscal, en el acto del juicio que se realizó tres meses después, manifiesta lo siguiente:

«El Fiscal:

«—¿Conoce Ud. al acusado Betancourt?

«—No lo había visto hasta el día en que se me detuvo.

«—Entonces Ud. dice que la revolución miente.

«—No digo que nadie mienta. Digo que no conozco a este hombre.

En vista de la negativa, el presidente del tribunal da una orden:

«—Que comparezca el testigo.

Aparece el testigo. Se le interroga por sus generales y amistad con el interpelado. (Se le dice:)

«—Contéstele al Fiscal.

«El Fiscal dice:

«—Testigo, ¿conoce Ud. a este hombre?

«—Sí, es el Padre Loredo.

«—¿Cuándo lo conoció?

«—Trabajo con él desde hace un año.

«—¿Dónde?

«—En la Parroquia de Guanabacoa y a veces vamos a San Francisco.

«—¿Vio usted al acusado Betancourt en San Francisco?

«—Sí.

«—¿Cuándo?

«—Unos días antes del arresto.

«—¿Quién lo escondió allí?

«—El Padre Loredo.

«El Fiscal sonríe y dice:

«—Me basta, señor presidente.

«Y una última pregunta se le formula al acusado:

«—¿Tiene Ud. algo que agregar?

«—Sí, señor.

«—Dígalo.

«El acusado se vuelve al testigo y exclama:

«—Gerardo, tú sabes bien que eso no es cierto.

«Gerardo Pérez guarda silencio...[552]

En la cita aparece un error: realmente el P. Loredo trabajaba en San Francisco, y a veces ayudaba en Guanabacoa... para el caso, y para loa agentes de la policía política, daba exactamente lo mismo.

Sobre el falso testimonio de Gerardo Pérez se fundamentó la sentencia de prisión dictada contra el Padre Loredo.

Parecía que este nuevo golpe iba a aplastar a la Iglesia Católica para siempre. La amenaza se repetía de una forma más fuerte, porque el Padre Loredo no fue el único sacerdote católico que sufrió prisión por enfrentarse a la nueva dictadura.

Los sacerdotes presos. Se reestructura la Iglesia cubana. Repercusión del Concilio Vaticano II. Efectos del Concilio en Cuba

Como ya sabemos, el Cardenal-Arzobispo de La Habana, Mons. Manuel Arteaga y Betancourt, Primado de la Isla de Cuba, fue sepultado el día 31 de marzo de 1963. Ese mismo día fueron puestos en libertad y entregados a la Nunciatura Apostólica cuatro sacerdotes que se encontraban encarcelados en la prisión de las galeras de Isla de Pinos por actividades contrarrevolucionarias, o dicho de otra forma, por enfrentarse resueltamente al régimen comunista: los PP. Reynerio Lebroc, cubano, y los españoles Francisco López, Ramón Fidalgo y Luis Rojo. Los cuatro permanecieron en la sede de la Nunciatura durante algunos días hasta que se realizaron los arreglos pertinentes para su salida definitiva del país... pero hubo muchas personas, también encarceladas por problemas de conciencia, que no tuvieron tanta suerte:

> *Detrás, sin embargo, quedarían laicos católicos involucrados en hechos contrarrevolucionarios... que tuvieron que afrontar el rigor de los tribunales*[553].

En esta misma época regresaron a Cuba varios jóvenes sacerdotes que se habían ordenado recientemente en Roma, ya que habían sido

---

[552] Larrúa Guedes, Salvador. Cinco Siglos de Evangelización Franciscana en Cuba. Custodia Franciscana del Caribe, Puerto Rico, 2004, t. II, p. 192

[553] Chaurrondo, P. Hilario C.M. Los Paúles en las Antillas. Cuba, 1925-1962. Copia mecanografiada. En: Biblioteca del Arzobispado de La Habana, p. 264. Ver: Larrúa Guedes, Salvador. Por la Senda de los Misioneros: Historia de los Padres Paúles en Cuba. La Habana, 1999, cap. XI

enviados por sus respectivos Obispos para que terminaran sus estudios en el extranjero, poco después del triunfo de la revolución en 1959, o a partir de 1961 cuando se cerraron los Seminarios Diocesanos a raíz de los sucesos de Playa Girón, la proclamación del socialismo y el éxodo de sacerdotes y religiosos.

Por otra parte, el gobierno autorizó el regreso de algunos sacerdotes que formaron parte del grupo de 132 expulsados en agosto-septiembre de 1961. Entre ellos se encontraba el P. Francisco Oves Fernández, tiempo después nombrado Obispo de La Habana, y otros religiosos extranjeros de gran prestigio y simpatía que habían trabajado en Cuba muchos años.

La Arquidiócesis de La Habana no contaba con Obispos Auxiliares a pesar de su gran complejidad dada por los hechos de que en ella radicaba el gobierno civil, de que contaba con la mitad del clero de la Isla, de su gran densidad de población —el 25 por ciento del país— y la diversidad de las órdenes religiosas radicadas en su territorio, en el que se ubicaban además sus casas centrales. Tomando en cuenta todos estos elementos, la Santa Sede anunció el 20 de marzo de 1964 el nombramiento de dos Obispos Auxiliares para La Habana: los Padres Alfredo Llaguno y Canals, procedente del clero diocesano, y Fernando Azcárate y Freire de Andrade, jesuita. La consagración de los nuevos prelados tuvo lugar en Catedral de La Habana el 17 de mayo del mismo año y contó con numerosa participación de los fieles[554].

Poco tiempo después, el 10 de septiembre de 1964, la Santa Sede tuvo a bien aceptar la renuncia de Mons. Carlos Riu Anglés, de origen español y titular del Obispado de Camagüey, quien después de asistir en 1962 a la primera sesión del Concilio Vaticano II solicitó su relevo y repatriación a España. Para sucederlo fue nombrado el Padre Adolfo Rodríguez Herrera, que era Obispo Auxiliar de Camagüey y fungía como Administrador Apostólico de la diócesis durante la ausencia de Mons. Riu Anglés[555].

Mientras tenían lugar todos estos sucesos, continuaban en Roma las sesiones del Concilio Vaticano II, inaugurado por Su Santidad el Papa Juan XXIII y llevado a su culminación exitosa por el Papa Paulo VI. El trascendental acontecimiento que estremeció a la Iglesia en todo el mundo

---

[554] Ibídem,

[555] Ibídem, p. 246

pasó casi inadvertido para la Iglesia cubana, inmersa en tensiones y preocupaciones muy específicas, y en particular para su feligresía, a la que los cambios conciliares llegaban esporádicamente y eran a veces arbitrariamente interpretados por muchos feligreses...[556]

Lo anterior no significa que la Iglesia de Cuba quedara absolutamente fuera del Concilio. Los prelados cubanos estuvieron presentes en la gran cita de Roma y en especial los Obispos José Maximino Domínguez, de Matanzas, Fernando Azcárate, Auxiliar de La Habana, Manuel Rodríguez Rosas de Pinar del Río y Adolfo Rodríguez Herrera, titular de Camagüey, los que asistieron a varias sesiones convocadas del Concilio. Cuando estos diocesanos regresaban a Cuba, ofrecían conversatorios y conferencias que se daban en las diversas parroquias y centros de apostolado con el objetivo de divulgar los aspectos principales de la renovación eclesial promulgada por el magno evento.

Antes de que concluyera definitivamente el Concilio Vaticano II el 8 de diciembre de 1965, sus disposiciones, renovaciones y efectos comenzaron a influir, con mucha lentitud y tímidamente, sobre la Iglesia de Cuba tan pobre, tan lejana e inmersa en sus grandes preocupaciones. La liturgia fue la primera que comenzó a experimentar cambios, con escasa oposición de la feligresía habitual, que ya estaba bastante restringida por aquella época… Mucha mayor importancia para la vida interna de la institución católica tuvo la reforma de la disciplina en los Seminarios Diocesanos. Esta reforma comenzó primero en el Seminario El Buen Pastor hasta que fue intervenido por el gobierno, nacionalizado y sus edificios fueron ocupados por una unidad militar, y luego continuó en las aulas del antiguo Seminario de San Carlos y San Ambrosio, que fueron reactivadas por ese motivo.

Todavía tuvo más relieve la reestructuración que se operó en el Apostolado Seglar: se disolvió la Acción Católica Cubana y en su lugar se implantaron otras estructuras eclesiales recomendadas por el Concilio Vaticano, tales como las Comisiones Episcopales, los Consejos Presbiteriales y las Vicarías Territoriales.

Llegan años tristes y oscuros: la Virgen de la Caridad continúa en su Santuario, esperando la Resurrección

Consumado el Sacrificio, crucificado el Hijo, la Santísima Madre se encerró en su Santuario, y llevaba consigo el dolor infinito de su

---

[556] Ibídem.

traspasado corazón. En 1977, el 30 de diciembre, y para mostrar su amor por la Virgen de la Caridad del Cobre, Su Santidad el Papa Paulo VI confirió el título de Basílica Menor al Santuario del Cobre. En esta ocasión importantísima, el Cardenal africano Bernardin Gantin representó a Su Santidad ante el episcopado de la Isla y las autoridades cubanas.

Durante los años siguientes, bajo la dictadura comunista que se implantó en Cuba, su Divino Hijo Jesucristo fue azotado con cada afrenta que se hizo a la libertad y la dignidad de alguna persona y con cada insulto a la expresión y al pensamiento, coronado de espinas con cada acto de opresión y despotismo, crucificado miles y miles de veces con cada condena a prisión, con cada ejecución, con cada cubano desaparecido en las aguas del estrecho de la Florida.

Ante la estampida de miles de cubanos que se vieron forzados a abandonar la Isla porque además de perder sus medios de vida vieron amenazada la práctica de su religión, su libertad de acción y de expresión y las tradiciones, valores y costumbres que formaban parte inseparable de la existencia, Nuestra Señora de la Caridad del Cobre, con su infinito amor, propició que una imagen suya llegara a Miami justamente el 8 de septiembre de 1961, y que se presentara ante una muchedumbre de fieles que había acudido, empujada por una maravillosa intuición colectiva, a celebrar la fiesta de su Santísima Madre, que era también la Madre de la Nación y de la Patria.

Por otra parte, la Virgen de la Caridad del Cobre iba a acompañarlos siempre, y esta verdad estaba muy bien grabada en los corazones y en las entretelas de las almas que formaban la grandiosa muchedumbre, porque dondequiera que esté un hijo de Cuba, a su lado estará la Virgen para acompañarlo en su camino, para levantarlo cuando caiga, para animarlo cuando esté triste, para sonreír con él y llorar con él y esperar con él que florezca y fructifique la nueva simiente del futuro. Pero quiso que tuvieran además una imagen suya, una representación que fuera en sus vidas guía y faro, brújula y polo, para que pudiera estar con ellos en el destierro, mirando con ellos hacia las playas de la Isla querida.

Mientras tanto, Cristo Jesús sigue muriendo en Cuba, muchas veces y de muchas formas cada día. Pero nada de esto ocurre en vano, porque tras de la muerte viene la Resurrección y la Vida Eterna, como lo anunciara el mismo Jesús:

Yo soy la resurrección. El que cree en mí, aunque muera, vivirá; y todo el que vive y cree en mí, no morirá jamás... (yo soy la Resurrección y la Vida...) Jn 11, 25

Y Nuestra Señora de la Caridad, la Santísima Virgen que es Reina y Madre amantísima de todos los cubanos, desde su Santuario del Cobre en las montañas de Oriente, reza con nosotros y con nosotros llora, amparándonos bajo el manto de su cuidado maternal, esperando el regreso del Hijo, que nos deslumbrará con el resplandor su presencia divina, y recordando las palabras eternas con que nos proclamó su retorno:

Porque, como relámpago fulgurante que brilla de un extremo a otro del cielo, así será el Hijo del hombre en su Día... Pero antes tendrá que padecer mucho y ser reprobado... (Lc 17, 24-25)

Y ese día, cuando comience de nuevo el Reino de la Luz con el regreso del Hijo de Dios, los cubanos podremos decir:

Hoy ha llegado la salvación a esta casa... pues el Hijo del hombre ha venido a buscar y salvar lo que estaba perdido... (Lc 19, 9-10)

Amén.

CAPÍTULO XXI

CÓMO LA VIRGEN DE LA CARIDAD ILUMINA LOS CAMINOS DE LA IGLESIA: EL SEGUNDO CARDENAL DE CUBA EN TIEMPOS DE OSCURIDAD

...Y para ser luego su pastor, era preciso contar con un don precioso: el don de saber interpretar y asimilar la Caridad infinita que emanaba de la Virgen, Patrona de Cuba: porque la Virgen, que siempre ha tenido un amor infinito por su Pueblo, nunca lo ha amado más que en este trance de oscuridad, dolor y tragedia, y tenía que insuflar su Caridad, expresión máxima del Amor de Dios, en la persona que llevaría el timón de la nave de su Iglesia...

...Todos los cubanos católicos tenemos una especial devoción a la Virgen María de la Caridad. Ella ha precedido y presidido todos los grandes acontecimientos de nuestra historia. Con ella queremos disponernos a recibir, llenos de amor, al Papa Juan Pablo II. Como en las Bodas de Caná, María nos repite hoy: «HAGAN LO QUE ÉL LES DIGA», o sea, «hagan lo que les diga Jesús, lo que les diga el Papa en nombre de Jesús»...

Primeros pasos en la Iglesia y en la vida del segundo Cardenal de la Isla de Cuba, Mons. Jaime Lucas Ortega y Alamino. Primeros años y vocación sacerdotal: un regalo profético de la Virgen de la Caridad a su pueblo.

Jaime Lucas Ortega y Alamino nació en el pequeño pueblo de Jagüey Grande, ubicado en la Diócesis de Matanzas y en la provincia cubana del mismo nombre, el 18 de octubre de 1936, en el seno de una familia modesta: su padre era obrero suplente del Central Australia. En aquella época, Jagüey Grande era una localidad diminuta que rozaría apenas los 11,000 habitantes, ya que en el censo de 1931, cinco años antes, contaba con algo más de 10,000 personas.

La población fue fundada en 1872 en el centro de un antiguo hato del mismo nombre, sobre un terreno llano y pedregoso, muy cerca de la Ciénaga de Zapata, que está situada al sur de Jagüey Grande. Los datos históricos más importantes refieren que

Comenzó su fundación en 1857 por la construcción de varios bohíos, formándose un pequeño caserío compuesto de 9 viviendas y 67 habitantes en el Centro del Hato de su nombre, en cuyo estado continuó hasta 1862

270

que empezaron a construirse casas de tablas y tejas llegando al número de 58 con 214 habitantes. Su fundación oficial fue declarada el 25 de Junio de 1872 en cuya fecha se trasladó al caserío la Iglesia de Hanabana bajo la advocación de N. S. de la Altagracia de la Hanabana y declarándola curato de ingreso, aumentando el poblado y el vecindario constituyéndose en Barrio. El 9 de Diciembre del año de 1898 se decretó por el Gobierno Autonómico, la segregación de este barrio del Ayuntamiento de Colón, siendo su Ayuntamiento creado en 19 de Diciembre de 1898 ocupando la Alcaldía el señor Francisco Gálvez Cárdenas.

«Por la orden número 157 fecha 15 de Mayo de 1902 se segregaron del Término Municipal de Colón los barrios Jabaco, El Asiento y Venturilla (del suprimido Término de Agramonte) y la parte de Guamajales que fue incorporado a Agramonte por la orden número 494 serie de 1900 que suprimió el Término del Roque; dichos barrios y porción de territorio han sido agregados a Jagüey Grande así como la porción del Barrio Claudio Batalla, que comprende entre otras las fincas Silverio, Hernández, Ponce y Santo Domingo cuya porción de territorio que deslinda el camino público que atraviesa el ramal de la vía férrea de Navajas a Jagüey Grande, cerrando en un cuadro el paradero de Crimea, internándose en Jagüey Grande con dirección al demolido Ingenio Adelaida (La porción del Barrio Claudio Batalla fue segregada del Término Municipal de Pedro Betancourt antes Cristina de Macurijes)»[557].

El pequeño Jaime Lucas Ortega Alamino frecuentaría los sacramentos en la Iglesia de Nuestra Señora de Altagracia, que así se llamaba la Parroquia de Jagüey Grande, y los primeros años de su infancia transcurrieron en el pueblo entre la escuela y la casa, entre los estudios y los juegos, y seguramente conoció los lugares cercanos de aquella zona de agricultura fértil, por la que discurrían varios ríos y en la que se destacaban las grandes plantaciones cañeras, las de frutos menores, los pastizales para el ganado vacuno y los campos sembrados de cítricos, que también constituían una gran riqueza. Es muy probable que en aquella época se percatara de los desniveles que existían en la sociedad de entonces, de las diferencias entre pobres y ricos, y de los principales problemas que afectaban a los cubanos de entonces.

Gran parte de su niñez y de su juventud transcurrieron en la ciudad de Matanzas, donde terminó la enseñanza primaria y cursó el bachillerato en el Instituto de Segunda Enseñanza.

Precisamente se encontraba estudiando el bachillerato cuando, en algún momento de la juventud despertó con fuerza y urgencia en su

---

[557] Cf. Rousset, Ricardo V. Historial de Cuba. Primera Edición, tomo II, La Habana, 1918

alma el llamado de Dios y después de realizar los contactos necesarios, comenzó sus estudios sacerdotales en el Seminario San Alberto Magno, que fundara el inolvidable Obispo de Matanzas, Alberto Martín Villaverde, en donde cursó cuatro años de estudios de Humanidades y Filosofía[558].

Desde que fue receptivo a su vocación sacerdotal, la Virgen de la Caridad del Cobre comenzó a orientarlo para que tuviera el alto destino de ser un nuevo pastor de su Iglesia.

Estudios en el Seminario de los Padres de las Misiones Extranjeras en Montreal, Canadá. Ordenación sacerdotal. Primeros destinos y labores pastorales. Su internamiento en un campo de trabajos forzados por el régimen comunista

A continuación, ya en 1960, fue enviado a Canadá para cursar los estudios de Teología en el Seminario de las Misiones Extranjeras de Montreal, a cargo de los venerables Padres Canadienses a los que ya conocía por la fructífera labor que realizaban en tierras de Cuba, donde se habían vinculado a varias poblaciones, y particularmente en la provincia de Matanzas. Una breve información sobre los trabajos de los Padres Canadienses en Cuba nos refiere que

En 1992 celebraron sus 50 años de múltiple trabajo en Cuba, pues fue en 1942 cuando llegaron los primeros 3 padres canadienses y hasta 1992 habían sido 67 los que en diversos períodos habían brindado su servicio en la Isla. Llamados también «Los Padres de las Misiones Extranjeras de Canadá», los primeros tres de ellos se establecieron en 1942 en la parroquia de Nueva Gerona en la Isla de la Juventud. Al año siguiente pasaron a trabajar también cerca de la capital haciéndose responsables, con el transcurso de los años, de numerosas comunidades cristianas de todo el este de La Habana. En 1945 Monseñor Martín Villaverde, entonces Obispo de Matanzas, pidió su presencia y su obra en la región de Colón y Arobas. En Colón realizaron la Ciudad Estudiantil «Padre Félix Varela», una obra que trató de ser una respuesta a los problemas de las zonas rurales: la enseñanza y la cura directa de los alumnos. Después de 50 años de trabajo en la formación intelectual, cívica y religiosa de numerosos cubanos, podían contar dos Obispos entre los padres que habían trabajado en la Isla y otros dos entre los alumnos de su Seminario «San Alberto Magno» en Colón: Mons. Agustín Román,

---

[558] Entrevista de Ana María Ruiz al Card. Jaime Ortega, para la Agencia Prensa Latina

Obispo auxiliar de Miami y Mons. Jaime Ortega, hoy Cardenal de La Habana[559].

Los Padres Canadienses llevaban varios años en Cuba, exactamente 18, cuando el seminarista Jaime Ortega ingresó en el Seminario de las Misiones Extranjeras de Montreal. Habían llevado adelante en la Isla una obra de gran importancia en la Ciudad Estudiantil «Félix Varela», con lo que dieron un gran impulso a los proyectos del Obispo Alberto Martín Villaverde, de grata memoria…

Entre ellos, el joven Jaime Lucas Ortega Alamino no se encontraba entre extraños, porque los Padres Canadienses llevaban en Cuba suficiente tiempo y sufrieron en carne propia los cambios que se operaron con la revolución: fueron testigos de momentos de grandeza de la Iglesia cubana, como la Peregrinación de la Virgen de la Caridad del Cobre en 1951-1952 , como aspecto culminante y alegórico de la celebración del Cincuentenario de la República, y de los tiempos de desastre en que se intervinieron las Universidades, se nacionalizaron los colegios católicos, se expulsó a sacerdotes y religiosos, se proclamó el ateísmo oficial, se suspendió la celebración de la Navidad, se persiguió, reprimió y discriminó a los creyentes, y se trató por todos los medios de aniquilar a la Iglesia, creyendo que la Iglesia era sólo obra de hombres y que por tanto, podía ser destruida… los Padres Canadienses habían vivido y sufrido y acompañado al pueblo de Cuba en esas horas terribles.

Acogieron al joven seminarista Jaime Ortega con mucho cariño. Sabían muy bien de donde venía, al mismo infierno donde viajaría cuando culminaran sus estudios. Evangelizar en el infierno bajo la vigilancia de Satanás, no iba a ser cosa fácil… pero los profesores del Seminario Canadiense de Montreal prepararon al joven seminarista para capacitarlo a fin de que pudiera predicar en aquel infierno la Palabra de Dios. Y allí, en las lejanas y frías tierras del norte, culminaron sus estudios sacerdotales. A su regreso a Cuba, fue ordenado sacerdote en la Catedral de Matanzas el 2 de agosto de 1964 por el Obispo José Maximino Domínguez y Rodríguez, y de inmediato comenzó a trabajar pastoralmente en la Diócesis matancera[560], prestando servicios como Vicario Cooperador en la Parroquia de la Inmaculada Concepción de Cárdenas, por espacio de dos años[561].

---

[559] Padres Canadienses de las Misiones Extranjeras. Publicado por Diócesis de Pinar del Río, Cuba: www.diocesispinardelrio.org

[560] Ver: Episcopologio de la Iglesia Católica en Cuba. ©2000-2007 Salvador Miranda

[561] Ibídem (559)

Fue en aquella época que el gobierno fundó las denominadas Unidades Militares de Ayuda a la Producción (UMAP), donde fueron recluidas, prácticamente como presos, numerosas personas sospechosas de no simpatizar con el régimen comunista o que profesaban creencias religiosas que el gobierno consideraba enemigas. Sin dudas como consecuencia de su labor pastoral en la diócesis matancera, para la cual había sido nombrado Vicario, el recién ordenado P. Jaime Lucas Ortega fue considerado adversario del régimen, llamado a pasar al Servicio Militar en aquellas unidades, en las que pasó aproximadamente siete meses como recluta activo[562].

¿Qué eran las Unidades Militares de Ayuda a la Producción, conocidas como UMAP? Las UMAP no fueron otra cosa que una expresión física de la política represiva y totalitaria del régimen, y su trayectoria y métodos han sido narrados con estas palabras:

El 19 de noviembre de 1965 se inicia en Cuba otro abrumador proceso violatorio de los más elementales derechos humanos. Las inconfesables intenciones del régimen totalitario, con su proceder inhumano e injustificable, son enmascaradas dentro de una extensa y falsa campaña de supuesta profilaxis social contra los delincuentes, lumpens y homosexuales, dirigida a engañar a la opinión pública nacional e internacional. En realidad se trataba de un vasto proyecto represivo contra personas que, sin haber cometido «delito» alguno, simplemente no mantenían militancia política con la tiranía o profesaban creencias religiosas consideradas adversas a la doctrina oficial que el régimen imponía a sangre, fuego y engaño.

En esta fecha se produjo el conocido «primer llamado de la UMAP». Miles de hombres —incluyendo casos de menores de 18 y mayores de 60, pero predominantemente adolescentes y jóvenes adultos— fueron citados a todo lo largo de Cuba por el Servicio Militar Obligatorio para presentarse en lugares señalados en cada municipio. El recibimiento por fuerzas militares fue agresivo y amenazante. Todas las personas citadas fueron apresadas sin derecho a ninguna comunicación con sus familiares.

Los que no se presentaban a aquellos «llamados» eran prácticamente «cazados» barrio por barrio y casa por casa.

Todos fueron transportados en vagones de ferrocarril, camiones y ómnibus con fuerte presencia de militares que los mantenían encañonados con sus armas y los sometían a todo tipo de vejámenes. Así fueron conducidos a la provincia de Camagüey y se les concentró en varios stadiums deportivos, donde «el comité de recepción» estaba integrado por altos jerarcas de la cúpula militar castrista. A todas luces

---

se trataba de una orden emanada del más alto nivel de la tiranía totalitaria.

Los oficiales designados para dirigir y aplicar este proyecto, fueron investidos con la facultad de convertirse en «tribunales sumarios» e impusieron todo tipo de sanciones, incluyendo la pena de muerte.

Los supuestos reclutas, que realmente resultaron prisioneros, fueron enviados a diferentes lugares del campo camagüeyano, divididos en grupos de unos 120 y hacinados en barracas. Cada uno de aquellos «campamentos» estaba cercado por una alambrada de púas rectangular con una sola puerta de entrada y salida, garita de guardia permanente portando armas largas y rondas constantes. En esos verdaderos campos de concentración los reclusos padecieron inenarrables vejámenes de toda índole, bestiales golpizas y castigos, con un ensañamiento sistemático que buscaba degradar al máximo su condición humana. A la vez eran forzados a interminables jornadas de implacable trabajo en las peores condiciones de alimentación y sanitarias. Un verdadero infierno que desequilibró mentalmente a muchos, al extremo de que llegaron a ser frecuentes los casos de automutilaciones con la desesperada intención de escapar de aquella pesadilla.

En resumen, se trató de otro típico engendro totalitario, en este caso con el diabólico objetivo de anular a todo un amplísimo segmento de la población cubana que no era «asimilable» para el sistema que por entonces se implantaba a nuestro pueblo.

Más de 25,000 personas pasaron por la UMAP durante los casi tres años que duró. Finalmente, la creciente divulgación internacional de aquella barbarie y el rechazo que se iba generalizando, obligó a la tiranía a decretar su final en 1968.

Los que vivieron en sus carnes los horrores de la UMAP, la resumen con estas palabras:

«DONDE NUNCA HUBO UN GESTO QUE FUERA HUMANO»[563].

¿Por qué el P. Jaime Ortega Alamino debía pasar, casi recién ordenado, por estas experiencias y circunstancias terribles? Como ya sabemos, había sido preparado para eso, y él había aceptado el reto. Había marchado al Canadá y después había regresado, lo que confería a su sacerdocio un singular aspecto de sacrificio propio aceptado. Iba a ser sacerdote en la pobre Cuba donde se había instaurado el ateísmo, donde se había entronizado la represión a los creyentes, donde se les perseguía y se les apartaba como a verdaderos apestados... puede

---

[563] Internet. Entrevista a Eduardo Valdés, página electrónica de la UMAP. Instituto de la Memoria Histórica Cubana contra el Totalitarismo: memoriaint@msn.com

decirse que la Virgen de la Caridad, Madre amorosa, lo estaba preparando para las circunstancias en que debía desenvolverse, y por eso forjaba su espíritu con el fuego de aquellas pruebas.

La Virgen de la Caridad y su Hijo Jesucristo preparan el camino del futuro pastor. Pastoral de los jóvenes en Matanzas. Trabajo en la catequesis y en el Seminario Mayor de San Carlos y San Ambrosio.

Sin lugar a dudas, si nos atenemos a las especiales y macabras circunstancias en que vivía el Pueblo de Dios que peregrina en Cuba, los primeros meses de la labor sacerdotal del P. Jaime Ortega estuvieron llenos de pruebas y dificultades, por las que tuvo que pasar con valentía y esfuerzo. Pero si Dios Nuestro Señor, la Virgen de la Caridad del Cobre, como Patrona de Cuba, y su Divino Hijo, no hubieran puesto estos obstáculos en la trayectoria de su vida, como ya hemos dicho, y él no hubiera sido capaz de superarlos, no habría contado con la preparación necesaria para enfrentar con éxito la ardua y escabrosa tarea de gobernar la nave de la Iglesia Católica que peregrina junto al Pueblo de Cuba, por aguas oscuras y tenebrosas encrespadas por un gobierno ateo, totalitario y represivo.

Era, pues, preciso, sufrir en propia carne la experiencia, acompañar a la gente en su dolor, a la pobre gente que no tenía más consuelo que la milagrosa y protectora Virgencita morena del Cobre, la Madre Hermosa de la Caridad. Y fue así: el joven sacerdote Jaime Lucas Ortega Alamino, después de la introducción de su trabajo pastoral en tierras de Matanzas, acompañando a los católicos en tiempos de más penas que alegrías, en tiempos de persecución y de crucifixión por no abandonar la fe de sus mayores, tuvo que pasar por la experiencia suprema de la cárcel disfrazada de servicio militar, sometido a la represión más violenta y en un estado de completa indefensión, para que pudiera sentir en aquel encierro con sus sentidos el sufrimiento de los más desamparados, que como él vivían entre las alambradas de púas, en deplorables barracas, entre golpes, castigos, mala comida, brutalidades e insultos, en una condición degradante.

Después de sus estudios en el Seminario de San Alberto Magno y en el Seminario de Canadá, vinieron estas pruebas, que no eran más que el colofón de todo lo que había vivido en Cuba desde el 1 de enero de 1959 en adelante. Eran, con toda seguridad, las más difíciles, eran exámenes para los cuales nadie estaba preparado, pero había que aprobarlos con las calificaciones más altas, porque era preciso tener una fe a toda prueba, una vocación de sacrificio muy grande, una gran decisión de llegar hasta el martirio si era preciso, para cursar aquellas asignaturas y luego seguir adelante.

Había que ser solidario con las personas católicas que mantenían su fe en Cuba. Era urgente y preciso andar con ellas, acompañar a estas personas a lo largo de aquel camino lleno de humillaciones y de pruebas. Aquellas eran las gentes que tal vez sufrían más en la Cuba de entonces. El P. Jaime Ortega Alamino tenía que trabajar y convivir con ellas, para que pudiera saber a qué atenerse cuando fuera pastor de todo el rebaño.

Y para ser luego su pastor, era preciso contar con un don precioso: el don de saber interpretar y asimilar la Caridad infinita que emanaba de la Virgen, Patrona de Cuba: porque la Virgen, que siempre ha tenido un amor infinito por su Pueblo, nunca lo ha amado más que en este trance de oscuridad, dolor y tragedia, y tenía que insuflar su Caridad, expresión máxima del Amor de Dios, en la persona que llevaría el timón de la nave de su Iglesia...

Cuando salió de aquel reclutamiento forzado en los campos de trabajo de las UMAP, el P. Jaime Ortega no vaciló un segundo y regresó de inmediato a su trabajo pastoral. Enseguida recibió el nombramiento de párroco de su pueblo natal, Jagüey Grande, donde trabajó como tal en la Iglesia de Nuestra Señora de Altagracia durante dos años y medio[564].

Al llegar el año 1969, tuvo que pasar por una experiencia nueva al ser designado párroco de la Catedral de Matanzas, puesta bajo la advocación de San Carlos Borromeo:

En 1969 fue designado Párroco de la Catedral de Matanzas y de la Iglesia de San Juan Bautista de la misma ciudad[565]

Escaseaban los sacerdotes. Era mucha la mies y muy pocos los operarios. Por aquellos años, además de las labores inherentes a su condición de párroco, el P. Jaime Ortega ejercía como Presidente de la Comisión Diocesana de Catequesis y trabajaba como profesor de Teología Moral en el Seminario Mayor de San Carlos y San Ambrosio de La Habana[566].

---

[564] Ibídem (559)

[565] Ibídem,

[566] Ibídem,

Su elección como Obispo de Pinar del Río, en 1978: consagración episcopal y primeras experiencias en la diócesis más occidental de la Isla. Su promoción a la sede del Arzobispado de La Habana en 1981

Tanto trabajo, tanto esfuerzo y tanto sacrificio, realizado en condiciones muy difíciles, no pasaron inadvertidos para la jerarquía de la Iglesia: en 1978, entonces, llegó el momento de recibir un gran honor que sólo significaba más trabajo, más dedicación y más sacrificio, porque Su Santidad Juan Pablo II lo nombró Obispo para la Diócesis de Pinar del Río:

> *Fue elegido obispo de Pinar del Río el 4 de diciembre de 1978. Recibió la consagración episcopal el 14 de enero de 1979 en la catedral de Matanzas, de manos de Mons. Mario Tagliaferri, arzobispo titular de Formia, pronuncio apostólico en Cuba, asistido por Mons. Francisco Ricardo Oves Fernández, arzobispo de San Cristóbal de La Habana, y por Mons. José Maximino Eusebio Domínguez y Rodríguez, obispo de Matanzas*[567]

Su ordenación episcopal no era más que una nueva prueba impuesta por la Patrona de Cuba, una nueva forja para el espíritu y la mente, una nueva experiencia que iba a agregar conocimientos, sabiduría, experiencia... pero la Virgen de la Caridad confiaba en que sería capaz de cumplir bien su cometido, y no fue defraudada.

El nuevo Obispo de Pinar del Río era un hombre joven que introdujo un nuevo estilo de trabajo, acorde con los cambios instaurados en el Concilio Vaticano II, contando siempre con el apoyo del clero y de los laicos, formando una verdadera comunidad de agentes pastorales que comenzaron a enfrentar con éxito los retos de la evangelización. La singular labor de Mons. Jaime Ortega en la diócesis pinareña, sin dudas especialmente inspirada por Nuestra Señora de la Caridad del Cobre, Primera Evangelizadora y Misionera del Pueblo Cubano, puede resumirse con estas palabras:

> *El 14 de Enero de 1979 fue ordenado obispo en la Catedral de Matanzas, el hoy Cardenal Jaime Ortega Alamino. Sacerdote joven, preparado teológicamente y con fama de haber sido un excelente pastor de jóvenes. El nombramiento fue recibido con alegría y esperanza, porque el nuevo obispo venía a poner una inyección de dinamismo a una diócesis que, en algunos aspectos de la vida pastoral, vivía cierta inercia. Venía este matancero a una provincia que, para quien les habla es, físicamente, la*

---

[567] Ver: Episcopologio de la Iglesia Católica en Cuba. ©2000-2007 Salvador Miranda

región de Cuba más hermosa que mis ojos hayan visto; llegaba, también, a una preciosa Iglesia Diocesana.

Un nuevo estilo, más acorde con los cambios conciliares, y con el despertar por esos años de las diezmadas comunidades católicas en Cuba, vino, Monseñor Jaime, a imprimir en la Diócesis. Para ello contó con el formidable presbiterio pinareño del cual he hablado, y que lo recibió con un cariño y respeto palpables. A lo anterior se sumó, el laicado de aquel entonces, constituido en su mayoría por hombres y mujeres a toda prueba, jóvenes muchos de ellos, que venían trabajando por la Iglesia con grandes cuotas de sacrificio. Ellos daban a la Iglesia su tiempo, sus capacidades, su entregado trabajo y su dinero. En mi ya larga vida eclesial no he encontrado nada igual. El modelo pinareño no era exclusivo, también en las otras diócesis lo encontrábamos de igual forma. Como ejemplo de ese laicado, no puedo dejar de citar en esta noche a alguien, que pudiera ser la muestra de todos los demás laicos, me refiero a María Josefa Díaz Cruz, fallecida en 1994. Fefita fue el ejemplo de la fidelidad obediente y sacrificada a la Iglesia.

Pues bien, el nuevo obispo, su presbiterio y ese laicado modélico, formaron una comunidad de agentes pastorales, que comenzaron a vivir una nueva situación eclesial, diferente a la de los años anteriores: la Iglesia comenzaba a tomar conciencia —hecho que se concretó posteriormente con la REC y el ENEC-, que en medio de la realidad política del socialismo, debía trabajar y hacer presente la fe cristiana; por lo que se empezaba a pasar de una concepción de conservar y mantener las exiguas comunidades católicas a una concepción de iglesia misionera, deseosa de hacerse presente en los diferentes ambientes.

La situación eclesial descrita anteriormente fue un momento eclesiológico importantísimo en la centuria que celebramos, al cual se debe mirar como ejemplo, de cara al presente y al futuro de esta Iglesia Diocesana. Monseñor Jaime fue promovido al Arzobispado de La Habana el 27 de Diciembre de 1981, quedando como Administrador Apostólico de Pinar del Río hasta la ordenación y toma de posesión del nuevo obispo[568]

No hay dudas de que la Virgen de la Caridad, en aquellos tiempos duros y difíciles, alumbraba el camino que seguía la Iglesia cubana. Este camino desembocaría poco después en dos eventos trascendentales de la institución católica en la Isla: la ***Reflexión Eclesial Cubana (REC)*** y el ***Encuentro Nacional Eclesial Cubano (ENEC).*** Pero por delante había mucho trabajo que hacer, y después de un fructífero

---

[568] Rodríguez, P. Antonio. Obispos y Sacerdotes de la Diócesis de Pinar del Río en esta Centuria. Revista Vitral no. 56, julio-agosto del 2003

episcopado de tres años en la Diócesis de Pinar del Río, ubicada en el extremo occidental de la Isla, el Obispo Jaime Ortega recibió en 1981 la noticia de que Su Santidad Juan Pablo II lo había designado Arzobispo de La Habana.

Mons. Jaime Ortega y la Virgen de la Caridad

Su presencia no pasó inadvertida en la Diócesis de Pinar del Río. En un plazo de tiempo muy breve, y prácticamente sin más recursos que el de una fe inagotable,

> *hizo el proyecto de remodelación total de la Catedral que no pudo llevar a cabo por las dificultades del momento y su pronto traslado a la Diócesis de La Habana. Fue él quien trajo a las Religiosas de fundación canadiense Hermanas del Inmaculado Corazón de María (MIC). Se preocupó grandemente del problema vocacional e incrementó el espíritu misionero en la Diócesis[569]*

---

[569] Mons. Jaime Ortega Alamino. Diócesis de Pinar del Río, Cuba. Internet

Parecía que la Virgen de la Caridad del Cobre lo urgía para que pasara, además, por la mayor de las pruebas, en la Arquidiócesis más poblada de la Isla, frente a frente a la sede del gobierno central y de los aparatos represivos, que era la sede del poder civil en un país ateo y comunista que repelía a la Iglesia y a los creyentes. Nada menos que allí tendría que llevar adelante su alta misión de pastor...

El nombramiento se hizo público el 24 de noviembre del mismo año, y Mons. Jaime Ortega, al hablar de la nueva misión que le encomendaba el Vicario de Cristo en la Tierra, lo hizo con estas palabras:

> *El hecho de que el Papa Juan Pablo II me haya designado para la Sede Metropolitana de La Habana representa para mí un alto compromiso por la magnitud de la empresa, ya que la Arquidiócesis de La Habana es la más grande de Cuba en cuanto al número de habitantes, centros de culto y agentes de pastoral (sacerdotes y religiosas), y además por la confianza que ha depositado en mí el Santo Padre al confiarme esta misión*[570]

Su participación en el Encuentro Nacional Eclesial Cubano, un regalo de la Excelsa Patrona de Cuba. Trabajo al frente de la Conferencia de Obispos Católicos de Cuba desde 1988 hasta 1999

¿Cómo surgió la iniciativa de celebrar un Encuentro Nacional Eclesial Cubano, en condiciones tan difíciles como las que vivía Cuba a finales de la década que comenzó en 1970?

No puede haber otra respuesta que esta: fue la Patrona de Cuba, la Virgen de la Caridad del Cobre, la que inspiró la iniciativa. Era, efectivamente, el momento justo para que la Iglesia se reorganizara, concentrara sus fuerzas, meditara en su camino, valorara las situaciones y trazara una nueva estrategia a seguir. Y en ese momento lanzó la idea el Obispo Auxiliar Mons. Fernando Azcárate en ocasión de que un nutrido grupo de sacerdotes realizaban una convivencia precisamente en el Santuario del Cobre, a los pies de la Virgen de la Caridad, y trataban de manera profética el tema de la Esperanza...

Era la idea exacta en el momento preciso, y el Arzobispo de Camagüey Mons. Adolfo Rodríguez Herrera, en el discurso de inauguración del Encuentro Nacional Cubano años después, lo dijo con estas palabras:

> *Cuando en 1979 Mons. Azcárate, con ocasión de unas convivencias sacerdotales en El Cobre, que trataron precisamente el tema de la Esperanza, propuso el proyecto de una reflexión nacional, que él mismo*

---

[570] Ibídem (559)

calificó entonces de «quijotada», nadie pudo imaginarse en aquel momento que aquella «quijotada» iba a convertirse un día en realidad; y que aquella titubeante idea iba a ser la chispa primera de una gran hoguera espiritual que envolvería a toda nuestra Iglesia cubana, y de la que hoy, nosotros, aquí reunidos, somos como una prueba. Verdaderamente, lo que entonces fue sólo una idea, es ya desde este momento una realidad.

Ya desde aquel momento fue una realidad este ENEC, que se celebra hoy aquí, providencialmente dentro de este Año Internacional de la Paz; a los XX años del Concilio Vaticano II; en el 50 aniversario de la Coronación canónica de la Virgen de la Caridad del Cobre; en momentos en que una cruz que nos entregó el Papa, y que es réplica de la primera cruz que en 1514 se plantó en tierra americana, recorre nuestra Isla y hace un alto aquí para presidir esta Asamblea; y en el 133 aniversario de la muerte del P. Varela, el cubano de quien se dijo que, mientras se piense en Cuba, se pensará en el primero que nos enseñó a pensar.

Aquí se encuentran hermanos de Pinar del Río y de La Habana, de Matanzas y de Cienfuegos-Santa Clara, de Camagüey, Holguín y Santiago, en un extraño encuentro que no reúne pinareños con holguineros, santiagueros con villaclareños, laicos con sacerdotes, sino católicos cubanos a secas, sin divisiones artificiales, que vienen trayendo algo de sus vidas para buscar juntos cómo puede la Iglesia construir en Cuba la comunión con Dios y con el pueblo cubano del que formamos parte.

Detrás de cada sacerdote presente están todos los sacerdotes de Cuba ausentes; detrás de cada religiosa presente, están todas las religiosas de Cuba ausentes; detrás de cada laico, hombre o mujer, joven, adulto, obrero, campesino, profesional, estudiante... están todos los laicos cubanos católicos. A ellos los representamos; a ellos nos debemos; sin ellos nuestra presencia aquí no tiene sentido. Menos aún lo tendría al margen de ellos o contra ellos: contra sus anhelos, sus expectativas, sus opiniones y sus esperanzas, que no podemos defraudar.

Largo y no fácil ha sido el camino de estos cinco años de Reflexión Eclesial para una Iglesia con muchos problemas, de sólo 200 sacerdotes, con medios escasos, recursos pobres, elementos sencillos; pero que, a pesar de sus limitaciones, ha logrado realizar este acontecimiento verdaderamente histórico; una Iglesia que no puede decirle al Señor, y menos en este día: «Señor, tú a nosotros no nos has dado nada», porque este encuentro nos prueba que nos ha dado el milagro mayor, el más misterioso y difícil, el llamado «milagro de las manos vacías», que son las manos capaces de dar aun lo que no tienen. La primera sorprendida por este Encuentro y por este Documento de Trabajo, ha sido la misma Iglesia.

La buena voluntad de la Iglesia se prueba en admitir la diversidad la unidad y la igualdad en la diversidad, bajo esta regla universal de de la Iglesia: **In certis unitas, in dubiis libertas, in ómnibus charitas. (En las** *cosas ciertas: unidad-, en las cosas dudosas: libertad; en todas las cosas: caridad)*[571]

Después de haberlo inspirado en su propio Santuario, cuando se encontraba allí un nutrido grupo de sacerdotes para efectuar una convivencia, la Virgen de la Caridad del Cobre preparó las condiciones para efectuar una Reflexión Eclesial Cubana (REC) como paso previo al Encuentro Nacional. La importancia y urgencia de llevar a cabo la Reflexión Eclesial, en las duras y singulares condiciones que vivía la Isla de Cuba entonces, como paso indispensable para dar comienzo al renacer de la Iglesia, ha sido explicada de esta manera:

> *Es casi una proeza intentar dibujar y explicar esta huella eclesial cubana en unos cuantos párrafos. Es también necesario hacerlo en el momento que vive la nación cubana en sus dos riberas que abrazan las famosas 90 millas.*
>
> *Durante los primeros 20 años del vendaval revolucionario la comunidad eclesial católica insular quedó maltrecha y debilitada y hubo de refugiarse en sus catacumbas tropicales. La mayoría de los templos seguían abiertos y se celebraban liturgias y otras actividades en ellos. El número de los fieles era escaso. Abundaban las personas mayores. Eran pocos los niños y los jóvenes en edad escolar, así como personas activas en el mundo laboral y profesional en la feligresía. Puede decirse que el pueblo abandonó a la Iglesia y que la Iglesia siempre estuvo ahí con los brazos y el corazón abiertos. Se sabe, también, que en círculos gubernamentales se anticipaba que la desaparición de la Iglesia era solamente cuestión de tiempo. Esta forma de pensar desconoce la promesa de Jesucristo: «...Yo estoy con ustedes todos los días hasta el fin de la historia.» (Mt. 28, 20). Asimismo, hay que señalar que fracasaron los esfuerzos que se hicieron por crear una iglesia nacional en Cuba, al margen de la Iglesia Católica, Apostólica y Romana.*
>
> *A partir del verano de 1979 la Iglesia, a lo largo y ancho de la Isla, se lanza a un proceso de reflexión autocrítica desde la cúpula hasta la base, en todas las diócesis y parroquias, que es conocido como la <u>Reflexión Eclesial Cubana, (REC)</u>. La REC culmina en febrero de 1986 en el <u>Encuentro Nacional Eclesial Cubano, (ENEC),</u>*
>
> *El ENEC es la primera actividad pública de la Iglesia en Cuba, desde el Congreso Católico de 1959, que se llevó a cabo con la anuencia y la participación de las autoridades políticas del país. La Iglesia*

---

[571] Rodríguez Herrera, Mons. Adolfo - Presidente de la Conferencia Episcopal Cubana - Discurso Inaugural del Encuentro Nacional Eclesial Cubano, 17 de Febrero de 1986

«encarnada, orante y misionera...» emprende el camino, con nuevos bríos, para reclamar su lugar junto al cubano de a pie.[572]

Hablar del ENEC no es el objetivo de este libro, sino poner en su justo lugar el papel de su promotora, la Virgen Mambisa, Patrona de Cuba, Reina y Madre de todos los cubanos, Nuestra Señora de la Caridad del Cobre: porque no se puede hablar de la Iglesia Católica de Cuba, de su presente, su futuro o su porvenir, sin hablar de la Virgencita Morena del Cobre, que es su centro, brújula, faro y guía. El ENEC, entonces, después de lanzarse la idea en el Santuario del Cobre, a los pies de la Virgen, fue, según palabras de Mons. Jaime Ortega,

> *...el momento fuerte de un movimiento de concienciación que no solo generó aquel evento significativo, sino que produjo en nuestra Iglesia un modo nuevo, participativo, corresponsable de comprender, preparar y realizar la misión de la Iglesia y su atracción pastoral; con una referencia clara y realista a nuestra historia reciente y pasada, sin el lastre de nostalgias estériles con una consideración positiva del presente, sin caer en fáciles optimismos, pero lejos también de todo pensamiento sombrío, con una proyección para el futuro que tiene en cuenta lo vivido, que supo nutrir su aval reflexivo en el Concilio Vaticano II, en Medellín y Puebla, pero que encuentra la razón de su esperanza en la capacidad incalculable del Evangelio para abrirse camino en el corazón de los hombres y mujeres de hoy, porque la figura sublime de Jesús tiene un poder siempre actual para cautivar las voluntades, porque la fuerza del Espíritu Santo que nos prometió el mismo Jesús obrará también hoy las mismas maravillas que en los tiempos apostólicos, que en los grandes momentos de renovación en la historia de la Iglesia*[573]

Las palabras anteriores describen perfectamente la necesidad y el significado del Encuentro Nacional Eclesial Cubano.

Mons. Jaime Ortega se encargó de pronunciar emotivas palabras recordando en su Carta pastoral, al concluir el Encuentro Nacional Eclesial Cubano, la necesidad de orar al Padre y a la Virgen de la Caridad del Cobre, inspiradora del ENEC y su promotora como Primera Evangelizadora y Misionera de la Isla de Cuba:

> *A la oración de ustedes confiamos este tiempo nuevo que se abre para nuestra Misión. **Que la Virgen de la Caridad, Nuestra Madre, Estrella***

---

[572] Herrera, María Cristina. Fundadora Instituto de Estudios Cubanos (IEC) Miami. Art. La huella de la Iglesia en Cuba 1959-2007, Miami, 3.II.2007

[573] Ortega Alamino, Card. Jaime L. Te Basta mi Gracia. Ediciones Palabra, S.A., Madrid, 2002, p. 330

de la Evangelización, en cuyas manos pusimos desde el inicio nuestros proyectos, nos sostenga también en esta nueva etapa. (Carta Pastoral: Al concluir el Encuentro Nacional Eclesial Cubano, de Mons. Jaime Ortega - Arzobispo de la Habana - 20 de Marzo de 1986)

Pero con efectuar el ENEC en el círculo cerrado de los sacerdotes y la jerarquía eclesiástica no terminaba el evento. En realidad, el proceso estaba lejos de terminar, porque los resultados del ENEC debían llegar a todos los confines de la Isla, y así surgió una nueva inspiración: la de los Encuentros Parroquiales Eclesiales (EPEC) que se efectuaron a nivel de base. Recordando la importancia que tuvieron los EPEC como paso previo e inmediatamente anterior al ENEC, Mons. Jaime Ortega Alamino expresó:

En nuestra Arquidiócesis de La Habana hemos celebrado los EPEC; los encuentros parroquiales, que han sido, más que el eco del Encuentro Nacional en cada comunidad, la concreción de ese estilo propio del ENEC de pensar y vivir la misión de la Iglesia, en cada barrio o en cada pueblo.

Al visitar los EPEC y llegar a las distintas comunidades, a veces en pleno desarrollo de una plenaria, en ocasiones durante las reuniones de equipo, que recorría con interés, escuchaba siempre los mismos temas: los niños, los enfermos, los hermanos de religiosidad sencilla y popular, el templo abierto, las mentes abiertas, los corazones abiertos...

Temas iguales y totalmente nuevos en cada parroquia, en cada sitio diverso: porque las modalidades era distintas para acoger a los hermanos en cada parada del ómnibus que está junto a la Iglesia y que entran en ella, o para tener en cuenta, en las felicitaciones de Navidad y Año Nuevo, a las escuelas del barrio, al Círculo Infantil vecino, a la fábrica que está dentro del territorio de la parroquia o a la cercana estación de policía.

En cada barrio, en cada pueblo, nos situábamos en este tiempo y cada uno en su propio espacio. No es ya la Iglesia que acuerda intercambiar postales de Navidad con otras comunidades católicas y, cuando más, cristianas de distintas denominaciones. No es más la Iglesia que reunía al pequeño grupo de cristianos responsables para hablar de la conveniencia de mandar a hacer un parabán a fin de que los que esperan el ómnibus en la acera no se molesten. Es una Iglesia que en Asamblea numerosa propone abrir sus templos al que espera el ómnibus, y que quiere, llegadas las Fiestas de Navidad y Fin de Año, llevar a todos sin distinción sus buenos deseos y su amistad... [574]

---

[574] Ibídem, p. 331

Puesta de pie y fortalecida por el Amparo de la Madre Celestial, la Virgen de la Caridad del Cobre, la Iglesia cubana se preparaba valientemente para nuevas y audaces realizaciones.

La Conferencia Episcopal Cubana y las relaciones entre la Iglesia y el estado. Deterioro del Campo Socialista y sus repercusiones en Cuba. La caída del Muro de Berlín. El pueblo de Cuba regresa al seno de la Iglesia

Como guía y faro de la Iglesia, como Estrella de la Evangelización en Cuba, la Virgen de la Caridad alumbraba y alumbra el camino de los pastores de su grey católica, integrados en la Conferencia Episcopal cubana. En estos tiempos llenos de avatares y presiones, las relaciones entre la Iglesia y el régimen eran complicadas y tensas. Al hablar sobre el tema, Mons. Jaime Ortega explica de forma magistral las relaciones con el estado. precisando que se ha utilizado un concepto de Iglesia que viene de siglos pasados y que reduce la institución católica a la jerarquía o al conjunto del clero. Sin embargo, ya en la primera mitad del siglo XX este concepto equivocado fue sustituido por la noción de *que la Iglesia es equivalente al Pueblo de Dios* según afirmó con precisión el Concilio Vaticano II, al expresar que tanto los Obispos como los Sacerdotes son parte que no se puede segregar de la comunidad cristiana que ellos mismos conducen y a la que pertenecen en una estrecha e indistinguible unión de amor y solidaridad. A partir de esta noción surgió una nueva mentalidad en los medios eclesiales que se ha reafirmado en las Asambleas Generales del Episcopado Latinoamericano en Puebla y Medellín: esta consiste en no considerar exclusivamente las relaciones Iglesia-Poder civil a partir del respeto y el entendimiento adecuado que debiera existir en las relaciones entre los responsables de las estructuras eclesiales y las autoridades del gobierno civil, *sino teniendo muy en cuenta además la situación concreta de los cristianos que viven, trabajan y luchan en sus respectivos países y que quieren tener parte activa en el desarrollo económico y en la historia de sus pueblos*[575]

Mons. Jaime Ortega hizo un comentario al respecto que debe analizarse a la luz de su posición, porque dentro de Cuba hay que expresarse con un cuidado muy grande y con un tacto exquisito, navegando en aguas siempre llenas de peligro, para que la nave de la Iglesia siga avanzando en su ruta de Salvación:

---

[575] Ibídem (559)

Este modo más auténtico de considerar las relaciones Iglesia-Estado, hace más difícil una respuesta simple, como sería: «son buenas», «marchan bien», etc., que pudieran resultar incluso simplistas. Hablando de Cuba, concretamente, estas relaciones se inscriben en un proceso histórico que tuvo su momento más crítico en la confrontación de los años 60 y 61 y que ha progresado dinámicamente hacia el respeto y la comprensión.

Normalmente, y tributarios todavía de la mentalidad preconciliar, hubo una segunda etapa en que, al producirse contactos más frecuentes y activos entre la jerarquía y las autoridades y más tarde multiplicarse y extenderse también a los sacerdotes y religiosas por razón de orden práctico en relación con sus funciones o las obras de las distintas congregaciones, surgieron de ambas partes afirmaciones que daban a entender que las relaciones Iglesia-Estado eran totalmente buenas y que no subsistía ningún problema. Sin embargo, en una tercera etapa que yo llamaría más realista pero más fructífera se ha ido produciendo por parte de los católicos una evolución a partir del impacto que causa sobre todo, el Concilio Vaticano II. En efecto, después de afirmaciones tales como esta de «Gaudium et Spes» («Todos los hombres creyentes y no creyentes, deben colaborar en la edificación de este mundo, en el que viven en común» (No 2 1), no sólo la mentalidad, sino también la actuación concreta de los miembros de la Iglesia experimentaría una transformación en el sentido de una mayor comprensión y apertura hacia los cambios profundos y a veces bruscos que se han producido en nuestro país.

Por otra parte, a través de un diálogo sostenido, se han considerado las dificultades que el Pueblo de Dios, el cristiano estudiante o trabajador, puede encontrar en su medio concreto, a causa de incomprensiones o de prejuicios con respecto a su fe. Estos casos han sido tratados uno por uno y en la mayoría de ellos ha habido una solución justa para la situación presentada. Me parece que por este camino van las proyecciones futuras de las relaciones de la Iglesia Católica con el Estado en Cuba, pues en la medida en que todo el Pueblo de Dios experimente que esas situaciones críticas son resueltas con un sentido de equidad, todo el organismo eclesial: Obispos, sacerdotes y fieles se sentirán más sinceramente animados en la vivencia del compromiso social que pide la misma fe cristiana y al que tanto nos urgen Medellín y Puebla. No es que pase por alto algunas recientes facilidades para la reconstrucción de templos, para la adquisición de medios de transporte para sacerdotes y religiosas, el aprecio y apoyo oficial a las obras asistenciales de las congregaciones religiosas masculinas y femeninas, pero me parece que el índice indicador de cualquier progreso sigue siendo todo lo que tiene que ser con las personas concretas de los cristianos. Y cualquier mejoría, cualquier avance en este orden es significativo para el futuro...[576]

Los años posteriores a la celebración del Encuentro Nacional Eclesial Cubano fueron testigos del continuo deterioro del Campo Socialista. Comenzaban a escucharse, en la Europa del Este, las trompetas del Juicio Final para un grupo de países soberbios que habían sustituido a Dios por el vacío del ateísmo y cambiado la libertad por la esclavitud. Muy pronto comenzaron a sentirse en Cuba los efectos del cambio que se anunciaba, a través de una afectación progresiva de la relación de intercambio, el rápido crecimiento de una pobreza galopante que nunca había dejado de estar presente, y una escasez de alimentos y suministros de todas clases que debería llegar a alcanzar niveles nunca sospechados ni previstos.

En 1989, los gobiernos dictatoriales, comunistas y ateos de los países del viejo y abrumado Campo Socialista, comenzaron a derrumbarse uno tras otro como las fichas inestables de un arcaico dominó. Hubo dictaduras que desaparecieron barridas por la ira colectiva de los pueblos. El Muro de Berlín, uno de los mayores símbolos de ignominia, fue derribado, y el Soplo del Espíritu, que salía de la católica e invencible Polonia, pasaba por todas partes y comenzaba a poner las cosas en su sitio.

En 1991, finalmente, desapareció la Unión Soviética, centro y corazón del imperio del mal. Las estatuas de Lenin, señalando amenazadoramente hacia el oeste, cayeron al suelo y allí se hicieron pedazos.

Ante los huracanados vientos de cambio, poco tiempo después, en Cuba, se realizaron enmiendas a la Constitución. La invocación a Dios en el texto constitucional, que había sido cambiada por la proclamación del ateísmo, no fue repuesta, pero el concepto de ateísmo fue quitado de la Carta Magna. Al mismo tiempo, el materialismo científico y la filosofía marxista dejaron de ser materias de enseñanza obligatoria en las Universidades. El estado proclamó la posibilidad de que las personas con creencias religiosas pudieran ser militantes del partido comunista...

En 1992, se enmendó la Constitución y se eliminaron las referencias al materialismo científico y al ateísmo. El gobierno no favorece a ninguna religión o iglesia en particular; sin embargo, parece ser más tolerante con aquellas iglesias que mantienen relaciones estrechas con el Estado a través del CCI.

---

[576] Ibídem (559)

El gobierno exige que las iglesias y otros grupos religiosos se inscriban en el Registro provincial de Asociaciones, del Ministerio de Justicia, para obtener reconocimiento oficial. Los procedimientos de inscripción exigen que los grupos identifiquen donde realizarán sus actividades, demuestren que disponen de fondos suficientes para realizar las mismas y obtengan certificación del Registro de Asociaciones que demuestre que no están duplicando las actividades de algún grupo anteriormente inscrito. Aunque durante el período que abarca este informe no se inscribieron nuevas denominaciones, el gobierno ha tolerado algunas nuevas religiones en la isla, como la Fe Baha'i y una pequeña asamblea de la Iglesia de Jesucristo de los Santos de los Últimos Días (Mormones). Sin embargo, en la práctica, el gobierno parece haber interrumpido la inscripción de nuevas denominaciones...[577]

Los cubanos no habían esperado el anuncio de estos cambios. Sencillamente, comenzaron a regresar a la Iglesia. Eran miles, decenas de miles de personas las que regresaban a los templos, y comenzaron a desbordarse las posibilidades de las catequesis dominicales ante el aluvión de pueblo que solicitaba matrícula. Era especialmente emotiva la presencia de miles y miles de jóvenes que llegaban a las Iglesias buscando intuitivamente un cambio, una esperanza, algo cierto, un alimento para los espíritus lacerados, un bálsamo para las almas heridas. El régimen no cesó de mostrar una actitud amenazadora ante el fenómeno, pero ya no pudo contrarrestarlo.

En todas las Iglesias, en las misas dominicales, había miembros de la Seguridad del Estado confundidos con los asistentes. Se les conocía muchas veces por el calzado, porque en la Cuba de comienzos de la década de 1990 la gente no tenía zapatos y ellos usaban calzado militar, de corte inconfundible. Los católicos, en el momento preciso, nos acercábamos ex profeso para desearles la Paz de Cristo, y la confusión con que nos recibían nos demostraba que no estábamos equivocados. Y realmente, deseábamos que en algún momento pudieran alcanzar esa Paz. Ellos, por su parte, se acercaban a los salones donde las personas asistían a la catequesis, y los fotografiaban, tal vez sobre todo con el objetivo de que las personas, que como es natural se daban cuenta, tuvieran miedo y se sintieran presionadas. En otras oportunidades fuimos testigos de grupos de cincuenta o más personas que se reunían en actitud amenazadora, con caras fieras, frente a las Iglesias. Llevaban trozos de cabillas o tubos metálicos envueltos en periódicos, o palos, y nos contemplaban de forma amenazadora y retadora. En ocasiones, nos apostrofaban con los insultos y

---

[577]Ver: Anónimo. Cubanet. Informe Anual 2004 sobre la libertad religiosa en Cuba. Septiembre 15, 2004

palabrotas más soeces y groseras. Eran miembros de las llamadas Brigadas de Respuesta Rápida, organizaciones paramilitares formadas por terroristas a quienes se daban ciertas prebendas, reclutados entre los civiles, y habían sido enviados no sólo como advertencia de que nos podían golpear, apresar, reprimir y encarcelar impunemente, sino también para amedrentar a las personas, a los jóvenes que acudían cada vez en mayor número a la catequesis, para infundirles terror, para que dejaran de asistir... pero la gente tenía y tiene hambre y sed de Dios y no dejó de presentarse en los templos. Ya las personas dejaron de tener miedo y comenzaron a proclamarse católicos, a bautizarse en público y no clandestinamente como antes, a asistir a Misa los domingos, a frecuentar los Sacramentos, a formar parte con alegría de las Procesiones de la Virgen de la Caridad del Cobre, a casarse por la Iglesia y celebrar una gran fiesta, como antes... se debe destacar, sobre todo, la alegría de las gentes que proclamaban sin miedo su fe, sus creencias, que sacaron de los rincones las imágenes, los cuadros y las estampas de la Virgen de la Caridad del Cobre y del Corazón de Jesús, para reponerlas en sus lugares de honor en la sala de la casa...[578]

Ante la presencia ominosa de las Brigadas de Respuesta Rápida (¿a qué se pretendía responder con rapidez? ¿al ansia del pueblo por ser libre y practicar su religión, se respondía rápidamente con la fuerza?, la Conferencia de Obispos Católicos de Cuba, reunida en el Santuario del Cobre a los pies de la Virgen de la Caridad, que indudablemente guió su inspiración, emitió el 2 de octubre de 1992 una declaración bajo el título *Brigadas de Respuesta Rápida en las celebraciones religiosas,* en la que de forma valiente y concisa los prelados presentaron su punto de vista:

Es necesario hacer notar además, que la presencia en las celebraciones religiosas de agentes del orden en ropa de civil, portando armas o instrumentos contundentes, es realmente una profanación y, por lo tanto, resulta ofensiva a toda la tradición cristiana y al respeto que merece el templo como lugar sagrado. Esto, lejos de contribuir al orden, genera nerviosismo y agresividad que amenazan con estallar en cualquier situación de esta índole.

Se impone, pues, la sensatez... porque como lo hemos dicho ya... podemos rodar rápidamente por la pendiente de la violencia con las dolorosas consecuencias que ésta trae a los pueblos...[579]

---

[578] Memorias del autor, Salvador Larrúa Guedes, que vivió estos acontecimientos y fue testigo de los mismos en numerosas ocasiones

[579] Varios Autores. La Voz de la Iglesia en Cuba: 100 Documentos Episcopales. México, D.F., 1995, pp. 392-393

Como es natural, la Virgen de la Caridad del Cobre, Patrona de la Isla, Reina y Madre de todos los cubanos, no era ajena a los cambios que estaban ocurriendo en el país, y trataba de amparar a sus hijos, iluminando sus caminos y señalando nuevas direcciones. Variaban los tiempos. Algo cambiaba para siempre: aunque no abarcara todos los órdenes de la existencia humana, las mentes ya no eran ni serían nunca las mismas. Y el Arzobispo de La Habana, Mons. Jaime Ortega Alamino, estaba llamado, como el resto de los Obispos, a estar más alerta que nunca para reconocer e interpretar las señales que enviaba Dios Nuestro Señor, los avisos del advenimiento de otros tiempos.

Presencia en la IV Conferencia General del Episcopado Latinoamericano en Santo Domingo, 1992. El Arzobispo Mons. Jaime Ortega, la Carta Pastoral El Amor todo lo espera, y Nuestra Señora la Virgen de la Caridad del Cobre

En 1992, el Arzobispo de La habana, Mons. Jaime Ortega Alamino, tuvo el honor de ser convocado a participar en la IV Conferencia General del Episcopado Latinoamericano efectuada en Santo Domingo, República Dominicana, del 12 al 28 de octubre de 1992.

En la magna reunión, el discurso inaugural estuvo a cargo de Su Santidad Juan Pablo II, cuyas palabras quedaron hondamente grabadas en la mente de todos los que tuvieron el privilegio de escucharlas, porque haciendo uso de su Magisterio, el Sumo Pontífice mencionó los temas claves que deben ser objeto de atención preferencial para los prelados del Continente:

1. Jesucristo Ayer, Hoy y Siempre, porque Él es el Centro y el objetivo de la Evangelización,

2. La Nueva Evangelización que es preciso realizar,

3. La Promoción Humana, como objetivo indispensable,

4. La Cultura Cristiana, como parte inseparable de la formación de la persona humana,

5. Una Nueva Era bajo el Signo de la Esperanza, que es, por supuesto, el Signo de la Cruz, de la Resurrección y la Vida.

Resultaron particularmente emotivas estas palabras de Su Santidad, el Papa Juan Pablo II, en el acto inaugural:

Bajo la guía del Espíritu, al que hemos invocado fervientemente para que ilumine los trabajos de esta, importante asamblea eclesial, inauguramos la IV Conferencia General del Episcopado Latinoamericano, poniendo nuestros ojos y nuestro corazón en Jesucristo, «el mismo ayer, hoy y siempre»[580].El es el Principio y el Fin, el Alfa y la Omega[581], «el primero y más grande evangelizador. Lo ha sido hasta el final, hasta la perfección, hasta el sacrificio de su existencia terrena»[582].

En este encuentro eclesial sentimos muy viva la presencia de Jesucristo, Señor de la historia. En su nombre se reunieron los Obispos de América Latina en las anteriores Asambleas —Río de Janeiro en 1955; Medellín en 1968; Puebla en 1979—, y en su mismo nombre nos reunimos ahora en Santo Domingo, para tratar el, tema «Nueva Evangelización, Promoción humana, Cultura cristiana», que engloba las grandes cuestiones que, de cara al futuro, debe afrontar la Iglesia ante las nuevas situaciones que emergen en Latinoamérica y en el mundo.

Es ésta, queridos Hermanos, una hora de gracia para todos nosotros y para la Iglesia en América. En realidad, para la Iglesia universal, que nos acompaña con su plegaria, con esa comunión profunda de los corazones que el Espíritu Santo genera en todos los miembros del único cuerpo de Cristo. Hora de gracia y también de gran responsabilidad. Ante nuestros ojos se vislumbra ya el tercer milenio. Y si la Providencia nos ha convocado para dar gracias a Dios por los quinientos años de fe y de vida cristiana en el Continente americano, acaso podemos decir con más razón aún que nos ha convocado también a renovarnos interior-mente, y a «escrutar los signos de los tiempos»[583]. En verdad, la llamada a la nueva evangelización es ante todo una llamada a la conversión. En efecto, mediante el testimonio de una Iglesia cada vez más fiel a su identidad y más viva en todas sus manifestaciones, los hombres y los pueblos de América Latina, y de todo el mundo, podrán seguir encontrando a Jesucristo, y en El, la verdad de su vocación y su esperanza, el camino hacia una humanidad mejor.

Mirando a Cristo, «fijando los ojos en el que inicia y completa nuestra fe: Jesús»[584], seguimos el sendero trazado por el Concilio Vaticano II, del que ayer se cumplió el XXX aniversario de su solemne inauguración. Por ello, al inaugurar esta magna Asamblea, deseo recordar aquellas

---

[580] Heb 13, 8

[581] Apoc 21, 6; cf. 1, 8; 22, 13

[582] Evangelii nuntiandi, 7

[583] Cf. Mt 16, 3

[584] Heb 12, 2

sentidas palabras pronunciadas por mi venerable predecesor, el Papa Pablo VI, en la apertura de la segunda sesión conciliar... [585]

Mons. Jaime Ortega Alamino, representando a la Iglesia cubana, tenía por delante uno de los mayores retos de su episcopado: hacer realidad las palabras pronunciadas por el Sumo Pontífice, Maestro Supremo de la Iglesia Católica, en las dificilísimas y problemáticas condiciones de la Isla de Cuba, que eran únicas, diferentes y sumamente conflictivas en comparación con las que pudieran reinar en cualquier otro país del Continente.

Tendría a su favor, no obstante, una ayuda sumamente poderosa, que lo había acompañado desde el mismo momento en que sintió el llamado de la vocación sacerdotal: la de Nuestra Señora la Virgen de la Caridad del Cobre, la Virgen Evangelizadora, Misionera y Libertadora del Pueblo cubano, la que puede llevarnos a realizar las hazañas más gigantescas si nos dejamos abrasar por el fuego de su Amor, que es el Amor Sublime de Dios Nuestro Señor, el de su hijo unigénito Jesucristo.

Mientras el episcopado latinoamericano se reunía en Santo Domingo y se reunía para examinar los problemas de la Iglesia en el Continente, apoyados en el magisterio del Sumo Pontífice, en la Isla de Cuba se adoptó desde 1990 un Programa de Emergencia Nacional que recibió el nombre de Período Especial en Tiempos de Paz. La Emergencia Nacional había sido decretada porque Cuba, durante el tiempo que se mantuvo subordinada a la Unión Soviética, se convirtió en un país dependiente hasta tal punto que necesitaba importar hasta los alimentos más indispensables, y el derrumbe del Campo Socialista, con el consiguiente corte del flujo de suministros de todas clases (petróleo, piezas, alimentos, plantas, repuestos, ómnibus, automóviles), y entonces se tomaron medidas extremas tratando de priorizar la producción agropecuaria con el fin de dar al pueblo un «mínimo vital» que puso a la antaño floreciente Isla de Cuba en un nivel de consumo de proteínas, grasas y calorías inferior al de Haití.

Fueron tiempos duros, que el autor de estas líneas recuerda muy bien:

---

[585] Cf. Su Santidad Juan Pablo II. Discurso Inaugural de la IV Conferencia General del Episcopado Latinoamericano, Santo Domingo, República Dominicana, octubre de 1992. Copyright®Librería Editrice Vaticana

*En general, la situación de la familia (mi madre, mis hijos) era mejor que
la nuestra. Tenían algunos medios económicos y mal que bien, adquirían
algunos alimentos en bolsa negra o en diversos canjes. Pero mi esposa,
mi suegra y yo teníamos muy pocos recursos. Habíamos dejado de
trabajar para cortar todos los lazos que nos unían al estado totalitario, y
sólo contábamos con alguna ayuda que nos daban los jesuitas y, a veces,
el Arzobispado . Mi suegra tenía una arterioesclerosis avanzada, no
entendía la situación, y de lo poco que se conseguía para comer, lo mejor
y más sustancioso era para ella. Yo pesaba 50 libras menos que ahora, y
si mi esposa levantaba las manos al cielo como hizo un día al ponerse un
vestido delante de mí, el vestido caía al suelo, tantas libras había
bajado... sin embargo, éramos felices porque estábamos en paz, vivíamos
como queríamos, no teníamos nada que ver con el régimen, y actuábamos
con la mayor libertad. Sencillamente, habíamos perdido el miedo y
volvíamos a comportarnos con toda la dignidad que deben tener y
mantener las personas, habíamos recuperado nuestra identidad y ya no
había nada que pudiera volver a humillarnos, como antes...*[586]

Lanzado a esta espiral de locura, el régimen comunista tuvo el poco
descaro de anunciar la denominada «Opción Cero» que tendría lugar
cuando se agotara hasta el último grano de arroz y ya no tuviera nada que
ofrecer al pueblo en un país paralizado. Era algo así como decir: que todo
el pueblo muera si no se le puede dar nada. No había solución.

Hondamente preocupados por la situación de la gente, los Obispos
se multiplicaban buscando soluciones. La Caridad Cristiana, insuflada
por la Patrona de Cuba en los corazones, comenzó a hacer milagros. La
ayuda de Cáritas Internacional comenzó a llegar a Cuba de muchas
formas: alimento, leche en polvo, medicinas... evidentemente, la
Patrona de Cuba se hacía presente a través de la virtud teologal que
define su advocación, cubana por excelencia, y que es la Reina de las
virtudes teologales. Pero se presentaron dificultades con el estado, que
quería distribuir la ayuda centralmente porque no veía con buenos ojos
que aumentara el prestigio de la Iglesia ante el pueblo hambriento,
enfermo y sin medicinas. Por la vía del estado, alimentos y medicinas
comenzaron a perderse y muchas veces no llegaban donde tenían que
llegar o socorrían a quien más lo necesitaba, porque los funcionarios las
repartían a su antojo y según sus intereses.

La situación seguía complicándose y los prelados cubanos
invocaron a la Virgen de la Caridad para que amparara y socorriera a su
pueblo a través del Excelso y Sublime Amor que reside en su propio
nombre. Unidos en el pleno de la Conferencia Episcopal, el 8 de

---

[586] Ibídem (579), memorias personales del autor de estas líneas.

septiembre de 1993 Día en que se celebra la Fiesta de la Virgen de la Caridad, los Arzobispos y Obispos de la Isla, presididos por Mons. Jaime Ortega Alamino, Presidente de la Conferencia de Obispos Católicos de Cuba, emitieron el Mensaje dirigido a los **queridos sacerdotes, diáconos, religiosos, religiosas, laicos católicos y cubanos todos,** que ha pasado a la posteridad bajo el nombre de *El Amor todo lo Espera (1 Cor 13, 7)* el que comienza con una invocación a la Patrona de Cuba que dice textualmente:

> *Comenzamos nuestro mensaje invocando a la Patrona de Cuba. No por casualidad lo dirigimos a ustedes en el día en que todo el pueblo cubano se alegra, lleno de amor y de esperanza, celebrando la fiesta de la que con tanto afecto filial llamamos: **Virgen del Cobre, Madre de los cubanos, Virgen de la Caridad.***
>
> *En esta fecha hacemos llegar este mensaje a todos nuestros hermanos cubanos, pues a lo largo de casi cuatro siglos los cubanos nos hemos encontrado siempre juntos, sin distinción de razas, clases u opiniones, en un mismo camino: el camino que lleva a El Cobre, donde la amada Virgencita, siempre la misma aunque nosotros hayamos dejado de ser los mismos, nos espera para acoger, bendecir y unir a todos los hijos de Cuba bajo su manto de madre. A sus pies llegamos sabiendo que nadie sale de su lado igual a como llegó. Allí se olvidan los agravios, se derrumban las divisiones artificiales que levantamos con nuestras propias manos, se perdonan las culpas, se estrechan los corazones...*[587]

A continuación, después de este prólogo, los Obispos realizaron un minucioso y muy detallado análisis de la situación que travesaba el pueblo cubano. Después de resaltar en varios epígrafes del mensaje (*Jesucristo y la Virgen María en la cultura del pueblo cubano, Amarás a Dios con todo tu corazón (Mt 22, 37), Amarás a tu prójimo como a ti mismo (Mt 22, 39), La justicia y la caridad, El amor vence al odio, La misión de la Iglesia;* la necesidad de que el Amor, en especial el Amor-Caridad, se impusiera sobre cualquier otra consideración para resolver los problemas espirituales, morales y materiales que aquejaban a la Nación, los prelados entraron en materia precisando *A quiénes dirigimos este mensaje* y a continuación comienzan a presentar su análisis en los epígrafes *Nuestras relaciones con otros países, La situación de nuestro país, Solidaridad en las dificultades, Condiciones para una solución, El deterioro de lo moral, Los valores de nuestra cultura, La verdad los hará libres (Jn 8, 32), Los aspectos políticos, El hombre: centro de todos*

---

[587] Varios Autores. La Voz de la Iglesia en Cuba: 100 Documentos Episcopales. México, D.F., 1995, p. 399

los problemas, Buscar caminos nuevos, El camino del diálogo, El diálogo entre cubanos, Una reflexión necesaria, Sólo Dios es juez de la historia, y por último, la imprescindible *Conclusión.*

Nada quedó fuera del análisis de los prelados cubanos. La política, la economía, las relaciones internacionales, la escasez, el exilio cubano, la Iglesia, el estado, la moral, las carencias, el dolor, las alegrías, las penas, las expectativas... el famoso documento, *El Amor todo lo Espera,* bien merece ser leído de cuando en cuando para que recordemos la gran lección y renovemos el aprendizaje.

El famoso texto termina con esta preciosa y necesaria exhortación a los cubanos:

> *Revitalizar la esperanza de los cubanos es un deber de aquellos en cuyas manos está el gobierno y el destino de Cuba y es un deber de la Iglesia que está separada del Estado, como debe ser, pero no de la sociedad. Y esto lo podemos lograr juntos, con una gran voluntad de servicio, pero no sin una gran voluntad de sacrificio, «**amando más intensamente y enseñando a amar, con confianza en los hombres, con la seguridad en la ayuda paterna de Dios y en la fuerza innata del bien**», como decía Pablo VI.*
>
> ***La Virgen de la Caridad, Patrona de Cuba, Madre de todos los cubanos, que sabe cuanto lo necesitamos sus hijos, nos ayude con su bendición.***
>
> ***«Y en toda ocasión, en la oración y en la súplica, nuestras peticiones sean presentadas a Dios. Y la paz de Dios que es más grande de lo que podemos comprender, guarde nuestros corazones y nuestros pensamientos en Cristo Jesús» (Flp 4, 6-7)***[588]

De este Mensaje, ***El Amor todo lo espera,*** se imprimieron miles y miles de ejemplares. Los cubanos hacían largas colas en la puerta del Arzobispado y en las Iglesias para conseguir un ejemplar. En los periódicos oficiales, sin publicar el texto del mensaje de los Obispos, apareció una respuesta débil y falta de sustancia. Las gentes leían aquel artículo y los que no tenían el Mensaje de la Iglesia no sabían a qué o a quién se estaba atacando, porque el redactor luchaba contra un fantasma, pero se sentían atraídos por una curiosidad invencible, y entonces salían a la calle a preguntar y trataban de conseguir el texto por todos los medios...

Pero la escasez siguió empeorando de forma galopante.

Ante situación tan trágica, la gente, desesperada, comenzó a irse del país utilizando los medios más rudimentarios. En julio de 1994, un

---

[588] Ibídem, p. 418

grupo de personas trató de dejar la Isla en el remolcador «13 de marzo», que fue atacado por buques gubernamentales, embestido, y los pasajeros atacados con chorros de agua a presión. Hubo 37 muertos, y Mons. Jaime Ortega Alamino, ante aquella salvajada, emitió una Carta Pastoral en la que expuso, entre otros, estos pensamientos:

...en estos días se ha roto una vez más entre nosotros el amor fraterno. El luto entristece a muchas familias y el dolor lo siente también la gran familia cubana.

Los acontecimientos violentos y trágicos que produjeron el naufragio de un barco donde perdieron la vida tantos hermanos nuestros son, según los relatos de los sobrevivientes, de una crudeza que apenas puede imaginarse. **El hundimiento de la embarcación, que llevaba también mujeres y niños, y las dificultades del rescate de los sobrevivientes no parecen ser de ningún modo fortuitos y esto añade al dolor un sentimiento de estupor y un reclamo de esclarecimiento de los hechos y de depuración de responsabilidades.**

Todos saben cuál es la posición de la Iglesia Católica respecto a la salida de grupos de personas en embarcaciones frágiles, llevando en ocasiones niños pequeños, y cuánto hemos exhortado a nuestros hermanos a no correr este riesgo. Pero la magnitud y las causas de esta tragedia le dan características diversas.

La Iglesia Católica desea expresar su cercanía espiritual a los que sufren la pérdida de sus seres queridos, ofrece su oración por las víctimas, pidiendo al Señor fortaleza y consuelo para sus familiares y llama a todos a una seria reflexión, a la cual nos vemos obligados tanto gobernantes como gobernados, creyentes como no creyentes.

¿Qué puede llevar al ser humano a lanzarse a aventuras tan riesgosas, sino un cierto grado de desesperación o desesperanza?, ¿qué puede llevar a otros seres humanos a oponerse con fuerza inusitada a sus hermanos, sino una mentalidad violenta? Aun cuando los modos de pensar y de obrar sean diferentes, ¿no queda espacio para la cordura?, ¿Seremos incapaces de tener un corazón misericordioso desconociendo y viviendo todos las mismas dificultades?, ¿adónde nos puede llevar esta pendiente peligrosa de la violencia?

...que los hechos se aclaren, que se establezca la verdad con la justicia; pero que el odio resulte perdedor. Dejémosle la palabra a Jesucristo: **«Ustedes han oído que se ha dicho: ama a tu amigo y odia a tu enemigo, pero yo les digo más: amen a sus enemigos y recen por quienes los persiguen para que sean hijos del Padre Celestial, que hace salir todos los días el sol para buenos y malos y llover sobre justos e injustos» (Mt 5, 43-45)**

Amor y justicia no se oponen, pero el odio y la injusticia pueden ir de la mano.

Pedimos a Dios todopoderoso, por intercesión de la Virgen de la Caridad nuestra Patrona, que en este caso triunfen la justicia y el amor, que alivien de algún modo tantos sufrimientos...[589]

El Consistorio del 26 de noviembre de 1994 y su creación como Cardenal Presbítero por Su Santidad Juan Pablo II

Y con su inmensa carga de Amor, devenido en Caridad, desde su Santuario del Cobre la Virgen Patrona de Cuba seguía enviando avisos a su Iglesia. Y la Iglesia, a través de la Santa Sede, recibió de pronto la inmensa alegría de que uno de sus hijos más preclaros, el Arzobispo de La Habana Mons. Jaime Lucas Ortega Alamino, fuera creado Cardenal Presbítero por Su Santidad Juan Pablo II, de inolvidable memoria, en el Consistorio del 26 de noviembre de 1994, día en que recibió el Capelo y el título de Ss. Aquila e Priscilla.

De esta forma, Mons. Jaime Ortega Alamino se convirtió en el segundo Cardenal de la Isla de Cuba, después de Mons. Manuel Arteaga y Betancourt, también, como él, Arzobispo de La Habana.

Mons. Jaime Ortega era un Cardenal pobre. La Iglesia de Cuba era una Iglesia pobre que acompañaba a su Pueblo Peregrino en la Isla, también sumamente pobre y desamparado y necesitado, por encima de todo, de esa máxima expresión del Amor de Dios que es la Caridad, que la Virgen desde su Santuario derramaba en abundancia. Sin embargo, el nuevo Cardenal tenía en su haber un tesoro de un valor incalculable, recogido en su lema episcopal:

Te basta mi Gracia, (2 Cor 12, 9)

Ocurre que quien tiene el Don Infinito de la Gracia de Dios, tiene toda la fuerza necesaria para llevar a cabo su misión. En efecto, si seguimos leyendo la Segunda Epístola de San Pablo a los Corintios, en el siguiente versículo, agrega

Pues mi fuerza se realiza en mi debilidad.
Por tanto, con sumo gusto, seguiré gloriándome
sobre todo en mis flaquezas,
para que habite en mí la fuerza de Cristo...

---

[589] Ortega Alamino, Card. Jaime L. Te Basta mi Gracia. Ediciones Palabra, S.A., Madrid, 2002, pp. 227-228

Las palabras de Mons. Jaime Ortega, contenidas en el mensaje que emitió antes de partir para la Ciudad Eterna para recibir de manos de Su Santidad el capelo cardenalicio, confirman que el Arzobispo de La Habana tenía una fe absoluta en que iba a recibir la fortaleza de Jesús:

> *... y a todos ustedes, queridos católicos cubanos y queridos hermanos creyentes, les pido una oración, para que al ponerme de rodillas delante del Santo Padre Juan Pablo II, escuche de sus labios las palabras con que impone el birrete cardenalicio color púrpura, como un programa personal de vida:*
>
> **«Reciban el birrete rojo... que simboliza que ustedes deben mostrarse valerosos hasta derramar su sangre».**
>
> *Y añado aquí las palabras del mismo Santo Padre hablando a los nuevos Cardenales en el Consistorio de 1991:*
>
> **«Cada uno de ustedes debe estar dispuesto a comportarse con indómita fortaleza para el crecimiento de la fe, para el servicio del pueblo cristiano, por la libertad y la expansión de la Iglesia».**
>
> *Así me ayude Dios y la Santísima Virgen de la Caridad del Cobre, Nuestra Madre*[590]

Y así la nave de la Iglesia cubana, dirigida por la Virgen de la Caridad, tuvo un nuevo timonel, que partió acto seguido hacia Roma, y que había elegido proféticamente un lema que le llamaba a hacer suya la Gracia de Cristo.

Nuestra Señora de la Caridad del Cobre en la Visita de Su Santidad Juan Pablo II a Cuba en 1998, y el Cardenal Jaime Ortega Alamino

Gradualmente, la Virgen de la Caridad había ido motivando a la Iglesia cubana para que comenzara a ganar terreno. Primero un pequeño espacio, luego otro. Su Santidad Juan Pablo II, por su parte, se percató muy pronto de que el Arzobispo de La Habana reunía condiciones para ser honrado con la púrpura cardenalicia. Esto ocurría además en los momentos en que comenzaban los contactos del gobierno de Cuba con la Santa Sede para que el Papa visitara la Isla, lo que también haría crecer e infundiría un nuevo aliento a la Iglesia que peregrinaba acompañando al pueblo de Cuba.

Finalmente, se dio la noticia de que Su Santidad iba a visitar pastoralmente la Isla en el mes de enero de 1998. Era el momento para

---

[590] Ortega Alamino, Card. Jaime L. Te Basta mi Gracia. Ediciones Palabra, S.A., Madrid, 2002, p. 238

que la Virgen saliera otra vez de su Santuario del Cobre: después del Congreso Católico Nacional de noviembre 1960, tuvieron que pasar 37 larguísimos años para que el Pueblo de Cuba fuera honrado de nuevo con la vista de su querida Madre.

Es en este momento cuando el Cardenal Jaime Ortega lanza la idea de llevar adelante una gigantesca Misión en todas las Iglesias de Cuba, llevando la mejor compañía de este Mundo: la de Nuestra Señora, la Virgen de la Caridad del Cobre, con el objeto de preparar a todo el pueblo para otra trascendental Misión, la que iba a realizar personalmente Su Santidad el Papa Juan Pablo II. En septiembre de 1989, el Cardenal emitió un mensaje preparatorio de la Visita del Sumo Pontífice, poniendo de relieve la devoción que sienten los cubanos a la Virgen de la Caridad del Cobre y el gran papel de protagonismo principal que la Madre de Dios ha tenido en nuestra historia, en el que resaltan estas ideas:

> *En Cuba, como en vastas regiones de América Latina, católico es tanto el que va a la Misa varias veces por semana como el que va todos los domingos o el que contribuye a colmar los templos solo en Navidad, en Semana Santa o en las Fiestas Patronales. Específicamente en nuestro medio existe el católico oculto, que se ha limitado en sus manifestaciones públicas, pero que no deja de rezar cada día o de llevar, quizás no al cuello, pero sí en su billetera, **una medalla de la Virgen de la Caridad,** un crucifijo o una oración escrita. E insisto, no podemos olvidar a esos hombres y mujeres que por miles y miles nos dicen que «respetan a Dios y procuran hacer el bien aunque no vayan mucho a la Iglesia» y lo enseñan así a sus hijos y nietos.*
>
> ***Para todos ellos, y en primer término para aquellos que parecen más alejados, viene el Papa.*** *A todos esos católicos de estilos diversos debe llegar la noticia de la visita de su Pastor. Todos los católicos debemos prepararnos para la venida del Santo Padre. Por esto, a partir del 1 de octubre*[591] *se inicia en esta Arquidiócesis de La Habana una etapa preparatoria a la visita del Papa Juan Pablo II. **Queremos dar a conocer a nuestros hermanos la Misión del Pastor Supremo de la Iglesia, de modo que se dispongan a recibirlo como al Vicario de Cristo, es decir, como a aquel que hace presente a Jesucristo, que habla en su nombre, que viene «en nombre del Señor».***
>
> ***<u>En esta Misión, que abarcará todas las Iglesias de nuestra diócesis, estaremos acompañados por la imagen peregrina de la Virgen de la</u>***

---

[591] Se refiere al 1 de octubre de 1997

Caridad[592]. *Todos conocemos la devoción y el amor del Papa Juan Pablo II por la Virgen María, Madre de la Iglesia. El lema de su escudo Pontifical es «TOTUS TUUS», o sea, todo tuyo, todo de María para ser solo de Cristo.* **Todos los cubanos católicos tenemos una especial devoción a la Virgen María de la Caridad. Ella ha precedido y presidido todos los grandes acontecimientos de nuestra historia. Con ella queremos disponernos a recibir, llenos de amor, al Papa Juan Pablo II. Como en las Bodas de Caná, María nos repite hoy: «HAGAN LO QUE ÉL LES DIGA», o sea, «hagan lo que les diga Jesús, lo que les diga el Papa en nombre de Jesús».**

Si obedecemos el mandato de la Virgen y hacemos lo que Jesús nos dice en su Evangelio, el amor, la paz, la esperanza entrarán en nuestras vidas. Este es el mensaje que nos trae el Papa Juan Pablo II, que viene en nombre del Señor. Preparemos sus caminos participando activamente en esta gran Misión...[593]

En otro capítulo de este libro se trata extensamente sobre la Visita de Su Santidad Juan Pablo II a la Isla de Cuba en enero de 1998, por lo que no se va a abundar en este asunto. Pero sí es necesario enfatizar en que, después de casi 40 años, la Virgen de la Caridad salió de su Santuario del Cobre para presidir la Misa que efectuó el Papa en Santiago de Cuba, y que viajó como Peregrina y Misionera, nuevamente, a lo largo de la Isla, llevando el Mensaje de Esperanza que portaba el Sumo Pontífice y ser imagen protagónica en la Gran Misa Pontifical de la antigua Plaza Cívica, más cívica que nunca este día cuando un millón de cubanos, venciendo todas las dificultades impuestas por el transporte, la mala información y la falta de divulgación, colmó el inmenso espacio para ratificar ante el Mundo que la Iglesia Católica no había desaparecido después de 40 años de ateísmo, adoctrinamiento materialista, discriminación y persecución religiosa.

El que estuvo en la Plaza de la Revolución aquel día maravilloso de finales de enero de 1998, cuando nuestras vidas cambiaron para siempre con el paso del Soplo del Espíritu, pudo escuchar los vítores y las aclamaciones del pueblo aclamando a su Madre de la Caridad cuando la Virgen Patrona de Cuba hizo acto de presencia en la Plaza, y sentir el hálito emocionado de aquella muchedumbre de fieles que lloraba de alegría porque podía venerar de nuevo a su Santísima Reina,

---

[592] Por primera vez en muchos años, desde 1959, la Virgen peregrinaba otra vez para acompañar a su pueblo, después de 40 años

[593] Ortega Alamino, Card. Jaime L. Te Basta mi Gracia. Ediciones Palabra, S.A., Madrid, 2002, pp. 74-75

públicamente, para que en todo el Mundo se supiera cuánto la amaban los cubanos.

Participación del Cardenal Jaime Ortega en la Asamblea Especial para América del Sínodo Especial de los Obispos. Enviado especial de Su Santidad al Congreso Eucarístico Nacional de El Salvador

La Iglesia cubana debía seguir acumulando nuevas y ricas experiencias a través de su Cardenal, que fue invitado especialmente por Su Santidad Juan Pablo II para que participara en el Congreso Eucarístico Nacional que iba a realizarse en el hermano país de El Salvador, entre el 25 y el 26 de noviembre del año 2000.

El Cardenal cubano, recordando los grandes sufrimientos del pueblo salvadoreño en años anteriores y próximos, debidos a la sangrienta guerra que una parte del pueblo libraba contra otra, recordó en una parte de su intervención inaugural al Arzobispo Santo de El Salvador, e instó a los ciudadanos para que junto con el mutuo otorgamiento del perdón, alcanzaran la reconciliación nacional. Seguramente, al hablar de esto, también pensaba en el pueblo cubano, y en la imperiosa necesidad de que la Caridad irrumpa desde el Santuario del Cobre, enviada por la Reina, Madre y Patrona, e inunde toda la Isla con el manantial de su gracia, para lograr también la reconciliación de los cubanos.

A continuación una parte de su discurso:

Es para mí un privilegio compartir con ustedes estos días de celebración y esperanza. Sé que estoy en medio de un pueblo activo y emprendedor en el ámbito del trabajo y de la acción social y además profundamente religioso, que se muestra creativo, fiel y audaz en su adhesión a Cristo y a su Iglesia...

He seguido con atención desde hace años la historia azarosa, y en ocasiones dramática, del pueblo salvadoreño, que perdió tantos hijos e hijas en años de dolorosos enfrentamientos entre hermanos. He visto desfilar por mi país los heridos y mutilados de esa guerra y sé que hay también muchas heridas del alma que toman tiempo en sanar y que aún duelen.

He visitado emocionado en la Catedral Metropolitana la tumba del Arzobispo Santo, que en el ofertorio de su Misa del hospitalito puso como ofrenda para aquella su última Eucaristía, su propia sangre, su vida cercenada, y siento que Monseñor Romero, sacerdote para siempre, participa de modo muy especial de este homenaje de su pueblo salvadoreño a Jesucristo nuestro Salvador, vivo y presente en el sacramento de la Eucaristía, como si concluyera con nosotros desde el cielo aquella última misa suya que no pudo terminar de celebrar...

Jesucristo conoce qué es nacer y vivir en la pobreza, sabe lo que es sentir el peso de los poderes de este mundo, sabe también lo que es morir y morir condenado injustamente a una muerte cruel. Y en medio de este mundo nuestro que El conoció tan bien, Jesús se nos muestra, con el testimonio de su vida, como «aquel que no vino a ser servido sino a servir». Los reinos de este mundo se proyectan con una voluntad de dominio. El reino de Cristo sólo puede tener una voluntad de servicio...

Su Reino no es de este mundo porque en él no se actúa como en los reinos de este mundo, porque no se impone, porque no arranca a los hombres su libertad, porque no pretende la dominación por la fuerza, sino la comunión y la solidaridad entre todos por el amor; es un Reino de los cielos pero que hay que plantar aquí en la tierra...

Queridos hermanos y hermanas de El Salvador: al celebrar ustedes este Congreso Eucarístico por deseo expreso de sus obispos, según el querer del Santo Padre para este Año Jubilar, están pidiendo en la oración y proponiéndose en sus propias personas, para sus familias y para su nación, que el Espíritu de Dios transforme la realidad de sus vidas en el comienzo de este nuevo siglo y milenio. Están apostando con Cristo Eucaristía a que se hagan nuevas todas las cosas: que la pobreza, y los sufrimientos que ella trae a grandes mayorías, sea vencida por la justicia y la responsabilidad amorosa de todos. Que la tolerancia y la fría convivencia se transformen en verdadera comunión. Que los intereses de individuos y de grupos cedan su sitio a la solidaridad. Que el amor sane las heridas. Que todos tengamos el valor y la fuerza de perdonar para que sea menos difícil la reconciliación...[594]

¿Cómo no afirmar que sus palabras brotaban de la fuente de Caridad, que es la Virgen Patrona de Cuba, para manifestar su amparo en todas las circunstancias, y la dirección que deben mantener la fe y la esperanza.

Presidente de la Conferencia de Obispos Católicos de Cuba en el 2001

El trabajo de un pastor nunca termina, y en el año 2001, apenas comenzado el nuevo milenio, Mons. Jaime Ortega es designado Presidente de la Conferencia de Obispos Católicos de Cuba. Desde el comienzo de ese año, multiplicó sus intervenciones pastorales y orientadoras, enseñando al Pueblo de Dios, tan necesitado de reencontrarse a sí mismo y de recuperar sus valores tradicionales, restituyendo la memoria y continuando la vida futura sobre la base de la trayectoria pasada de la Patria.

---

[594] Carta a las Iglesias, AÑO XX, Nº463-464, 1-31 de diciembre de 2000

Resaltan en su la labor pastoral de Jaime Ortega, durante este año, las conferencias pronunciadas durante la Cuaresma con los títulos *«El bien y el mal», «La justicia y la misericordia», y «La fuerza del amor frente al odio».*

De esta última, *«La fuerza del amor frente al odio»,* presentamos unos fragmentos enfatizando que cuando el Amor se hace tan poderoso que se convierte en esa Caridad que es la Reina de las Virtudes Teologales y la advocación de la Santísima Virgen del Cobre Patrona de Cuba, el odio no puede menos que retroceder y consumirse en sus antiguas y dolorosas cavernas…

Dijo Mons. Jaime Ortega en esta conferencia:

*… en momentos de grandes convulsiones políticas y sociales como la Revolución Francesa, la Revolución Española y la Guerra Civil, como la Revolución Rusa y en menor grado durante el proceso de los comienzos de la Revolución Cubana, cuando una mayoría del pueblo se siente creyente, antes de que aparezca un tipo de ateísmo más calculado e ilustrado, **aparece ese cierto odio de Dios o de lo sagrado o de los templos o de todo lo que tiene que ver con la religión, si se siente que la fe religiosa puede impedir los grandes objetivos que se propone un movimiento revolucionario determinado.***

Y en esas circunstancias puede verse en forma súbita y, a veces desenfrenada el odio a Dios: miles de sacerdotes, religiosas, seminaristas, obispos, obispos fueron martirizados en España, miles y miles de monjes, monjas, sacerdotes, seminaristas, también sufrieron el martirio en Rusia, y cuántos también religiosos, religiosas, sacerdotes, llevados a la guillotina durante la Revolución Francesa y, en esas revoluciones, templos quemados y obras de arte preciosas totalmente arruinadas por el fuego o destruidas.

A veces pensamos que psicológicamente el odio ciega. Y nadie se atrevería a juzgar la responsabilidad completa de muchos de los que intervienen en esas acciones. Pero el misterio del mal en esos momentos parece que actúa y hay acciones incomprensibles que sólo encontrarían explicación en lo que pudiéramos llamar el odio de Dios.

Existe también el odio al prójimo. Puede ser un odio personal, un odio de familias, de grupos humanos. Puede atizarse el odio de clases entre ricos y pobres, entre ignorantes y personas cultivadas, entre una raza y otra, entre una nación y otra. Y también puede darse el odio a sí mismo que consiste en el desprecio que una persona se profesa por situaciones psicológicas en las cuales se ve sumergido a causa de males propios o infligidos por otro que lo hacen considerarse un ser despreciable. Esta situación puede llevar al suicidio. Estos tres odios. a Dios, al prójimo y a sí mismo aparecen rechazados en la Biblia como grandes pecados…

En la primera carta a San Juan (4, 20) leemos que: **quien dice que ama a Dios y odia a su hermano es un mentiroso.** Y el mismo San Juan afirmará en su primera carta: **Quien vive en el odio es un homicida (Jn 3, 15).**

Con respecto a sus discípulos, Jesús dirá que tendrán que padecer el odio del mundo: **Yo les he dado a ustedes Tu palabra, Padre, y el mundo los ha odiado porque ellos no son del mundo, como yo no soy del mundo (Jn 17, 14).** De este odio que los cristianos recibiríamos del mundo hemos estado advertidos de antemano: **seremos odiados como el mismo Cristo ha sido odiado.** Pero debemos tener cuidado, los cristianos podemos provocar el desprecio, la aversión y, a veces, el odio de los hombres, precisamente no por guardar la palabra de Cristo, no por vivir como cristianos, sino por vivir olvidados de su Evangelio...

... si se quita el amor, solo quedan la ambición y la envidia... sólo puede quedar el amor, todo lo demás hay que quitarlo... Y a esto vino Jesús. Y para esto estamos nosotros sacerdotes en el mundo, para que solo el amor sea la fuerza que mueva la tierra. Para eso, Cristo subió al madero de la Cruz, para vencer el odio con el amor. Y esa es la tarea de todos los que integran la Iglesia de cara a nuestro mundo tan necesitado de amor.

Ciertamente, el amor es una realidad divina: ¡Dios es amor! El ser humano recibe como una chispa de este fuego celestial y alcanza de verdad el objetivo de su existencia si consigue que no se apague nunca la llama de su amor. El amor es un elemento primario de la vida, el aspecto dominante que caracteriza a Dios y al hombre...

... la Cruz desvanece todo lo que no sea amor, delante de la Cruz de Cristo, los gritos de odio de sus verdugos se vuelven alaridos salvajes y sus gestos, muecas macabras. El rostro horrible del odio queda al descubierto ante la paciencia y la dignidad de Aquel que nos ama hasta el extremo. Y el **perdónalos, Padre, porque no saben lo que hacen,** desarma la maquinaria del odio, produce la conversión del buen ladrón y hace que el centurión romano sea el primero en proclamar al mundo la buena noticia que lo salva: **En verdad, este es el Hijo de Dios...**

Por eso, en el sermón de la montaña, Jesús había dejado a sus seguidores, y a la multitud de hombres y mujeres que vendrían después hasta el fin del mundo, un código difícil y desconcertante que era el desglose de su mandamiento nuevo: **amen a sus enemigos, recen por quienes los persiguen, porque si ustedes sólo aman a los que los aman ¿qué mérito tienen?... al que te pide la túnica dale también el manto, al que te solicita para que camines una milla con él, camina dos, al que te pegue en una mejilla, preséntale la otra...** Para vivir este amor de locos es necesario haberse rendido ante la locura de la Cruz. Sólo de rodillas ante ella descubrimos lo absurdo del odio, la distancia abismal que lo separa del *amor, que lo derrota siempre bajando las armas, rompiendo su cadena de venganza por medio del perdón, declarándolo ajeno y extraño en un mundo nuevo donde el amor es la única fuerza que mueve nuestra vida...*[595]

Los cubanos tenemos la suerte de que la Virgen de la Caridad, o sea, la Virgen del Amor Excelso de Dios Nuestro Señor, quiso bajar del cielo para aparecer en nuestra tierra, estar y permanecer con nosotros y enseñarnos, desde los orígenes más oscuros y remotos de la gestación y formación de la Nación cubana y de la Patria, que la locura del amor es tan grande que debe llegar hasta la locura de la Cruz para conducir a la Salvación del Hombre y que así reinen por siempre la Resurrección y la Vida.

El cónclave para elegir al sucesor de Su Santidad Juan Pablo II, en el 2005

En el 2005, se reunió de nuevo el Cónclave para elegir otro Papa de la más de dos veces milenaria Iglesia Católica, Apostólica y Romana. El Cardenal cubano, Mons. Jaime Ortega Alamino, tiene el honor de asistir en la Magna reunión de los Príncipes de la Iglesia que tuvo lugar en la Santa Sede Apostólica.

El Cónclave que se reunió en esta ocasión debía llevar a cabo una misión sumamente difícil: había que elegir un Papa que fuera capaz de seguir andando el arduo camino que había trazado su antecesor, nada menos que Su Santidad Juan Pablo II, el Grande, quien había trazado grandes pautas y un nuevo estilo en la vida de la Iglesia, y que poseyó condiciones especiales y un carisma singular. Por supuesto, elegir un nuevo Papa es una responsabilidad gigantesca, que parece trascender las posibilidades humanas, porque se necesita seleccionar al que será el Guía Espiritual de cientos de millones de católicos en todas partes del Mundo, el nuevo sucesor de Pedro, Cabeza de la Iglesia y Vicario de Cristo en la Tierra; y los purpurados que formaban parte del Cónclave iban a necesitar una ayuda muy especial de Dios Nuestro Señor, para que los iluminara en una ocasión tan trascedente.

Pienso que Mons. Jaime Ortega Alamino pensaría muchas cosas tanto en su viaje hacia Roma como durante las horas de profunda oración y reflexión inmediatamente anteriores a la votación solemne. Debió recordar las ocasiones en que se reunió con Su Santidad Juan Pablo II y conversó con él sobre los avatares, retos y peligros que enfrentaba la pequeñita Iglesia Católica en Cuba, los momentos en que comentaron

---

[595]Cf. Ortega Alamino, Card. Jaime L. Te Basta mi Gracia. Ediciones Palabra, S.A., Madrid, 2002, pp. 1035-1042

cosas de la fe, lo muchísimo que seguramente hablaron sobre la importancia de la Virgen de la Caridad del Cobre, Figura Señera de la Evangelización de la Isla, Primera Catequista y Misionera, Primer Símbolo y Expresión de la Patria, Reina y Madre de todos los Cubanos, como figura principal y protagónica de la Iglesia, como una imagen que está presente, siempre, en los corazones de los habitantes de la Isla.

Fue seguramente la Caridad, Virtud Mayor de los cristianos, la que presidió el Gran Cónclave para elegir al nuevo sucesor que ocuparía la Silla de San Pedro, y la que alumbró a los Príncipes de la Iglesia mientras llegaba el leve Soplo del Espíritu para que fuera nombrado el nuevo Vicario, que gobernaría la Iglesia en Nombre del Señor.

El Arzobispo de La Habana, Cardenal Jaime Ortega, afirmó que «frente al nihilismo cultural y moral y al relativismo rampante», el Papa Benedicto XVI guiará «con firmeza la barca de Pedro» en un «servicio inapreciable para la Iglesia» y un mundo necesitado de «claros puntos de referencia ética y humana»[596]

Pocos meses después, en una homilía pronunciada. por S.E. el Cardenal Jaime Lucas Ortega Alamino, al cumplirse el II Aniversario del inicio del Pontificado de Su Santidad el Papa Benedicto XVI, en la S.M.I. Catedral de La Habana, el 23 de abril del 2007, el purpurado cubano repite el tema del Amor, o sea, de la Caridad cuya máxima expresión es la Virgen Patrona de Cuba, como centro y objetivo de la Misión del Pastor Universal de la Iglesia…

Se trata de esa misma Caridad infinita que lo inunda todo porque procede del Amor de Dios, y que elevó al Papado al Cardenal Ratzinger, es el motor impulsor de la Santa Madre Iglesia:

Es así fiel el Santo Padre a la misión de Pedro, que describe alegóricamente la lectura del libro de los Hechos proclamada en esta ocasión: «No tengo plata ni oro, te doy lo que tengo: en nombre de Jesucristo Nazareno, echa a andar». Así dijo Pedro al paralítico que le suplicaba. También Benedicto XVI invita al mundo a ponerse en movimiento por la fuerza del amor, quiere darle al mundo lo que le falta y lo que sólo la fe en Cristo puede dar con ventajas.

La misión del Sucesor de Pedro se funda en el amor. *¿No había preguntado tres veces Jesús Resucitado a Pedro si lo amaba, si lo quería, para encomendarle la misión de Pastor universal? No le habló Jesús en aquel momento de la seria decisión que con firme voluntad debía tomar, no lo interrogó sobre su sabiduría, no hizo alusión a sus dotes de líder,*

---

[596] Miranda, Salvador. Unidad de Investigación de ACI Prensa. Sitio Oficial del Vaticano. Art. Card. Jaime Lucas Ortega Alamino, Arzobispo de La Habana

sólo le preguntó si lo amaba. **El amor tiene, pues, un lugar central en el cristianismo, porque es la fuerza del alma, el eje que sustenta las acciones humanas, el único que puede coronar con belleza aún lo que nos repugna o tememos: el sacrificio, el martirio, la Cruz.**

El amor es la fuerza y la propuesta del Pontificado del Papa Benedicto XVI; ese es su programa que él ha presentado al mundo y que ha ido desarrollando magistralmente en sus dos años de Pontificado. Pienso que con amor está acogiendo la Iglesia su propuesta.

Damos gracias a Dios por el don que ha hecho a la Iglesia en la persona del Papa Benedicto XVI y pedimos, como tradicionalmente ha hecho la Iglesia por sus Pontífices, que el Señor lo conserve y lo colme de vida, lo haga feliz en la tierra y lo libre de sus enemigos. Así sea[597]

El segundo Cardenal cubano en la V Asamblea General del Episcopado Latinoamericano y del Caribe en Aparecida, Brasil, en el 2007. La difícil tarea de gobernar la Iglesia cubana en la oscuridad y la tormenta: la Virgen lleva el timón y su Hijo es el destino final de la historia del pueblo cubano

De nuevo el Cardenal Jaime Ortega sale de viaje para participar en un importantísimo evento de la Iglesia Católica: la V Asamblea General del Episcopado Latinoamericano y del Caribe en el Santuario de Nuestra Señora Aparecida en Brasil, que se efectuó a los pies de la Santísima Virgen María, Madre Purísima de Dios Nuestro Señor. Lleva consigo la experiencia y el entrenamiento singular que ha adquirido como sacerdote, obispo, arzobispo y pastor en la Isla de Cuba, sorteando dificultades tremendas de las que sólo tienen referencias o conocimientos teóricos los prelados de otros países del continente americano...

Junto con esa experiencia, lleva también en su equipaje el conocimiento de la Historia de su Patria, innumerables episodios vividos durante el diario bregar de 48 años contra un adversario ateo, materialista, discriminador, mentiroso y artero, con todas las ventajas a su favor y todas las desventajas para los creyentes y la Iglesia, y la sabiduría sin fronteras de la Fe en la Resurrección y la Vida, junto con el Amor de Dios representado en la Patrona de Cuba, la Santísima Virgen de la Caridad del Cobre.

---

[597] Ortega Alamino, Mons. Jaime. Homilía pronunciada por S. E. el Cardenal Jaime Ortega en la Santa Madre Iglesia Catedral de La Habana, el 23 de abril del 2007, al celebrarse dos años del inicio del Pontificado de Su Santidad Benedicto XVI. Palabranueva.net, Revista de la Arquidiócesis de La Habana, no. 163

Y lleva también consigo el aprendizaje de la riquísima Historia de la Virgen de la Caridad, cubana por excelencia, que escribió en los anales de la Patria páginas y más páginas de su experiencia Peregrina, Misionera, Evangelizadora, Catequista, Libertadora y Patriota.

Es por eso que el Cardenal Jaime Ortega convoca urgentemente al pleno del episcopado latinoamericano planteando que, ante los inminentes peligros que amenazan a la Iglesia en estos tiempos, **es necesario dejar las seguridades y partir en Misión para evangelizar no sólo con la Palabra, sino con el ejemplo de una Vida que imite la de Cristo y sea la confirmación más contundente de la prédica.**

A continuación, presentamos algunos fragmentos de la homilía pronunciada por Mons. Jaime en la Misa de Clausura de la XXXI Asamblea del Consejo Episcopal Latinoamericano (CELAM)

El Arzobispo de La Habana, Cardenal Jaime Ortega, afirmó durante la Misa de clausura de la 31° Asamblea Ordinaria del Consejo Episcopal Latinoamericano (CELAM), que a partir de la V Conferencia General **se ha inaugurado una etapa evangelizadora** *en la que como discípulos aceptamos los riesgos que trae anunciar el Evangelio a un mundo donde impera una* **«ideología subjetivista y relativista».**

«Debemos aceptar el código riesgoso del discipulado —expresó—. No podemos volver la vista atrás ni mirar hacia otros sitios, las situaciones de cristiandad, de Iglesia instalada, aceptada y escuchada con reverencia no existen ya en ningún lugar. **Es el momento de dejar falsas seguridades para partir en misión».**

En ese sentido, el Purpurado indicó que la reunión de Aparecida, *en Brasil, no fue «para hacer declaraciones contundentes» o para mostrar «algún poder religioso, social o político»;* **sino para reconocernos discípulos de Jesucristo enviados para que nuestros pueblos en Él tengan vida.**

En Aparecida se «analizaron situaciones realmente difíciles que pueden hallar los discípulos de Cristo al desplegar su misión. Los lobos rapaces a los que se refiere Jesús cercan siempre el rebaño del Señor y pueden cambiar su pelaje según las épocas, pero permanecen esencialmente los mismos», advirtió, e indicó que la Iglesia **siempre lidiará contra persecuciones y situaciones violentas,** *incluso con* **«la cuota de mártires»** *presente en varios lugares del mundo.*

Explicó que ya no existe tanto una lucha frontal contra la Iglesia, sino más bien el intento por horadar la cultura cristiana y sustituir una concepción del mundo basada en la ley natural **«por un extraño código de derechos»,** *que ataca la vida y la* familia *bajo una mal llamada* **«libertad de elegir».**

«Todo ese entramado adicional de corte subjetivista y relativista, recomendado o impulsado por ciertos centros de poder, viene a

superponerse en nuestros países a los problemas propios y no resueltos de nuestros pueblos», denunció.

«La situación difícil u hostil que Jesús describió a sus discípulos para la realización de su misión presenta hoy este rostro», explicó el Cardenal Ortega; sin embargo, afirmó que también permanece válida la recomendación pastoral de actuar *«con la cautela de la serpiente y con la mansedumbre de las palomas»*[598].

Ante la difícil situación en que se desenvuelve la Iglesia, ante el laicismo desenfrenado que reta las facultades del hombre, ante la negación de Dios promulgada por el llamado ateísmo científico, es necesario que se efectúe un *despertar la conciencia,* y el Cardenal cubano explica cómo deben proceder los fieles y la Iglesia:

Ante este *«mutismo ético del pensamiento actual —afirmó en su homilía—, la* Iglesia Católica *emerge como voz que clama en el desierto»* para alertar y despertar la conciencia del hombre de hoy porque, *«si el laicismo a ultranza saca a Dios (...), las decisiones humanas pueden quedar a la deriva, sin referencia ética, pues la ética se debilita al perder su sustentación trascendente cuando se excluye a Dios».*

En ese sentido, afirmó que el documento final de Aparecida *«pone en pie de misión a la Iglesia toda»* y exhorta a los católicos *«a partir como Abraham, dejando seguridades»; y a «ponerse en marcha como Jacob, desinstalándonos»; para dar a los pueblos esa vida abundante que* Cristo *«alcanzó para nosotros con su muerte de* Cruz*».*

«Nadie puede reemplazarnos en esta tarea, y realizándola, sentamos las bases para una humanidad mejor y más feliz en nuestras tierras latinoamericanas y caribeñas. *Nuestra misión no consiste en imponer, sino en proponer, no es la de arrastrar seguidores, sino la de invitar a los hombres y mujeres de nuestros pueblos a ser discípulos de Jesucristo*[599]*».*

Cuando preparaba su homilía, cuando la inspiración se presentaba para ordenar sus pensamientos y se movilizaban sus experiencias y recuerdos buscando la forma más sencilla para trasmitirlos a los presentes, seguramente tenía en cuenta las enseñanzas de la Virgen, Madre de Jesús, que como Madre es la mejor intérprete de su Hijo, la que mejor lo entiende, la que reconoce la más mínima de sus señales y, portadora de la infinita Caridad Maternal, sabe perfectamente bien a dónde se encamina.

---

[598] Cardenal Jaime Ortega. La Iglesia en América Latina inaugura una etapa evangelizadora. ACIPRENSA (ACI) EN 16.IV.2007

[599] Ibídem,

Y estas enseñanzas de la Virgen, que para el Pueblo cubano es sobre todo conocida bajo la advocación de la Santísima Virgen de la Caridad del Cobre, nos recuerdan que Cristo es el Maestro por excelencia, y que en él se juntan y complementan el revelador y la revelación. No se trata sólo de comprender las cosas que él ha enseñado, sino de 'comprenderlo a él'. Pero en esto, ¿qué maestra más experta que María?

Debemos recordar que si en el ámbito divino el Espíritu es el Maestro interior que nos lleva a la plena verdad de Cristo (cf. Juan 14, 26; 15, 26; 16,13), entre las criaturas nadie mejor que Ella conoce a Cristo, porque nadie como su Madre la Virgen puede introducirnos en el conocimiento profundo y total de su misterio. El primero de los «signos» llevado a cabo por Jesús —la transformación del agua en vino en las bodas de Caná— nos muestra a María precisamente como maestra, mientras indica a los sirvientes que ejecuten las disposiciones de Cristo (cf. Juan 2,5):

Recordemos que la Virgen, con una confianza ciega en lo que hace su Divino Hijo, dice a los presentes estas palabras magistrales, que encierran más sabiduría que todos los tratados escritos por los hombres:

Hagan lo que Él les diga (Jn 2, 5)

El Cardenal Jaime Ortega también ha sido honrado con la difícil tarea de gobernar la Iglesia cubana durante los años de la oscuridad y la tormenta, esos años en que la Santísima Virgen de la Caridad del Cobre ha llevado el timón de la nave de la Iglesia, mientras su Divino Hijo es el puerto seguro, el destino final de la historia del pueblo cubano.

Roguemos al Señor y a la Virgen de la Caridad del Cobre, Reina y Patrona de Cuba, para que pueda llevar a feliz término su Apostolado y cumplir cabalmente su Misión.

CAPÍTULO XXII

EL SANTUARIO DEL COBRE, LA VIRGEN DE LA CARIDAD Y EL ARZOBISPO MONS. PEDRO MEURICE DESDE 1959

...porque ha puesto los ojos en la pequeñez de su esclava,
por eso ahora todas las generaciones me llamarán
bienaventurada, porque ha hecho en mi favor cosas grandes
el Poderoso, Santo es su nombre y su misericordia alcanza
de generación en generación a los que le temen.
Desplegó la fuerza de su brazo, dispersó a los de corazón altanero,
derribó a los potentados de sus tronos y exaltó a los humildes.
A los hambrientos los colmó de bienes y despidió a los ricos
con las manos vacías.
Acogió a Israel, su siervo, acordándose de la misericordia,
como había anunciado a nuestros padres, a favor de Abraham
y de su linaje por los siglos...

Lc 1, 48-55

Nuestra Señora de la Caridad, ella es la que tiene el secreto, la llave de
cómo se entra a la puerta del corazón del pueblo cubano. Ella es la que
tiene el secreto y esa llave, cuando vamos con esa llave nadie dice no.
Tenemos primero que vivirlo como ella, buscar que se haga en nosotros la voluntad de Dios y llevar esa
dedicación y esa devoción a todos los demás.

Mons. Pedro Meurice Estíu

Cómo se mantiene y agiganta la memoria del pueblo de Dios: de cómo la Virgen de la Caridad nunca quedó aislada en su Santuario del Cobre

La Virgen de la Caridad nunca quedó aislada en su Santuario del Cobre. La imagen estaba allí, en su sede de las montañas de Oriente, pero Ella, Reina y Madre de todos los cubanos y Patrona de la Isla, estaba en todas partes. Porque Ella estuvo, estaba y está viva en el recuerdo de millones de sus hijos, y por eso no puede desaparecer y mucho menos ser borrada por decretos o por decisiones políticas de los hombres.

Además de las mentes de sus hijos, la Virgen se mantuvo presente en millones de oraciones, peticiones, invocaciones y promesas durante los rezos de sus hijos, estaba en cada una de las celebraciones de la Gran Fiesta del 8 de septiembre, que es con todo derecho una Conmemoración Nacional, estaba en cada una de las cuentas del rosario, en las imágenes y los altares que pasaron de las salas y lugares a las habitaciones interiores de las viviendas, sin que nunca fuera desterrada de los corazones, se mantuvo en las Iglesias de toda la Isla, siempre estuvo en las homilías de los Sacerdotes y de los Obispos, en los comunicados y en las Cartas Pastorales, en los Seminarios y en las grandes reuniones y eventos de la Iglesia cubana desde 1959 hasta el día de hoy.

Y al mismo tiempo que sucedía todo esto en Cuba, la devoción a la Virgen de la Caridad pasaba por encima de los mares y llegaba a los lugares más distintos y distantes de este Mundo acompañando a los cubanos en su destierro. Y así la Virgen llegó a lugares remotos de África, llegó a Norte, Centro y Sur América, presentándose en las heladas tierras de Canadá, en las cálidas de América Central e incluso en los extremos congelados de Chile y Argentina, cruzó el Atlántico y se hizo presente en toda Europa, desde las riberas de España que dan al Océano y al Mediterráneo llegando a la fría Suecia y más allá, hasta la lejana Rusia y los más lejanos confines del este, de la misma forma que viajó por el Pacífico y se hizo presente en los más remotos lugares del continente australiano.

De esta forma, cuando el régimen de oprobio que encadenó la Isla de Cuba pensaba que había aplastado para siempre la Iglesia, cuando se enorgullecía de haber implantado el ateísmo y de que se había erradicado la enseñanza de la religión en los colegios, cuando perseguía, vigilaba y discriminaba a sacerdotes, religiosos y laicos, el culto y la devoción a la Virgen de la Caridad del Cobre se mantenían vivos en los hogares cubanos, al tiempo que emigraba con muchísima gente que iba desparramando por el Mundo, con su fe indestructible y su veneración a la Patrona de Cuba, la creencia en la Caridad, o sea, la creencia en el Amor Sublime de Dios encarnado en el más puro de los Amores, el Amor de la Madre que es también Madre del Hijo, el Amor de la Madre que es el más inmaculado, perfecto, limpio y espontáneo de todos los Amores.

Los cubanos siguen implorando a su Madre del Cielo en tiempos difíciles: de qué forma se mantuvo la devoción a la Patrona de la Isla. Las peregrinaciones a la Casa de la Virgen, exvotos y promesas, cartas, donaciones y ofrendas

Lo primero que hace un cubano que se encuentra en peligro, esté prisionero dentro de la Isla o libre en el destierro, es recordar a la Virgen de la Caridad y pedirle su amparo y protección: las primeras palabras que vienen a los labios ante un problema, siempre invocan a la Virgencita de la Caridad.

Es lo primero que piden las madres cuando va a nacer un hijo o cuando peligra su salud, estén en Cuba o fuera de Cuba, tranquilos en sus casas o a punto de lanzarse al mar en una balsa para llegar a tierras de libertad. A la Virgen es a quien rezan primero cuando alguien se enferma, es a Ella a quien primero se solicita socorro, salud, ayuda y protección, a quien se le ofrecen las promesas y a quien se le dedican los exvotos, las donaciones, las cartas y los testimonios, las ofrendas y las flores, es a su Santuario del Cobre a donde primero van los peregrinos, sin reparar en gastos ni en dificultades. Detrás de Ella siguen marchando las procesiones, y por Ella la gente sigue subiendo las montañas para visitarla en su Casa. Mucha gente —hombres, mujeres, ancianos, niños, jóvenes, viejos— con lágrimas en los ojos, se postra ante su imagen en los templos o en la intimidad de las casas, o lleva consigo su estampa, o reverencia su imagen, presente en los hogares en un cuadro o en un altar.

De la misma forma, cuando una familia cubana llega a Miami, el primer sitio de visita obligada es la Ermita de la Caridad, donde los recién llegados se reencuentran con la Patrona de Cuba: y estar ante Ella, que es su Reina, Madre y Patrona, es lo mismo que reanudar el vínculo con la Patria, con la Religión, con la Nación Cubana, con el pasado y las costumbres y las tradiciones y las raíces mismas de los cubanos.

Hacer el viaje hasta la Ermita para visitar a la Madre del Cielo, postrarse ante la Virgen de la Caridad, rezarle y pedirle ayuda, protección y amparo, es empatar el hilo conductor que nos lleva de la mano por la historia de nuestra Isla, es el vínculo que nos une a la gran familia de nuestra Iglesia, a todo el Pueblo de Dios que peregrina en Cuba o fuera de Cuba.

Y en cualquier parte del Mundo a donde llegue un cubano desterrado, lleva consigo, junto y por delante del recuerdo de la familia, los amigos, los vecinos, el pueblo, sus dos amores más grandes, el que se tiene a la Madre, la del Cielo y la de la Tierra, a la Madre del Cuerpo, que nos enseñó a dar los primeros pasos en la religión y a elevar el espíritu en la vida del mundo, y a la Madre del Alma, que nos guía en nuestro breve tránsito por la tierra y que debe conducirnos a la Resurrección y a la Vida Eterna.

Primeros pasos del futuro Arzobispo de la Arquidiócesis de Santiago de Cuba. Sus primeros estudios. Vocación y ordenación sacerdotal. Estudios y trabajos posteriores. Muerte de Mons. Enrique Pérez Serantes

El 23 de enero de 1932 nació en el pequeño pueblo de San Luis, situado en el sur de la provincia de Oriente y perteneciente a la Arquidiócesis de Santiago de Cuba, un niño que fue bautizado con el nombre de Pedro Claro Meurice Estíu, y fue bautizado en la Parroquia de San Luis, titular y patrono de la ciudad, una antigua iglesia cuya fundación data de principios del siglo XVII[600], y que ya tenía una larga historia, que se remontaba a cuatro siglos, como centro de la Evangelización en el territorio de San Luis.

Cuando nació Pedro Meurice Estíu, el municipio de San Luis contaba 19,961 habitantes[601]. El pueblo, en sí mismo, no pasaba de 10,000 personas. En aquella época era una población relativamente nueva y moderna, fundada en 1827 en una caballería de terreno que pertenecía a una hacienda del mismo nombre. Durante muchos años la pequeña fundación parecía estancada, hasta que comenzó la Guerra de los Diez Años: desde 1868, las familias dispersas por los campos de los alrededores se concentraron en este lugar buscando la protección de la pequeña guarnición española ante los avatares de la contienda, y allí construyeron sus viviendas. Tiempo después, al pasar el Ramal del Este de los ferrocarriles por San Luis, se aceleró el proceso de su crecimiento, la producción de riquezas y el tráfico comercial... el pueblo llegó a ser

> *una población bien iluminada, con un comercio activo y algunas industrias como la fabricación de zapatos y otras. Su situación en el centro de las comunicaciones del ferrocarril le atrajo mucho tráfico y el consiguiente desenvolvimiento de su agricultura y el inicio de industrias destinadas a mejor auge, a no ser la (construcción de la) Carretera Central que, al tomar su ruta actual, y por facilidades que ofrece, le quitó bastante movimiento del que le dio el ferrocarril. No obstante, San Luis*

---

[600] En 1653 fue aprobada la erección de la ermita de San Luis y San Magín, que se inauguró el 19 de agosto de 1654, y fue construida por el cacique que regía el pueblo de indios de San Luis de los Caneyes o San Luis, quien antes de morir, en 1658, pidió ser enterrado en la ermita. En 1690 el pequeño templo, construido de madera y embarrado, estaba casi en ruinas, y el Obispo Compostela autorizó su reconstrucción, elevándolo al rango de parroquia. Con los fondos aportados por Don Fernando de Espinosa, protector de los indios, se erigió una iglesia de mampostería que tuvo como titulares a San Luis y San Magín.

En 1830, la iglesia amenazaba ruina otra vez y se determinó derribarla para volverla a levantar. En 1833, durante su Visita Pastoral, el Arzobispo Mons. Cirilo de Alameda y Brea bendijo la primera piedra de la nueva Casa de Dios, que se abrió al culto en 1834 sin que estuviera totalmente terminada. Finalmente, en 1839 se concluyó el altar mayor. El Arzobispo Antonio María Claret, durante su Visita Pastoral de 1851-1852, la reconstruyó parcialmente, pero el templo fue nuevamente afectado durante la Guerra de 1895-1898. En 1916, el Obispo Ambrosio Guerra y Fezzia restauró la iglesia, que seguía arruinada. El templo actual, donde fue bautizado Mons. Meurice, fue erigido por suscripción de los feligreses, que comenzaron a construirlo en 1917.

[601] Según el Censo de 1931

permaneció en su puesto, avanzando gracias a la laboriosidad de sus habitantes...[602]

El municipio que tiene por centro el pueblo de San Luis está enclavado en las estribaciones de la Sierra Maestra, por lo que se trata de un territorio ondulado y montañoso, donde los valles de gran fertilidad y plenos de verdor, regados por los ríos San Pedro, Guaninicún, Río Grande y Maroto, alternan con los altos montes y riscos... al hablar de las bellezas naturales del territorio y de las personas que en él habitan, se ha dicho que

el viaje por carretera de Santiago de Cuba a San Luis se considera una de las rutas más pintorescas de toda Cuba. La amabilidad del pueblo hace de este viaje de placer un destino encantador para todo visitante[603]

En aquella época, el municipio y la ciudad de San Luis se encontraban en franco desarrollo. En 1957 ya se cultivaba el 31 por ciento de la superficie total de la región, que representaba 15,400 hectáreas, y sus plantaciones cañeras abastecían a los centrales Borjita, Santa Ana y Unión, mientras que en los valles pastaban 20,200 reses y sus montañas estaban surcadas por ricas vetas de mineral de manganeso.

Como si fuera una premonición, Pedro Claro Meurice vino a este mundo en tiempos de crisis, cuando la República de Cuba se encontraba bajo la dictadura de Gerardo Machado, y luego su existencia se mantuvo bajo el signo de los vaivenes de los tiempos, cuando la Isla tuvo que pasar por los tiempos difíciles de la II Guerra Mundial, en los años de la década del 40, o durante los años 50, cuando se rompió el ritmo constitucional de la República y las tierras de Oriente fueron asoladas, más que otras, por la lucha contra Batista.

¿Fueron estas crisis las que actuaron sobre su ánimo empujándolo hacia la vocación sacerdotal? ¿Lo sensibilizaron para ser un Hombre de Dios, que sanara y consolara, cuando los hombres luchaban en Cuba contra sus hermanos? ¿Prepararon su alma y sus ánimos para enfrentar decidida y valientemente las situaciones durísimas que empezó a vivir el país y que sufrió con inmenso rigor la Iglesia Católica?

El caso es que ingresó muy joven en el Seminario de San Basilio el Magno y San Juan Nepomuceno, ubicado en este momento al pie del Santuario de Nuestra Señora de la Caridad, en El Cobre. Por esta causa, el seminarista Meurice cursó sus primeros estudios sacerdotales en

---

[602] Cf. Ciudades, Pueblos y Lugares de Cuba: el Municipio de San Luis. Vía Internet, Güije.com

[603] Ibídem,

materias de humanidades y filosofía, bajo el amparo y la protección de la Virgen, Patrona de Cuba, porque tuvo el inmenso privilegio y se le concedió la gracia de poderle rezar y visitarla todos los días. Además, mientras cursaba estudios en el Seminario San Basilio, él era el campanero y hacía repicar las campanas con mucha fuerza y alegría, con lo que también honraba a la Virgen de la Caridad cuando las voces de bronce de las campanas convocaban a los fieles.

Muchos años después, en una conversación con el P. René Parra en su casa de St. Dominic Gardens, en Miami, Meurice le dijo que se habían puesto campanas nuevas en la Catedral de Santiago de Cuba, y el P. Parra recordó con alegría al joven seminarista que era el campanero más de medio siglo antes:

> *Me dijo que habían puesto nuevas campanas en la Catedral de Santiago de Cuba. Lo dijo con alegría serena. Esto me hizo recordar que, cuando estábamos en el Seminario del Cobre, él era el campanero... Y tocaba con gran energía cada mañana. Pido a Dios que todas las campanas de todas las iglesias de Cuba sigan repicando con aquella fuerza que él ponía al despertarnos[604]*

A continuación, cursó los dos primeros años de Sagrada Teología en el Seminario El Buen Pastor, que se encontraba en las afueras de La Habana, y terminó los estudios de esta materia en el Seminario Santo Tomás de Aquino de la ciudad de Santo Domingo, en la República Dominicana.

Fue ordenado el 26 de junio del año 1955, contando 23 años de edad y poco después enviado al Seminario de Vitoria, en España, donde realizó un curso de espiritualidad. A continuación pasó a Italia para matricular en la Pontificia Universidad Gregoriana de Roma, donde cursó estudios de Derecho Canónico de 1956 a 1958, pasando inmediatamente a Francia y Bélgica donde pasó nuevos cursos de especialización.

A su regreso a Cuba y a la capital de la provincia oriental, Santiago de Cuba, fue nombrado Vice-Canciller de la Arquidiócesis y secretario del Arzobispo, Mons. Enrique Pérez Serantes, por lo que estaba a cargo de los problemas más graves y delicados durante las fricciones que surgieron entre la Iglesia y el estado cubano a partir del triunfo de la revolución en 1959, y sobre todo a las graves situaciones que enfrentó

---

[604] P. René Parra R. Pbtro. <u>Reencuentro con Mons. Pedro Meurice, Cubacatolica Artículos y Opiniones</u>. 06.27.06, Miami, 2006

con gran entereza Mons. Enrique Pérez Serantes, en particular la nacionalización de los colegios católicos y la expulsión de sacerdotes y religiosos en 1961. En 1963, Mons. Enrique Pérez Serantes lo nombró Canciller del Arzobispado y en 1966, párroco de la Iglesia de Vista Alegre, en Santiago de Cuba. A partir de este momento, Mons. Meurice tendría que pasar por la dificilísima prueba de dirigir la Arquidiócesis santiaguera, Primada de la Isla de Cuba, en medio de las más escabrosas dificultades, después de que por muchos años el timón de la nave de la Iglesia oriental hubiera sido guiado por uno de los más expertos pastores: el inolvidable Mons. Enrique Pérez Serantes.

El 1 de julio de 1967 marca un momento trascendental en la vida del P. Pedro Meurice, ya que fue elegido Obispo Titular de Teglata di Numidia y nombrado Auxiliar de Santiago de Cuba por Su Santidad el Papa Paulo VI: fue consagrado en la Catedral santiaguera por Mons. Enrique Pérez Serantes, Arzobispo de Santiago de Cuba, asistido por Mons. Adolfo Rodríguez Herrera, Arzobispo de Camagüey, y por Mons. Alfredo Llaguno Canals, Obispo Titular de Suliana y Auxiliar de la Arquidiócesis de La Habana[605].

Como Obispo Auxiliar, Mons. Pedro Meurice comenzó a asimilar muchos trabajos de la Arquidiócesis en todos los órdenes, ya que Mons. Pérez Serantes, que había sido ordenado sacerdote 57 años antes, en 1910 y recibido el orden episcopal hacía ya 45, en 1922, contaba ya 84 años de edad y estaba agobiado por los años y los acontecimientos que había debido enfrentar y sufrir desde 1959. Por esta causa, en los meses siguientes, Mons. Meurice llevó gran parte del peso de la Arquidiócesis sobre sus hombros.

El jueves 18 de abril de 1968 murió Mons. Enrique Pérez Serantes, después de un breve período de enfermedad y agonía. Su muerte fue sentida en toda la Isla de Cuba, y era tan querido aquel Hombre de Dios, que hasta los funcionarios del régimen trataron de honrar oficialmente al difunto:

durante los tres o cuatro días de su enfermedad y durante el día y medio largo que duró el velorio, (las autoridades) estuvieron atentísimas. La primera corona de flores, la del Consejo de Ministros, la del Partido, la del Comisionado. El desfile del entierro ocupaba ocho cuadras largas. Detrás del carro funerario los obispos asistentes, luego las autoridades, después la coral de la catedral. Por las calles de Santiago resonaban las antífonas y los salmos que habían sido previamente ensayados en la

---

[605] Cf. Miranda, Salvador. Episcopologio de la Iglesia Católica en Cuba. Universidad Internacional de la Florida, Miami, 2008, actualización de I.2008

catedral. Impresionaba la religiosidad del conjunto. Todo Santiago participó, prescindiendo de ideologías políticas[606]

En la misa concelebrada el Obispo de Camagüey, Mons. Adolfo Rodríguez Herrera, hizo el elogio del difunto prelado y después del entierro en el Cementerio Santa Ifigenia, la despedida del duelo estuvo a cargo de Mons. Fernando Azcárate s.j., Obispo Titular de Cefala y Auxiliar de la Arquidiócesis de La Habana. Su Santidad el Papa Paulo VI, por medio del Secretario de Estado, Cardenal Amleto Giovanni Cicognani, envió el siguiente cablegrama:

Ilustrísimo Vicario General:

Augusto Pontífice, apenado fallecimiento Excmo. Mons. Enrique Pérez Serantes, ofrece sufragios su eterno descanso e invoca sobre Vuestra Señoría, Clero, Familias Religiosas, Fieles, amada Archidiócesis, abundancia divinos consuelos otorgándoles bendición apostólica[607]

El mismo día de la muerte de Mons. Pérez Serantes, o sea, el 18 de abril de 1968, Mons. Pedro Meurice Estíu fue nombrado Vicario Capitular de la sede santiaguera, y el 25 de junio de ese mismo año, su Santidad el Papa Paulo VI lo nombró Administrador Apostólico, sede vacante, de la Arquidiócesis Primada de Cuba[608].

La difícil tarea de ser sucesor de Mons. Enrique Pérez Serantes en la Arquidiócesis santiaguera. Mons. Pedro Meurice Estíu pone en el primer plano de la fe a la Virgen de la Caridad. De qué forma el Arzobispo de Santiago de Cuba pone la devoción a los pies de la Virgen: homilías, instrucciones, comunicados y cartas pastorales de Mons. Meurice

La tarea que tenía por delante el nuevo Administrador Apostólico estaba plagada de dificultades. La Iglesia Católica cubana en ese año contaba con menos de la tercera parte de los cuadros pastorales que había tenido diez años atrás. El estado había realizado su profesión de fe materialista y atea, la enseñanza de la religión en las escuelas había dejado de existir, se hizo presente la discriminación en materia religiosa, la gente tenía miedo de asistir a los templos, disminuyeron los bautizos y los matrimonios eclesiásticos, los colegios católicos habían sido intervenidos y nacionalizados, las asociaciones católicas habían desaparecido, la Acción

---

[606] Diáspora. Santo Domingo, República Dominicana, 1968

[607] Vida Católica, hoja semanal. Vedado, La Habana, 1978, 19.V.1968. Dirigida por el P. Donato Cavero, s.j.

[608] Ibídem (605)

Católica no existía, las actividades pastorales eran mínimas, la catequesis muy pobre, había desaparecido buena parte de los servicios sociales y asistenciales que daba la Iglesia, y la institución católica apenas contaba con escasísimos recursos y medios materiales.

Sin embargo, la Virgen de la Caridad se mantenía en su Santuario del Cobre y desde allí velaba por su Iglesia y por su querido pueblo de Oriente. Los Obispos de Cuba siguieron participando en la intensa y rica vida de la Iglesia, y Mons. Meurice no fue una excepción.

En septiembre de 1968, Mons. Meurice participó en la II Asamblea Plenaria del Episcopado Latinoamericano celebrada en la ciudad de Medellín, en Colombia, y el 10 de abril de 1969 firmaba, junto con los prelados de la Isla, el ***Comunicado de la Conferencia Episcopal de Cuba a nuestros sacerdotes y fieles***, que se leyó en las misas del domingo 20 de ese mes y en la Hoja «Vida Cristiana» el día 27, cuyo tema central es el discurso de Su Santidad Paulo VI abrió los debates que se realizaron durante once días en la Conferencia de Medellín.

La Iglesia Católica que vivía su vocación en Cuba estaba viva, pensaba y actuaba y orientaba, tal como dijeron entonces los Obispos:

*En el curso de la Conferencia anterior —celebrada a principios de marzo — comenzamos la reflexión sobre los documentos emanados de la Segunda Conferencia General del Episcopado Latinoamericano, **para ir traduciendo en normas prácticas los principios generales de renovación allí contenidos.***

Al reanudar ahora esa reflexión escogimos como tema central el hermoso discurso inaugural con que el Santo Padre, de visita en Bogotá con ocasión del trigésimo noveno Congreso Eucarístico Internacional, quiso abrir los debates que tuvieron lugar después —por espacio de once días—, en la ciudad colombiana de Medellín. Un discurso por cierto, pletórico de sabias recomendaciones paternales que abarcan desde lo que es más íntimamente nuestro, es decir las orientaciones relativas a nuestra santificación, al testimonio de vida, al valor y a los riesgos de la fe, a la oración y al ministerio de la palabra —deteniéndose específicamente en las orientaciones apostólicas—, hasta las orientaciones prácticas en torno al hecho de la convivencia en un continente estremecido por los arduos problemas del desarrollo y a las consecuencias que de ello se derivan para nuestra consciente inserción en la nueva etapa que avanza en medio de nosotros.

*«Se inaugura, hoy, con esta visita —exclamaba solemnemente el Papa— **un nuevo período de la vida eclesiástica».** Y agregaba luego: «**El porvenir reclama un esfuerzo, una audacia, un sacrificio que ponen a la Iglesia en ansia profunda. Estamos en un momento de reflexión total. Nos invade como una ola desbordante la inquietud característica de***

nuestro tiempo especialmente en estos países proyectados hacia su desarrollo completo y agobiados por la conciencia de sus desequilibrios económicos, sociales, políticos y morales, también los Pastores de la Iglesia —¿no es verdad?—, hacen suya el ansia de los pueblos en esta fase de la historia de la civilización». (Doc. Medellín II, pp. 15-16)

*Haciéndose eco de estas palabras luminosas del Santo Padre, la Conferencia de Medellín señalaba en su mensaje a todos los pueblos de América Latina: «**Como Pastores con una responsabilidad común, queremos comprometernos con la vida de todos nuestros pueblos en la búsqueda angustiosa de soluciones adecuadas para sus múltiples problemas**». Y concluía: «**Por ello nos sentimos solidarios con las responsabilidades que han surgido en esta etapa de transformación de América Latina**» (Doc. Medellín II, pp. 32-33); no sin advertir después: «**Nuestra misión pastoral es esencialmente un servicio de inspiración y de educación de las conciencias de los creyentes para ayudarles a percibir las responsabilidades de su fe, en su vida personal y en su vida social**» (Doc. Medellín II, no. 6, p. 54)…*

…Dicho en otros términos: la actitud del cristiano implica una renovación de su moral social, máxime cuando está inmerso en una realidad como la nuestra en que se afronta como un móvil fundamental el problema del desarrollo…

*…No somos ajenos (los Obispos cubanos) a las implicaciones y sacrificios que comporta esta actitud cristiana. Pero el Señor nos ha dicho: «**Vosotros sois la luz del mundo. No puede estar oculta una ciudad situada en la cima de un monte. Ni tampoco se enciende una lámpara para ponerla debajo del celemín, sino sobre el candelero para que alumbre a todos los que están en la casa. Brille así vuestra luz delante de los hombres, para que vean vuestras buenas obras y glorifiquen a vuestro Padre que está en los cielos**» (Mt 5, 13-16)…*

…Por lo demás ¡cuántos excesos no son debidos a la situación concreta de aislamiento en que venimos viviendo desde hace varios años![609] ¿Quién entre nosotros ignora las dificultades de toda índole que entorpecen el camino que debe conducir al desarrollo? Dificultades internas, originadas en la novedad de la problemática y en su complejidad técnica aunque producto también de las deficiencias y pecados de los hombres; pero, en menos proporción, dificultades externas, vinculadas a la complejidad que condicionan las estructuras contemporáneas de las relaciones entre los pueblos injustamente desventajosas para los países débiles, pequeños, subdesarrollados. ¿No es éste el caso del bloqueo económico a que se ha visto sometido nuestro pueblo, cuya prolongación automática acumula

---

[609] Se refiere, naturalmente, al aislamiento de la Iglesia Católica y el Pueblo de Dios en Cuba

graves inconvenientes a nuestra Patria? Inconvenientes que pesan, principalmente, sobre nuestros obreros de la ciudad y del campo, sobre nuestras amas de casa, sobre nuestros niños y jóvenes en proceso de crecimiento, sobre nuestros enfermos, en fin, para no alargar los casos, sobre tantas familias afectadas por la separación de sus seres queridos...

...Todas estas recomendaciones del Santo Padre adquieren un significado especial dentro de esta octava de la Pascua de Resurrección del Señor, en la cual confiamos para llevar a cabo un cambio profundo en nuestra vida cristiana.

La Habana, 10 de abril de 1969

El Comunicado fue firmado por Evelio, Arzobispo de La Habana; Alfredo, Obispo de Cienfuegos; Manuel, Obispo de Pinar del Río; José, Obispo de Matanzas; Adolfo, Obispo de Camagüey; Alfredo, Obispo Auxiliar de La Habana, Fernando, Obispo Auxiliar de La Habana; y Pedro, Obispo Auxiliar y Administrador Apostólico de Santiago de Cuba.

Ocho años después, en 1977, los Obispos de Cuba lanzaban una nueva Circular en ocasión de conmemorarse el Cincuentenario de la Inauguración del actual Santuario de la Virgen de la Caridad del Cobre, en cuya redacción había participado con especial interés Mons. Pedro Meurice: con palabras muy hermosas, el nuevo documento de los prelados cubanos, explica el papel principal de la Patrona de Cuba en nuestra historia y apela tanto a la intuición como a la conciencia colectiva del pueblo:

Nuestro pueblo sabe que María, la Madre de Dios y Madre nuestra bajo el dulcísimo nombre de Nuestra Señora de la Caridad, es un don precioso que el Señor nos ha confiado. Cobran entre nosotros un eco especial aquellas palabras de Su Santidad Paulo VI en su Exhortación Apostólica «Marialis Cultus», dedicada toda ella al culto de la Virgen María: **«El culto de la Bienaventurada Virgen María —enseña el Santo Padre— tiene su razón en el designio insondable y libre de Dios, el cual siendo caridad eterna y divina, lleva a cabo todo según un designio de Amor; la amó y obró en ella maravillas; la amó por sí mismo y la amó por nosotros; se la dio a sí mismo y nos la dio a nosotros»** *(Marialis Cultus, Núm. 56)*

Nosotros, pues, la hemos recibido de Dios. Llegó a nuestras playas en medio de las olas revueltas con el título de Virgen de la Caridad, inaugurando así, bajo su amor materno, nuestra historia de pueblo creyente, inspirado en el amor a Dios y comprometido en el amor fraterno.

Y al igual que la acogieron llenos de fervor aquellos tres primeros devotos, los cubanos la hemos acogido en nuestras vidas. Hemos sentido el influjo de su presencia bienhechora en medio de nuestras alegrías y en medio de nuestras penas. Hemos elevado hacia Ella nuestras plegarias suplicantes y agradecidas. Veneramos su imagen bendita en nuestras casas; tenemos su nombre en nuestros labios y su amor en nuestros corazones.

Ese amor a la Virgen de la Caridad no puede limitarse, sin embargo, a sólo gestos externos o a cálidas palabras. Debe manifestarse a través del ejemplo de nuestra propia vida y en la fidelidad de nuestra vida cristiana. Conforme nos indicara el Papa Paulo VI en el ya mencionado documento: «La Virgen María ha sido propuesta siempre por la Iglesia a la imitación de los fieles... porque en sus condiciones de vida Ella se adhirió total y responsablemente a la voluntad de Dios, porque aceptó la Palabra y la puso en práctica, porque su acción estuvo animada por la caridad y por el espíritu de servicio, porque... fue la primera y la más perfecta discípula de Cristo, lo cual tiene un valor universal y permanente de ejemplo» (Mar. Cultus, Núm. 35).

Imitemos, pues, a María en sus grandes virtudes; amémosla con el más firme y filial amor. Aprovechemos en cuanto sea posible, la oportunidad de la celebración del Cincuentenario de su trono, en el corazón de Cuba, para visitar su imagen bendita en su Santuario del Cobre. Pero en una u otra forma, vayamos siempre hacia María, ya que caminar hacia María será ir al encuentro de Dios que es nuestro Padre.

Invocando sobre todos, junto a las bendiciones de Dios Nuestro Padre común, la materna protección de la Virgen de la Caridad del Cobre, se unan a la acción de gracias, a la oración de súplica ferviente en bien de todos, y en el amor hacia la que es Nuestra Madre[610]

«Caminar hacia María, —en este caso la Virgen maría de la Caridad—, será ir al encuentro de Dios, que es nuestro Padre» así quedó escrito en esta Circular de los Obispos de Cuba escrita en 1977, en el 50 Aniversario del actual Santuario del Cobre. Caminar hacia María, en estos años tremendos, era realizar junto con ella su propio sacrificio de Madre Dolorosa: porque nadie sufría más que nuestra Madre María, también como Virgen de los Dolores y Virgen de las Angustias, las penas y los sufrimientos de sus hijos los cubanos, sacrificados como Jesús que fue a la Cruz por nosotros: de la misma forma, en mayor o menor medida, todos los hijos de Cuba, tanto los reprimidos como los represores, los discriminados igual que los discriminadores, son esclavos de su pecado, viven presos de sus propias culpas: y así la Virgen une esos Dolores a su título de la Caridad y los lleva a Jesús, al sacrificio de

---

[610] Los Obispos de Cuba. Circular con motivo del Cincuentenario del actual Santuario de la Virgen de la Caridad del Cobre, Patrona de Cuba. Dada en La Habana, el 1 de agosto de 1977. En: La Voz de la Iglesia en Cuba – 100 Documentos Episcopales. Obra Nacional de la Buena Prensa, A.C., Méjico, 1995, pp. 204-206

su Hijo que se sacrificó para libertarnos del pecado y de la muerte: Ella, en el camino del Hijo, nos conduce entonces a la Vida Eterna.

Stabat Mater

La Madre piadosa estaba
junto a la cruz y lloraba
mientras el Hijo pendía.
Cuya alma, triste y llorosa,
traspasada y dolorosa,
fiero cuchillo tenía.
¡Oh, cuán triste y cuán aflicta
se vio la Madre bendita,
de tantos tormentos llena!
Cuando triste contemplaba
y dolorosa miraba
del Hijo amado la pena.
Y ¿cuál hombre no llorara,
si a la Madre contemplara
de Cristo, en tanto dolor?
Y ¿quién no se entristeciera,
Madre piadosa, si os viera
sujeta a tanto rigor?
Por los pecados del mundo,
vio a Jesús en tan profundo
tormento la dulce Madre.
Vio morir al Hijo amado,
que rindió desamparado
el espíritu a su Padre.
¡Oh dulce fuente de amor!,
hazme sentir tu dolor
para que llore contigo.
Y que, por mi Cristo amado,
mi corazón abrasado
más viva en él que conmigo...[611]

Así estaba y así está la Virgen de la Caridad del Cobre, Madre Dolorosa que sufre por las penas de sus hijos, los cubanos, de la misma forma que sufrió por su Hijo, Jesucristo...

No bastaba con las penas que afligían a la Isla de Cuba y el alma del pastor de hombres que era el buen Arzobispo Mons. Pedro Meurice tenía que pasar además otros dolores. En 1980, lo conmueve

---

[611] Fragmento del Stabat Mater (Estaba la Madre Dolorosa) según la versión de Lope de Vega

hondamente la muerte de Mons. Oscar Arnulfo Romero en El Salvador, unido al martirologio de América Latina por otro acto innombrable de los terroristas que pisotean y empapan en sangre nuestros países. Escribe entonces esta nota de prensa:

> *Con viva consternación he recibido la noticia del asesinato de Monseñor Oscar Arnulfo Romero, Arzobispo de San Salvador. En su ministerio como Obispo se destacó por proclamar comprometidamente la verdad del Evangelio al servicio de su pueblo y de la Iglesia, prestando su voz a los que no tienen voz. La muerte de este profeta de nuestro tiempo es un llamado a la conciencia de todos.*
>
> *Rechazo semejante acto de violencia y me uno de todo corazón al profundo dolor de la Iglesia y del pueblo de El Salvador mientras junto al Santo Padre Juan Pablo II y el resto de mis hermanos en el Episcopado elevo mis oraciones al Señor en sufragio de Monseñor Romero, con la certeza de que su vida y su muerte serán fecundas en frutos de justicia, de libertad y de Paz.*
>
> *La Habana, Marzo 25 de 1980*
>
> *Mons. Pedro Meurice Estíu*
> *Presidente de la Conferencia Episcopal Cubana*[612]

Y el sacrificio del pueblo de Cuba asumía nuevas formas, pero no cesaba. El 8 de septiembre de 1992, en el Santuario Nacional de Nuestra Señora de la Caridad del Cobre, Mons. Pedro Meurice Estíu tomaba de nuevo la palabra para alertar y esclarecer al rebaño que Dios y la Virgen le confiaron, y enseñarle el camino de la Verdad y de la Vida. Ya había caído el llamado Campo Socialista en este momento, y el régimen cubano hacía cambios a la Constitución... de manera oportunista, de pronto el estado materialista y ateo no proclamaba estos signos macabros en la Carta Magna de la República. Y el Arzobispo de Santiago de Cuba, a los pies de la Virgen, dio una explicación magistral a su pueblo:

> *...«Ustedes, hermanos, igual que yo, se dan cuenta perfectamente bien de que no vivimos momentos fáciles en estos tiempos, en estos días que nosotros estamos viviendo y muchas personas viven como atemorizadas, atemorizados por lo que pueda suceder en un futuro y un futuro no muy lejano, y ven como densos nubarrones en el horizonte, en la historia, en la vida, en el futuro de nuestro pueblo, pero yo les digo a ustedes, que el Señor sigue presente en medio de nosotros y que María que ha sabido acompañar y ser prueba de la presencia misericordiosa de Dios en medio de nosotros seguirá acompañándonos, sigue acompañándonos y seguirá acompañándonos.*

---

[612] La Voz de la Iglesia en Cuba... o.c., p. 217

Yo les digo que no tengan miedo. Yo les digo, incluso, que no es cuestión de descifrar el futuro. Sólo Dios sabe las cosas. Nosotros las ignoramos. Pero si ustedes miran y abren los ojos con una cierta capacidad de mirar las cosas, y analizar las cosas, se darán cuenta de que hay motivo, ¡ahora, ya!, ¡ahora, hoy!, para pensar que las cosas van mal, nosotros esperamos en la misericordia de Dios, que las cosas van a ir bien. Y además de esto les decía: «Si abren los ojos hoy, ya tenemos elementos para hacer una afirmación así». Hace apenas dos meses, sesenta días, éramos un Pueblo, una Nación, un Estado que en su constitución se confesaba como ateo, como materialista, y que ese ateísmo y ese materialismo había que enseñarlo en las escuelas y se les trasmitía o se les imponía a nuestros niños y a nuestros jóvenes. Y hoy, sesenta días después, ya nuestro Estado no aparece en su Constitución como un Estado ateo, o como un Estado materialista. Cada cual es dueño de ver las cosas como las quiera ver y como las pueda ver, pero el que no vea en eso el primer paso en algo tan fundamental y elemental que escindía por medio, a este pueblo, con esta cultura, con esta manera de tener el sentido de la vida, con esta fe en Dios y en el más allá, y se le obligara por Constitución a profesar el ateísmo y no vea que ha habido un cambio, y un cambio radical, es porque no quiere ver. Lo que hace falta es que eso que estaba escrito y en la realidad se aplicaba, se aplicaba; ahora, que ha sido borrado de la Constitución, sea borrado también de la cabeza, y sea borrado también del corazón...

...Dense cuenta que un pueblo es grande, sólo, cuando no por el miedo, sino por la libertad, descubre de verdad, que el otro es hermano, que todos los pueblos, todos los hombres somos hermanos. Busquemos y hagamos de Cuba un pueblo grande. No quiero decir al pueblo más grande, no porque me falten ganas de decirlo, porque para cada hombre su pueblo debe ser el mayor de todos los pueblos, aunque sea el ínfimo de todos los pueblos, sí al menos, lo debe amar y debe tratar de servirlo, pero hagámoslo grande, no por la fuerza de nuestro Ejército, no por la violencia de las armas, no por la fuerza de nuestros argumentos. Hagámoslo grande porque somos un pueblo honrado, un pueblo que trabaja, un pueblo que sabe respetarse y sabe respetar a los demás. Un pueblo de grandes hombres de ciencia, un pueblo de grandes médicos, un pueblo de grandes deportistas, pero que eso lo sepa unir con la hermandad y con la fraternidad, para no ser temido, ni tenido por desconfianza por otros pueblos, sino, para ser acogido en medio del seno de la convivencia de todos los pueblos.

Ustedes busquen a Dios, busquen la fe, denles a sus vidas una dimensión de apertura, de trascendencia. Pero que esa fe, sea una fe limpia, no una fe mezclada con supersticiones. Adoren sólo a Dios y a nadie más que a Dios y a ninguna otra cosa o persona sino sólo a Dios. No adoren el dinero. No adoren el poder. No se sometan a nada ni a nadie sino sólo a Dios. Y esa fe limpia, esa fe no supersticiosa, esa fe que no sea fanática...

*Ese es el ideario del **Padre Varela** que nos lo trasmite y él es padre también en nuestra Patria. Hay realidades humanas que se apegan tanto dentro de nuestro corazón que nos resulta muy difícil arrancarlas. Y hay realidades que nos agarran a todos, de tal manera, muchas veces, que empezamos a pensar si es algo que depende única y exclusivamente de nuestras solas fuerzas para quitarnos tanta, tanta maldad, y entonces, los cristianos acudimos a Dios no para que Él haga el trabajo nuestro, no para que Él haga la lucha que tenemos que hacer nosotros por erradicar de nosotros la superstición, la impiedad o el fanatismo, sino para que Él a través de su Hijo Cristo Jesús, **a través de su Madre María, María de la Caridad para nosotros, nos dé confianza, nos perdone nuestro pecado, nuestros pecados, nuestro pasado, nuestro presente, purifique, purifique nuestro corazón, nuestros corazones, y ese gran corazón que somos todos juntos, y siembre y desarrolle y haga crecer en nosotros la esperanza para vivir de verdad como un pueblo no con la tensión y el miedo, sino en el gozo y en la alegría como una inmensa flor que se abre a Dios y le sonríe porque Él ha sido grande con nosotros.***

Por estas intenciones ahora en esta mañana, a ustedes hermanos, los invito a pedir al Señor su bendición, su gracia, su misericordia al presentarle el Cuerpo y la Sangre de su Hijo Jesucristo y acompañar nuestra oración con la intercesión y la mediación subordinada pero mediación de su Santa Madre María, para nosotros María de la Caridad[613]

La Virgen sigue siendo la Primera Catequista, la Primera Misionera, la Primera Evangelizadora. Significado, vigencia e importancia.

Se refleja en las palabras de Mons. Pedro Meurice el conocimiento y el convencimiento de que, en ningún momento, la Virgen de la Caridad del Cobre ha dejado de ser la Primera Catequista, la Primera Misionera, la Primera Evangelizadora de la Isla de Cuba, títulos que une al de ser la Primera Figura de la Historia de la Patria.

Fue la de María la primera noticia que tuvieron los indocubanos sobre la religión católica, y su nombre fue el primero que figuró en las canciones de sus areítos cuando apenas terminaba el siglo XV y comenzaba el siglo XVI. Fueron los altares de la Virgen los primeros que fueron construidos por los indios y adornados por ellos con las flores más hermosas de la tierra: a través de María comenzaron sus contactos con la religión católica y empezaron a librarse del pecado y de la muerte.

---

[613]Mons. Pedro Meurice Estíu. Fragmentos de la Homilía en el Santuario Nacional de Nuestra Señora de la Caridad del Cobre, el 8 de septiembre de 1992. En: La Voz de la Iglesia en Cuba, o.c., pp. 388-391

Desde los lejanos tiempos en que apareció en el siglo XVII —precisamente ante los ojos asombrados de dos monteros indios y su ayudante, un negrito joven, porque ellos representaban los habitantes más pobres y necesitados de la Isla— hasta el momento actual, fue Ella la que enseñó a pensar a los cubanos en la Verdad de Dios, o sea, los enseñó a pensar en términos de libertad. Ella fue la que guió a los esclavos de la villa de El Cobre para que resistieran la opresión y lucharan por la libertad, y fueron ellos los primeros esclavos que fueron declarados libres en Cuba.

Desde la villa de El Cobre, la inspirada enseñanza de la Virgen siguió llegando a todos los cubanos que vivían en la zona oriental de la Isla: no fue por casualidad Oriente la primera provincia de la Isla que se levantó en armas para conseguir junto con la independencia la libertad definitiva: puede decirse que fue Ella la máxima inspiradora de los mambises durante nuestras tres Guerras de Independencia a lo largo de treinta años de lucha. Por fin la esclavitud quedó abolida definitivamente en Cuba desde 1887, y la independencia de España se logró 11 años después, en 1898, para hacerse definitiva en 1902, cuando comenzaba el siglo XX.

Gracias a la Virgen de la Caridad, con el comienzo del siglo y la independencia de Cuba renació como una maravillosa flor la institución católica. Más tarde, a mitad de camino del siglo, la Virgen recorrió la Isla completa.

Más tarde, cuando llegó una larga noche de terror, la Virgen de la Caridad fue la luz que continuó alumbrando, sin que cesara nunca, la existencia de todos los cubanos. De los cubanos que se quedaron y de los cubanos que se fueron. La Virgen no se fue nunca, aunque fue de visita a muchas partes del Mundo para acompañar a los cubanos: porque su Corazón y su Amor infinito de Madre es tan grande que puede estar con nosotros en cualquier sitio en que nos encontremos. Pasó de la sala a las habitaciones interiores de las casas, y en algunas oportunidades, quedó siempre presente en un sitio predilecto del corazón, guardada como un tesoro precioso. Y los cubanos siguieron visitándola en su Santuario del Cobre

Visita del Cardenal Bernardin Gantin a Cuba: la Bula Apostólica de Concesión de su Santidad el Papa Paulo VI por la que el Santuario fue elevado al rango de Basílica Menor en 1977

El 26 de junio de 1975 fue nombrado S.E. Mons. Mario Tagliaferri como Pro-Nuncio Apostólico en Cuba. El nuevo Nuncio mantuvo y promovió la diplomacia de las visitas, y laboró para incrementar la frecuencia de los contactos con la Santa Sede Apostólica. Entre los frutos de su trabajo se destaca, en este período, la primera visita del Sr. Cardenal Bernardin Gantin, quien en ese momento era Presidente de la Comisión Pontificia Justicia y Paz, que visitó vuestro país con los objetivos de declarar el Santuario Nacional de la Virgen de la Caridad del Cobre como Basílica Menor, y para celebrar la Jornada Mundial de la Paz que se iba a efectuar en 1977.

En 1977, el 30 de diciembre, fue un gran día para la Iglesia Católica que Peregrina en Cuba acompañando al Pueblo de Dios, ante la noticia de que Su Santidad el Papa Pablo VI había conferido el título de Basílica Menor al Santuario de la Virgen de la Caridad del Cobre. El pueblo de Cuba recibió con inmensa alegría esta gracia especialísima otorgada por Su Santidad, quien envió un representante suyo con los documentos del caso para presentarlos ante la jerarquía de la Iglesia cubana, y que reconocía de esta forma el arraigo y la importancia de la devoción y el culto a la Virgen Patrona de Cuba. En esta ocasión especialísima Su Santidad fue representado por el cardenal africano Mons. Bernardin Gantin, quien llegó a Cuba ese día como portador de la Bula Papal, por la que se proclamó Basílica Menor al hasta entonces Santuario Nacional.

Su Eminencia el Cardenal Bernardín Gantín, en ocasión de bendecir el Santuario del Cobre y elevarlo al rango de Basílica Menor, pasó entre nosotros unas tres horas.

Pasaron 21 años y el cardenal Gantín tuvo la ocasión de regresar a la Isla en otro momento de bendición, de gracia y de especial connotación histórica, cuando acompañó a Su Santidad Juan Pablo II en su maravilloso viaje a Cuba, en enero de 1998, cuando la Nación recibió otra vez el soplo del Espíritu, tal como lo afirmó el Santo Padre en la Gran Misa de la Plaza de La Habana. En esta oportunidad, de manera profética, precisamente una de las actividades del Sumo Pontífice durante la Visita fue coronar y bendecir a la Virgen de la Caridad del Cobre en su propio Santuario de las montañas de Oriente.

Mons. Pedro Meurice y la restauración de la Preciosa Imagen de la Santísima Virgen de la Caridad en 1982. Otros pronunciamientos del Arzobispo de Santiago de Cuba

Comenzaba la década de los 80 cuando se hizo patente que la antigua y venerada imagen de la Santísima Virgen de la Caridad del Cobre comenzaba a mostrar las huellas del paso de los siglos. Es necesario recordar que junto con aquel tránsito de cientos de años, la

Santa Imagen de la Patrona de Cuba había estado presente cuando los temblores de tierra que tanto abundan en la zona oriental de Cuba estuvieron a punto de echar por tierra el Santuario en varias oportunidades. Había sufrido, como es natural, los impactos del clima cuando pasa de la excesiva sequía a la gran humedad de las temporadas ciclónicas, igual que había soportado el ataque de las bacterias y los insectos, y los efectos de un recorrido de miles de kilómetros durante la Peregrinación Nacional por el Cincuentenario de la República, que tuvo lugar en 1951-1952.

Durante el Te Deum que se efectuó el 18 de mayo de 1952 en la Avenida del Puerto, en La Habana, en ocasión de conmemorarse el Cincuentenario de la República, la imagen tropezó con un cable eléctrico que no causó daños, y la jerarquía de la Iglesia decidió salvaguardarla en su Santuario del Cobre, adonde regresó al día siguiente, el 19 de mayo para ser sustituida por la antigua imagen de la Patrona de Cuba conocida con el nombre de Virgen Mambisa, que se venera en Santiago de Cuba en la Iglesia de Santo Tomás: esta réplica de la Reina y Madre de los cubanos fue la que partió el 21 de mayo desde el Santuario para realizar la parte del recorrido que faltaba en el territorio occidental de la Isla, luego de ser bendecida por el Arzobispo Monseñor Enrique Pérez Serantes[614].

Durante muchos años a continuación la imagen se mantuvo inalterable, hasta que al comenzar la década de los 80 el Capellán del Santuario, P. Mario Carassou Bordelois, vio claramente la necesidad de someterla a una restauración, hecho sin precedentes que como es natural fue consultado con el Arzobispo de Santiago de Cuba, Mons. Pedro Meurice Estíu, quien debía dar la correspondiente autorización eclesiástica para un evento de tanta importancia y connotación, ya que pudiera resultar peligroso para la futura conservación de la Santa Imagen de Nuestra Señora de la Caridad del Cobre.

Una vez tomada la decisión y tramitados los correspondientes permisos, fue necesario buscar la persona que tuviera la capacidad profesional necesaria para llevar adelante un trabajo tan delicado y de tan tremenda responsabilidad. La elección recayó en un estilista profesional, el Sr. Zenón Bizarro, quien con la ayuda de su esposa Esperanza Pompa, llevó adelante la restauración del rostro y el cabello de la Virgen, realizando además importantes cambios en sus vestiduras. Las crónicas de la época recogieron este suceso tan importante con la noticia en los párrafos a continuación:

---

[614] Portuondo Zúñiga, Olga. La Virgen de la Caridad del Cobre, Símbolo de Cubanía. Editorial oriente, Santiago de Cuba, 1995, p. 267

Durante el año 1982 la imagen (de la Virgen de la Caridad) del Santuario de El Cobre, se sometió a una restauración delicada: se le rebajaron los dos lados de la parte inferior del óvalo facial y se le eliminaron las huellas de los antiguos cortes de la cabeza. Se logró un rostro de expresión más refinada que conservó sus labios sensuales y la mirada vivaz, sus pómulos salientes, sus grandes ojos rasgados y la nariz aguileña[615]. Su pequeña cabeza de 18 cm. de circunferencia se cubrió con una nueva peluca de pelo natural implantado, confeccionada por el estilista Zenón Bizarro y su esposa Esperanza Pompa (Teté), el color de ésta es castaño bien oscuro con cierta vuelta y fue tejida en cortina. Zenón cuenta algunas de sus impresiones sobre la imagen de la Virgen cubana: que el cuerpo es de unos 35 cm., y hasta la cintura el material de confección no parece tener diferencias, sino ser todo de madera; desde la cintura para abajo, es de varillas muy antiguas de madera. La figura es hermosa y de líneas suaves, con brazos y manos de mucha gracia. Después de la restauración, se imita el color de la piel, en un crema beige de tono más bien «quemaíto»[616].

En aquella oportunidad se le vistió con el traje cuya decoración incluía el escudo nacional y el de las seis antiguas provincias del país. Después de la conmemoración del Cincuentenario de su Coronación Canónica, llevaría el traje dorado confeccionado en oro que tiene al frente de su bata el escudo nacional bordado en colores. Así es como puede contemplarse hoy día, sobre la antigua base plateada del siglo XIX, con la corona y el resplandor[617] de su investidura de 1936[618]

La Virgen de la Caridad del Cobre y el Encuentro Nacional Eclesial Cubano (ENEC): una histórica convivencia del clero cubano en el Santuario de la Patrona de Cuba.

En la Instrucción Pastoral del Encuentro Nacional Eclesial Cubano (ENEC), bajo el título ***Promulgación del Documento Final del Encuentro Nacional Eclesial Cubano,*** los Obispos de Cuba hacen diversas reflexiones e instruyen sobre las nuevas metas de la

---

[615] Los adjetivos y calificaciones que se dan sobre el rostro de la Virgen forman parte textual de la cita

[616] Medidas de la cabeza: Desde la frente hasta atrás 9,50 cm.; de uno a otro lado 7 cm..; largo del rizo, 13 cm. El pelo del niño es esculpido de color castaño claro y la Virgen lleva como una especie de refajo completo. *(La información fue aportada por los propios estilistas mencionados en el texto).*

[617] Resplandor: adorno circular como una aureola alrededor de la cabeza. En el caso de la Virgen de la Caridad del Cobre, el resplandor es de oro y brillantes.

[618] Cf. Portuondo Zúñiga, Olga. La Virgen de la Caridad del Cobre: Símbolo de Cubanía. Editorial Oriente, Santiago de Cuba, 1995, pp. 275 - 276

Evangelización en Cuba, terminando en la *V Parte. LA SANTÍSIMA VIRGEN,* con unos hermosos párrafos dedicados a la Santísima Virgen María de la Caridad que se presentan a continuación:

I- La Archicofradia de la Virgen de la Caridad

152 Concluimos esta Instrucción Pastoral con un recuerdo agradecido y una apelación devota a nuestra Madre y Patrona, la Virgen de la Caridad del Cobre. Antes, queremos compartir con nuestros sacerdotes y comunidades la alegría que nos produce ver que la Archicofradía de la Virgen de la Caridad, de tan antigua tradición en nuestro pueblo, erigida canónica y oficialmente en Cuba el 14 de junio de 1921 por Decreto de la Santa Sede como Prima-Primaria con sede en la Basílica de El Cobre, enriquecida con indulgencias por la Sagrada Penitenciaría Apostólica de Roma en 1939, va suscitando filiales en no pocas comunidades de nuestra Patria.

153 La Archicofradía no es una asociación católica, pero es un ejercicio piadoso y fecundo que tiene como objetivo «glorificar a Dios por medio de la devoción a la Santísima Virgen de la Caridad de El Cobre, fomentando su culto, imitando sus virtudes, e implorando su ayuda, para alcanzar la santificación propia y la de los demás, cumpliendo la voluntad del Señor» (Instrucción del Arzobispo de Santiago de Cuba)[619].

154 Confiamos que la Archicofradía fomente más y más el culto sincero a la Virgen y fortalezca devociones marianas tradicionales, a las que Pablo VI dedica toda la III Parte de la Exhortación Apostólica Marialis Cultus: como el Angelus, de estructura tan bíblica, y el Rosario, la devoción sencilla para los sencillos que es a la vez un «compendio del Evangelio» (Marialis Cultus III, 42).

II. María modelo de nuestra Iglesia

155 Hermanos: María es la Virgen «eminente» y «excelsa» (L.G. 53, 54, 61), la madre, el signo y el tipo (LG VIII) de la Iglesia; también de la Iglesia cubana que quiere mirarse en ella como en un espejo y quiere cumplir fielmente la referencia obligada que ella misma nos dio: «Hagan lo que Él diga» (Jn 2, 5)

156 Ella es la Virgen orante, que implora en Caná (Jn. 2, 3) y alaba a Dios en su Magnificat (Lc. 1, 46). Ella es la Virgen misionera que «marcha de prisa» (Lc. 1, 39), la prisa del misionero, llevando en sus entrañas a Cristo para anunciarlo y darlo a los demás. Ella es la Virgen encarnada atenta a la vida de los hombres: «no tienen vino» (Jn. 2, 3); que queda tres meses (Lc. 1, 56) como enfermera junto a su parienta; que

---

[619] Naturalmente, de Mons. Pedro Meurice Estíu

proclama los derechos de los pobres, de los oprimidos y la injusticia de los ricos y de los opresores (Lc. 1, 51).

157 Bajo su amparo y protección de Madre ponemos hoy nuestra Iglesia cubana en este nuevo Pentecostés para que la acompañe, como en el primer Pentecostés acompañó a la naciente Iglesia (Hechos 1, 14).

Mayo de 1986[620]

Mis recuerdos del Arzobispo Pedro Meurice Estíu en los años 1997 y 1998

Mi vida en 1997 se acercó mucho a la Virgen de la Caridad. Mi esposa le había pedido a la Virgen que cuidara de su hijo en Miami y todos los días iba a darle las gracias en su Santuario Occidental, en La Habana. Como entonces —igual que ahora— era muy difícil tener acceso al transporte en la capital de Cuba, y además queríamos volver a residir en el mismo barrio donde transcurrieron nuestros primeros años de casados, y no encontrábamos la forma de permutar[621]. Una tarde de enero de 1997, antes de ir a la Iglesia de la Caridad, se paró frente al templo y le dijo a la Virgen:

¿Será posible que no podamos regresar a este barrio, para vivir cerca de Ti?[622]

Exactamente al día siguiente se presentó la posibilidad de hacer el cambio de domicilio, se presentó la documentación y se realizó la mudada. El 25 de enero de 1997 fuimos a vivir a la calle Campanario no. 567, apartamento 2, entre Salud y Dragones, en el municipio Centro Habana. Los que conocen la dirección y el sitio saben que la pared sur de este edificio está al lado de la pared posterior del Santuario Occidental de la Virgen de la Caridad. No hay separación entre los muros, el del edificio está pegado al del templo.

Ella quiso que fuéramos a residir al lado de su Casa, y esto tuvo lugar exactamente pocas semanas antes de mi viaje a Santiago de Cuba, cuando tuve la oportunidad de conocer personalmente a Mons. Pedro Meurice Estíu. Y en ese momento tuvo lugar la primera intervención de la Virgen. La segunda iba a tener lugar en la capital de oriente, y en los

---

[620] La Voz de la Iglesia en Cuba, o.c., pp. 299-300

[621] Permutar: En Cuba, cambio de domicilio de una casa para otra previo consenso de los habitantes respectivos, y mediante legalización ante las oficinas estatales.

[622] Testimonio del autor de estas líneas.

párrafos a continuación describo mis impresiones sobre el Arzobispo de Santiago de Cuba:

Estuve en Santiago de Cuba en la primavera de 1997. Iba a revisar los archivos del Arzobispado con el objetivo de encontrar documentos relacionados con la historia de los padres dominicos en Cuba desde los tiempos más remotos de nuestra historia, y sobre todo para encontrar cualquier tipo de referencia vinculada al gran Convento de Nuestra Señora de la Asunción, sede de los frailes predicadores en San Salvador de Bayamo, donde mantuvieron desde 1722 un Studium Generale donde estudiaron muchos de los hijos más ilustres del Oriente cubano, como Carlos Manuel de Céspedes, el Padre de la Patria.

Desde que llegué al Aeropuerto, adonde me fue a recoger el chofer del Arzobispo, comencé a sentir el calor de su acogida. Él mismo me condujo a la habitación que me estaba destinada en la sede episcopal, y me enseñó el funcionamiento del ventilador, los tomacorrientes y la lámpara de luz fría. Me mostró la casa, sencilla y amplia, y el lugar de la capilla donde celebraba la Misa todos los días.

A diario, cuando llegaba la hora del desayuno, o bien se sentaba conmigo o se preocupaba personalmente de los detalles más nimios, por ejemplo, de que me sirvieran huevos fritos o me dieran más café. Después bajaba a la biblioteca y me ponía a buscar en la biblioteca. A eso de las 10:00 de la mañana Mons. Meurice venía a verme y él mismo me traía la merienda, por regla general, una taza de café y una panetela. Después acostumbraba orientarme dentro de la biblioteca, diciéndome dónde tenía que buscar o en qué estante podía estar la información que buscaba. Gracias a su ayuda personal pude encontrar, en los sitios que me señalaba, informaciones muy importantes sobre el gran Convento Dominico de San Salvador de Bayamo, que desapareció en 1868 cuando los vecinos de la ciudad la quemaron para que no cayera en manos del ejército español, y en las cajas de la parte inferior de un estante, donde me dijo que debía haber papeles más importantes, apareció una copia de la Bula Apostólica de Concesión que sirvió de base a la fundación de la Real y Pontificia Universidad de San Gerónimo de La Habana, el 5 de enero de 1728[623]. Todos los días almorzaba con él y con los sacerdotes del clero de Santiago en el comedor del Arzobispado, y por la noche cenábamos juntos la comida que había quedado preparada para esta oportunidad.

---

[623] Se trata de la Bula Apostólica de Concesión, cuyo contenido se desconocía, y que no tiene nada que ver con el Breve de Su Santidad Inocencio XIII, que se conoce desde siempre

Mons. Meurice comía sus platos de vegetales mientras yo tenía delante de mí los platos más agradables que se podían conseguir en aquella época difícil. A mí me daba pena verlo comer aquellas cosas mientras yo tenía delante otras más gustosas y agradables, y así se lo decía, pero él insistía en que debía seguir una dieta muy rigurosa, lo que no impedía que yo me sintiera incómodo. Terminada la cena, él cogía todos los platos, los fregaba, los secaba y los guardaba, a pesar de mis protestas: yo quería ayudarlo, pero cuando se lo decía me respondía invariablemente que los huéspedes no tienen que fregar.

Su chofer me llevó cuesta arriba para que visitara a la Virgen de la Caridad en su Santuario del Cobre. Me acuerdo perfectamente de todos los detalles del viaje, del pueblecito y sus humildes habitantes, de los establecimientos diminutos donde se venden las famosas *piedras de cobre*, estampas de la Patrona de Cuba y otros objetos, y me acuerdo de la vista imponente del Santuario, del silencio y la sombra que me acogieron cálidamente en su interior, y por encima de todo de la visión maravillosa de la querida Virgencita que me observaba desde su camarín de cristal, situado en lo más alto, con una mirada serena y risueña al mismo tiempo con la que parecía asegurarme que todo andaba bien, como siempre ocurre cuando un hijo llega a la Casa de su Madre.

Recé en silencio ante Ella, y cada palabra del Rosario, cada Avemaría, cada meditación de un Misterio, cada Padre Nuestro, eran al mismo tiempo un recuerdo, una exhortación, una caricia y una esperanza.

Vi el Cuarto de los Milagros. Pude contemplar los exvotos, mirar las ofrendas, leer cartas testimoniales que fieles agradecidos han dejado a su Madre la Virgen, grados militares que han depositado los soldados que pudieron regresar y que saben que Ella los trajo de vuelta, con esa *seguridad de la esperanza* que es la fe ilimitada que confía con la seguridad y la certeza de los niños. Y tanto me emocionó esta visita a la Virgen de la Caridad, tanta fue la gracia que derramó sobre nosotros, que estoy seguro de que en ese momento Ella quiso ayudarnos sin que lo hubiéramos merecido.

Antes de regresar a La Habana, tuve la oportunidad de ir a la Misa del Domingo de Ramos de 1997 en la Santa Iglesia Catedral de Santiago de Cuba, que celebró Mons. Pedro Meurice Estíu.

Recuerdo con toda claridad las palabras de su homilía aquella mañana, después de que los fieles concentrados en el parque frente a la Catedral desfilaron y entraron en el templo, portando los ramos. Después, cuando todos estaban sentados, cuando el Arzobispo comenzó a hablar, sus palabras, que escribo a continuación tal como las recuerdo 11 años después, estremecieron a todos los presentes:

Los miro al entrar ustedes en el templo hoy, llevando los ramos para presentarse ante Jesús, y recuerdo que un día como hoy, veinte siglos atrás, el pueblo de Jerusalén también se presentó ante Jesús para vitorearlo agitando con entusiasmo las palmas. Y recuerdo que pocas horas después, ese mismo pueblo que lo había recibido con ramos, canciones, vítores y alabanzas, le gritaba a Poncio Pilatos, señalando con infinita rabia a Jesús: ¡Crucifícalo!, ¡crucifícalo!

Y digo todo esto porque cuando miro al pueblo de Santiago de Cuba, que ha entrado hoy en esta Catedral con los ramos en las manos, cantando alabanzas al Señor, recuerdo que ese mismo pueblo, reunido en el año 1961 en ese mismo parque frente a la Catedral donde ustedes se reunieron hoy, gritaba enardecido y con rabia, alzando los puños, gritaba, repito, ¡Paredón para los curas! [624]

Cuando regresé de Santiago de Cuba a La Habana continué la redacción de la Historia de la Orden de Predicadores en la Isla de Cuba.

Terminó el año 1997 y comenzó 1998 de la mejor forma posible, con la Visita de Su Santidad Juan Pablo II a Cuba.

En el mismo año 1998, un sacerdote anciano, que es uno de mis amigos más queridos y que conoció muy bien a Mons. Meurice por haber trabajado durante muchos años en la Iglesia de San Francisco de Santiago de Cuba, lo retrató de un plumazo con estas breves palabras:

Mons. Meurice es un Príncipe. Pero un Príncipe de la verdadera nobleza, que es aquella que es fruto de la Gracia de Dios [625]

Admirado, le conté al P. Raúl los episodios de nuestra vida que habían tenido por protagonista principal a la Virgen de la Caridad, y en esta oportunidad me dijo:

Eso no tiene que extrañarte. Ella es nuestra Madre, tú sabes bien que las Madres hacen lo que haya que hacer para ayudar a sus hijos [626]

El 25 de enero de 1998 tuvo lugar la Gran Misa en la Plaza de La Habana, a los pies de la Virgen Patrona de Cuba. Por supuesto, Ella debía estar presente en la Eucaristía de aquella jornada

---

[624] Testimonio del autor de estas líneas, Salvador Larrúa, sobre su visita a Santiago de Cuba, al Arzobispado y a la Catedral Primada, en el año 1997

[625] Núñez Lloret C.M., P. Raúl. Testimonio sobre Mons. Pedro Meurice Estíu, recogido por el autor de estas líneas durante una entrevista realizada en el año 1998 en los claustros de la Iglesia de la Merced, Casa Central de los Padres Paúles en La Habana.

[626] Ibídem,

histórica, y allí estuvo para que su pueblo le rindiera homenaje, como protagonista principal de la Caridad emocionaba que nos inundaba a todos.

Y ese día pasaron muchas cosas, y no cabe duda de que su presencia llenaba todos los rincones de la plaza inmensa, de la misma forma que ocupaba los corazones de todos. Ella, nuestra querida Virgen de la Caridad del Cobre, nos vio sonreír y llorar y gritar y alegrarnos como niños, nos vio felices como nunca, como antes, cuando podíamos expresarnos sin ningún tipo de restricción. Allí estábamos, éramos nosotros mismos, con toda nuestra fe, con todo nuestro amor, con toda nuestra fuerza. Habíamos renacido: éramos como antes, como siempre, nosotros, el pueblo católico de Cuba, el pueblo que cree en Dios Nuestro Señor, el pueblo de **Con Dios todo y sin Dios nada**, el pueblo que sabe de milagros, que venera a la Virgen de la Caridad del Cobre y a los Santos, el pueblo que sabe que la Ley Suprema es el Mandato del Amor, que cree y profesa los Diez Mandamientos de la Ley y los Mandamientos de la Iglesia, el pueblo que desea educar a sus hijos en colegios católicos, que celebra la Gran Fiesta de la Navidad y que ve llegar con júbilo, cada 6 de Enero, a los queridos Reyes Magos, el que intuye que debe bautizar a sus hijos y que la boda, para que sea boda, debe ser bendecida en la Iglesia.

Aquel día magnífico, Ella vio nuestro júbilo infinito y captó toda nuestra emoción esa mañana en que un aire de libertad, en la atmósfera de amor, llegaba a nuestros pulmones. El autor de estas líneas era solo una gota en el mar, un grano de arena entre la muchedumbre llena de gracia que parecía estallar con una emocionada esperanza que ocupaba otra vez los corazones.

Como he dicho, sucedieron muchas cosas ese día. Cada una de las personas que estaba allí presente pudo captar la presencia de lo inefable y lo trascendente, que ocupaba todas las dimensiones y llenaba todos los espacios. Su Santidad Juan Pablo II lo sintió en cuerpo y alma, cuando ya se retiraba después de terminar la Eucaristía y de que se apagaran las notas del Aleluya de Handel magistralmente interpretado, en el momento en que una ráfaga de aire frío y huracanado, mezclada con lluvia, salpicó abundantemente aquella mañana de sol, en un cielo paradójicamente sin nubes: el Papa, que ya se marchaba, regresó, tomó el micrófono e hizo patente lo que todos sentíamos en el corazón:

El soplo del Espíritu está pasando por aquí, ahora...

Encuentro con Mons. Meurice después de la Gran Misa de Su Santidad Juan Pablo II en La Habana

Una vez terminada la Eucaristía, eché a caminar sin rumbo fijo. Estaba lleno de energía. A mis 56 años, parecía que sólo contaba 16. Andaba a largos trancos, lleno de optimismo, en la mañana que estallaba de luz. ¡Todos los hombres eran mis hermanos, todo el amor del Mundo estaba dentro de mí, todas las personas eran simpáticas, hasta los colores eran nuevos! Algo muy importante estaba renaciendo dentro de mí y se expresaba con una fuerza incontrastable: de pronto volvía a ser niño, recuperé en un instante toda mi identidad. Pienso que a todos nos había ocurrido y que desde ese momento en adelante, llegábamos a una era nueva, con nuevo sol y nuevos días, muy lejanos y diferentes de la oscuridad que todo lo llenó hasta esa mañana de enero de 1998.

Fue entonces cuando me encontré con Mons. Meurice. Estaba de pie, pensativo, ante la escalera del edificio de la Biblioteca Nacional de Cuba: miraba la multitud que comenzaba a disgregarse, y me presenté ante él para saludarlo. Como un jovencito romántico, yo rebosaba de un entusiasmo que brotaba de mis palabras y mis gestos, pero Monseñor estaba muy serio, porque sabía que la pesadilla continuaba. Yo creo que todos lo sabíamos, pero también estábamos seguros de que las personas que se iban a enfrentar a la continuación de aquel mal sueño, eran distintas: porque algo había cambiado para siempre en la mente y en el corazón de los cubanos.

Monseñor me preguntó si ya había saludado a Su Santidad y le respondí que no, pero que esa tarde, cuando el Papa visitara el Seminario San Carlos, yo estaría allí junto con los demás profesores, y entonces tendría el honor de conocerlo. Pero Meurice no quiso que yo esperara hasta entonces, y me dijo:

Ven conmigo, te voy a llevar a donde está el Papa, para que puedas conocerlo y lo saludes.

Fui con él hasta una carpa que se había levantado tras el altar donde tuvo lugar el Santo Sacrificio de la Misa, para que Su Santidad y los sacerdotes que lo habían acompañado en la Eucaristía se revistieran. Allí estaba Juan Pablo II y ante él una fila de niños con diversos problemas y malformaciones: ciegos, cojos, paralíticos... Su Santidad los saludaba, acariciaba sus cabecitas, los abrazaba, les regalaba estampas y rosarios.

Llegué en ese momento con Mons. Meurice, quien me presentó como un laico, profesor del Seminario San Carlos. El Papa me saludó con mucho afecto, me preguntó qué asignatura impartía, le respondí que daba clases de Economía Política a los alumnos de tercer año de Filosofía, y me dijo *que mi trabajo era muy importante para la formación de los futuros sacerdotes.* Acto seguido, me dio de nuevo la mano y, tomando dos rosarios, me los entregó *encargándome que los usara para rezarle a la Virgen de la Caridad.*

Yo me despedí de él y de Mons. Meurice y me retiré lleno de alegría y de optimismo, todavía más contento que antes. Esa tarde volvería a ver a Su Santidad en el Seminario San Carlos, pero iban a pasar años, en total nueve, para que pudiera saludar otra vez a Mons. Pedro Meurice Estíu e intercambiar con él unas palabras. Esto no ocurriría sino hasta el día en que Mons. Meurice celebró la Eucaristía en la casa de su hermana en la ciudad de Miami, donde estaba pasando unos días después de su retiro según lo prescriben los cánones de la Iglesia.

Tuve la suerte y la dicha de enterarme y poder asistir al Santo Sacrificio, para después saludar al Arzobispo retirado de Santiago de Cuba, y decirle entre otras cosas *que estaba escribiendo la Historia de la Virgen de la Caridad del Cobre.*

El Arzobispado de Santiago de Cuba ante la Visita de Su Santidad Juan Pablo II a Cuba. La Histórica Misa de Santiago de Cuba el 24 de enero de 1998, presidida por la Virgen de la Caridad: las palabras del Arzobispo Meurice y de Su Santidad Juan Pablo II

Como todos los cubanos en aquel inolvidable mes de enero de 1998, los orientales y sobre todo los naturales de Santiago de Cuba vivieron momentos inolvidables durante la Visita de Su Santidad Juan Pablo II a la Isla. Una multitud impresionante colmaba la Plaza Antonio Maceo... y fue en esta oportunidad cuando el magisterio pastoral de Mons. Pedro Claro Meurice Estíu llegó a uno de sus puntos culminantes, cuando dirigió la palabra al Santo Padre en presencia de importantes personajes del gobierno:

> *Quiero presentarle, Santo Padre, a este pueblo que me ha sido confiado... Santidad: éste es un pueblo noble y es también un pueblo que sufre. Éste es un pueblo que tiene la riqueza de la alegría y la pobreza de lo material que lo entristece y agobia, casi hasta no dejarlo ver más allá de la inmediata subsistencia. Éste es un pueblo que tiene vocación de universalidad y es hacedor de puentes de vecindad y afecto, pero cada vez está más bloqueado por intereses foráneos y padece una cultura del egoísmo debido a la dura crisis económica y moral que sufrimos...*

En casi 40 años, era la primera y única vez que los santiagueros y que con ellos todos los cubanos tuvieron oportunidad de escuchar un discurso completamente opuesto a la propaganda gubernamental. Las palabras del querido Arzobispo impactaban fuertemente en la muchedumbre:

> *Nuestro pueblo es respetuoso de la autoridad y le gusta el orden, pero necesita aprender a desmitificar los falsos mesianismos. Éste es un pueblo que ha luchado largos siglos por la justicia social y ahora se encuentra, al final de una de esas etapas, buscando otra vez cómo superar las desigualdades y la falta de participación...*

Con una gran economía de medios, Mons. Pedro Meurice caracterizó la contradicción que llenó de contradicciones la historia cubana desde 1959 hasta 1998, repleta de sucesivas frustraciones que comenzaron en la época colonial y que continuaron después de la Visita del Papa, hasta el siglo siguiente y el momento actual:

> *Santo Padre: Cuba es un pueblo que tiene una entrañable vocación a la solidaridad, pero a lo largo de su historia, ha visto desarticulados o encallados los espacios de asociación y participación de la sociedad civil, **de modo que le presento el alma de una nación que anhela reconstruir la fraternidad a base de libertad y solidaridad...***

Y Mons. Meurice, erigiéndose en portavoz de aquellos que no pueden levantar su voz o que tienen miedo de expresar lo que piensan, agregó:

> *Deseo presentar en esta Eucaristía a todos aquellos cubanos y santiagueros que no encuentran sentido a sus vidas, que no han podido optar y desarrollar un proyecto de vida por causa de un camino de despersonalización que es fruto del paternalismo...*

Ampliando su análisis y explicando por qué muchos cubanos pierden el respeto que se debe a los símbolos de la Patria, al gobierno y hasta a los hechos recogidos en la historia reciente, así como otros piensan, tal vez de buena fe, que el régimen y el país son la misma cosa, agregó:

> ***Le presento, además, a unos cubanos que han confundido la Patria con un partido, la Nación con el proceso histórico que hemos vivido en las últimas décadas, y la cultura con una ideología...***

Meses después, cuando respondió al discurso del Rector de la Universidad Georgetown cuando le confirió a nombre del alto centro docente el título de Doctor Honoris Causa en Humanidades, Mons.

Pedro Meurice expuso su pensamiento sobre el presente y el porvenir de la Iglesia Católica que peregrina en la Isla acompañando a su pueblo, explicando que la Iglesia en Cuba ha andado

> *un camino de cruz y resurrección, de dolor y esperanza... durante décadas, la Iglesia en Cuba creció hacia adentro, se purificó hasta quedarse en lo esencial, asumió la cruz silenciosa y aprendió a creer en la fuerza de lo pequeño, en la eficacia de la pobreza, en la libertad de vivir despojada de todo poder. Con un solo poder contamos, el de Cristo crucificado y resucitado...*

> *Mientras el pueblo sufra alguna injusticia o limitación, por pequeña que sea, la Iglesia debe hacer de esas necesidades y dolores de su pueblo un punto cardinal del contenido de sus relaciones con el Estado. De lo contrario, la Iglesia solo reclamaría lo que pudiera ser considerado como sus derechos institucionales o concernientes a su vida interna, pero, para los seguidores de Jesucristo, estas demandas nunca pueden estar separadas de los derechos de las gentes...*

Haciendo gala de una extraordinaria conciencia cívica que habla muy alto de su concepto de cubanía y de la profundidad de su humanismo, surgido al calor del pensamiento cristiano, Mons. Meurice agregó:

> *Cuando el Estado o las Iglesias u otras instituciones intentan invadir, manipular, o restringir el sagrario de la conciencia humana dictándole, desde afuera, un dogma y una moral absolutamente heterónoma e impuesta, no solamente se violan los derechos de la persona humana, sino que se provoca un deterioro ético y cívico que puede llevar a las personas al vacío existencial, a la despersonalización, y a todo el tejido social, a un proceso de desintegración por corrupción interna...*

Estas palabras de Mons. Meurice lo revelaban como un verdadero seguidor y continuador del Padre Félix Varela y de José Martí y demuestran, al mismo tiempo, que no ha muerto un pensamiento que forma parte tanto de los valores principales de la Nación cubana como del patrimonio universal, y que existe una cura para los males que aquejan a nuestro sufrido pueblo:

> *La renovación es apremiante, porque <u>la pobreza material y moral</u> provoca una angustia existencial que conduce por un lado a la emigración imparable y, por otro, a un exilio interior que enajena a muchos... la situación de Cuba... no puede reducirse a un problema económico o de justicia distributiva. Más al fondo del problema se encuentran <u>las limitaciones de las libertades fundamentales</u> que, como todos sabemos, son la causa profunda de todo lo demás...*

Ante esta limitación de las libertades fundamentales, sólo queda preguntarse qué le impide a este pueblo alcanzar mayores grados de desarrollo, sobre todo en aspectos que no tienen una relación directa con las medidas económicas restrictivas venidas de afuera. El colectivismo, estatalmente impuesto, ha provocado una lesión antropológica en buen número de cubanos: se trata de la despersonalización y el desaliento... es la razón que nos permite comprender por qué muchos de nosotros hacemos dejación de nuestras libertades y no asumimos el protagonismo de nuestras vidas y de nuestra historia nacional...[627]

Mons. Pedro Meurice y S.S. Juan Pablo II

Palabras de Su Santidad Juan Pablo II

En la histórica capital de Oriente, Santiago de Cuba, Juan Pablo II coronó la imagen de la Virgen de la Caridad del Cobre, Patrona de Cuba, en una Misa solemne ante una multitud expectante de decenas de miles de personas reunidas en la llamada Plaza Antonio Maceo. De manera simbólica y profética, el altar estaba adornado por la Campana de la Demajagua, lugar donde se produjo el alzamiento de Carlos Manuel de Céspedes por la independencia de Cuba para iniciar la Primera Guerra de Independencia. En esta ocasión, Su Santidad Juan Pablo II exaltó los valores que contribuyeron a conformar la

---

[627] Cf. Armas, Emilio de. Un regalo de Dios al pueblo de Cuba. Mons. Pedro Meurice Estíu cumple 50 años de servicio pastoral. La Voz Católica, Arquidiócesis de Miami

nacionalidad cubana, que se corresponden con el pensamiento humanista y la tradición cristiana y católica del mundo occidental.

Era la segunda vez que la Virgen de la Caridad del Cobre era coronada canónicamente, ya que la primera vez tuvo lugar en el 20 de diciembre de1936, cuando el Arzobispo de Santiago de Cuba, Mons. Valentín Zubizarreta y Unamunsaga, previa autorización otorgada por Su Santidad el Papa Pío XI, puso la preciosa corona sobre la cabeza de la Santísima Virgencita del Cobre[628].

Con la Visita de Su Santidad Juan Pablo II a Cuba, 62 años después, en un acto que reafirmó la tradición católica de la Nación Cubana, el Papa realizó la segunda coronación de su Reina y Madre de la Caridad.

Antes de llevar a cabo la preciosa y magnífica ceremonia, el Santo Padre dirigió la palabra a la multitud:

«Dichosa la Nación cuyo Dios es el Señor» (Sal 32, 12). Hemos cantado con el salmista que la dicha acompaña al pueblo que tiene a Dios como su Señor. Hace más de quinientos años, cuando llegó la cruz de Cristo a esta Isla, y con ella su mensaje salvífico, comenzó un proceso que, alimentado por la fe cristiana, ha ido forjando los rasgos característicos de esta Nación. En la serie de sus hombres ilustres están: aquel soldado que fue el primer catequista y misionero de Macaca; también el primer maestro cubano que fue el P. Miguel de Velázquez; el sacerdote Esteban Salas, padre de la música cubana; el insigne bayamés Carlos Manuel de Céspedes, Padre de la Patria, el cual, postrado a los pies de la Virgen de la Caridad, inició su lucha por la libertad y la independencia de Cuba; Antonio de la Caridad Maceo y Grajales, cuya estatua preside la plaza que hoy acoge nuestra celebración, al cual su madre pidió delante del crucifijo que se entregara hasta el extremo por la libertad de Cuba. Además de estos, hay muchos hombres y mujeres ilustres que, movidos por su inquebrantable fe en Dios, eligieron la vía de la libertad y la justicia como bases de la dignidad de su pueblo.

Me complace encontrarme hoy en esta Arquidiócesis tan insigne, que ha contado entre sus Pastores a San Antonio María Claret. Ante todo, dirijo mi cordial saludo a Mons. Pedro Meurice Estíu, Arzobispo de Santiago de Cuba y Primado de esta Nación, así como a los demás Obispos, sacerdotes y diáconos, comprometidos en la extensión del Reino de Dios en esta tierra. Saludo asimismo a los religiosos y religiosas y a todo el pueblo fiel aquí presente. Deseo dirigir también un deferente saludo a las autoridades civiles que han querido participar en esta Santa Misa y les agradezco la cooperación prestada para su organización.

---

[628] Cf. Capítulo XV de este libro

En esta celebración vamos a coronar la imagen de la Virgen de la Caridad del Cobre. Desde su santuario, no lejos de aquí, la Reina y Madre de todos los cubanos —sin distinción de razas, opciones políticas o ideologías—, guía y sostiene, como en el pasado, los pasos de sus hijos hacia la Patria celeste y los alienta a vivir de tal modo que en la sociedad reinen siempre los auténticos valores morales, que constituyen el rico patrimonio espiritual heredado de los mayores. A Ella, como hizo su prima Isabel, nos dirigimos agradecidos para decirle: «Dichosa tú, que has creído, porque lo que te ha dicho el Señor se cumplirá» (Lc 1, 45). En estas palabras está el secreto de la verdadera felicidad de las personas y de los pueblos: creer y proclamar que el Señor ha hecho maravillas para nosotros y que su misericordia llega a sus fieles de generación en generación. Este convencimiento es la fuerza que anima a los hombres y mujeres que, aun a costa de sacrificios, se entregan desinteresadamente al servicio de los demás.

El ejemplo de disponibilidad de María nos señala el camino a recorrer. Con Ella la Iglesia lleva a cabo su vocación y su misión, anunciando a Jesucristo y exhortando a hacer lo que Él nos dice; construyendo también la fraternidad universal en la que cada hombre pueda llamar Padre a Dios.

Como la Virgen María, la Iglesia es Madre y Maestra en el seguimiento de Cristo, luz para los pueblos y dispensadora de la misericordia divina. Como comunidad de todos los bautizados, es asimismo recinto de perdón, de paz y reconciliación, que abre sus brazos a todos los hombres para anunciarles al Dios verdadero. Con el servicio a la fe de los hombres y mujeres de este amado pueblo, la Iglesia los ayuda a progresar por el camino del bien. Las obras de evangelización que van teniendo lugar en diversos ambientes, como por ejemplo las misiones en barrios y pueblos sin iglesias, deben ser cuidadas y fomentadas para que puedan desarrollarse y servir no sólo a los católicos, sino a todo el pueblo cubano para que conozca a Jesucristo y lo ame. La historia enseña que sin fe desaparece la virtud, los valores morales se oscurecen, no resplandece la verdad, la vida pierde su sentido trascendente y aun el servicio de la nación puede dejar de ser alentado por las motivaciones más profundas. A este respecto, Antonio Maceo, el gran patriota oriental, decía: «Quien no ama a Dios, no ama a la Patria».

La Iglesia llama a todos a encarnar la fe en la propia vida, como el mejor camino para el desarrollo integral del ser humano, creado a imagen y semejanza de Dios, y para alcanzar la verdadera libertad, que incluye el reconocimiento de los derechos humanos y la justicia social. A este respecto, los laicos católicos, salvaguardando la propia identidad para poder ser «sal y fermento» en medio de la sociedad de la que forman parte, tienen el deber y el derecho de participar en el debate público en igualdad de oportunidades y en actitud de diálogo y reconciliación. Asimismo, el bien de una nación debe ser fomentado y procurado por los propios ciudadanos a través de medios pacíficos y graduales. De este modo cada persona, gozando de libertad de expresión, capacidad de iniciativa y de propuesta en el seno de la sociedad civil y de la adecuada libertad de asociación, podrá colaborar eficazmente en la búsqueda del bien común.

La Iglesia, inmersa en la sociedad, no busca ninguna forma de poder político para desarrollar su misión, sino que quiere ser germen fecundo de bien común al hacerse presente en las estructuras sociales. Mira en primer lugar a la persona humana y a la comunidad en la que vive, sabiendo que su primer camino es el hombre concreto en medio de sus necesidades y aspiraciones. Todo lo que la Iglesia reclama para sí lo pone al servicio del hombre y de la sociedad. En efecto, Cristo le encargó de llevar su mensaje a todos los pueblos, para lo cual necesita un espacio de libertad y los medios suficientes. Defendiendo su propia libertad, la Iglesia defiende la de cada persona, la de las familias, la de las diversas organizaciones sociales, realidades vivas, que tienen derecho a un ámbito propio de autonomía y soberanía (Cf. Centesimus annus, 45). En este sentido, «el cristiano y las comunidades cristianas viven profundamente insertados en la vida de sus pueblos respectivos y son signo del Evangelio incluso por fidelidad a su patria, a su pueblo, a la cultura nacional, pero siempre con la libertad que Cristo ha traído… la Iglesia está llamada a dar su testimonio de Cristo, asumiendo posiciones valientes y proféticas ante la corrupción del poder político o económico, no buscando la gloria o los bienes materiales; usando sus bienes para el servicio de los más pobres e imitando la sencillez de la vida de Cristo» (Redemptoris missio, 43).

Al recordar estos aspectos de la misión de la Iglesia, demos gracias a Dios, que nos ha llamado a formar parte de la misma. En ella, la Virgen María ocupa un lugar singular. Expresión de esto es la coronación de la venerada imagen de la Virgen de la Caridad del Cobre. La historia cubana está jalonada de maravillosas muestras de amor a su Patrona, a cuyos pies las figuras de los humildes nativos, dos indios y un moreno, simbolizan la rica pluralidad de este pueblo. El Cobre, donde está su Santuario, fue el primer lugar de Cuba donde se conquistó la libertad para los esclavos.

*Amados fieles, no olviden nunca los grandes acontecimientos relacionados con su Reina y Madre. Con el dosel del altar familiar, Céspedes confeccionó la bandera cubana y fue a postrarse a los pies de la Virgen antes de iniciar la lucha por la libertad. Los valientes soldados cubanos, los mambises, llevaban sobre su pecho la medalla y la «medida» de su bendita imagen. El primer acto de Cuba libre tuvo lugar cuando en 1898 las tropas del General Calixto García se postraron a los pies de la Virgen de la Caridad en una solemne misa para la **«Declaración***

Mambisa de la Independencia del Pueblo Cubano». Las diversas peregrinaciones que la imagen ha hecho por los pueblos de la Isla, acogiendo los anhelos y esperanzas, los gozos y las penas de todos sus hijos, han sido siempre grandes manifestaciones de fe y de amor.

Desde aquí quiero enviar también mi saludo a los hijos de Cuba que en cualquier parte del mundo veneran a la Virgen de la Caridad, junto con todos sus hermanos que viven en esta hermosa tierra, bajo su maternal protección, **pidiéndole a Ella, Madre amorosa de todos, que reúna a sus hijos por medio de la reconciliación y la fraternidad.**

Hoy, siguiendo con esa gloriosa tradición de amor a la Madre común, antes de proceder a su coronación quiero dirigirme a Ella e invocarla con todos ustedes:

¡Virgen de la Caridad del Cobre,
Patrona de Cuba!

¡Dios te salve, María, llena de gracia!
Tú eres la Hija amada del Padre,
la Madre de Cristo, nuestro Dios,
el Templo vivo del Espíritu Santo.
Llevas en tu nombre, Virgen de la Caridad,
la memoria del Dios que es Amor,
el recuerdo del mandamiento nuevo de Jesús,
la evocación del Espíritu Santo:
Amor derramado en nuestros corazones,
fuego de caridad enviado en Pentecostés sobre la Iglesia,
don de la plena libertad de los hijos de Dios.

¡Bendita tú entre las mujeres
y bendito el fruto de tu vientre, Jesús!
Has venido a visitar a nuestro pueblo
y has querido quedarte con nosotros
como Madre y Señora de Cuba,
a lo largo de su peregrinar
por los caminos de la historia.
Tu nombre y tu imagen están esculpidos
en la mente y en el corazón de todos los cubanos,
dentro y fuera de la Patria,
como signo de esperanza y centro de comunión fraterna.

¡Santa María, Madre de Dios y Madre nuestra!
Ruega por nosotros ante tu hijo Jesucristo,
intercede por nosotros con tu corazón maternal,
inundado de la caridad del Espíritu.
Acrecienta nuestra fe, aviva la esperanza,
aumenta y fortalece en nosotros el amor.

Ampara nuestras familias,
protege a los jóvenes y a los niños,
consuela a los que sufren.

Sé Madre de los fieles y de los pastores de la Iglesia,
modelo y estrella de la nueva evangelización.
¡Madre de la reconciliación!
Reúne a tu pueblo disperso por el mundo.
Haz de la nación cubana un hogar de hermanos y hermanas
para que este pueblo abra de par en par
su mente, su corazón y su vida a Cristo,
único Salvador y Redentor,
que vive y reina con el Padre y el Espíritu Santo,
por los siglos de los siglos.
Amén[629].

Los 50 años de servicio pastoral de Mons. Pedro Meurice. La Virgen de la Caridad del Cobre, desde su Santuario, continúa inspirando y alentando la vida de la Iglesia

Asumir el «protagonismo de nuestras vidas y de nuestra historia nacional», tal como el Papa Juan Pablo II les pidió a los cubanos en 1998, es no sólo un derecho, sino un señalado deber, sobre todo para un país que se ha visto progresivamente enajenado de su conciencia cívica.

Entre los expositores y defensores más cabales de esta conciencia, sin duda alguna, se destaca por su sinceridad, espontaneidad, firmeza y valentía el noble arzobispo de la Arquidiócesis de Santiago, Mons. Pedro Meurice Estíu, cuyos 50 años de servicio pastoral han sido un regalo de Dios al pueblo de Cuba y a la Iglesia que lo acompaña en su peregrinar desde siempre.

Para conmemorar el Cincuentenario de su ordenación sacerdotal, el episcopado cubano organizó la mayor y mejor de las fiestas: la celebración de la Santa Eucaristía en la Santa Iglesia Catedral de Santiago de Cuba, con la participación de todos los prelados de la Isla. El viernes 1 de diciembre del 2006, la prensa dio a la luz una nota que por su importancia presentamos íntegramente a continuación:

---

[629] Palabras y oración a la Virgen de la Caridad del Cobre de Su Santidad Juan Pablo II el 23 de enero de 1998, con motivo de la coronación de la Patrona de Cuba en la Plaza Antonio Maceo, de Santiago de Cuba.

viernes, 01 de diciembre de 2006

*LA HABANA, 23 Jun. 05 / 05:13 pm (ACI).- Para celebrar los **50 años de** sacerdocio del Arzobispo de Santiago de Cuba, **Mons. Pedro Meurice Estíu**, y con la participación de todos los obispos cubanos, este domingo se oficiará una Eucaristía en la Catedral de esa ciudad.*

*La Misa se celebrará a las **10 de la mañana** y en ella participarán también algunos religiosos y miles de peregrinos, provenientes de diversas zonas de Cuba.*

*Posteriormente, las celebraciones continuarán en los salones aledaños a la Iglesia San Francisco, donde se efectuará un brindis con más de **dos mil invitados**.*

En la crónica que aparece a continuación, encabezada por las proféticas palabras de Jeremías que pueden leerse en la Sagrada Escritura, se puede examinar lo que pasó en la Sagrada Eucaristía que se efectuó en la capital oriental para celebrar el Cincuentenario de la ordenación de Meurice. Estaban presentes sus hermanos en el episcopado, el delegado de la Nunciatura como representante de Su Santidad, el sufrido y ejemplar clero de la Arquidiócesis, los representantes de las órdenes y congregaciones religiosas, la muchedumbre de los fieles con una inmensa representación de jóvenes, que era toda una profecía asomada hacia el futuro, y entre todos, con su humilde serenidad, el pastor que acudía a la fiesta que preparó su rebaño, quien se limitó a dar las gracias (seguramente porque no podía decir nada más) y sólo quiso pedir un regalo, que en realidad era un gesto de inmenso cariño para todos, cuando pidió que el coro de la Catedral entonara la bellísima canción de la Virgencita del Cobre.

A continuación, el Secretario de la Nunciatura Apostólica leyó la hermosa misiva con la que Su Santidad Benedicto XVI se sumó a la gran fiesta de la Iglesia cubana. Y Mons. Meurice, con su característica humildad y una gran economía de palabras, sólo pudo dar las gracias: todo lo demás estaba en el ambiente y todos los que asistían a la Misa podían leer en sus almas el mensaje del momento.

La prensa lo dijo de esta manera:

Cincuenta años de entrega y servicio
www.vozcatolica/julio-agosto de 2005

Yo dije: «¡Ah, Señor Yahveh! Mira que no sé expresarme, que soy un muchacho.»
Y me dijo Yahveh: No digas: «Soy un muchacho»,
pues adondequiera que yo te envíe irás,
y todo lo que te mande dirás.

Jeremías 1, 6-7

María Caridad López

Santiago de Cuba

Momento de la Consagración en la Misa, en la Catedral de Santiago de Cuba, por el 50 aniversario de la ordenación sacerdotal de Mons. Meurice. Se encontraban presentes todos los obispos cubanos y el Nuncio Apostólico. Cortesía de la UCLAP.

Si buscáramos una expresión que resumiera lo vivido entre el viernes 24 y el sábado 25 de junio pasados, la mejor sería ¡Gracias Señor! Por los cincuenta años de entrega y servicio de Mons. Pedro C. Meurice Estíu al servicio de nuestra Iglesia arquidiocesana y también de toda la Iglesia de Cuba. Nuestra celebración ha sido muy sencilla, pero llena del corazón de todos los que quisimos y pudimos acompañarle bien de cerca.

El viernes al caer la tarde, con una lluvia pertinaz que amenazaba, el patio de María Auxiliadora se hizo pequeño, pues los jóvenes de la Arquidiócesis (Bayamo-Manzanillo, Guantánamo-Baracoa y Santiago de Cuba), tejieron con cantos, bailes, poesías, regalos, representaciones... un ambiente de cariñoso regalo. «Hemos venido, Señor de los cielos para proclamarte, que este mundo caló tu semilla en la juventud», así cantaron al comenzar ellos y, junto a ellos, muchos que sentimos la juventud en el corazón también nos sumamos, seguros de que Él, nuestro Señor, era el centro del homenaje al Pastor. La lluvia se hizo también finalmente presente, pero nadie se movió; algunos lograron taparse con sombrillas o «hacerse un huequito» en el corredor.

El P. José Conrado, Merceditas Ferrera, María A. Navarrete y Dayron (seminarista de nuestra diócesis) compartieron con todos sus vivencias; la huella que el P. Meurice les ha dejado en su andar cercano, el pastor al que nadie se siente llamado a decirle Monseñor, sino simplemente Padre. Momento especial fue la proyección de dos presentaciones: la primera hecha por los jóvenes de San Luis, el pequeño pueblito santiaguero que le vio nacer hace setenta y tres años, y donde al calor del hogar nació su Sí al Señor; la otra, del equipo de Pastoral Juvenil de la diócesis, en la que quisieron recorrer su camino en el seguimiento al Señor, el camino de su entrega en el amor y el servicio a los más pobres, a los más hambrientos de justicia, a los más sencillos, a Dios.

Al terminar, visiblemente emocionado, el P. Meurice quiso hablar. Los muchachos y todos silenciaron los aplausos para escucharle. Nos contaba que esta era la segunda vez en su vida que participaba en una velada en su honor, la anterior había sido en la parroquia de la Sagrada Familia, allá, cuando en el 1967 había sido consagrado obispo por Mons. Enrique Pérez Serantes, ese gigante de nuestros pastores. Aquí, confesaba, había llegado con la decisión de estar una hora y sólo una hora, y habían pasado los minutos casi sin darse cuenta, con el corazón un poco estrujado a veces. Confesaba que siempre había sentido hasta

un poquito de orgullo, cuando alguien le decía que tenía un rostro de mármol, pues nunca nadie sabía si le gustaban o no las cosas por más que en él escrutaran. Ya al terminar decía que veía que algunos se habían atrevido a decir lo que pensaban de él, pero que a él nadie le había preguntado, y si tuviera que hacerlo sólo diría: He sido sólo un siervo inútil. Luego sólo dijo: ¡Gracias! Y un cerrado aplauso, terminó la noche... noche que anunciaba la alegría del día siguiente.

El sábado la Catedral[630] *abrió sus puertas desde muy temprano, para así recibir a los que venidos de los más lejanos lugares de la Arquidiócesis querían hacerse de un buen lugar para poder estar: laicos, religiosos y religiosas, niños, jóvenes y menos jóvenes. Llegaron para concelebrar: S.E.R. el Cardenal Jaime Ortega, y la Conferencia de Obispos de Cuba en pleno; especial mención para Mons. Héctor Peña, obispo de la diócesis hermana de Holguín, que también celebraba sus bodas de oro sacerdotales pues fue ordenado el mismo día por Mons. Enrique Pérez Serantes junto al P. Francisco Parrón (d.f.m); los sacerdotes de nuestra diócesis y muchos más venidos de lejos para también compartir nuestra alegría y celebración.*

Al sonar la campana que avisa el inicio de la celebración al pueblo, y el coro interparroquial de Santiago comenzar a cantar **Pueblo de Reyes, asamblea santa, pueblo sacerdotal, pueblo de Dios, bendice a tu Señor...** *ya la procesión de entrada se veía en la puerta principal del templo...* **en un momento el canto se volvió aplauso sostenido cuando el padre, Mons. Meurice entró. Aplauso y canto emocionado de todos, fue el comienzo inusual de la eucaristía, después una a una irían ensartándose emociones y recuerdos. Allí unidos en el nombre del Señor que nos convoca y ama.**

El P. Rafael Ángel, párroco de nuestra Catedral, hizo la homilía. Homilía de buen sacerdote, como el mismo dijo, en la que nos recordaba siguiendo el hilo de las lecturas que el que quiera ser el primero debe hacerse servidor de los hermanos, debe dar la propia vida por la salvación de los demás a imitación de Jesús (Mt 20, 20-28); y que debemos estar atentos para saber siempre que la luz que brilla en nosotros, es la luz del mismo Dios, la llevamos en vasija de barro, para que todos puedan reconocer a Dios en ella y no a nosotros mismos (2Cor 4, 1-10).

Las ofrendas, el pan y el vino llevados por laicos y amigos, Brunilda (viuda del Dr. Paz Presilla, quien fuera amigo y médico personal del P. Meurice) y Beto Márquez; y sus sobrinos Julie y Talito venidos desde Miami para acompañarle en representación de toda la familia. Pan y vino, ofrecidos para ser Cuerpo y Sangre del Señor, misterio eucarístico que cada día alimenta nuestra vida y comunión.

---

[630] La S. I. Catedral de Santiago de Cuba

*El terminar de la celebración fue momento de regalos, sencillos y humildes: el canto de Virgencita del Cobre que él pidió de manera especial: «**Virgencita del Cobre flor de la Sierra, que con amor el cielo trajo a la tierra... para ser Madre nuestra tú te has quedado en el pico de un monte casi olvidado... ser la Madre del pobre es tu divisa desde tu altar del Cobre, Virgen Mambisa... y entre las flores que te ofrendamos van todos los amores de los cubanos... y las espinas cambian en rosas al que toca tus manos tan milagrosas...**»*

Mons. Juan C., secretario del Nuncio, leyó el mensaje enviado por S.S. Benedicto XVI a Mons. Pedro:

«Nuestra cordialísima voluntad y el afecto de nuestra alma nos llevan en este momento de especial alegría a unirnos con agrado a ti, Venerable Hermano, junto con tu pueblo, que entre ovaciones y aplausos te rodeará para mostrarte sus sentimientos de alegre y agradecido ánimo con ocasión de jubileo sacerdotal... Con agrado conmemoramos tu ministerio, que has desempeñado con ardiente esfuerzo: en efecto, has instruido a esa grey del Señor con la sana doctrina, has mirado de modo especial por las vocaciones sacerdotales, fomentando al mismo tiempo una óptima cercanía con el clero, con los hermanos de vida consagrada y con los laicos. Reconocemos asimismo la obra llevada a cabo ante las autoridades públicas para defender los derechos de la Iglesia... Nos mientras tanto, te acompañaremos como si estuviéramos presentes, rogándole a Él, que te proteja con su amparo y siga conservando tu salud, y que tú, por tu parte, tomes de este tu jubileo nuevos alientos...»

*Después llegarían a sus manos una cesta de frutas, un paisaje de su San Luis natal... El anunciado regalo de la Diócesis de Holguín, que se convirtió en aplauso... Entonces, él, nuestro Obispo, nos hizo un regalo, su primera palabra fue Gracias; con emoción recordaba el encuentro de la noche anterior con los jóvenes y sus palabras dichas a ellos: «**Sólo he sido un siervo inútil...**» Y como cincuenta años antes, en el nombre del Señor, dio la bendición al pueblo.*

La crónica de esta celebración del jubileo pudiera terminar así, como mismo empezó, con un Gracias grande al Señor: por el servicio de Mons. Pedro Meurice, por la entrega del sacerdote, por la valentía de su palabra, por la cercanía de su preocupación por los más débiles, marginados y desplazados; por su confianza. ¡Gracias!

Mons. Pedro Meurice, incansable, siguió trabajando para su comunidad sin flaquear un momento...

...Varios meses después Mons. Pedro Meurice Estíu viajó a la ciudad de Miami. La llegada del Arzobispo a la capital de los cubanos en el exilio no podía pasar inadvertida, y en las líneas que aparecen a continuación el P. René Parra nos cuenta la visita que le hizo Mons. Meurice en su casa de St. Dominic Gardens, el 27 de junio del 2006:

Reencuentro con Mons. Pedro Meurice,

**Por Cubacatólica a las 13:21 | Artículos y Opiniones
por P. René Parra R. Pbtro.**

El 27 de junio de 2006, a las 11:30 a.m., tocaban el timbre del apartamento donde vivo, en St. Dominic Gardens, tal y como me habían avisado. Se trataba de Mons. Pedro Meurice Estíu Arzobispo de Santiago de Cuba, acompañado de su hermana Pilar y de su buen sobrino «Talito».

¡Qué alegría sentí al verlo! Grueso como está, le dije: «Dos pulgadas más de altura, y tenemos a Mons. Pérez Serantes». Sonrió, y se sentó en una butaca.

Desde que lo nombraron obispo, Mons, Meurice ha sido un pastor para laicos y sacerdotes, en especial para los enfermos. Recuerdo que, cuando enfermé en 1970, me llevó en su auto desde Santiago de Cuba al Sanatorio de San Juan de Dios, en La Habana. Él me envió a Madrid a recibir atención médica.

Cuando se me presentó la amputación de una pierna en Puerto Rico, en 1992, allá se fue a visitarme y confortarme.

Dice mi hermana Carmina que Mons. Meurice es el buen pastor que va en busca de la oveja «herida» y se la pone sobre los hombros. Desde que estoy en Miami, siempre que ha pasado por la ciudad ha venido a interesarse por mí, del mismo modo que por el P. Rafael Escala, que se encuentra enfermo en Santa Ana. Es el obispo bueno que conforta a sus sacerdotes sanos y a los enfermos, a los cercanos y a los que están lejos de él.

Me dijo que habían puesto nuevas campanas en la Catedral de Santiago de Cuba. Lo dijo con alegría serena. Esto me hizo recordar que, cuando estábamos en el Seminario del Cobre, él era el campanero… Y tocaba con gran energía cada mañana. Pido a Dios que todas las campanas de todas las iglesias de Cuba sigan repicando con aquella fuerza que él ponía al despertarnos.

Me preguntó por mi pierna amputada. «Llevo ya 14 años de sufrimiento, y Cuba lleva 50… ¿Hasta cuándo, Mons. Meurice?», le dije. De manera serena, me respondió: «**Se acercaron a Teresa de Calcuta para pedirle que hiciera oración por el pueblo de Cuba que sufría; ella respondió: Si Cuba sufre, no necesita oración**». ¿Cómo se entiende esto? Cada cual puede dar su interpretación. Pero, cuando el Papa Juan Pablo II estuvo en Santiago de Cuba, Mons. Meurice dijo, entre otras cosas: «*El pueblo de Cuba sufre aquí y sufre allá*». El sufrimiento purifica.

Le mostré un cuadro de la Virgen con el Niño, que pinté para regalárselo. Encontró a la Virgen sufrida, triste... y resucitada.

Me dijo que ya había presentado su renuncia por razones de edad al Santo Padre, pues le costaba hablar. Pido a Dios que no se la acepten todavía, pues un «buen mudo también puede hablar». La presencia de Mons. Meurice, por sí sola habla. Como buen obispo que es, vigila a su rebaño y, si es necesario, sabe decir cosas firmes y fuertes.

Cuando me pidió que le hiciera su escudo episcopal, quería que expresara algo así como que él era un retoño de Mons. Pérez Serantes. «Está bien», le dije, «pero tú no vas a ser siempre un retoño»... Y ha resultado ser otro roble fuerte y frondoso. Así, le pinté las montañas de la Sierra Maestra con el cielo cubano, unidos éstos con el monograma de Cristo en oro, salido de las manos de la Virgen de la Caridad en plata.

Al despedirnos, me pidió la bendición. Se la di; le pedí su triple bendición, y se despidió diciendo: «Vuelvo pronto».

¡Que así sea!

En la Santa Eucaristía celebrada en la Santa Iglesia Catedral de Santiago de Cuba, cuando se hizo público que Su Santidad Benedicto XVI había aceptado el retiro del Obispo, según lo prescribe el derecho canónico, estaban presentes formando un verdadero mar de pueblo los representantes de todas las comunidades eclesiales santiagueras, que vinieron a despedirse de su querido prelado aquél domingo 24 de febrero del 2007. En esta oportunidad, el Arzobispo Mons. Pedro Claro Meurice Estíu pronunció una homilía emocionada y magistral que terminó con estas palabras de honda inspiración profética:

Al llegar el fin de mi ministerio episcopal, pues así lo manda la Santa Madre Iglesia según el Código de Derecho Canónico (modificado en el 1983), el obispo al cumplir la edad de setenta y cinco años debe según su artículo 401 inciso a, debe solicitar al Santo Padre su retiro. A mi no me gusta decir retiro, pues eso se parece a retirada, a mi me gusta decir jubilación, porque viene de júbilo de alegría. Esa edad la cumplo en unos días y ha sido aceptada mi petición. Eso ya todos lo saben. Así dando una mirada a todos estos años, veía que no había sido yo quien había impartido catequesis, visitado a los enfermos, acompañado a los presos... eso con toda honestidad lo han hecho durante todo este tiempo, ustedes.

Por ello pensé y así lo solicité, otorgar una distinción de parte del Santo Padre, a las personas que se han distinguido con constancia y se han entregado a la obra de la Fe en Cuba, en nuestra Arquidiócesis. Y es esto que estamos haciendo esta noche en este momento en que hermanos de las comunidades de Santiago de Cuba y sus alrededores recibirán esa condecoración: la Honorificencia Pontificia. Yo hubiera deseado ir parroquia por parroquia pero no ha sido posible, sólo pude ir a las parroquias de Baire, Contramaestre, Palma Soriano y San Luis.

A continuación fueron llamados al presbiterio todos los escogidos por el prelado para recibir la alta distinción, lo que significaba para ellos un compromiso mayor, una entrega más completa, un trabajo más intenso por la causa del Pueblo de Dios, propagando la Fe en la Resurrección y la Vida.

Inmediatamente, Mons. Meurice volvió a tomar el micrófono para hacer uso otra vez de la palabra: tenía que agradecer muchas cosas a los queridos fieles de su rebaño y al clero de la Arquidiócesis, así como varias recomendaciones. Luego terminó con palabras apasionadas implorando a la Virgen de la Caridad, la Gran Intercesora que es al mismo tiempo ***la dueña del corazón del pueblo cubano:***

> *Bien hermanos, todavía les molestaré por unos minutos. Una vez más solicitaré la paciencia de ustedes, pueden estar seguros de que ésta será la última vez.*
>
> *No sé por dónde empezar ni por dónde terminar.*
>
> *Esta es la última misa que he celebrado como Arzobispo de Santiago de Cuba.*
>
> *La última vez también como Arzobispo.*
>
> *No quiero terminar sin dar gracias a Dios por mis setenta y cinco años y por los cuarenta años de Arzobispo.*
>
> *Agradecerle a Dios que me dio la vida, que me dio mis padres y mis hermanos.*
>
> *Agradecerle la familia que me dio, los amigos que me dio.*
>
> *Agradecerle a Dios que me llamó a la fe en la Iglesia Católica.*
>
> *Agradecerle a Dios por el párroco y los párrocos que tuve y que me presentaron para el seminario.*
>
> *Agradecerle a Dios por el arzobispo Zubizarreta que me aceptó y me mandó al seminario.*
>
> *Agradecerle a Dios por los compañeros que tuve en el seminario.*
>
> *Agradecerle a Dios por el rector Madariaga; por los perfectos, sobre todo los de disciplina, que me ayudaron a coger el camino recto.*
>
> *Agradecerle a Dios por el inolvidable Mons. Enrique Pérez Serantes, que me ungió sacerdote... Mons. Pérez Serantes tuvo que yo sepa un solo error en su vida, y fue el llamarme para que fuera su obispo auxiliar, sucesor de él.*
>
> *Él me enseñó con su vida, con sus palabras... pero yo soy duro, Dios lo sabe, de «coco» y de corazón.*

Todas las gracias y dones que Dios me ha dado yo no las he sabido corresponder, y no es una exageración.

Cada cual sabe su historia; ustedes saben la suya, como yo sé la mía y no miento, sólo les digo que en mi barca no hay oro ni plata, ni espadas, no.

Agradecerle a Dios por los sacerdotes que me ha dado.

Que cuando yo digo que son el mejor clero del mundo se ríen y creen que no lo digo de verdad. Pero es verdad. Yo sí me puedo reír cuando ellos dicen que soy el mejor obispo del mundo.

Agradecerle a Dios, y lo he dejado para el final pensando que llegaba sereno, agradecerle a Dios por ustedes. Lo que les dije al principio es verdad, no he sabido ser lo que tenía que ser.

*Ustedes han hecho la obra, ustedes lo han hecho. La Iglesia que somos hoy, ustedes la han hecho. El Espíritu Santo y nosotros, pero ustedes son los que han hecho. Yo sólo tengo una excusa, a mí me formaron en el seminario y después en la universidad, pero no me enseñaron cómo sería después. Yo fui y regresé a Cuba el 28 de octubre de 1958, y en un año y medio me cambiaron las cartas de la baraja. Y para qué voy a hablar si ustedes saben mejor que yo. Dice en latín **soli Deo honor et gloria**. Sólo al Señor, sólo al Señor todo honor y toda gloria.*

Quisiera que la última imagen que ustedes conservaran de estos cuarenta años de arzobispado, sea la de esta noche. Una eucaristía con toda la comunidad de hermanos en la que hemos orado y dado gracias al Señor y hemos participado en el reconocimiento, en la persona de estos hermanos, a todo el pueblo de Dios de Santiago de Cuba todo lo que han hecho por la Iglesia en este tiempo.

Dicen los guajiros que nunca está más oscuro que cuando va a amanecer. Yo no soy profeta, ni me atrevo a decir cosas de ésas nunca nunca nunca. Hay día y hay noche, después de la noche viene el día o después del día viene la noche; yo espero que vendrá un día esplendoroso, un día de sol en el que todos los cubanos piensen como piensen; crean o no crean en Dios; estén dónde estén, dentro de Cuba o fuera de Cuba; todos sufriendo por Cuba y esperando por Cuba. Llegará el día en que tanto dolor y tanto sufrimiento, tanto trabajo, tanto sudor, no serán en vano, darán su fruto y fruto abundante. Y todos podremos gozar de alegría, de paz, de unidad.

Eso supone un trabajo previo que se está haciendo y que de manera especial les encomiendo ahora, que es el trabajar y luchar por la reconciliación de todos los cubanos. Y se cumplirá lo que dicen hoy las escrituras.

Así quiero que me recuerden cuando digan aquel arzobispo gordito... la última vez fue la de la Honorificencia Pontificia a los hermanos. Quiero que también se acuerden de estas cosas que les voy a decir, que lo tomen como mi última palabra, como una última petición.

La última petición es que el mundo no cambia, Cuba no cambia sino se lo pedimos a Dios con una insistencia y una constancia renovadas. Hay que orar, orar, orar, orar... rezar, rezar, rezar... para arrancarle a Dios por intercesión de nuestra Madre, María de la Caridad esa gracia.

No sólo por esa gracia, sino por lo que viene después de ese momento. Lo primero es la oración, lo segundo es que el mundo de hoy, aunque no tengamos mucho acceso aquí a eso, ha cambiado y está cambiando mucho. Y nosotros la Iglesia Católica, si queremos cumplir la misión que Dios nos encomienda en el mundo, tenemos que renovar mucho mucho mucho nuestra iglesia. Empezando por renovarnos nosotros mismos por dentro.

Cuando digo renovar, es renovar nuestras prácticas pastorales y aun en nuestra misma formación tenemos que poner muchas cosas al revés de como están ahora.

Esto es primero trabajar por la reconciliación; segundo orar orar orar, rezar rezar rezar; tercero cambiar, todos unidos sacerdotes y fieles cambiar, empezando por cambiar el corazón.

Cuarto, no hay cristianismo, no hay iglesia católica sino hay el culto verdadero a Dios en espíritu y en verdad, sin culto no hay Iglesia Católica. Les decía reconciliarse, orar por la reconciliación, cambiar las cosas... no se es cristiano si no se compromete con la fe de tal manera que va a comunicarla a los demás, la misión, la evangelización. Si no hay oración no hay fe, sino no hay culto al Dios verdadero no hay crecimiento en la fe, sino hay evangelización no hay compromiso en la fe, no hay crecimiento en la fe.

No olviden nunca que somos discípulos de un crucificado. Si la cruz no está en medio de nosotros, y sino vivimos la cruz no somos cristianos simplemente. Tendremos de todo, construiremos unos templos maravillosos, no sé cuántas cosas más, pero si no vivimos la cruz no hay cristianismo.

Nuestra Señora de la Caridad, ella es la que tiene el secreto, la llave de cómo se entra a la puerta del corazón del pueblo cubano. Ella es la que tiene el secreto y esa llave, cuando vamos con esa llave nadie dice no. Tenemos primero que vivirlo como Ella, buscar que se haga en nosotros la voluntad de Dios y llevar esa dedicación y esa devoción a todos los demás.

Estoy tan emocionado que debo terminar ya, no quiero llorar, ni quiero que otros lloren. Quiero en el día de mi jubilación, júbilo y alegría. ME VOY, PERO NO ME VOY DE CUBA, ESTOY SEMBRADO AQUÍ GRACIAS A DIOS, PORQUE AQUÍ NACÍ EN EL PUEBLO MÁS HERMOSO DE CUBA QUE SE LLAMA SAN LUIS, Y NO ME VOY DE AQUÍ, NI AUNQUE ME ARRANQUEN.

Les invito a todos para que el próximo sábado día 24 de febrero a las diez de la mañana para dar la bienvenida y celebrar con el nuevo arzobispo nombrado por SS Benedicto XVI Mons. Dionisio García Ibáñez.

Los aplausos llenaron el Templo, su Catedral y la nuestra. Sentíamos vivir un instante precioso de la historia de la Iglesia cubana. Detrás de los aplausos, y algo verdaderamente inusual, cantamos felicidades. Mons. Meurice salí presto a la sacristía, huidizo de halagos, porque él bien sabe que Sólo al Señor, Sólo al Señor todo honor y toda gloria.

Mons. Dionisio García, Arzobispo de Santiago de Cuba

La Misa celebrada por Mons. Pedro Meurice Estíu en Miami, 2007

Después de su jubilación, en el 2007, Mons. Pedro Meurice vino a Miami, donde visitó a su familia y celebró la Sagrada Eucaristía en casa de su hermana

Por medio del Dr. Armando Cobelo y su esposa Yolanda, mi esposa y yo nos enteramos de que Meurice iba a oficiar en aquella Misa

357

privada. Inmediatamente decidimos asistir, yo no podía perder aquella oportunidad de saludarlo, prácticamente única.

Un buen grupo de cubanos asistió a la Santa Misa, donde Mons. Meurice nos habló de su retiro, nos habló de nuestra querida Patria, de la Iglesia y sus avatares y sus problemas, y realizó además algunos comentarios sobre el cierre de la revista Vitral después de que durante algunos años orientara al pueblo cubano haciendo verdad su lema: *con la libertad de la luz*, porque la luz es capaz de entrar en todas partes.

Al terminar la Eucaristía, pude aprovechar la oportunidad para saludar a Mons. Meurice. Habían transcurrido diez años desde nuestros primeros encuentros cuando fui su huésped en el Arzobispado de Santiago de Cuba, y nueve después de la Misa de Su Santidad Juan Pablo II en La Habana, ocasión en que nos volvimos a encontrar, como ya he referido.

En cuanto me presenté me recordó inmediatamente y me saludó con cariño. Se acordaba de mí y mis libros sobre la Iglesia Católica cubana habían llegado a sus manos: su interés fue muy grande cuando le referí que estaba escribiendo una

Historia de la Virgen de la Caridad del Cobre, Patrona de la Isla de Cuba, Reina y Madre de todos los cubanos

Poco tiempo después, le hice llegar soporte magnético que contenía los doce primeros capítulos del libro. Tiempo después, en un segundo envío, recibió seis capítulos más, porque no se puede escribir esta historia sin que Mons. Meurice, que durante medio siglo ha vivido tan cercano a la Virgen, tenga la oportunidad de enriquecer su contenido.

Para mí fue muy importante volver a ver a Mons. Meurice, hablar con él y recibir su bendición y su apoyo, así como la importantísima e inestimable ayuda que representa su revisión de la primera versión del libro que narra la historia de la Virgen, porque investigar para obtener la información, estructurarlo y redactarlo, constituyen una ocasión única, una responsabilidad tremenda y un honor inmenso que seguramente no merezco.

Por su gran humildad, Mons. Pedro Meurice renunció a escribir el prólogo de este libro, que se va a encargar al historiador de la Comisión constituida para festejar el 400 Aniversario de la Aparición de la Virgen de la Caridad del Cobre en tierras de Cuba, y estoy seguro de que deja la encomienda en las mejores manos.

Siempre se contará con él para redactarlo, por lo que la *Historia…* tendrá, sin dudas, una antesala digna de nuestra Patrona, Reina y Madre, la que mejor conoce nuestra alma y nuestro corazón, la que más disfruta con nuestras alegrías, la que más dolor siente con nuestras penas, la que más hace por llevarnos por el camino de la luz hacia la Salvación y la Vida Eterna gozando de la Gloria de Dios y de su Divino Hijo, Jesucristo.

Conclusiones

Ser pastor de la Arquidiócesis de Santiago, Primada de la Isla de Cuba, durante el período comprendido entre 1968 y 2007, equivale a haber vivido los momentos más difíciles de la Historia de la Iglesia en nuestro país.

Hay que tomar en cuenta que en 1961 ya Mons. Meurice llevaba seis años de ministerio episcopal, cuando tuvo lugar la expulsión masiva de sacerdotes y religiosos de la Isla tras la nacionalización de los colegios católicos y junto con la desaparición de las asociaciones católicas laicas, y la implantación del socialismo unida con la entronización del ateísmo.

Simultáneamente, junto con la aparición del ateísmo oficial y la implantación de un estado todopoderoso, la Estatolatría comenzó a sustituir a Dios. El Estado, a partir de la ausencia de Dios, pasa a sustituirlo. El Estado-Providencia decide todos los aspectos de la vida de los hombres, que para todo dependen de él. El Estado alimenta, emplea, transporta, distribuye, educa, cura, presta servicios sociales, asistenciales y de seguridad social. Es todopoderoso y omnisciente y omnipresente. En Cuba se implantó, casi en forma de religiosidad, la **estatolatría**, muy vinculada al culto de la personalidad de Fidel Castro, en la cual la divinidad es sustituida por el estado, cuya expresión es el propio dictador. Esta forma de religiosidad proclama el ateísmo (ausencia de divinidad). A partir de que Dios no existe, el estado se convierte en divinidad. Ya no debe existir una religión para lograr el pacto o reconciliación del hombre con lo sobrenatural o trascendente, en la nueva religión el hombre pacta con el poder superior del estado. Si antes el hombre debía reconocer el poder absoluto de Dios y sus cualidades (todopoderoso, omnisciente, omnipresente) ahora el hombre debe reconocer el poder absoluto del estado:

> *El estado resuelve todos los problemas de la vida cotidiana. El estado lo garantiza todo: alimento, casa, educación, salud, transporte, recreación, festividades. El hombre no tiene que pensar, sólo acatar la voluntad*

estatal. El Estado-Dios resolverá todos los problemas. No hay que rogar a nadie. No hay que rendir culto nada más que a las ceremonias o celebraciones estatales que exigen la participación de los hombres. El tener, usar, utilizar, están normados por el Estado-Dios que garantiza una vida precaria en este mundo y garantiza también la inexistencia y el vacío absoluto después de la muerte.

La **estatolatría** sustituyó a la religión. El estado debía resolver todos los problemas del hombre. También sustituye a las religiones de vida eterna: no son necesarias pues, para él, la vida eterna no existe. La estatolatría elimina el pensamiento trascendente y las filosofías que se derivan de él. Niega la vida eterna, la esperanza, la fantasía, la posibilidad y la necesidad de soñar.

Su mensaje es el mismo que apareció grabado sobre el dintel de la puerta del Infierno concebido por Dante Alighieri: DEJAD ATRÁS TODA ESPERANZA.

Realmente, el estado no dio solución a los problemas de los cubanos, sino que creó nuevos problemas. En primer lugar, el problema de la dependencia absoluta del hombre respecto al estado, la anulación de la persona, la desmoralización de la gente, la pérdida de los objetivos en la vida y la corrupción generalizada como forma de subsistencia, así como el nacimiento de una nueva «doble» y a veces «triple o cuádruple» moral. La destrucción de los valores tradicionales, morales y cívicos y la confusión que crea en las nuevas generaciones confundir la patria, el gobierno, la nación y el estado con un partido y una ideología temida y aborrecida hacia la cual se tiene una irremediable desconfianza. La estatolatría, entonces, es una religión esclavizadora que humilla al hombre y exalta su dependencia del estado. Elimina la trascendencia, reduce la existencia y el ser a la vida cotidiana, deja del ser humano solamente el carapacho material, eliminando su alma. Crea de nuevo al mundo bajo la proposición de la ausencia de Dios. El mundo ha sido creado de forma aleatoria, bajo las leyes del azar, como consecuencia de cambios, combinaciones y mutaciones que se han llevado a cabo «per se», sin un previo ordenamiento, regulación o dirección, sin plan o voluntad rectora. Deja la inmensa complejidad de la vida al «portentoso capricho del azar».

El ateísmo obtuvo un rango doctrinal entonces y se convirtió en la religión adoptada por el Estado-Providencia, tal como lo reconoció de forma crítica el propio Fidel Castro en el IV Congreso del Partido Comunista, al decir:

Somos un partido y no una religión, y en cierto momento hemos convertido el partido y el ateísmo en una religión[631]

Efectivamente, el Partido Comunista no era una religión pero la suma de poder acumulado en el Estado-Providencia lo presentaba como un Dios, en flagrante contradicción con sus propios principios. Pienso que Fidel Castro no debe haber estado en desacuerdo con la nueva forma de religiosidad estatolátrica...

En estas durísimas condiciones tuvo que desempeñarse Mons. Meurice, primero como sacerdote y luego como miembro de la jerarquía y como prelado. En 1963 fue designado Canciller del Arzobispado, ya en tiempos muy difíciles y oscuros, por lo que comenzó a tener una visión muy amplia de los acontecimientos en la sede episcopal del Oriente cubano.

Poco después comenzó su desempeño como Obispo Auxiliar, y luego los 40 años como Arzobispo: todo su episcopado transcurrió en tiempos de cruz, purificación y sufrimiento. Tuvo que pasar por el dolor de ver a sacerdotes y seminaristas humillados en los campos de trabajo forzado de las Unidades Militares de Ayuda a la Producción (UMAP), teniendo que confundir entre delincuentes y personas desviadas, por el sufrimiento de ver a los soldados cubanos involucrados en guerras extranjeras de las que muchos no regresaron y otros volvieron mutilados del cuerpo y del espíritu, tuvo que cargar con la cruz de la Iglesia humillada, discriminada, perseguida y presionada.

Ser pastor de un rebaño perseguido, atender a fieles subterráneos, escuchar los gritos que no pueden ser gritados, los quejidos que no pueden ser exhalados, palpar el dolor que no puede expresarse y tratar de sanar y remediar esas angustias, y en medio de todo esto participar en un Encuentro Nacional Eclesial Cubano para reorganizar la Iglesia y preparar los caminos del futuro y las semillas del porvenir, o bien pararse frente a los dignatarios de un gobierno soberbio y dictatorial para presentarles todos los problemas, desgarramientos y trastornos que han creado a la Nación Cubana, son eventos purificadores que contribuyen a dar una gran fuerza interior y a dar temple de acero forjado a las almas.

Por todo eso pasó Mons. Pedro Meurice Estíu, llevando la barca por un mar proceloso lleno de escollos y en el medio de la noche más

---

[631] Varios Autores. Panorama de la Religión en Cuba. Editora Política, La Habana, 1996, p. 22

oscura: estoy seguro de que pudo hacerlo porque tuvo y mantuvo una fe sin límites, porque la confianza en Dios nunca lo abandonó, porque puso en manos del Padre todos sus actos, y porque Nuestra Señora, la Virgen de la Caridad del Cobre siempre veló por él, siempre lo protegió y fue un faro que iluminaba su camino y sus acciones desde los ya lejanos tiempos de seminarista en que tocaba todos los días, con mucha energía y alegremente, poniendo en ellas toda su alma, las campanas en el Seminario de El Cobre para convocar a los fieles y a sus compañeros de estudio.

CAPÍTULO XXIII

LA PATRONA DE CUBA Y SU MENSAJE DE VERDAD Y ESPERANZA (1981-1998)

Soneto de los nombres de María

En el pecho del Padre halló su nido
la que en el seno al Hijo dio posada
y allí de querubines alabada
la que, luna de Dios, subió sin ruido.

En pañales como recién nacido,
entre vistosas alas fue llevada
y por distintos nombres advocada
de su trono de luz no se ha movido.

Pero el amor que multiplica todo,
panes y peces, el maná y la Forma,
hace que la sin mancha baje al lodo,

que la luz soberana tome forma,
que la Belleza, al fin, halle acomodo
y al ojo pecador dicte su norma[632].

La religión en Cuba y las religiones en general bajo el régimen comunista

La Iglesia Católica, por su parte, comenzó a reponerse del golpe demostrando nuevamente su gran vitalidad, a pesar de la inmensa pérdida que suponía la pérdida de docenas de colegios católicos donde se educaban decenas de miles de jóvenes cubanos en la fe, la expulsión de gran número de sacerdotes y religiosos, la extinción de la Acción Católica Cubana y de otras asociaciones laicas, unido todo esto a la estrecha vigilancia que se ha mantenido, como una espada de Damocles, sobre la Iglesia Católica durante medio siglo. Por todas estas causas la recuperación ha sido lenta y la Iglesia, con su sabiduría, paciencia y tenacidad características, ha ido abriendo nuevos espacios. Aunque el clero quedó sensiblemente reducido en comparación con las cifras previas a 1961, la Iglesia tuvo la posibilidad de recuperarse progresivamente con la formación de sacerdotes cubanos y con la entrada al país de algunos clérigos y sacerdotes extranjeros. Las bajas

---

[632] Ballagas, Emilio. De su obra «Cielo en rehenes»

proporciones de sacerdotes y agentes de pastoral obligaron a la Iglesia a un quehacer apostólico más intenso y también más racionalmente distribuido. La nivelación social derivada de la liquidación de la dominación de clases transformó de hecho la base social de la pastoral católica. Con el fin de atender centralmente los asuntos religiosos, el estado creó una Oficina de Asuntos Religiosos que se llamó después Departamento y quedó subordinado directamente al Comité Central del Partido Comunista de Cuba. Todas las actividades relacionadas con la religión incluyendo la entrada y salida de personal religioso de todas las creencias fueron reguladas y normadas por esta Oficina o Departamento, que podía y puede acceder o denegar el acceso al país de sacerdotes o hacer factible la adquisición de ciertas facilidades para el funcionamiento de la Iglesia como fotocopiadoras, automóviles, etc.

Simultáneamente, junto con la aparición del ateísmo oficial y la implantación de un estado todopoderoso, la Estatolatría comenzó a sustituir a Dios. El Estado, a partir de la ausencia de Dios, pasa a sustituirlo. El Estado-Providencia decide todos los aspectos de la vida de los hombres, que para todo dependen de él. El Estado alimenta, emplea, transporta, distribuye, educa, cura, presta servicios sociales, asistenciales y de seguridad social. Es todopoderoso y omnisciente y omnipresente. En Cuba se implantó, casi en forma de religiosidad, la **estatolatría**, muy vinculada al culto de la personalidad de Fidel Castro, en la cual la divinidad es sustituida por el estado, cuya expresión es el propio dictador. Esta forma de religiosidad proclama el ateísmo (ausencia de divinidad). A partir de que Dios no existe, el estado se convierte en divinidad. Ya no debe existir una religión para lograr el pacto o reconciliación del hombre con lo sobrenatural o trascendente, en la nueva religión el hombre pacta con el poder superior del estado. Si antes el hombre debía reconocer el poder absoluto de Dios y sus cualidades (todopoderoso, omnisciente, omnipresente) ahora el hombre debe reconocer el poder absoluto del estado:

El estado resuelve todos los problemas de la vida cotidiana. El estado lo garantiza todo: alimento, casa, educación, salud, transporte, recreación, festividades. El hombre no tiene que pensar, sólo acatar la voluntad estatal. El Estado-Dios resolverá todos los problemas. No hay que rogar a nadie. No hay que rendir culto nada más que a las ceremonias o celebraciones estatales que exigen la participación de los hombres. El tener, usar, utilizar, están normados por el Estado-Dios que garantiza una vida precaria en este mundo y garantiza también la inexistencia y el vacío absoluto después de la muerte.

La **estatolatría** sustituye a la religión. El estado resuelve todos los problemas del hombre. También sustituye a las religiones de vida eterna: no son necesarias pues la vida eterna no existe. La estatolatría elimina el pensamiento trascendente y las filosofías que se derivan de él. Niega la vida eterna, la esperanza, la fantasía, la posibilidad y la necesidad de soñar.

Su mensaje es el mismo que apareció grabado sobre el dintel de la puerta del Infierno concebido por Dante Alighieri: DEJAD ATRÁS TODA ESPERANZA.

La estatolatría es una religión esclavizadora que humilla al hombre y exalta su dependencia del estado. Elimina la trascendencia, reduce la existencia y el ser a la vida cotidiana, deja del ser humano solamente el carapacho material, eliminando su alma. Crea de nuevo al mundo bajo la proposición de la ausencia de Dios. El mundo ha sido creado de forma aleatoria, bajo las leyes del azar, como consecuencia de cambios, combinaciones y mutaciones que se han llevado a cabo «per se», sin un previo ordenamiento, regulación o dirección, sin plan o voluntad rectora. Deja la inmensa complejidad de la vida al «portentoso capricho del azar».

El ateísmo obtuvo un rango doctrinal entonces y se convirtió en la religión adoptada por el Estado-Providencia, tal como lo reconoció de forma crítica el propio Fidel Castro en el IV Congreso del Partido Comunista, al decir:

Somos un partido y no una religión, y en cierto momento hemos convertido el partido y el ateísmo en una religión[633]

Efectivamente, el Partido Comunista no era una religión pero la suma de poder acumulado en el Estado-Providencia lo presentaba como un Dios, en flagrante contradicción con sus propios principios. Pienso que Fidel Castro no debe haber estado en desacuerdo con la nueva forma de religiosidad estatolátrica...

Merece especial atención en esta etapa la postura del Vaticano, cuya representación en Cuba sostiene un vínculo de orden político con el Estado y de orden religioso con la jerarquía católica del país. Cuando el Vaticano retiró en 1962 al Nuncio Mons. Luis Centoz sin designar sustituto, el Primer Secretario de la Nunciatura, Mons. César Zacchi, quedó como encargado de negocios interino. La interinatura de Zacchi tuvo la inusual extensión de trece años, lo que suponía de hecho una

---

[633] Varios Autores. Panorama de la Religión en Cuba. Editora Política, La Habana, 1996, p. 22

reducción formal del nivel de representación de la Santa Sede en Cuba que afectaba adicionalmente la norma de reciprocidad puesto que Cuba mantenía su embajador ante el Papa. Sin embargo, desde una perspectiva más relevante que la formalidad diplomática, César Zacchi demostró capacidad para mantener una comunicación constructiva con el Estado cubano y con la Iglesia local y contribuyó desde su posición a mejorar la comprensión recíproca. A la vez, su trabajo fue eficaz como presencia tutelar del Vaticano en el rumbo y ritmo renovador de la Iglesia cubana, aunque existen evidencias de que en el ejercicio de su gestión no faltaron rozamientos con el tradicionalismo de la Iglesia cubana, verdadero bastión frente al castrocomunismo y el marxismo, y con sectores del propio Vaticano [634]. De esta forma, resulta difícil hacer un balance adecuado de la gestión de Mons. Zacchi a favor de la sufrida y doliente Iglesia de Cuba...

Tratamiento oficial dado a la religión por el Estado. Las Constituciones Socialistas de Cuba y el tratamiento dado a la religión en el Código Penal y en otras leyes. La posición nominal y la posición real.

Si las Constituciones Republicanas de 1902 y de 1940 incorporaron lo recogido en las Constituciones de la República en Armas durante el siglo XIX en lo que respecta a la separación de la Iglesia y el Estado y a no favorecer a ninguna religión en particular, de hecho la Iglesia Católica mantuvo cierta posición privilegiada. La Constitución Socialista aprobada en 1976 conservó la tradición mambisa y dio respaldo legal a la libertad religiosa.

El IV Congreso del Partido Comunista realizado en 1991 aprobó especificar una interpretación de sus estatutos de modo que no se impidiese el ingreso al Partido a las personas con condiciones para ello que tuvieran creencias religiosas, como consecuencia de concepciones erróneas a partir de la interpretación de un ateísmo mal llamado científico que durante varios años se instaló en el país. Esto significa que las personas religiosas ingresarán al partido **con su fe**, y no **a pesar de su fe**, pero tampoco **por su fe**. El IV Congreso también recomendó modificar el texto de la Constitución para dejar más explícito el carácter laico del estado y la libertad religiosa.

El nuevo texto constitucional de 1992, después de la reforma, recoge en el Artículo 8 que

---

[634] Ibídem, p. 12

El Estado reconoce, respeta y garantiza la libertad religiosa (...) Las instituciones religiosas están separadas del Estado (...) Las distintas creencias y religiones gozan de igual consideración[635]

El Artículo 42 de la citada Constitución proscribe cualquier discriminación incluyendo las motivadas por creencias religiosas. En el Artículo 55 se «*reconoce, respeta y garantiza... la libertad de cada ciudadano de cambiar de creencias religiosas o no tener ninguna, y a profesar, dentro del respeto a la ley, el culto religioso de su preferencia». Además, establece que «la ley regula las relaciones del Estado con las instituciones religiosas»*[636].

La Ley 62 del Código Penal que entró en vigor el 30 de abril de 1988, en Artículo 294, 1 y 2 «Delitos contra la libertad de cultos» penaliza la obstaculización de la libertad de cultos que se practique contra cualquier organización religiosa reconocida[637]. En cuanto a la Ley 54 de Asociaciones, que ajustó a las condiciones del socialismo las concepciones acerca de las regulaciones estatales sobre las asociaciones existentes en el país reconocidas en el registro correspondiente, recogía en sus transitorias que dichas asociaciones religiosas quedarían sometidas a una ley específica o Ley de Cultos, que aún no ha sido promulgada. Las relaciones oficiales con las organizaciones religiosas, la atención de éstas y de personalidades religiosas, se desarrollan a través de la Oficina de Asuntos Religiosos subordinada al Comité Central del Partido[638].

Sin embargo, la posición nominal adoptada por el Estado mediante la Constitución y las leyes no coincide con la posición real. *Durante muchos años los católicos fueron objeto de discriminaciones de diversos tipos. En ciertos momentos, proclamar la religiosidad católica podía limitar las responsabilidades de empleo en profesiones y cargos bien remunerados. Muchas personas se casaban por la Iglesia o bautizaban a sus hijos clandestinamente. Las personas no iban a las celebraciones religiosas dominicales por miedo a que los vieran y dejaron de celebrarse los días de grandes festividades religiosas, como el 24 de diciembre. Las procesiones tradicionales no pudieron salir a la calle durante muchos años y solamente podían realizarse en el interior*

---

[635] Dusell, Enrique. Historia de la Iglesia en América Latina. CEHILA, Ediciones Sígueme, 1983, p. 4

[636] Ibídem,

[637] Ibídem,

[638] Ibídem, pp. 4-5

de los templos. Las campanas, que habían repicado en las Iglesias de la Isla durante 450 años, dejaron de escucharse. La celebración de la Navidad fue suplida por la celebración del 26 de julio. En las autobiografías que se llenaban como condición para comenzar a trabajar en cualquier empresa siempre se recalcaba en las creencias religiosas, y los entrevistados proclamaban no tener creencias aunque pensaran exactamente lo contrario. Si la persona era creyente y sobre todo católica, no tendría acceso al trabajo, o a estudiar ciertas carreras en las Universidades cubanas. Se convertiría en una persona de categoría inferior y mirada con recelo. El ateísmo era la doctrina, la estatolatría era la religión.

Al mismo tiempo, los pastores protestantes que ocupaban cargos en el estado y el gobierno no tenían dificultades para su desempeño. Representantes de denominaciones evangélicas que simpatizan con la Revolución venían y siguen viniendo desde Estados Unidos. Otros pastores y miembros de Iglesias protestantes encontraban dificultades muy similares a las de sus hermanos cristianos y católicos. Simultáneamente, los santeros, paleros, tatas, nkisis y babalaos no tenían problemas para efectuar sus toques de tambor, sus cumpleaños de santos, sus imposiciones de fundamentos y las celebraciones de sus cultos, contando incluso con el apoyo, la ayuda y la participación oficial en estas religiosidades basadas en relaciones monetario-mercantiles, en las que se sacrifica, se promete y se ofrenda al «santo» para obtener sus favores: yo te doy para que tú me des. Una forma muy simplista de realizar el pacto entre el hombre y una pretendida trascendencia que apenas se diferencia del propio ser humano y que porta idénticas o peores limitaciones.

Situación de Cuba al comenzar la década de los 80. La Teología de la Liberación en América Latina: ¿una nueva posición del régimen comunista?. La Iglesia cubana en las Conferencias de Puebla y Medellín.

La aparición de la llamada «Teología de la Liberación» en América Latina, que de cierta forma se politizó un sector de la Iglesia latinoamericana que comenzó a justificar la lucha armada identificándola con la difusión del Evangelio, fue bien mirada por el régimen de Cuba después del fracaso de las guerrillas comunistas como promotoras de la lucha por una singular emancipación de los pueblos…

Un artículo publicado en Internet por Cubanet.org en noviembre 28 del 2003, bajo el título *Liberación y confrontación,* nos permite esclarecer las causas por las cuales el gobierno de Cuba se ha acercado a los sectores y personajes de la Iglesia que simpatizan con la citada Teología. Dice así:

«¿Por qué no unirnos y luchamos como hermanos
si se unieron el fusil y el Evangelio
en las manos de Camilo?»

dice una canción interpretada que fue promovida por la radio cubana en los años setenta. La interpretación tenía por tema la lucha armada en el continente latinoamericano, presentando como premisa la necesaria participación de los cristianos en la misma.

Eran los años dorados de la Teología de la Liberación, preconizada por Leonardo Boff y Ernesto Cardenal, entre otros. El héroe que protagonizaba la canción, Camilo Torres, era un cura guerrillero colombiano muerto en su primer combate y convertido en estandarte de esa lucha que comprometía al Evangelio con las armas. Es una lástima que aquellos sacerdotes no recordaran que Jesús impidió que Pedro sacara su espada para defenderlo, cuando los sicarios estaban a punto de apresarlo…

Aunque esos tiempos de los teólogos de la liberación han quedado atrás, su legado se transmite a nuestros días. Prueba de ello es la referencia implícita que se hace en la reciente carta pastoral proclamada por los obispos cubanos, donde en el apartado 32 se refiere a

la manipulación que puedan intentar hacer diferentes grupos de distintos signos desde el interior de la Iglesia para tratar de que ésta desempeñe un rol netamente político o aquéllos que conciben la teología como instrumento de liberación buscando los cambios sociales mediante la confrontación[639]

El problema de esta temática es mucho más complejo. El cristianismo en su esencia nos trae la salvación, *(Yo soy la Resurrección y la Vida)* y como tal la teología que se desprende del Evangelio es totalmente liberadora: *«sólo la verdad os hará libres».* Es uno de los principios que hacen de la doctrina cristiana algo diferente y único entre las distintas religiones que han existido en la Humanidad. Pero con el devenir revolucionario en América Latina y la influencia de ciertas corrientes post conciliares que denunciaban las condiciones de pecado e injusticia en que vivían los pueblos del sur del continente, comenzó a identificar estas luchas, justas pero condenables porque debían llevarse a cabo a través de medios

---

[639] Art. Liberación y confrontación. Ver: Cubanet.org, 28.XI.2003

violentos, con el mensaje de justicia encerrado en las enseñanzas de la Iglesia, aplicado en su doctrina social.

Muchos años atrás, tantos como poco más de un siglo, los cubanos que deseaban hacer libre a su Patria pusieron su causa en manos de la Virgen de la Caridad del Cobre, depositando la bandera y las armas de Cuba ante su altar para que fueran bendecidas por el Padre Jerónimo Emiliano Izaguirre en el pueblecito de Barrancas, unas horas después de que comenzara la Guerra de los Diez Años. Treinta años después, en 1898, se celebró el Te Déum de la victoria a los pies de la Virgen, en el Santuario del Cobre. Ella, nuestra Primera Evangelizadora y Misionera, quiso hacernos libres por amor y nos enseñó a pelear sin odio y sin rencor.

El panorama de América Latina no respondía a la realidad cubana, que en este sentido siempre ha estado alejada o desfasada de la del resto de Latinoamérica. Por esta causa la Teología de la Liberación, extendida en otros pueblos del continente en los que llegó a alcanzar cierta vigencia y algunos seguidores, no tuvo hondas repercusiones en Cuba, y llegó a ser más conocida a partir de la visita del sacerdote dominico Frei Betto, brasileño y autor de una célebre entrevista a Fidel Castro que más tarde se convirtió en el libro «Fidel y la Religión», de amplio interés popular, que ha sido reimpreso varias veces, al menos en la Isla.

Los cristianos cubanos no conocieron a fondo la verdad, ni a los protagonistas de esta corriente que hacía furor en América Latina. Y es que coincidía con los momentos en que la Iglesia Cubana se debatía entre el silencio y la supervivencia. Era la Iglesia cubana la que debía ser liberada, junto con el pueblo de Cuba, del régimen opresor que los asfixiaba. En el caso cubano, donde la Iglesia había sido reprimida, humillada y secuestrada, no podía tener adeptos la Teología de la Liberación. Los pocos fieles que iban al templo aún tenían la mentalidad pre conciliar, y la mayoría de las personas no acudían a las iglesias, a no ser en busca del bautismo, que muchas veces era hecho de manera muy discreta, por no decir secreta. Si a ellos y a los sacerdotes que vivían su vocación en Cuba les hubieran hablado de esta Teología, hubieran dicho que eran precisamente ellos los que debían ser liberados de la opresión, y que parecía mentira que tratara de acercarse a la Teología de la Liberación un estado opresor que era enemigo declarado de la Iglesia y nada más deseaba manipularla a su antojo: ellos son hijos de la Virgen María de la Caridad, y por otra parte, conocían muy bien la forma tortuosa en que llegaron al poder los dirigentes de un régimen que humilló y trató de desaparecer a la Iglesia Católica de la faz de la Isla de Cuba.

Con la década del ochenta comenzó el despertar religioso en Cuba, después de años de aletargamiento y desinformación. Los que comenzaron a llegar a los templos católicos manifestaban una inmensa repulsa a todo aquello que signifique ideología. Estos, precisamente, eran los tiempos en que comenzaban a desplomarse los muros y doctrinas totalitarias. La gente llegaba buscando la pureza de la fe, y no quería saber absolutamente nada de elementos que hablen de sociedad, injusticia o algo que haga referencia a los temas que el sistema ha utilizado hasta el desborde, a quienes observaba con gran reserva y desconfianza aunque se tratara de personajes revestidos con hábitos sacerdotales, o precisamente por esta causa.

Sin embargo, la fe de Cristo se fundamenta en la sed de justicia y de paz. La teología de la Liberación fue criticada en los círculos católicos de la Isla y se alertó a las comunidades del error que contenía en su praxis, porque la justicia y la paz no pueden lograrse utilizando medios violentos. Pero realmente entre los fieles, y por todo lo dicho anteriormente, esta corriente no tuvo mayor impacto y no se puede decir que ganara espacios ni tampoco adeptos, porque no tenía nada que ver con la realidad que se vivía en la Isla.

Pero al insistir en la crítica de una teología de liberación, si bien es cierto que esta inclinación justiciera de los conceptos cristianos se hizo de manera manipulada justificando la necesidad de la lucha armada como medio de llegar a un nuevo orden social, consideremos que entre los protagonistas hubo, y hay, sacerdotes, religiosos y laicos que tienen un fundamento recto de lo que significa la liberación cristiana, y han dejado un testimonio de fe digno de imitar. Son los casos de Casaldáliga, Helder Cámara, Ellacuría y los jesuitas vascos asesinados en el Salvador, o de Monseñor Oscar Arnulfo Romero. No se puede negar el ambiente de injusticia y pobreza en que estos hombres de Dios desempeñaron su misión los sensibilizaba hacia los más pobres y desamparados. No podía haber silencio cómplice ni actitud no comprometida con esas situaciones que atentaban contra la dignidad de los hijos de Dios. Recordemos que no tomaron las armas para combatir esas realidades, sólo dieron su testimonio cristiano.

Así, Monseñor Helder Cámara, soportó detenciones y torturas. Vendió su auto y se fue a hacer apostolado en una parroquia situada en medio de una pobrísima favela. Andaba a pie y en transportes públicos. Así vivió y murió de la manera más sencilla, en la pobreza. La muerte de Monseñor Oscar Arnulfo Romero, asesinado en plena Eucaristía ante su decisión inquebrantable de seguir apoyando a quienes sufrían y no callando las verdades de la opresión y el crimen, es testimonio fiel del sacrificio de Cristo.

Son ejemplos que hay que tener en cuenta a la hora de juzgar los contenidos de la teología de la liberación para no dejar la impresión de una censura que está bien dirigida hacia un aspecto pero que no puede generalizarse a su contenido más amplio. Se trata de de enfoques distorsionados de la realidad, y de la forma de llegar a resultados.

Está claro que una teología carente de elementos liberadores dejará de asumir su rol, dejaría de ser teología. Ciertamente en la Carta Pastoral del episcopado cubano se subraya la confrontación como el aspecto que se debe rechazar en este tipo de mediación cristiana. Pero los poderes del mundo siempre combatirán toda palabra, gesto y actitud que contradigan su dominio, y entonces ¿cómo actuar?. Por esta causa, será inevitable enfrentar esas mentalidades, aunque sea de manera pacífica, dialogante y con todo el amor que emana de la Cruz del martirio y la vida. Puede confundir esta disposición al ser relacionada con aquella teología que habla de liberación con fusil en las manos, y es bueno que nuestra Iglesia nos haga reflexionar sobre ello.

Pero hay que hacer ver la validez del acompañamiento a los que sufren y la determinación de ser su voz cuando éstos no tienen ya ni medios ni fuerzas para alzarla. Se trata en definitiva de promover una sociedad donde el respeto a la dignidad plena del hombre se verifique sin detrimentos de un presupuesto sobre otro, sino en total igualdad. Es la misión que esperamos de la Iglesia Cubana en estos y en todos los tiempos…,[640] es una misión que nuestra Iglesia no podrá llevar adelante si no cuenta con el amparo de su Patrona, la Virgen María de la Caridad.

El episcopado latinoamericano. Se crea el Departamento de Asuntos Religiosos anexo al Comité Central del Partido Comunista. Leves síntomas de distensión entre la Iglesia y el estado: continúa la discriminación efectiva a los católicos a pesar de algunos «reconocimientos oficiales»

La Iglesia y el estado

Por supuesto, la invocación al ateísmo doctrinal por parte del marxismo-leninismo cubano, que estaba implícita en los principios del proceso revolucionario y que fue consagrada oficialmente en los años

---

[640] Esta información ha sido transmitida por teléfono, ya que el gobierno de Cuba controla el acceso a Internet. CubaNet no reclama exclusividad de sus colaboradores, y autoriza la reproducción de este material, siempre que se le reconozca como fuente.

60 del siglo XX con un peso grande en el proyecto nacional de educación, no parecía dejar espacio alternativo a un entendimiento institucional más allá del plano formal. En lo esencial, porque se había cortado el mecanismo de reproducción de la religiosidad, al reducirlo a la mínima expresión de la familia y el núcleo religioso comunitario en torno a la catequesis, y privarlo de posibilidades de divulgación. En su entrevista con Frei Betto en 1985, Fidel Castro reconoció el sentido discriminatorio del ateísmo, pero aún no aceptaba —como hizo después— que se le hubiera asignado un carácter doctrinal al ateísmo.

En 1969, al año siguiente de la II reunión de la Conferencia Episcopal Latinoamericana en Medellín, los Obispos de Cuba suscribieron dos significativas pastorales, que diferían por su contenido de los pronunciamientos de 1959 y 1960 contra el comunismo. Ahora los Obispos se pronunciaban contra el bloqueo impuesto a Cuba por los Estados Unidos y llamaban a los católicos a la convivencia con los no creyentes, a reflexionar la crítica de la religión y a participar en el desarrollo social, lo que significaba un cambio en una Iglesia que ocho años atrás cuestionaba las transformaciones revolucionarias, ignoraba el bloqueo, condenaba el ateísmo y propiciaba el éxodo de sacerdotes y laicos[641].

Hubo que esperar nueve años para que viera la luz un nuevo pronunciamiento de la Iglesia, esta vez en el marco del XI Festival de la Juventud y los Estudiantes, celebrado en La Habana en julio de 1978 y al que asistieron varias organizaciones cristianas juveniles. La intervención del Arzobispo Francisco Oves ante delegados e invitados sobre la fe cristiana, los creyentes y la Revolución, estuvo próxima a un intento cristiano de entendimiento:

> *No creemos vivir en estos momentos etapas de inestabilidad o de tanteo, sino más bien las del desenvolvimiento de posiciones escueta, firme y claramente formuladas en el artículo 54 de nuestra Constitución socialista (...) Es nuestro propósito, desde nuestra identidad cristiana, desarrollar nuestras acciones encaminándolas a promover una responsable y sincera participación en esta, nuestra sociedad socialista*[642]

Durante la década de los 80 del siglo XX, la coincidencia de algunos objetivos de la cúpula dirigente cubana con la Teología de la

---

[641] Varios Autores. Panorama de la Religión en Cuba. Editora Política, La Habana, 1976, pp. 12-13

[642] Ibídem, p. 13

Liberación, junto con la experiencia cercana de la integración cristiana en el proceso revolucionario nicaragüense, a pesar de los puntos de vista diferentes de la dirección política y la jerarquía católica de Cuba, produce cierta distensión en las relaciones entre la Iglesia y el Estado. En el II Congreso del Partido Comunista de Cuba, efectuado en 1980, se valoró de forma satisfactoria el desenvolvimiento de las relaciones con la Iglesia y se llamó a la acción conjunta de los militantes partidistas con los sectores progresistas y revolucionarios de la institución católica. Algunos años después, dentro del Encuentro Nacional Eclesial Cubano (ENEC) se valoraron diversas posibilidades de colaboración entre la Iglesia Católica y el Estado, sin que estos pronunciamientos encontraran eco en la dirección del país. Esto significa que el llamado a combatir la discriminación por causas religiosas —reconocido por Fidel Castro desde sus conversaciones con Frei Betto en 1985— no se pudo percibir hasta la convocatoria al IV Congreso del Partido[643]. En este sentido, la prueba más clara de una evolución hacia la ruptura con el punto de vista de la doctrina se encuentra en la reunión de Fidel Castro con representantes del Consejo Ecuménico de Cuba el 2 de abril de 1990, en la cual ya se habló de incluir en el partido a personas con creencias religiosas. El Consejo Ecuménico estaba formado por representantes de denominaciones evangélicas, algunos de los cuales ocupaban posiciones y cargos en el gobierno y en la Asamblea Nacional. Finalmente, a partir del IV Congreso del PCC en 1991 fueron aceptados los creyentes en las filas del Partido, y en ese momento, el Cardenal Arzobispo de La Habana preguntó si de la misma forma los viejos militantes del Partido podrían entrar en las filas de la Santa Madre Iglesia.

La caída del Campo Socialista: su impacto en Cuba. Retorno masivo de la población al seno de la Iglesia: un ateísmo en proceso de extinción. La Pastoral «El Amor todo lo espera»

Entre 1989 y 1991, la caída del Campo Socialista y la repentina desaparición de los vínculos económico-mercantiles con la Europa del Este y la extinta Unión Soviética puso a la Isla de Cuba al borde del desastre. El peso cubano se devaluó hasta niveles nunca vistos, y de 6

---

[643] Ver: «Llamamiento al IV Congreso del PCC». Periódico Granma, La Habana, 15.III.1990. El Programa del Partido aprobado en el III Congreso solamente apuntaba, de modo genérico, la sinrazón de lo que denominó «Matiz discriminativo» respecto a la Iglesia

pesos por un dólar en los años 80 del siglo XX, comenzaron los cambios de 130 y hasta 150 pesos por un dólar. No había transporte ni alimentos hasta que comenzó a funcionar una obligada reorientación del comercio exterior en condiciones muy difíciles, y la economía cubana se situó en casi todos los indicadores económicos en un lugar similar al de Haití.

En ese momento, la población comenzó a retornar masivamente al seno de la Iglesia: parecía que la Santísima Virgen de la Caridad, desde su Santuario del Cobre, estuviera convocando a su pueblo, y una inmensa cantidad de sus hijos respondió al llamado de la Madre del Cielo. Los automóviles comenzaron a parquearse sin miedo al lado de los templos, y las familias entraban para bautizar a sus hijos, casarse o simplemente para asistir a la misa dominical. Los cuadros de la Virgen de la Caridad del Cobre, las estampas, las imágenes y los cuadros del Sagrado Corazón de Jesús —amigo que nunca falla—, los de la Última Cena y otros de diversos Santos y advocaciones de la Virgen, salieron de los rincones interiores de los hogares donde habían permanecido ocultos durante 30 años, para volver a sus lugares de honor en la sala de las casas...

Toda aquella inmensa parte del mundo que se había proclamado marxista, materialista y atea había desaparecido, ¿para qué fingir entonces un ateísmo que había dejado de ser el apoyo filosófico de una doctrina en bancarrota? Ante el mundo que se derrumbaba para muchos junto con el Campo Socialista, ante la caída de un sistema al cual se había entregado el tiempo de la vida, la gente buscaba refugio, amparo, consuelo y reorientación. Numerosas personas comenzaron a ir a la Iglesia sin saber exactamente qué era lo que esperaban, tal vez una solución mágica para sus problemas. A pesar de los problemas de transporte, aumentaron los viajes y la cantidad de personas que viajaban al Santuario del Cobre para visitar a la Virgen, cumplir promesas y regresar con piedras de cobre y estampas, o visitaban el Santuario de El Rincón. De ellos, muchos eran sinceros buscando un nexo con lo trascendente, y otros eran católicos que nunca habían dejado de serlo.

Continúan los tanteos para la Visita de Su Santidad. La decisión final: el Papa visitará Cuba en enero de 1998. La Iglesia ante la Visita de Su Santidad. El estado cubano ante la Visita de Juan Pablo II. La Visita de Su Santidad Juan Pablo II

Desde comienzos de los años 90 del siglo XX, comenzaron los forcejeos y los intercambios epistolares para promover una Visita de Su Santidad Juan Pablo II a la Isla de Cuba. Poco a poco fueron desapareciendo los obstáculos, sin duda eliminados por la creciente presencia de la Virgen de la Caridad que daba fuerzas a su Iglesia y esperanzas a los fieles. Ya en 1989 el Arzobispo de La Habana llevó a Roma una invitación oficial de la Conferencia de Obispos Católicos de Cuba al Papa. Poco después, el jefe de la Oficina de Asuntos Religiosos extendía la invitación oficial del gobierno al Pontífice. En 1990, después de la visita del Cardenal-Arzobispo de Boston, a Cuba y de su intercambio de opiniones con los obispos sobre la situación del país, los obispos viajaron a Roma para ultimar detalles con el Papa. Entonces, simultáneamente, se realizó el llamamiento al IV Congreso del Partido, y Fidel Castro pronunció las siguientes palabras en una comparecencia pública:

La Iglesia Católica cubana es muy dependiente de otras jerarquías católicas occidentales, de la ayuda de la Iglesia Católica de Estados Unidos, y de la ayuda de otras en Europa (...) es alta la influencia que tiene la jerarquía de la Iglesia Católica norteamericana sobre la jerarquía de esta Iglesia (que) ha estado más bien agazapada, esperando que la Revolución tenga dificultades, para actuar contra ella[644]

Estas palabras se conectaban evidentemente con la visita del Arzobispo Bernard Law. El 8 de mayo de 1991 el Arzobispo de La Habana, Jaime Ortega, dio a conocer que la visita del Papa se suspendía temporalmente por no haberse acordado la fecha. De inmediato, la cancillería cubana informó a la prensa que no había ningún problema político y solamente era necesario fijar la fecha. Pero el Cardenal Angelo Sodano, Secretario de Estado de la Santa Sede, puntualizó en una declaración a la prensa que «las autoridades cubanas no muestran disposición a que la visita se realice por ahora»[645].

Muy pronto el Papa anunció su propio punto de vista en un mensaje a principios de 1993 en el que llamaba a la comunidad internacional a no desinteresarse de las dificultades sufridas por el pueblo de Cuba y expresó su deseo de

...que las aspiraciones de los cubanos a una sociedad renovada en la justicia y la paz puedan hacerse realidad (...) los católicos, sin reivindicar privilegios, pretenden aportar su contribución a esta evolución con la claridad de su testimonio evangélico[646]

---

[644] Ver: Periódico Granma, La Habana. Reportajes publicados entre el 15 y el 26 de marzo de 1990-

[645] Ibídem (634), p. 43

[646] Despacho de la Agencia EFE de 16.I.1993

Dios escribe derecho en renglones torcidos, y la Visita Papal iba a efectuarse, porque la soberbia del materialismo había caído casi sin esfuerzo, como si el Digitus Dei la señalara. Mientras, pasaban los meses y la situación de Cuba continuaba deteriorándose en muchos aspectos. En septiembre de 1993, los Obispos católicos de Cuba lanzaban su mensaje *«El Amor todo lo espera»*, en el que daban sus apreciaciones sobre la gravedad de la crisis económica del país, el debilitamiento de la institución familiar, y del impacto que las circunstancias han tenido en las conductas de muchos ciudadanos con la proliferación de formas miméticas e hipócritas, la inercia conformista y otras malformaciones, unas reproducidas y otras generadas por el socialismo. Los Obispos hablan de *«falta de amor fraterno»,«justicia sin amor», «deterioro del clima moral», «pérdida de los valores fundamentales»,* y exhortan a *«apelar a un balance sereno y sincero, con la participación de todos los cubanos, sobre la economía y su gestión», «todos deben participar activamente en la gestión de estos cambios» e imponer «hasta el amor al enemigo, que es el más difícil», mediante «un diálogo no sólo de compañeros, sino (...) de cubanos a cubanos, que somos todos, capaces de llegar a compromisos aceptables»*[647]. Es innegable que la Virgen de la Caridad inspiraba aquel mensaje, cuyo texto fue repartido por millares de ejemplares desde el Arzobispado de La Habana, y la prensa del régimen no tardó en atacarlo. En los periódicos comenzaron a aparecer duras respuestas al mensaje, pero sin poner el texto del mensaje. Las gentes, estupefactas, sabían que se estaba atacando algo, pero no sabían a qué o a quién o por qué...

Por su parte, Juan Pablo II dio su propia valoración sobre el mensaje de los Obispos cubanos:

La solicitud pastoral de ustedes está basada únicamente —como es la misión de la Iglesia— en crear un clima de amor y reconciliación, fundamento imprescindible para el bien de todo el país (...) que todos los hijos de Cuba participen desde su propia condición y responsabilidad[648]

En noviembre de 1994, Juan Pablo II otorgaba el capelo cardenalicio al Arzobispo de La Habana, Mons. Jaime Ortega Alamino. La Iglesia Católica, a su máximo nivel, preparaba el escenario y los

---

[647] Ibídem (634), pp. 33-34

[648] Ibídem, p. 44. Palabras de Su Santidad Juan Pablo II en la Misa concelebrada con los Obispos cubanos en Roma, en 14.X.1993

actores para la Visita del Papa. El 20 de enero de 1995, el nuevo Cardenal cubano proclamaba que

> *(...) la fe del cubano ha sido expuesta al silencio sobre Dios (...) y un temor patológico se metió en el corazón de la gente (...) temor a no ascender en la escala social, a no encontrar empleo, al trauma sicológico que podía producir en el niño el hecho de ir a la iglesia y ser cuestionado en público por su fe*[649]

La Divina Providencia siguió moviendo sus hilos. En 1996, en el mes de noviembre, Juan Pablo II recibió a Fidel Castro en la Santa Sede y ambos sellaron el acuerdo de la Visita Pastoral a Cuba que tuvo lugar catorce meses después. Poco después el Papa pronunciaría estas palabras:

> *Es cierto también que la etapa del ateísmo, mal llamado científico, parece superada en vuestra Nación y que, tanto por parte del pueblo como de las instancias oficiales, se reconoce cada vez más la ayuda que la fe cristiana puede aportar al bien social*[650]

Las palabras del Papa Juan Pablo II constituían el reconocimiento de que la religiosidad cubana estaba vigente. Después de 40 años de ateísmo oficial, la religiosidad se mantenía y el 85 por ciento de la población portaba creencias religiosas[651]. Dentro de este porcentaje, un 15 % practica alguna religión, sobre todo la religión cristiana, un 20 % tiene creencias religiosas sin participar activamente en alguna iglesia, un 30 % expresa creencias referidas a la religiosidad popular y por encima de todo a la figura de la Virgen de la Caridad del Cobre, Patrona de la Isla de Cuba y Madre de todos los Cubanos, otros santos y advocaciones marianas como San Lázaro, la Virgen de Regla o la Virgen de la Merced, y otro 20 % expresa creencias primitivas de nivel mágico-religioso, en particular vinculadas a religiones afrocubanas y espiritismo. En estos dos últimos niveles están presentes con mucha fuerza diversas supersticiones, ideas espiritistas, referencias sobrenaturales, creencias en los astros o en las cartománticas. Finalmente, un 15 % que se considera ateo, sin creencias religiosas, según las últimas encuestas estatales

---

[649] Ibídem, p. 89. Ver: Homilías del Cardenal Jaime Ortega y Alamino, Arzobispo de La Habana (octubre de 1994 a octubre de 1995), publicadas por la Conferencia de Obispos Católicos de Cuba (COCC), en 1995

[650] Ibídem, p. 92

[651] Ibídem (634), todo este asunto

realizadas[652]. Pero habría que ver hasta qué punto este ateísmo es capaz de mantenerse en situaciones extremas... para repetir nuevamente la conseja popular, muchos se acuerdan de Santa Bárbara cuando truena. Y otros muchos, después de 1991, con la caída del último ídolo del extinto campo socialista, la Unión Soviética, cuando se derrumbaron los muros y cayeron las estatuas, cuando la desaparición del poderoso bloque de países que mantenían la práctica del socialismo real cuestionó de forma decisiva la vigencia de la filosofía materialista y atea que formaba su base ideológica, comenzaron a regresar al seno de la Iglesia. Unos para reencontrarse con la fe que no habían perdido, sino que habían enterrado bajo capas de conveniencia, y otros buscando ansiosamente el pacto con lo trascendente, con la eternidad, con la Resurrección, con el Amor.

En resumen, un pacto nuevo y firme con la Patrona de Cuba, la Virgen de la Caridad.

En enero de 1998, la Visita de Su Santidad, la muchedumbre incontable que lo vitoreó a lo largo de 25 kilómetros de carretera desde el Aeropuerto José Martí hasta La Habana, y las muchedumbres donde se congregaron cientos de miles de personas en las Misas celebradas en Santiago de Cuba, Camagüey, Santa Clara y La Habana, demostraron el inmenso poder de convocatoria de la religión católica a pesar de las dificultades materiales centradas sobre todo en la escasez del transporte urbano, casi inexistente y por completo incapaz de trasladar hacia y desde los puntos de concentración a aquellas multitudes. Demostró, además, que la búsqueda de Dios continúa y que muchísimas personas van encontrando respuestas.

La Virgen de la Caridad del Cobre sigue dirigiendo la espiritualidad del pueblo de Cuba: los combatientes cubanos en África y sus promesas y ex-votos en el Santuario del Cobre, a los pies de la Virgen.

Si un visitante cualquiera llega al Santuario del Cobre y después de postrarse a los pies de la Patrona de Cuba pasa al llamado Cuarto de los Milagros, situado abajo y detrás del altar, podrá ver los ex-votos acumulados durante años y siglos por el fervor de los peregrinos agradecidos por las intercesiones de la Virgen que han ido a cumplir sus promesas y de esa manera dan testimonio de su fe y de su devoción sin límites a la Virgen de la Caridad representada por la imagen tan querida del pueblo de Cuba.

---

[652] CEHILA. Historia de la Iglesia en América Latina. Ediciones Sígueme, 1983, t. I, p. 898

Allí se pueden ver cartas de agradecimiento que testimonian hechos y milagros con que la Virgen respondió a innumerables peticiones, allí puede verse el Premio Nobel concedido a Hemingway:

> *Los favores que se atribuían a la Virgen eran tan numerosos y tan extraordinarios, que se llegó a invocarla con el nombre de Nuestra Señora de la Caridad y de los Remedios. Los exvotos fueron inundando el altar de tal manera que hubo que acudir a la solución —en el actual santuario— de una gran capilla debajo del altar de la Virgen, para acumular en ella todos esos regalos. Uno de los últimos es la medalla de oro del premio Nobel ganado por el novelista Hemingway...*[653]

Durante los años posteriores a 1959, los soldados cubanos enviados por el régimen a luchas en sus guerras africanas, tenían la costumbre de depositar sus grados militares y otras ofrendas a los pies de la Virgen de la Caridad, en el Cuarto de los Milagros del Santuario del Cobre... curiosa costumbre la de estos soldados al servicio de un régimen materialista y ateo, que nunca dejaron de tener absoluta confianza de que su salvación de los peligros de la guerra estaba en manos de la Santísima Patrona de Cuba:

> *El que visita el Museo que existe en la Basílica del Cobre encuentra los muchos ex-votos ofrecidos a la Virgen, verdadera manifestación de su presencia en la historia personal de los cubanos expresados por ejemplo, en tierra de distintos países donde ha luchado este pueblo: Angola, Etiopía, Nicaragua, grados militares, etc., sin obviar que se refieren a gracias personales recibidas. La presencia de la Virgen de la Caridad del Cobre n nuestra historia patria, no es un hecho del pasado, es un hecho de todos los tiempos, de los de ayer y de los de hoy. La Virgen trajo para Cuba, y lo irradia sobre El Cobre, un mensaje de justicia y libertad*[654]

> *En esa capilla reposan miles de exvotos donados por los creyentes a la virgen, entre los que se encuentran valiosas joyas de oro, plata y piedras preciosas, porcelanas, y las piezas más insospechadas, como una simple muletí, un bisturí y la condecoraciones de militares que fue a la guerra de Angola*

Ni siquiera los hermanos Fidel y Raúl Castro se vieron libres de las fervorosas peticiones que dirigió su madre, Lina Ruz, a la Virgen de la Caridad para que amparara a sus hijos y los protegiera de los

---

[653] Villaverde S.I., P. Alberto J. Santa María de la Caridad del Cobre, Patrona de Cuba – vía Internet

[654] Peláez Prineda, Rosa. Art. Presencia de la Virgen de la Caridad en la historia del pueblo cubano. Revista Vitral, Cuba

peligros de la guerra y la muerte, como podemos observar en estos fragmentos:

También están allí una plancha de oro con las figuras grabadas de Fidel Castro y su hermano Raúl, depositada por su madre Lina Ruz, en súplica porque no les sucediera nada en las montañas de la Sierra Maestra, y la medalla de oro del premio Nobel recibida por el novelista estadounidense Ernest Hemingway, que él mismo dejó en el santuario...[655]

Allí, entre ex-votos y otras ofrendas, hay una de Lina Ruz, la madre de Fidel Castro, pidiendo protección para sus hijos durante la campaña de la Sierra Maestra[656]

Cartas testimoniales, pequeñas muletas y ojitos de oro y plata, otras ofrendas acumuladas durante siglos... medallas y estampas de la Virgen de la Caridad que llevaban los soldados del Ejército Libertador... otras medallas, estampas y rosarios que portaban los soldados del Ejército de la República y los soldados del Ejército Rebelde durante la lucha en la Sierra Maestra... el cinturón de los pesos pesados de Teófilo Stevenson... el Premio Nobel de Ernest Hemingway... los grados militares y las promesas dedicadas a la Patrona de Cuba por los soldados que pelearon en Angola, Etiopía, Nicaragua y otras guerras y que nunca dejaron de creer y confiar en su amada Virgencita... la historia de la fe y la devoción del pueblo cubano puesta a los pies de su Santísima Reina y Madre en el Santuario del Cobre.

Otras formas en que se mantuvo el culto a la Virgen María de la Caridad. La Virgen y su presencia en las cárceles.

Aparte de las numerosas cárceles que existen en Cuba, donde están encerrados los «prisioneros de conciencia», bien se puede decir que la Isla entera, de donde nadie puede salir sin una serie interminable de requisitos, permisos, imposibilidades monetarias y restricciones, es una inmensa cárcel.

Junto con sus hijos, la Virgen de la Caridad del Cobre comparte las penas del encierro, y los católicos le siguen dando tributo de veneración, devoción, fe y cariño inextinguible, aún detrás de las rejas.

¿Cómo es esta inmensa cárcel cubana? ¿Qué pasa dentro del encierro de la Isla? El artículo a continuación resulta esclarecedor:

---

[655] Cf. de Dios, Horacio. Crónicas de un Viajero. Colección Crónicas,. Ediciones Universal, Miami, 2002

[656] Prieto, Daniel. Castro preocupado. Miami, Art. Diario de las Américas, 19.I.1998

La Habana– Hay unas galeras portátiles y duras que se llevan por dentro, a todas partes. Con ellas va la gente a la cama y a la calle y con esas jaulas interiores se sienta uno a la mesa y besa a un niño. Son las prisiones invisibles que habitan el espíritu de los familiares y los amigos de los condenados.

Esa carga invisible, viajera porfiada del torrente sanguíneo, acompaña a las madres, los hijos, los hermanos, las esposas de los presos en el peregrinaje a las visitas y a los vertiginosos encuentros conyugales que autoriza el sistema penitencial criollo.

Algunos casi no pueden arrancarse ese latido, esa sombra, porque tiene agentes en el sueño. Las personas suelen prolongar su angustia cotidiana de la lucidez y la vigilia más allá de un coctel de somníferos y mucho después de las páginas de un libro espeso.

Se habla de un dolor superior a la ausencia —que a veces quiere decir olvido—, un sentimiento donde no molesta tanto el vacío, como la certeza de que el ausente padece y vive en condiciones difíciles. Un sufrimiento dado porque el que no está no decidió irse. Se lo llevaron.

Por ahí resuellan las heridas de esa naturaleza, por la imposibilidad de que el excluido vuelva a los moldes tibios de su cama, al sillón de mimbre de la sala, a los bordes conocidos de su vaso, a las aleaciones condescendientes de los cuchillos y los tenedores y a la luna redonda de un espejo.

Un código íntimo y severo decreta la clausura de los álbumes de fotos.

Las cartas ajadas, de viajes y separaciones pasajeras o las candorosas esquelas de un noviazgo, se convierten en sustancias conflictivas. La ropa, la camisa azul prusia, el reloj exhausto, la cadena con la Virgen de la Caridad o el crucifijo, la estampa de Babalú Ayé y sus perros se convierten en piezas de metal al rojo vivo que arden en las manos y en los ojos.

Los candados llegan a otras instancias. Cae, como una plaga, un polvo de censura sobre ciertas canciones y muchos anaqueles de las bibliotecas entran en una estación de sequía y abandono porque allí duermen los personajes, las escenas, los diálogos, los versos que el ausente buscaba en los atardeceres y la alta noche para hallar la emoción o el sosiego.

El presidio no es una amargura exclusiva del sancionado. Es una aflicción con metástasis intensa hacia los puntos cardinales de la vida familiar, que provoca una sucesión de desastres personales, desequilibrios y alteraciones en grupos humanos para los que la inocencia es mucho más que una presunción[657].

Por otra parte, ¿cuáles son las condiciones que imperan en las cárceles de la Isla? En un comunicado, las mujeres y familiares de los

---

[657] Rivero, Raúl (desde Cuba). Art. Otras cárceles, publicado en El Nuevo Herald, de Miami

opositores a Castro condenados denuncian las malas condiciones carcelarias que deben enfrentar, y la forma en que los presos veneran a su Santísima Patrona, la Virgen de la Caridad del Cobre.

Las esposas de los presos políticos cubanos se juntaron para hacer una vigilia por la liberación de los opositores al régimen encabezado por Fidel Castro.

La reunión tuvo lugar en La Habana, en la casa de Blanca Reyes, la mujer del escritor y periodista disidente Raúl Rivero, condenado a veinte años de prisión en los juicios sumarísimos que llevaron a la cárcel a setenta y cinco disidentes el año pasado.

Durante la vigila, Reyes leyó un comunicado elaborado por las esposas y familiares de los setenta y cinco presos políticos. En él piden a la Virgen de la Caridad del Cobre, patrona de Cuba, por la liberación de los suyos. El documento señala que «nosotras, mujeres cubanas, esta noche rogamos a la virgen [...] para que ilumine la senda de la Justicia y recobren la libertad los prisioneros de conciencia detenidos luego de la asonada represiva de marzo del 2003, así como de todos los prisioneros políticos de Cuba».

Asimismo, en el documento hecho público, denuncian que «por pretender ejercer su derecho a la libre expresión y amar a nuestra patria, los setenta y cinco fueron condenados a penas de hasta veintiocho años de cárcel, sometidos a un régimen de máxima severidad especial que incluye una gran crueldad hacia la familia».

Los familiares y esposas de los detenidos denuncian que la salud de los disidentes condenados se deteriora cada vez más y que muchos tienen serios padecimientos para los cuales no están recibiendo la atención médica adecuada que requieren.

Además de Reyes, asistieron a la vigilia Miriam Leiva, esposa de Oscar Espinosa Chepe, condenado a veinte años de cárcel; Elsa Morejón, mujer de Oscar Elías Biscet, que deberá purgar veinticinco años, y Gisela Delgado, esposa de Héctor Palacio, entre muchas otras.

La casa de Blanca Reyes fue preparada con una imagen de la Virgen de la Caridad escoltada por dos banderas de Cuba. Debajo del pequeño altar improvisado fueron colocadas las fotos de la mayoría de los setenta y cinco disidentes del régimen cubano que fueron condenados a purgar penas en la cárcel que llegan hasta los veintiocho años[658].

---

[658] Artículo publicado por Infobae, Argentina, el 9 de septiembre del 2004

Cualquier lugar es bueno para honrar a la Virgen de la Caridad. En cualquier sitio podemos recordarla con amor y gratitud, o inspirarnos para crear con nuestras manos, aunque no tengamos recursos para hacerla, una obra de arte en honor de Nuestra Madre del Cielo, donde queden plasmadas nuestra devoción y nuestra fe. Podemos comprobarlo en el testimonio de este artículo:

> *El Partido Liberal Democrático de Cuba informa a la opinión pública nacional e internacional que el preso político Joaquín Fuentes García, de 29 años de edad, quien se encuentra en la prisión Combinado del Este, comenzó una huelga de hambre desde el pasado día 20 de septiembre.*
>
> *Este preso cumple una condena de 9 años de cárcel, de los cuales ha cumplido 5 y medio, por intento de salida ilegal del país y encubrimiento. El mismo se encuentra en delicado estado de salud, ya que padeció de hepatitis B, padece de polineuropatía y está casi ciego.*
>
> ***Queremos destacar que el señor Joaquín Fuentes García fue el autor de la pintura de la Virgen de la Caridad en una sabana que fue entregada el pasado 22 de septiembre por Mario Chanes al padre Santana en la Ermita de la Caridad. Informo R. Santiago[659].***

¿Siempre ha sido así? ¿Se ha preocupado la Virgen de la Caridad por los presos en Cuba? Sí, eso ha ocurrido siempre, a lo largo de toda nuestra historia nacional, desde la colonia hasta la república y después, en la era del régimen comunista. La Virgen de la Caridad del Cobre es la madre de todos, incluyendo a los presos y agregando a los que no creen en Ella, porque las Madres quieren a todos sus hijos, sin excepción:

> *Fue por eso el episcopado cubano confió a la Virgen de la Caridad la preparación espiritual de la celebración del cincuentenario de la República. El 20 de Mayo de 1951, la Virgen Mambisa, una imagen de la Virgen que había estado en los campamentos insurrectos, saldría del Santuario Nacional para bendecir con su presencia, como escribiera el Cardenal Arteaga: «**las ciudades, y los campos de Cuba: las iglesias, los hogares, los hospitales, las cárceles, las fincas…**»[660]*

Mons. Fernando Azcárate convoca a la Reflexión Eclesial Cubana (REC) y su continuación, el Encuentro Nacional Eclesial Cubano (ENEC): la Virgen de la Caridad, máxima inspiradora

¿Cómo surgió la iniciativa de celebrar un Encuentro Nacional Eclesial Cubano, en condiciones tan difíciles como las que vivía Cuba a

---

[659] Artículo. La Habana, 25 de septiembre 2005 (APIC)

[660] Zelada, Rogelio. Art. Por ser cubana y mambisa. En: La Voz Católica, Miami

finales de la década que comenzó en 1970? Cuando un grupo de sacerdotes efectuaba una convivencia en el Santuario del Cobre, Mons. Fernando Azcárate lanzó esta idea luminosa, por lo que se puede afirmar que fue la Patrona de Cuba, la Virgen de la Caridad del Cobre, la que inspiró la iniciativa. Era el momento justo para que la Iglesia se reorganizara, meditara en su camino, valorara las situaciones y trazara una nueva estrategia, cuando aquellos hombres de Dios, a los pies de la Virgen, reflexionaban sobre el tema de la esperanza.

Era la chispa que prendió la hoguera, y el Arzobispo de Camagüey Mons. Adolfo Rodríguez Herrera, en el discurso de inauguración del Encuentro Nacional Cubano años después, lo expresó de esta forma:

> *Cuando en 1979 Mons. Azcárate, con ocasión de unas convivencias sacerdotales en El Cobre, que trataron precisamente el tema de la Esperanza, propuso el proyecto de una reflexión nacional, que él mismo calificó entonces de «quijotada», nadie pudo imaginarse en aquel momento que aquella «quijotada» iba a convertirse un día en realidad; y que aquella titubeante idea iba a ser la chispa primera de una gran hoguera espiritual que envolvería a toda nuestra Iglesia cubana, y de la que hoy, nosotros, aquí reunidos, somos como una prueba. Verdaderamente, lo que entonces fue sólo una idea, es ya desde este momento una realidad[661]*

Después de este paso la Virgen de la Caridad del Cobre preparó las condiciones para efectuar una Reflexión Eclesial Cubana (REC) como paso previo al Encuentro Nacional. La importancia de llevar a cabo la Reflexión Eclesial, en las duras y singulares condiciones que vivía la Isla entonces, como paso indispensable para dar comienzo al renacer de la Iglesia, ha sido explicada de esta manera:

> *Es casi una proeza intentar dibujar y explicar esta huella eclesial cubana en unos cuantos párrafos. Es también necesario hacerlo en el momento que vive la nación cubana en sus dos riberas que abrazan las famosas 90 millas.*
>
> *Durante los primeros 20 años del vendaval revolucionario la comunidad eclesial católica insular quedó maltrecha y debilitada y hubo de refugiarse en sus catacumbas tropicales. La mayoría de los templos seguían abiertos y se celebraban liturgias y otras actividades en ellos. El número de los fieles era escaso. Abundaban las personas mayores. Eran*

---

[661] Rodríguez Herrera, Mons. Adolfo —Presidente de la Conferencia Episcopal Cubana— Discurso Inaugural del Encuentro Nacional Eclesial Cubano, 17 de Febrero de 1986

pocos los niños y los jóvenes en edad escolar, así como personas activas en el mundo laboral y profesional en la feligresía. Puede decirse que el pueblo abandonó a la Iglesia y que la Iglesia siempre estuvo ahí con los brazos y el corazón abiertos. Se sabe, también, que en círculos gubernamentales se anticipaba que la desaparición de la Iglesia era solamente cuestión de tiempo. Esta forma de pensar desconoce la promesa de Jesucristo: «...Yo estoy con ustedes todos los días hasta el fin de la historia.» (Mt. 28, 20).

Asimismo, hay que señalar que fracasaron los esfuerzos que se hicieron por crear una iglesia nacional en Cuba, al margen de la Iglesia Católica, Apostólica y Romana.

A partir del verano de 1979 la Iglesia, a lo largo y ancho de la Isla, se lanza a un proceso de reflexión autocrítica desde la cúpula hasta la base, en todas las diócesis y parroquias, que es conocido como la Reflexión Eclesial Cubana, (REC). La REC culmina en febrero de 1986 en el Encuentro Nacional Eclesial Cubano, (ENEC),

El ENEC es la primera actividad pública de la Iglesia en Cuba, desde el Congreso Católico de 1959, que se llevó a cabo con la anuencia y la participación de las autoridades políticas del país. La Iglesia «encarnada, orante y misionera...» emprende el camino, con nuevos bríos, para reclamar su lugar junto al cubano de a pie[662]

El ENEC, después de lanzarse la idea en el Santuario del Cobre, a los pies de la Virgen, fue, según dijera Mons. Jaime Ortega,

...el momento fuerte de un movimiento de concienciación que no solo generó aquel evento significativo, sino que produjo en nuestra Iglesia un modo nuevo, participativo, corresponsable de comprender, preparar y realizar la misión de la Iglesia y su atracción pastoral; con una referencia clara y realista a nuestra historia reciente y pasada, sin el lastre de nostalgias estériles con una consideración positiva del presente, sin caer en fáciles optimismos, pero lejos también de todo pensamiento sombrío, con una proyección para el futuro que tiene en cuenta lo vivido, que supo nutrir su aval reflexivo en el Concilio Vaticano II, en Medellín y Puebla, pero que encuentra la razón de su esperanza en la capacidad incalculable del Evangelio para abrirse camino en el corazón de los hombres y mujeres de hoy, porque la figura sublime de Jesús tiene un poder siempre actual para cautivar las voluntades, porque la fuerza del Espíritu Santo que nos prometió el mismo Jesús obrará también hoy las

---

[662] Herrera, María Cristina. Fundadora Instituto de Estudios Cubanos (IEC) Miami. Art. La huella de la Iglesia en Cuba 1959-2007, Miami, 3.II.2007

mismas maravillas que en los tiempos apostólicos, que en los grandes momentos de renovación en la historia de la Iglesia[663]

Además, Mons. Jaime Ortega, al concluir el Encuentro Nacional Eclesial Cubano, enfatizó la necesidad de orar al Padre y a la Virgen de la Caridad del Cobre, inspiradora del ENEC y su promotora como Primera Misionera de la Isla de Cuba:

*A la oración de ustedes confiamos este tiempo nuevo que se abre para nuestra Misión. **Que la Virgen de la Caridad, Nuestra Madre, Estrella de la Evangelización, en cuyas manos pusimos desde el inicio nuestros proyectos, nos sostenga también en esta nueva etapa.** (Carta Pastoral: Al concluir el Encuentro Nacional Eclesial Cubano, de **Mons. Jaime Ortega - Arzobispo de la Habana - 20 de Marzo de 1986**)*

Pero con efectuar el ENEC en el círculo cerrado de la Iglesia, no terminaba el evento. En realidad, el proceso estaba lejos de terminar, porque los resultados del ENEC debían llegar a toda la Isla, y así surgió una nueva inspiración: la de los Encuentros Parroquiales Eclesiales (EPEC) que se efectuaron en la base. Recordando la importancia que tuvieron los EPEC como paso inmediatamente anterior al ENEC, Mons. Jaime Ortega expresó:

En nuestra Arquidiócesis de La Habana hemos celebrado los EPEC; los encuentros parroquiales, que han sido, más que el eco del Encuentro Nacional en cada comunidad, la concreción de ese estilo propio del ENEC de pensar y vivir la misión de la Iglesia, en cada barrio o en cada pueblo.

Al visitar los EPEC y llegar a las distintas comunidades, a veces en pleno desarrollo de una plenaria, en ocasiones durante las reuniones de equipo, que recorría con interés, escuchaba siempre los mismos temas: los niños, los enfermos, los hermanos de religiosidad sencilla y popular, el templo abierto, las mentes abiertas, los corazones abiertos...

Temas iguales y totalmente nuevos en cada parroquia, en cada sitio diverso: porque las modalidades era distintas para acoger a los hermanos en cada parada del ómnibus que está junto a la Iglesia y que entran en ella, o para tener en cuenta, en las felicitaciones de Navidad y Año Nuevo, a las escuelas del barrio, al Círculo Infantil vecino, a la fábrica que está dentro del territorio de la parroquia...[664]

---

[663] Ortega Alamino, Card. Jaime L. Te Basta mi Gracia. Ediciones Palabra, S.A., Madrid, 2002, p. 330

[664] Ibídem, p. 331

Puesta de pie y fortalecida por el Amparo de la Madre Celestial, la Virgen de la Caridad del Cobre, la Iglesia cubana se preparaba valientemente para nuevas y audaces realizaciones.

Salida del país del P. Miguel Ángel Loredo. Las Constituciones Socialistas y la Iglesia Católica. Cambios relacionados con la Iglesia en la Constitución de 1991. Afirmaciones, manipulaciones y mentiras.

Después del famoso juicio en que fue condenado, el P. Miguel Ángel Loredo pasó a cumplir 15 años en la Prisión de Isla de Pinos. Fue indultado y pasó 10 realizando trabajos forzados. También estuvo algún tiempo en la Cabaña y en la prisión de Guanajay.

El Padre Loredo era un joven franciscano que una vez ordenado trató de hacer todo lo que pudo por la Orden y por el catolicismo, tan afectado después de las fricciones iniciales sobre todo en los años 1960 y 1961. Llegó a Cuba después, cuando el ambiente era menos tenso, y se dedicó a trabajar sobre todo con la juventud.

En estos momentos, cuando el Padre Loredo regresa a Cuba en 1964 después de terminar sus estudios, la Iglesia Católica estaba muy disminuida. Alrededor de 400 sacerdotes se habían marchado del país, algunos voluntariamente, asustados por el giro que tomaron los acontecimientos —sobre todo a partir de que se declarara el carácter socialista de la revolución— y muchos otros, sobre todo españoles, que tuvieron que embarcarse en el Covadonga aunque no estuvieran de acuerdo.

La escasez de ministros de la religión obligó a cerrar muchos templos. Los colegios católicos habían sido intervenidos, y la intensa propaganda marxista que se realizaba por todos los medios de comunicación presentaba a la religión como al «opio del pueblo» y un lastre de épocas pasadas que había sido superado por los objetivos de la revolución. Muchos militantes de las diversas denominaciones cristianas mostraban desaliento, pesimismo y muchos tenían miedo. Y en medio de esa situación en que muchísimas personas habían dejado de asistir a la Iglesia, cuando la institución católica pensaba sobre todo en su propia conservación mientras se observaban los signos de los tiempos, aparece el Padre Miguel Ángel Loredo. Un franciscano entusiasta que contagiaba a todos con su fe, que cuando hablaba en el púlpito

...nos traía un mensaje alentador y diferente. Contaba que la Iglesia daba al traste con sus moldes tradicionales y penetraba en una época de renovación total. Una nueva época teníamos por delante: la misa celebrada en español en breve, los ornamentos negros se abandonarían de inmediato y el cristianismo entraría en estrecho contacto con los

tiempos modernos y las generaciones actuales. Era el «aire fresco» de que había hablado Juan XXIII al abrir las ventanas del Vaticano. El recién llegado —el Padre Loredo—lucía ideal para los nuevos empeños. Sus palabras eran enérgicas, convincentes y alegres. Su trato respiraba un hondo entendimiento de los hombres que sin duda aprendió más allá de los libros. Guitarra en mano, enseguida se le veía rodeado de muchachos deseosos de participar en veladas litúrgicas y conocer las últimas resoluciones pontificias...[665]

En medio de una Iglesia replegada en sí misma, a la que acudían sobre todo personas muy ancianas —porque los que tenían menos edad preferían dejar de ir a los templos para no sentirse presionados en sus centros de trabajo o de estudio— aquel franciscano tan joven y con tanto atractivo para los jóvenes, que hablaba de las cosas buenas que estaban ocurriendo en el seno de la Iglesia, de las nuevas adecuaciones, que atraía a todos con su trato sencillo y alegre, con música y canciones y esperanzas, llamaba mucho la atención. Sobre todo en un momento en que después de la postración inicial, la Iglesia daba signos de empezar a despertarse en algunos lugares, alentada sobre todo por el soplo alentador del Concilio:

En pleno 1964, silenciosamente, se experimentaba un revivir espiritual operándose a lo largo y ancho de las seis provincias, bajo signos distintos al cliché latinoamericano. La gente salía de su letargo ancestral, la religiosidad daba serias señales de vida y el pueblo podría volver la cabeza hacia alguien que le traía un mensaje nuevo. No es posible atribuir este progreso a ningún factor en particular, pero no cupo la menor duda de que la personalidad carismática de Miguel Ángel contribuyó en no escasa medida al resurgir. En menos de un año se había convertido en el pilar de la fe más límpida, sin compromiso terreno alguno. (Ni tirios, ni troyanos). Era el orador obligado en cualquier acto de la Diócesis capitalina y continuamente hacía uso de la palabra en Camagüey, Las Villas u Oriente. Tras una visita a la capital episcopal de San Pedro y San Pablo en el Vedado, oí a un diácono bautizarlo con el nombre de 'Billy Graham cubano'[666]

Miguel Ángel Loredo era un joven de grandes conocimientos, dinámico, trabajador y tenía mucha fe. Simultaneaba la atención a la Iglesia de Guanabacoa, el trabajo en la Parroquia de Casablanca, con sus labores de profesor de Moral en el Seminario San Carlos y en los cursos que se impartían en el anexo la Anunciata de la Iglesia del

---

[665] Testé, P. Ismael. Historia Eclesiástica de Cuba. Barcelona, 1974, t. IV, p. 70
[666] Ibídem.

Sagrado Corazón de Jesús (Reina), promovidos por la Acción Católica Cubana.

¿Cómo era el Padre Loredo entonces? Era una persona que no se dejaba confundir, pensaba de una forma muy clara y objetiva. Tenía un cerebro muy bien organizado, y al mismo tiempo era terco, o será mejor decir que estaba convencido de que tenía la razón (cuando la tenía), o sea, que era una persona de convicciones muy firmes (25). Influía mucho sobre los jóvenes que lo rodeaban , sobre todo por la fuerza de sus creencias, de su fe, y le gustaba trabajar mucho con los jóvenes. Cuando predicaba, sus palabras convencían a las gentes, y tenía mucho público

> *El presbítero predicaba sobre fuentes litúrgicas, interpretación de la Biblia y sobre los frutos de la fe a través de la historia aún en sus siglos más tenebrosos...*

> *En 1966 la Acción Católica organizaba una campaña de formación espiritual conducida por tres profesores: Miguel Ángel entre ellos. La actividad tuvo lugar en el salón de Conferencias de la Anunciata, perteneciente a la Iglesia del Sagrado Corazón (Reina), sita en Reina y Carlos III. Cientos de estudiantes procedentes de diversas parroquias se matricularon en el curso; discutiendo sus dudas, formulando sus inquietudes, expresando sus ansiedades y tomando notas sobre nuevas vías de comunicación sobrenatural. Recuerdo a un vecino del Cerro quien no se perdió una sola sesión del evento y cuando le pedí su parecer el mismo me dijo: 'Los temas son interesantes, he aprovechado bien y he oído cosas más agradables que las que me meten por la cabeza en la escuela. Pero hay alguien (sobre todo) a quien no olvidaré. ¿A quién? — le dije—. Al franciscano —me respondió*[667]

Ahora habla el autor de este libro, que tuvo la suerte de conocer a la familia del Padre Loredo desde el año 1957 —a su padre, el Dr. Miguel Ángel Loredo, médico de Regla, a su hermana Silvia, a su madre, a su abuela, que vivían en el mismo edificio que todavía se encuentra en el Vedado, en la calle L no. 56 esquina a 11, en el apartamento 12, mientras que el autor de estas líneas residía en el apartamento 16, en el piso 4— y que fue una de las primeras personas en conversar con él cuando acababa de llegar de España, en el citado apartamento, para presentar su recuerdo del joven que vestía el hábito pardo de los franciscanos. Era un joven muy serio, muy dueño de sí mismo, voluntarioso, capaz de mantener sus opiniones. De sus

---

[667] Larrúa Guedes, Salvador. Cinco Siglos de Evangelización Franciscana en Cuba. Custodia Franciscana del Caribe, San Juan de Puerto Rico, 2004, t. II, p. 122

palabras emanaba una fuerza grande. Desde ese momento, cuando brota en mi mente su imagen, ya desdibujada por el paso de casi 40 años, pienso en mi primer recuerdo, tan similar a los de otras personas que lo conocieron, sobre los rasgos básicos de su carácter.

Cuando estaba en la cárcel tuve también noticias de él y de su padre, que tuvo que ser ingresado poco después en el Sanatorio San Juan de Dios, y supe que siempre mantuvo sus principios y su dignidad.

La cárcel no hizo mella en él. Era el mismo de siempre, había trazado una línea que regía su vida, y no se apartaba de ella. Uno de los que visitaron en la prisión me contaba que

Yo lo conocía de niño. Con influencias, pude lograr que me dejaran hablar con él 2 o 3 horas cuando estaba en la prisión. Me dijo que estaba feliz en la cárcel, allí mismo había formado su propia comunidad y evangelizaba a los presos. El era un hombre que no se dejó mangonear por ninguna tendencia, siempre estuvo muy terco. Loredo es terco, y eso lo ayudó a resistir...[668]

De su labor apostólica quedaron opiniones como ésta:

Durante los años que pasó en prisión, el Padre Loredo ejerció su ministerio sacerdotal entre los reclusos, compartiendo plenamente la situación de los demás por su reiterada negativa de incorporarse a los planes de rehabilitación existentes[669]

Dos meses antes de cumplir 10 años de prisión, en febrero de 1976 y a petición del Nuncio Apostólico Mons. César Zacchi, se tomó la decisión de conceder la libertad condicional al P. Miguel Ángel Loredo, que ya había pasado en la cárcel casi las dos terceras partes de la sanción impuesta: 15 años de privación de libertad:

Su salida de la prisión, gestionada por Mons. Zacchi, no ocurrió, sin embargo, hasta varios meses después de la terminación de su gestión como Nuncio Apostólico en Cuba[670]

En la entrevistada realizada en el Convento de Guanabacoa a fray Juan Rumin Domínguez Castellanos, o.f.m., que es uno de los franciscanos cubanos más jóvenes, nos dio a conocer la gran ayuda que prestaba el P. Loredo como formador a los novicios que aspiraban a profesar en la Orden —trabajo que comenzó a realizar después de su salida de la prisión— y el apoyo personal que le brindó:

---

[668] Ibídem,

[669] Ibídem, p. 123

[670] Ibídem,

Es evidente que el Padre Loredo fue una inspiración para mí. Su fidelidad a la Iglesia, a la Orden y a Cuba, me impulsaron mucho para seguir adelante...

Está claro que el ejemplo de vida de los frailes me inspiró: conocer a San Francisco después de conocer a Cristo, y el sacrificio de los frailes que se quedaron en Cuba. Ese testimonio me estimuló mucho, me veo como un continuador... el Padre Loredo me aconsejó que me fuera con mi familia, (cuando ésta se iba del país) que me reuniera con ellos. Pero me quise quedar...

Mi familia se fue en el 80 y yo me quedé con mi hermano mayor. Luego él se fue con su familia. Mientras, el Padre Loredo me ayudaba a dar los primeros pasos. Entré el 21 de diciembre de 1984 al Convento de Guanabacoa. Y luego en el Seminario San Basilio en 1985, era la época del P. Mariano Tomé s.j., después seguí estudiando...[671]

El testimonio del P. Juan Rumin es otra muestra más de la actitud que mantuvo el P. Loredo después de su salida de la cárcel. De la misma forma continuó dando clases y colaborando con la Iglesia en todos los aspectos posibles hasta que en 1987 —o sea, 6 años después de que expirara el término de su sentencia, que fue cumplida en 1981— decidió marcharse del país...

Con posterioridad el Padre Loredo regresó a su cátedra en el Seminario Arquidiocesano y fue encargado de la atención de las comunidades religiosas y laicales en algunas Iglesias conventuales de la Ciudad de La Habana. Algunos años más tarde, en 1987, decursado con exceso el término total de su sanción —que venció en 198—, el Padre Loredo optó por abandonar definitivamente el país y radicarse en el extranjero, donde continuó ejerciendo su ministerio religioso...[672]

Por aquellos años, la postura del estado en relación con la Iglesia experimentó algunos cambios. En primer lugar, porque después de su ingreso en el COMECON o CAME ya Cuba era miembro de la comunidad socialista mundial, el gobierno ya llevaba algo más de 20 años en el poder, contaba con el apoyo de la Europa del Este en el exterior, y se sentía firme en el interior. Dentro de Cuba no existía ninguna oposición organizada, la mayor parte de los opositores posibles habían emigrado y los que quedaban en el país o se consideraban

---

[671] Versión de una entrevista realizada al P. Fr. Juan Rumin Domínguez, Guabanacoa, 26.IV.2000

[672] Ibídem (25)

afectados por la revolución, también consideraban en primer lugar la opción de marcharse.

En segundo lugar, porque después de esos 20 años, la Iglesia había perdido una multitud de adeptos ya que gran parte de la gente que decidió marcharse de Cuba eran católicos. Al perder la inmensa fuerza doctrinal de los colegios católicos, donde decenas de miles de niños y jóvenes se formaban dentro de la religión, la Iglesia perdía una gran cantera potencial de adeptos. A ello hay que agregar la reducción del trabajo pastoral por la disminución de sacerdotes, religiosos, religiosas y de la masa de laicos comprometidos y el hecho de que la Iglesia dejó de tener acceso a los medios masivos de comunicación. Por otra parte, es necesario tomar en cuenta que la participación activa de los laicos en la vida religiosa y en las ceremonias del culto les podía traer problemas en el marco de la sociedad en que tenían que desenvolverse.

La inmensa cantidad de niños y jóvenes que desde 1961 dejó de educarse y formarse dentro del catolicismo por la intervención de los colegios católicos, fue instruida en las escuelas estatales donde comenzó a aprender otra ideología, basada en una filosofía diferente. Las corrientes de pensamiento importadas del extranjero, tan ajenas a la forma de ser y de pensar de los cubanos, en muchas ocasiones comenzaron a chocar con el sistema de valores que se mantuvo, contra viento y marea, en el seno de numerosas familias.

De todo esto se desprende que la Iglesia dejó de ser y de parecer una amenaza para el aparato del estado, encastillado en sus organizaciones de masas y dueño de todas las estructuras del poder: fue entonces que el estado, para movilizar en su favor el entusiasmo y la esperanza con que muchos pueblos latinoamericanos observaban a la Iglesia Católica, cada vez más comprometida con la causa de los desamparados, comenzó a realizar una serie de concesiones favorables a la pequeña Iglesia de Cuba. Por otra parte, el derrumbe del Campo Socialista, portador de la ideología materialista y atea, había demostrado que el sistema era completamente obsoleto y el régimen cubano comenzó, al menos en apariencia, a acercarse a las principales creencias religiosas y, en primer lugar, a la Iglesia Católica… la Virgen de la Caridad, desde su Santuario del Cobre, continuaba velando por sus hijos, los cubanos, y parecía que con su amor infinito estaba abriendo nuevos caminos para que transitara la fe.

Como ya se ha visto, se dieron algunas facilidades materiales para la adquisición de ciertos equipos y de materiales de construcción indispensables para la reparación y mantenimiento de Iglesias e instituciones. Se realizaron algunos contactos diplomáticos oficiales, incluso Su Santidad Juan Pablo II fue invitado a visitar la Isla, y fue reconocido y alabado el trabajo de algunas congregaciones religiosas femeninas. Se emitieron opiniones ante la prensa y el parlamento, se hicieron varios contactos, fueron reconocidas algunas posiciones, y nada más. Existía evidentemente una incoherencia entre la forma en que se hablaba de la Iglesia —especialmente si se mencionaban algunas figuras específicas dentro de la jerarquía latinoamericana—y de Su Santidad, y la forma en que los católicos y en ocasiones la propia Iglesia eran marginados dentro de Cuba... hasta tal punto eran evidentes las situaciones que muchas veces tenían que sufrir los católicos en Cuba, que fueron públicamente reconocidas por el Primer Ministro Fidel Castro:

> *Más novedosas, quizás, fueron las expresiones de respeto hechas por Fidel con respecto a la Sede Apostólica romana y, más concretamente, en relación con las gestiones de paz asumidas por el Papa Juan Pablo II y, lo que resulta más interesante dentro del contexto local cubano, el reconocimiento de que con violación de la política oficial del Partido y del Estado, en Cuba han tenido lugar más o menos justificables e injustificables discriminaciones con respecto a los cristianos[673] situación contra la que deberán luchar aún los militantes del Partido y de la Iglesia en Cuba[674]*

De todas formas, a la luz de los sucesos pasados y recientes, es difícil que los militantes del Partido Comunista deseen luchar, de verdad, contra la discriminación de que han sido objeto los católicos.

¿Cómo se sentían los franciscanos en aquella época? En general, salvo excepciones, la posición formal de los funcionarios estatales era respetuosa, aunque fría y distante. Pero si esta era la postura de la inmensa mayoría de las autoridades que debían tratar con los frailes, había elementos no oficiales que por sí mismos y en ocasiones tal vez con la anuencia de ciertos funcionarios, realizaban diversas provocaciones para estorbar la realización de las ceremonias religiosas o producir malestar al sacerdote y a los fieles. Al respecto nos decía el P. Frank Dumois o.f.m. que

> *Aunque nunca tuve dificultades personales, el reto mayor durante muchos años fue la persistencia de la Iglesia, mantenerla, tratar de no perder más espacio, más terreno... aunque en los años 80 todavía algunos elementos provocaban y hacían maldades a los curas. No recuerdo ningún suceso*

---

[673] Ibídem, p. 149
[674] Ibídem

digno de mención, excepto que una vez me detuvieron y me hicieron que abriera el maletín, para ver qué llevaba...[675]

La pérdida creciente de valores y el deterioro de la ética que comenzó a experimentar la sociedad cubana después del triunfo revolucionario, cuando junto con las estructuras de la antigua sociedad también cayeron o se deformaron —al menos para muchas personas— los conceptos morales sin que ninguna otra moral ocupara su lugar, debe haber tenido parte de culpa en la conducta irrespetuosa hacia los ministros del Señor y los actos del culto católico, que muchas veces fueron entorpecidos no por maldad, sino por la ignorancia y la barbarie que comenzaron a implantarse en algunos sectores de la sociedad, junto con el abandono de las tradiciones, la faltas de respeto a las personas, la dignidad humana, los mayores, la familia y las instituciones, el desprecio hacia el país en que se nació y el menoscabo a los símbolos de la Patria.

La revista Vitral en Pinar del Río y otras revistas católicas en las diversas diócesis. Publicación de algunos libros. Mons. Eduardo Boza Masvidal de nuevo en el Santuario Occidental de la Virgen de la Caridad del Cobre: sus sentidas y emocionantes palabras

En la década de los 90, impulsada por el laico católico Dagoberto Valdés con el apoyo del Obispo de Pinar del Río, comenzó a editarse la Revista Vitral en la Diócesis más occidental de Cuba bajo el lema *la libertad de la luz.* Al mismo tiempo, en otras diócesis cubanas comenzaron a publicarse revistas novedosas, casi siempre mensuales. Los fieles y el público en general acogieron con alegría estas publicaciones por las que entraba un soplo de aire fresco y un discurso cristiano, completamente ajeno al lenguaje de odio, rencor, resentimiento y lucha que es típico del discurso oficial.

Estas publicaciones, comenzando por Vitral, daban una nueva visión de muchas cosas, sobre todo del hombre y de la sociedad. En ellas aparecían temas económicos que tocaban de cerca la situación de los cubanos y numerosos temas sociales en los que primaban la Caridad y la solidaridad cristianas, y se daba a la Iglesia Católica el lugar que le corresponde en la sociedad cubana y en la formación de la nacionalidad.

---

[675] Versión de la entrevista realizada al P. Fr. Frank Dumois. Iglesia de la Santa Cruz de Jerusalén, La Habana, 19.IV.2000

También en aquella época la Iglesia comenzó a efectuar los Encuentros Nacionales de Historia-Iglesia Católica y Nacionalidad Cubana, en la que comenzaron a participar numerosos sacerdotes y laicos, así como figuras del mundo académico. En estos encuentros se tratan numerosos temas con el objetivo de conservar en la memoria histórica del país los innumerables eventos en los que ha intervenido, muchas veces de forma decisiva, la institución católica.

La Virgen de la Caridad del Cobre propiciaba que llegaran a nosotros los signos de tiempos nuevos…

También surgieron entonces el Centro Cívico de Pinar del Río, donde se debatían numerosas cuestiones sociales, religiosas y políticas vinculadas a la vida del país. En La Habana, en la sede del Convento de San Juan de Letrán, los Padres Dominicos echaron a andar el Aula Fray Bartolomé de las Casas, donde numerosos conferencistas cubanos y extranjeros han iluminado a sus oyentes con temáticas nuevas, frescas e incluso atrevidas dentro de la sociedad cubana, así como la Cátedra de Humanismo y Sociedad, que se trató de vincular a alguna Universidad dominica y donde comenzaron a ilustrarse los matriculados en numerosos aspectos de la filosofía, el pensamiento y los valores y tradiciones del humanismo cristiano occidental.

Fueron momentos en que la Iglesia Católica comenzó a lanzar algunos libros como *100 Documentos Episcopales, Te basta mi gracia* y otros. Los historiadores católicos comenzaron a publicar también libros sobre el Padre Varela y el P. Olallo, por ejemplo. El autor de estas líneas pudo publicar, en esa etapa, varios de sus libros, entre los que se pueden mencionar los que versan sobre la historia de la Orden de Predicadores, los franciscanos en Cuba, los Padres Paúles, una biografía del P. Valencia, una historia de la Real y Pontificia Universidad de San Gerónimo de La Habana, y otro sobre las grandes figuras y sucesos de la Iglesia cubana.

Los nuevos capellanes del Santuario del Cobre

En los años difíciles, cuando el llamado Período Especial hacía sus mayores estragos, fue designado el P. Rafael Couso Falcón, Capellán del Santuario del Cobre 1992-1994, donde llevó adelante la difícil tarea de dirigir el Santuario en una etapa caracterizada por inmensas dificultades[676].

---

[676] De la relación de Capellanes del Santuario del Cobre (siglos XVI al XXI), proporcionada por Mons. Pedro Meurice Estíu

El P. Palma fue designado Capellán del Santuario en 1994[677] y allí continúa hasta el día de hoy. En 1997, contaba estas impresiones:

EL COBRE, Santiago de Cuba- No existe transporte público para llegar al Santuario del Cobre, y no son muchos los cubanos que pueden costearse un taxi. Pero a pesar de todo, hoy día a la Virgen de la Caridad no le faltan flores.

El padre Jorge Palma es el capellan del Santuario y aún recuerda los años en que el Cobre era «un verdadero desierto: no había flores y se notaba un vacío profundo.»

Eran los años después de la Revolución y «estaba mal vista la fe... pero es algo que cambió hace uno 10 años.» El cree que en parte coincidió con las visitas al Santuario de personas del exterior. Venían a ver a sus familias y estas les pedían venir al Cobre. Lo hacían sin miedo a la expresión religiosa y empezaron a llegar las flores.

Por eso el padre Palma se atreve a decir que el exilio cubano ha contribuido a renovar la expresión de la devoción del pueblo a la Virgen. Señala que sus visitas han ayudado a romper la barrera del miedo, y a partir de esas visitas se inició una explosión que ha sido gradual, culminando en la fiesta de la Virgen de la Caridad del 96 en que coincidieron varios aniversarios en el Santuario y además fue un domingo.

Las personas llegaban por miles, la gran mayoría a pie. Y durante la procesión de la mañana «la cubrieron de flores, tanto, que se formó una alfombra floral por donde pasaba la Virgen.»

El padre Palma lleva tres años en el Santuario. Es además el párroco del Cobre y vicario General de la Diócesis de Santiago de Cuba. Dice que la Virgen tiene un papel esencial en la religiosidad de los cubanos y que estos han llevado su devoción a personas de otras nacionalidades. «Los cubanos en la diáspora han transmitido esta devoción y aquí viene gente de todo el mundo.»[678]

Mons. Eduardo Boza Masvidal de nuevo en la Iglesia de la Caridad

Mons. Eduardo Boza Masvidal llegó a su antigua Iglesia, el Santuario Occidental de la Virgen de la Caridad, y participó en una Eucaristía donde pronunció sentidas palabras a los pies de la Virgen Patrona de Cuba a la que tanto ha honrado como sacerdote y como Obispo a lo largo de muchos años de su vida puestos al servicio del Pueblo de Dios... era el sábado 21 de enero de 1998 cuando, después

---

[677] Ibídem.

[678] Cubanet. Entrevista al P. Palma (Internet).

de muchos años de ausencia, exactamente 37, traspasó de nuevo el umbral del Santuario Occidental de la Virgen de la Caridad del Cobre para participar en una Eucaristía pocas horas antes de la Magna Misa Papal del 23 de enero.

Aquella noche nadie pudo reprimir las lágrimas escuchando las sentidas y emocionadas palabras de Mons. Eduardo Boza Masvidal, cuando nos dijo, delante de la Patrona de Cuba:

Desde que salí de mi Patria, hace ya 37 años, todos los días pienso en Cuba, oro por Cuba, lloro por Cuba[679]

No hace falta explicar su importancia y significado.

Las Misas y actividades realizadas por Su Santidad Juan Pablo II en Cuba: su impacto en el Pueblo de Dios que Peregrina en Cuba, bajo el amparo de la Santísima Virgen de la Caridad del Cobre. Santiago de Cuba, Camagüey, Santa Clara. La Gran Misa en la Plaza de La Habana. Un testimonio de lo que pasó ese día en la capital de la Isla de Cuba.

En enero de 1998, la Visita de Su Santidad, la muchedumbre incontable que lo vitoreó a lo largo de 25 kilómetros de carretera desde el Aeropuerto José Martí hasta La Habana, y las muchedumbres donde se congregaron cientos de miles de personas en las Misas celebradas en Santiago de Cuba, Camagüey, Santa Clara y La Habana, demostraron el inmenso poder de convocatoria de la religión católica a pesar de las dificultades materiales centradas sobre todo en la escasez del transporte urbano, casi inexistente y por completo incapaz de trasladar hacia y desde los puntos de concentración a aquellas multitudes. Demostró, además, que la búsqueda de Dios continúa y que muchísimas personas van encontrando respuestas, y también nos permitió saber que la Patrona de Cuba, nuestra Santísima Virgen de la Caridad del Cobre, seguía intercediendo por nosotros para que se abrieran nuevos caminos: era necesario que muchos cubanos confundidos abandonaran los últimos vestigios de la triste y siniestra doctrina de la esclavitud y la muerte para seguir el camino de la libertad y la Resurrección, al que sólo nos guían las enseñanzas de Cristo Jesús.

Misa en Santa Clara dedicada a la familia

En su primera misa en suelo cubano, el Papa Juan Pablo II se pronunció en la ciudad de Santa Clara contra el aborto y el divorcio,

---

[679] Testimonio del autor de estas líneas, que se encontraba presente

por la unidad de la familia y la adhesión a la fe cristiana: la Madre del Cielo, la Virgen de la Caridad, presente en la inmensa mayoría de los hogares cubanos y conocedora de los problemas que se abaten sobre las familias cubanas, ponía en su boca palabras inspiradas y elocuentes.

Durante la Misa, efectuada en la mañana del día 22, en un campo deportivo de Santa Clara, a 300 Km. al este de la capital, el Papa exhortó a los alrededor de 100.000 cubanos congregados en el lugar a *"abrir el corazón al espíritu del amor, la reconciliación, la paz y la esperanza"*.

Al abordar el tema del aborto, Juan Pablo II recordó la crisis que sufren las familias en el mundo, la cual, a su juicio, está determinada por una falsa apariencia de libertad y progreso de sistemas económicos y culturales, *que "promueven e incluso defienden una mentalidad antinatalista"*.

Tras advertir que los métodos de control de natalidad *"no están de acuerdo con la dignidad humana", el Papa señaló que en el marco de la actual crisis de valores "*se llega incluso al aborto, que es siempre, además de un crimen abominable, un absurdo empobrecimiento de la persona y la misma sociedad".

Puntualizó que la maternidad, cuando ocurren esos casos, se convierte en *"un retroceso o una limitación de la libertad de la mujer, distorsionando así su verdadera naturaleza y su dignidad"*.

Pese a que en Cuba no existen políticas de control de la natalidad, el aborto es legal en el país y considerado como un derecho de la mujer.

Según estadísticas oficiales, durante 1996 hubo en el país 83.000 abortos sobre un total de 140.276 nacimientos, lo cual equivale a 59,4 embarazos interrumpidos por cada 100 partos.

La primera misa del Papa Juan Pablo II en Cuba podrá generar opiniones encontradas sobre el aborto, el matrimonio y el divorcio, pero, al mismo tiempo, tuvo la virtud de tocar una herida que nunca cierra: la desintegración familiar.

Este es *"un problema que se arrastra en Cuba desde hace años, la separación forzosa de las familias, dentro del país y la emigración"*.

Sobre la situación de la familia, el Pontífice precisó que las carencias materiales que ha sufrido Cuba, las insatisfacciones por razones ideológicas, la atracción por la sociedad de consumo, la separación familiar y la emigración *"ha desgarrado a familias enteras y a sembrado dolor en una parte considerable de la población"*.

La emigración, un proceso normal en cualquier lugar, fue excesivamente politizada en Cuba y durante casi 20 años familias enteras se vieron separadas por sólo 90 millas de distancia, pero un abismo de intolerancia les impedía hasta cartearse.

Hace más de una década que el gobierno promueve la normalización del fenómeno migratorio, pero los que emigran lo hacen para "toda la vida" y los que se quedan del lado de acá saben que los contactos familiares dependerán de los vaivenes del conflicto entre La Habana y Washington.

Un estudio de la profesora de la Facultad de Psicología de la Universidad de La Habana, Patricia Arés, reconoció a inicios de esta década los efectos negativos que sobre la familia cubana tuvo la desintegración causada por el sometimiento de los afectos personales a las ideas políticas: aunque estos problemas son reconocidos por las autoridades y estudiados hace años, los cubanos no están acostumbrados a que se traten en público y menos con el enfoque crítico y abierto con que los presentó Juan Pablo II.

El Papa señaló que esos factores y la sustitución del papel de los padres a causa de los estudios que se realizan lejos del hogar en la adolescencia, la promiscuidad, el empobrecimiento ético, la vulgaridad y las relaciones sexuales premaritales tempranas "ha dejado huellas negativas en la juventud".

Recordó que en el aspecto matrimonial *"el servicio a la vida no se agota en la concepción, sino que se prolonga en la educación de las nuevas generaciones"*.

En un país donde la educación es laica y a cargo del Estado, el Papa señaló que son los padres quienes *"tienen la gravísima obligación de educar a la prole y, por consiguiente, deben ser considerados como los primeros y principales educadores de sus hijos"*.

La demanda del reconocimiento al derecho de los padres generó los primeros aplausos durante la misa dedicada especialmente a la familia, mientras que los reunidos escucharon con atención y respeto los conceptos del Papa sobre el divorcio, el matrimonio y el aborto.

"El camino para vencer estos males es Jesucristo, su doctrina y su ejemplo de amor total que nos salva", subrayó el Papa.

Luego de indicar que *"ninguna ideología puede sustituir su infinita sabiduría y poder"*, dijo que por eso es necesario recuperar los valores religiosos en el ámbito familiar y social, fomentando la construcción de un futuro *"con todos y para todos como pedía José Martí"*.

"La familia, la escuela y la Iglesia deben formar un comunidad educativa donde los hijos de Cuba puedan crecer en humanidad. No

tengan miedo, abran las familias y las escuelas a los valores del evangelio de Jesucristo que nunca son un peligro para ningún proyecto social".

Juan Pablo II defendió el matrimonio *"con su carácter de unión exclusiva y permanente" y aseguró que "el hombre y la mujer tienen la capacidad de darse para siempre el uno al otro, sin que la donación voluntaria y perenne anule la libertad*".

De acuerdo con el Anuario Estadístico de Cuba de 1996, durante el pasado año se realizaron en la isla, con unos 11 millones de habitantes, 65.009 matrimonios, de los cuales 13.603 fueron reconocidos como "formalización" de una unión consensual anterior.

Según los informes de la Oficina Nacional de Estadísticas junto a las altas tasas de nupcialidad y al proceso de rejuvenecimiento ante la primera unión, se reportaron en la isla el pasado año 41.227 divorcios.

La tasa de divorcialidad en Cuba alcanzó su nivel más alto en 1993 cuando se registraron seis divorcios por cada 1.000 habitantes. La nupcialidad, por su parte, tuvo su cúspide en los años 1991 y 1992 con 15,1 y 17,7 matrimonios por cada 1.000 personas... desintegración de la familia, pérdida de valores, educación de los jóvenes, estos fueron los temas de esta primera misa que comenzó a despejar las incógnitas sobre la forma en que el Papa conduciría su discurso en suelo cubano.

Misa en Camagüey dedicada a los jóvenes

En un altar construido junto al monumento al héroe independentista Ignacio Agramonte, en la Plaza de la Revolución camagüeyana, Juan Pablo II fue acogido el jueves 23, por la población de una de las zonas de Cuba de más profunda tradición católica.

"Hemos visto al Papa sonreír por primera vez", comentó un locutor de la televisión ante la reacción del Papa por lo que podría catalogarse como la mayor manifestación religiosa vista alguna vez en este país.

El pueblo de esta provincia, la más extensa de la isla y al mismo tiempo la más despoblada, recibió al Papa con consignas cantadas: *"Camagüey, Camagüey, el Papa ha llegado a Camagüey", "Juan Pablo, pastor, Camagüey te da su amor", "el Papa se queda en Camagüey".*

"Juan Pablo, hermano, tú quieres a los cubanos", dijo el propio Juan Pablo II, momentos antes de terminar la misa que fue acompañada por un coro de 380 voces, música litúrgica cubana y una alegría masiva que hizo asegurar al animador de la prensa estatal que esta ya es una visita "inolvidable".

"La Iglesia en su nación tiene la voluntad de estar al servicio no sólo de los católicos sino de todos los cubanos", afirmó el Papa en su mensaje.

Juan Pablo II lamentó que *«por desgracia, para muchos es fácil caer en un relativismo moral y en una falta de identidad que sufren tantos jóvenes, víctimas de esquemas culturales vacíos de sentido o de algún tipo de ideología que no ofrece normas morales altas y precisas»'*. Aseguró que todo esto genera *«egoísmo, división, marginación, discriminación, miedo y desconfianza hacia los otros. Más aún, cuando un joven vive 'a su forma', idealiza lo extranjero, se deja seducir por el materialismo desenfrenado, pierde las propias raíces y anhela la evasión».*

Más adelante caracterizó algunos de los males que rodean a la juventud como la prostitución, el oportunismo, el anhelo de evasión y de la emigración y que hace a las personas huir *«del compromiso y de la responsabilidad para refugiarse en un mundo falso cuya base es la alienación y el desarraigo».*

En lo que podría calificarse como una exhortación para que los cubanos no busquen la solución de sus problemas en el exilio, el mensaje escrito dejado a los jóvenes, el Papa llamó a asumir el compromiso que se tiene tanto en el seno de la familia como en la sociedad civil.

No caigan *«en la tentación de las diversas formas de fuga del mundo y de la sociedad»'*, dijo a los jóvenes cubanos que *«viven en condiciones materiales con frecuencia difíciles, en ocasiones frustrados en sus propios y legítimos proyectos»* y a veces privados de esperanza.

«La sombra de la escalofriante crisis actual de valores que sacude el mundo amenaza también a la juventud de esta luminosa isla» advirtió Juan Pablo II.

«No dejen para mañana el construir una sociedad nueva, donde los sueños más nobles no se frustren y donde ustedes puedan ser los protagonistas de su historia», instó el Papa sobre todo a los jóvenes a los cuales llamó «esperanza de la Iglesia y de la Patria».

«La felicidad se alcanza desde el sacrificio. No busquen fuera lo que pueden encontrar dentro. No esperen de los otros lo que ustedes son capaces y están llamados a ser y a hacer», dijo el Pontífice a los más de 200.000 camagüeyanos reunidos en la plaza.

«La Iglesia tiene el deber de dar una formación moral, cívica y religiosa, que ayude a los jóvenes cubanos a crecer en los valores humanos y cristianos», dijo Juan Pablo II volviendo a una de las

mayores demandas de la Iglesia Católica, la posibilidad de tener medios e instituciones para educar.

En Cuba el ateísmo fue considerado doctrina oficial hasta inicios de esta década, las escuelas católicas fueron cerradas a inicios de los años 60 como parte del proceso de nacionalización de la enseñanza, decretado por el gobierno de Fidel Castro, que vino acompañado de un sistema de educación universal y gratuita para todos.

El Papa reconoció la sinceridad, la hospitalidad y el amor a la libertad de los jóvenes cubanos y, al mismo tiempo, aseguró que *«se extiende una perniciosa crisis de identidad, que lleva a los jóvenes a vivir sin sentido, sin rumbo ni proyecto de futuro, asfixiados por lo inmediato».*

«Todo lo que viene de fuera del país parece deslumbrar», afirma el mensaje dirigido a los jóvenes que son, según Juan Pablo II, "un futuro que ya comienza en el presente" de la Iglesia y de la Patria.

Misa en Santiago de Cuba y coronación de la Virgen de la Caridad del Cobre

Más de 5.000 personas acuden cada año a El Cobre para las festividades del 8 de septiembre, el día de la Caridad, convocados por la Reina y Madre del pueblo cubano. Otras miles llegan allí cada año y, de acuerdo con el despertar religioso registrado durante esta década, la tendencia apunta al aumento.

Según la leyenda más difundida la imagen mulata fue encontrada flotando en 1608, en las aguas de la nororiental bahía de Nipe, por dos indígenas y un niño esclavo negro que tenían la encomienda de cruzar la rada en canoa para buscar sal.

La Virgen fue llevada al poblado de El Cobre, en las afueras de la ciudad de Santiago de Cuba, a 971 kilómetros de La Habana, y fue consagrada el 8 de septiembre de 1916 a petición de los veteranos de las guerras de independencia.

En 1936 el Pontífice Pío XI declaró la coronación de la Virgen de la Caridad del Cobre y, en 1977, el Santuario Nacional del Cobre donde se guarda la imagen, fue declarado Basílica Menor por Paulo VI.

"Como la Virgen de la Guadalupe para el pueblo de México, la Virgen de la Caridad del Cobre representa para Cuba un símbolo de la soberanía nacional", afirma el intelectual y periodista católico, Juan Emilio Friguls.

Con estos antecedentes, la coronación de la Virgen de la Caridad del Cobre por parte del Papa Juan Pablo II se convirtió en un trascendente acto a favor de la libertad, el diálogo y la reconciliación entre todos los cubanos.

La homilía del día 24 de enero sucedió a un duro mensaje de bienvenida del arzobispo de Santiago de Cuba Pedro Meurice Estiu que presentó *"el alma de una nación" como una diadema de "realidades, sufrimientos, alegrías y esperanzas"*.

"La nación vive aquí y vive en la diáspora. El cubano sufre, vive y espera aquí y también sufre, vive y espera afuera", dijo el arzobispo santiaguero.

"Somos un único pueblo que navegando a trancos por todos los mares seguimos buscando la unidad, que no será nunca fruto de la inconformidad sino de un alma común y compartida a partir de la diversidad", agregó.

Meurice presentó al Pontífice a todos aquellos cubanos "que no encuentran sentido a sus vidas, que no han podido optar y desarrollar un proyecto de vida".

"Le presento además a un grupo creciente de cubanos que han confundido la Patria con un partido, la nación con el proceso histórico que hemos vivido en las últimas décadas y la cultura como una ideología", afirmó en una crítica a la tendencia oficial de igualar Patria y Revolución.

"Este pueblo ha defendido la soberanía de sus fronteras geográficas con verdadera dignidad, pero hemos olvidado un tanto que esa independencia debe brotar de una soberanía de la persona humana", dijo Meurice y pidió al Papa que rogara por los presos.

Entre los cientos de miles de personas que llenaban la Plaza de la Revolución "Antonio Maceo" de Santiago de Cuba, a 967 kilómetros de La Habana, se encontraban el primer vicepresidente cubano y ministro de Defensa, Raúl Castro, y el ministro de Cultura, Abel Prieto, pero no se produjo por parte de las autoridades ninguna reacción ante las palabras del sacerdote.

Que la Virgen Patrona de Cuba *"reúna a sus hijos por medio de la reconciliación y la fraternidad"*, dijo el Sumo Pontífice en un saludo enviado a *"todos los hijos de Cuba que en cualquier parte del mundo veneran a la Virgen de la Caridad"*.

Vamos a coronar, añadió, la imagen de la "Madre de todos los cubanos, sin distinción de razas, opciones políticas o ideologías".

"Quien no ama a Dios, no ama a la Patria", afirmó Juan Pablo II, citando a Antonio Maceo, héroe independentista en cuyo honor se construyó la Plaza de la Revolución santiaguera y que siempre llevaba sobre su pecho una medalla de la Caridad del Cobre.

"La historia enseña que sin fe desaparece la virtud, los valores morales se oscurecen, no resplandece la verdad, la vida pierde su sentido trascendente y aún el servicio a la nación puede dejar de ser alentado por las motivaciones más profundas", afirmó.

La Iglesia *"no busca ninguna forma de poder político"*, aseguró Juan Pablo II y, al mismo tiempo, defendió el deber y el derecho de los laicos católicos "de participar en el debate público en igualdad de oportunidades y en actitud de diálogo y reconciliación".

Misa de SS Juan Pablo II en La Habana

Para el Papa *"el bien de una nación debe ser fomentado y procurado por los propios ciudadanos a través de medios pacíficos y graduales"*.

"De este modo cada persona, gozando de libertad de expresión, capacidad de iniciativa y de propuesta en el seno de la sociedad civil y de la adecuada libertad de asociación, podrá colaborar eficazmente en la búsqueda del bien común", opinó.

La coronación de la Virgen de la Caridad del Cobre, Ochún o simplemente Cachita se convirtió en un llamado a la reconciliación y una reafirmación del derecho de cada ciudadano a participar en el proyecto de la nación cubana.

Misa de Su Santidad en La Habana, a los pies de la Virgen de la Caridad

La última misa del Papa Juan Pablo II en Cuba, efectuada el día 25 en la tradicional Plaza de la Revolución, provocó una gran movilización de masas de todos los estratos sociales e ideológicos pocas veces visto en este país.

La mayoría de los asistentes fueron convocados por la Virgen de la Caridad y por su fe católica. Otros más interesados fueron motivados por la idea que la visita del Papa ayude a mejorar su situación económica y señalaron que buscan en Juan Pablo II *"un cambio que traiga el progreso a Cuba"*.

"Yo estoy con la revolución socialista, pero son muchos años de lucha y aspiro a que el bienestar lo alcancemos de manera pacífica", comentó el conductor de un automóvil de alquiler de la zona céntrica.

También se encontraban en el perímetro de la plaza los trabajadores por cuenta propia con sus carritos de venta de emparedados, maníes, refrescos y otros alimentos, una actividad poco vista en la Cuba socialista de hace algunos años.

Mientras gruesas columnas de caminantes arribaron al sitio desde distintos puntos de la capital cubana, así como caravanas de autobuses que acarrearon feligreses desde las provincias de Pinar del Río, al oeste de esta capital, y de Matanzas, al este.

Banderas de Cuba y de El Vaticano, así como globos amarillos con la leyenda *"siempre fiel"*, eran portados y agitados por la multitud que acudió a recibir la Eucaristía de Juan Pablo II.

El Papa habló desde un gran altar coronado por una cruz, detrás del cual una enorme imagen de Cristo pintada sobre tela pendía del techo de la Biblioteca Nacional, mientras que al frente del mismo otra tela pintada con grandes letras rojas recordó al Pontífice que "la paz es obra de justicia".

A la derecha del sitio donde el Papa ofició la histórica misa se encuentra un enorme retrato permanente de Ernesto Che Guevara y al otro extremo el monumento de José Martí.

En tanto que un coro de 1.000 voces respaldado musicalmente por la Orquesta Sinfónica Nacional animó la misa con música y canciones religiosas que la mayoría de los presentes, educados en el ateísmo, escuchaban por primera vez.

El presidente cubano Fidel Castro, protagonista principal de actos y manifestaciones en la Plaza de la Revolución en defensa de la revolución socialista, se encontraba en esta ocasión en la primera fila del público escuchando atentamente la misa y las consignas de apoyo al Papa proferidas por el público.

"Desde ahora sentimos que será imposible a los que estamos aquí no amarnos como hermanos, no perdonar nuestras ofensas recíprocas, no olvidar agravios y no abrirnos a la verdad dicha con serenidad", afirmó el arzobispo de La Habana, cardenal Jaime Ortega, al dar por iniciada la misa.

"¡Esta es la hora de emprender los nuevos caminos que exigen los tiempos de renovación que vivimos, al acercarse el tercer milenio de la era cristiana", exclamó el Papa en la última de las cuatro misas públicas oficiadas en Cuba.

La liberación de todo el género humano *"no se reduce a los aspectos sociales y políticos, sino que encuentra su plenitud en el ejercicio de la libertad de conciencia, base y fundamento de los otros derechos humanos"*, advirtió Juan Pablo II.

"Para muchos de los sistemas políticos y económicos hoy vigentes el mayor desafío sigue siendo el conjugar libertad y justicia social, libertad y solidaridad, sin que ninguna sea relegada a un plano inferior", fue uno de sus mensajes a Cuba.

«Cuando se invierte la escala de valores y la política, la economía y toda la acción social, en vez de ponerse al servicio de la persona, la consideran como un medio en lugar de respetarla como centro y fin de todo quehacer (...) el ser humano pasa a ser entonces un simple consumidor, con un sentido de la libertad muy individualista y reductivo, o un simple productor con muy poco espacio para sus libertades civiles y políticas», dijo el Papa.

El Papa Juan Pablo II se pronunció así en Cuba contra los extremos ideológicos y políticos, desde el socialismo hasta el neoliberalismo, al que criticó porque *«subordina la persona humana y condiciona el desarrollo de los pueblos a las fuerzas ciegas del mercado, gravando desde sus centros de poder a los países menos favorecidos con cargas insoportables».*

«Se imponen a las naciones, como condiciones para recibir nuevas ayudas, programas económicos insostenibles» y se constata «el enriquecimiento exagerado de unos pocos a costa del empobrecimiento creciente de muchos», denunció.

Como parte de una propuesta alternativa a los sistemas imperantes en el mundo, el Papa presentó la Doctrina Social de la Iglesia como un intento por «conciliar las relaciones entre los derechos inalienables de cada hombre y las exigencias sociales».

Según Juan Pablo II, la Iglesia *«propone al mundo una justicia nueva, la justicia del Reino de Dios" que es el sistema de "la cultura del amor y de la vida» que exige recorrer antes «un camino de reconciliación, de diálogo y de acogida fraterna».*

Aseguró que para que se produzcan «los necesarios cambios en las estructuras de la sociedad» es imprescindible que cada persona abra su corazón a Cristo», para que todos emprendan el camino de la unidad, «evitando la exclusión, el aislamiento y el enfrentamiento».

En esta última misa Juan Pablo definió como parte de la labor de la Iglesia ejercer su influencia en la sociedad mientras en el mundo quede una injusticia y con estas palabras confirmaba el compromiso social que ha caracterizado su ministerio.

Antes de la despedida

Después de la misa en la Plaza de la Revolución todavía el Papa sostuvo otros importantes encuentros en la isla.

En el Arzobispado se reunió con los Miembros de la Conferencia de Obispos Católicos de Cuba (COCC). La Iglesia Católica en Cuba «no está sola ni aislada», aseguró el Pontífice y reconoció el papel de los obispos cubanos «cada vez que han sostenido que la libertad del hombre está por encima de toda estructura social, económica o política».

Juan Pablo II reprodujo en sus homilías los principales reclamos emitidos por los obispos cubanos de esta década, al tiempo que respaldó las demandas de la Iglesia Católica para el acceso a los medios de comunicación y a la educación.

El Papa apoyó así dos de las más antiguas demandas de la Iglesia Católica cubana desde que en la década del 60 se declaró el carácter socialista de la revolución, se nacionalizaron las escuelas y los medios de comunicación pasaron a ser monopolio del Estado.

Perspectiva de la misa de SS Juan Pablo II en La Habana

A los obispos les expresó su confianza en que la Iglesia tenga un «acceso progresivo a los medios modernos adecuados para llevar a cabo su misión evangelizadora y educadora»...«es normal que la Iglesia tenga acceso a los medios de comunicación social: radio, prensa y televisión», y comentó que «un estado laico no debe temer, sino más bien apreciar, el aporte moral y formativo de la Iglesia».

En su mensaje a la Conferencia de Obispos Católicos de Cuba, el Papa definió en cierto sentido el papel de la Iglesia con respecto a los ciudadanos: «...grande es la confianza que el pueblo cubano ha depositado en la Iglesia...» «Es verdad que algunas de estas expectativas sobrepasan la misión misma de la Iglesia, pero también es cierto que todas deben ser escuchadas, en la medida de lo posible, por la comunidad eclesial», aseguró.

Sobre la necesidad que se plantea la Iglesia Católica de ampliar todos sus espacios de acción en Cuba, ante el número creciente de personas que se acercan a ella, Juan Pablo II aconsejó: «Busquen estos

409

espacios de forma insistente, no con el fin de alcanzar un poder —lo cual es ajeno a su misión—, sino para acrecentar su capacidad de servicio». En este empeño «procuren la sana cooperación de las demás confesiones cristianas» y «un diálogo franco con las instituciones del Estado y las organizaciones autónomas de la sociedad civil».

El propio Juan Pablo dio un ejemplo de esta posible colaboración entre todas las confesiones cristianas, en el camino hacia un diálogo ecuménico, al reunirse con representantes de las iglesias evangélicas y de la colectividad judía en la Nunciatura Apostólica, el mismo día 25.

Durante el encuentro, el Papa los exhortó a «colaborar de mutuo acuerdo (con la Iglesia Católica) en proyectos comunes que ayuden a toda la población a progresar en la paz y crecer en los valores esenciales del Evangelio».

En su reunión con los Obispos, el Sumo Pontífice les encomendó inculcar en todo el pueblo «el aprecio por la vida desde el seno materno» y la «promoción y defensa de la familia». Los llamó a cuidar con esmero el sector de los jóvenes «que anhelan mejores condiciones para desarrollar su proyecto de vida personal y social» propiciándoles una «sólida formación intelectual, humana y espiritual».

Les propuso animar a los laicos a estar presentes en todos los sectores de la vida social y contribuir de forma activa a la apertura de un diálogo que posibilite el progreso de Cuba, tanto desde la sociedad civil como en las estructuras de dirigencia.

Otro de los retos planteados por Juan Pablo II a sus Obispos fue no descuidar a quienes por diversas circunstancias han salido de Cuba pero continúan considerándose sus hijos y por esa razón deben cooperar con la nación, procurar la reconciliación y practicar la solidaridad.

Como "ministros de la reconciliación", los católicos deberán recordar que *"el perdón no es incompatible con la justicia"*, elemento esencial si se quiere "consolidar una convivencia justa y digna, en la que todos encuentren un clima de tolerancia y respeto recíproco".

Para esta reconciliación se requiere que las personas que viven en el exilio colaboren al progreso de Cuba, pero "evitando confrontaciones inútiles y fomentando un clima de positivo diálogo y recíproco entendimiento", advirtió el Papa.

Despedida a Juan Pablo II

Un lugar común es que las despedidas son tristes, pero el sentimiento con que el pueblo cubano despidió a Juan Pablo II no podría definirse como tristeza. La huella dejada por su presencia y la trascendencia de su actividad a lo largo de toda la isla, hizo que los cubanos sintieran que algo había cambiado durante esos cinco días y que de alguna manera ya nada era igual.

"He venido como mensajero de la verdad y la esperanza" dijo el Papa antes de abordar el avión que lo condujo de regreso al Vaticano, y tras agradecer al presidente cubano Fidel Castro su hospitalidad, instó a la unidad y al trabajo conjunto entre todos los cubanos.

Se refirió también a la situación internacional cubana en el contexto actual: *"El pueblo cubano no puede verse privado del vínculo con otros pueblos"*, dijo el Papa y llamó a dar pasos para eliminar un aislamiento que repercute "de manera indiscriminada en la población", afectando la alimentación, la salud y la educación.

Juan Pablo calificó de "injustas y éticamente inaceptables" las medidas económicas contra Cuba "impuestas desde fuera del país", con lo que ratificó su desacuerdo con el bloqueo.

"Cuba tiene un alma cristiana y eso la ha llevado a tener un alma universal", afirmó Juan Pablo II. "Llamada a vencer el aislamiento, ha de abrirse al mundo y el mundo debe acercarse a Cuba, a su pueblo, a sus hijos, que son sin duda su mayor riqueza".

El presidente cubano explicó la lucha de su país para sobrevivir al bloqueo de Estados Unidos, el cual calificó de "crimen monstruoso", y recordó que los cristianos también fueron calumniados a lo largo de la historia.

Al analizar los cambios económicos actuales, el líder cubano afirmó que "si la globalización de la solidaridad que usted (el Papa proclama) se extiende por la tierra y se reparte entre todos los seres humanos del planeta, podría crearse un mundo para ellos sin hambre ni pobreza".

Luego de dar su aval a todas las palabras pronunciadas por el Papa durante su visita a Cuba, "aún aquellas en las que no esté de acuerdo", Castro proclamó: "Santidad, le doy las gracias".

Trascendencia en Estados Unidos

Miles de exiliados cubanos miraban imágenes de su país «en vivo y en directo» lo que estaba sucediendo en Cuba, pero la verdad es que la visita de Juan Pablo II a Cuba y sus manifestaciones sobre el bloqueo contra Cuba no llegaron a la portada de los principales diarios de Estados Unidos, a raíz de sus palabras en La Habana.

Una encuesta de opinión pública patrocinada por la cadena de televisión CBS y divulgada poco antes de la llegada de Juan Pablo II a

Cuba reveló que el apoyo de los estadounidenses al bloqueo bajó del 56 por ciento registrado en 1996 a 46 por ciento a principios de enero de 1998.

La baja de 10 puntos porcentuales no es dramática, pero indica una tendencia entre los votantes en Estados Unidos hacia la normalización de relaciones con Cuba.

Por otra parte, el coordinador de Asuntos Cubanos del Departamento de Estado, Michael Rannenberger, dijo el día 21 de enero en La Habana que su gobierno seguiría con mucha atención el paso del Papa por Cuba, pero que cualquier levantamiento del bloqueo tendría que responder a cambios de fondo en el sistema político...

Su Santidad en el Santuario del Rincón. Visita al Seminario San Carlos. Posición oficial del régimen de Cuba antes y después de la Visita: la mano de hierro envuelta en el guante de seda. Las peticiones de Su Santidad y las promesas que no se cumplieron

Durante su Visita a Cuba, Su Santidad Juan Pablo II se presentó en el Mundo del Dolor, representado por el Santuario del Rincón con su lazareto anexo, para ver a los enfermos, reconfortarlos y sanarlos. No hay dudas de que la Virgen de la Caridad, que en el siglo XVII presidió por algún tiempo el hospital de la villa de Santiago del Prado y fue el consuelo y la esperanza de los pobres cobreros, quiso que el Papa visitara en Cuba a estas personas, que forman parte del gran grupo de las más necesitadas.

Pero el Papa no estuvo solamente en el Seminario San Carlos. Unas horas antes, en la Gran Misa de la Plaza, al terminar la Eucaristía, numerosos niños enfermos, ciegos, inválidos, o portadores de diversas enfermedades, estuvieron presentes en

el sitio donde Su Santidad y los sacerdotes que lo acompañaban se revistieron para la Misa Papal. Como verdadero padre, el Papa tuvo una palabra, un gesto, una caricia para cada uno de aquellos pequeñitos, entre los que repartió estampas y escapularios, oraciones, sonrisas y muchísimo amor y cariño[680].

Su Santidad también visitó el Seminario Mayor de San Carlos y San Ambrosio, donde pudo entrevistarse con los seminaristas, futuros sacerdotes de la Iglesia Católica que vivirán su vocación en Cuba para dar testimonio de su fe acompañando al Pueblo de Dios.

---

[680] Testimonio personal del autor de estas líneas, presente en ese momento.

Después del Papa

Un nuevo espacio para la Iglesia, paz, diálogo, concertación, reformas en la educación y en la cultura, críticas al socialismo y al neoliberalismo, formaron parte de los planteamientos hechos por el Papa a su paso por esta isla.

Las conjeturas respecto a lo que pasará después de la visita del Papa van de un extremo a otro, de un enfático "nada" al muy esperanzador "nada será igual", lanzado por medios religiosos. Por supuesto que nada va a ser igual: porque la Virgen de la Caridad, desde su Santuario del Cobre, estaba otra vez en medio de su pueblo, y porque Juan Pablo II había abierto una brecha en el muro que ya nada ni nadie podrá cerrar.

El investigador de temas religiosos, Aurelio Alonso, opina que la visita servirá a la Iglesia Católica para afianzar su rol institucional y será, de hecho, una promoción sin precedentes en este país del cristianismo.

Por su parte, el cardenal cubano Jaime Ortega enfatiza la imagen de la visita papal como un evento pastoral y, al mismo tiempo, ve el futuro de la Iglesia Católica en Cuba como *"una esperanza que nos llevará por caminos insospechados"*.

Para Elizardo Sánchez, líder de la opositora Comisión Cubana de Derechos Humanos y Reconciliación, "de esta visita no se derivarán milagros, la situación es muy complicada". *Elizardo tal vez no se dio cuenta de que la Visita, en sí misma, ya era un verdadero e irrefutable milagro.*

Aún así espera que el gobierno "aproveche el reconocimiento y apoyo político que se deriva de este acontecimiento para emprender transformaciones graduales que saquen al país de la actual situación de crisis".

Desde 1993 el gobierno ha introducido una serie de transformaciones en el área económica, como la despenalización del dólar, el trabajo por cuenta propia, reapertura del mercado libre agropecuario, la apertura bancaria y otras medidas destinadas a paliar la crisis que padece el país. Sin embargo, es poco probable que el régimen cambie sus principios esenciales, todo parece indicar que está utilizando un guante de seda para esconder su mano de hierro: de los planteamientos y solicitudes de Juan Pablo II, sólo quedó en pie la reanudación de las fiestas de Navidad. La educación católica, por ejemplo, continúa proscrita de las aulas cubanas, y los padres no pueden educar a sus hijos según sus tradiciones, valores, religión y preferencias.

Sin embargo, algunas de estas medidas han causado malestar en sectores de la población que, a pesar de ello, no pueden acceder a los bienes de consumo, u otros —como los nuevos trabajadores por cuenta propia— que resienten las elevadas tasas e impuestos que le está aplicando el Estado.

Otro sector de la población que no tiene acceso a dólares también encuentra dificultades a la hora de adquirir alimentos y otros bienes de consumo. Y si bien una parte de los alimentos se reciben por la cartilla de distribución (libreta) a precios subsidiados por el Estado, los mismos no abarcan la canasta básica que acostumbra consumir la población y no son suficientes para cubrir todas las necesidades por lo que el resto de la dieta hay que adquirirlo en el mercado libre en pesos cubanos o en dólares.

Los cambios que se piden apuntan a que haya una revalorización del peso cubano que permita fortalecer el salario percibido en esa moneda y estabilizar la economía familiar, distorsionada por la dolarización.

Los planteamientos del Papa, dichos en medio del ambiente de libertad de opinión y movilización propiciado por Castro a propósito de la visita de Juan Pablo II, *"es una puerta que difícilmente podrá ser cerrada"*, según comentó un conocido intelectual católico cubano.

Tal vez lo que muchos consideran como el saldo más positivo de la visita del Papa es que dejó abierto el camino en Cuba para un amplio diálogo nacional que parta de la reconciliación entre todos los cubanos, sin llegar al extremo de una caída del gobierno de Fidel Castro. Pero olvidan que religión y materialismo ateo son antagónicos y no pueden existir juntos.

Alejado de las propuestas destructoras que suelen llegar a La Habana desde Washington, el máximo jefe de la Iglesia Católica sugirió el tránsito pacífico hacia una Cuba nueva donde pueda conjugarse justicia social y libertad individual.

Pasada una década de los acontecimientos que terminaron en la debacle europea del socialismo, todo parece indicar que el Papa estaría interesado en una apertura política en Cuba que parta de una transición lenta y pacífica.

Al respecto se dijo que, en primer lugar, Cuba no es Polonia: la población no es mayoritariamente católica, la Iglesia carece de fuerza suficiente como para liderar un cambio y el socialismo no fue impuesto desde fuera sino es el resultado de un movimiento interno.

Los historiadores estiman que la primera gira del Papa a Polonia, influyó en la organización del sindicato Solidaridad.

"¡Esta es la hora de emprender los nuevos caminos que exigen los tiempos de renovación que vivimos, al acercarse el tercer milenio de la era cristiana", exclamó el Papa en la última de las cuatro misas públicas oficiadas en este país.

La Justicia del Reino de Dios es la que propone la Iglesia al llevar a cabo su misión y esa es, al parecer la propuesta del Sumo Pontífice para todos los cubanos, como alternativa a los sistemas imperantes en el mundo: la Doctrina Social de la Iglesia como un intento por *"conciliar las relaciones entre los derechos inalienables de cada hombre y las exigencias sociales"*.

A los cubanos corresponde encontrar esos «*nuevos caminos*» que conduzcan al país a la solución de su encrucijada actual.

La Caridad de la Patrona de Cuba irradia desde las montañas de Oriente

La espléndida Visita de Su Santidad Juan Pablo II no hubiera podido efectuarse sin el amparo de la Virgen de la Caridad y la voluntad de la Providencia Divina. Si echamos para atrás la historia, el Encuentro Nacional Eclesial Cubano fue el primer paso para que se reorganizara la Iglesia Católica cubana después de muchos años de opresión y restricciones.

> *Por otra parte, el Derrumbe del Campo Socialista, que debe interpretarse como el mayor triunfo del Amor y la mayor derrota del Odio en la historia humana, fue preparando la necesidad y oportunidad de la Visita.*
>
> *Mucho se ha escrito sobre los días finales de enero de 1998, aquellos que estremecieron a Cuba en sus raíces más hondas. Quedaron demostradas verdades fundamentales:*
>
> *Que el pueblo de Cuba era religioso y que la tradición católica, humanista y occidental estaba lejos de haber desaparecido a pesar de la implantación del materialismo y del ateísmo oficial,*
>
> *Que la aceptación del marxismo, para una inmensa cantidad de cubanos, había sido solamente un enmascaramiento impuesto por las circunstancias,*
>
> *Que se había abierto una brecha en la muralla del régimen, y que esa brecha nunca podría ser reparada,*
>
> *Que el régimen podría continuar en el poder, pero que la conciencia del pueblo cubano había cambiado para siempre.*

Por supuesto, la Virgen presidió no solamente la Eucaristía en que fue coronada canónicamente por Juan Pablo II. Ella estaba presente en la Misa de Santa Clara, dedicada a la familia, en la de Camagüey,

415

dedicada a los jóvenes, la de Santiago de Cuba, donde fue coronada la Virgen, y la multitudinaria Eucaristía de La Habana, a los pies de la Virgen: estaba allí porque como Madre, debía ser el sostén de las familias y el amparo de los jóvenes, porque como Reina, debía recibir su Corona, y como Patrona, debía recibir simbólicamente a su pueblo en la Capital de la República, en una celebración donde Ella y Su Santidad eran los protagonistas, y el gobierno y los voceros del régimen, sólo simples espectadores.

Mientras tuvieron lugar todos estos sucesos, mientras los hombres

a duras penas vislumbramos lo que hay en la tierra, y con dificultad encontramos lo que está a nuestro alcance, ¿quién podrá imaginar lo que decides en los Cielos? ¿quién puede conocer Tu voluntad, si Tú no le das la sabiduría y le envías el Espíritu Santo desde el Cielo? (Sb 9, 16-17)

la Virgen, desde su Santuario en las montañas de Oriente, irradia su luz y su amor sobre todos los cubanos: no solamente alumbra a los que viven en la Isla, porque su infinito resplandor llega a todas las partes del Mundo, a donde quiera que estén sus hijos.

CAPÍTULO XXIV

LA PATRONA DE CUBA, NORTE Y GUÍA DE LOS CUBANOS EN LA DIÁSPORA (1959...)

Cambios dramáticos en Cuba y el exilio masivo de miles de cubanos a los Estados Unidos. Nuestra Señora de la Caridad acompaña a sus hijos en el destierro

Con los cambios dramáticos y terribles que tuvieron lugar en la sociedad cubana a partir de 1959, miles de personas comenzaron a irse del país utilizando todos los medios posibles: desde ese año, comenzaron a llegar a Estados Unidos oleadas de miles de cubanos cuyo objetivo principal era escapar del comunismo y hacer sus vidas sin el dogal de la dictadura que estaba convirtiendo la Isla en una cárcel gigantesca.

A partir del 1 de enero de 1959 y en pocos meses, la dictadura de nuevo tipo comenzó a tomar las riendas de todos los controles que dirigían la vida del país. En primer lugar eliminó el ejército constitucional y lo suplantó por el denominado Ejército Rebelde, al tiempo que encarcelaba o fusilaba masivamente y sin misericordia a los que habían sido partidarios del antiguo régimen o a los opositores que comenzaron a actuar tan pronto el nuevo gobierno comenzó a desenmascarar sus intenciones.

En segundo lugar, el régimen comenzó a erradicar el sistema capitalista mediante el despojo sistemático a empresarios, comerciantes y hacendados, destruyendo la propiedad privada y dando inicio a una acaparadora, monopolista y absoluta propiedad estatal sobre los medios de producción, alrededor de la cual comenzó a organizarse la estructura de un verdadero capitalismo de estado que asumía formas estalinistas según el modelo vigente en la Rusia soviética. Todo esto iba acompañado de la llegada de los comunistas al poder: éstos, como fuerza política, habían tenido escasas simpatías y una representatividad mínima durante todos los años anteriores de gobierno republicano, y ahora se iban a transformar en los dirigentes políticos de la sociedad.

Simultáneamente, el mensaje dirigido al pueblo comenzó a prometer muchas cosas: tierras y escuelas a los campesinos, educación gratuita para todos los ciudadanos desde la educación primaria hasta la educación superior, igualdad ciudadana para todos, cese de una discriminación racial que en la práctica no existía, salud pública garantizada y medicina gratis. En materia de promesas, se ofreció de todo en todos los campos de la existencia humana, no quedó nada sin prometer a través de la verborrea de una propaganda mentirosa y carente de escrúpulos. Los que no quisieran aceptar el «humanismo socialista» muy pronto iban a ser calificados de contrarrevolucionarios y sobre ellos recayó muy pronto todo el peso de la represión comunista.

De inmediato, el gobierno comunista que funcionaba en la Isla arremetió contra los colegios privados y sobre todo contra la educación católica, que en esa época contaba centenares de escuelas y dos Universidades. Era obvio que quería tener el control absoluto de la educación y que, sobre todo, que los niños y jóvenes no aprendieran otra cosa que las nuevas ideas socialistas y comunistas que eran el sustento del pensamiento y la filosofía del nuevo régimen de facto. No podían consentir, por tanto, que los padres educaran a los hijos según su criterio, porque anhelaban establecer el monopolio del pensamiento, y los despojó de su derecho natural como padres para instruir a los hijos en su religión, su filosofía, tradiciones, costumbres y creencias.

Una forma de obtener y mantener el control absoluto de las ideas fue la nacionalización de los medios masivos de comunicación: periódicos, revistas, estaciones de radio y canales de la televisión.

Para contrarrestar la fuerza de la religión católica, estrechamente agrupada en torno a la figura principal y emblemática de la Virgen de la Caridad del Cobre, Patrona de Cuba, y que por aquel tiempo era más fuerte que nunca bajo el amparo de su Reina y Madre, se obligó a la salida de una parte muy importante del clero de origen español, de una parte importante del clero de origen cubano, y de todos los religiosos que formaban los claustros de profesores y sustentaban la estructura de la educación católica en todos los niveles de enseñanza, en colegios y universidades: como consecuencia, el clero se redujo de más de 700 a unos 200 sacerdotes, se suprimieron y expulsaron las órdenes y congregaciones religiosas dedicadas a la enseñanza, y desaparecieron los colegios católicos, pagos o gratuitos, junto con las escuelas parroquiales y el grueso de las redes asistencial, de beneficencia y salud pública regidas por la Iglesia Católica. También desaparecieron o quedaron muy disminuidas las congregaciones religiosas femeninas. Desde ese momento, los niños aprenderían el ateísmo como religión en las escuelas estatales.

Al mismo tiempo y para hacer creer que no había persecución religiosa, el estado permitió la práctica de las religiones afrocubanas con el doble objetivo de crear una válvula de escape a las expresiones de la fe popular y lanzar al exterior la imagen de que en la Isla no se perseguía a nadie por sus creencias ni por su fe. Una vez eliminadas las escuelas católicas y teniendo el monopolio de la instrucción socialista y atea, el nuevo gobierno confiaba en que las ideas religiosas irían desapareciendo paulatinamente del territorio nacional y conocía muy bien que los sistemas religiosos afrocubanos, asistemáticos, incoherentes, dispersos y sin textos ni estudios que sustentaran una doctrina, no tenían base filosófica ni teológica y que nunca podrían rivalizar con el estado para apoderarse de la conciencia colectiva de la nueva sociedad e influenciarla.

Para ofrecer una alternativa novedosa al pensamiento que gozaba del apoyo oficial, las librerías se llenaron de libros comunistas que se vendían muy barato, con precios casi simbólicos, y que llegaron a repartirse gratuitamente.

Despojada de sus propiedades, viendo que peligraban sus costumbres y tradiciones, atacada en sus creencias religiosas y sin la posibilidad de que sus hijos aprendieran y practicaran la religión de sus mayores, la clase media cubana comenzó a marcharse del país y su destino principal eran los Estados Unidos.

A finales de 1962, ante la creciente infección y contaminación de la propaganda y la ideología comunista, el peligro que significaba la presencia e influencia rusa en aguas del Caribe y la posibilidad siempre existente de que la situación llegara a un punto sumamente peligroso, como ocurrió durante la Crisis de Octubre o Crisis de los Misiles en ese mismo mes, el gobierno de Estados Unidos decidió suspender los vuelos y las salidas legales desde Cuba hacia su territorio, lo que se unió a las medidas económicas dictadas contra el gobierno marxista desde el triunfo revolucionario, sirvió de fuerte estímulo a la emigración de grandes muchedumbres de cubanos desesperados por escapar de la prisión que había cerrado sus rejas en la Isla.

La Iglesia Católica ante la situación nueva

Como institución, la Iglesia no había participado en la lucha contra el régimen de Batista, aunque fueron incontables los católicos que participaron activamente en la insurrección, desde dirigentes del más alto nivel como José Antonio Echevarría, hasta los más humildes activistas revolucionarios. Muchos sacerdotes, religiosos y religiosas participaron activamente de una manera o de otra en la contienda, prestando colaboración con medicinas, ayuda económica, escondiendo a los perseguidos, amparando a los encarcelados, o como capellanes en las guerrillas que luchaban contra Batista. Las Juventudes de Acción Católica colaboraron de todas las maneras posibles con la insurrección.

La Iglesia, en su casi totalidad, no contaba con la aplicación de medidas radicales que transformaran la economía del país y la orientaran hacia el socialismo. Se puede decir que toda la jerarquía y casi seguramente todos los sacerdotes, junto con la inmensa mayoría de los cubanos, aspiraba al restablecimiento de un régimen democrático, a que se implantara una administración sana y honesta de la que fueran erradicados todos los vestigios de corrupción, inmoralidad y malversación, a la depuración y fortalecimiento de las Cajas de Retiro y la creación de leyes adecuadas que garantizaran la seguridad social, en resumen, a que se adecentara la vida nacional dentro del marco de la Constitución de 1940. En aquellos momentos iniciales del año 1959, la Iglesia no creía en que fuera posible una revolución socialista en Cuba, en la que hubiera visto una amenaza para su propia existencia.

Desde el mismo triunfo revolucionario la jerarquía eclesiástica comenzó a actuar con la mayor prudencia para evitar tensiones con el gobierno que recién comenzaba, y esperar con atención el desarrollo de los acontecimientos. Y los acontecimientos comenzaron a producirse. El gobierno revolucionario comenzó a implantar un conjunto de medidas: algunos salarios fueron aumentados, se redujo el alquiler de las viviendas, se rebajó el precio de servicios como la electricidad, también se rebajó el precio de las medicinas. Todas estas medidas afirmaron en el poder al nuevo gobierno y lo consolidaron en las simpatías de grandes sectores de la población.

Sin embargo, durante 1959 no se puede decir que la Iglesia Católica, como institución, tuviera una confrontación directa con el gobierno. Pero a finales del año, sin embargo, las opiniones de la jerarquía parecían haberse polarizado y una parte de los católicos, sobre todo los que pertenecían a las clases altas, dudaban o sentían grandes reservas ante los pasos que daba el régimen. Algunos de estos pasos resultaban dolorosos. Toda lucha genera sentimientos de revanchismo, más o menos justificados, y los actos violentos generan represalias que no siempre pueden ser encauzados convenientemente por la justicia. La represión de la policía y el ejército de Batista, así como los maltratos y las torturas de que fueron objeto en muchas ocasiones, tuvieron como consecuencia que desde el triunfo de la revolución comenzaran a sesionar durante muchas semanas tribunales revolucionarios que juzgaban delitos contra la persona humana cometidos por los funcionarios del régimen.

El Congreso Católico Nacional

En esas circunstancias, la Iglesia convocó a un Congreso Católico Nacional, cuyo acto central estaría presidido por la querida imagen de la querida imagen de la Patrona de Cuba.

El 21 de noviembre de 1959, Nuestra Señora la Virgen de la Caridad, en medio de una atmósfera densa a fuerza de amor, salió del Santuario del Cobre. Ese día iba a comenzar el Maratón organizado por la Acción Católica: se iba a encender una antorcha con el fuego de las velas del Santuario, y la luz de esa antorcha recorrería toda la Isla, de oriente a occidente, llevada por los portadores que se irían relevando, para que el fuego del amor a María, Madre de Dios, calentara los espíritus y les sirviera además de estrella y de guía. Dijo el Presidente Nacional de la Acción Católica, en los momentos en que se iniciaba el Maratón: «*Esta Antorcha representa el fuego del ideal que arde en el corazón de los jóvenes cubanos: amor a Dios y amor a la Patria. Al pasear orgullosa por los campos y ciudades irá encendiendo los corazones de todos los cubanos en este ideal*»[681]. Cuentan las crónicas que

> *Aquel sábado 21 de Noviembre el cielo santiaguero amaneció encapotado. El día transcurrió a intervalos entre la fina llovizna y el copioso aguacero. Era como un anticipo de lo que después había de ser signo distintivo de la magna concentración pública del Congreso. También estuvo presente la lluvia en la salida de la Antorcha del Santuario del Cobre.*
>
> *El Maratón comenzó con un acto sencillo pero emocionante. Se cantó una Salve solemne y a continuación la antorcha fue encendida con las luces que iluminan la imagen venerada de nuestra Patrona.*
>
> *A las nueve de la noche salió del Santuario bajo la lluvia.*
>
> *Un repique de campanas en todos los pueblos y ciudades de Cuba, anunciaba el inicio del Maratón...*[682]

La Antorcha, en manos de los corredores, salió del Santuario del Cobre en dirección al Puerto de Moya. La lluvia y el viento azotaban sin tregua a los corredores, cansados por la empinada cuesta... el pueblo de Palma Soriano se lanzó a la calle bajo la lluvia para recibir la Antorcha: *Hoy me siento orgulloso de mi pueblo que sabe hacer honor a su fe cristiana*[683], comentó el párroco del lugar.

---

[681] Larrúa Guedes, Salvador. Cinco Siglos de Evangelización Franciscana en Cuba. Custodia Franciscana del Caribe, Puerto Rico, 2004, t. II, pp. 175 ss.

[682] Ibídem,

[683] Ibídem,

En la mañana del 22, la Antorcha llegaba a Contramaestre, que se había engalanado para recibirla. De allí pasó a Baire y a Jiguaní, cuyos federados la llevarían hasta Bayamo. En la Ciudad Monumento la Antorcha fue recibida con una gran caravana de bicicletas que se extendía más de dos cuadras... el acto se prolongó hasta el anochecer del domingo. Luego siguió hacia Holguín, en manos de los federados de Bayamo y de Manzanillo. En Holguín, las tiendas habían cerrado: todo el pueblo participó en el gran acto[684].

Eran las 9 de la noche del lunes 23 de noviembre cuando llegó a Victoria de las Tunas. Luego continuó haciendo escala en Guáimaro, Cascorro y Sibanicú hasta llegar a Camagüey. En la Ciudad Prócer, donde nacieron los primeros luchadores de la independencia de Cuba junto con las ideas de Patria y Libertad, iba a tener lugar el acto más emocionante y espectacular de toda la ruta:

> *Una interminable caravana de autos, bicicletas y público siguió al corredor desde la entrada de la ciudad hasta la Plaza de las Mercedes. Allí S. E. el Sr. Obispo de Camagüey recibió la Antorcha de manos del maratonista. Televisión Camagüey trasmitió el acto por control remoto. El público sobrepasó con mucho las diez mil personas...*[685]

Desde Camagüey la Antorcha continuó a Ciego de Ávila, adonde llegó al mediodía del miércoles 23 tomando rumbo hacia Sancti Spíritus y Santa Clara. Llegó a Cienfuegos el jueves 24 por la noche y al mediodía del viernes 25 entró en Colón para seguir hasta Matanzas, ciudad a la que arribó el sábado 28. La ruta hacia La Habana se hizo cada vez más difícil y sobre todo desde que la Antorcha salió de Matanzas, por la incontable caravana de ómnibus, camiones y automóviles llenos de peregrinos de toda la Isla que iban a participar en el Congreso[686].

Alrededor de las 7 de la noche la Antorcha entraba en La Habana por la Virgen del Camino, y minutos después de las ocho el último maratonista la entregaba al Presidente Nacional de la Juventud Masculina de Acción Católica, quien la colocó en un trípode ante la estatua del Apóstol José Martí, en el Parque Central de La Habana. La luminaria encendida con el fuego del Santuario del Cobre había recorrido más de mil kilómetros y pasado por las manos de más de mil federados. Ahora, en la llama prendida ante la estatua de Martí, se

---

[684] Ibídem,

[685] Ibídem,

[686] Ibídem,

comenzaban a encender miles y miles de antorchas: la luz se multiplicaba en decenas de miles de luces como si las estrellas del cielo hubieran bajado a La Habana para saludar a la Virgen de la Caridad realizando en su honor un grandioso desfile[687].

Cerca de las 4 de la tarde del sábado 28 aterrizaba en el Aeropuerto de Rancho Boyeros el Avión Presidencial, en el que algunos miembros del Ejército Rebelde habían acompañado la imagen venerada de la Patrona de Cuba, que venía a recibir el homenaje de su pueblo. La comitiva que acompañó a la Virgen desde que saliera del Santuario estaba presidida por el Arzobispo de Santiago de Cuba, Mons. Enrique Pérez Serantes, y estaba integrada por varios funcionarios del gobierno. Acompañaba a Pérez Serantes un fraile franciscano, Fray Rafael Monterrey[688], que en 1959 custodió la Santa Imagen de María igual que 346 años antes, en noviembre de 1613, Fray Francisco Bonilla, Superior del Convento de San Francisco de Santiago de Cuba, acompañó y custodió a la Virgen de la Caridad desde el Hato de Barajagua hasta el pueblecito del Cobre, y de la misma forma que en 1952, cuando el primer viaje de la imagen de Nuestra Señora de la Caridad a La Habana, Fray Manuel Oroquieta, franciscano, la acompañara en el trayecto: en La Habana la recibiría Fray Lucas Iruretagoyena, en esa continuidad histórica de Cuba por la cual los franciscanos están siempre presentes en los viajes de la Virgen[689].

Los más altos dignatarios de la Iglesia, el Comité Organizador del Congreso y autoridades del gobierno, recibieron a la Virgen y muy pronto se puso en marcha seguida de una gran caravana de autos que la llevó en triunfo desde el Aeropuerto de Rancho Boyeros hasta la Catedral donde fue recibida por Mons. Manuel Arteaga Betancourt, Cardenal Arzobispo de La Habana, y por miles de devotos que se apiñaban en la vetusta plaza ante la Iglesia...

Millares de cubanos hicieron guardia continua hasta las diez de la noche, hora en que fue colocada en la urna de cristal sobre la carroza, para desfilar con el pueblo hasta la Plaza Cívica[690]

---

[687] Ibídem,

[688] Folleto. Encuentro-Reflexión sobre la Historia Franciscana en Cuba. Convento de Santo Domingo, Guanabacoa, 21-24.X .98, p. 5

[689] Ibídem,

[690] Varios Autores. Congreso Católico Nacional de 1959. Memoria. Biblioteca del Arzobispado de La Habana (BALH)

Mientras la imagen de Nuestra Señora de la Caridad del Cobre hacía este recorrido, en la Plaza Cívica —la actual Plaza de la Revolución—, todo un mar de cubanos, una muchedumbre colosal de cientos de miles de personas, esperaba con emoción bajo la lluvia. Era una selva de cruces levantadas al cielo, de banderas cubanas, de estandartes religiosos, de enseñas de congregaciones y asociaciones y cofradías, era un murmullo de oraciones que lanzaban al infinito la esperanza, era una multitud inmensa que esperaba rezando bajo la lluvia y el frío movida solamente por la fe, mientras que desde La Habana iba avanzando por la calle Reina hacia Carlos III para seguir luego por la Avenida de Rancho Boyeros hacia la Plaza Cívica, otro río de cruces, de enseñas nacionales, de banderas, de gallardetes, de estandartes, de insignias sagradas, de miles y miles de antorchas encendidas en el mismo fuego del Santuario del Cobre que precediera a la Virgen desde las montañas de Oriente. Delante marchaban las enseñas nacionales desafiando el aire y la lluvia, luego las insignias, los gallardetes y las banderas de las diversas instituciones católicas. A continuación marchaban los miembros de la Jerarquía Eclesiástica y el Comité Organizador del Congreso en pleno, detrás iban las representaciones de todas las Parroquias de la Isla de Cuba de Oriente a Occidente, que se iban uniendo gradualmente al larguísimo recorrido... detrás, el pueblo, un mar de pueblo que esperaba en las aceras el paso de la Virgen para ir con ella hasta la Plaza[691]. La multitud intuía el futuro y se agrupaba, como se agrupan los rebaños para defenderse cuando los lobos están cerca.

Nada puede turbar los recuerdos de aquella noche. No faltaron provocaciones de personas minúsculas, como por ejemplo en la esquina de Belascoaín y Carlos III donde algunos seres poco felices —nunca faltan— se ensuciaron la boca profiriendo ofensas. Era como el zumbido de una mosca al lado de un elefante, y allí se quedaron sin que nadie les hiciera caso, como la gota que no puede nada ante el mar...

Era una noche espléndida. 'Una de las más extraordinarias demostraciones católicas del mundo', según el propio decir de uno de nuestros ilustres prelados. Eran los dos amores: la Virgen y la Patria presentes en el más grande acontecimiento católico de la historia de Cuba. El pueblo cubano demostró una vez más, ser un pueblo de hondas raíces cristianas...[692]

---

[691] Ibídem,

[692] Ibídem,

En la Plaza Cívica la muchedumbre esperaba a la Virgen rezando y cantando. Cuando apareció la pequeña imagen dentro de la urna de cristal perlada por la lluvia, se alzaron las antorchas, las cruces y las banderas y un oleaje formado por más de un millón de pañuelos blancos se agitó en la noche: entonces una voz poderosa, coreada por la multitud, entonó las letanías de Nuestra Señora: «Ave inesperada, Gaviota de Nipe, Paloma del Cobre, Madre de la Caridad, Patrona de Cuba, Virgen Mambisa...» algunos miembros del Ejército Rebelde llevaron la querida imagen hasta su altar y de inmediato comenzó la Santa Misa en la que ofició Mons. Enrique Pérez Serantes, Arzobispo de Santiago de Cuba, quien dirigió emotivas palabras a la multitud[693].

Era el acto cumbre del Congreso Católico Nacional: momento solemne en el que la Gracia del Señor se derramó, extensa y numerosa, sobre todos los presentes. Mucho necesitábamos aquella Gracia en momentos en que se iniciaban la confusión y el desconcierto: quién sabe qué habría sido de nosotros si la Virgen y Dios no hubieran estado presentes.

Terminada la Misa, llegó el momento que más esperaban todos los presentes y aquellos que imposibilitados de asistir, miraban por la televisión o escuchaban por radio el desarrollo del grandioso evento: el momento de escuchar las palabras que dirigiría directamente desde Roma al pueblo de Cuba, Su Santidad el Papa Juan XXIII. Nunca el silencio religioso fue más grande entre aquel millón de personas que cuando oyeron las palabras llenas de sabiduría y amor que les dedicaba el Santo Padre:

> *La faz del mundo podría cambiarse si reinara la verdadera caridad. La del cristiano que se une al dolor, al sufrimiento del desventurado, que busca para éste la felicidad, la salvación de él tanto como la suya. La del cristiano convencido de que sus bienes tienen una función social y de que el emplear lo superfluo a favor de quien carece de lo necesario no es una generosidad facultativa, sino un deber...*

> *La convivencia humana y el orden social han de recibir su mayor impulso de una multiforme labor orientada, por convicción de los miembros de la comunidad, hacia el bien común.*

> *Cuando la angustia y el tormento tienen aún frescas las rosas de las heridas, esta caridad impone un gesto preciso: amistad, estima, respeto mutuo, una actitud interior de algo continuado, un perdón sin distingos, una reconciliación que se ha de reconstruir día a día y hora a hora sobre las ruinas del egoísmo y de la incomprensión.*

---

[693] Ibídem,

Si el odio ha dado frutos amargos de muerte, habrá que encender de nuevo el amor cristiano, que es el único que puede limar tantas asperezas, superar tan tremendos peligros y endulzar tantos sufrimientos. Este amor, cuyo fruto es la concordia y la unanimidad de pareceres, consolidará la paz social. Todas las instituciones destinadas a promover esta colaboración, por bien concebidas que parezcan, reciben su principal firmeza del mutuo vínculo espiritual que deriva del sentirse los hombres miembros de una gran familia, por tener el mismo Padre Celestial, la misma Madre, María.

Mucho esperamos de vuestra Asamblea de Apostolado Seglar. Las consignas de estos días para promover la unión y salvar la paz cristiana de Cuba y de afianzar sus tradiciones católicas, tendrán como denominador común y recabarán su mayor eficacia de la caridad vivida por vosotros y puesta en práctica en el seno de vuestras organizaciones...[694]

Las palabras de Su Santidad estaban llenas de sabiduría, se correspondían perfectamente con los signos y augurios de la época que comenzaba, y constituían un alerta para los católicos: la caridad y el amor debían prevalecer sobre todas las consideraciones para consolidar la paz social. Solamente el amor cristiano, libre de pasiones, de revanchas y de rencores, podría trazar los objetivos más justos y más adecuados.

Pocos días después comenzaron a apagarse los últimos ecos del Congreso Nacional. Muchos de los católicos que escucharon las palabras de Su Santidad no pudieron, no supieron o no quisieron interpretarlas, llenos como estaban de la emoción y del fervor que soplaron sobre Cuba durante la celebración del gran evento. La cascada de sucesos que se desencadenó durante los meses siguientes, llena de golpes y contragolpes, de pasiones enfebrecidas y de la voluntad del régimen de ganar a todo costo y a toda costa, se encargó de demostrar hasta la saciedad que el Papa tenía toda la razón. El odio había gestado frutos amargos de muerte y no se pudo contar con todo el amor cristiano que hacía falta para contrarrestar su furia.

Al cabo de unas semanas, los más altos dirigentes del régimen, que se habían arrodillado en la gran celebración Eucarística de la Plaza de la Revolución ante la imagen de la Virgen, demostraron que en ese acto la traición se arrodilló junto con la muchedumbre: falsos y mentirosos, una vez comprobaron el tremendo poder de convocatoria de la Iglesia y sus organizaciones, asestaron una serie de zarpazos contra la institución católica nacionalizando los colegios, las

---

[694] Ibídem.

universidades, los establecimientos de asistencia social, prohibiendo las organizaciones y asociaciones católicas, persiguiendo a la Iglesia, discriminando a los fieles, y expulsando a gran cantidad de sacerdotes y religiosos, cubanos y españoles.

Llegada de la Virgen a la Florida. De cómo la Patrona de Cuba celebró su primera fiesta en Miami.

Todos los cubanos exiliados, estuvieran en Miami o en cualquier otro lugar del Mundo, sufrían especialmente la lejanía de la Virgen de la Caridad, pero al mismo tiempo sabían que estaba cerca y velando por ellos. Y desde los primeros momentos, para los cubanos de Miami la celebración del 8 de septiembre, Fiesta de la Patrona de Cuba, revistió una importancia excepcional. Porque la Virgen, además de ser figura señera de su catolicismo, era el símbolo, el alma, la presencia de la Patria que estaba tan próxima y al mismo tiempo tan lejana...

La celebración de la primera Fiesta de la Virgen en Miami, el 8 de septiembre de 1961, tuvo una importancia muy grande para los cubanos desarraigados, llenos de angustia, que sólo podían recurrir a Ella para que aliviara su dolor:

Los cubanos exilados en Miami por causa del comunismo, habiendo sufrido enormemente por la separación o muertes en sus familias, por la pérdida de la patria y de todo lo que tenían, se preparaban para la primera **celebración de la Fiesta de la Virgen de la Caridad** *en el exilio. Por eso deseaban tener una imagen adecuada de la Virgen.*

Providencialmente, el mismo 8 de septiembre de 1961, mientras ya miles se reunían en el Estadio de Miami para celebrar la Misa, llegó al aeropuerto de esta ciudad la imagen de la Virgen de la Caridad procedente de Cuba. Era la imagen de la Parroquia de Guanabo en la Arquidiócesis de La Habana. Había sido asilada en la Embajada de Italia y pasada por la Encargada de Negocios de Panamá a su embajada, por petición de los cubanos.

Aquella celebración (la del 8 de septiembre de 1961) presidida por el Arzobispo de Miami, se hizo una tradición que continúa hasta el día de hoy.

¿Por qué esa pasión de los cubanos del exilio por su Reina y Madre, la Virgen de la Caridad del Cobre? Voy a repetir lo que ya he dicho: porque Ella, María de la Caridad, es el símbolo de la Isla de Cuba, es el alma de la Patria perdida. Y ellos, que habían perdido las tumbas de sus antepasados, sus familias, sus casas, su tierra, su Patria, sus amigos, sus vecinos, sus colegios, sus costumbres, sus trabajos, habían traído consigo a la Virgen. La Virgen llegó con ellos prendida en sus recuerdos, viviendo en su corazón, latiendo junto con él. La Virgen vino con ellos, presente en su fe católica, en los recuerdos de los Sacramentos del Bautismo, de la Confirmación, de la Reconciliación, de la Primera Comunión, del Matrimonio por la Iglesia. La Virgen vino con ellos en la memoria de una lágrima que brotó en la penumbra de un templo. La Virgen vino con ellos viviendo en los recuerdos de sus promesas, de sus planes, de sus proyectos, de sus amores, de su felicidad, de sus alegrías y de sus penas, porque la Virgen estaba en todas partes. En los cuadros expuestos en el rincón más destacado de la sala de la casa y en las habitaciones familiares, o en algún pequeño altar. En las estampitas que se conservaban en los libros. En los letreros colocados en las puertas, que anunciaba la consigna suprema: *Con Dios Todo, sin Dios Nada,* o *Todo a Jesús por María, Todo a María para Jesús.* En los crucifijos también colocados en las puertas o en las cabeceras de los lechos. En exclamaciones cotidianas de *¡Virgen de la Caridad, ampárame!, ¡Virgen de la Caridad, protégeme!.* En las peregrinaciones al Santuario del Cobre o en las Procesiones cuando llegaba la gran fiesta del 8 de septiembre.

Repito, la Virgen de la Caridad era algo que no podía desprenderse de nosotros, porque la Madre no abandona a sus hijos, y está con ellos incluso cuando no son capaces de advertir su presencia. Incluso cuando el hijo ha muerto y Ella lo baja de la Cruz y lo acuna en sus brazos. Y después de la muerte para interceder por cada hijo ante Dios Nuestro Señor. Y es que la Virgen Santísima del Cobre formaba y forma parte de nosotros mismos, de nuestra sustancia propia de cubanos. Desde que se nace en Cuba, Ella está siempre presente. Está junto a cada hijo, velando por él de la misma forma que vela por sus padres. Está presente en el Santo Rosario, en las oraciones, en el rezo de la Salve, en el rezo del Ave María, en el aire, en la tierra, en las palabras, en los suspiros, en los amores, en las promesas, en las necesidades, en las peticiones, en las invocaciones, en la risa y en las lágrimas, en la felicidad y en el dolor. Acompañándonos siempre.

Cuando se habla de lo que significa la Virgen de la Caridad para Cuba y para los cubanos, siempre vienen a la mente las palabras del Obispo Mons. Eduardo Boza Masvidal:

Ella (la Virgen de la Caridad) es el símbolo de la fe cristiana de nuestro pueblo. Somos un pueblo que cree en el espíritu, en el mundo de lo sobrenatural, que sabe que hay un Dios y un Padre en los cielos que nos ama, y que está convencido de que el hombre no está hecho para los estrechos horizontes de este mundo material...

La devoción a la Virgen de la Caridad es para nuestro pueblo el encuentro con Cristo que se hizo hombre para injertar al hombre en Dios, que nos ofrece el más noble ideal de amor y de sacrificio por los hombres, sus hermanos, y que nos ha incorporado a su Iglesia, su Cuerpo Místico, para que nosotros junto con Él construyamos un mundo señalado con la cruz: un brazo vertical hacia lo alto, hacia el Infinito, por la fe y el amor a Dios, y dos brazos horizontales que se abren, tan anchos como la tierra, para abrazar a todos los hombres, aun a los enemigos, en un abrazo de hermanos.

Si amamos a la Virgen de la Caridad, esa fe la sentiremos tan hondamente que nadie nos la podrá arrancar jamás y la viviremos plenamente haciendo de ella la realidad de nuestra vida.

... La Virgen de la Caridad es la Patrona de Cuba. Esto la enlaza muy profundamente con los cimientos de nuestra nacionalidad... Ella sentó sus reales entre nosotros y desde entonces, como una cubana más, ha vivido con nosotros todas nuestras alegrías y todas nuestras penas. A su calor se forjaron los ideales patrios y Ella ha estado en las luchas clandestinas y en los campos de batalla, en las cárceles y en los hospitales, en los hogares y en los templos. *Ella sabe de cosas que nadie sabe, de angustias muy secretas y de penas muy hondas. Ella ha escuchado oraciones que salían de tiernas gargantas infantiles o de voces roncas de nuestros guajiros o de nuestros soldados. Su imagen bendita se transparenta en los pliegues de nuestra bandera, la de las franjas color de pureza y color de cielo, y la del triángulo color de amor...*

... Ella está también con nosotros hoy, cuando la tormenta azota y se nubla de espumas la ruta a seguir, y Ella bendecirá nuestros esfuerzos por orientar, en medio de las olas deshechas, la proa hacia Cristo, y con Cristo hacia la verdadera paz que no puede estar en la imposición de unos sobre otros, en la dictadura del capitalismo ni en la dictadura del proletariado, sino en la unión de todos en un ideal de Verdad, de Justicia y de Amor, como es su nombre[695]

A nadie puede extrañar, entonces, el poderoso anhelo colectivo de los cubanos, que querían tener consigo a su Reina y Madre del Cielo. Después de perderlo todo, recuperarla a Ella era lo más importante para sanar las heridas del alma y recuperar las pérdidas del espíritu. Al mismo tiempo, sabían muy bien que estaría con ellos el Primer Símbolo de la Patria y la Nación Cubana.

---

[695] Boza Masvidal, Mons. Eduardo. Voz en el Destierro. Revista Ideal, Miami, 1997, pp. 63-64

Primeros años de la Virgen en otras tierras: la Madre todo Amor que consuela y remedia a sus hijos. De cómo los cubanos entronizaron a la Virgen de la Caridad en la Parroquia de San Juan Bosco de Miami primero y en toda la Florida después.

La Virgen de la Caridad del Cobre, como es natural, se convirtió en el centro de la Fe y en la principal motivación de los cubanos en el exilio. Durante sus primeros días en Miami, la querida Virgen se convirtió en misionera, como tantas otras veces en la historia de Cuba, y su imagen fue llevada a recorrer los campamentos que albergaban a los niños cubanos que habían llegado a Estados Unidos sin sus padres, huyendo del terror y la barbarie comunista, y que no sabían si podrían volver a verlos alguna vez. Eran 14,000 niños desarraigados de su familia y de su Patria: prácticamente todos profesaban la religión católica y estaban a cargo de la Arquidiócesis de Miami, que se encargó de protegerlos mientras permanecieron separados de sus familias. Es de imaginar, en la situación en que se encontraban los niños, el valor que tuvo su reencuentro con la Virgen de la Caridad del Cobre, Patrona de Cuba: ella fue entonces un hilo conductor que vino de forma milagrosa para conectarlos de nuevo con su pasado, con su religión, con la Patria... desde la visita de la Virgen, para muchos de aquellos niños que recuperaron por Ella la esperanza, la vida comenzó otra vez.

Pasaron los años. La comunidad cubana en Miami y en otras ciudades próximas de la Florida prosperaba y crecía, y la Virgen de la Caridad recibía la mayor parte de las visitas. Era y es muy popular. La gente va a verla, se sienta frente a ella, la mira, le reza, le cuenta sus problemas. Ella siempre escucha, siempre sana. Las personas salen, después, contentas y aliviadas. La Madre siempre escucha, siempre alivia, siempre consuela, siempre da esperanza. Hay que ir a visitar a la Madre, la Madre siempre espera a sus hijos. Siempre.

En los primeros momentos, la imagen no tuvo domicilio fijo. Era necesario que tuviera una residencia definitiva y permanente, una Casa donde sus hijos pudieran visitarla. El Arzobispo Mc Carthy supo valorar muy bien la situación creada, comprendió muy bien la importancia y significado de la Virgen para el exilio cubano, y decidió que la pequeña imagen fuera entronizada provisionalmente en uno de los altares de la Iglesia de San Juan Bosco de Miami mientras se construía su Santuario en tierras de la Florida. Y allí permaneció la Virgencita, rodeada por el inmenso cariño de una comunidad cubana que crecía más y más con el paso del tiempo hasta 1967, año en que por decisión del Arzobispo Mons. Coleman Carroll fue trasladada, en los primeros días de septiembre, a una capilla también provisional que se erigió en terrenos muy próximos al Hospital Mercy, de la que fue director espiritual Mons. Agustín Román desde 1966, mientras se levantaba la Ermita de la Caridad donde iba a tener su residencia permanente.

De una forma profética fueron edificadas frente al mar que baña las playas cubanas y las costas del destierro, la pequeña capilla provisional primero, y la Ermita de la Caridad después, porque se convirtieron en el centro del catolicismo cubano en el exilio y en un faro luminoso de la espiritualidad Mariana. Casi desde los primeros momentos comenzaron las peregrinaciones de los exiliados organizados de acuerdo con sus Municipios de procedencia, según la organización administrativa que tuvo la Isla hasta 1976, y muy pronto también se consolidó la hermosa costumbre de la tradicional visita de los cubanos que logran salir de la Isla y que cuando llegan a Miami en primer lugar y por encima de todo van a presentar su agradecimiento a la Virgen de la Caridad en su Ermita, situada frente al mismo mar que baña las costas de la Isla querida, de la amada Patria prisionera a la que siempre extraña y se quiere retornar.

Con el paso de los años, la gran fuerza que irradia el Santuario de la Virgen de la Caridad comenzó a abrirse paso en el corazón y los sentimientos de los emigrados de otros países hispanoamericanos. Nuestra Señora viajó por todas las tierras del Nuevo y del Viejo Mundo, acompañando a sus hijos cubanos que escapaban por todos los caminos posibles de la Isla prisionera, sumando fieles devotos en las nuevas tierras a las que llevaba su testimonio de la Caridad, el Amor Sublime de Dios...

Es que más temprano que tarde, la genuina y contagiosa fe de los cubanos, su devoción inmensa y su confianza ilimitada en la Caridad del Cobre, comenzaron a contagiar a numerosas personas nativas de Santo Domingo, Puerto Rico, Nicaragua, Honduras, Panamá, Méjico, Perú, Venezuela, Colombia, El Salvador... en poco tiempo, la Patrona de Cuba era conocida en toda la Florida y desbordando las costas de la península, atravesaba el Atlántico para llegar a los altares de las Iglesias de España, cruzaba los Pirineos para pasar a otros países del Viejo Mundo, y viajaba miles de kilómetros por aire, mar y tierra para aparecer en el lejano Brasil, y surcaba los mares para presentarse en la lejana y exótica Australia... Ya son muchas las tierras donde está presente Nuestra Virgen con su Nombre Profético de Caridad: Amor sublimado del cristiano, Amor que todo lo da, todo lo espera y todo lo puede, Amor hecho sustancia de la Fe que nos da la seguridad de la esperanza.

La Virgen permaneció en una Capilla Provisional hasta 1966, año en que el Arzobispo Coleman F. Carroll tomó la iniciativa de construir para Ella un Santuario.

La inspiración de hacer una Casa para la Virgen: el Arzobispo Coleman F. Carroll y la idea de erigir la Ermita de la Caridad. El P. Agustín Román queda al frente del nuevo Santuario.

Llegamos al año 1966. Al pasar por Miami de mi regreso del Canadá, donde había hecho mi retiro espiritual ignaciano, me entusiasmaron mis coterráneos cubanos con la idea de la inminente solución de la libertad de Cuba. Me decían que ese año 1966 se resolvería todo. Pensé entonces que era mejor quedarme para regresar desde aquí a la Patria. Pasé un corto tiempo con el buen Padre Vallina en San Juan Bosco, quien me acogió como a un hermano. Una tarde lo llamaron de la Catedral, pidiéndole la ayuda de un sacerdote que hablara español. Monseñor me llevó y allí me quedé sirviendo por más de un año a la fervorosa comunidad hispana, donde la mayoría era de cubanos que llegaban cada día a través de los Vuelos de la Libertad[696].

En la primera entrevista realizada en mayo del 2007, Mons. Román, hablando de estos tiempos, refirió que:

> *Llegué a la Iglesia de San Juan Bosco pensando volver a Chile, pero en Miami se pensaba que pronto se caía el gobierno de Cuba. Pensé que si regresaba a Chile me sería difícil volver a mi país, y me quedé en Miami. Entonces me nombraron provisionalmente en la Catedral como Vicario, en junio de 1966, porque se necesitó ayuda en la Catedral, y allí me quedé. Estuve estable en ese cargo hasta 1967, fines de agosto o principios de septiembre, y entonces me avisa el párroco que me iban a cambiar. Salió la noticia en La Voz Católica, me pasaban a un Santuario...[697]*

En Miami conocí y trabajé con un grupo ejemplar de sacerdotes americanos, y también conocí al Obispo Coleman F. Carroll, primer pastor de esta Arquidiócesis[698]. Y en ese mismo año, ya el Arzobispo tenía en mente la construcción de un Santuario para la Virgen de la Caridad, hizo pública la gran noticia, y convocó a los cubanos del exilio por ese motivo:

> *En 1966 fue la Fiesta de los Veteranos y el Arzobispo llamó al exilio cubano para construir un Santuario, y él ofreció dar el terreno[699].*

---

[696] Román, Mons. Agustín. La Ermita de la Caridad: 40 años de Historia. La Voz Católica, Arquidiócesis de Miami, 2006

[697] Larrúa Guedes Salvador. Primera entrevista a Mons. Agustín Román. Ermita de la Caridad, 24.V.2007

[698] Ibídem (696)

[699] Ibídem

Cuando el Arzobispo llamó para erigir el Santuario, hizo un Comité, el Comité Pro-Santuario, que empezó a buscar los fondos. El presidente del Comité era el Dr. Manolo Reyes, yo no formaba parte del Comité. Y con muy pocos recursos se comenzó a hacer la primera capillita.. el Arzobispo había especificado que el Santuario tenían que hacerlo los cubanos.[700]

En los primeros días de septiembre de 1967, el mismo Arzobispo Carroll me nombraba como director espiritual del nuevo santuario que el quería que los cubanos levantaran en Miami en honor de la Patrona de Cuba, para el cual había ofrecido un valioso terreno junto al Mercy Hospital. Me asustó la idea, pero me dispuse a trabajar en el proyecto, siendo consciente de que carecía de la experiencia en la Pastoral de Santuario[701]. Al referirnos estos sucesos, Mons. Román los narró de esta forma:

Sucedió cuando yo era solo un asistente en la Catedral. A fines de agosto o principios de septiembre de 1967, fui nombrado por el Arzobispo director espiritual del Santuario...

Y con gran rapidez se arreglaron las cosas de la Catedral. Pasé entonces a la capillita y entonces se hizo la primera Misa del 8 de septiembre presidida por la Virgen, en los terrenos del Hospital Mercy donde se levantó un altar. Allí se celebró la Misa ante una multitud de cubanos, y luego se trasladó otra vez la Virgen a la capillita. Yo me quedé allí viviendo en el Colegio de la Asunción en un cuartico, entonces me hicieron capellán del Hospital Mercy y al mismo tiempo era asistente de la Iglesia de Saint Kieran y director espiritual de la capillita de la Virgen...[702]

El 8 de septiembre de ese mismo mes, trasladaba el Arzobispo la imagen de la Virgen de la Caridad de la Parroquia de San Juan Bosco a la capillita que habían levantado los cubanos bajo la dirección del Comité Pro-Santuario. La imagen era la misma que había llegado de Cuba en 1961 y había presidido la primera reunión multitudinaria del exilio cubano en el viejo estadio de Miami, ya hoy desaparecido. Fue en esta capillita, hoy convertida en el Convento de las Hijas de la Caridad, donde comenzó la historia. Desde el principio comenzaron a peregrinar grupos de los 126 municipios de Cuba, orando por la libertad de la Patria. Un río humano comenzó a pasar, río humano que no se ha

---

[700] Ibídem,

[701] Ibídem (696)

[702] Ibídem

detenido hasta el día de hoy. Carecían de todo, pero les sobraba la fe y la devoción a la Madre de Dios bajo el nombre de Virgen de la Caridad, devoción que habían recibido de sus padres desde pequeños[703].

En su narración, Mons. Agustín Román refirió que el Arzobispo puso algunas condiciones para el trabajo del director espiritual de la capillita de la Virgen, y que le dijo:

Usted no bautiza en la capillita. En ella no habrá funerales. Los domingos no habrá Misa en la capillita, porque la gente debe escuchar la Misa en sus parroquias. Y todas esas normas duraron hasta el año 2005...[704]

Construcción de la Ermita. La Virgen de la Caridad del Cobre, Madre y Patrona de Cuba: guía e inspiración de los católicos cubanos en el exilio.

Como ya hemos dicho, fueron los cubanos los que levantaron la Ermita con sus aportes monetarios. Aquellas gentes, según refiere Mons. Román,

Carecían de todo, pero les sobraba la fe y la devoción a la Madre de Dios bajo el nombre de Virgen de la Caridad, devoción que habían recibido de sus padres desde pequeños[705]

Y con aquella fe inquebrantable, los cubanos hicieron suya la convocatoria del Arzobispado de Miami y comenzaron a reunir dinero, de lo poco que tenían en aquellos lejanos tiempos. Muchos trabajaban en factorías y ganaban poco, había mucha gente compartiendo una sola vivienda, a veces no tenían automóvil para ir y venir a sus empleos o para poder llegar a cualquier parte, pero se empeñaron muy seriamente para construir la Casa de la Virgen: una Casa a la orilla del mar, la Ermita, orientada hacia la Isla de Cuba, prisionera allá en el sur, donde sufrían su pueblo, su familia, sus hermanos...

Venían con saquitos de centavos, que es lo que tenían, con la ilusión de que un día la Madre del Cielo tuviera su casa en este exilio. Soñaban con un santuario que fuera construido por todos. Ofrecían la primera hora de su trabajo en la factoría donde trabajaban. Era un sueño entonces que se hizo realidad más tarde. La devoción del numeroso grupo que pasaba

---

[703] Ibídem (696)

[704] Ibídem

[705] Larrúa Guedes Salvador. Primera entrevista a Mons. Agustín Román. Ermita de la Caridad, 24.V.2007

constantemente hizo que el Arzobispo Carroll nos llamara a fundar la Cofradía de la Virgen de la Caridad en junio de 1968[706]

En otro testimonio, Mons. Román explica que como la gente tenía muy poco dinero, se ponía a reunir centavos. Y cuando él los llamaba para pedirles que ayudaran a la obra de la Ermita, les pedía que trajeran centavos, todos los que pudieran, y añade que por sus manos pasaron unos 30,000 dólares en centavos, lo que significa tres millones de centavos, en una época en que él mismo llevaba grandes cantidades de dinero al banco casi sin tener tiempo, porque como capellán del Hospital Mercy tenía que atender muchos enfermos, y por supuesto, no tenía un secretario: del Arzobispado le pedían que llevara un esquema de sus actividades diarias, mañana, tarde y noche, para saber cuándo y cómo localizarlo, y agrega que siempre lo localizaban...[707]

Mons. Agustín Román

---

[706] Román, Mons. Agustín. La Ermita de la Caridad: 40 años de historia. Arquidiócesis de Miami, (Artículo) La Voz Católica, septiembre, 2006

[707] Larrúa Guedes Salvador. Primera entrevista a Mons. Agustín Román. Ermita de la Caridad, 24.V.2007

Mientras tanto, en las casas, la gente reunía y reunía y luego contaba todas aquellas moneditas, los metían en cilindros de cartón preparados al efecto, que cuando están llenos de centavos tienen el valor de un dólar. A veces iban a los bancos y cambiaban todo eso para traerlo en efectivo, pero los bancos no querían tantas moneditas, y por eso la gente venía con saquitos llenos o con muchos cilindros de centavos, cada uno por valor de un dólar:

Las limosnas de mucho dinero eran pocas. La gente era pobre y hacía grandes esfuerzos para traer algo para la Ermita. No era como ahora, entonces los cubanos tenían carros viejos, y en un solo carro venían muchísimos hasta aquí. Pero aunque eran pobres, tenían mucha caridad, hay que ver que todos estaban trabajando en factorías... cuando acababan de llegar, preguntaban en qué factoría había trabajo y los otros cubanos los llevaban por primera vez a trabajar.

Entonces, la gente era solidaria. Los cubanos eran una familia grande, y entre todos reunían dinero para la Virgen: la donación mayor era el centavo. Yo mismo he cargado unos 30,000 dólares en centavos. El dinero se contaba en las casas, las personas se reunían para contar, aquí no había donde hacerlo. Ellos traían las cantidades de centavos en sobres o en bolsitas, saquitos de centavos, o en cilindros de cartón. Y cuando se los aceptaban los llevaban a los bancos, que no querían tener tantos centavos...[708]

En una parte de la entrevista realizada a Mons. Román el 24 de mayo del 2007, el Obispo titular de Sertei y Rector Emérito de la Ermita de la Caridad pronunció estas hermosas palabras:

*La Ermita es la expresión del amor de los cubanos a la Virgen de la Caridad, es la expresión más grande del pueblo. Hay que ver que la gente se ocupó más de levantar la Ermita que de construir su propia casa. Era tremendo el entusiasmo para hacer la Casa de la Virgen. **Cada grano de arena que se ha colocado en esta Ermita fue traído con un cariño tremendo para la Virgen. Hay que ver que la gente venía desde Hialeah hasta aquí a pie, eran inmensas sus expresiones de cariño a la Virgen...** decir: «Virgen de la Caridad» era decir Cielo, Felicidad, Patria...»*[709] El esfuerzo que realizaron los cubanos de entonces, dada la escasez de sus medios, fue gigantesco: la Ermita de la Caridad, que fue terminada en 1973 y recibe cada año más de medio millón de fieles visitantes, cubanos sobre todo y latinoamericanos de diversas procedencias, se

---

[708] Ibídem,

[709] Larrúa Guedes Salvador. Primera entrevista a Mons. Agustín Román. Ermita de la Caridad, 24.V.2007

construyó a un costo de casi medio millón de dólares, con miles y miles de pequeñas donaciones, centavo a centavo, dólar a dólar... el terreno fue donado por la Iglesia en virtud de una disposición del Arzobispo Coleman Carroll:

> *La Ermita de la Caridad, situada en 3609 South Miami Avenue, en la Bahía de Biscayne, al pie de las mismas aguas que tocan la orilla de Cuba, fue construida gracias a las donaciones de cubanos recién llegados al exilio, quienes donaron 10 centavos por cada miembro de su familia para reunir los $420,000 que costó construir el santuario. El terreno, junto al Hospital Mercy, fue donado para la construcción de una capilla dedicada a la Virgen de la Caridad por el primer Arzobispo de la Arquidiócesis de Miami, Coleman F. Carroll, en los años finales de los 1960. El santuario, que actualmente recibe a más de medio millón de visitantes anualmente, fue dedicado el 2 de diciembre de 1973*[710]

Los exiliados de todas clases, los balseros, los que escapan, los desamparados que sufren y la Virgen que mantiene la Fe, como Seguridad de la Esperanza. La devoción de los católicos cubanos en la diáspora. Sus manifestaciones a los pies de la Virgen

La Patrona de Cuba tiene la advocación de la Caridad, título con el que se presentó en nuestra Isla en el momento de su aparición, hace ya casi cuatrocientos años. Esto significa que los cubanos hemos sido favorecidos con el amor más excelso, el que se expresa a través de la virtud teologal de la caridad como el más sublime y perfecto amor de Dios: tanto amó Dios al Mundo que entregó su hijo a los hombres dando el ejemplo más precioso a las futuras generaciones.

Es por eso que la Virgen de la Caridad es la que preside los pensamientos de los cubanos exiliados en cualquier parte del Mundo, es la que está en los labios de los balseros que se arrojan al mar en las más frágiles e improvisadas embarcaciones con tal de materializar su sueño de libertad, verdad, justicia y ausencia de discriminación, restricciones y terror. Está también presente, por supuesto, en las oraciones y las promesas de los que no pudieron marcharse, llenando de fe el corazón de los hijos de Cuba desperdigados por todas las tierras del Mundo, de esa fe intensa y sin límites que es la Seguridad de la Esperanza.

Por la misma razón se le erigió la Ermita de la Caridad, apenas a unos metros del mar que mira hacia Cuba: igual que sus hijos en estas tierras miran con añoranza, amor y dolor a la Patria que está tan cerca y

---

[710] Ruhi-López, Angelique. *La Virgen de la Caridad: Madre de todos los que acuden a ella.* Artículo en La Voz Católica

tan lejos, la Virgen mira hacia ella, para que los de aquí no olviden nunca sus raíces.

¿Cuántas personas han pasado en 40 años por la Ermita de la Caridad? ¿Cuántas oraciones ha escuchado la Virgen, cuántas promesas dirigidas a Ella se han murmurado con voz entrecortada por la emoción? ¿Cuántos dolores ha curado la Virgen? ¿Cuántos rencores ha hecho desaparecer? ¿Cuántas almas ha tranquilizado derramando gracias y bendiciones sobre ellas? ¿A cuántos han atendido las hermanas para consolarlos, o han sido auxiliados por los miembros de la Cofradía de la Caridad? ¿Pueden escucharse las confesiones que ha escuchado Mons. Agustín Román, o los sacerdotes que trabajan también en la Ermita? ¿Pueden contarse los consejos, los auxilios, los ánimos recuperados?

No han sido solamente los cubanos, sino los católicos de todas las procedencias, sobre todo latinoamericanos, que han llegado a la Ermita atraídos por la fama milagrosa de la Virgen y han salido de allí con el remedio de sus gracias y sus mercedes.

La Virgen de la Caridad guarda en su inmenso corazón maternal muchos secretos de cientos de miles de sus hijos, y los hijos siguen yendo a ver a su Madre para visitarla: acuden a la Ermita por centenares, todos los días sin faltar un día, para ver a la Reina del Cielo que no les fallará jamás.

Los prelados de la Arquidiócesis de Miami fomentan la devoción y el culto a la Patrona de Cuba. Organizaciones y asociaciones católicas de cubanos desterrados en diversos países, bajo el manto de la Virgen de la Caridad, su devoción y su culto

En el año 1971 tuvo lugar un evento trascendental: la dedicación de la Ermita de la Caridad del Cobre, cuya construcción había quedado terminada en 1967, gracias al apoyo masivo de los exiliados. La impresionante ceremonia, de gran relevancia e interés para los cubanos en el exilio de Miami y después para los emigrados latinoamericanos católicos de todas las procedencias, estuvo a cargo del Cardenal John J. Kroll, Arzobispo de Filadelfia y Presidente de la Conferencia de Obispos Católicos de los Estados Unidos, quien concelebró la Sagrada Eucaristía con los Obispos Eduardo Boza Masvidal y René Gracida ante un público de fieles llenos de patriotismo y emoción.

El Rector de la Ermita de la Caridad, Mons. Agustín Román, al recordar el magno acontecimiento de la dedicación, pronunció estas sentidas palabras:

En la dedicación realizada hace tres décadas, el Cardenal Kroll, Arzobispo de Filadelfia y presidente de la Conferencia Episcopal de los Obispos de los Estados Unidos, al celebrar la Misa reconoció el esfuerzo de un grupo de desterrados que habían llegado sin nada, y que habían sido capaces de testimoniar su amor a la Virgen de tal manera. Un joven cubano asistía a la celebración entre la multitud, sin pensar que un día el Señor lo llamaría al sacerdocio, y que hoy ese sacerdote sería nombrado Rector de aquel Santuario, hoy Santuario Nacional de la Ermita.

Agradecemos al Señor todos estos años de historia, y el nombramiento del P. Oscar Castañeda como el servidor de todos en la pastoral de este templo[711]

De cierta forma, la dedicación de la Ermita era una muestra más del apoyo de la jerarquía de la Iglesia Católica de los Estados Unidos a la devoción de los exiliados cubanos a la Virgen de la Caridad del Cobre.

La Archicofradía de la Caridad. Las revistas, la prensa católica del exilio y otras publicaciones, conservan la memoria de la Virgen.

La Cofradía de la Virgen de la Caridad fue una hermosa iniciativa que tuvo el Arzobispo Carroll en 1968 para agrupar a los exiliados cubanos alrededor de la devoción mayor y más popular de la Isla, que era su mayor consuelo, y cuando la Cofradía se fundó fue estructurada según la división establecida en la Cuba de antes, sobre la base de 6 provincias y 126 municipios[712]. Así se formaron los grupos, y se debe recalcar que la Cofradía tuvo un papel de mucha importancia en la obra de la Ermita de la Caridad:

*El 21 de mayo, de 1968 el Arzobispo Carroll de Miami, ordena la fundación de la **Cofradía de la Virgen de la Caridad** para reunir a los devotos para honrar a la Virgen y con ella evangelizar. En el mismo año comenzaron las **peregrinaciones de los 126 municipios de Cuba** que han continuado organizadamente desde entonces[713].*

¿Cuál ha sido la función de la Cofradía, integrada por devotos de la Virgen de la Caridad? ¿Qué rol ha jugado la Ermita como centro de la fe y la espiritualidad del exilio cubano, para propagar la devoción a la Patrona de Cuba? La Cofradía de la Caridad, además de mantener el

---

[711] Art. Entrevista a Mons. Agustín Román. La Voz Católica, Miami, IX 2001

[712] Larrúa Guedes, Salvador. Entrevista a Mons. Agustín Román, 24.V.2007

[713] Rivero, P. Jordi. Virgen de la Caridad del Cobre, Patrona de Cuba – Historia (Artículo). La Voz Católica, Miami, 2007

culto y encender la llama de la fe, siendo testimonio y ejemplo de devoción a la Patrona de Cuba, ayudó además, de muchas formas, a la construcción de la Ermita de la Virgen, y no sólo con aportes monetarios de saquitos de centavos o de donaciones, sino con el trabajo personal de sus miembros durante el tiempo que demoró la construcción. Por otra parte, su entrega desinteresada ha movido, junto a los cubanos, a otros emigrantes de habla hispana de forma que la Virgen de la Caridad ha podido llegar, con su amor infinito, a los naturales de otras tierras de Latinoamérica. Hablando de los miembros de la Cofradía, se ha dicho que

> *Los devotos de la Virgen han logrado propagar no solo la devoción a la Virgen de la Caridad, sino hacer de la Ermita un centro de evangelización de irradiación mundial. El instrumento principal de la Virgen para la obra de la Ermita ha sido desde el principio Monseñor Agustín Román, hoy obispo auxiliar de Miami, siempre ayudado por las Hermanas de la Caridad que ministran en la Ermita y la Archicofradía[714].*

Realmente es poderoso el amor de los cubanos, amor que siente todo un pueblo que ha sufrido mucho, por la Madre de Dios. Tan poderoso y tan fuerte, que el ejemplo de su sensibilidad mariana ha trascendido a los habitantes de la Florida, llegando a los hispanos y a los que no lo son. Y así la Virgen, que fue la Primera Misionera y Evangelizadora de la Isla de Cuba. Ante la Conferencia Episcopal de América Latina y el Caribe, se afirmó que

> *La Virgen a la Caridad del Cobre, es la primera misionera de Jesucristo en nuestra tierra desde hace casi 400 años. Ella está ya en las casas y corazones de los cubanos. Ella, primera discípula y primera misionera ruegue por esta Conferencia para que podamos imitarla en el seguimiento de Cristo y en anunciarlo con obras, silencio y palabras. Su presencia y sus ruegos nos acompañen todos los días[715]*

Y la Virgen de la Caridad, que pasó sobre los mares para reunirse con sus hijos desarraigados, también enseñó a los cubanos del exilio su primera y principal tarea para ahora, para el futuro, para siempre, recordándoles el deber fundamental del cristiano dentro de la Iglesia Católica:

---

[714] Ibídem, Art. P. Jordi Rivero

[715] García, Mons. Juan, Arzobispo de Camagüey. Intervención en la V Conferencia Episcopal de América Latina y el Caribe, el 9 de junio del 2007, en el Santuario Nacional de Nuestra Señora de la Concepción Aparecida, en Brasil

Evangelizar. ¿Qué es Evangelizar? Es llevar al otro la Palabra de Dios, enseñarlo, y convertirlo en Evangelizador...

De qué forma los cubanos honran a la Virgen Mambisa en el continente americano y en muchas partes del Mundo.

Cuando comenzó a funcionar la Ermita de la Caridad en 1967, la mayoría de los fieles que la visitaban eran los exiliados cubanos. Esto es natural, porque para los latinoamericanos de otras procedencias, con pocas excepciones, la Virgen de la Caridad del Cobre era una advocación desconocida, que vinieron a conocer poco a poco gracias al contacto habitual con los naturales de Cuba en el exilio y por supuesto por el trabajo abnegado y constante de las Hermanas de la Caridad y al ejemplo y dedicación personal de Mons. Agustín Román.

Por otra parte, la Ermita de la Caridad, como toda obra católica, nunca se ha limitado a acoger a las personas de una nacionalidad específica. Por supuesto, la Virtud Teologal de la Caridad, el sublime Amor de Dios presente en la advocación de la Patrona de Cuba, que ella misma anunció en el momento de su aparición hace ya cuatro siglos, no es privilegio de un pueblo, sino patrimonio de toda la humanidad. Para decirlo con las palabras de Mons. Román,

> *Siempre ha sido un lugar para que todos celebren sus fiestas patrióticas, religiosas, y **para expresar ante la Virgen sus dolores como inmigrantes, como desterrados**. Tras el paso de los años, la Virgen de la Caridad se ha convertido en la Patrona de todos los inmigrantes* [716]

> *No hay pueblo que no haya peregrinado, comenzando con los de habla hispana, dice el prelado. Cuando se les predica, se les ofrece su historia de evangelización* [717]

Tal como explica Mons. Román, por decisión de la Arquidiócesis de Miami, la Ermita de la Caridad no es una parroquia más, sino

> *un instrumento de contacto con la Iglesia permanente* [718]

El único sacramento que se administra en la Ermita es el de la confesión. Las Misas se celebran de lunes a sábado, al medio día y a las 8:00 p.m., y los domingos, también a las 8:00 p.m.

---

[716] Tirado Torres, Brenda. Pasión por el Evangelio: Vida y Obra de Mons. Agustín Román. Art. en La Voz Católica, Miami

[717] Ibídem,

[718] Ibídem,

La gran importancia que fue adquiriendo la Ermita de la Caridad fue reconocida oficialmente por la Arquidiócesis, por cuya decisión fue proclamada Santuario Nacional el 8 de septiembre del año 2000. Siempre se puede encontrar allí a Mons. Román compartiendo con los fieles, respondiendo la correspondencia, y contestando numerosas llamadas telefónicas que llueven todos los días. Pero aclara que el mérito de la obra de la Ermita no es solamente suyo:

> *Hay que recalcar la presencia de los sacerdotes que han estado allí; también de las Hijas de la Caridad, que han sido el sostén de esa obra, y también el trabajo de la Archicofradía de la Virgen de la Caridad*[719]

En cuanto al significado de la Ermita para los emigrados latinoamericanos residentes en Miami, que ya hemos mencionado expresamente, podemos apreciarlo a continuación en las declaraciones de fieles de varias procedencias:

Yenit Acevedo, también de Colombia, llegó a Miami hace 3 años y medio, y fue llevada a Ermita por su madre.

> **«En la Virgen de la Caridad encontré consuelo, oración, y más acercamiento a Jesús»**, dijo. **«Ella es Madre de todos nosotros»**.

Muchas de las personas que vienen a Miami de otros países nunca han oído hablar de la Virgen de la Caridad, pero encuentran en ella a una Patrona.

> **«Nosotros no la tenemos en nuestro país»**, explicó Leesiane Jaegar, de Haití. **«Los cubanos la hicieron famosa, pero he estado viniendo a la Ermita para orar durante 10 años»**.

Naturalmente, el Sr. Leesiane Jaegar no podía saber que desde mucho antes de que los cubanos comenzaran a emigrar a Miami, desde siglos atrás, ya la Virgen de la Caridad era famosa y reconocida en Cuba como Reina, Madre y Patrona de su Pueblo y Símbolo de la Patria... su amiga Dominique Jean-Jacques, también de Haití, que ha visitado el santuario por 20 años, expuso:

> **«Ella representa a la Virgen María para nosotros también; una Virgen de milagros. Es Patrona de todos los inmigrantes»**.

Otro inmigrante a quien también le interesa la devoción a Nuestra Señora de la Caridad es el nuevo Obispo Auxiliar de Miami, Mons. John Noonan, procedente de Irlanda.

---

[719] Ibídem,

«Fui a la Misa en honor a Nuestra Señora de la Caridad por primera vez en el Marine Stadium en los años 1970», señaló Mons. Noonan. «Era una celebración muy grande. Me encantaron la música y los pañuelos blancos».

Mons. Noonan explica que, cuando vienen de visita sus familiares o sus amistades de Irlanda, la Ermita es una parada esencial en el recorrido de Miami.

«Me encanta ir a la Ermita», dijo. *«A todos los que vienen [a Miami], los llevo a la Ermita. Les explico por qué el edificio tiene esa forma, y los símbolos que hay dentro de la capilla. Es parte de nuestra historia, de quiénes somos como pueblo».*

Mons. Noonan destacó la importancia de promover la Imagen de la Virgen de la Caridad como Madre acogedora de todos los pueblos.

«Ha habido un crecimiento lento de la conciencia sobre Nuestra Señora, y tenemos que ensanchar esta experiencia», añadió. *«Como yo mismo soy inmigrante, me doy cuenta de que hay una historia muy rica aquí».*

Fue esta misma historia, junto con la experiencia de la suya propia, lo que atrajo a Ana Chacón, de Venezuela, a la Ermita —y al corazón de la Virgen de la Caridad:

«En mi país teníamos con frecuencia una vivencia, una romería a la Virgen en gratitud por su presencia. Seguí esta tradición aquí con la Virgen de la Caridad» indicó Chacón, que llegó a Miami de su país natal hace seis años.

Chacón dice que, cuando llegó de Venezuela, se pasaba los sábados en el santuario, donde asistía a Misa, rezaba ante el Santísimo, leía la Biblia y contemplaba el mar.

«Añoraba mi país como añoraba los cubanos su isla», dijo.

Unirse a la Cofradía de Nuestra Señora de la Caridad, de la que Chacón ha sido miembro por cuatro años, la ayudó a adaptarse a la vida en los Estados Unidos.

«Yo la había visto a ella como Madre de los cubanos, pero es Madre y Abogada de todas las naciones del mundo», expuso Chacón. *«Cuando la veo a ella en su barquita, y veo a esos hombres y mujeres que quieren encontrar la libertad, me acerco más a ella y le pido por Venezuela, por Cuba, por Colombia, y por todos los países que sufren»*, dijo. *«Ella nos cobija, nos protege, nos aferra, e intercede por nosotros ante su Hijo, Jesús. Ser parte de la Cofradía»*, explicó, *«significa para mí ser parte de*

esa familia de la Virgen, ser uno de sus hijos. Ella me quiere igual que quiere a todo el mundo»[720].

Los servicios que brinda la Ermita de la Caridad en Miami, una inspiración de Mons. Agustín Román, guía y centro de la vida de los católicos cubanos en la diáspora. La Ermita, uno de los principales símbolos
de la Nación Cubana en el exilio.

Los feligreses cubanos admiten que el nuevo y cómodo edificio de dos pisos, con arcos y salones con bellos ventanales, se les hace un poco extraño y poco familiar cuando lo ven por fuera; pero una vez que entran, ellos encuentran el mismo lugar de trabajo de antes y la residencia de las Hijas de la Caridad, quienes han continuado con sus actividades diarias durante los meses de la obra.

«Lo hemos llevado bien», dice la hermana Francisca Jáuregui. «Pensamos en alquilar una casa, pero ello tenía los inconvenientes de tener que desplazarse cada día», agregó[721]

El propio Mons. Román reconoce que ellas, con su trabajo humilde, abnegado y silencioso, son el **alma de la Ermita** y sus fieles colaboradoras. Esta relación suya con las Hermanas se remonta a la etapa anterior a la revolución castrista, cuando el Prelado era todavía un seminarista que residía en San Antonio de los Baños, donde precisamente la Hermana Sor Francisca Jáuregui estuvo trabajando en el Colegio de La Santa Infancia, perteneciente a su Congregación. Sor Francisca nos habla de sus impresiones sobre él en esos tiempos:

«Ya desde aquella época, se le veía (a Mons. Román) como alguien excepcional», recuerda la religiosa. «El colegio era como su refugio. Le veíamos hacer su oración allí», añadió[722]

La Ermita de la Caridad no sólo tiene como colaboradores a las religiosas de las «Hijas de la Caridad»; también los laicos colaboran de muchas formas, y los fieles y las cofradías ayudan en los distintos proyectos y obras que tiene la Ermita, como el kiosco de los «Tres Juanes» que calma la sed de los peregrinos.

Al respecto podemos citar este testimonio:

---

[720] La Voz Católica. Artículo sobre la Ermita de la Caridad, todo este asunto

[721] Ibídem,

[722] Ibídem

*«Este kiosco no es un negocio particular, sino parte de la Ermita»,
explica Elvira De los Ríos que coordina a muchos de los **voluntarios**. En
el kiosco se vende el 'bocadito tres juanes' que preparan las Hijas de la
Caridad, pastelitos y refrescos*[723]

Cuando los fieles llegan a la Ermita, sean o no cubanos, siempre
encuentran una Hermana de la Caridad de San Vicente de Paúl lista
para atenderlos. Desde el año 1973 las Hijas de la Caridad han servido
de guardianas y custodios del Santuario, lo que trae consigo

mucho trabajo, mucho sacrificio y sobre todo mucho amor[724]

Con estas palabras sintetizó la Hermana Sor Francisca Jáuregui,
que lleva 27 años en la Ermita dedicándose a la evangelización de los
peregrinos y recién llegados con otras cuatro hermanas, las
características del trabajo que desempeñan las religiosas...

*Aunque ha cuidado de la Virgen durante 27 años, la Hija de la Caridad
de San Vicente de Paúl(Sor Francisca Jáuregui) nunca ha dejado la
Ermita...*[725]

Algunos datos sobre la Archicofradía de la Virgen de la Caridad

Algunos recordatorios, a manera de reflexiones, pueden ayudar a
comprender cabalmente la forma en que los miembros de la
Archicofradía de la Caridad, siempre listos, presentes y bien dispuestos,
han participado en la obra de la Ermita, apuntalándola y garantizándola
con sus aportes personales en servicios, recursos y otras ayudas.
¿Cuántas horas de trabajo, disminuidas al sueño, el descanso o la
reflexión, han sido dedicadas a la Virgen, para seguir su camino y su
ejemplo de Caridad? ¿Cuántos recursos de todas clases han sido
puestos a disposición de los hermanos más desamparados y pobres?
¿Cuántos pensamientos y arbitrios han buscado mejorar la condición de
los olvidados?.

Se puede afirmar, sin temor a equivocaciones, que la
Archicofradía de la Virgen de la Caridad ha tenido un papel
importantísimo en la vida y el trabajo de la Ermita, estructurándolo y
organizándolo de la forma más adecuada, y ha colaborado de
muchísimas formas para extender la obra de la Evangelización. Ha

---

[723] Ibídem,

[724] Cantero, Araceli M. Las Hijas de la Caridad y la Archicofradía atienden a miles
de peregrinos. Artículo en La Voz Católica, Miami, 2007

[725] Ibídem,

sido, además, la base de todo lo espiritual y material en la Ermita. Pero dejemos que Mons. Agustín Román, que llegó con una amplia experiencia de evangelizador y misionero acumulada durante años en Cuba y después en tierras del sur de Chile, en condiciones difíciles nos exprese sus ideas al respecto, según las manifestó en una entrevista:

> Mons. Román recuerda que «*durante los primeros meses de 1967 no teníamos ninguna organización. Fue para mí un año de ver las necesidades*», usando la metodología que él había vivido en Cuba con las orientaciones de la juventud obrera católica: ver, juzgar, actuar.
>
> El 15 de junio de 1968 se creó la Cofradía de la Caridad «*como sostén espiritual y material de la Ermita*», dice el Obispo para quien durante 33 años la Cofradía ha sido el ´corazón´ de la Ermita, palpitando con rosarios, romerías, catequesis, con mucha fe y mucha participación del pueblo. En el año 2000 la Cofradía fue elevada por el Arzobispo John C. Favalora al rango de Archicofradía, al servicio del Santuario Nacional.
>
> «*Para la Ermita somos el punto de apoyo en todo lo que se hace en servicio de la comunidad*», dice Arrondo quien trabaja con una directiva de unas 30 personas y vocalías para las distintas actividades. Tienen reuniones mensuales para llevar a cabo los proyectos.
>
> Arrondo dice que unas 50,000 personas han sido miembros de la Archicofradía a lo largo de los años y unos 17,000 se mantienen activos. La media de edad es entre los 45 y 50 «*pero también se nos une gente joven*».
>
> Gina Nieto tiene su carné de miembro con el número 40 y durante años, con su esposo Tarsicio, ha llevado la imagen por las casas, dirigido cruzadas del rosario, o atendido el teléfono.
>
> «*La Cofradía es la Ermita*», dice, «*para mí las dos van juntas. Es mi vida completa*»[726]

La Cofradía, entonces, es la Ermita. Y la Ermita es, al mismo tiempo, la Cofradía, ya que se identifican y retroalimentan mutuamente. Y ambas, la Cofradía y la Ermita, son las dos manos de la Reina y Madre que actúan para salvarnos, forman una obra propiciada por la Virgen para el amparo y socorro de sus hijos, de los cubanos y de todos aquellos fieles que conocen o que buscan la Primera Ley, la Ley del Amor, la Caridad.

---

[726] Ibídem,

La Ermita, uno de los principales símbolos de la Nación Cubana en el exilio. La Virgen de la Caridad del Cobre, Madre y Patrona de Cuba, y las perspectivas del futuro de la Patria.

A lo largo de toda la historia de Cuba, ya con una extensión de cinco siglos, la Virgen de la Caridad se ha manifestado de tal forma, que se llegó a decir, por la más alta autoridad de la Iglesia, *que Cuba es la tierra de la Madre de Dios.*

Desde su aparición en la bahía de Nipe, se formó un vínculo especial y singular entre la Virgen de la Caridad y su pueblo. Los habitantes de la villa de Santiago del Prado, el actual pueblo de El Cobre, fueron a recibirla en procesión solemne en aquel lejano año de 1612 para trasladarla desde el hato de Barajagua, donde se le había erigido su primer altar, hasta la misma villa donde ocupó primero un altar en la Parroquia y después pasó a presidir la capilla del Hospital donde se atendía a los esclavos que trabajaban en las minas de cobre, cuando estaban lesionados o enfermos. La estrecha conexión entre la Virgen y aquellas personas tan humildes se hizo más fuerte entonces, y pocos años después se erigía a la Virgen una ermita en el cerro de las minas, donde la preciosa imagen era custodiada y atendida por ermitaños consagrados a su servicio, y hacia 1670 comenzó la construcción de su propio Santuario, nombrándose al mismo tiempo el primer Capellán de su Santa Casa.

El culto a la Virgen de la Caridad se extendió de forma relampagueante desde los mismos comienzos del siglo XVIII por toda la Isla, y pronto había Iglesias puestas bajo su advocación en todas las villas principales, desde oriente hasta occidente: y los criollos comenzaron las peregrinaciones, cada vez que llegaba el 8 de septiembre, para visitar a su amada Virgencita en el Santuario de El Cobre.

Avanzaba el siglo XVIII y comenzaron los litigios entre los cobreros y la administración colonial. Los mineros, agrupados en torno a su querida Virgen de la Caridad, tenían derechos y fueros que les adjudicaban algunos fueros, privilegios y libertades, y todos ellos estaban convencidos de que los disfrutaban gracias a la protección y amparo de la Madre de Dios: no les faltaba razón, puesto que en la Isla de Cuba eran ellos los únicos trabajadores que a pesar de su condición de esclavos, gozaban de la posesión de tierras para abastecerse con las cosechas, tenían milicia y bandera propias, y hasta formaban su propio cabildo.

Cuando se fueron agudizando los enfrentamientos, los cobreros llegaron a alzarse en las montañas llevando consigo *caja y bandera*, o sea, los tambores y la oriflama que guiaba a su milicia en caso de combate contra los enemigos de la corona de España.

En esta tesitura, el Deán de la Catedral de Santiago de Cuba, Pedro Agustín Morell de Santa Cruz, intervino en el litigio. Se entrevistó con los cobreros, presentó sus demandas a las autoridades civiles con todo el peso de su prestigio[727], y en breve tiempo consiguió que se garantizaran los fueros de los habitantes de la villa de El Cobre, y los alzados bajaron de las montañas para reintegrarse a sus trabajos habituales.

La larga tradición de lucha y de victorias de los cobreros durante más de dos siglos se fue convirtiendo en un ejemplo a seguir primero para los habitantes de los campos de los alrededores, y muy pronto llegó a ser tema principal de conversaciones de los vecinos tanto en las villas y ciudades cercanas, siguiendo el ejemplo de los campesinos. No pasaron muchos años sin que la villa de El Cobre se convirtiera en un centro que inspiraba la lucha por la libertad y por los derechos de los más necesitados, por lo que puede afirmarse que fue allí donde nació la iniciativa, como una consigna y un ejemplo a imitar, de que todos los hombres disfrutaran de los mismos derechos: de esta forma, los derechos humanos se entronizaron en la conciencia de aquellas gentes como una antorcha que comenzó a señalar e iluminar el camino de la independencia.

Al llegar el año 1800 se dio otro paso de trascendental importancia cuando una Real Cédula dispuso la libertad de los habitantes hasta entonces esclavos de la villa de El Cobre: el rotundo documento fue leído ante la multitud emocionada de los habitantes del pueblo por el capellán del Santuario de la Virgen de la Caridad, P. Alejandro Paz Ascanio, y aquello tampoco era una coincidencia: era un episodio más con el que culminaba la lucha particular de los cobreros para que se reconociera su condición y sus derechos como seres humanos, hijos del mismo Dios y de la Virgen Santísima de la Caridad.

Las guerras por la independencia de Cuba estallaron en 1868, cuando Carlos Manuel de Céspedes se alza en armas el 10 de octubre llevando la primera bandera de Cuba, confeccionada no por casualidad con la tela del dosel que adornaba el altar de la Virgen de la Caridad

---

[727] Pedro Agustín Morell de Santa Cruz asesoraba al gobernador de la región oriental desde hacía muchos años y se había hecho memorable su intervención cuando el almirante inglés Vernon invadió el extremo oriental de la Isla en 1741. Gracias a Morell se tomaron medidas para financiar las tropas y asegurar los abastecimientos, que llegaron incluso hasta la acuñación de moneda de cobre para garantizar los pagos de los suministros, por lo que fue muy grande su contribución a la victoria.

que se veneraba en su casa solariega: esta bandera, confeccionada con aquella tela de la Madre de Dios, fue la primera que tremoló orgullosa en los campos de Cuba Libre, de la misma forma que el primer acto de los mambises —verdadero Acto de Fe con el que se iniciaron las Guerras de Cuba— fue el de la bendición de la bandera y las armas de Cuba por el P. Jerónimo Emiliano Izaguirre el 13 de octubre, cuando fueron colocadas con ese objetivo ante el altar de la Virgen de la Caridad en la Iglesia del pueblo de Barrancas.

El hecho de que el P. Izaguirre cerrara después el templo para marcharse después a la manigua con las tropas de Céspedes, demuestra el apoyo que dieron los sacerdotes cubanos, iluminados por la Virgen de la Caridad, que era ahora además la querida Virgen Mambisa, a la causa de la independencia de Cuba.

La Guerra Grande empezó. El antiguo pueblo de Santiago del Prado o del Cobre fue tomado por los libertadores dirigidos por Máximo Gómez. Avisado Céspedes, del acontecimiento, quiso visitar la Villa y se dirigió al Santuario de la Virgen, donde lo esperaba el Capellán, P. José C. Acosta Delgado. Le seguía en pleno la oficialidad del Ejército Libertador, entre la que descollaban Pedro Figueredo, autor del Himno de Bayamo, Luis Marcano, Francisco Vicente Aguilera, Calixto García, Máximo Gómez, Donato Mármol; y, entre los ayudantes, el comandante Rosendo Arteaga, padre del que sería el Cardenal Primado de la Isla de Cuba, Mons. Manuel Arteaga Betancourt. Céspedes se arrodilló de nuevo ante la Virgen de la Caridad, ahora en su propio Santuario, y le rindió su espada. La Santa Casa, llena de insurrectos era escenario de un acto trascendental: los Hombres del 68, los Hombres grandes de la Guerra Grande, postrados ante la Virgen de la Caridad rogándole por la libertad de la Patria[728].

El 10 de octubre de 1869 se conmemoró en Guaimarillo el primer aniversario del Grito de Yara. El P. Jerónimo Emiliano Izaguirre celebró la misa de campaña y tras los discursos de Céspedes, Zambrana y otros jefes, el sacerdote tomó la palabra para saludar los éxitos de la naciente República. Por varios años, sin conocer reposo, el P. Izaguirre marchó en las filas del Ejército Libertador

asistiendo espiritualmente a los cubanos en la manigua y en los campos de batalla. Según se cree, murió hacia 1871 o 1872 cerca de Guáimaro, y no se conoce el lugar donde fue enterrado[729]

---

[728] Larrúa Guedes, Salvador. Historia de la Iglesia Cubana... o.c., p. 616

[729] Ibídem, todo este asunto

Muchos de los eventos que tuvieron lugar en la Guerra de 1868-1878 están vinculados a la Virgen de la Caridad o Virgen Mambisa. Terminaba 1868 cuando Carlos Manuel de Céspedes visitó el Santuario del Cobre con una tropa numerosa a la que se incorporaron los habitantes de la villa, quienes celebraron el acontecimiento

acompañándose con sus tumbas (tumbadoras), marugas y otros instrumentos de origen africano[730],

para expresar su veneración junto con su patriótico reconocimiento a la Virgen. Por su parte, Céspedes, el Padre de la Patria, reconocía la fortísima tradición religiosa criolla vinculada a la Virgen y estimaba el gran valor de la devoción a la Virgen de la Caridad del Cobre, como poderoso recurso para unir a todos los cubanos: recordemos que el Padre Juan Luis Soleliac repartía escapularios y estampas con la imagen de la Virgen de la Caridad entre los mambises que estaban presentes en el Te Déum en el que ofició el P. Diego José Batista en acción de gracias por la capitulación de San Salvador de Bayamo ante las tropas cubanas[731].

Una muestra elocuente del amor de los mambises a la Virgen de la Caridad del Cobre es la forma en que celebraban en la manigua la fiesta del 8 de septiembre, Día de la Virgen. Podemos encontrar un testimonio muy realista en el relato que el patriota Don Ignacio Mora dejó para la posteridad en su diario de campaña:

La devoción a la Virgen de la Caridad eran tan grande, la confianza en Ella era tan firme, la espiritualidad de todos tan intensa cuando llegaba el 8 de septiembre, que los mambises se olvidaban hasta de comer, a pesar del hambre que los acompañaba siempre, porque tenían el alma alimentada por el Amor a la Madre de Dios...

El siguiente testimonio que quedó escrito en el diario de campaña de Ignacio Mora:

Viernes 7, Sábado 8 de Setiembre (1872)

El fanatismo del pueblo de Cuba, raya en la locura. La fiesta de la Caridad es un delirio para él. Sin tener qué comer, pasa dedicado estos días en buscar cera para hacer la fiesta al estilo mambí, esto es, encendiendo muchas velas y suponer que la imagen de la Virgen está

---

[730] Pirala, Antonio. Anales de la Guerra de Cuba. Felipe González Rojas editor, Madrid, 1896, t. I, p. 324

[731] González del Valle, Francisco. El clero en la revolución cubana. Revista Cuba Contemporánea, 18 (2), p. 163, octubre de 1918

presente. En todos los ranchos no se ve fuego para cocinar sino velas encendidas a la Virgen de la Caridad.

¡Dichoso fanatismo que mata el hambre![732]

Los habitantes de El Cobre, donde nació la primera chispa de la idea de la libertad que irradió después a toda la provincia de Oriente hasta avanzar de forma relampagueante por todo el territorio nacional cubano, dieron una tremenda contribución a las luchas por la independencia: se trataba de un pueblo pequeño, cabecera de un distrito que apenas contaba 3,000 habitantes. En aquella época, por tradición y por costumbre, los recién nacidos en El Cobre y sus alrededores se bautizaban y eran llevados al Santuario para presentarlos a la Virgen de la Caridad y ponerlos bajo su amparo y protección. De esta forma, seis oficiales de alto rango del Ejército Libertador nacieron en El Cobre y su distrito, por lo que se convirtió en el territorio cubano menos extenso que aportó más generales a la causa de la independencia: el Mayor General José Lacret y Morlot (n. el 23 de junio de 1848 en un cafetal de Hongolosongo, El Cobre); el General Adolfo Flor Crombet y Calderín (n. en 1848 en el pueblo de El Cobre), el Mayor General Adolfo Flor Crombet Tejera (n. el 22 de noviembre de 1850 en Hongolosongo, El Cobre); el General de Brigada Vidal Ducasse Revee (n. el 4 de diciembre de 1852 en el pueblo de El Cobre); el Coronel Manuel Despaigne Rivery (n. en 1853, en el pueblo de El Cobre), el Mayor General Agustín Cebreco Sánchez (n. el 25 de agosto de 1855, en el pueblo de El Cobre): Tres Mayores Generales, un General de División, un General de Brigada y un Coronel, que fueron puestos a los pies de la Virgen y eran portadores de la más larga tradición de lucha por la libertad y la independencia de Cuba…

El Lugarteniente General y Mayor General del Ejérecito Libertador Antonio de la Caridad Maceo y Grajales no nació en El Cobre, sino en Santiago de Cuba, pero llevaba con amor y veneración la advocación de la Virgen dentro de su propio nombre, y la medalla de la Patrona de Cuba al lado de su corazón.

La Virgen ocupaba un lugar tan preeminente en los corazones de los cubanos, que al final de la guerra, cuando se prohibió a las tropas cubanas la entrada en Santiago de Cuba y el general español Toral rindió su espada al ejército norteamericano, el Lugarteniente General Calixto García Íñiguez envió al Mayor General Agustín Cebreco, jefe

---

[732] Cf. Sarabia, Nidia. Ana Betancourt Agramonte. Editorial de Ciencias Sociales, La Habana, 1970, todo este asunto

de su Estado Mayor, acompañado por todos los miembros del mismo, para que celebrara en el Santuario del Cobre, a los pies de la Virgen de la Caridad, el Te Déum por la victoria de Cuba sobre España, y se diera lectura en este sitio a la Declaración Mambisa de la Independencia del Pueblo Cubano.

El 7 de diciembre de 1898 regresó el Mayor General Cebreco al Santuario con los principales jefes del Ejército Libertador, para conmemorar solemnemente la muerte del Lugarteniente General Antonio de la Caridad Maceo y Grajales ante la Santa Imagen de la Virgen Patrona de Cuba, a la que veneró el héroe con fe inmensa y acendrada devoción.

Un nutrido grupo de los más altos oficiales del Ejército Libertador acompañados por miles de veteranos acudieron el 24 de septiembre de 1915 al Santuario de El Cobre, para leer ante la imagen de su Reina y Madre un rotundo documento dirigido al Santo Padre Benedicto XV solicitando que la querida Virgen fuera declarada Patrona de la Isla de Cuba: el 10 de mayo de 1916 se recibió la respuesta del Pro-Prefecto de la Sagrada Congregación de Ritos, aprobando aquella solicitud de los veteranos de las Guerras de Independencia.

En 1917, los Obispos de Cuba emitieron una Carta Pastoral hablando sobre la construcción de un nuevo Santuario y la Coronación Canónica de la Virgen de la Caridad como Patrona de Cuba.

En 1927, el Arzobispo Valentín Zubizarreta inauguró el nuevo Santuario de la Patrona de Cuba en El Cobre.

El 20 de diciembre de 1936, ante la presencia de una extraordinaria y entusiasmada multitud, tuvo lugar en Santiago de Cuba la Coronación Canónica de la Virgen de la Caridad del Cobre, con la presencia de todo el episcopado cubano y la más alta representación de las autoridades civiles.

En 1951, después de cuidadosos preparativos y de estructurar una adecuada organización, tuvo lugar una de las más grandes demostraciones de Amor Mariano que puedan quedar registradas en la Historia de la Iglesia Católica cuando la Virgen de la Caridad salió del Santuario del Cobre para celebrar el Cincuentenario de la República de Cuba, de la que es Reina, Madre y Patrona, con una Peregrinación Nacional que transitó por toda la Isla pasando por todos los lugares habitados y pueblos, así como por las capitales municipales y provinciales, en un recorrido gigantesco que abarcó las seis provincias, realizando 697 visitas en sitios nominalizados, tal vez en total unas 800 si se cuentan los puntos no relacionados. El recorrido se estima en 24.000 kilómetros o 15.000 millas, y al medir en el mapa las distancias entre los sitios programados, que conforma una trayectoria zigzagueante. Lo anterior equivale a decir que la Peregrinación Nacional recorrió dentro de la Isla, 24 veces su largo de 1,000 kilómetros.

Semejante recorrido en medio de las más entusiastas manifestaciones de la fe y la devoción popular no parece tener antecedentes históricos en ninguna parte del Mundo.

En 1959, se realizó un Congreso Católico Nacional que terminó el 20 de noviembre en La Habana con una Eucaristía inolvidable en la que participaron centenares de miles de fieles con la presencia de las más altas figuras del gobierno revolucionario. La dirección superior del nuevo régimen, preocupada por la fuerza y el poder de convocatoria de la Iglesia, precipitó los acontecimientos y en pocos meses nacionalizó los colegios, universidades, asilos, hospitales, dispensarios e instituciones benéficas regidos por la Iglesia y las órdenes religiosas, desterró la mayoría de los sacerdotes y religiosos del clero español junto con sacerdotes cubanos, y propinó una serie de durísimos golpes a la institución católica: los fieles comenzaron a ser presionados, discriminados, perseguidos…

Desde el mismo año 1959 gran cantidad de católicos comenzó a abandonar el país huyendo hacia los Estados Unidos, Europa y otros lugares de América y del Mundo. La mayor concentración de exiliados se reunió en el sur de la Florida y sobre todo en la ciudad de Miami: ya el 8 de septiembre de 1961 una muchedumbre de 30,000 cubanos esperaba que llegara la Virgen de la Caridad para festejarla en su día.

¿Cómo sabían que la Virgen iba a estar con ellos? ¿Cómo sabían que iba a hacerse presente antes de que comenzara la inmensa Fiesta de la Devoción y la Fe? Todos los cubanos saben que la Madre nunca abandona a sus hijos, pero esperar la llegada de la Virgen en aquellas circunstancias singulares era esperar con certeza absoluta que ocurriera un milagro.

El milagro ocurrió con la llegada de la Virgen, que se presentó ante aquellos miles de personas que enloquecieron de amor cuando se presentó ante sus ojos. La Virgen se hizo presente para acompañar a los desterrados y el Arzobispo de Miami, Mons. Coleman F. Carroll, llegó muy pronto a la conclusión de que había que erigir un Santuario que albergara a la Madre de Dios bajo la advocación de la Caridad, para que fuera el centro de la fe de sus hijos exiliados, los cubanos.

Así surgió la idea de construir la Ermita de la Caridad, que hoy es Santuario Nacional Mariano, a la orilla del mar que la separa de su Isla querida.

La Virgen de la Caridad del Cobre, Madre y Patrona de Cuba, y las perspectivas del futuro de la Patria.

Los cubanos que viven su fe y peregrinan como Pueblo de Dios en la Isla de Cuba, en Estados Unidos o en otras partes del Mundo, confían plenamente en la Virgen de la Caridad del Cobre, que siempre estará con ellos, tanto en los momentos más duros como en las alegrías mayores.

Esta intuición está firmemente enraizada en los corazones de todos nosotros, estemos donde estemos. En los últimos años, y sobre todo después de la caída del Campo Socialista, con la que se demostró hasta la saciedad que Dios no puede ser sustituido por el estado y que el espíritu no puede ser relegado por la materia, los cubanos comenzaron a regresar por miles y miles a la búsqueda de lo trascendente y al seno de la Iglesia Católica.

Los cuadros y las estampas de la Virgen de la Caridad y del Corazón de Jesús volvieron a ocupar los lugares más visibles en las salas de las casas y los apartamentos, y las personas regresaron sin miedo a las celebraciones religiosas de todas clases. La Navidad comenzó a ser celebrada públicamente, puesto que nunca dejó de celebrarse en el corazón de la gente, y los niños volvieron a ser bautizados a los ojos de todo el mundo, lo mismo que las parejas comenzaron a contraer matrimonio acudiendo a las Iglesias sin ocultarse.

Después de muchos años de duras lecciones que no han terminado todavía, el pueblo de Cuba hace patente que no las ha echado en saco roto: son muchos los síntomas visibles de que el pueblo cubano ya está pensando de otra forma y se alista para ser de nuevo protagonista de su propio destino.

Tal como lo pidió Su Santidad Juan Pablo II cuando exhortó a los cubanos diciéndoles:

no tengan miedo y abran su corazón a Cristo,

los hijos de la Isla prisionera demuestran a diario, de muchas maneras, que el miedo está cada día más ausente de sus vidas, y que **Cristo Rey** vuelve a imperar en los corazones, en las casas, en las familias…

La presencia multitudinaria de los creyentes en las Misas que celebró Su Santidad Juan Pablo II en Santa Clara, Camagüey, Santiago de Cuba y La Habana, en las que pudieron exhibir de nuevo su fe ante la querida imagen de su Patrona, la Virgen de la Caridad del Cobre, demostró que la fuerza de convocatoria de su Reina y Madre era capaz de tocar todos los corazones y de movilizar a la gran mayoría del pueblo: aquellas demostraciones no fueron más que una pequeña muestra de cómo será la colosal Eucaristía con que se celebrará, más temprano que tarde, el regreso de la República de Cuba, libre y democrática, al concierto de las naciones civilizadas del Mundo.

No hay dudas de que el futuro de la Isla de Cuba está pendiente del amparo de la amada Reina y Madre del Pueblo Cubano, su Patrona, la Santísima Virgen de la Caridad del Cobre.

CAPÍTULO XXV

CONCLUSIONES DE ESTE LIBRO

> Abre el pecho, Cuba hermosa, a la esperanza
> de ese Cielo, que es la vida verdadera;
> tras del Cáliz de pasión, en lontananza,
> se divisa cuanto el alma cree y espera.
>
> Y al pasar el que es Amor de los Amores,
> por tus calles y tus plazas y sabanas,
> te dará todo el perfume de sus flores
> con la Paz y las virtudes más cristianas...
>
> ¡Y la Paz reinará en Cuba!... lo pregona
> esa Virgen coronada...! ¡tu Patrona!
>
> R. P. Florencio del Niño Jesús, O.C.D.
> Himno Oficial del Congreso y Coronación
> de la Virgen de la Caridad del Cobre., 1936

Hemos contado la Historia de la Virgen de la Caridad

En este libro hemos contado la historia de nuestra Madre y Patrona, la Virgen de la Caridad del Cobre. Como hijos suyos, todos tenemos que ver con Ella. En algún momento, o muchas veces, su llamada ha tocado a nuestras puertas. Todos la hemos invocado en alguna ocasión y son muy pocos, o ninguno, los que no la conocen. Y si algún hijo ingrato la ha olvidado en cierta circunstancia, o ha dejado de tenerla en cuenta, Ella, en cambio, no deja de ocuparse de todos sus hijos, de cada uno por separado, no deja de hacer ni de rogar ni de interceder en particular por cada uno: se ha dicho muchas veces, y lo repito ahora, que

Nosotros no la escogimos como Madre, pero Ella, en cambio, nos escogió para que fuéramos sus hijos

Desde el primer momento de su aparición en tierras de Cuba bajo la advocación profética y excelsa de María de la Caridad, la imagen de la Virgen que tiene por insignia la Reina de las Virtudes Teologales: la Caridad, el infinito amor sublimado de Dios Nuestro Señor, la que por esa causa llegó a ser el Primer Símbolo de la Patria y el Emblema de la Nación, se apoderó de los corazones de sus hijos, los cubanos.

En este libro, repito, hemos contado su historia. Desde aquella jornada inolvidable de finales de 1612 que marcó un signo indeleble en la Evangelización de Cuba, la pequeña imagen de la Virgen de la Caridad comenzó a ganar más y más espacio en los corazones de todos los que la conocían: primero los hermanos Hoyos, indios monteros y rancheadores, y el negrito Juan Moreno, luego los habitantes y Miguel Galán, encargado del Hato de Barajagua, donde tuvo su primer altar, su primera lámpara, sus primeras flores, y donde escuchó las primeras peticiones de sus hijos; después fray Francisco Bonilla, el Comisario de la Inquisición comisionado para testimoniar la autenticidad de la imagen, a continuación el capitán Francisco Sánchez de Moya, administrador del Real de Minas del Cobre y la villa de Santiago del Prado, y los humildes habitantes de aquel pueblecito que fueron en procesión a recibirla. En los días siguientes, los fieles que asistían a las ceremonias del culto en la Parroquia de Santiago del Prado, y los enfermos del Hospital de la Caridad donde la imagen permaneció cierto tiempo, se sintieron confortados por su presencia que era al mismo tiempo un Mensaje Evangelizador y Misionero, y un inspirado Signo de Salvación y de Consuelo.

Todos los que la conocían la amaban inmediatamente, todos sentían una atracción irresistible hacia Ella, todos la reconocieron como Enviada y Mensajera de Dios Nuestro Señor, que anunciaba a su Hijo Jesucristo al pueblo de la Isla de Cuba. Ella desplazó a otras advocaciones marianas, las primeras que se habían visto en Cuba, que habían venido de España. Todas eran de un lejano «allá», todas venían con sus propias historias, con hechos desconocidos y ajenos: pero ésta, la Caridad, había aparecido en Cuba de forma inusitada, y a los ojos de todos los que se enteraron de su hallazgo extraordinario en la bahía de Nipe, su presentación fue milagrosa. Como todos saben, la imagen fue recibida, de forma simbólica y profética, por dos indios, que eran emblema de cubanidad, y por un negrito, que era la presencia de la esclavitud y la orfandad desamparada y pequeña. Los indios y el negrito la sintieron suya, cercana y próxima. Nunca soñaron que la Gracia de Dios pudiera descender sobre ellos de una forma tan maravillosa, y sus vidas cambiaron para siempre en virtud de aquel suceso extraordinario del que habían sido protagonistas. El color de la imagen, además, les recordaba su propia piel y era cubana como ellos: de la misma forma, los humildes habitantes de Santiago del Prado, casi todos esclavos, la sintieron muy cercana y familiar. Ella, que había venido por el mar, ahora estaba con ellos: primero en la Parroquial, donde podían rezarle, después en el Hospital, donde presidía las esperanzas, los ruegos, las promesas y las curaciones, y después en su propia Ermita, donde los ermitaños comenzaron a atenderla para que siempre tuviera flores y en ningún momento le faltara la luz.

Qué pensaban los antiguos ermitaños de la Caridad

Juan Moreno

El P. Antonio Veyrunes Dubois da noticia en sus escritos de que Juan Moreno fungió como ermitaño de Nuestra Señora de la Caridad del Cobre durante tres años, desde 1635 hasta 1638. Durante ese período, la ermita erigida en la villa de Santiago del Prado, en lo alto del cerro de Cardenillo, que presidía la imagen de Nuestra Señora de Guía Madre de Dios de Illescas (la misma que trajera de España el capitán Francisco Sánchez de Moya), fue derribada por un temporal que azotó el territorio en 1635 y que también destruyó el hospital donde se encontraba la imagen de la Virgen de la Caridad del Cobre. En ese momento, Juan Moreno, que ya debía contar 32 o 33 años de edad, se encargó por derecho propio del cuidado de la Santa Imagen[733].

Juan Moreno siempre estuvo cerca de la Virgen de la Caridad y toda la vida residió en la villa de Santiago del Prado, donde trabajó en diversos desempeños, ganando fama de hombre serio, disciplinado y cumplidor, que tenía gran prestigio entre los trabajadores de las minas y era bien visto por las autoridades. Como su historia estaba asociada para siempre a la aparición milagrosa de la Virgen, y el había sido su ermitaño estando a cargo de su atención directa, alcanzó una fama que realzaba su trayectoria y carisma. Su nombre aparece durante varios años en los inventarios de esclavos del Real de Minas del Cobre, lo que nos permite conocer algo de su vida: en 1638 era ermitaño de la Virgen, en 1648, a los 46 años, era mayoral de los esclavos que trabajaban en las excavaciones del cerro, en 1666 se consignan los nombres de sus hijos, Fabián de 16 y Fausto de 43 años, en 1677 se conoce el nombre de su esposa, la parda María de los Reyes, de ascendencia indígena, y en 1677 cuando contaba alrededor de 75 años, lo vemos convertido en capitán de las milicias de la comunidad[734].

---

[733] Veyrunes Dubois, P. Antonio J. Historia de la Aparición Milagrosa de Nuestra Señora de la Caridad del Cobre (reedición de la historia de Onofre de Fonseca expurgada por Bernardino Ramírez en 1782). Santiago de Cuba, 1935, p. 235

[734] Cf. Portuondo Zúñiga, Olga. La Virgen de la Caridad del Cobre: Simbolo de Cubanía. Editorial Oriente, Santiago de Cuba, 1995, p. 112

Mathias de Olivera

Los ermitaños Mathias de Olivera y Melchor de los Remedios, ambos consagrados al culto, la atención y custodia de la Virgen de la Caridad del Cobre, tienen historias distanciadas por el tiempo y las circunstancias que resultan muy ilustrativas para comprender la trayectoria de la imagen mariana en Cuba.

Mathias comenzó a servir a la Virgen en fecha muy temprana que no se puede precisar. La declaración de Juan Moreno en los Autos de 1687-1688 nos habla de este personaje y de los milagros de la Virgen asociados a él. Onofre de Fonseca y Julián Joseph Bravo también mencionan a Mathias Olivera, sin dar fechas. El primer documento en el que se cita al gallego Mathias, encontrado en el Archivo General de Indias, pertenece a un legajo fechado en 1609, o sea, antes de la aparición de la Virgen, y sabemos que Mathias recibía cierta cantidad de dinero como salario, en la que estaba comprendido

un real de manteca para la lámpara (de la iglesia)[735]

además de una ración de alimentos similar a la de los indios empleados en las minas. Mathias era un valioso auxiliar de los eclesiásticos en la evangelización de los esclavos, porque vivía junto a ellos, y esta noticia de su misión, por lo menos desde 1609, aparece en el citado documento con estas palabras:

...porque acuda a continuar la buena costumbre en que los negros estauan de descir las oraciones todas las noches en la yglesia destas minas y porque encomiende a dios al muy nuestro señor y el bien desta fabrica[736]

Mathias pasó a ser un auxiliar laico de la evangelización porque aumentaba constantemente el número de esclavos bozales que trabajaba en las minas, los clérigos no daban abasto para atenderlos, y su adoctrinamiento en la fe era sumamente importante para la Iglesia. Para el administrador Sánchez de Moya, desde otro punto de vista, aquel trabajo espiritual tenía además otra faceta importante, pues contribuía a apaciguar a los esclavos.

En la narración de Onofre de Fonseca, el ermitaño gallego Mathias de Olivera, soldado de profesión, huyó de La Española hacia Cuba cuando el rey ordenó que fueran desmantelados los establecimientos de las costas norte y occidental de aquella isla, que

---

[735] Archivo General de Indias (AGI). Santo Domingo, legajo 451, 8.VII.1609

[736] Ibídem

eran madrigueras de contrabandistas. En esa oportunidad, huyeron a Cuba muchos habitantes, acusados de participar en el tráfico ilícito o comercio de rescate, y que residían en aquellos puertos. Estos sucesos, según las crónicas, tuvieron lugar en 1603:

> el... año 1603, la Corona tomó la decisión, plasmada en una Real Orden, de desmantelar los puertos de La Yaguana, Puerto Plata, Monte Christi, Bayajá y otros de La Española, como castigo por su tráfico con herejes[737]

Según la versión, Olivera formaba parte del grupo de refugiados que llegó por mar a Cuba, los mismos que fueron bien tratados y acogidos por el Guardián de los franciscanos, fray Francisco Bonilla, quien tuvo una actuación destacada en aquel lance... ya se habían erigido los Conventos franciscanos de Santiago de Cuba y San Salvador de Bayamo y los frailes, ante la súbita llegada de docenas de refugiados, y al ver que entre los colonos de Cuba, estimulados por la nueva presencia , aumentaba el comercio con extranjeros, temieron que las represalias del rey se extendieran a ellos. Haciéndose eco de los frailes, Bonilla obtuvo del cabildo la intercesión ante el rey: algunos vecinos de La Española fueron perdonados, y obtuvieron licencia para regresar a su tierra natal[738].

Pero regresemos al ermitaño. Parece que la embarcación en que viajaba Mathias junto con otros emigrados de La Española naufragó y que se refugió en el monte, con algunos indios libres que lo socorrieron en aquel difícil trance, hasta que fue hallado por los españoles y pasó a residir a Santiago del Prado algún tiempo después.

El caso es que al presentarse la Virgen de la Caridad en 1613, ya Mathias se encontraba trabajando en la evangelización de los esclavos, según el documento de 1609, y cuidaba de la imagen de Nuestra Señora de Guía, Madre de Dios de Illescas, a solicitud del administrador Sánchez de Moya. Pero Nuestra Señora de Guía salió del templo porque Sánchez de Moya la llevó consigo al terminar sus funciones de administrador y fue sustituida por la Virgen de la Caridad. Los habitantes más pobres y necesitados, los esclavos del Real de Minas, vieron con buenos ojos el «ascenso» de la imagen aparecida en Nipe, y los hombres de Iglesia no tuvieron nada que objetar puesto que conocían la gran influencia que había alcanzado la pequeña imagen de

---

[737] Archivo General de Indias (AGI). Santo Domingo, legajo 451, informe de 4.VI.1604. Ver: Larrúa Guedes, Salvador. Cinco Siglos de Evangelización Franciscana en Cuba. Custodia Franciscana del Caribe, Puerto Rico, 2004, tomo I, p. 157

[738] Ibídem (736), Cf. Cinco Siglos... p. 157

la Virgencita morena, precedida por la forma maravillosa en que había sido encontrada sobre las aguas de la inmensa bahía, el recuerdo de la procesión hasta la Villa de Santiago del Prado, y luego su estancia en el hospital acompañando a los más pobres y humildes... no había dudas del inmenso cariño, de la honda veneración que el Pueblo de Dios manifestaba a aquella imagen.

No era discutible, por tanto, que era ella la que debía presidir el pequeño Santuario.

Al llegar la imagen de la Virgen a Santiago del Prado, a las tareas de Mathias se sumó el cuidado de la imagen, colocada por cierto tiempo primero en la Iglesia, y después en el Hospital hasta que a finales de la década de los 30 o comienzo de la de los 40 del XVII, comenzó a reinar en su propia ermita o Santuario.

Si Mathias era hombre hecho y derecho en 1609, cuando su nombre aparece en documentos vinculados a la Evangelización en Santiago del Prado, a finales de los 30 o comienzos de los 40 del siglo XVII, unos 30 años después, era una persona entrada en años que por mucho tiempo estuvo al servicio de la Virgen y del culto, y que enseñaba la doctrina a indios y negros, lo que sin dudas favoreció mucho la veneración de aquellas pobres personas a la Virgen aparecida en Nipe: por lo tanto, fue testigo excepcional de los primeros pasos de Nuestra Señora en Cuba.

Según la narración del P. Antonio J. Veyrunes Dubois, Mathias de Olivera se convirtió en el segundo ermitaño de la Virgen en 1638, o sea, después de Juan Moreno, y permaneció con esta función de altísima responsabilidad durante 40 años, hasta 1678...[739]

Fueron muchos los milagros que según la declaración del capitán de milicias Juan Moreno, contenida en los Autos de 1687-1688, presenció el ermitaño Mathias de Olivera. El propio Juan relató que una vez terminada la primera ermita de la Virgen en un lugar más apropiado, más lejos de los túneles que seguían la trayectoria de las vetas de cobre con la finalidad de evitar que algún derrumbe pudiera dañar al templo, ocurrió un milagro en el que participó el ermitaño cuando la caída de una cerca de madera hizo que se precipitara en las profundidades de la mina aledaña, momento en que invocó a la Virgen de la Caridad, y detuvo el golpe agarrándose de la penca de una mata de maguey tan pequeña que nadie pudo explicarse cómo pudo sostener a un hombre tan grande y tan pesado:

---

[739] Ibídem (733)

*...se vio que estando el hermano Mathias de Olivera que seruia a la Virgen Ssma. de la charidad arrimado a una Zerca de palos que Guarnesia la parte de la mina a librar del peligro a los que viniesen a la primera cassa se despidio la zerca y cayo dho hermano Mathias de Olivera en dha mina que es profunda y como se vio con el riesgo de que si alguno cae parese imposible escapar con la vida y al caer estaua una Matta de Maguey y en aquella parte de la **Mina y a las vozes que daua acudio la gente del Lugar y le vieron asido a una penca de Maguey de la dha Mata Y estaua llamando a la Virgen Ssma. de la Charidad Y le sacaron hechandole unas sogas de que se agarro y solo por la prouidencia desta Divina pudo mantenerse en dha penca de Maguey siendo tan pequeña y dho Mathias de olivera hombre corpulento el qual dando muchas gracias a nra. señora de la Charidad desia que assi que se despidio la zerca llamo a esta diuina Señora Y se hallo en el aire mantenido en dha penca de Maguey...*[740]*

Cuando faltó el aceite para mantener encendida la lámpara de la ermita que indicaba con su luz la Presencia del Santísimo, sólo quedó una pequeña cantidad depositada en la cazoleta y era necesario esperar dos días hasta que llegara la manteca pedida para que la lámpara continuara alumbrando. Entonces Mathias pudo ser testigo de otro hecho prodigioso:

...que hauiendo faltado la manteca para la lampara que solo hauia la que estaba en dha lampara que era muy poca Yendo dho hermano a rreconocer dha Lampara la hallo llena de Aceite y se vio que duro dho Azeite dos Dias continuos hasta que vino Manteca que se estaba aguardando de fuera del Lugar[741]

Además, tenían lugar otros acontecimientos no explicables. La Virgen desaparecía a veces de su altar, y cuando volvían a verla tenía los vestidos mojados[742]. Las desapariciones y apariciones

---

[740] Autos de 1687-1688: Declaración del Capn. Juan Moreno, negro, natural del Cobre de 85 años. Según la transcripción de manuscritos originales que se custodian en la Conferencia de Obispos Católicos de Cuba (COCC), La Habana.

[741] Ibídem.

[742] No era la primera vez que esto ocurría. La Virgen de la Caridad comenzó a aparecer y desaparecer en la casa de vivienda del hato de Barajagua, muy poco tiempo después de su aparición en Nipe, y antes de que fuera trasladada a Santiago del Prado. Al respecto se ha elaborado la teoría de que los indios (los hermanos Hoyos) se llevaban la imagen, llevados por los recuerdos de la religión taína, con el objeto de ganar sus favores, y después la devolvían a su altar. Las ropas mojadas de la Virgen pueden asociarse al carácter de «Madre de las Aguas» que daban los indios a su diosa Atabey, sincretizada con la María. Parte de los ritos de hurto de los cemíes taínos consistían en la sumersión en el agua.

sucedieron varias veces, y el hecho alcanzó tal fama entre los habitantes de Santiago del Prado que en cierto momento, cuando los vestidos de la Virgen comenzaron a deteriorarse, hubo que hacer pequeños trozos con ellos para repartirlos como preciosas reliquias entre los vecinos:

> *...y oyo desir por muy sierto, y Nottorio enttodo este Lugar que por dos veces hallo el hermano Mathias de olivera a esta Divina sa. de la Charidad no estar en su alttar Y quando venia la hallaua todos los vestidos mojados y ohian los que estauan en el trabajo de la Mina que dho Hermano desia **de donde venis Señora? Como me dejais aqui solo, porque ensusiais los vestidos si saveis que no teneis otros dineros Con que comprarlos como los traeis mojados de adonde venis mojada.** Y que esto fue tan corriente que serrepartieron los vestidos enrreliquias...*[743]

Nunca sabremos si estas apariciones y desapariciones de Nuestra Señora de la Caridad tenían carácter milagroso. Muchas veces se ha tratado de explicarlas suponiendo que la Virgen deseaba que su imagen recibiera culto en otro sitio, atribuyendo a esto los cambios de lugar: del hospital a la Iglesia, de allí a su propio templo convertido enseguida en Santuario... sin embargo, no hay explicación para las vestiduras mojadas, a menos que se vinculen a los rituales propios de la religión taína (recordemos que los indios reconocieron en la Virgen a su cemí Atabey, a quien llamaban Madre de las Aguas). Los ritos indios pudieran ser el origen de las apariciones y desapariciones de la imagen en aquellos primeros tiempos.

No se sabe en qué momento desapareció el ermitaño Mathias de Olivera, quien tal vez cuidó de la imagen desde que hizo su aparición en Santiago del Prado, o sea, en el hospital primero y después en la ermita del cerro...

> *El rastro de Mathias de Olivera se pierde definitivamente (después), sólo se habla del padre Juan de Góngora, entonces administrador de los esclavos. Otras casas eran la del capellán de la iglesia del pueblo y la del licenciado Galbán, más adelante la vivienda del alguacil real Juan de Cisneros y la del mayoral esclavo Pedro Angola*[744]

---

[743] Ibídem (738), Autos de 1687-1688, Declaración...

[744] El Padre Juan de Góngora es citado por primera vez en la relación hecha por el Obispo Alonso Enríquez de Armendáriz (informe al rey, 1620). Ver: Pichardo, Hortensia. Documentos para la Historia de Cuba. Editorial de Ciencias Sociales, La Habana, 1968, tomo I, p. 34

Como podemos apreciar, en la villa de Santiago del Prado vivían personas de cierto relieve como el padre Góngora, el aguacil real Juan de Cisneros, y el licenciado Galbán. También residía allí el mayoral de los esclavos de las minas, Pedro Angola, de la raza negra. La sucesiva construcción de algunas casas, de la iglesia, el hospital y después de la ermita del cerro, sugiere el auge económico alcanzado gracias a la extracción del mineral.

Melchor de los Remedios

El otro ermitaño a cargo de la custodia y el culto a la Virgen de la Caridad del Cobre fue Melchor de los Remedios, alrededor de 1645 o después[745], entre ese año y el de 1651. Si Mathias de Olivera fungió como ermitaño de la Virgen entre 1638 y 1678[746], tuvo la compañía de Melchor desde 1645 hasta 1651: su verdadero nombre es Melchor Fernández Pinto, de origen portugués, y era comerciante en el área del Caribe, por lo que a veces llegaba hasta Santiago de Cuba. En uno de sus viajes y estando en alta mar fue asaltado por piratas, pero logró desembarcar en Manzanillo (o Manzanilla, según las crónicas de la época) en la mayor pobreza. El chantre de la Catedral de Cuba (Santiago de Cuba), Juan de Estrada Luyando, miembro de una de las familias ilustres de Santiago de Cuba, que fue designado canónigo por el Obispo Juan de las Cabezas Altamirano en 1610 y presentado en 1613[747], le recomendó que se hiciera cargo de la ermita de la Virgen, y así fue como el portugués pasó a ser el segundo ermitaño de la Caridad[748]. Como quiera que Estrada Luyando fue designado chantre y visitador de la región de Bayamo en 1645 y falleció en 1651, la designación de Melchor Fernández Pinto, que pronto pasó a ser Melchor de los Remedios como ermitaño de la Virgen, debe haber ocurrido entre ambas fechas[749].

---

[745] Melchor de los Remedios comenzó a prestar servicios en la ermita del cerro *«nunca antes de 1645»,* según Olga Portuondo, o.c., p. 119

[746] Veyrunes Dubois, Mons. Antonio. Historia de la Virgen de la Caridad, Santiago de Cuba, 1935

[747] Morell de Santa Cruz, Pedro Agustín. Historia de la Isla y Catedral de Cuba. Imprenta Cuba Intelectual, La Habana, 1929, p. 213

[748] Cf. Bravo, Julian Joseph. Aparición prodigiosa de la Ynclita Imagen de la Caridad que se venera en Santiago del Prado, y Real de Minas del Cobre. Santiago de Cuba, 1766. Ver: Portuondo, Olga, o.c., p. 119

[749] Ibídem

La figura de Melchor llegó en el momento en que se fortalecía la veneración a la imagen de la Virgen de la Caridad en la medida en que aumentaba la devoción de los más pobres, los esclavos indios, negros y mestizos. Por ser hombre de mucha edad en el momento de su declaración, Juan Moreno asegura que Melchor sustituyó enseguida a Mathias de Olivera: en realidad deben haber pasado algunos años, aunque no muchos. Es posible que entre estos dos ermitaños cuyos nombres recogió la historia, hubiera algún otro sirviendo a la Virgen en la ermita, pero no tuvo relieve para quedar incorporado en las crónicas.

Onofre de Fonseca, el primer capellán del Santuario (cargo que desempeñó desde 1683 hasta 1711[750]) y entusiasta autor de la *Historia de la aparición de Nuestra Señora de la Caridad del Cobre* en 1701, es quien divulgó y dio relevancia a su figura. Admiró tanto a Melchor, que en su obra llegó a afirmar que el ermitaño tenía virtudes suficientes para ser canonizado. Por otra parte, Fonseca

califica el período en el cual Melchor de los Remedios funge como ermitaño de la Virgen de la Caridad, como el momento de consagración de su culto[751]

Sería necesario aclarar que los esclavos indios y negros del Cobre ya habían consagrado, con su inmensa devoción y su fervor ingenuo, el culto a Nuestra Señora de la Caridad del Cobre. El hecho de que Santiago del Prado se convirtiera desde mediados del siglo XVII en un centro muy activo del comercio y exportación del mineral, contribuyó a dar a conocer a la Virgen y a propagar su culto. En los Autos de 1687-1688, el esclavo y maestro fundidor Juan Santiago Vicente, declaró

...que todos los navegantes (que desembarcan en la villa de Santiago de Cuba) vienen a darle las gracias a la Virgen[752]

se conoce del náufrago portugués convertido en custodio de la Virgen. Juan Moreno apenas lo menciona, ya que en su declaración solo aparece una vez el nombre de Melchor. Por otra parte, debe haber heredado por influencia del ermitaño anterior, Mathias de Olivera (quien debe haber incorporado a la Virgen de la Caridad el título de Remedios —Virgen de la Caridad y Remedios— en honor a su patrona

---

[750] Veyrunes Dubois, Antonio J. Historia... o.c., p. 235

[751] Portuondo Zúñiga, Olga, o.c., p. 120

[752] Archivo General de Indias (AGI). Santo Domingo, legajo 363

la Virgen de los Remedios tan venerada en Galicia) el adjetivo que el mismo se adjudicó, Melchor *de los Remedios.*

Otro mérito inmenso que Onofre de Fonseca atribuye a Melchor de los Remedios, es el esfuerzo para erigir el nuevo Santuario de Nuestra Señora de la Caridad. Las exhortaciones de Melchor a favor de la erección del templo encontró buena acogida entre los cobreros y en general entre los habitantes de Santiago del Prado, que por esos tiempos estaban disfrutando un importante crecimiento en sus economías gracias al beneficio de las escorias del cerro de las minas. Los habitantes de la villa, con el paso del tiempo, conservaron con orgullo el recuerdo del inmenso empeño que acometieron para erigir el Santuario, con el que demostraron su devoción a la Virgen de la Caridad. Es de hacer notar que aquellas personas tan pobres, cuando comenzaron a disfrutar de cierta prosperidad, tuvieron como primer objetivo

> *fabricar á su Patrona Nuestra Señora de la Caridad milagrosamente aparecida a los primitivos naturales adornandole con Alajas de tanto valor que todo el Altar de la Señora es de plata, y la lámpara del Santísimo Sacramento pesa 150 libras del mismo metal construyendo asi mismo una calzada de cantería que tiene como un cuarto de legua, desde la falda hasta la cumbre de la Sierra donde está situado el templo la qual le costó muchos millones de pesos y celebraban en aquel barias festividades annuales con una manificencia en el culto divino que quiza excedia a la de otras Poblaciones mas ricas[753]*

El Santuario fue edificado a finales de la década de los 70 del siglo XVII. Esto quiere decir que apenas 60 años después de la aparición de la imagen en la bahía de Nipe, la devoción a la pequeña Virgencita Morena se había desarrollado tanto, que en una Isla que tal vez no llegaba a 30 mil habitantes, y en un lugar perdido entre las montañas de la Sierra Maestra, al sur de la provincia de Oriente, la piedad de los fieles ya era capaz de erigir un templo en plena montaña, dotarlo con suntuosos y valiosísimos ornamentos y objetos de plata maciza para el culto, y con una calzada de cantería de 400 metros de largo. Y la mayor parte de los fieles eran hombres y mujeres muy pobres, sumamente pobres... se ha dicho al respecto que

> *su magnificencia sería proporcional a la ascendencia de esta advocación mariana sobre el criollo de la isla de Cuba[754]*

---

[753] Archivo General de Indias (AGI). Santo Domingo, legajo 1627

[754] Portuondo Zúñiga, Olga, o.c., p. 121

En esa época se construyó una nueva Iglesia parroquial para Santiago del Prado y Real de Minas del Cobre que estaba dotada con dos campanas: una de 9 arrobas y otra de 7 arrobas de peso. A su alrededor se contaban más de 80 bohíos de guano donde vivían los trabajadores. El administrador en funciones, Don Andrés de Magaña, construyó para sí una vivienda y dio permiso al ermitaño Melchor de los Remedios para que empleara las tejas de la antigua casa de los administradores, que había sido demolida, para edificar la nueva ermita o Santuario de la Virgen de la Caridad en la cima del cerro.[755]

No se conocen detalles sobre la vida del ermitaño Melchor de los Remedios, pero sí su papel en la erección del nuevo Santuario, su devoción y sus virtudes cristianas. Se ha dicho que fue el antecesor natural del capellán P. Onofre de Fonseca, que enalteció su fervor y su caridad. Fonseca recibió un inmenso prestigio de su antecesor, a quien

> definió como una especie de Mesías que luchó con denuedo para construir el nuevo templo, (agregando que era) capaz de profetizar y hasta de efectuar curaciones con la manteca de la lámpara (del Santísimo)[756]

Melchor preparaba una pomada curativa con esa manteca y polvo de las piedras verdes de sulfuro de cobre que abundaban y abundan en el Real de Minas[757]. Murió alrededor de 1681, poco después de terminada la construcción del Santuario a la que dedicó toda su energía, y sus restos descansaron a los pies de la Virgen, cerca del altar mayor. Por voluntad propia, lo sustituyó en sus funciones el P. Onofre de Fonseca[758], que estaba destinado a reunir los principales elementos contenidos en las declaraciones de los testigos de la aparición de la Virgen, contenidas en los Autos de 1687-1688, así como los principales aspectos de la tradición oral, para dejar a la posteridad su *Historia de la aparición milagrosa de Nuestra Señora de la Caridad del Cobre*, que terminó en 1701, y que fue expurgada por el Pbro. Bernardino Ramírez

---

[755] Archivo General de Indias. Santo Domingo, legajo 1631

[756] Fonseca, Onofre de; Ramírez, Bernardino; Veyrunes Dubois, J. Antonio. Historia de la milagrosa aparición de Nuestra Señora de la Caridad Patrona de Cuba y de su santuario en la villa del Cobre. Santiago del Prado, 1701, p. 93. Portuondo, o.c., p. 122

[757] Ibídem (752)

[758] Cf. Bravo, Julian Joseph, o.c.

en 1782 e impresa por otro capellán del Santuario, el P. Alejandro Paz Ascanio, en 1830[759].

Según la narración del P. Antonio J. Veyrunes Dubois, Onofre de Fonseca estuvo a cargo del Santuario de la Virgen de la Caridad del Cobre, en calidad de Capellán, durante los 28 años comprendidos entre 1683 y 1711[760], y pudo ser testigo excepcional de los testimonios contenidos en los Autos de 1687-1688, que le sirvieron de base documental de para redactar en 1701 su *Historia de la Aparición Milagrosa de Nuestra Señora de la Caridad del Cobre.*

Cómo veían a la Virgen los habitantes de la villa del Cobre.

Hacia el noroeste de Santiago de Cuba había un lugar donde comenzaba el camino conocido desde tiempo inmemorial como *Entrada del Cobre*[761], que iba desde la ciudad hasta el Santuario. Con el paso de muchos años, ese trillo entre lomas que fue camino desde el siglo XVII, se convirtió en la actual carretera que une el Santuario y el pueblo del Cobre con la ciudad de Santiago...

Por ese camino, ya desde la década de 1670 en que comenzó la construcción del Santuario, o tal vez desde mucho antes —porque no se puede pensar en que se erigiera un Santuario si esta iniciativa no tuviera el apoyo y exigencia de un gran clamor y devoción popular que pedía su construcción— comenzaron las peregrinaciones y romerías que llegaban desde Santiago de Cuba, Bayamo y otros puntos del territorio oriental, y que se extendieron al territorio de Camagüey y a las tierras occidentales, todos los años cuando llegaba el 8 de septiembre, Natividad de la Virgen María.

En aquella lejana época, según uso y costumbres que venían de tiempos remotos, muchas personas peregrinaban descalzas, subían las escaleras de rodillas o cargando grandes pesos, se azotaban y usaban cilicios, realizando toda clase de promesas a la Virgen. A veces la devoción llegaba a extremos insospechados, y de muchas maneras extrañas hacían patente el arrepentimiento de sus pecados y la

[759] La primera edición de la Historia de la aparición milagrosa de Nuestra Señora de la Caridad del Cobre se realizó en 1830, la segunda en 1840 y la tercera en 1858 (José M. Pérez Cabrera: Historiografía de Cuba, IPGH, Méjico, 1962, pp. 73-74 y 78-79

[760] Veyrunes Dubois, P. Antonio J. Historia… o.c., p. 235

[761] Ravelo y Asensio, Juan María. La ciudad de la historia y la Guerra del 95. Editorial Ucar García, La Habana, 1951, p. 22

mortificación de sus cuerpos, que castigaban para exaltar la vida del espíritu. Hay declaraciones de la época que lo atestiguan:

> ...*y sabe y ha visto que muchos vecinos de la Ciudad de Santiago de Cuba y de la villa de San Salvador de Bayamo* **vienen de Romería a la Santa Casa de esta Divina Señora de novenas en hacimiento de gracias de haberle invocado en sus enfermedades y sanándole untándose con la manteca de su lámpara, y que es el único remedio de todos los que le llaman.** *Y leida esta declaración, de verbo ad verbum, dijo estar bien escrita y ser verdad notoria...*[762]

Influencia de la Virgen de la Caridad en el pensamiento cristiano

Poco antes de la aparición de la Virgen en Nipe, en 1610, la diócesis cubana, que estaba subordinada al Tribunal del Santo Oficio con sede en La Española, fue trasladada a la jurisdicción de inquisitorial de Cartagena de Indias, lo que trajo no pocos rozamientos con el Obispo fray Juan de las Cabezas Altamirano, que vio en este traspaso una intromisión en sus facultades e informó en consecuencia al rey:

> *no se quien les dijo a los inquisidores que pueden conocer de mi jurisdicción, y que como superiores míos, a mí quitármela, sin mostrarme por ende, por lo cual certifico a vuestra merced que aunque sea costarme la vida, con razón y justicia la tengo que defender y aunque sea en una artesa ir a Roma*[763]

El asunto era serio, pues en una gran zona del territorio oriental que comprendía el hato de Barajagua, donde por primera vez la Virgen de la Caridad tuvo un altar y se le rindió veneración y culto, proliferaban las herejías y actos contrarios a la fe católica. Desde Jamaica los contrabandistas luteranos, en contacto con los criollos, no perdían oportunidad para ganar adeptos y ridiculizar el culto a la Virgen y a los Santos. Sus actos de penetración y propaganda llegaban a Santiago de Cuba, San Salvador de Bayamo y los pueblos de indios de Jiguaní, El Caney, Mayarí y otros. Muy poco antes de que la Virgen se presentara en tierras de Cuba, en 1612,

---

[762] Autos de 1687-1688: Declaración de Agustín Quiala, negro esclavo de las Minas del Cobre, de 60 años. Según la transcripción de manuscritos originales que se custodian en la Conferencia de Obispos Católicos de Cuba (COCC), La Habana.

[763] Archivo Histórico Nacional de Cuba (AHNC). Inquisición, legajo 1008, el Obispo Cabezas Altamirano al rey, 8.I.1608

incluso en la distante villa del Bayamo (el Tribunal) del Santo Oficio mantenía abierta una investigación sobre herejías en esa comarca... en 1612, el Obispo Henríquez (de Armendáriz) trata de influir en el nombramiento de un comisario en su sede... su nombre estará relacionado a una gran cantidad de casos de hechicerías [764]

A finales de 1612, seguramente en septiembre, llegó a Cuba la Virgen de la Caridad comenzó su tránsito por tierras de Oriente: de Nipe a la casa de vivienda de Barajagua, de allí a Santiago del Prado, luego al Hospital, luego a la ermita del cerro, luego a su propio Santuario... y aquí viene el hecho que al parecer no tiene explicación posible: desde la llegada de la Virgen las herejías, los actos contrarios a la fe católica y las brujerías parecen retroceder en tierras de Oriente, donde están los territorios más extensos y abundan más los contactos con los extranjeros contrabandistas o hermanos de la costa, muchas veces luteranos, y la inmensa mayoría de los casos que son materia de la Inquisición se concentraron en La Habana, a pesar de ser ésta la sede del gobierno central de la colonia...

Los problemas para la Iglesia cubana aumentaron a fines del año siguiente y sobre todo desde diciembre cuando en muchos documentos se denota alarma por

la gran cantidad de brujas practicantes en La Habana. La mayoría de los casos catalogados durante este período se suscitan contra mujeres hechiceras y sacrílegas... el comisario del Tribunal de La Habana (mantuvo) grandes desacuerdos con el Obispo Armendáriz... (fray) Francisco Bonilla, notario del Santo Oficio, envía otra carta hablando de la... hechicería rampante que se podía encontrar en La Habana durante las mismas fechas[765],[766]

Después los casos de herejía, brujería y conductas contrarias a la fe parecen trasladarse de las tierras orientales y concentrarse en el occidente, aunque muchas veces las manifestaciones impropias saltaron el estrecho de la Florida, de manera que la Inquisición tuvo que comenzar a actuar en San Agustín y hasta se consideró, muy seriamente, instalar un nuevo Tribunal del Santo Oficio en esta ciudad.

---

[764] Archivo Histórico Nacional de Cuba (AHNC). Inquisición, legajo 1597, año 1612

[765] Medina, José Toribio. La imprenta en Bogotá y la Inquisición en Cartagena de Indias, Editorial ABC, Bogotá, 1952, p. 201

[766] Archivo Nacional de Madrid (ANM). Libro 1009, R: 02, ff.: 249r. – 297r.

No conocemos las causas del fenómeno, pero el hecho cierto es que desde que llegó la Virgen de la Caridad a tierras de Oriente, la mayoría de los casos que son materia de la inquisición y de enjuiciamiento por el Tribunal del Santo Oficio, tuvieron lugar en La Habana o en el occidente de Cuba.

La Virgen de la Caridad, desde su llegada, fue tan estimulante para la fe, sobre todo en las capas más pobres y desamparadas de la población, que la devoción y el culto de los criollos se volcaron en la pequeña imagen morena olvidando los hechizos, brujerías, fórmulas mágicas, sortilegios y doctrinas provocadoras reformistas que llegaban de allende los mares sin tener nada que ver con las costumbres, las tradiciones, la fe y el catolicismo a toda prueba de los criollos de entonces.

Su infinita Caridad nos llenó tanto el alma que desde entonces se adueñó de nuestro corazón y de nuestra memoria.

La Virgen de la Caridad del Cobre, Patrona de la Isla de Cuba, que llegó como Peregrina del Mar a nuestro suelo para ser la Estrella Mayor de nuestro Cielo y la primera Maestra, Compañera, Evangelizadora y Misionera de su amado pueblo, reinó, reina y reinará por siempre en las almas, las esperanzas, las alegrías, las ilusiones, las vidas y el futuro de sus hijos bien amados, los cubanos. La Peregrinación de la Virgen por tierras de Cuba abarca una historia de casi cuatro siglos.

Pasaron muchos años y la imagen de la Virgen de la Caridad fue ganando más y más espacio en los corazones de sus hijos, convirtiéndose en el símbolo de su catolicismo, y los esclavos depositaron a sus pies millones de oraciones rogando por su libertad. Como la católica es una religión de hombres libres, las palabras Virgen de la Caridad, catolicismo y libertad comenzaron a ser sinónimas para los cubanos, tanto para los esclavos que querían vivir sin cadenas, como para los libres de derecho pero no de hecho que querían libertarse de la opresión de la Metrópolis que cada día era más ajena, más extraña a sus intereses, más distante, más extranjera.

Entonces la Virgen de la Caridad se convirtió, además y por derecho propio, en el Primer Símbolo de la Patria. Ser católico, en Cuba, era creer en la Virgen de la Caridad. Ser católico, en Cuba, significaba también lograr dos objetivos: el de la libertad individual de cada ser humano, y el de la libertad colectiva de la Nación Cubana.

El Apóstol Martí lo expresó con claridad meridiana:

Libertad es el derecho que todo hombre tiene a ser honrado, y a pensar y a hablar sin hipocresía. En América no se podía ser honrado, ni pensar, ni hablar. Un hombre que oculta lo que piensa, o no se atreve a decir lo que piensa, no es un hombre honrado. Un hombre que obedece a un mal gobierno, sin trabajar para que el gobierno sea bueno, no es un hombre honrado. Un hombre que se conforma con obedecer a leyes injustas, y permite que pisen el país en que nació los hombres que se lo maltratan, no es un hombre honrado. El niño, desde que puede pensar, debe pensar en todo lo que ve, debe padecer por todos los que no pueden vivir con honradez, debe trabajar porque puedan ser honrados todos los hombres, y debe ser un hombre honrado. El niño que no piensa en lo que sucede a su alrededor, y se contenta con vivir, sin saber si vive honradamente, es como un hombre que vive del trabajo de un bribón, y esta en camino de ser bribón. Hay hombres que son peores que las bestias, porque las bestias necesitan ser libres para vivir dichosas…[767]

Y la Virgen Patrona de Cuba, portadora del Amor sublime de su hijo Jesucristo materializado en la Virtud Teologal, Principal y Reina, de la Caridad, nos traía el Mensaje del Redentor: *sólo la Verdad os hará libres.* La verdad, que nos libera del pecado y de la muerte y que nos redime proporcionándonos da la libertad, que es la condición del ser católico y cristiano…

De esa forma, la Virgen de la Caridad era, es y será, además de la Madre que acoge a quienes seleccionó como sus hijos, la Portadora del Mensaje de Jesús para que los cubanos fueran libres en una Patria Libre donde pudieran vivir redimidos por la Verdad, en el camino de la Vida. *Yo soy el Camino, la Verdad y la Vida;* fue el Mensaje de Jesús el Cristo, Hijo de Dios, Redentor, quien nos amó tanto que derramó por nosotros su sangre, gota a gota, para culminar con su Santa Muerte por nosotros, el mensaje de la Santa Vida que también vivió por nosotros, puesto que por su infinita Caridad se hizo hombre, también, para nosotros.

Mons. Eduardo Boza Masvidal describió con extraordinario poder de síntesis el papel de la Virgen de la Caridad a lo largo de la Historia de Cuba, y sobre todo en los tiempos terribles de diáspora y exilio que comenzaron en 1961, en su artículo los 4 tronos de la Virgen de la Caridad:

…pero no importa: Ella, que sabe de cruz y sabe de exilio, está con nosotros, con los de dentro y con los de fuera, y eso basta.

---

[767] Martí, José. De su discurso *Tres héroes.*

El 1 de mayo de 1916, Su Santidad el Papa Benedicto XV confirmaba solemnemente, con la autoridad apostólica, lo que ya era una realidad hacía tres siglos, y proclamaba oficialmente a la Santísima Virgen María de la Caridad del Cobre, Patrona Principal de la República de Cuba.

¿Cuándo empezó la Santísima Virgen María de la Caridad a ser nuestra Patrona, la Reina y Madre de nuestro pueblo? Yo diría que desde aquel mismo día de principios del siglo XVII en que tres hombres humildes de nuestra tierra encontraron su imagen flotando sobre las aguas de Nipe, como paloma mensajera de gracias y bendiciones del cielo. Por ser nuestra patria una isla larga y estrecha, nuestra vida está íntimamente ligada al mar. Los cubanos amamos el mar, que siempre nos quedaba cerca, que forma parte de nuestra psicología y de nuestra vida. Hoy, si tenemos que vivir en grandes países, tierra adentro, una de las cosas que más echamos de menos es precisamente su azul incomparable, que se pierde en el horizonte y serena y eleva el espíritu.

El primer trono de la Virgen María de la Caridad fue el mar. Su primer dosel, el cielo. Así apareció Ella, bajo la azul inmensidad del cielo y sobre la azul inmensidad del mar, como un punto blanco y luminoso que venía de Dios y que nos señalaba el camino para ir a Él.

El segundo trono de la Virgen María de la Caridad fueron las manos de tres hombres humildes y sencillos de nuestro pueblo. En ellos estaba representado todo el pueblo cubano. Sus manos rudas y encallecidas de obreros, se hicieron tiernas y sedosas para recoger con amor aquel regalo del cielo.

El tercer trono de la Virgen María de la Caridad fue el verdor de nuestros campos. El verde, ¡qué metido lo tenemos en la retina de nuestros ojos los cubanos! Nuestros campos, nuestras palmas, nuestras llanuras, nuestras montañas, ¡todo es verde como la esperanza! Ella misma escogió el lugar: fue en El Cobre, sobre las montañas más altas de la patria, como para que desde allí Ella nos pudiera ver a todos, y nosotros para mirarla tuviéramos que levantar la vista hacia lo alto; entre los penachos de las palmas que se agitan en saludo vibrante y las cañas que se mecen suavemente a sus pies en oración callada, como ofreciéndole la dulzura del azúcar que contienen en su seno. Allí, donde Ella quiso, sobre el trono verde, quedó su imagen.

El cuarto trono de la Virgen María de la Caridad fue rojo. Rojo vivo, como el amor, como el sacrificio, como el martirio, como la sangre: fue el corazón de cada cubano. Y allí llega María para traer a Cristo. Ella es el camino por donde Cristo viene a nosotros y por donde nosotros vamos a Él. Ella quiere encontrar allí, no el amor sentimental de la devoción insulsa y supersticiosa, sino el amor valiente de la plena vivencia de nuestra fe cristiana, y ese amor es fuerte como el sacrificio, y rojo como el martirio callado y oculto del deber heroico de todos los días, o como el martirio cruento del sufrimiento y de la sangre que se vierte por Cristo y por la patria.

Han pasado tres siglos en los cuales, como la madre convive con sus hijos, la Virgen María de la Caridad ha compartido nuestra historia, nuestras ansias de liberación, nuestras penas y nuestras alegrías, nuestras inquietudes y nuestras esperanzas. Ella ha escuchado plegarias de muchas generaciones de cubanos.

Terminada la lucha independentista, cuando ya la República comenzaba a asentarse sobre bases firmes, los Veteranos sintieron que les quedaba un deber que cumplir, y en nombre de todos, los que residían en las zonas más cercanas se reunieron en El Cobre y allí firmaron el precioso documento que elevaron al Papa Benedicto XV, pidiéndole que confirmara oficialmente a la Santísima Virgen María de la Caridad como Patrona de Cuba. El Papa leyó aquella petición emocionada; miró a Cuba y vio a la Virgen de la Caridad como Reina de aquel pueblo en el trono azul de las aguas ondulantes, en el trono blanco de las manos limpias, en el trono verde de las montañas, en el trono rojo de varios millones de corazones cubanos, y gozoso firmó el documento que confirmó en forma solemne y oficial aquel título y aquella realidad tres veces secular. Era el 1 de mayo de 1916.

Un 8 de septiembre más nos sorprende en el exilio, dispersos en mil lugares, a otros en la patria esclavizada. No podemos rendirle a nuestra Madre de la Caridad los grandes homenajes que quisiéramos. No podemos llevarla en peregrinación por todos los rincones de Cuba como en 1952, cuando el Cincuentenario de la República; no podemos reunirnos todos en un magno Congreso como en 1959. Pero no importa: Ella, que sabe de cruz y sabe de exilio, está con nosotros, con los de dentro y con los de fuera, y con eso basta.

Que nuestro homenaje a la Virgen de la Caridad en esta hora de prueba sea mantenernos firmes y hacernos mejores cristianos y mejores cubanos.

Qué significa la Santísima Virgen de la Caridad del Cobre para los cubanos? Mons. Agustín Román, que fuera Obispo Auxiliar de Miami y Rector de la Ermita de la Caridad, lo ha sabido expresar con claridad inigualable:

Me parece increíble, con una salud frágil, haber vivido acompañando a la Virgen más de tres décadas, la mayor parte de mi destierro, la mayor parte de mi sacerdocio. Ella ha sido mi compañera. Ella ha sido mi maestra como cubano, como cristiano y como sacerdote...

La Virgen ha sido mi maestra como cristiano, mostrándome el valor de la primera evangelización. El incomparable trabajo evangelizador de aquellos primeros misioneros que impulsados por la fe tuvieron el valor de cambiar lo conocido por lo desconocido al penetrar el mundo nuevo de nuestro continente y de nuestros países...

La Virgen ha sido mi maestra y compañera en esta obra, en mi sacerdocio desde 1967. He celebrado la Eucaristía más de 12,945 veces en su casa y junto a Ella desde su altar fui contemplando el paso de un pueblo que no puede separar la Madre del Hijo y que Ella les acompaña como en los Hechos de los Apóstoles se cuenta que lo hacía con la primera comunidad cristiana.

Junto a Ella he vivido la renovación que nos trajo el Concilio Vaticano II desde el punto de vista pastoral. El clamor de justicia de la reunión de los obispos latinoamericanos en Medellín y el impulso evangelizador de su reunión en Puebla de los Ángeles. Junto a Ella he vivido su reunión en Santo Domingo preparando el V Centenario de la evangelización del continente y también nuestro inolvidable Encuentro de CRECED (Comunidades de Reflexión Eclesial Cubana en la Diáspora) en San Agustín. Junto a Ella hemos preparado el II y III Encuentros Nacionales de Pastoral Hispana. Junto a Ella he preparado mi participación en el primer Sínodo de Miami buscando que el Evangelio llegue a todos en esta Arquidiócesis.

Con Ella, he soñado ilusiones y me he despertado en la realidad, buscando que el Reino de su Hijo no deje de llegar a todos. Ver ese río humano que ha pasado y pasa frente a su imagen invocándola como Madre de la Caridad siempre me hace exclamar: ¡Ay de mí si no evangelizo!

No quiero terminar esta reseña sin presentar la petición que realizó el inolvidable Mons. Eduardo Boza Masvidal, tan cercano a la Patrona de Cuba, rogándole por la salvación de Cuba y pidiéndole su intercesión a favor de toda América.

Petición de Boza Masvidal a la Virgen de la Caridad

Señor, ante el dolor de Cuba y en la hora difícil que viven todos los pueblos de América, venimos a Ti, que eres el Camino, la Verdad y la Vida.

Que tu Cruz, símbolo de tu sacrificio redentor y de tu mensaje evangélico, se clave muy profundamente en las entrañas de nuestros pueblos, y que en los dos maderos de esa cruz encontremos el camino de la justicia y de la paz.

El madero vertical, que se dirige hacia lo alto nos invita a elevar nuestra vista por encima de las cosas materiales, y a llegar hasta Ti por la fe y el amor.

El madero horizontal, que se extiende hacia uno y otro lado como dos brazos, nos enseñan que se abren para estrechar a todos los hombres en un abrazo de hermanos.

¡Señor! Que triunfen en Cuba y en toda la América los tres grandes ideales que se encierran en tu Cruz: el ideal de la fe, de un cristianismo vivo y dinámico, frente al materialismo que quiere invadirnos; el ideal de la libertad, porque Tú nos hiciste libres y quieres que sean respetados todos los derechos que diste a todos tus hijos, frente a la opresión a que quieren someternos los que olvidan tu Ley; el ideal de justicia social, porque todos somos hermanos, hijos tuyos que eres nuestro Padre celestial, y frente al odio y a la lucha de clases queremos unirnos en un abrazo de justicia y amor.

Señor, te pedimos por intercesión de la Santísima Virgen de la Caridad, patrona de Cuba, por cuantos en la patria luchan por estos ideales. A los que te han hecho la ofrenda preciosa de sus vidas en flor, dales el descanso y la paz, y haz que sea fecundo su sacrificio. A los que padecen en las cárceles y a cuantos luchan y sufren, concédeles la fortaleza y la gracia. Y haz que los que están sometidos a la dura prueba del exilio, sepan ser dignos de Ti y de los que allá luchan y allá mueren.

Señor, da a los equivocados la luz; y a los que odian, el amor.

Haz que la juventud de América sepa comprender que: «es mejor vivir heroicamente que vivir cómodamente».

Haz, Señor, que nuestros pueblos encuentren en Ti el verdadero camino, la verdadera respuesta a sus inquietudes y a sus justas aspiraciones, así como la verdadera paz en fruto de la justicia.

Señor, que Cuba, y con ella toda la América, sea tuya, bajo el signo de la Cruz.

La Peregrinación de la Virgen por tierras de Cuba abarca una historia de casi cuatro siglos.

Ya hemos apuntado en estas líneas que la Virgen de la Caridad, Misionera y Peregrina, Educadora y Catequista, lleva casi cuatro siglos acompañando al Pueblo de Dios que en tiempos buenos y malos, luminosos u oscuros, busca el camino de Jesús en su tránsito por el Mundo, para alcanzar la Redención y la Vida Eterna, que es la existencia con Dios y el destino marcado para el hombre por la Sabiduría Infinita del Creador.

No vamos a hacer ahora un recuento de los valores y gracias que han alcanzado los cubanos en ese tiempo tan largo. Pero sí quiero recordar ahora un hecho trascendental que resume, en el período de algunos meses, esa historia larga de casi cuatrocientos años y que nos muestra la unión indisoluble de la Virgen María, en su advocación de la Virgen de la Caridad, con nosotros, los hijos de la Isla de Cuba: este hecho, tal vez el más importante de toda nuestra Historia Eclesiástica, es la Peregrinación Nacional que realizó la Virgen de la Caridad, Mensajera de la Palabra de Dios, durante parte de los años 1951 y 1952, como parte principal de la celebración del Cincuentenario de la República de Cuba.

«Esperamos que los pueblos se han de volcar en las calles para recibir dignamente a la viajera que llega, y para acompañarla hasta el templo y en el templo mismo, con un desbordamiento de entusiasmo nunca visto, de fervor religioso y de puro amor patrio, ya que ambos amores se unen y estrechan en esta devoción a la Inmaculada Madre, la Virgen de la Caridad, que es nuestra Patrona».

Estos votos han quedado plenamente cumplidos; nuestras esperanzas, sobreabundantemente colmadas. El recorrido que la secular imagen acaba de hacer tras quince meses de viaje de extremo a extremo de la Isla, ha sido sencillamente triunfal y apoteósico. Fuera de las dos visitas que la venerada y muy amada imagen de la Santísima Virgen de la Caridad hizo a Santiago para ser coronada; y a La Habana para conmemorar el Cincuentenario de la Independencia, jamás se han presenciado recibimientos iguales a los que le fueron dispensados en todas partes a esta imagen, a nuestra Virgen Mambisa. Fuera de los dos casos citados, no se recuerda que haya habido en ningún pueblo explosiones de entusiasmo tan popular y tan clamoroso y a la vez de fervor tan hondamente sentido, como los que se produjeron al paso de la imagen viajera constantemente desde Dos Caminos de San Luis, primer pueblo visitado, hasta el último de Pinar del Río. Pudiera pensarse que los pueblos y ciudades trataban de superarse en agasajos a la Madre común, a la que lo es en particular del pueblo cubano.

Y han rivalizado en testimoniar su amor a la que tanto ama a Cuba, a nuestra Virgencita morena, los cubanos todos, desde el Primer Magistrado de la Nación hasta el más humilde ciudadano; desde los beneméritos Veteranos de la Independencia hasta el último miembro de las Fuerzas Armadas, desde los Magistrados y Catedráticos hasta los últimos funcionarios públicos y estudiantes, lo mismo los patronos que los obreros, y los miembros militantes de todos los partidos, habiéndose puesto de manifiesto el hecho conocido, esperado y procurado de que, ante nuestra Patrona, se funden todos los corazones en el corazón de la gran familia cubana, la cual la Santísima Virgen de la Caridad tiene siempre algo que agradecer, algo que pedir, algo que decir.

A su paso en plan de dulce conquista y de invasión amorosa, ¡cuántos han vuelto de nuevo sus ojos a la Madre, cuántos los han vuelto luego al Hijo, regresando humildes y contritos a la casa paterna, fuera de la cual se vive mal! Al paso de la Madre amada, ¡cuántos vuelcos de corazones!. Dichosa e inolvidable visita.

*Gracias, por fin, a las Autoridades todas, a los Veteranos y al pueblo en general de toda la República; y una calurosa felicitación a todos porque con su ayuda, con su cooperación, con su presencia y su fervor, tan alto han levantado el nombre de nuestro pueblo ante el mundo entero. Gracias a los venerables Sacerdotes, Religiosos y Asociaciones religiosas. Gracias al incansable **P. Manuel Oro quieta** y a su digno auxiliar el **P. Lucas Iruretagoyena.** Gracias muy sentidas a la venerable **Orden Franciscana,** que con su generosidad tanto ha contribuido al mayor éxito de esta brillante y gloriosa jornada. En nombre del Episcopado cubano, gracias y parabienes a todos.*

*La Santísima Virgen de la Caridad, nuestra Patrona, nos bendiga a todos y que el fruto de **este año misional mariano sin precedentes** permanezca y fructifique.*

Qué pensaban de Ella sus historiadores, qué decían los poetas, los escritores, los cineastas y los artistas

Han sido tantos los artistas y hombres de letras y artes que en algún momento han hablado de la Virgen de la Caridad del Cobre con gratitud y admiración de hijos, que no es posible citarlos y alguno se quedaría siempre sin citar. Pero a continuación aparecen algunos ejemplos:

Jorge Mañach

Moviendo las conciencias de los cubanos para erigir el nuevo Santuario del Cobre que se inauguró en 1927:

Porque ahora la Virgen, la buena Virgencita cubana, vive como dice Monseñor Guerra «de prestado», en la iglesuca de El COBRE —un mísero poblado que la circunda. Antaño, Nuestra Señora tenía su lindo templo románico. Pero un día vinieron hombres de lengua extraña, rubicundos y enérgicos, con picos, barrenas y vagones. Alzaron artefactos, armaron casetas, abrieron hoyos y comenzaron a sacar tierra y a horadar, a horadar, a horadar... Tanto horadaron que, otro día, el altar de la Virgencita se vino abajo, y el techo de la iglesita también. Bravamente, el cura del poblado se lanzó entre los escombros y trajo en brazos la menuda imagen, colocándola en el altar mayor de la parroquia, donde ahora está.

Por eso os decía que el metalismo egoísta de los hombres había hecho menester un segundo santuario... El buen Arzobispo lo hará, tan pronto se serenen las cosas en la República. Invocará la ayuda de todos los cubanos, recogerá el óbolo de todos los pueblos de la Isla, y allí cerca, en otra eminencia rodeada de picudas lomas, cerquita del cielo azul, la Virgencita... tendrá un nuevo santuario gótico, que armonice con la áspera y elevada serranía[768]

Novelistas

El conocido novelista cubano Nicolás Heredia (1859-1901), en su libro «Leonela» tiene todo un capítulo dedicado a la Virgen que tituló **«*La Virgen del Cobre*»** en el que se cuenta cómo la Virgen salvó al hijo de una de las protagonistas de morir ahogado en un río. Por su parte, Ciro Espinosa, en su novela «La Tragedia del Guajiro», se habla expresamente de los milagros de la Virgen de la Caridad, realizados para favorecer a uno de los personajes. Álvaro de la Iglesia (1859-1940), en sus «Tradiciones Cubanas» cuenta el milagro que obró la Caridad en la persona de un negro que había recibido dos balazos en la cabeza, y Manuel García Garófalo, en sus «Leyendas y tradiciones villaclareñas» refiere la de *Un milagro de la Virgen de la Caridad.* Por su parte, Octavio R. Costa, en una disertación titulada *Presencia cubana de la Virgen de la Caridad* que pronunció en la Unión de Caballeros Católicos de Consolación del Sur y que publicó después la revista Bohemia, expresó lo siguiente:

Más que un hecho religioso es toda una realidad sociológica sin la cual no puede comprenderse el alma cubana, esa devoción hacia la Caridad del Cobre, que se traduce en ese anual peregrinaje hasta el cerro milagroso, en ese florecimiento de altares que adornan a tantos hogares cubanos, y en ese silencioso, secreto y apasionado apego que casi todos los corazones de la Isla tienen para la Virgencita que apareció en aguas cubanas y que quiso estar sobre lo alto de una loma, para desde ella, y de un extremo a otro del país, contemplar, vigilante y alerta, toda la vida de un pueblo, y serle luz en las sombras del destino, esperanza en las zozobras de la ascensión perenne y signo de amor y de paz en las eternas luchas y porfías de los hombres...[769]

---

[768] Piedra Bueno, Andrés de. La Virgen María en la literatura cubana. Edición del Boletín de las Provincias Eclesiásticas de Cuba, La Habana, 1955, p. 47

[769] Ibídem, p. 26

Entre los extranjeros, Samuel Hazard en su libro «Viaje a Cuba», dedicó un capítulo a la Virgen de la Caridad.

Periodistas

Dentro del periodismo, tenemos los artículos de Juan Luis Martín en la revista Bohemia, de José Montó en el periódico El Mundo, y de Octavio R. Costa en el Diario de la Marina. En la poesía las menciones son incontables: baste decir que José Martí le dedicó uno de sus poemas más sentidos y que escribieron versos a la Virgen de la Caridad Hilarión Cabrisas, Emilio Ballagas, Marieta Escanaverino, el P. Francisco Romero C.M., Luisa Muñoz del Valle, Manuel Sabater Camps, los PP. Carlos González Cutré, Francisco Ibáñez y Vicente García, María J. Lamar, Eladio Prado Sáenz, Clara Moreda Luis, Mercedes Azcárate, el médico Alfredo M. Petit, Emilio Sotolongo, Guillermo de Montagú, Gustavo Sánchez Galarraga, Manuel Serafín Pichardo, Bonifacio Byrne, Carolina Poncet, Mons. Manuel Ruiz Rodríguez, Leopoldo Barroso, Mercedes Torrens, América Bobia, Dulce María Loynaz, Silverio Díaz, Luis Sánchez de Fuentes, Luis R. Maderal, Yolanda Lleonart, María Gómez Carbonell, Rafael Esténger, P. Rafael Sánchez Vargas, Oscar Fernández de la Vega, Dora Carvajal, P. José Rubinos...

No es posible consignar los nombres de todos los pintores, escultores, artistas plásticos, etc., que han incluido en sus creaciones a la Patrona de Cuba, la Virgen de la Caridad del Cobre.

Cómo hablan los cubanos actuales de la Virgen de la Caridad

Proclamada la República el día anterior, el 21 de mayo de 1902, cuando los corazones de los cubanos retumbaban junto con las salvas de artillería que saludaban la libertad de la nueva Nación, un elocuente orador sagrado, el P. Luis A. Mustelier, pronunció en la Iglesia de Salud y Campanario, actual Santuario Occidental de la Patrona de Cuba, un hermosísimo elogio de la Virgen de la Caridad, del que presentamos estos párrafos:

Amparo de los Apóstoles, los alentó con su sombra benéfica hasta que, inflamados en amor divino, emprendieron la regeneración del mundo entero; amparo de la cristiandad primitiva, a su benéfica sombra se acogieron aquellos heroicos creyentes que alegres dieron la vida por la fe; y amparo de las generaciones todas que han ido sucediéndose, ha dejado en cada época una huella admirable de su maternal misericordia! ¿Qué significan, si no, tantos y tan variados títulos que los pueblos todos *de la tierra le dedican? No existe uno siquiera que no tenga su razón y fundamento en algún rasgo de su maternal misericordia. **Los enfermos le llaman salud; consuelo, los afligidos; los desvalidos, auxilio; refugio, los pecadores; los desamparados, aliento; luz, los incrédulos; y los paralíticos, vida y movimiento, desde que fue elegida Madre nuestra en las alturas del Monte Calvario! Desde aquel momento, amados míos, cesó la orfandad; la sociedad tuvo Madre, y ha podido contar siempre con todas las alegrías y los recursos todos del cariño y del poder maternales; desde aquel momento mismo, todos los que sentimos ese fuego interior que reside en el fondo de nuestras almas, ese sentimiento verdaderamente noble, delicado y fecundo, llamado amor, tenemos a María por Madre; y por eso es que su auxilio maternal no ha faltado, ni podía faltar un solo día, a los hijos de este su pueblo predilecto, que la amamos y la veneramos como Madre y Patrona nuestra amorosísima. Acercaos, si no, al pobre albergue del pordiosero cubano; seguid sus pasos cuando sale en demanda del socorro que en sus necesidades reclama, y le oiréis invocar, con éxito siempre, el maternal auxilio de María de la Caridad; allegaos al triste lecho del enfermo, asistid a los últimos momentos del moribundo y escucharéis que, con acento lastimero y quejumbroso, invoca, consolado, el maternal auxilio de la Virgen de la Caridad; penetrad en las lóbregas prisiones, donde el criminal expía sus excesos, y más de una vez escucharéis, bajo las bóvedas de aquel oscuro y horroroso asilo, repetir con confianza invocaciones a la Virgen de la Caridad; contemplad en medio del mar embravecido y en borrascoso tiempo al desdichado náufrago que, luchando con las soberbias y espumosas olas por arribar al deseado puerto, no deja de invocar, con labios ya casi balbucientes, pero siempre confiado y fervoroso, el maternal auxilio de la Virgen de la Caridad; traed a vuestra memoria la histórica manigua, do el mambí conquistaba nuestra independencia; preguntad a las abruptas montañas de «Los Negros» y a las sabanas de Peralejos, allá en el indomable Oriente; y acá en Occidente, a las escarpadas lomas de Cacarajícara; interrogad a Palo Seco, Jicarita y Coliseo, y ellos os dirán, con orgullo, que nuestros valerosos jefes y los aguerridos soldados cubanos, invocaron fervorosos, para conquistar la victoria, el maternal auxilio de la Virgen de la Caridad, ostentando orgullosos en sus pechos su medalla milagrosa; y no iréis a parte alguna de la Isla, do no veáis gloriosos vestigios, recuerdos dulces y pruebas convincentes y palpables de la eficaz protección de la Virgen de la Caridad en favor del pueblo cubano. Los campos, las ciudades, los templos, los albergues de dolor, los asilos del infortunio pronúncianse en favor de esta verdad harto dulce y consoladora. IN ME OMNIS SPES VITRE ET VIRTUTIS. En mí — dice— está toda esperanza de vida: venid a mí los que me amáis. ¿Hay alguno entre vosotros que haya perdido el norte de la divina gracia; que se encuentre combatido por las impetuosas y amenazantes olas del mar*** *aciago de su conciencia, sin fuerzas, sin alientos, casi sumergido ya en un insondable abismo de desesperación? Pues no temáis, venid y refugiaos en esa ciudad fortalecida. ¿Os halláis acosados por ls tentaciones de nuestro enemigo, destituidos de fuerza para hacer frente a sus maquiavélicos ataques, instigados por las venenosas pasiones de un mundo seductor; o sois acaso víctimas de tumultuosas pasiones? Pues no temáis: venid con fe a la Virgen de la Caridad, y en vano el león feroz rugirá, circundando en vano esa ciudad de refugio...*[770]*

¿Cuáles eran los sentimientos de los cubanos hacia su amada Patrona, la Virgen de la Caridad del Cobre? Al comenzar el siglo XX y junto con él la República, se había afirmado y arraigado todavía más la Virgen en el corazón del pueblo, como lo demuestra la Petición de los Veteranos de las Guerras de Independencia a Su Santidad para que la declarara Patrona de Cuba, y el inmenso movimiento popular que se realizó para reconstruir el Santuario del Cobre. La autorizada opinión del Arzobispo de La Habana en esa época, Mons. Manuel Ruiz Rodríguez, nos da el testimonio de aquel esfuerzo colectivo del pueblo cubano:

Desde las aguas del estrecho que ilumina el faro de San Antonio hasta las aguas en que se miran las montañas orientales, los hijos de Cuba han enviado su óbolo. No lo que han querido: sí lo que han podido. Pudo mucho el rico y mucho os dio, pudo poco el pobre y poco os dio: pero uno y otro, con su óbolo, os dio cuanto es. No miréis el don: mirad el corazón. Levantad los ojos y mirad, Reina de Cuba. Vuestros hijos vienen de lejos: desde las llanuras de los Remates de Guane: desde las estribaciones de la Sierra de Maisí.

Santa María, Madre de Dios, ruega por nosotros. Ruega, Señora, por la Iglesia, la inmaculada Esposa que con su sangre adquirió el Cordero celestial. Ruega por el Vicario de tu Hijo que Dios lo conserve y lo vivifique y lo haga dichoso y no lo deje caer en manos de sus enemigos. Ruega por la Iglesia de Cuba. Ruega por Cuba, que hoy se esfuerza en alabarte y bendecirte y te da lo mejor que tiene: el corazón de sus hijos. ...Una plegaria especial para los que nos dieron patria: por los heroicos veteranos de nuestras guerras, a petición de los cuales debemos tu patrocinio[771]

Qué representa la Virgen para la Iglesia.

La Virgen de la Caridad del Cobre es, sin lugar a dudas, la primera figura de la Iglesia Católica cubana y el emblema de la

---

[770] Ibídem, pp. 9-10

[771] Piedra Bueno, Andrés de, o.c., p. 12

religiosidad popular y también de la religiosidad nacional del pueblo de nuestra Isla.

El P. Jordi Rivero, en su historia breve de la Virgen de la Caridad, resume lo que Ella representa para la Iglesia de Cuba al hablar de sus enseñanzas como Primera Maestra, Catequista, Evangelizadora y Misionera:

Las verdades que la Virgen de la Caridad nos enseña:

1 -Dios está sobre todo y todos.

La Virgen tiene las manos llenas: Con la derecha sostiene la Cruz, camino único de salvación, que debe ser abrazado por todos sus hijos. Con la izquierda sostiene a su Hijo, el Niño Dios. Así nos enseña la importancia de, imitarla a ella que fue fiel, acompañando a Jesús desde el comienzo de su vida hasta la Cruz.

2 -Ella (María) es nuestra madre y protectora.

En tiempo de tormenta, la Virgen viene para salvar a aquellos tres Juanes, sus hijos.

La Virgen quiere salvarnos hoy de las tormentas que azotan en nuestro corazón. Ella acompañó a los Apóstoles cuando se reunieron llenos de miedo en Pentecostés. La Virgen nos adentra en su corazón maternal, santuario del Espíritu Santo donde nos forja en otros Cristos. La Madre nos protege, nos enseña e intercede por nosotros.

3 -El valor de la Familia.

Jesús quiso nacer y tener madre. La Virgen se aparece como madre con su Hijo en los brazos. Ella es la madre de todos los que guardan la Palabra. María nos enseña la importancia de la Maternidad, la dignidad de la mujer a la que Dios mismo confía tan gran misión. Por ende, el respeto que merece. La Virgen María es la madre de todas las familias. Al recurrir a ella, la familia se consolida en la auténtica caridad que ella nos ofrece: Jesucristo.

4 -El verdadero amor a la Patria.

El pecado ha llevado al hombre a falsos conceptos de lo que es el patriotismo. En su nombre se cometen atrocidades. La Virgen nos enseña que la verdadera patria es el cielo. La patria de la tierra es amada y edificada no cuando la queremos «glorificar» según nuestras ideas humanas sino cuando hacemos la voluntad de Dios. A medida que en un país sus hijos hacen la voluntad de Dios, ese país se enaltece. «Hágase Tu voluntad en la tierra como en el cielo».

El camino de la Virgen para construir la patria es la caridad, o sea, el amor.

1 Corintios 13, 3-8 «Aunque repartiera todos mis bienes, y entregara mi cuerpo a las llamas, si no tengo caridad, nada me aprovecha. La caridad es paciente, es servicial; la caridad no es envidiosa, no es jactanciosa, no se

engríe; es decorosa; no busca su interés; no se irrita; no toma en cuenta el mal; no se alegra de la injusticia; se alegra con la verdad. Todo lo excusa. Todo lo cree. Todo lo espera. Todo lo soporta. La caridad no acaba nunca»

El amor es la fuerza que une en el bien y vence todo mal.

La Virgen se confía ella misma en las manos de los tres Juanes[772], hombres humildes y sencillos que para el mundo no cuentan nada. Son ellos los que la deben introducirla en la patria y fomentar su devoción, prendiendo así la chispa que será la esperanza para la historia de la patria.

La Virgen pone el futuro de Cuba en manos de los humildes, los que no están cargados de la prepotencia de sus propias opiniones y soluciones para todo. La caridad ha de propagarse por todos los corazones hasta que nos haga capaces de sufrir por el bien del hermano, aun de ese hermano a quién antes llamaba mi enemigo. Así hacemos patria.

Cómo hablan los Obispos de Cuba de la Virgen, a lo largo de la historia

Los Obispos de Cuba, como representantes de la Iglesia que acompaña en la Isla al Pueblo Peregrino que busca el camino de Jesús, han alzado sus voces en muchas ocasiones para hablar y honrar a la Virgen de la Caridad.

Entre 1638 y 1640, siendo Obispo de Cuba Mons. Gerónimo Manrique de Lara y Herrera, se autorizó la traslación de la imagen de la Virgen de la Caridad a la nueva ermita del cerro de Cardenillo[773] donde estuvo entronizada la imagen de Nuestra Señora de Guía Madre de Dios de Illescas, que trajo de España el capitán Francisco Sánchez de Moya y que se llevó consigo al regresar a la península. Este hecho fue confirmado al realizarse el Inventario Real de 1648, por el que sabemos que ya estaba reconstruida la ermita y que en ella se veneraba la imagen de Nuestra Señora de la Caridad del Cobre[774].

En 1655, siendo Obispo de Cuba Mons. Juan de Montiel, se aprobó que la ermita del cerro quedara definitivamente bajo la advocación de la Virgen de la Caridad del Cobre[775].

Alrededor de 1670, probablemente bajo el episcopado de Mons. Gabriel Díaz de Vara Calderón, se autorizó por el prelado la erección

---

[772] Se refiere a los monteros indios Juan y Rodrigo de Hoyos y al negrito Juan Moreno, los que descubrieron la imagen de la Virgen de la Caridad en 1612, flotando en las aguas de la bahía de Nipe

[773] La ermita primitiva fue destruida por un temporal

[774] Cf. Larrúa Guedes, Salvador. La Virgen de la Caridad del Cobre. L´Osservatore Romano no. 4, Ciudad del Vaticano, 23 de enero de 1998

[775] Ibídem,

del primer Santuario de la Virgen de la Caridad del Cobre, en la loma del cerro de Cardenillo, según se refiere en este libro.

A finales del siglo XVII, una vez concluido el Sínodo Diocesano de 1680, bajo el episcopado del gran Obispo Diego Evelino y Vélez de Compostela, se convoca a la formulación de los Autos de 1687-1688 con el objetivo de unificar en un solo cuerpo documental las declaraciones de los testigos de la aparición de la Virgen de la Caridad del Cobre en la bahía de Nipe y otros hechos que tuvieron lugar en los años posteriores. Gracias a esta preocupación del prelado, podemos contar hoy en día con documentos que atestiguan la aparición de la Santa Imagen y que recogen los hechos más relevantes de su historia durante casi toda la centuria.

En el siglo XVIII, Mons. Pedro Agustín Morell de Santa Cruz erigió capillas y ermitas bajo la advocación de la Virgen, en especial la que mandó construir en 1757 dentro del Santuario de la Virgen de la Caridad[776], así como los obispos Mons. Gerónimo de Nostis y de Valdés y Mons. Juan Lazo de la Vega autorizaron la erección de nuevos templos que le fueron dedicados en Sancti Spíritus, Santa María de Puerto Príncipe y Quemados (jurisdicción de La Habana): toda la historia se narra en estas páginas.

En 1831, con la autorización y placet de Mons. Juan José Díaz de Espada y Fernández de Landa, uno de los altares de la Iglesia de Guadalupe, en San Cristóbal de La Habana, se dedicó a la Virgen de la Caridad[777].

En 1834, bajo el episcopado del Arzobispo Mons. Cirilo de Alameda y Brea en la Arquidiócesis de Santiago de Cuba, se inauguraron en Santa María de Puerto Príncipe, con su placet, la Ermita y Hospedería de San Roque, obra del inolvidable fray José de la Cruz Espí (el Padre Valencia) dedicada a albergar a los peregrinos que llegaban desde occidente para visitar a la Virgen de la Caridad en su Santuario del Cobre[778].

En 1851, desde el primer momento de su episcopado, el Arzobispo Misionero de Cuba, San Antonio María Claret y Clará, proclamó *que la verdadera prelada era la Virgen de la Caridad,* colocando a los pies de la Madre de Cristo sus pensamientos, hechos y

---

[776] Archivo Nacional de Cuba (ANC). Correspondencia de los Capitanes Generales. Legajo 7, expediente 368

[777] Ibídem,

[778] Cf. Larrúa, Salvador. Vida y Obra del Padre Valencia. Gráficas Anarol, Valencia, 2004

acciones. Según él mismo proclama en su autobiografía, Claret subía al Santuario del Cobre cada vez que preparaba uno de sus recorridos misioneros, para encomendar la nueva Misión a la Virgencita de la Caridad.

Mons. Francisco de Paula Barnada y Aguilar, en medio de grandes dificultades, dio su consentimiento para que la Santa Imagen de la Virgen de la Caridad, que se encontraba en peligro a causa del terremoto que asoló Oriente en 1906, fuera trasladada a un lugar seguro dentro del pueblo hasta que él pudo terminar las reparaciones en la Parroquial y la imagen volvió a su sitio de honor en el altar mayor.

En 1917, los Arzobispos y Obispos de Cuba se reunieron para tratar el importantísimo tema de la construcción del nuevo Santuario de la Virgen de la Caridad en el pueblo de El Cobre. La primera piedra del nuevo Santuario fue colocada por Mons. Valentín Zubizarreta y Unamunsaga, Arzobispo de Santiago de Cuba, el 8 de septiembre de 1918.

El 8 de septiembre de 1927, el Arzobispo Zubizarreta tuvo la gloria y el honor de inaugurar el nuevo Santuario de la Virgen de la Caridad.

El 20 de diciembre de 1936 se llevó a cabo la Coronación Canónica de la Virgen de la Caridad, que llevó a cabo Mons. Zubizarreta por delegación de la autoridad apostólica. Previamente, el querido Arzobispo emitió una Carta Pastoral vinculada a la solemne ocasión, de la que presentamos algunos fragmentos:

Valentín Zubizarreta y Unamunsaga:

Hace ya mucho tiempo que el pueblo cubano tenía especial devoción a Nuestra Señora de la Caridad, devoción que la traducía en actos exteriores de no poco sacrificio. Largas caravanas han solido venir con frecuencia de lejanas tierras a visitar su Santa Imagen que se venera en la colina del Cobre, y la ha escogido para Patrona principal de la República, pero no la ha coronado aún litúrgicamente, y es necesario cumplir ese requisito, para que nuestra Madre reciba el homenaje nacional que se merece.

Como ya se ha anunciado en una carta pastoral colectiva de los Sres. Obispos de esta República, en uno de los días del Congreso Diocesano, o sea el día 19 de Diciembre de este año a las 4 de la tarde será trasladada la pequeña imagen de Nuestra Señora de la Caridad desde el Santuario Nacional de El Cobre a la Alameda de Michaelsen de esta ciudad en una carroza artística...

Es una peregrinación santa la que hemos de hacer desde El Cobre a Santiago de Cuba en compañía de la Madre de Dios. Ha de ser una excursión espiritual y un homenaje de amor a nuestra Patrona.

Invitamos a todas las personas de buena voluntad a que Nos acompañen en esa peregrinación, y les rogamos que en ese día a las 4 p.m. en punto estén en El Cobre para cantar allí una Salve y emprender el viaje para Santiago con la Santa Imagen...[779]

En aquella oportunidad, el Obispo de Cienfuegos, Mons. Eduardo Martínez Dalmau, habló de la Coronación Canónica en estos términos:

Os venimos a ofrecer mejor trono. Venid, Señora y Reina: sentaos en el trono de nuestro pecho. Cada pecho cubano es el trono de la Reina de la Caridad. Otro manto os venimos a ofrecer: el manto de la Caridad, que luzcáis vestida del amor de vuestros vasallos; y aún mejor, Señora, para que por uno de esos insondables misterios de la gracia nos vista el manto impoluto de vuestra caridad. Una corona: una corona de oro, en la cual van engarzados nuestros corazones: queremos coronaros con lo más valioso. Así, Reina soberana, cuando se os busque, seréis hallada en nuestros pechos, cuando nos busquen, nos hallarán coronando, ciñendo vuestras sienes.

Al separarnos de vos, Señora, dejándoos vestida de sol, coronada vuestra cabeza, y en la corona engarzados nuestros corazones, escuchad nuestro Adiós.

Dios te salve, avecilla escondida entre las ramas hojosas del árbol del paraíso. Canta: «Mi alma engrandece al Señor, y se alegra mi espíritu en Dios, mi salud; porque me hizo grande el que es poderoso»...[780]

Por su parte, Mons. Enrique Pérez Serantes, Arzobispo de Santiago de Cuba, tuvo la dicha inmensa de despedir a la Virgen en 1951, cuando comenzó la gesta de la Peregrinación Nacional por toda la Isla para conmemorar el Cincuentenario de la República, y de recibirla en 1952 a su regreso al territorio oriental.

Por su parte, el Cardenal Primado de la Isla de Cuba, Mons. Manuel Arteaga Betancourt, llevó adelante con el apoyo de todo el episcopado y en particular de Mons. Enrique Pérez Serantes, la inspiración de que la Virgen de la Caridad peregrinara por toda Cuba para celebrar el 50 aniversario de la República, de manera que la

---

[779] Cf. Varios Autores. Album Conmemorativo del Congreso Eucarístico Diocesano y Coronación de la Santísima Virgen de la Caridad del Cobre. Año 1936

[780] Ibídem,

presencia de la Madre de Dios llegara hasta el último rincón o lugar habitado de la Isla:

> *el episcopado cubano confió a la Virgen de la Caridad la preparación espiritual de la celebración del cincuentenario de la República. El 20 de Mayo de 1951, **la Virgen Mambisa, una imagen de la Virgen que había estado en los campamentos insurrectos, saldría del Santuario Nacional para bendecir con su presencia, como escribiera el Cardenal Arteaga: «las ciudades, y los campos de Cuba: las iglesias, los hogares, los hospitales, las cárceles, las fincas…».***

Pocas personas, en circunstancias dramáticas, han estado tan cerca de la Virgen de la Caridad como el Arzobispo de Santiago de Cuba, Mons. Pedro Meurice Estíu, que habló en estos términos de la Virgen al referirse a las palabras de Su Santidad Juan Pablo II sobre la Patrona de Cuba:

> *Cuando el Papa habla en Santiago de Cuba de la Virgen de la Caridad dice de Ella, que es el símbolo y el apoyo de la fe del pueblo cubano y el símbolo y el apoyo de las luchas por la libertad del pueblo cubano. Creo que es así como en una visión de conjunto, a todos los títulos que la Iglesia y el pueblo cubano pone y corona a la Virgen con la diadema de Reina y Madre de Cuba, hemos de añadir este, y tenerlo siempre bien presente: símbolo de la fe y símbolo de la Patria. Símbolo y apoyo de la fe y símbolo y apoyo también de la Patria. Cuanto hagamos en la Evangelización del pueblo cubano en adelante, tendremos que tener en cuenta, y hacer referencia a esto, y cuanto hagamos también en nuestra lucha como pueblo, por mantener nuestra identidad, por tratar de ser mejores, por tratar de gozar de verdad plenamente la libertad, tenemos que tener siempre presente esta presencia, este apoyo que encontraremos en Nuestra Señora de la Caridad del Cobre…*

Con el paso de los años, la Virgen de la Caridad cruzó los mares para acompañar a sus hijos en el destierro. Mons. Agustín Román, Obispo Auxiliar de Miami y Rector Emérito de la Ermita de la Caridad, nos explica por qué la Virgen acompañó a sus hijos en la diáspora:

> *La caridad es la expresión dadivosa del amor. La caridad es el amor actuante. Es el amor en su misma esencia. Es la más excelsa y paternal donación de Dios hacia sus criaturas: «Tanto amó Dios al mundo, que dio a su Hijo único, para que todo aquel que cree en Él, no muera, sino que tenga vida eterna» (S. Juan, 3: 16). Podemos afirmar, pues, que decir Virgen de la Caridad, es igual a decir Virgen del Amor y que la aparición en Cuba de su imagen es, al mismo tiempo, una especial manifestación del amor de Dios a nuestro pueblo y una clara indicación de que es eso precisamente: la caridad, el amor, lo que Él quiere de nosotros, para*

gloria suya y bien nuestro. Es una manera simbólica de subrayar para el pueblo cubano el mensaje de ese Niño que nos llega en los brazos de María: «Ámense los unos a los otros como yo los he amado». (S. Juan, 13: 34)

Otro prelado de origen cubano, el Obispo Auxiliar de Miami Mons. Felipe de Jesús Estévez, hablando del hondo significado de la advocación de la Patrona de Cuba, nos llama a una reflexión profunda:

«El hecho de que la Virgen se apareciera con el nombre de 'Caridad' es signo del nombre mismo de Dios», afirma monseñor Felipe Estévez, director espiritual del seminario San Vicente de Paúl y estudioso de la religión y la historia de Cuba. «El símbolo de la Virgen de la Caridad tiene muchas dimensiones y sólo ahora estamos comenzando a aceptar sus profundas ramificaciones. Los cubanos tanto de Cuba como de la diáspora debemos reflexionar mucho en el significado de ese nombre: Caridad, que es perdón, es fe, es unidad»[781].

De qué forma el Camino Misionero de la Virgen se bifurca y se expande por todas las tierras del Mundo

La Virgen de la Caridad del Cobre es claramente un signo profético que el Padre envió a la Isla de Cuba cuando no era más que una colonia pobre, asediada por piratas, corsarios y ambiciones extranjeras que se sumaban a las codicias de sus habitantes. Era una colonia habitada por una gran masa de siervos y esclavos, donde la vida era dura y rodeada de peligros: los peligros de adentro y los peligros de afuera.

Entonces, en los albores de la Historia, llegó Ella para unirse a nuestro camino y facilitar nuestros pasos. Nos traía la Caridad, Su Caridad: Ella vino a expresarnos toda la sublimidad del amor de Dios valiéndose del infinito Amor de la Madre por Excelencia.

Y así lo hizo durante siglos, desde la colonia hasta la República.

Después la ignominia de la esclavitud volvió a oscurecer el claro cielo azul de nuestra Isla. La Virgen, Madre de todos, multiplicó su Caridad para ayudar y aliviar a tantos millones de hijos desgarrados.

Muchos cubanos comenzaron a escapar a otros países para recuperar su dignidad y su identidad personal.

Acompañando a sus hijos, los cubanos, la Virgen de la Caridad del Cobre se ha hecho presente en muchas partes del mundo. Podemos encontrar su imagen en las lejanías nórdicas de Suecia y Noruega, en

---

[781] Amador Morales, Dora. La fe de los balseros y la Virgen. Art. en Cuba Católica, 17 de noviembre del 2007

Rusia, en África, en el continente Australiano, en la Polinesia. Por supuesto su imagen se venera en España, Francia, Italia, Méjico y Estados Unidos. Sus imágenes se veneran en altares de toda la América Latina y de Europa.

¿Se trata de una nueva Misión de la Virgen? Ella llegó a Cuba flotando sobre el mar y de Cuba salió, también pasando sobre las aguas del mar, acompañando a sus hijos desterrados, para esparcir la Caridad por el Mundo de forma que en todas partes del planeta la gente pueda enterarse de la única certeza inconmovible: Dios existe y nos acompaña, Dios es la Luz del Amor.

Sólo no lo saben los que nada más andan de noche, o los tristes que llevan la noche adentro.

Y de pronto, nuevamente la convocatoria de la Madre de Dios, nuevamente el Milagro. Nuestra Señora la Virgen de la Caridad del Cobre sale otra vez de su Santuario en agosto del año 2010 para visitar a sus hijos a todo lo largo y lo ancho de la isla de Cuba, la tierra de la Madre de Dios, su tierra, en una nueva Peregrinación Nacional. Y los hijos salen como antes, como siempre, a recibirla y venerarla. Ella va peregrinando para recordarles que siempre los acompaña, que los busca, que les trae un mensaje de esperanza, para que caminemos junto a Ella, sin miedo, por la senda de la verdad, la redención y la vida.

Recorrido de la Virgen de la Caridad por Camagüey, 2010

ANEXOS A LA HISTORIA
DE LA VIRGEN DE LA CARIDAD DEL COBRE, PATRONA DE LA ISLA DE CUBA

1
Transcripción de manuscritos originales-documentos originales guardados en la sede de la Conferencia de Obispos Católicos de Cuba

AUTOS DE 1687-1688

Al margen, arriba, hay una fecha. .... año de 1738.....

Al centro, un título....... (sin identificar)

A la derecha, al margen, en primer renglón, una palabra sin poder identificar.

AUTO:

En la ciudad de Santiago de Cuba, en veinte y uno de Mayo de mil setecientos treinta y ocho años, el Señor Coronel Dn. Francisco Antonio Cajigal de la Vega, Caballero del Orden de Santiago, Gobernador y Capitán a Guerra de esta dicha Ciudad y su partido. Por su Majestad dijo que por cuanto ha recibido una Real Cédula de su Majestad, su fecha en Buen Retiro a siete de Julio del año próximo pasado de setecientos treinta y siete, en que su majestad se sirve mandar que en la primera ocasión que se ofrezca se le remita la fundación de la Capellanía del santuario de Nuestra Señora de la Caridad del Pueblo de Santiago del Prado con justificación de los nombramientos de los capellanes que han sido en ella desde su creación, con lo demás de su contenido, y para que tenga su efectivo cumplimiento en él todo lo que Su Majestad previene y manda, debía mandar y mandó, se libre despacho con intención de dicha Real Cédula al Señor Provisor y Vicario General de este Obispado para que le conste y le sirva remitir a su S.S.A., así la fundación de dicha capellanía, como la justificación del nombramiento de capellanes, para que en la primera ocasión pueda remitirlos a su Majestad, como se le proviene, y por este Auto así lo proveyó y firmó. Don Francisco Cajigal de la Vega. Ante mí, Luis Nieto de Villalobos,
Escribano Público y Gobernación.

DESPACHO:

Nos, Doctor Dn. Pedro Ignacio de Torres y Ayala, Canónigo Magistral de la Santa Iglesia Catedral de la Ciudad de Santiago de Cuba, Juez Provisor, Vicario General y Visitador del Obispado por su S.S.A. Ilustrísima el Obispo mi Señor. Al Señor Coronel Dn. Francisco Antonio Cajigal de la Vega, caballero del Orden de Santiago, Gobernador y Capitán a Guerra de dicha Ciudad y lugares de su partido, por su Majestad que Dios guarde, salud y gracia en el Señor, que es la verdadera salud. Hacemos saber a V.S.S.a. como en vista de su despacho y la Real Cédula en él inserta, proveímos un decreto en su obedecimiento para que el presente notario sacase testimonio de todos los instrumentos conducentes a lo que se piden en él, de cuya providencia, para que en todo se hallase V.S.S.a. enterado, mandamos librar despacho, y en vista de los expresados testimonios proveímos un Auto mandando se remitan a V.S.S.a., que su tenor a la letra es el siguiente:

AUTO

En la Ciudad de Santiago de Cuba, en quince días del mes de Julio de mil setecientos treinta y ocho años, el señor doctor Dn Pedro Ignacio de Thorres y Ayala, Canónigo Magistral de la santa Iglesia Catedral de esta dicha Ciudad, Juez Provisor, Vicario General y Visitador de este Obispado por su S.S.a.Illma. el obispo, mi señor. Habiendo visto los instrumentos mandados compulsar en obedecimiento de lo que a su S.S.a. hizo presente el señor Coronel Don Francisco Antonio Cajigal de la Vega, caballero del orden de Santiago, Gobernador y Capitán a Guerra de esta plaza, por su Majestad que Dios guarde, por su Real Cédula en la que se sirva pedir razón de la fundación del Santuario de Nuestra Señora de la Caridad que en pueblo de Santiago del Prado como principio relaciona e informa el testimonio de la información que se contiene, y juntamente la de la capellanía que erigieron los Licenciados Dn. Manuel Cabral de Melo y Dn. Balthasar Girón, presbíteros, defundo el año pasado de setecientos y cinco, para el eclesiástico que se retirare a servir y cuidar de la Santísima Virgen de Nuestra Señora de la Caridad con las condiciones que constan en la escritura de su fundación. Dijo S.S.a. que debía mandar y mandó se remitan a dicho Señor Gobernador para que en todo tenga entero cumplimiento lo ordenado por Su Majestad, a quien, para que su S.S.a. dicho Señor Gobernador satisfaga con la realidad de los sucesos, debe dicho señor Provisor dar razón de lo que ha comprendido y tocado en el escrutinio que tiene hecho sobre los asuntos contenidos en el corto tiempo de cinco meses que ha que ocupa el empleo de Previsor Juez, por la Real Cédula podrá conocer dicho Señor Gobernador el simulado informe que se la hizo a su Majestad que dio motivo a expedirla, suponiendo él que el santuario de Nuestra Señora del Cobre tenía Capellán, que pertenecía su nombramiento a el Real Patronato, lo que resulta contra la legalidad que observan los señores obispos, y debemos atender todos sus vasayos, estando esta ermita situada en el mismo pueblo de Santiago del Prado a cuyo cuarto es perteneciente, y como tal no se celebra fiesta en ella que no se le pague esos derechos a dicho cura como pertenecientes a su beneficio. Y por esta razón es el que se debe considerar capellán del referido santuario, sobre lo cuál la noticia que su S.s.a. tiene adquirido es haberse retirado un eclesiástico virtuoso domiciliario que fue de esta ciudad, nombrado, el padre Onofre de Fonseca, movido de algún desengaño o del fervor de los muchos milagros que hacía la Ssma. Imagen, a servirla, y con efecto acabó su vida en su compañía, alabándola santamente sin más nombramiento ni aprobación de nadie más que el consentimiento y licencia de sus superiores, que naturalmente deben coadjuvar a sus súbditos al general fin de la virtud. Por muerte de este quiso imitarle otro, que ejecutó lo mismo, llamado el Padre Thomás Bravo, donde concurrieron las mismas circunstancias que en el antecedente, sin otra congrua ni utilidad que la devoción y servicio de la Santísima Virgen. Y en vista de que estos eclesiásticos daban buen ejemplo y fervorizaban la devoción, movidos de lo dicho y de las piedades y favores que recibieron de la Santísima Imagen, se juntaron los dichos Licenciados Don Manuel Cabral de Melo y Don Balthazar Moreno Girón con el fin que nunca faltase algún eclesiástico devoto que sirviese dicha Santa Imagen con aquella devoción, respeto y veneración que se debe. Impusieron de su caudal cinco mil pesos, que redituía la cantidad de doscientos y cincuenta para la congrúa sustentación del sacerdote que allí se retirare a cuidar de dicho Santuario. Que es todo lo que a su S.S.a. sobre el particular le consta y ha podido alcanzar. Y para que dicho Señor Gobernador quede enterado e informe del hecho de la verdad a su Majestad, se haga despacho con inserción de este Auto, que por él así lo proveyó, mandó y firmó, de que doy fe. Dr. Dn Pedro Ignacio de Thorres y Ayala. Ante mí: Juan Bautista de Vidaburu, Notario Público. Y para que a N.S.S.a. conste la providencia dada en obedecimiento de lo mandado por su Majestad que Dios guarde, mandamos librar el presente, que es hecho en esta ciudad de Santiago de Cuba, en quince días del mes de Julio de mil setecientos treinta y ocho años. Doctor Dn. Pedro Ignacio de Thorres y Ayala. Por mandato de su S.S.A. el Señor Provisor y Vicario General. Juan Bautista de Vidaburu, Notario Público.

En el nombre de Nuestro Señor Jesucristo. Amen. Sépase como Nos. Dn Manuel Cabral de Melo y Dn Balthazar Moreno Girón, presbítero domiciliario de esta ciudad de Santiago de Cuba, ambos a dos, juntos de mancomún, a voz de uno y cada uno de por sí y por el todo insolidum, renunciando como expresamente renunciamos las Leyes de «nobus Rex de Vendi» y el authentica presente hoc hitta de fide jusoribus y las demás de la mancomunidad como en ellas se contienen, otorgamos y decimos que nosotros hemos deliberado el fundar una memoria o capellanía que se ha de servir en el santuario de Nuestra Señora de la Caridad, sita en el pueblo de las Minas de Santiago del Prado, por el sacerdote que asistiere al culto de dicho santuario, para lo cual tenemos impuesto por escritura pública ante el presente escribano, cinco mil pesos, yo, el dicho Dn. Balthazar Moreno Girón, dos mil pesos, todos situados y cargados en el ingenio de fabricar azúcar nombrado Nuestra Señora de la Caridad de las Riveras del río Yarayabo, de que somos dueños de por mitad, de cuyo instrumento se otorgó en este registro, en treinta de Julio próximo pasado de este presente año. Y poniendo en efecto la dicha fundación porque Dios Nuestro Señor sea más servido y su Divino culto ensalzado con ofrendas y sacrificio, y nuestras almas y de nuestros difuntos y demás del purgatorio reciban beneficio sufragio, y el dicho Santuario de Nuestra Señora de la Caridad y santa Imagen sea asistida de Ministro Sacerdote, y que esta, para su permanencia en este ministerio, tenga congrúa suficiente, por la presente instituimos y fundamos la dicha capellanía con las condiciones siguientes. Primeramente que se ha de servir en el dicho Santuario por el sacerdote que allí se retirare a cuidar de él con la obligación de su asistencia, sin que ella pueda dispensar ningún prelado por ningún pretexto ni causa. Y también por lo que toca a mí, dicho Dn. Manuel Cabral de Melo, ha de cantar todos los sábados el dicho sacerdote una Misa a Nuestra Señora por mi intención, y si por razón de ser cantada quisiera algún Señor Juez eclesiástico o cura Beneficiado de dicho pueblo imponerle algún gravamen, es mi voluntad se diga la Misa rezada hasta que quede libre del gravamen que se intentare poner, y entonces se vuelva a continuar el decirla cantada. Y también por lo que toca a mí, el dicho Dn. Balthazar Moreno Girón, ha de tener obligación el dicho Capellán a decir una misa rezada todos los Martes de cada semana a Nuestra Señora por mi intención. Y también que la dicha memoria o capellanía no ha de ser colativa, ni se ha de poder ordenar a título de ella ninguna persona, que ha ser solamente dedicada para el sacerdote que se retirare a vivir y cuidar dicho santuario, y si por accidente hubiere algún señor prelado que la quisiere hacer colativa y ordenar a algún sujeto a título de ella, es nuestra voluntad que desde luego pase por el mismo hecho la dicha capellanía al convento del señor de San Francisco de esta Ciudad, donde se servía por sus Religiosos con la carga de las dos Misas que van expresadas, y si sucediere este caso, con el tiempo se fundase en el dicho santuario colegio, convento o monasterio de religiosas, vuelva dicha capellanía a él con la dicha obligación, porque es nuestra voluntad permanezca en dicho Santuario su servidumbre, y solo en el caso expresado en este capítulo podrá salir de él. Y Nos nombramos por Patrones de dicha memoria o capellanía a Nos. Los dichos Dn. Manuel Cabral de Melo y Dn. Balthazar Moreno Girón. Y por fallecimiento del uno quede el otro, y por el de ambos, nombramos en el dicho patronato a su S.S.a. Venerable Dean y Cabildo de la Santa Iglesia Catedral De esta dicha Ciudad, y reservamos en nosotros durante los días de nuestras vidas el añadir, quitar, corregir y enmendar las condiciones que nos parecieren según el tiempo y la experiencia nos mostrare. Y nombramos por primer Capellán al Licenciado Dn. Onofre de la Caridad, que de presente se halla asistiendo y cuidando del dicho Santuario. Y por su fallecimiento, siendo nosotros vivos o alguno de Nos. Reservamos el nombrar Capellán de dicha Capellanía, y no siéndolo, nombrara su S.S.a. Venerable Dean y Cabildo por razón del Patronato en que le llevamos nombrado, al sacerdote que se dedicare a asistir al culto, reverencia y arreglo de dicho santuario, y si este con el tiempo faltare al cumplimiento de su obligación o se quisiere retirar de este ejercicio, es nuestra voluntad cese en el servicio de dicha Capellanía y recaiga en el que nuevamente sucediere en este ministerio, y nombramos por Bienes y Dotes de la dicha Memoria o Capellanía los dichos cinco mil pesos de principal que van referidos, impuestos en el referido ingenio de Nuestra Señora de la Caridad en la Rivera del Río de Yarayabo, para que goce de sus rentas el Capellán desde el día primero de Septiembre de este presente año que ha de empezar a correr. Y así sucesivamente el que le sucediere, y encargamos a la administración y cobranza de la renta y la permanencia de ella a los Patrones que en todo tiempo fueren, a los cuales y a cada uno en su tiempo damos el poder que se requiere para la cobranza de los inquilinos, judicial o extrajudicialmente, y haciendo que se repare la finca según una de las condiciones de su imposición para que no se deteriore y en razón de todo ello puedan parecer en juicio ante cualquiera tribunales eclesiásticos o seculares que con derecho debían seguir, fenecer, y acabar por todas instancias y sentencias hasta la definitiva, cualesquiera pleitos y causas tocantes a esta Capellanía con general administración, y en la forma y manera que dicho es, la instituimos, fundamos desde luego para siempre jamás y Nos desistimos y a nuestros bienes del derecho y acción, recurso y señorío que teníamos a los dichos cinco mil pesos, cada uno en la porción que va expresada, y en ellos apoderamos a la dicha Capellanía para que sean suyos y goce de su renta, a quien damos el poder que se requiere, y a sus Patronos y Capellanes, en sus nombres, para que puedan tomar y continuar la dicha tenencia y posesión, y en el interín nos constituimos por sus inquilinos, y como tales nos obligamos de les acudir con la dicha renta, y en señal de ello le otorgamos esta escritura de fundación, y obligamos nuestros bienes de haber firme lo aquí contenido de bajo de lo expresado en el capítulo quinto de esta fundación, que ha de quedar en su fuerza y vigor, damos poder a los Señores Jueces y Justicias que nos sean competentes, y les sean a los que les sucedieren en la referida finca, para que nos apremien a su cumplimiento, como por sentencia pasada en cosa juzgada sobre que renunciamos todas y cualesquiera Leyes, fueros, derechos y privilegios de nuestro favor, y el capítulo suam de penis (odoar do) adsolutionibus y la General, en forma que es fecha en la Ciudad de Santiago de Cuba en cinco de agosto de mil setecientos y cinco años, y los otorgantes a quien yo el Escribano Público doy y conozco, así lo otorgaron y firmaron, siendo testigos Bernardino Antonio del Castillo Y el Sargento Mayor Dn. Juan ramos y el Licenciado Dn. Alvaro José Pérez Vasco, Presbítero, presentes. Dn Manuel Cabral de Melo, Dn Balthazar Moreno Girón. Ante mí, Andrés López, Escribano Público y Registro. Es conforme a su original de que va firmado. Mención que queda en el Registro de Escrituras públicas que pertenece a los oficios públicos y registros que despacho por muerte del propietario y licencia del propio Gobierno, y fírmase el 9 de abril. (aparece un título ilegible, subrayado) Corrió por el año pasado de sepcientos y cinco y se halla a vuelta de fojas doscientas y ocho y siguientes, a que me remito. Y para que conste, doy el presente en Santiago de Cuba en veinte y nueve de Octubre de mil setecientos treinta y cuatro años. Y lo signo y firmo. En testimonio de verdad. Manuel Gonzáles Prestelo. Escribano Real.

SUSCRIPCIÓN

Concuerda con la escritura de fundación. Se halla testimoniada en el Libro en que se protocolan todos los censos pertinentes a la Iglesia de Nuestra Señora de la Caridad de las Minas del Cobre, que para este efecto me lo exhibió Dn. Christóbal de Nápoles, Presbítero teniente de colector de esta Santa Iglesia Catedral, de mandato verbal de su Señoría. Y para que conste donde convenga, doy el presente en Cuba en cuatro de Julio de mil setecientos treinta y ocho años. Y en fe de ello lo rubrico y firmo, en testimonio de verdad. Juan Bautista de Vidaburu, Notario Público.

AUTO:

En la Ciudad de Santiago de Cuba, en trece días del mes de Marzo de mil seiscientos ochenta y siete años, el Señor Licenciado Dn. Roque de Castro Machado, Juez Oficial, Provisor y Vicario General de esta Ciudad y su distrito, por su S.S.a. Venerable Dean y Cabildo, sede vacante, de la Santa Iglesia Catedral de esta dicha Ciudad (signo ilegible) En atención de haberse reconocido los muchos milagros que ha obrado y obra la imagen de Nuestra Señora de la Caridad y Remedios con los vecinos de esta Ciudad y lugares de su jurisdicción, en las ocasiones en que se han patrocinado de su amparo para recobrar salud de diferentes achaques y otras necesidades en que han invocado y pedido de su Divino auxilio, siendo muy notorios, y para que lo sean en todas partes y los ánimos de los fieles alienten llegando a su noticia a servirle y participen de tanto bien teniéndola por su abogada y medianera. Dijo Su Merced que daba y dio bastante comisión en forma, la que por derecho se requiere y es necesaria, al Beneficiado Juan Ortiz Montejo de la Cámara, Cura P.S.M. de la Parroquial de las Minas de Santiago del Prado, para que ante el alférez Antonio González de Villarroel, Notario Mayor de este Juzgado pueda llamar las personas que tuviere noticia y cierta ciencia de todo lo referido, y que ha pasado desde el tiempo que está colocada dicha Imagen de Nuestra Señora en su Iglesia propia ha muchos años en dichas minas, por haber sido hallada en las Riveras del mar milagrosamente por sus moradores, y lo que así obrare hará remisión a Su Merced para disponer lo que convenga en mayor honra y servicio de Dios nuestro Señor y de su Madre Santísima. Y así lo proveyó, acordó y firmó Su Merced. Roque de Castro Machado.

Ante mí, Gaspar Fernández de Velazco, Notario Público.

AUTO:

En el lugar de Santiago del Prado, en quince días del mes de Marzo de mil seiscientos ochenta y siete años, el Señor Beneficiado Juan Ortiz Montejo de la Cámara, Cura Rector de la Parroquial de dicho lugar, (signo ilegible), habiendo visto la comisión que Su

Merced del señor Licenciado Dn. Roque de Castro Machado, Juez Oficial Previsor y Vicario General de la Ciudad de Santiago de Cuba y su distrito, por su S.S.a. Venerables Señores Dean y Cabildo de la Santa Iglesia Catedral de dicha Ciudad, a cuyo cargo está el gobierno espiritual y temporal de este Obispado, sede vacante, (signo ilegible) fue servida despacharle con el celo piadoso a mayor aliento y fervorizar los corazones en la devoción de la S.ma. Virgen María Madre de Dios y Señora nuestra de la Caridad y Remedios, sita en su santa Casa sobre el dichoso cerro del Lugar de las minas, con información de la aparición y milagros de esta Divina Señora, cuyo amparo Su Merced desde luego invoca, debajo de cuyo patrocinio y obediencia del expreso en el contexto de dicha Comisión.

Dijo que en consideración de hallarse los moradores de este lugar en los campos solicitando su sustento, luego que lleguen se prosiga la obra con la diligencia que pide el negocio, así lo acordó, proveyó y firmó. El Beneficiado Juan Ortiz Montejo de la Cámara. Ante mí, Antonio González de Villarroel, Notario Público.

DECLARACIÓN DEL CAPN JUAN MORENO, NEGRO, NATURAL DEL COBRE, DE 85 AÑOS

En el lugar de las minas de Santiago de Prado, en primero día del mes de Abril de mil seiscientos ochenta y siete años, el Señor Beneficiado Juan Ortiz Montejo de la Cámara, Cura Rector de la Parroquial de este dicho lugar, Juez Comisario, por el señor Licenciado Don Roque de Castro Machado, Juez Oficial Provisor, y Vicario general de la Ciudad de Cuba y su Distrito, por su Señoría muy Venerables Señores Dean y Cabildo de la Santa Iglesia Catedral De dicha Ciudad, a cuyo cargo está el gobierno temporal y espiritual de este Obispado, sede vacante, (signo ilegible) para que conste de la aparición y milagros de la SS.ma. Virgen María Madre de Dios y Señora Nuestra de la Caridad y Remedios, hizo parecer el Capitán Juan Moreno, del cuál fue recibido juramento por Dios y una cruz, que hizo según forma de derecho, prometió decir la verdad de lo que supiere y le fuere preguntado. Se le preguntó lo siguiente:

Fuéle preguntado como se llama, de donde es natural, que edad, estado y oficio tiene. Dijo: que se llama Juan Moreno, negro esclavo, natural de este dicho lugar, y que fue capitán de este dicho lugar, y que es de edad de ochenta y cinco años y casado. Y esto responde Preguntado, declare lo que sabe en razón de la aparición de Nuestra Señora de la Caridad y Remedios.

Dijo que sabe este declarante que siendo de diez años de edad fue por ranchero a la Bahía de Nipe, que es en la vanda del norte de esta Isla de Cuba, en compañía de Rodrigo de Hoyos y Juan de Hoyos, que los dos eran hermanos y indios naturales, los cuales iban a coger sal y habiendo ranchado en Cayo Francés que está en medio de dicha Bahía de Nipe para con buen tiempo ir a la salina, estando una mañana la mar en calma salieron de dicho Cayo Francés antes de salir el sol los dichos, Juan y Rodrigo de Hoyos, y este declarante. Embarcados en una canoa para la dicha salina y apartados de dicho Cayo Francés, vieron una cosa blanca sobre la espuma del agua que no distinguieron lo que podría ser, y acercándose más les pareció pájaro y ramas secas. Dijeron dichos indios, parece una Niña, y en estos discursos, llegados reconocieron y vieron la imagen de Nuestra Señora de la Virgen Santísima, con un Niño Jesús en los brazos sobre una tablita pequeña, y en dicha tablita unas letras grandes las cuales leyó dicho Rodrigo de Hoyos y decían: «Yo Soy la Virgen de la Caridad», y siendo sus vestiduras de ropaje se admiraron que no estaban mojadas. Y en esto llenos de gozo y alegría, cogiendo solo tres tercios de sal se vinieron para el Hato de Barajagua donde estaba Miguel Galán, Mayoral de dicho Hato y le dijeron lo que pasaba, de haber hallado a Nuestra Señora de la Caridad. Y el dicho Mayoral muy contento y sin dilación envió luego a Antonio Angola con la noticia de dicha Señora al Capitán Don Francisco Sánchez de Moya, que administraba las minas de dicho Lugar, para que dispusiese lo que había de hacer, y mientras llegaba la noticia pusieron en la casa de vivienda de dicho Hato un altar de tablas, y en él a la Virgen Santísima, con luz encendida, y con la referida noticia, el dicho Capitán, Don Francisco Sánchez de Moya, envió orden al dicho Mayoral Miguel Galán que viese una casa en dicho hato, y que allí pusiese la Imagen de Nuestra Señora de la Caridad, y que siempre la tuviese con luz.

Y para ello le envió una lámpara de cobre y se hizo la casa cubierta de guano cercada de tablas de palma. Y puesta en su altar esta Divina Señora dicho indio Rodrigo de Hoyos cuidaba de encender la lámpara, yendo de noche a reformar dicha lámpara, no hallaba a esta Divina Señora en su altar, y dando voces dicho Rodrigo de Hoyos al Mayoral y demás personas que venían, hasta veintiuna las personas que estaban en dicho Hato de Barajagua, les decía que la Virgen Santísima no estaba en su altar. Y haciendo todas las diligencias no la hallaban en su casa. Y al otro día por la mañana, volviendo a la casa, la hallaron en su altar, los vestidos mojados. Y esto se vió por dos veces, de cuyos milagros el Mayoral Miguel Galán dio aviso al Capitán Don Francisco Sánchez de Moya, el cual, luego que tuvo la noticia, dispuso que fuese al dicho Hato de Barajagua el Padre Bonilla, religioso de San Francisco, y no se acuerda de su nombre, solo sabe y se acuerda que estaba administrando el curato de este Lugar de las Minas del Cobre, y con toda prevención de cera le despachó acompañado de toda la Infantería del Real de estas minas y mucha gente de su población para que trajese a la Virgen Santísima, como lo hizo, en unas andas en procesión y la pusieron en un altar en la Iglesia Parroquial de este lugar, donde tenían a esta Divina Señora de la Caridad mientras le hacían una hermita, y deseando fuese en parte de su santísimo agrado le encomendaron al Espíritu Santo. Y para ello le hicieron una fiesta de Misa cantada y sermón, y discurriendo hacer Santa Hermita encima de una loma que llaman la cantera se vieron tres luces arriba del cerro de la mina en derecho de la fuente. Y dichas luces se aparecieron y vieron por tres noches continuas con admiración de todos, y luego se desaparecían. Y por este milagro eligieron el Lugar donde se veían las luces para la hermita y Santa Casa de esta Divina Señora de la Caridad que hoy está en dicho cerro haciendo muchos milagros con los devotos que la llaman, y muchos frecuentan esta Santa Casa, viniendo a novenas de la Ciudad de Cuba, dista cinco leguas poco más o menos, y de la villa de San Salvador del Bayamo, que dista más de treinta leguas. Preguntando, diga los milagros que han llegado a su noticia de los muchos que esta Divina Señora de la Caridad ha hecho con los que invocan su Divino favor desde que tiene su Santa Casa en el dicho cerro de la Mina hasta el presente. Dijo que son muchos los milagros que ha hecho y hace cada día esta Divina Señora, que hoy está en su Santa Casa como dos cuadras más al Oeste de donde se hizo la primera Casa sobre dicho cerro de la Mina, la cuál se retiró por estar el terreno más capaz, porque en el de la primera Casa estaba muy inmediato a la mina y arriesgado. Como se vio estando el hermano de Mathias de Olivera, servía a la Virgen Santísima de la Caridad, arrimado a una cerca de palos que guarnecía la parte de la Mina a librar del peligro a los que viniesen a la primera Casa, despidió la cerca la cerca y cayó nuestro hermano Mathías de Olivera en dicha mina que es profunda, y como se ve con el riesgo de que si alguno cae parece imposible escapar con la vida, y al caer estaba una mata de magüey en aquella parte de la mina ya/ las voces que daba acudió la gente del Lugar y le vieron asido de una penca de magüey de la dicha mata, Y estaba llamando Virgen Santísima de la Caridad, y le sacaron echándole unas sogas de que se agarró y solo por la providencia de esta Divina Señora pudo mantenerse en dicha penca de Magüey, siendo tan pequeña, y dicho Mathías de Olivera hombre corpulento, el cual, dando muchas gracias a Nuestra Señora de la Caridad decía que así que se despidió la cerca llamo a esta divina Señora, y se halló en el aire mantenido en dicha penca de magüey. Y supo por haberlo oído decir ha dicho hermano Mathías de Olivera y a otras muchas personas, que habiendo faltado la manteca para la lámpara, que solo había la que estaba en dicha lámpara, que era muy poca, yendo dicho hermano a reconocer dicha lámpara, la halló llena de aceite, y se vió que duró dicho aceite dos días continuos hasta que vino manteca que se estaba aguardando de fuera del lugar, y oyó decir por muy cierto y notorio en este Lugar, que por dos veces halló el hermano Matías de Olivera a esta Divina Señora de la Caridad no estar en su altar y cuando venía la hallaba todos los vestidos mojados, y oían los que estaban en el trabajo de la Mina que dicho hermano decía: ¿ De donde venís Señora? ¿Cómo me dejas aquí solo? ¿ Por qué ensuciáis los vestidos si sabéis que no tenéis otros ni dineros con que comprarlos? ¿ Cómo los traes mojados, deadonde venís mojada? Y que esto fue tan patente que se repartieron los vestidos en reliquia. Y en una ocasión fue tan grande la seca que hubo, que se secó el río que pasa por medio de este lugar, y la fuente que nunca se seca se secó aquella vez y pasaron mucho trabajo, yendo más de tres cuartos de legua a buscar el agua. Se dispuso hacer una rogativa a la Madre de Dios de la Caridad bajándola de su Santa Casa a la Iglesia Parroquial de este lugar y sacando a esta Divina Señora de su Santa Casa, que habría andado como dos leguas se levantó un gran viento y comenzó a llover tanto que volvieron a la Santa Casa y Pusieron en su altar a la Virgen SS.ma., y en un instante creció el río y cesó la seca. Siendo los milagros que esta Divina Señora hace muchos, siendo la manteca de su lámpara general remedio para todas las dolencias. Y que por muerte del hermano Mathías de Olivera, de allía/algunos días entró el hermano Melchor de los Remedios, el cuál invocaba a la Virgen SS.ma. Señora Nuestra de la Caridad y Remedios, y así le llamarían todos en todas sus necesidades y en su Santísimo Rosario que le rezan todas las tardes a coros en su Santa Casa, le invocan Virgen SS.ma. María Madre de Dios y Señora de la Caridad y Remedios. Todo lo cual es la verdad, y así lo afirma como cristiano. Leyendosele de verbo ad verbun esta su declaración dijo estar bien escrita y se ratificó. No firmó porque dijo no saber escribir. Fírmalo su Merced de que doy fe. El Beneficiado Juan Ortiz Montejo de la Cámara. Ante mí: Antonio González de Villarroel. Notario Mayor Público.

DECLARACIÓN DE AGUSTÍN QUIALA, NEGRO
ESCLAVO DE LAS MINAS DEL COBRE, DE 60 AÑOS.

En el Lugar de las minas de Santiago del Prado, en dos días del mes de Abril de mil seiscientos ochenta y siete años, dicho Señor Beneficiado Juan Ortiz Montejo de la Cámara, Juez Comisionario, hizo parecer a Agustín Quiala, de quién se recibió juramento por Dios y por una cruz que hizo según forma de derecho, prometió decir verdad de lo que supiere y le fuere preguntado. Preguntósele lo siguiente: Fuéle preguntado como se llama, de donde es natural, que edad y oficio tiene. Dijo que se llama Agustín Quiala, negro esclavo y natural de este dicho Lugar de las minas del Cobre, y que es de edad de más de sesenta años. Preguntado, declare lo que sabe en razón de la aparición y milagros de la Virgen Santísima de la caridad y Remedios. Dijo que ha oído decir a los viejos en este lugar como la Virgen Santísima fue aparecida en la Bahía de Nipe y que la trajeron a Barajagua, y de allí a este lugar. Y que el Capitán Juan Moreno, negro esclavo de las minas de este lugar, fue quien halló a esta Divina Señora en compañía de dos indios, siendo de edad de diez años poco más o menos, y ha oído decir generalmente hace muchos milagros con los devotos que la invocan y vienen muchos a visitar a esta Divina Señora y vido el que S.M. fue servido hacer libranza de la muerte a Domingo, negro criollo esclavo de estas minas, hijo legítimo de este declarante. Y fue que estando dicho negro Domingo sirviendo al hermano Melchor de los Remedios, que dicho Hermano servía a laVirgen SS.ma. de la Caridad y Remedios, cuidando de su lámpara y demás asistencias, envió el Hermano al negro Domingo a buscar dos reales de casabe a este lugar, y en el yendo, un carro cargado con quince quintales de metal, el negro Domingo traveseando como niño con otros de su edad, se subió en el carro y saltando en él cayó por la parte de la rueda. Invocando a la Virgen Santísima de la Caridad el remedio, y pasándole la rueda por las quijadas y la cabeza, echando sangre por boca, narices y oídos, y ya por difunto, llevándole a la casa de este declarante como su padre, estuvo tres días sin mascar cosa alguna, sustentándole con bebidas. Y cuando se encontró, tendría molidas las quijadas y la cabeza, solo le quedó chata la cabeza como a modo de aprensada, que hoy vive y esta patente el milagro de esta Divina Señora. Lo ha oído decir por el notorio a muchas personas, en el tiempo que sería en la Santa Casa el Hermano Mathías de Olivera, que por dos veces oyó no estar en su altar la Virgen Santísima de la Caridad y Remedios y que cuando la hallaba tenía los vestidos mojados. Y que los negros que estaban en el trabajo de la mina, oían al Hermano que decía: ¿De donde venís, Señora? ¿Cómo me dejáis aquí solo y ensuciáis los vestidos si sabéis que no tenéis otros ni dinero con que comprarlos? ¿de donde venís mojada? Y que esto fue patente y se repartieron reliquias de los vestidos, y sabe por notorio que faltando manteca para la luz de la lámpara de esta Divina Señora y que solo había un poco en la lámpara, yendo el Hermano Mathías de Olivera a reconocer la lámpara, halló que estaba llena de aceite cuando antes era manteca, y duró dos días continuos, que fue el tiempo en que llegó la manteca que se guardaba de fuera de este lugar. Por dos veces que se secó el río, haciendo rogativas a esta Divina Señora, luego llovía tanto que crecía el río en un instante, y la una vez de la seca fue en tiempo del Hermano Melchor de los Remedios, que servía en la Santa Casa de esta Divina Señora. Y sabe y oyó en este lugar el milagro que esta divina Señora hizo habrá tiempo de cuarenta años con Rodrigo Nuñez de Colón, pardo, vecino de la ciudad de Santiago de Cuba. Que estando el dicho Rodrigo Núñez monteando donde llaman camino de Garzón, a siete leguas de este lugar del Cobre, se perdió en el monte donde estuvo perdido tiempo de cinco días, y hallándose muy afligido sin esperanza de salir a poblado y muy desflaquecido por estar todo este tiempo sin tener que comer, invocó el nombre santísimo de esta Divina Señora de la Caridad y Remedios, y que al instante vió una mujer pequeña que se puso a su lado y andando a poco trecho de camino por el monte, se halló en el Hato de Barajagua, habiendo antes rodeado por donde llaman Bucuey, todo camino de más de dieciocho leguas de Garzón a Barajagua, y ser por lo que rodeó por Bucuey, más de treinta leguas las que anduvo. Y dijo Rodrigo Núñez que así que llegó a Barajagua se le desapareció la señora. Y en el dicho Hato de Barajagua se hallaba gente, la cual cogió a dicho Rodrigo Núñez y le tuvieron preso por reconocerle con la flaqueza desvanecido el juicio. Y que luego volvió en sí refirió su pérdida en el monte y el milagro de la Virgen Santísima de la Caridad y Remedios, y sabe y ha visto que muchos vecinos de la Ciudad de Santiago de Cuba y de la villa de San Salvador del Bayamo vienen de Romería a la Santa Casa de esta Divina Señora de novenas en hacimiento de gracias de haberle invocado en sus enfermedades y sanándole untándose con la manteca de su lámpara, y que es el único remedio de todos los que le llaman. Y leídosele esta declaración, de verbo ad verbum, dijo estar bien escrita y ser verdad notoria lo en ella declarado, y no firmó porque dijo no saber. Fírmalo su Merced de que doy fe. El Beneficiado Juan Ortiz Montejo de la

Cámara. Ante mí, Antonio González de Villarroel, Notario Mayor Público.

DECLARACIÓN DEL CAPITÁN JUAN DE SANTIAGO DE COLÓN, PARDO, NATURAL DEL COBRE, DE CINCUENTA Y CINCO AÑOS

En el lugar de las minas de Santiago del Prado, en tres días del mes de Abril de mil seiscientos ochenta y siete años. Su Merced del señor Beneficiado Juan Ortiz Montejo de la Cámara, Juez comisionado, hizo parecer a Juan de Santiago, Capitán condefensorio de los esclavos de estas minas y natural de ellas, el cuál, Habiéndosele recibido juramento que hizo por Dios y una cruz que hizo según forma de derecho y prometido decir verdad de lo que supiere y le fuere preguntado, se le hicieron las preguntas siguientes: Fuéle preguntado como se llama, de donde es natural, que edad y oficio tiene. Dijo que se llama Juan de Santiago, que es natural de estas minas y Capitán de la gente de ellas y que es de edad de cincuenta y cinco años poco más o menos. Preguntado, diga lo que sabe de la aparición y milagros de la Virgen Santísima de la Caridad y Remedios. Dijo que sabe por haberlo oído a sus antepasados y ser constante, que esta Divina Señora fue aparecida a dos indios naturales que llaman los Hoyos, y al Capitán Juan Moreno, negro esclavo de las minas de este Lugar, yendo a buscar sal a la Bahía de Nipe, donde la vieron sobre la espuma del agua, y de allí trajeron la Santísima Virgen al Hato de Barajagua, y de dicho Hato a este Lugar de las Minas donde se hizo la Santa Casa arriba del cerro dichoso de la mina que corona la fuente que está a la falda de este Lugar. Y ha visto que la manteca de su lámpara es botica universal y remedio para todas las dolencias, y con la manteca se ungen todos los enfermos y sanan, siendo la Santa Casa de esta Divina Señora visitada con mucha frecuencia de todos los más vecinos de la ciudad de Santiago de Cuba y de la Villa de San salvador del Bayamo, concurriendo el día festivo de la Natividad de Virgen Santísima mucha gente de dichos lugares, valiéndose en todas sus necesidades del patrocinio de esta Divina Señora y sirviéndose su Divina Majestad obrar muchos y maravillosos con los que invocan su santísimo nombre, y se ha visto en muchos, y este declarante vió que Manuel Viera, natural y vecino de la villa del Bayamo, hallándose falto de vista de ambos ojos, se encomendó a la Virgen Santísima de la Caridad y Remedios y vino a este Lugar y estuvo ocho días de novenas en su santuario guiándole la madre del dicho, y se ungía con la manteca de la lámpara en los dos. Y por estar muy cerca el día de la Natividad de la Divina Señora y ser mucho el concurso de gente dispuso irse a la Villa del Bayamo y todos le decían tuviese fe que esta preciosa Margarita le había de dar vista, y diciendo que sí la tenía y esperaría, que si convenía había de volver a tener vista, se fue a dicha Villa y así que llegó a ella se le restituyó la vista y hoy se halla sin impedimento alguno dando gracias a esta Divina Señora. Y así también lo experimentó Juan Fernández, vecino de la ciudad de Cuba y Maestro de carpintero, que hallándose falto de vista, tanto que aún con los anteojos no podía ver los trazos de la madera, se encomendó a esta Divina Señora de la Caridad y Remedios y vino de novenas a su Santa Casa y se dispuso a trabajar en la fábrica de su Santa casa en el año de mil seiscientos ochenta y cinco, y habiendo subido al dicho cerro que corona la población de este Lugar, que desde su falda se continuaban las casas, y habiendo hecho oración a la Virgen Santísima de la Caridad y Remedios salió de su Santa Casa y se puso a trabajar restituida la vista, y en hacimiento de gracias continuó su oficio de carpintero en toda la fábrica de la Santa Casa y hoy está en la Ciudad de Cuba trabajando por su oficio conociendo el milagro que la Virgen Santísima de la Caridad y Remedios fue servida hacer en restituirle su vista. Y ha visto que todos los navegantes vienen a visitar a esta Divina Señora en hacimiento de gracias de haberles librado de tormentas en el mar, llamándola en las tribulaciones. Y sabe y ha visto que en una grande seca que hubo en este lugar, sacando a esta divina Señora de su Santa Casa para llevarla a la Iglesia Parroquial, fue tanto lo que llovió que al instante creció el río, volviendo la Santísima Imagen de Nuestra Señora de la Caridad y Remedios a su Santa Casa sin poder bajar del dichoso cerro de su habitación mediante la mucho agua, y que esto es la verdad. Y leídosele esta su declaración dijo estar bien escrita por ser tantos los milagros que obra esta Divina Señora y ha hecho con sus devotos, que no se pueden numerar, y lo firmó con su Merced. El Beneficiado Juan Ortiz Montejo de la Cámara. Juan Santiago Vicente. Ante mí, Antonio González de Villarroel, Notario Mayor Público.

AUTO

Antonio González de Villarroel, Notario Mayor Público. En el Lugar de las Minas de Santiago del Prado, en veinte y dos días del mes de Mayo de mil setecientos ochenta y siete años, el Señor Beneficiado Juan Ortiz Montejo de la Cámara, Cura Rector de la parroquial de este dicho Lugar, Juez Comisario, vista la información desuso y auto y comisión del Señor Licenciado Dn. Roque de Castro Machado, Juez Oficial Provisor y Vicario General de la Ciudad y

Obispado de la Ciudad de Santiago de Cuba, en su cumplimiento haría e hizo remisión a su Ministro dicho Señor Provisor y Vicario General de estos asuntos para que provea y mande lo que más le fuere servido. Así lo proveyó y firmó Su Merced el Beneficiado Juan Ortiz Montejo de la Cámara. Ante mí, Antonio González de Villarroel, Notario Público.

PETICIÓN.

Francisco Vejerano, Presbítero. Mayordomo de Nuestra Señora de la Caridad de las Minas del Cobre, como mejor haya en derecho lugar, parezco ante V.M.D. y digo que el Beneficiado Juan Ortiz Montejo de la Cámara, Cura de dichas Minas, resuelvo en comisión V.M.D. información de algunos milagros que Nuestro Señor ha obrado por la intercesión de la Ssma. Imagen de Nuestra Señora de la Caridad, y para mayor honra y gloria de Dios, fervor y consuelo de sus devotos, pretendo que tan repetidos milagros no se queden al oído, sino que se den a la imprenta en la parte donde hubiere lugar, por lo cual A.V.M. pido y suplico que con vista de dichas informaciones y demás frutos se sirva de conocer licencia para que se puedan imprimir, y será justicia que pido (signo ilegible) Francisco Vejerano.

DECRETO

Por presentada con las informaciones que esta parte refiere que vistas por su Merced dijo que haría e hizo remisión.

DECLARACIÓN DE PEDRO SUAREZ DE ALCANTARA, NATURAL DE LA CIUDAD DE SANTIAGO DE CUBA, DE EDAD DE 40 AÑOS

En el Lugar de las minas de Santiago del Prado, en cinco días del mes de Abril de mil seiscientos ochenta y siete años, ante este Ministro del Señor Beneficiado Juan Ortiz Montejo de la Cámara, Juez Comisionario, apreció Pedro Suárez de Alcántara, del cual fué recibido juramento por Dios y una Cruz que hizo cumplidamente, prometió decir verdad en lo que supiere y le fuere preguntado, en cuya virtud se le hicieron las preguntas siguientes:

Fuéle preguntado como se llama, de donde es natural, que edad y ejercicio tiene. Dijo que se llama Pedro Suárez de Alcántara, vecino y natural de la Ciudad de Santiago de Cuba, y que es de edad de 40 años poco más o menos y que se ejercita en la administración de un ingenio de moler azúcar que tiene distante de este lugar poco menos de un cuarto de legua. Preguntado, declare que sabe en razón de la aparición y milagros de Nuestra Señora de la Caridad y Remedios, que está en su Santa Casa, que corona el dichoso cerro de la Mina, que empieza su subida desde las últimas casas de este lugar. Dijo que ha tenido noticia desde que tiene uso de razón, como la Virgen Santísima de la Caridad y Remedios se le apareció sobre la espuma del agua en la Bahía de Nipe a unos indios que nombraban Rodrigo y Juan de Hoyos, que eran hermanos, y que llevaban al capitán Juan Moreno, siendo de pequeña edad, y la trajeron la Santísima Imagen al Hato Barajagua, y de allí a este lugar donde está en su Santa Casa arriba del cerro dichoso de la Mina, haciendo muchos milagros con todos los que llaman a esta divina Señora de la Caridad y Remedios en sus enfermedades y necesidades, y ha comunicado a muchas personas vecinas de la ciudad de Santiago de Cuba, y de la Villa del Bayamo, las cuales le han dicho que sintiéndose agravadas de achaques y ya sin esperanza de remedios humanos y despedidos los médicos que la asistían, por no hallarse medicinas que alcanzasen a su alivio, se han acogido al sagrado amparo de la Virgen Santísima de la Caridad y Remedios invocando su Santísimo Nombre, y han alcanzado en un instante salud, y han venido a visitar su Santa Casa donde frecuentan su devoción. Y se vido este declarante favorecido de esta Divina Señora en una ocasión y fue que estando moliendo en dicho ingenio, se halló cortando caña el negro Pablo Congo, esclavo de este declarante, y jugando con otro negro se le salieron las tripas a Pablo Congo, que era quebrado, lo cuál sucedió el sábado y lo ocultó hasta el lunes, que lo supo este declarante por haberlo echado menos en el trabajo, y reconocido la necesidad, se fue este declarante a la ciudad de Santiago de Cuba, que dista de su ingenio cinco leguas poco menos, y trajo a Joseph Senues, cirujano, con toda la prevención necesaria para meterle las tripas, y llegado a su ingenio, ido el cirujano que tenía todas las tripas de fuera el Pablo Congo, al cuál lo colgaron de los pies, y habiendo pasado mucho tiempo y que con las unturas que le hacían y conocimientos y emplastos que le ponían no le podían meter las tripas, a los cinco días del suceso le dijo el cirujano que no tenía remedio humano, con lo cuál despidió al cirujano, el cuál dijo que le dispusieran para morir dándole los Santos Sacramentos, y así vino a avisar a Su Merced el Señor Juez Comisario del caso, como Cura de este lugar, y su ministro fue y le dio los Santos Sacramentos, y ya oelado le velarían, y como a las siete de la noche este declarante se vino a la Santa Casa de la Virgen Santísima de la Caridad y Remedios, y llamado al Hermano Melchor de los Remedios, salió y le dijo que buscaba. Aquel le respondió: Hermano, pidamos a la Virgen Santísima se sirva alcanzar con su precioso Hijo le dé vida al negro Pablo Congo, que está muriendo, y entrando en Santa Casa descubrieron la Divina Señora de la Caridad y Remedios encendidas luces y envió (ilegible) haciendo oración y después le dio dicho Hermano Melchor de los Remedios un poco de manteca de la lámpara diciéndole a este declarante untase al negro con la manteca y que supiese que no lo había de curar con otra cosa, con lo cuál se despidió. Y llegó a su ingenio y hizo untar con la manteca al negro Pablo Congo, que ya estaba casi difunto, y al instante le empezaron a sonar las tripas y se le metieron en su lugar, y solo aguardaba que amaneciera para volviera la Santa Casa, como lo hizo luego que amaneció trayendo consigo al negro y estuvo ocho días de novenas en hacimiento de gracias. Y le mandó hacer una plancha y ponérsela por braguero antes que saliera de sus novenas, lo cuál habrá tiempo de seis años, y hasta el presente no le ha sobrevenido ningún accidente y sigue trabajando como si no tuviera lesión ninguna de quebradura. Y es que este declarante, en cualquiera enfermedad que le viene, consagrando su corazón a esta Divina Señora, viene a su Santa Casa y se unge con la manteca de su lámpara y se halla mejorado. Siendo la manteca de la lámpara medicina para todos los achaques. Y así se valen de ella todos los vecinos de dicho lugar y de la Ciudad de Cuba y Villa del Bayamo, dándole muchas gracias a la Virgen Santísima de la Caridad y Remedios por haber puesto la piscina para todas las dolencias en estas Minas y dichoso cerro que tiene el celestial tesoro de esta Divina Señora. Leídose ésta su declaración, dijo estar bien escrita y que en ella se afirma y notifica. Y la firmó con su Merced el Beneficiado Juan Ortiz Montejo de la Cámara, Pedro Suárez de Alcántara. Ante mí, Antonio González de Villarroel, Notario Mayor Público.

DECLARACIÓN DEL LICENCIADO FRANCISCO VEJARANO, SACRISTÁN MAYOR DE LA CATEDRAL DE SANTIAGO DE CUBA.

En el lugar de las Minas del Prado en nueve días del mes de Abril de mil seiscientos ochenta y siete años, el señor Beneficiado Juan Ortíz Montejo de la Cámara, Cura Rector de la Parroquia de dicho Lugar, Juez Comisario, recibió juramento del Licenciado Francisco Vejarano, Sacristán Mayor de la Ciudad de Santiago de Cuba, que presente se halla en este dicho lugar a visitar devotamente la Santa Casa de Nuestra Señora de la Caridad y Remedios. Y habiendo jurado sin verbo sacerdotal, puesta la mano en el pecho según forma de derecho , en cuya virtud se leyó el Auto y Comisión del Señor Licenciado Juan Roque de Castro, Juez Oficial Provisor y

Vicario General de dicha Ciudad y partido, por S.S.a. muy Venerables Señores Deán y Cabildo de dicha Santa Iglesia Catedral a cuyo cargo está el gobierno espiritual y temporal de este Obispado, sede vacante (signo ilegible) y en su conformidad dijo que ha oído grandemente decir que nuestra Señora de la Caridad y Remedios fue aparecida en la Bahía de Nipe , que es la Costa del Norte de esta Isla de Cuba, y la trajeron al Hato de Barajagua, y de dicho Hato a este Lugar de las Minas del Cobre, siendo administrador el Capitán Don Francisco Sánchez de Moya. Y hoy está esta Divina Señora de la Caridad y Remedios en su Santa Casa sobre el dichoso cerro de la Mina, que está enfrente de este Lugar, y debajo de él un ojo de agua que llaman la fuente. Y se tiene por notorio a todos de dicho cerro, del agrado de dicha Divina Señora por haber oído decir que en él se vieron de noche unas luces al tiempo que estaba Nuestra Señora de la Caridad y Remedios depositada en la Iglesia Parroquial de dicho Lugar, verificándose con dichas luces ser dicho cerro Lugar que elegía para su habitación, donde obra infinitos milagros conocidos, los que cordial y devotamente invocan su Santísimo Nombre y visitan su Santa Casa. Siendo numeroso el concurso de los devotos que asisten en el solemne día de su festividad, que es a ocho de septiembre, continuando todo el año la visita con novenas en hacimiento de gracias a los milagros que de la poderosa mano de esta Divina Señora reciben, siendo celestial tesoro y universal botica para todas las dolencias la manteca de su lámpara, que aplicada a cualquier achaque, todo lo sana, siendo las medicina de los devotos que la invocan y se ungen con dicha manteca su único remedio. Y así llaman a esta Divina Señora de la Caridad y Remedios los vecinos de la poblaciones de esta Isla. Y este declarante la tiene por su patrona y mediadera. Y hallándose desconsolado y afligido de una continua penosa tos, no teniendo en la ciudad de Cuba, aunque lo solicitó, remedio que atemperase el penoso achaque, tomó de acuerdo y a instancia de amigos, el mudar temperamento, y resolvió había de ser a este lugar donde está la preciosa Margarita María Santísima Señora Nuestra de la Caridad y Remedios, en cuya compañía estuvo casi dos meses, celebrando en su altar todos los días, pidiéndole la salud que fuere conveniente, y anduvo tan piadosa esta Divina Señora, que no solo mejoró de los achaques, sino que llegó aún al colmo de salud que nunca se ha visto más grueso que en dicha ocasión. Y pasados muchos años de lo referido en el año de sesenta y dos se le cerró el pecho con una continua tos, de tal suerte y le arreciaba que el hablar le ere penoso y la tos le provocaba a vómito, lanzando la comida, y en este conflicto, ya contento con perder la voz, desearía quedar aún del habla ronco, y al cabo de cuarenta días, habiendo tomado muchos lamedores y sin tener mejoría, prometió a esta Divina Señora venir a su Santa Casa para su fiesta si le aclaraba la voz. Y en medio de esta promesa, yendo en dicha ciudad de Cuba a ver un enfermo nombrado Don José de la Cueva y Aldana, el cuál nunca había comunicado, pero la Virgen Santísima cuando favorecer quiere sus devotos, toca los corazones y dispone medios para ejecutarlos. Díjole dicho caballero; parece Señor Licenciado que V.M.d. tiene cerrado el pecho, y le respondió dicho declarante: bien ve V.M.d. que el habla no puedo pronunciar según me aqueja, y entonces dicho caballero le dijo tómase unos baños de orégano en los pies, de parte de noche, y se acostase, lo cuál hizo y como llevaría la fe no tanto en el agua como en la Virgen Ssma. De la Caridad y Remedios, su patrona, a quien en cada baño se encomienda, gracias a Dios al primero sintió mejoría, sudando aquella noche una camisa, y no tosió lo cuál le era continuo, prosiguiendo los baños se continuó la mejoría, sudando por cinco noches una camisa. Y llegó a conocer se le aclaró el pecho el día de la Asunción de esta Divina Señora, y de ahí en adelante con más desahogo, así al cantar como al hablar, i vino dos días antes de su Santísima Natividad y sirviendo en la Santa Casa en su adorno y colgadura, se quedó de Novenas este día por haberlo así prometido, sintiendo tanto gozo, le pereció muy corto el día, valiéndose siempre de la manteca de la lámpara, que tiene de continuo un vaso en su casa para el alivio de todos los males, de tal suerte que llaman a dicha manteca que sirve de aceite sánalo todo. Y continuando esta Divina Señora sus grandes misericordias, hizo un patente milagro con este declarante, sábado víspera de su gloriosa Natividad, día siete de setiembre del año de mil seiscientos y setenta y cinco, y que fue que estando ronco totalmente sin poder cantar en cinco meses y medio, contados desde el día de la Anunciación a veinte y cinco de Marzo de dicho año hasta el referido día siete de Septiembre, cuya festividad se celebra en este dichoso Lugar, siendo el día de más concurso y júbilo que aquí se experimenta, vino como otros años lo ha acostumbrado a adornar la Santa Casa y a servirla, y ocurrió también en esta fiesta, Cristo vida nuestra Sacramento, por hacerlo más plausible, estando para entrar en vísperas le dijo su Merced, dicho Señor Beneficiado Juez Comisario si se quería revestir el día siguiente para cantar la Epístola, a lo cuál respondió con sentimiento que se holgara poderlo hacer, pero que no cantaba, y fueron para el coro y dicho declarante con su breviario para encomendar las antífonas, como en seis años lo había hecho, y cantando el segundo salmo, fue a procurar si algún tanto podía, y pareciéndole novedad la voz que iba soltando, se quedó fuera de sí, y suspendidos los sentidos, más viendo que eran secretos de la Virgen Santísima de la Caridad y Remedios, prosiguió con admiración de todos los circunstantes, que era mucho el concurso y los más de la Ciudad de Cuba, que no ignoraban la suspención de voz que tenía, y acabadas las vísperas dijo a Su Merced dicho Señor Beneficiado, Juez Comisario, se revestiría pues era voluntad de esta Divina Señora. ¿Quién, pues, con maravilla tan patente no se llega, si quejado se ve de algún conflicto o achaque a este lugar pequeño del Cobre, en donde está la divina piscina, remedio para todos los males, en el pináculo del cerro mineral tan rico que quien en él se hospeda nada le falta y todo le sobra? Como así lo experimentan todos y lo vio María Ruiz, mujer de Joseph Lazo de la Vega, vecinos naturales de la Ciudad de Santiago de Cuba, la cuál comunicando con este declarante sobre los milagros de esta Divina Señora, le dijo a María Ruiz que con todo fervor se encomendó a esta Divina Señora de la Caridad y Remedios, hallándose aquejada de un dolor vehemente en una pierna que le continuó ocho meses con recias calenturas, sobreviniéndole un corrimiento que bajándole de la cabeza hizo demora en el paladar de la boca formándosele una llaga feroz que le impedía del alimento corporal, certificándole que en catorce días no pudo pasar bocado, que parece milagrosamente sólo pudo sustentarse, conservando la vida, y hallándose destituida de humanos remedios, le oyó decir a una tía suya nombrada Doña Theresa, mujer del Capitán Gaspar Ortiz, que había estado tullida, y que vino de romería a la Santa Casa de esta Divina Señora de la Caridad y Remedios. Y que habiendo subido a la novena, bajó sin muletas cuando no podía andar sin ellas antes, evidente indicio del milagro, y que movida de estas razones, que ya no esperaba otro remedio, ni se lo haría, esperando un día tras otro algún tanto mejoría para poder ponerse en camino, y viendo que antes se iba hallando peor y más postrada, resolvióse a tratar de su viaje. Y para ello, pidiéndole licencia a su esposo, no se la quiso dar, porque antes le parecía temeridad el dársela, que no caridad, reconociendo lo imposibilitado del sujeto, y viendo perseveraba con su petición por no concedérsela antes, se ausentó de la Ciudad esta devota ansiosa de salud, y porque ya aquel tenía por último remedio. Contentándose con que le enterrasen en esta Santa Casa, mandó alquilar una cabalgadura y un peón que la acompañase. Al día siguiente vino dicho peón a las tres de la mañana con la cabalgadura y tocándole a la puerta le afirmó que fue a tiempo que estaba sudando la calentura, y fervorosa llamó una criada para que le mudase la camisa, que tan valdada estaba que esto hacer no podía, y después de mudada se embozó lo mejor que pudo y arrastrándose salió afuera, que hacía mucho frío y ventaba el viento y ser en tiempo de Navidad, y subiéndola en la cabalgadura con mucha dificultad, paso a paso dió principio a su jornada, porque si apresuraba el doler le afligía, que la obligaba a quejarse a gritos, y con esta pausa llegó a la una del día a este lugar del Cobre, y con todo gozo se mandó bajar en las primeras casas y dándole de un pollo bien aderezado para desayunarse, no lo pudo pasar, y de un guisado de carne tomó un poco de caldo, y alentándose con un bordón en una mano y con la otra mano asida a la criada, empezó a caminar con lástima de los que le veían tan desfigurada. Y pasando por las puertas del Beneficiado Pedro Zerquera, Cura en la ocasión de este Lugar, le salió al encuentro dicho Cura y haciéndola entrar en su casa le dijo donde iba de aquella manera con un día tan ventoso y frío y le respondió iba a la Casa de la Virgen Santísima de la Caridad y Remedios, buscándolo para tantos males como le aquejaban, y mandándole aliñar dos huevos, no los quiso aceptar, y rogándole tomase un trago de vino, aunque le respondió le haría daño a la reuma, le instó y le obligó a que bebiese un poco, y convidándole el cura con una cabalgadura para lo penoso de la cuesta del cerro, porque aún para los sanos molesta, no lo aceptó diciendo a pié había de subir si la Virgen Santísima la favorecía.

Y llegado a las puertas de la Santa Casa y en ellas impedida de poder entrar, por ser alto el umbral, afligida y congojosa, humilde a esta Señora licencia pedía diciéndole lamentosa que haya yo llegado a vuestras puertas y que no tengo de conseguir entrar en vuestro cielo? Y echando mano a la reja dijo a la criada la suspendiese las piernas, y con esta diligencia se halló dentro y que con lágrimas, arrodillada ante Nuestra Señora de la Caridad y Remedios, contempló en su Divino Rostro y pareciéndole lo tenía inclinado, dijo entre sí estaba mal pintada, y a este pensamiento le respondió el devoto ermitaño Melchor de Remedios, que en oración estaba, y le dijo: mal tiempo ha venido hermana, porque esta Señora esta enojada, y continuando en su fervorosa oración hasta la noche, al salir para ir al dormitorio, halló más fácil la salida de las puertas, y así que amaneció se fue a la Santa Casa con diferentes alientos que antes, y puesta en oración atendiendo a la devota Imagen de esta Señora, vídola ya diferente con el rostro muy alegre, que le pareció tenía ya conseguida de su salud la petición, en tiempo que llegó el devoto ermitaño, y le dijo: Hermana, tenga ánimo, que ya está de gracias y para hacer milagros, y de allí en adelante fue la mejoría a soplos, y que siempre continuaba esta devota el aceite de la lámpara untándoselo ene le paladar, donde mejoró la llaga, dejándole las calenturas y demás males, de suerte que cuando bajó de la Santa Casa, los que le habían visto subir se maravillaron dando a Dios gracias en ver milagro tan potente. Y así mismo lo fue el que esta Divina Señora de la Caridad y Remedios hizo con el Beneficiado Alonso Telles, Presbítero, que viéndose desahuciado de la vida y de la salud desesperado, y solo la muerte como a fin de tantos males esperaba animoso, tan uniforme con la voluntad de Dios, que sus continuas razones eran: Señor, Hágase tu voluntad y no la mía, derramando lágrimas tantas que, tiernos los que la veían, se consolaban en ver tal unión y constancia. Fue de su achaque el origen unas lomas que en las piernas le salieron, las cuales en llagas convertidas le cubrieron de las rodillas a los pies, tan penosas que ya pasadas de catorce meses, al cabo de muchas curas y pagado diversos cirujanos, siempre estaban más pertinaces, y si, cerraba una, se abría otra, que siempre iba peor. A tantos males recreció una grande calentura que le duró cerca de un mes, tan vehemente, que postrado no era dueño de sus acciones, en tanto grado, que para darle alguna sustancia era necesario que una persona le levantara la cabeza y otra le aplicase la sustancia, hablando ya muy poco, tropezando en la pronunciación, sustentándole ocho días con leche de mujer por no poder pasar otra cosa.

Dispuesto ya su testamento y recibido los Sacramentos, fuese dilatando de todos la universal parca, y a instancia de los médicos que le asistían se dispuso volviese otra vez a recibir el Viático y juntamente la Extremaunción. Ya todo dispuesto para el siguiente día, viendo un devoto que ya el achaque no tenía remedio según al parecer de todos, y que de ninguno que le vido dio esperanzas de vida, prevenido pan, vino y cera porque lo más que se esperaba de vida era el siguiente día, y hecho el ataúd y prevenida la casulla que le había de servir de mortaja, y en casa todo lo demás que necesitaba su entierro, contemplando el devoto en este cuerpo casi cadáver, invocó de la Caridad el remedio, y tomando un vidrio que continuo tiene de aceite de la lámpara de aquesta Señora un poco fue a la morada del dicho Beneficiado, y llamando a sus criados y sobrinas que en su compañía estaban, Isidora Thelles, mujer de Thomas de Bravo y Ana María, su hermana, y trayendo unas brasas, este devoto le dijo se encomendase a Nuestra Señora de la Caridad y que le prometiese alguna limosna y que tuviese fe con el aceite que le ungiesen había de sanar, hízole frotación en brazos, espalda y pechos. Y esperando de aqueste último remedio mejoraría, confiados todos en esta Divina Señora se la había de conceder, fue tan poderosa esta medicina que a las cuatro de la tarde se había mitigado el causón, cosa que en veinte días no había reconocídosele tal mejoría. Todos los que le veían tan mejor decían ser la mejoría de la muerte, porque tan de golpe mejorar, y hallarle ya tan diferente habla y semblanza, evidentes señales de moribundos, pero al contrario, se vió que como se habían valido del patrocinio de la Santísima Virgen de la Caridad y Remedios fue siempre continuando la mejoría, con buenas ganas de comer y beber y solo le quedó estar de las llagas, que parece a ellas no se atendió cuando se pedía a esta Divina Señora el remedio, sino solo se enderezó la petición a la concesión de vida, llevando estos regalos como de la Divina mano de Dios Nuestro Señor, dándole por ello infinitas gracias y a su Santísima Madre de la Caridad y Remedios. Y deseándolo, el Doctor Don Thomas de Fonseca y Arce, a tan gran mal como el de unos escrúpulos que le afligían el alma, se acogió al sagrado de esta Divina Señora frecuentando su Santa Casa y en ella ofreciéndole continuos sacrificios y repetidas oraciones, pidiéndole remedio de sus males, que achaques espirituales sólo Espíritu Divino es perfecto médico de ellos, fue oída su petición y concedido su ruego. Tan consolado quedó aqueste devoto con la nueva mudanza de espíritu, que no sabe como mostrarse afecto a esta Divina Señora de la Caridad y Remedios, pues cuantos la invocan y desean ungirse con el aceite de su lámpara, la fe sola les basta para quedar sanos. Como lo experimentó Doña Leonor Méndez, mujer de Don Sebastián de Proenza, naturales de Jamaica, y vecinos de presente de la Ciudad de Santiago de Cuba, que hallándose esta dicha Doña Leonor Méndez en una cama padeciendo de un copioso flujo de sangre con mucha flaqueza que ya no podía comer, y asistida de dos médicos que ya no hallaban en la botica remedios que aplicarle, dispusieron que al siguiente día recibiese los Santos Sacramentos. Fervorosa mandó llamar a Diego Suárez, natural de Jamaica, y con tiernas lágrimas le suplicó viniese a la casa de esta Divina Señora y pidiese al Hermano Melchor de los Remedios un poco de aceite de la lámpara y le pidiese por Dios le encomendase a esta Divina Señora, y que le rezase cinco Ave Marías con cinco Pater Noster, que era la devoción que esta devota tenía todos los días a esta Señora en hacimiento de gracias de haberle quitado unas calenturas en otra ocasión que de Romería había ido a su casa. Hizo lo que le pidió Diego Suárez, llegando a su Santa Casa de la Virgen Santísima de la Caridad y Remedios entre la una y las dos, diciéndole al Hermano a lo que iba, suplicándole hiciese oración a esta Divina Señora; y hallándose enferma congojosa, como a las once del día pidió la calzasen y pusiesen la saya y la llevasen a una silla. No se atrevían a moverla los que la asistían porque tenían en las manos, no fuese con el movimiento a expirar, y a su instancia la levantaron y llevaron a la silla dejando tinto el suelo por la parte que pasó, y en la silla sentada, cerca de la una del día sintióse que había gran rato que no echaba sangre y pidió de comer, y comió . Dióle sueño y mandó le llevasen a la cama, y abiertas puertas y ventanas se quedó dormida casi tres horas, lo cuál en toda su enfermedad no había podido conseguir. Recordó dando gracias a esta Divina Señora atribuyéndole la mejoría de su achaque, y ansiosa deseaba que llegase el aceite de la lámpara. Llegó en fin y examinando al que le trajo le dijo ser aquella la hora en se había llegado a la Santa Casa en que se había (llegado-tachado en el manuscrito-) experimentado la mejoría, y devotamente repitió las gracias a la madre de Dios Virgen Santísima de la Caridad y Remedios por el manifiesto milagro que había hecho, pues antes de tocarle con el aceite, solo con la mucha fe que envió a buscarle, tomándole de la lámpara, obro lo que esperaba, ungiéndose con el, favoreciendo esta Divina Señora a los que de corazón le llaman. Afligida se hallaba Ana de salinas, natural de la Isla de Jamaica padeciendo un flujo de sangre que la tenía postrada en una cama, y sin fuerzas, tan desfigurada que desesperaba de remedios humanos, y acudiendo a esta Divina Señora imploró su gracia humildemente, pidiéndole se sirviese de darle salud, aunque indigna pecadora, que le prometía ir de Romería a su Santa Casa. Fue oída su petición y despachado su ruego, suspendiéndosele aquella influencia de sangre del todo, en tanto grado, que pasó un año sin venirle su regla y haciendo remedios para esto, no prestaron hasta que determinándose se previno para ir a cumplir su promesa, en cuya ocasión le vino su regla con tanta abundancia que no le descubrió a su madre porque no le impidiese su deseo y anhelo que tenía y se puso en camino, y llegando a la Santa Casa de esta Divina Señora, le dio gracias, y le afirmó a este declarante este milagro y que se halla con salud sin falta de su regla, y en este estado, leídosele de verbo ad verbum esta su declaración dijo estar bien escrita y ser la verdad, y haber pasado lo en ella dicho, y le consta a este devoto de otros muchos milagros que ha oído a devotos de esta Divina Señora les ha favorecido obrando su santísima Caridad con ellos, sanándoles de llagas, calenturas, dolores de cabeza y otros diversos achaques, y tiene por cierto era necesario mucho tiempo para decir y escribir de esta Divina Señora de la Caridad y Remedios los muchos prodigios y milagros que hace en aquel encumbrado y dichoso cerro que se ve coronado de esta devota y milagrosa Imagen, donde obsequisos sus devotos frecuentan su Santa Casa, de donde con tan divina presencia salen encendidos en toda devoción y con sentimientos de apartarse de este cielo. Con lo cuál lo firmo con su Merced de que doy fe.(Francisco Vejarano —tachado en el manuscrito—) El Beneficiado Juan Ortiz Montejo de la Cámara. Francisco Vejarano. Ante mí Antonio González de Villarroel, Notario Mayor Público.

DECLARACIÓN DE GERMÁN PHELIPE, NEGRO CRIOLLO, ESCLAVO DE LAS MINAS, DE VEITE Y SEIS AÑOS.

En el lugar de las Minas de Santiago del Prado en doce días del mes de Abril de mil seiscientos ochenta y siete años, el Señor Beneficiado Juan Ortiz Montejo de la Cámara, Cura Rector de la Parroquial de este (firma ilegible) dicho Lugar, Juez Comisario, hizo parecer a Germán Phelipe, negro criollo, esclavo de las Minas de este Lugar, del cuál se recibió juramento por Dios y la Cruz que hizo según forma de derecho, y que prometió decir verdad, en cuya virtud se le hicieron las preguntas siguientes. Fuéle preguntado como se llama, que edad y oficio tiene. Dijo que se llama Germán Phelipe, que es natural y esclavo de estas Minas y que su oficio es montear buscando caza en los montes para sustentarse, y que es de edad de veinte años poco más o menos. Y esto responde. Preguntado, diga y declare lo que sabe y ha llegado a su noticia de la aparición y milagros de la Virgen Santísima de la Caridad y Remedios que está en el cerro de la Mina de este Lugar. Dijo que sabe por haberlo oído decir a sus antepasados y ser notorio, que la Virgen Santísima de la Caridad y Remedios se apareció en la Bahía de Nipe a dos indios natural, nombrados los Hoyos y al capitán Juan Moreno, negro esclavo de estas Minas, siendo dicho Juan Moreno de pequeña edad. Y que trajeron a la Virgen Santísima al Hato de Barajagua y de allí a este Lugar, y que le hicieron su Santa Casa arriba de la Mina, y ha oído decir generalmente que en dicho cerro de la Mina se vieron tres luces estando la Virgen Santísima en la Iglesia Parroquial de este Lugar, y que tuvieron por cierto ser servida esta Divina Señora de que se le hiciese la Santa Casa en dicho cerro, donde hace muchos milagros con todos los le llaman a su Divina Majestad con devoción, y de ordinario está la Santa Casa asistida de hombres y mujeres en novenas que le ofrecen en hacimiento de gracias de su Santísima Caridad en el remedio de sus enfermedades, y todos se valen de la manteca de su lámpara ungiéndose con ella y sanan todas las dolencias. Y hallándose este declarante cazando en el monte, siguiendo los perros un berraco, al pasar un charco hondo de un río vido que un caimán hizo presa de una perra que era la mejor de su montería, y se la llevó al fondo, y viéndose afligido invocó ala Virgen Santísima de la Caridad y Remedios, diciendo: Virgen Santísima de la Caridad y Remedios; Libradme mi perra que es mi remedio para el sustento, y os ofrezco una misa, al cabo de un rato vió salir su perra el río arriba sana y sin lesión alguna, y estuvo dando muchas gracias a la Virgen Santísima. y estando en este lugar, subido el declarante encima de una palma real que estaba junto a la Iglesia Parroquial de este Lugar para desmocharla cortándole el guano , hubo un grandísimo temblor que fue por febrero de año de setenta y ocho. Cimbraba la palma de manera parecía llegaba a besar el suelo, siendo el temblor mayor que se ha visto por los que hoy viven en esta Isla. Viéndose en tan grande peligro llamó al Virgen Santísima de la Caridad y Remedios y su Divina Majestad le libró de aquel peligro, y vió que esta Divina Señora de la Caridad y Remedios en tan grande temblor solo se movió su santísima Imagen volviendo la cara de este lugar. Y es notorio que esta Divina Señora ha hecho muchos milagros sanando a los devotos que la llaman en todas enfermedades. Leídole esta declaración dijo está bien escrita. No firmó porque dijo no saber. Firmólo Su Merced de que doy fe. El Beneficiado Juan Ortiz Montejo de la Cámara. Ante mí: Auto al Señor Dr. Don Agustín de Castro Machado, Canónigo de Magistral de esta Santa Iglesia Catedral, a quien Su Merced suplica se sirva de ver dichas informaciones y dar su parecer para con él poder pasar a las diligencias que convengan, y que éste su Auto así lo preveó, acordó y firmó Su Merced del Señor Licenciado Don Roque de Castro Machado, Cura Rector por Su Majestad del Sagrario de dicha su Santa Iglesia Catedral, Juez Provisor y Vicario General, en tres días del mes de Enero de mil seiscientos ochenta y ocho años, Roque de Castro Machado, Ante mí, Gaspar Fernández de Velasco, Notario Público.

Señor Provisor y Vicario General. He visto las informaciones que por comisión de Vma. Se dio ante el Beneficiado Juan Ortiz Montejo de la Cámara, Cura de la Santa Iglesia Parroquial de Santiago del Prado, cerca de la aparición y de los prodigios singulares de la Imagen Milagrosa de Nuestra Señora de la Caridad y Remedios, cuya Iglesia está sita en el Cerro de las Minas del Cobre, y en atención a la certidumbre de las declaraciones de los testigos que se examinaron por la notoriedad de los sucesos y que son conformes a las noticias públicas que han dejado los antiguos moradores, así de esta Ciudad de Cuba como de aquel Lugar, y los milagros contenidos en dicha información, con otros muchos que andan en cuadernos manuscritos, son patentes, que ninguna duda ni sospecha dejan a la fe con que debemos creer que los obra Dios y manifiesta la grandeza de su omnipotencia divina por medio de esta milagrosa Imagen de su Madre Santísima María de los Remedios. Soy de parecer que sus maravillas salgan al público teatro del orbe, a publicar gracias y glorias de tan poderosa y magnifica Señora de que resultarán tantos honores a tan majestuosa grandeza, dispensando con tantas mercedes la devoción a su sagrado título y nombre, pues en sus portentosas maravillas hallarán los fieles particularísimos motivos con que dedicarse muy de corazón al mayor servicio de Dios y de su Madre Santísima de los Remedios. Este es mi sentir. Dado en Santiago de Cuba en primero de Febrero de mil seiscientos ochenta y ocho años. Dr. Dn. Agustín de Castro.

AUTO

En la Ciudad de Santiago de Cuba en primero día del mes de Junio de mil seiscientos ochenta y ocho años, el Señor Licenciado Dr. Roque de Castro Machado, Cura Rector por su Majestad del Sagrario de la Santa Iglesia Catedral de esta dicha Ciudad, Juez Provisor y Vicario General en ella y su distrito. Pos su S.S.A. Ilustrísima del Señor Doctor Dn. Diego Avelino Hurtado, del Consejo de Su Majestad, Obispo dignísimo de esta Isla de Santiago de Cuba, Jamaica y Provincias de la Florida (signo ilegible). Habiendo visto el pedimento del padre Francisco Vejerano , Presbítero Sacristán Mayor P.S.M. de dicha Santa Iglesia y Mayordomo de la de Nuestra Señora de la Caridad y Remedios, sita en las Minas de Santiago del Prado, para el efecto que pretende. Vista la información hecha ante el Beneficiado Juan Ortiz Montejo de la Cámara, Cura rector de la Parroquial de dichas Minas, en virtud de mi comisión que se le dio inscriptis para lo que en elle se expresa y todo lo demás que ver y considerar convino. Dijo Su Merced que atento a lo dispuesto por el Santo Concilio tridentino en la sesión XXV cum, declarat,et remiss.de invocatone et veneratione et reliquis sacrarum et sacris imaginibus.

En cuya cita manda y estableció lo que allí se expresa, porque primativamente pertenece la aprobación de la dicha información tocante a milagros a su Señoría Iltma. Como Obispo de este obispado le haga Su Merced. E hice remisión de los Autos originales para que con su vista determine lo que convenga, quedando testimonio de ellos en debida forma, y se le entregue al dicho Mayordomo para que lo archive en el de su cargo con los demás Autos tocantes a su Mayordomía, que por este así lo acordó, proveyó, mandó y firmó Su Merced, Roque de Castro Machado. Ante mí: Juan Chrisostomo de Valdés, Notario Público.

SUSCRIPCIÓN

Concuerda con las diligencias originales que para efecto de sacar este traslado me entregó el Señor Provisor y Vicario General de este Obispado, Dr. Dn. Pedro de Thorres y Ayala, Canónigo Magistral de esta Santa Iglesia Catedral, a quien las devolví y a que me retiro: Y para que conste de su mandato, doy el presente en Santiago de Cuba en cuatro de Junio de mil setecientos treinta y ocho años. En testimonio de verdad. Juan Bautista de Vidaburu, Notario Público.

AUTO

En la muy noble y muy leal ciudad de Santiago de Cuba en diez y nueve de Julio de mil setecientos treinta y ocho años, el Señor Coronel Dn. Francisco Cajigal de la Vega, Caballero del Orden de Santiago, Gobernador y Capitán a Guerra de esta Ciudad y su partido, por su Majestad dijo que por cuanto ha recibido despacho del Señor Provisor y Vicario General, Doctor Dn. Pedro Ignacio de Thorres, Canónigo Magistral de la Santa Iglesia Catedral de esta dicha ciudad, en respuesta del que su Señoría le libró con la real Cédula de Su Majestad. El cuál vino acompañado con dos testimonios de su fundación de la Capellanía impuesta para la manutención del capellán que se retirare a servir en el santuario de Nuestra Señora de la Caridad, y los que hasta el presente ha habido.

Y para que a su Majestad conste, en cumplimiento de dicha Real Cédula, mando que el presente escribano compulse testimonio, que se remita en primera ocasión. Y que por este Auto así lo proveyó y firmó, Dn Francisco Cajigal de la Vega. Ante mí, Luis Nieto de Villalobos, Escribano Público y Gobernación.

Concuerda con los Autos originales que quedan en el oficio de Gobierno de mi cargo a que me remito.

Y en cumplimiento de lo ordenado doy el presente en Santiago de Cuba, en catorce de Agosto de mil setecientos treinta y ocho años. Y en fe de ello lo signo y firmo.

TESTIMONIO (Palabra ilegible)

Una firma ilegible..........

(Firmado: Pedro Ignacio de Thorres)

Hasta aquí los Autos de 1687-1688

2
El culto mariano: primer acercamiento
de los indios cubanos a la religión católica

El sabio cubano Don Fernando Ortiz reunió abundante material sobre la forma en que los indios de Cuba adoptaron el culto mariano, conectándolo con la gran aceptación que tuvo la Virgen de la Caridad entre los naturales de la Isla.

Ortiz se remitió en ocasiones a James G. Frazer (1854-1941) antropólogo escocés que realizó profundos estudios sobre mitología y comparativos entre religiones, preocupado por la presencia de la luna entre los atributos que acompañan a la Virgen de la Caridad, puesto que Frazer destaca que en numerosas mitologías antiguas, el astro de la noche era equivalente al Ser Supremo. Por su parte, Ortiz señaló que en la cosmogonía aruaca[782], la luna se consideraba más poderosa que el sol, de la misma forma que entre los aztecas, la luna es una deidad femenina de cualidades singulares, y señalaba que entre los tupi-guaranís brasileños Nuestra Madre la Luna había creado la yuca y los vegetales que formaban parte de su dieta, así como que, para las tribus que habitan en partes de las Guayanas, la luna era un dios nocturno que se identificaba con el árbol-padre, progenitor de todas las criaturas[783].

Ortiz anotó también que en muchas religiones antiguas la luna estaba asociada a la serpiente que cambia su piel para crecer y mejorar su apariencia. Igual que la luna, la serpiente se asocia al agua, a la fertilidad de las cosechas, de los animales y de las mujeres, y el sabio cubano pensaba que los juegos de batos o pelota de los indios taínos eran ritos lunares propiciadores, como entre otros pueblos indígenas de América. En el Alto Amazonas se daba culto a una serpiente, Jurupán, que causaba enfermedades, protegía a las mujeres, las ayudaba en los partos y regulaba los ciclos menstruales… en todas partes la luna, o la luna-serpiente, era una deidad principal. Cuando los españoles llegaron a la zona de Darién, en el panteón de los indígenas de esas tierras había una virgen-diosa que aparecía con su hijito, a la que los indios de Méjico daban el nombre de Tonantzin, Nuestra Progenitora, o Toci, Nuestra Madre[784].

---

[782] Los indios taínos y siboneyes de Cuba son de origen aruaco (N. del A.)

[783] Ortiz, Fernando. Notas para un libro sobre la Virgen de la Caridad. En: Archivo Literario de la Biblioteca del Instituto de Literatura y Linguística (ALBILL). Frazer, James G. La Rama Dorada, Fondo de Cultura Económica, México-Buenos Aires, 1944, pp. 107, 110, 505

[784] Ibídem,

Para los indios taínos de Cuba, su cemí Atabex o Atabey era una deidad que se representaba por la luna. Atabex imperaba sobre las aguas, sus ciclos en el cielo se reflejaban en los mares tempestuosos o serenos o en el movimiento de las mareas y se identificaban con la fertilidad de los cultivos, los animales y las mujeres. Como Atabex-luna se relacionaba tanto con el mar, en sus ritos, ofrendas y ropajes se utilizaban caracoles y conchas marinas, que los indios las escuchaban con gran impresión e interés *porque siempre en su interior se oye el rumor del mar.* Como consideraban que Atabex-luna se vinculaba a la fertilidad, la consideraban un símbolo de femineidad por excelencia y veneraban sobre todo la luna creciente y la luna llena que pronosticaban augurios de fecundidad, grandes cosechas, sanación de los enfermos, buena caza y buena pesca[785], [786].

En las características del cemí Atabex-luna, Fernando Ortiz encontró argumentos que confirmaban sus ideas de que el hecho de que la Virgen de la Caridad se presentara de pie sobre una luna con los cuernos hacia abajo bien procedía de la religiosidad aruaco-taína (lo que significa que la imagen de la Virgen había sido creada por un imaginero de origen aruaco, lo que parece poco probable en la Cuba de esa época) o que este atributo llegó junto con la imagen en el momento de su aparición y facilitó que los indios y sus descendientes fueran atraídos al culto mariano de la Caridad por un factor que les recordaba sus antiguas creencias. Por otra parte, el color moreno-rojizo de la imagen seguramente aumentó la simpatía de los indios hacia la imagen recién llegada, más parecida a ellos por el color que las imágenes europeas.

El hecho de que los monteros indios adornaran el improvisado altar de la Virgen en la casa de vivienda del hato de Barajagua con flores y aromas naturales obtenidos por combustión de hojas y plantas aromáticas (se trata de los *perfumes de casuelejas* que menciona el Capellán Julián Joseph Bravo cuando menciona la forma en que los indios honraron a la Virgen recién llegada) parecen remontarse a los usos de los taínos cuando honraban a sus cemíes con flores y perfumes[787].

---

[785] Ibídem,

[786] Cf. Guarch Delmonte, José M. y Querejeta Barceló, Alejandro. Mitología aborigen de Cuba. Publicigraf, La Habana, 1992

[787] Cf. Bravo, Julián Joseph. Aparición prodigiosa de la Ynclita Ymagen de la Caridad que se venera en Santiago del Prado, y Real de Minas del Cobre. En: Portuondo Zúñiga, Olga; o.c., p. 61

Por otra parte, no se puede olvidar que cuando aparece la imagen de la Virgen de la Caridad en la bahía de Nipe, ya hacía muchos años que había comenzado el culto mariano entre los indígenas de Cuba a comienzos del siglo XVI, según lo refieren las crónicas y en particular las *Décadas del Nuevo Mundo,* de Pedro Mártir de Anglería:

Pero Enciso, elegido Pretor, recorrió las mismas tierras con mejor fortuna: tuvo por aquellas playas vientos favorables, como lo dijo en la corte y gloriaba de que los habitantes de Cuba le habían recibido benignamente, y en particular de cierto cacique llamado Comendador...

Este hombre aunque sin letras (Alonso de Ojeda), era de buena intención y veneraba devotísimamente a la bienaventurada Virgen Madre de Dios, y perpetuamente llevaba consigo cosida en el pecho, una imagen de la misma Virgen lindamente pintada en papel, la cual devoción dijo a Comendador que le había dado siempre la victoria... A petición, pues, del cacique, le regaló la imagen de la Virgen, a la cual dedicó casa y altar...

Conforme a la enseñanza del marinero (Ojeda) al ponerse el sol el Cacique Comendador y todos sus súbditos de ambos sexos, van todos diariamente a la casa dedicada a la Virgen María. Una vez entrados, de rodillas, con la cabeza reverentemente inclinada y las manos juntas, saludan repetidas veces a la imagen con estas palabras: **Ave María,** *pues pocos de entre ellos aprendieron a pronunciar más palabras de esta oración.*

Cuando, pues, llegaron Enciso y sus compañeros les tomaron de la mano y les llevaron alegres a la casa dedicada, diciéndoles que les enseñarían cosas admirables. **Les enseñaron con el dedo la imagen rodeada de joyas y vasijas de barro que había en pailas, llenas de comida y agua.** *Pues esto era lo que en vez de sacrificios daban a la imagen al tenor de la antigua religión de los zemes[788]. Dijeron que le daban eso no fuera que, si tenía hambre, le faltara qué comer...[789]*

En la misma obra, Mártir de Anglería refiere otros aspectos del culto mariano entre los indios de Cuba, quienes invocaban a la Virgen para pedir su ayuda y amparo en los enfrentamientos con sus enemigos:

Refirió que se había originado agria disputa con los confinantes[790] acerca de los zemes, sobre cuál zeme era más fuerte y poderoso que el otro y que por esta cuestión hubo muchas veces guerra declarada con

---

[788] Zemes: Cemíes

[789] Ibídem (7),

[790] O sea, con tribus vecinas de territorios colindantes (confinantes)

los vecinos, pero que la Virgen nunca dejó de asistirles en medio de la lucha y de conseguirles fácil victoria...

*Preguntándoles a qué grito se lanzaban sobre sus enemigos respondieron que, conforme se lo había enseñado el marinero (Ojeda) nunca dieron otro grito que este: «**Santa María, ayúdanos**», y en lengua castellana.*

Cuando así se mataban cruelmente unos a otros, convinieron en este pacto: ...que alternativamente se pondrían en campo manifiesto un joven de cada pueblo con las manos atadas a la espalda y los cordeles anudados por detrás al arbitrio del que los atara; y confesarían en contrarios que aquel zeme era mejor que más pronto librara al joven de su bando.

*Hecho el convenio ataron sucesivamente a dos jóvenes... cuentan que lo repitieron tres veces, y que invocando las tres veces al demonio de su zeme, acudió al que estaba atado enfrente, viéndolo los dos que estaban atados. Pero que clamando el de Comendador su acostumbrada advocación «**Santa María, ayúdame**» se presentó al punto la Virgen vestida de blanco y haciendo huir al demonio. Poniendo el cetro que en la mano llevaba en las ataduras del joven comendatariano, quedó este instantáneamente suelto, y las ataduras con que los enemigos le habían sujetado se pasaron al otro...*[791]

*(Al cabo) ...Los enemigos de Comendador, vencidos por un milagro grande, **confesaron que el zeme de la Virgen era más digno que el de ellos**[792]*

En su Historia de las Indias, fray Bartolomé de Las Casas recoge estos hechos de forma muy parecida, en particular la historia de Alonso de Ojeda, que regaló al cacique una imagen de la Virgen, y la forma en que enseñó a los indios la Salutación Angélica y los principios del culto mariano, así como que ellos

hiciéronle (a la Virgen) coplas en su lengua, que en sus bailes y regocijos llamaban areitos... cantaban, y al son de sus voces bailaban. Yo llegué algunos días después de este desastre de Hojeda y su campaña y vide la imagen (de la Virgen) puesta en el altar, y la iglesia u oratorio, de la manera dicha, compuesta y adornada[793]

---

[791] Ibídem (9)

[792] Ibídem.

[793] Las Casas, Bartolomé. Historia de las Indias, Ediciones Aguilar, 3 t., s/f, t. II, Cf. pp. 340-348

Y al hablar de la imagen que Ojeda regaló al cacique, Las Casas deja un testimonio que permite apreciar la forma en que los indios de Cuba rendían homenaje y culto a la Virgen:

> ... *y porque los españoles que habían visto la imagen dicha, porque iban allí algunos de los que con Hojeda en la ciénaga se habían hallado, y los que habían ido con el susodicho alcance de la gente de Bayamo loaban mucho la imagen al dicho Padre, y él llevaba otra de Flandes, también devota, pero no tanto, pensó en trocalla con voluntad del cacique o señor del pueblo. Después de muy buen rescibimiento que los indios hicieron a los españoles, y ofrecida mucha comida, y los niños baptizados, que era lo primero que trabajaba hacerse, y todos aposentados, comenzó a tractar el Padre con el cacique, que trocaren las imágenes; el cacique luego se paró mustio y disimuló cuanto mejor pudo; y en viniendo la noche; toma la imagen y vase a los montes con ella, o a otros pueblos distantes. Otro día queriendo el Padre decir misa en la iglesia, que la tenían los indios muy adornada con cosas hechas de algodón, y un altar donde tenían la imagen, enviando a llamar al Cacique para que oyese la misa, respondieron losindios que su señor se había ido y llevado la imagen por miedo que no se la tomara el Padre... Tenían compuestas como coplas sus motetes y cosas en loor a Nuestra Señora, que en sus bailes y danzas que llaman areítos, cantaban, dulces, a los oídos bien sonantes*[794]

Por último, tal como afirma el investigador cubano Juan José Arrom, podemos decir que al indio le resultó relativamente sencillo identificar a la Madre del Dios cristiano, María, con la Madre del dios de los taínos, Atabey o Atabex, que también era llamada Germar Guacar Apito Zumaico, palabras que la identificaban con sus atributos que eran, según Arrom, los partos, la lluvia, la menstruación, las mareas y la luna[795]. Atabex era la síntesis de una gran fuerza creadora que se hallaba presente en aquel cemí o deidad femenina, Madre de la primera deidad, que según Román Pané en su ***Relación acerca de las antigüedades de los indios,*** tenía madre, pero no padre ni principio, porque era eterno[796].

---

[794] Ibídem, pp. 481-482

[795] Arrom, Juan José. La Virgen del Cobre: historia, leyenda y símbolo sincrético. Certidumbre de América, p. 191

[796] Ibídem, p. 23

3
El ermitaño Mathias de Olivera
y la Virgen de la Caridad

En sus informes, el capitán Francisco Sánchez de Moya indicaba la importancia del ermitaño Mathias de Olivera, ocupado en la enseñanza de las oraciones y la doctrina cristiana a los esclavos de las minas de cobre. Recibía 365 reales y cada día, igual que los indios. una ración de casabe, pescado, miel y un real de manteca para la lámpara de la Virgen[797] que presidía la ermita del cerro, Nuestra Señora de Guía Madre de Dios de Illescas.

Su misión era colaborar con la evangelización in situ, muy próximo a los esclavos,

> *porque acuda a continuar la buena costumbre en que los negros estauan de descir las oraciones todas las noches en la yglesia destas minas como la hace y porque encomiende a dios al muy nuestro señor y el bien desta fabrica*[798]

Onofre explica que la aparición del ermitaño Mathias de Olivera se asocia al movimiento de emigración forzada que tuvo lugar en La Española al desmantelarse los puertos del norte y occidente de esa isla. Su nombre no aparece en ninguna relación de la época ni en los libros parroquiales, porque Mathias no llegó a Santiago de Cuba. Si nos atenemos a la descripción que hizo Fonseca, era un soldado natural de Galicia, corpulento y de largas barbas, que había vivido muchos años en La Española[799]. Cuando lo encontraron estaba semidesnudo y se alimentaba con la dieta que usaban los indios, sin consumir carne. Se le identificó como un soldado que estuvo a las órdenes de Don Juan de Austria, como para recalcar su origen español.

Por su cultura, Mathias de Olivera era, desde todos los puntos de vista, uno más entre los criollos del Caribe, y por su estancia entre los aborígenes, llegó a conocer muy bien la religión de los indios, ya transculturada, y posiblemente trasmitió parte de ella a los esclavos bozales y criollos que trabajaban en las minas de cobre.

---

[797] Archivo General de Indias (AGI). Audiencia de Santo Domingo, legajo 451, 8.VII.1609

[798] Ibídem.

[799] Fonseca, Onofre de. Historia de la aparición... o.c., pp. 43-44

4
Los monteros indios, hermanos Hoyos, que encontraron la imagen de la Virgen de la Caridad

En la relación de los gastos del Real de Minas de Santiago del Prado, realizada por orden del administrador, capitán Francisco Sánchez de Moya, aparecen los nombres de los indios Simón de Hoyos, Rodrigo de Hoyos, Diego de Hoyos y Domingo Hernández. El primero recibía un sueldo de dos y medio reales, por lo que parece era el jefe de la cuadrilla; los otros recibían dos reales cada vez que realizaban su trabajo. A todos se les suministraban raciones diarias de casabe, pescado y miel. En 1609, Sánchez de Moya informaba que los indios debían aumentarse a un total de ocho[800].

Los hermanos Hoyos, los que hallaron la imagen de la Virgen de la Caridad flotando en la bahía de Nipe, o fueron hallados por Ella, eran los rancheadores y monteros Rodrigo y Diego de Hoyos. Fueron ellos quienes llevaron a Juan Moreno para recoger sal en las pequeñas salinas que se encuentran en la bahía, luego de transitar por los caminos del Hato de Barajagua, en los que moraban sus congéneres indios: eran tierras administradas por Sánchez de Moya, y en ellas estaban sus ingenios para fabricar azúcar.

En estas extensiones los indios aprendieron a capturar el ganado cimarrón y sacrificarlo, a curtir sus pieles y salar las carnes. El gobernador departamental Juan García de Navia, en un informe dirigido al rey en 1616, observaba sobre la captura de ganado

...y los monteros los matan con puntas de hierro engastadas[801]

El aprendizaje de técnicas europeas transformó los hábitos de los indios, que negociaban carnes y cueros con bucaneros y rescatadores. Poco antes del hallazgo más importante de la historia de Cuba, habían partido desde un hato de ganado mayor hacia Cayo Francés, nombre que sugería contactos foráneos, al igual que el de La Vigía. También pueden suponerse misiones para recoger sal que se utilizaba en el proceso de beneficio del mineral de cobre[802]. Los monteros contratados

---

[800] Archivo General de Indias (AGI). Audiencia de Santo Domingo, legajo 451, 8.VII.1609

[801] Ibídem,

[802] Ibídem.

por Sánchez de Moya seguramente hicieron muchos viajes como éste, antes y después.

Luego del hallazgo maravilloso de la imagen de la Virgen de la Caridad regresaron a Barajagua e instalaron la Virgen en un bohío donde le fabricaron un altar.

De esta forma, los protagonistas del relato evidencian un conocimiento previo del culto mariano. El capataz del hato, Miguel Galán, mostró su regocijo y envió aviso al administrador Sánchez de Moya, que aprobó todo lo que habían hecho... de todas formas, decidió enviar al franciscano Francisco Bonilla, Comisario de la Inquisición, para cerciorarse de que todo estaba en orden y de que la imagen era auténtica.

El culto a la Virgen pudo estar presente entre los indios de Barajagua desde mucho tiempo atrás, quizás desde los primeros tiempos de la colonización y la conquista.

5
La Virgen de la Caridad impera en la Villa del Cobre

Al leer las anotaciones que aparecen en el Inventario Real de las Minas de Cobre de Santiago del Prado, ordenado por el rey en 1648, encontramos que en lo alto del cerro de Cardenillo se ha erigido una nueva ermita, con techo de tejas, de la que se dice que es *la Casa de Nuestra Señora Santísima de la Caridad.* En esta relación no aparece en ningún momento el nombre de Nuestra Señora de Guía Madre de Dios de Illescas, que fue traída por el administrador Sánchez de Moya, puesto que era de su propiedad, y que seguramente fue retirada del recinto cuando éste cesó en sus funciones de encargado de las minas.

En el recinto de la citada ermita, se rendía culto a tres imágenes de bulto de la Virgen Madre de Dios: la de la Caridad, la Concepción y la Candelaria, cada una con una corona de plata y una pequeña lámpara también de plata[803].

---

[803] Archivo General de Indias (AGI). Audiencia de Santo Domingo, legajo 104. Autos y diligencias que se han hecho en esta ciudad de santiago de cuba y en las minas de cobre por el capitán Santiago Ramírez de Herrera con comisión de Su Majestad subdelegada por el señor maese de campo Don Diego de Villalva y Toledo cauallero del horden de santiago y capitan general de la hauana y desta ysla de cuba para el ynforme que se le a de hazer a su Magestad del estado de dichas minas, 1648

El censo o inventario reitera, en sus notas, que (todas las imágenes de la Virgen) *son Madre de Dios de la Caridad.* Como se observa, en el inventario se recalca la importancia de la advocación mariana de la Caridad, por lo que se infiere que las preferencias religiosas de los esclavos y los aborígenes prevalecieron sobre las del administrador y otros españoles. La Caridad, *que está en su tabernáculo,* resulta más venerada, en el sentimiento popular, que las otras dos imágenes de la Virgen, y se hace constar que en la hacienda de la contaduría, había una estampa con la imagen de la Virgen de la Caridad[804].

La Virgen de la Caridad, por tanto, primero reemplazó a Nuestra Señora de Guía en la ermita del Cerro y acto seguido comenzó a imperar ella sola en las preferencias de los habitantes de Santiago del Prado.

6
Los emigrados jamaicanos en Oriente
y el culto a la Virgen de la Caridad

En 1655 se produjo la conquista de Jamaica por los ingleses, con lo que los clérigos de la Abadía de Jamaica, que estaba subordinada al Obispado de Cuba, pasaron en masa, junto con los habitantes, a las jurisdicciones de Cuba y San Salvador de Bayamo. Muchas familias, después de esfuerzos inútiles para recuperar la isla, se radicaron en Santiago de Cuba. Se ha dicho que

> *la mayoría de las familias aristocráticas jamaicanas que se instalaron en el Departamento Oriental, monopolizaban hasta hacía poco el poder en aquella gran Antilla*[805]

Su riqueza descansaba en el usufructo de la tierra, y perdieron sus haciendas cuando los ingleses tomaron la isla. Su vida transcurría en una sociedad austera y cerrada, similar por su mestizaje a la de Cuba, que trasplantaron al oriente cubano con su emigración forzosa.

Parece que la fe católica que se vivía en Jamaica estaba más cercana a la religiosidad popular que la que tenía su base y su fuente en Santiago de Cuba, sede de la Catedral. Las autoridades eclesiásticas de la Abadía de Jamaica siempre habían aspirado a la autonomía, pues no

[804] Ibídem.

[805] Cf. Morales Padrón, Francisco. Jamaica española. Escuela de Estudios Hispanoamericanos, Sevilla, 1952

estaban de acuerdo ni con la subordinación al Obispado de Cuba, ni con las Visitas Pastorales de sus obispos, y menos aún con las que realizaban los delegados en su nombre. Estando así las cosas,

> *no hay que sorprenderse, pues, de que sacerdotes jamaicanos como Francisco Bejarano, vicario de la catedral, y Tomás Fonseca, juez provisor y vicario general, pudieran comprender, justificar, incentivar **y hasta promover la institucionalización del culto popular a la Virgen de la Caridad del Cobre**. De seguro, así era como ellos veneraban sus advocaciones marianas; o a una de ellas, sea la Concepción, la Expectación, o tal vez, la de los Remedios*[806]

Al perderlo todo, la mayoría de los hacendados y hateros jamaicanos, junto con sus familiares y agregados, se sintieron más próximo al culto popular que al que se celebraba en las iglesias santiagueras, donde asistía la flor y nata del patriciado oriental. Por otra parte, aunque algunos de los antiguos ricos hacendados jamaicanos pretendieron aliarse a la casta santiaguera por medio de enlaces matrimoniales (antes del éxodo masivo de Jamaica a Cuba, algunos tenían intereses económicos y familiares en Santiago de Cuba) fueron pocos lo que lo consiguieron, porque el patriciado santiaguero cerró filas para defenderse de la injerencia, temiendo que los intrusos jamaicanos les disputaran su predominio. En la sorda y tensa pugna que se mantuvo durante la segunda mitad del siglo XVII, los jamaicanos no pudieron triunfar.

Se ha dicho que

> *el esfuerzo de Francisco Bejarano en favor de la propagación del culto a la Virgen de la Caridad se inscribe en este contexto. ¿Es que puede considerarse una casualidad que el vicario de la catedral introdujera los Autos de 1687-1688, y que el presbítero jamaicano Onofre de Fonseca (hermano menor de Tomás) llegara a ser el primer capellán del Santuario? Los fundadores de la capellanía de la ermita, los sacerdotes licenciado Balthasar Moreno Girón y Manuel Cabral de Melo, de ascendencia jamaicana, demuestran que no hubo tal azar*[807]

Por otra parte, tenemos el hecho de que los familiares de estos jamaicanos (como la niña Apolonia a quien se apareció la Virgen) están presentes en los relatos y en los hechos milagrosos de la Virgen de la Caridad.

---

[806] Portuondo Zúñiga, Olga. La Virgen... o.c., p. 117

[807] Ibídem.

7
El Ermitaño Melchor de los Remedios
y la Virgen de la Caridad del Cobre

El verdadero nombre de Melchor de los Remedios era Melchor Fernández Pinto, y era de origen portugués. El futuro ermitaño había sido comerciante en puertos del Caribe, razón por la que visitó en ocasiones Santiago de Cuba. Asaltado su barco en alta mar, logró desembarcar en Manzanillo desprovisto de casi todos sus bienes, y decidió acogerse a la sencilla y frugal vida de ermitaño de la Virgen de la Caridad, por indicación del Chantre de la Catedral de Cuba, Juan Estrada Luyando.

El ermitaño pudo entrar en la ermita del cerro de las minas cuando comenzaba la administración de Salazar y nunca antes de 1645, cuando Juan Estrada Luyando fue designado para la dignidad de chantre y visitador de la jurisdicción de Bayamo, ni después del año 1651, año en que éste falleció.

La figura de Melchor de los Remedios adquiere importancia y relieve al calor del fortalecimiento del culto a la Virgen de la Caridad del Cobre. En los Autos de 1687-1688, Juan Moreno declaró que Melchor sustituyó enseguida a Mathias de Olivera, pero en realidad transcurrieron muchos años entre la muerte del segundo y la llegada del primero a la ermita. En el intermedio entre ambos, debe haber servido a la Virgen algún otro ermitaño que no alcanzó el relieve histórico de los ya mencionados.

Melchor sólo aparece una vez en la declaración de Juan Moreno. Adquiere importancia gracias a la opinión del capellán Onofre de Fonseca, quien llegó a asegurar *que tenía cualidades suficientes para ser canonizado*[808].

No conocemos mucho más sobre Melchor de los Remedios, aparte de su aspiración de servir a una Virgen de los Remedios. Se ha dicho al respecto que

la entrada de esta advocación mariana dentro del culto (a la Virgen de la Caridad) en el cerro de la mina... pudo ser resultado de cualidades sumergidas desde los tiempos de Mathias de Olivera (por ser gallego, pues la Virgen de los Remedios era su patrona)[809]*, o bien por influencia de la cultura religiosa jamaicana o, simplemente, por decisión personal del propio Melchor de los Remedios, que se generalizó más adelante*[810]

---

[808] Bravo, Julián Joseph. Aparición prodigiosa... o.c. En: Portuondo, Olga; o.c., nota 25, p. 137

[809] Ibídem.

[810] Portuondo Zúñiga, Olga; o.c., p. 120

Sin embargo, el título *de los Remedios* no arraigó en la religiosidad ni en la conciencia popular, donde sólo se mantuvo incólume la advocación *de la Caridad.*

Según Onofre de Fonseca, la época en que el ermitaño Melchor de los Remedios sirvió a la Virgen en la ermita fue el momento de consagración del culto. También, en esos años, Santiago del Prado era un centro de gran actividad en el comercio del cobre, y en los Autos de 1687-1688, declaraciones del esclavo maestro fundidor Santiago Vicente, se consigna que *todos los navegantes[811] vienen a darle gracias a la Virgen.*

Por otra parte, el capellán Fonseca atribuye al ermitaño Melchor de los Remedios el mayor esfuerzo para erigir el nuevo Santuario de la Virgen de la Caridad, estimulando a los cobreros que fueron generosos en sus aportes para la construcción del templo gracias a la prosperidad que disfrutaban, y que estaban orgullosos del esfuerzo común realizado para levantar una hermosa Casa a la Virgen de la Caridad y Remedios, su Patrona:

> *El primer efecto de su prospera situacion fue fabricar á su Patrona Nuestra Señora de la Caridad milagrosamente aparecida a los primitivos naturales adornandole con Alajas de tanto valor que todo el Altar de la Señora es de plata, y la lámpara del Santísimo Sacramento pesa 150 libras del mismo metal construyendo asi mismo una calzada de canteria que tiene como un quarto de legua, desde la falda hasta la cumbre de la Sierra donde esta situado el templo la qual le costo muchos millones de pesos y celebraban en aquel barias festividades annuales con una manificencia para el culto divino que quiza excedia a la de otras Poblaciones mas ricas[812]*

El Santuario se levantó a finales de la década de los 70 del siglo XVII: estaba dotado con dos campanas, una de 9 y otra de 7 arrobas y a su alrededor se levantaron más de 80 bohíos de guano. años en que también se construyó una nueva iglesia parroquial. El administrador Andrés de Magaña dio permiso para que el ermitaño Melchor de los Remedios utilizara las tejas de la demolida vivienda de los administradores, en la construcción del nuevo Santuario[813]: éste era realmente magnífico en proporcional a la ascendencia que había alcanzado la Virgen de la Caridad sobre los criollos de Cuba, de cualquier origen y color que fueran, Onofre de Fonseca y Julián Joseph Bravo hablan que el culto ya se había extendido a Bayamo, Puerto Príncipe, el centro de la Isla, y que incluso llegaba a La Habana.

---

[811] Casi siempre comerciantes (N. del A.)

[812] Archivo General de Indias (AGI). Santo Domingo, legajo 1627

[813] Archivo General de Indias (AGI). Santo Domingo, legajo 1631

8
Camino holguinero de la Caridad y el Rosario

José Novoa Betancourt

Siguiendo al padre Las Casas, la Virgen María fue el principal centro de la iconografía propagada. Esa expansión del nuevo culto no debió ser fácil por la resistencia aborigen a la explotación colonial de lo cual puede ser ejemplo la Encomienda de Alcalá en 1538, en la que los indios por el día trabajaban como pacíficos labradores y en la noche asaltaban a los estancieros españoles. De todas maneras, para la población indígena sobreviviente, el culto transculturizado debió contribuir activamente en el plano espiritual a la conformación de una nueva identidad.

El 4 de abril de 1545 García Holguín, antiguo propietario de la Encomienda conocida ahora por El Yayal, de acuerdo a la tradición, obtiene la merced de un hato e inaugura la posesión bajo la advocación de San Isidoro.

En 1613, siguiendo la historia tradicional, ahora más aclarada luego del estudio de la Dra. Olga Portuondo, los hermanos indios Rodrigo y Juan de Hoyos, junto al niño esclavo criollo Juan Moreno, cuando buscaban sal en las salinas de la Bahía de Nipe, encontraron flotando la imagen de la Virgen de la Caridad. Primeramente la imagen fue asentada en un bohío en el asiento del Hato de Barajagua, antes de ser trasladada a las minas del Cobre. Entonces la zona del cacicazgo de Barajagua pertenecía a la Jurisdicción de Santiago de Cuba.

En 1613, siguiendo la historia tradicional, ahora más aclarada luego del estudio de la Dra. Olga Portuondo, los hermanos indios Rodrigo y Juan de Hoyos, junto al niño esclavo criollo Juan Moreno, cuando buscaban sal en las salinas de la Bahía de Nipe, encontraron flotando la imagen de la Virgen de la Caridad. Primeramente la imagen fue asentada en un bohío en el asiento del Hato de Barajagua, antes de ser trasladada a las minas del Cobre. Entonces la zona del cacicazgo de Barajagua pertenecía a la Jurisdicción de Santiago de Cuba.

Mucho después, en 1689, bajo los ecos del Concilio Diocesano, el obispo Compostela autorizó la creación de la primera Ermita en el cabildo bayamés de Holguín. Han contado Don Diego de Ávila y Delmonte y Juan Albanés que el 5 de octubre de 1692 se inauguró.

Bajo el nombre de la Virgen del Rosario, una de las advocaciones marianas, en reconocimiento a María del Rosario de Ávila, esposa de Juan González de Rivera y Oveda, hateros promotores del acontecimiento.

En 1709 la ermita se trasladó del hato de Managuaco al de Las Cuevas, al paraje de Las Guásimas y se transformó en Iglesia en 1712. Su primer sacerdote, Juan González de Herrera, mantuvo el culto a la Virgen del Rosario.

Entre 1716 y 1719 se mudó la Iglesia para el viejo bramadero del hato de 1545, lugar escogido para construir el pueblo de Holguín, entonces en proceso de demarcación y construcción. La Iglesia se inauguró el 4 de abril de 1720 bajo las advocaciones de San Isidoro y la Virgen del Rosario.En 1756 el Obispo Morell de Santa Cruz visitó la ciudad. Su imagen de la Iglesia y el culto fueron las de un local de «veinte varas de largo, siete de ancho y cinco de alto», mientras el pueblo era: «poco instruido en las verdades eternas».

Las imágenes de los altares las conocemos por un inventario adjunto al Libro de bautizos de 1775, eran: San José, San Antonio, San Isidoro, Jesús de Nazareno, La Dolorosa, la Virgen del Rosario y San José de Nacianceno. ? ¿Y la Caridad del Cobre? De esa imagen que el propio Morell definiera en 1756 como «la más milagrosa efigie», en el Holguín de entonces, no se tienen noticias en su templo, aunque el propio Obipo mencionó más de una vez su existencia. No obstante en sectores del pueblo de Holguín, el culto a la señora de la Caridad se extiende. En el propio año de 1775, uno de los nuevos hatos ubicado en la zona de Cacocum ya se nombraba «La Caridad», de Gabriel Batista y Juana Corral.

En 1789 Juan José de Proenza, natural de Bayamo y uno de los propietarios del hato de Almirante, declaró que debía una mula a «nuestra señora de la Caridad del Cobre» y una de sus hijas se nombraba María de la Caridad, hecho nada sorprendente si se tiene en cuenta que desde los finales del siglo XVII era presente «la participación de la población de Bayamo en la milagrería» alrededor de la imagen. Opinamos debió ser Bayamo, donde existió otra ermita a la Virgen de la Caridad en fecha sin precisar, el lugar desde donde principalmente irradió el culto a la Caridad del Cobre a Holguín.

El 19 de marzo de 1791 el cabildo reportó la ausencia del Regidor Antonio de Pena «por hallarse de Romería en el santuario de Nuestra Señora de la Caridad del Cobre». En ese propio año el Notario hizo constar que Manuel Antonio Calderón declaraba deberle a nuestra Señora de la Caridad del Cobre ocho pesos y a la Merced seis.

Para inicios del siglo XIX en el Hato de Bariay otro paraje, heredado de Francisco Bermúdez, recibió la denominación de La Caridad. Fue en una de las primeras décadas del siglo XIX cuando la imagen de La Caridad ocupó un sitial en los altares de la Parroquial Mayor holguinera. Ahora no sabemos la fecha. Sólo el inventario de los anos 1862-1868 informa que en la nave, a la derecha del altar mayor, existía un altar sencillo con una imagen «de mala escultura y propiedad de la familia Garayalde».

Se conoce por la misma fuente que en 1866 la Iglesia compró en 42 pesos y 50 reales una imagen de la Caridad, en Santiago de Cuba, y la suponemos reemplazando a la tenida hasta entonces. Por qué razones el fervor popular alrededor de esta imagen es tardío en la región holguinera? Por qué la patrona demoró tanto en lograr un lugar en los altares locales?. La respuesta a estas preguntas merece un estudio que desborda mis posibilidades, aunque sospecho que alberga razones profundas, vinculadas al proceso de formación de lo cubano en la localidad.

9
Carta de Salvador Quiala, habitante de la villa del Cobre, dirigida al Representante en la Corte de Madrid durante la lucha de los esclavos por su libertad y el reconocimiento de sus derechos, con el apoyo de la Virgen de la Caridad fechada el 19 de agosto de 1784[814]

Cobre y Agosto 19 de 1784

Amigo y leal Compañero Dios Ntro. Sr sea cervido que quando esta llegue a sus manos lealle con la salud tan cumplida como yo la deseo para mi en unión y compaña de los mas compañeros

Hermano ha hecho la divina Señora de la Caridad y rremedios el milagro mas patente que se puede discurrir pues ha sido Dios servido que hemos conseguido por algunos Señores de esta ciudad el testamento de Don Juan de Aguilus la prendision y embargo de don franco. de salazar y a Cuña, mas una sedula mui favorable a nuestro

---

[814] Se respetó la ortografía del documento original

pueblo de lo que damos parte a su Mgd. por el conducto del apoderado que dejastes en labana Jph balentin sanchez para que tu personal lo entregues y si no llegara a tus manos preCura en el Real consejo Al señor Yntendente qe a el le presentamos otro en labana aber si alibian nuestros trabajos, y nos queda en nuestro pueblo el borrador por si se nese Citara.

Hermano date priesa por Dios que nos arrasan los segundos amos ya nos tratan como henemigos capitales con ynumanos castigos mas te digera pero no hai pluma que lo escriva no apartes de (...) A mi Señora de la Caridad ni al calbito San Antonio que confío que ellos te saCaran con vien.

Tu esposa y familia todos estan hasta la presente buenos aunque Con algunos trabajos.

El maestro Gervacio que veas si le consigues la escuela por su Mgd., todos los amigos y camaradas mandan finas memorias quedamos rrogando a Dios y su Madre por susalud y buen a Cierto.

Q F M B y deseamos mas verte que escrevirte y que Dios reall (...) de en todo.

Salvador quiala.

Maria leal Gregorio Cosmes y mi estimado

10
Informe del Obispo de Cuba, Pedro Agustin Morell de Santa Cruz, sobre los resultados de su visita pastoral a la villa de El Cobre y al Santuario de la Virgen de la Caridad, en el año 1755

Señor

La mañana del día veinte y ocho de Agosto, sali del Pueblo de Xiguani. Caminadas veinte y dos leguas al Sur, con bastante penalidad por las muchas llubias y lodos, arrivé el treinta y uno por la mañana al Pueblo del Cobre. Debe su fundacion a las Minas de este metal, que hay en él, por que noticiado S. M. de que en esta Ysla las havia, y que con el producto de ellas podia hacerse Cantidad de Artilleria, con que proveer las Plazas de Yndias, y de España, sin el costo, y trabajo de traherla de Vngria ni de otros Reynos, fue servido nombrár á Franco. Sánchez de Moya, Veedor de la Gente de Guerra de Perpiñán por Capitán de Artillería, para que pasando a esta Ysla con los fundidores, Ayudantes, y Oficiales, que había de trahér, se dedicase como persona practica, é inteligente edn la fundizn. de Artilleria á la Labor, y Cultibo de las mejores Minas, que hubiese en la misma Ysla. Previnosele entre otros particulares contenidos en la distribuzn. que para su mejor govierno se le dio: Lo uno Comprase doscientos negros pa. peones, asi de este trabajo, como de las Sementeras y crianzas que havian de establecerse para el sustento de los Operarios, y lo otro, que toda la gente ocupada en la Obra proyectada havia de estár bajo de sus órdenes, que cuidase de que entre ella no hubiese pendencias, ruidos y pleitos, y que en caso de sucedér algunos, los compusiese del mejór modo posible; pero que siendo inevitable hiciese Justicia con parecér de Asessór: Y por último se le asignaron de Salario mil y seiscientos ducados en cada un año. Todo lo expresado se participó contemporáneamente á Dn. Juan Maldonado Barnuebo Govdor. y Capitan General de esta Ysla, para qe. inteligenciado de ello concurriese a su efectivo cumplimto. en la parte que le tocase. Libraronse en fin los despachos, y ordenes necesarias con fechas de Veinte y tres de Marzo del año de mil quinientos noventa y siete.

Llegado a esta Ysla reconoció las Minas de Cobre que en distintos parages existen: Eligió entre todas á las de que ablamos por ser las mas pingues. Hallanse quatro leguas al Occidente de esta Ciudad en unas Serranias altas y dobladas en un Valle, qe. Ciñen como de un tiro de Pedrero en Cuadro cortado de un Rio por la mitad. Asentó el Real, y puso su fundizn. levantaronse viviendas para los Operarios libres, y tambien para los negros esclavos, que se compraron, y cuio numero llegó a doscientos setenta y cinco. Abrieronse con inmediazn. Estancias para Yuca, Maiz, Trigo, y demas Miniestras, y el Ganado Bacuno se puso quince leguas en las tierras de Barajagua con titulo de Hato del Rey, que hasta oy conserva. Erigiose por fin como a diez pasos del mismo Rio una Yglesia con su Cura para la administrazn. de los Sacramentos y consuelo espiritual de los avitadores.

No consta fixamente del tiempo en que esta maquina se puso en execuzn. Parece sin embargo que caminó con presteza, porque en el año de quinientos ochenta y nueve el Capitán Franco. Sanchez de Moya se hallava en estas Minas exerciendo su Comision con el titulo de Alcalde mayór. Esta noticia se funda en la que ciertamte. tenemos, y es que Dn. Julian Pacheco de Mayo fué su hijo, y de Da. Ynes de Vmbria, su legitima muger, que nació en aquel Lugar, y que siendo Dean de esta Cathedrál murió a los diez y nueve de Enero del año de ochenta y siete, entrando en los ochenta y ocho de su hedad, según parece del Libro de Cavildo, que por entonces corria. En el interior del año de Catorce del propio Siglo se relaciona tambien, que el Cobre que se sacava en las expresadas Minas hera conducido á la Habana en el Navio que de quenta del Rey venia a buscarlo a este Puerto. En efecto ellas estubieron corrientes ó sobre su primer pie, ó por arrendamto. hasta que hán cesado en el todo, sin embargo de las diligencias que en diversos tiempos se hán practicado para restablecerlas.

Los esclavos se han mantenido siempre en el mismo sitio, y con el Curso de los años se há formado un Pueblo que el Rio dividio en dos Barrios. El mayor queda al Sur, y el menór al Norte, y entre ambos tienen Ciento y quarenta Casas. Las veinte de texa, y las restantes de Paxa. Once calles sin quadro regulares, mil ciento ochenta y tres personas libres, y esclabas; Dos Alcaldes hordinarios, otros tantos de la Hermandad, y quatro Regidores, un Cabo, y dos soldados de este Presidio, tres Compañias Milicianas con sus respectibos Oficiales, y gente. Ciento y quatro Conucos, y estancias, seis con trapiches de miel, Catorce con Vegas. nueve con su Corta auzn. de ganado maior y las demas con Yuca, Platanos, y Miniestras. Todas se hallan situadas en la jurisdicción del mismo Pueblo qe. se extiende a dos leguas por cada Viento.

La Parroquia tiene Cura, Sachristan mayór y Mayordomo; es de Texa, y Mamposteria con tres Naves, sobre cinco pilares del mismo material, por banda, su longitud veinte y siete varas, quince su latitud, y cinco y media su altitud de la Nave principal, y Cinco las Colaterales. Ay en ella Cinco Altares con sus quadros, y frontales pintados, Pulpito de madera, y una Tribuna pa. el Organo, que se há descompuesto. El Techo, y paredes, están pintadas, y todo lo interior de esta Yglesia con moderada decencia, á la reserva del Suelo, que carece de enladrillado, y aun de piso para hallanar su desigualdad y minorar el polbo.

Este mismo defecto se nota en la Sachristia. Queda a espaldas del Altár mayór; su largo nuebe Varas, su ancho seis y media, y su alto cinco por donde mas, y dos, y media por donde menos. por sér su fabrica á modo de Caidizo: Las Campanas que son tres, una grande, y las dos pequeñas se hallan sobre maderos a la entrada de la Puerta principal. Esta Yglesia con su Plaza, qe. es bien capaz, y las casas del Barrio maiór situadas en lo llano, padecen la desgracia de ser inundadas del Río, quando con sus crecientes sale de Madre, aunque es verdad, que nunca há hecho estrago considerable en ellas. Entonces es menestér trasladar con tiempo á la Magestad Sacramentada á otra Yglesia, que está sobre una Colyna de las qe. ciñen el Pueblo por la parte del Súr.

Este es el templo tan celebrado no solo en la Ysla sino en todas partes, por venerarse en él una efigie de Nra. Sra. con titulo de Caridad, y Remedios. Este mismo rotulo trahía en la tablita que le servía de Peana, quando se aparecio sobre las aguas del Már del Norte y vino a dár en la Bahia de Nipe, donde tres Negros de los Esclavos del Cobre, tubieron la dicha de recogerla. Trageronla a su Pueblo por el año de seiscientos veinte y cinco, y desde entonces hán sido innumerables los portentos y milagros que há obrado: su estatura será de media vara con un Niño mui pequeño en el brazo izquierdo. Tienen los rostros mui alegres y mirados causan devocion y consuelo: Al principio fue colocada en una Yglesia pobre, y humilde, pero habrá cinquenta años que se le erigio otra de un Cuerpo de Mamposteria, y Texa, su longitud veinte y nueve varas, diez de latitud, y seis su altitud, con tres Altares, Pulpito, Relox, y Despertador, Dos Tribunas altas con sus Organos, un Portico sobre arqueria baxa, y alta, en que están tres Campanas la una grande, y las dos pequeñas en la Puerta Pral., la del Súr es defendida de un Caidizo de Texa, que corre hasta ocupár el frente de la Sachristia. Esta queda á espaldas del Altár mayór con el qual se comunica por dos Puertecillas: Su fabrica es de Caidizo: el largo diez varas, el ancho Cinco, y de alto desde diez hasta dos, y media, cercado todo de Tapia con sus garitas para el adorno. A la parte Oriental están con inmediazn. las Casas del Capellan y tres Hermitaños, y a la Occidental, una Hospederia mui capaz para los Romeros, que en todos tiempos (pero con especialidad en el de Seca) acuden a visitár a la Señora. Fuera de las limosnas qe. por lo ordinario trahen consigo, se recogen otras gruesas, que sirven para la subsistencia del Capellan, Hermitaños, y esclavos, como también para reparár y adelantar sus fábricas, y comprar, y hacér alhaxas, y Ornamentos de que abunda, y que son mui apreciables por su valór, y hermosura. Las fiestas principales comienzan el dia Ocho de Septiembre, y duran hasta el ultimo del mismo mes. El mayór numero de ellas, la luz de la Lampara, y Oficio de Organista se Costea de los Censos impuestos para ellos por personas particulares, y son las unicas rentas fixas, que hay en él. En conclusión el Santuario del Cobre, es el mas rico, frecuentado, y deboto de la Ysla, y la Señora de la Caridad la más milagrosa efigie de quantas en ella se veneran.

Tres dias, y medio me mantube en este Pueblo. Abrí mi visita, Predique seis Sermones, administré el Sacramento de la Penitencia á quantos ocurrieron, y en algunas ocasiones el de la Comunion, y Confirmé cuatrocientas cinquenta y tres personas. Dege establecida la devocion al Santísimo Rosario tres veces al dia, y el exercicio de la Oracion Mentál los Domingos en la tarde: Evaquado lo principál de la

Visita, cometí el resto de ella al Dr. Dn. Hilario López, Presvítero, y marché para esta Ciudad. Desde ella di entre otras providencias las que por mas notables referiré: La primera añadir mil, y quinientos pesos a los mil de principal, que tiene el Organista del Santuario, con el designio de que esta Cantidad sirviese de Congrua, para ordenar á uno, que tocase el Órgano, y ayudase al otro Capellan en quanto se ofreciera: Logré mi deliveracion, y desde el dia primero del Corriente pasó el nuevo Presvitero á exercer su Ministerio: La Segunda erigir Hospital para Hombres, y Mugeres con intervenzn. del Vice Patron, ofrecí costear su fabrica, que há de ser de Mamposteria, y Texa: Para ella tengo entregados trescientos pesos al Capellan del Santuario, por cuia mano, y dirección Corre: Espero se Concluirá en breve, y qe. aquellos pobres vecinos tendrán este Consuelo en sus enfermedades: Y la tercera havér examinado con gran diligencia las quentas de la Mayordomía del mismo Santuario, por parecerme que carecían de formalidad: Despachelas en fin con las adicciones, y advertencias necesarias entregandoselas al Mayordomo, que es Presvitero, y al Presidente Vicario tambien, y Juez Eclesiastico de aquél Pueblo, donde reside, y por consiguiente hay en él Cinco Sacerdotes: Es á savér Dn. Juan Jacinto de Silva, natural de esta Ciudad; estudio Gramática, y Moral, Ordenose el año de veinte y quatro: su edad Sesenta años: Dn. Joseph Lopez de Macaya, natural de esta Ciudad: estudio Gramatica, y Moral, ordenose el año de quarenta y quatro, en el mismo entró de Sachristan mayór, su edad Sesenta y ocho años: Dn. Joseph de Aguilera, natural de la Habana, estudió Gramatica, Philosophia y Moral. Ordenose el año de Treinta y tres, su edad quarenta y ocho años: Br. Dn. Julian Joseph Brabo, natural de esta Ciudad; estudio Gramatica, Philosophia y Morál, ordenose el año de treinta y quatro; en el mismo entró de Capellán del Santuario; su edad quarenta y siete años; Dn. Franco. de Villa, natural de Obiedo; estudió Gramatica, Philosophia, y Moral, ordenose en Noviembre de este año, y a primero del corriente entró en su Ministerio de Organista del mismo Santuario. Su edad veinte y cinco años.

Puede sér que los Presviteros lleguen a Seis por que mi animo es poner Capellán separado que cuide del Hospital.

Nuestro Sor. gue. la C. R. P. de V. M. como la Christiandad, há menester, y sus Vasallos necesitamos. Santiago de Cuba, y Dizre. 8 de 1756:

Pedro Agustín, Obispo de Cuba.

11
La devoción de San Antonio María Claret
a Nuestra Señora de la Caridad del Cobre

Algunas notas suyas donde cita a la Virgen de la Caridad y resalta la importancia de su devoción y culto, siendo Arzobispo de Santiago de Cuba

...Ya al entrar en la bahía de Santiago[815], vuelta la corbeta hacia la montaña del Cobre, hizo salva con cinco cañonazos y cantaron la oración a la Virgen. El día de la toma de posesión, volviéndose a la imagen esculpida en el báculo, dijo: *La Prelada será la Virgen Santísima. Mi forma de gobierno será la que Ella me inspire[816]*.

...A los quince días de nuestra llegada fuimos a visitar la Imagen de la Santísima Virgen de la Caridad en la ciudad del Cobre, a cuatro leguas de la capital, a quien tienen mucha devoción todos los habitantes de la Isla. Está en una capilla muy rica, por los muchos donativos que presentan continuamente los devotos de todas partes[817].

12
Descripcion de la imagen de Nuestra Señora de la Caridad del Cobre, su altar y su camarín en el Santuario oriental, según anotaciones que se conservan en el inventario real de 13 de mayo de 1851

El altar era todo de plata y en el camarín había multitud de milagros de oro y plata, una maría adornada de esmeraldas en una urna; la custodia de plata, como de media vara de alto. La imagen estaba colocada sobre una repisa adornada con cinco serafines de plata con alas de oro, una media luna de oro en dos mitades y otra chica al frente con estrellitas a cada extremo. La representación de la Virgen del Cobre llevaba un resplandor guarnecido con siete botones de esmeraldas a cada lado, una rosa detrás de la corona, ambas de oro. Del mismo metal y esmeraldas era el arco sobre su cabeza con dos estrellas y perlas en los rayos, esmeraldas o amatistas al centro. Al

---

[815] en el momento de su llegada a Cuba

[816] San Antonio María Claret. Autobiografía. La Editorial Católica S.A., Madrid, 1959, p. 334

[817] Ibídem.

frente, la corona tenía un diamante del tamaño de un garbanzo, y otras piedras de mucho valor. En la mano derecha, la imagen tenía una cruz, como de tres pulgadas de largo, con doce esmeraldas y un brillante. En las orejas, un par de pendientes de diamantes montados en plata; un collar de perlas daba cuatro vueltas en el cuello de la figura, etc. En la mano izquierda cargaba al niño, éste sostenía un mundo[818] de oro con varias esmeraldas[819].

13
Un intento de República Cristiana
bajo la égida de la Virgen de la Caridad

(La celebración del 7 de diciembre de 1898 en la Catedral de Santiago de Cuba y en el Santuario de Nuestra Señora de la Caridad del Cobre)

Dr. Salvador Larrúa Guedes
Miami, marzo del 2008

La intervención americana fue un desengaño para la mayor parte de los luchadores por la independencia de Cuba, incluyendo muchos eclesiásticos que participaron en la gesta emancipadora.

Si recordamos los momentos en que comenzaron los enfrentamientos entre cubanos y españoles en la Guerra del 95, hay que destacar que

en la tradición religiosa popular permanecieron (en la Guerra del 98) los mismos principios de ética patriótica unidos al culto de la Virgen cobrera. Como en 1868, los miembros del Ejército Libertador acostumbraban a llevar resguardos y medallas con su imagen para procurar su protección en el combate[820]

La devoción a la querida Virgen Mambisa no se limitaba a los combatientes del Ejército Libertador, sino que como símbolo de las luchas por la independencia, estaba en todas partes. Los cubanos desterrados en los Estados Unidos que ayudaban de muchas formas, con dinero, armas y expediciones, a la causa de Cuba Libre, cuando

---

[818] Una bola del Mundo

[819] Archivo del Arzobispado de Santiago de Cuba (AASC). «Inventario de Nuestra Señora de la Caridad y Remedios». Santuario del Cobre, 13 de mayo de 1851.

[820] Ortiz, Fernando. Notas sobre la Virgen de la Caridad. Archivo de la Biblioteca del Instituto de Literatura y Lingüística (ALBILL), La Habana

realizaban sus juntas lo hacían en salones presididos por la imagen de la Virgen a la que acostumbraban dirigir sus oraciones, rosarios y novenas, en las que participaron personajes que llegaron a ocupar las mayores posiciones en el gobierno de la República, como Don Tomás Estrada Palma, entonces Delegado de la Junta Revolucionaria:

> *También hubo patriotas que le hicieron novenas en solicitud de la independencia y la protección de sus hijos que peleaban por ella en la manigua, como la que dirigía el delegado de la Junta Revolucionaria de Cuba en Nueva York, Tomás Estrada Palma, hacia 1898*[821]

Ya sabemos que el Santuario de la Caridad del Cobre estuvo cerrado nueve años en la Guerra Grande y que durante la contienda fue visitado por Carlos Manuel de Céspedes y los más altos oficiales del Ejército Libertador, porque la Virgen que reinaba en esta Santa Casa, que desde los más lejanos tiempos de la historia había protegido a los que luchaban por la causa de la libertad, era la máxima inspiradora de los mambises, desde los Mayores Generales hasta los más humildes soldados de filas.

Hemos constatado también que la fiesta de la Virgen se celebraba por los mambises en la manigua cubana de la forma más respetuosa e imponente de acuerdo con los escasos medios disponibles: la veneración de los miembros del Ejército Libertador por la Patrona de Cuba, según testimonios como el de Ignacio Mora que hemos mencionado en este libro, *rayaba en la locura* cuando en los campos de Cuba Libre brillaban como estrellas de esperanza miles y miles de velas encendidas en honor a la Virgen de la Caridad cuando llegaba el día de la Gran Fiesta.

De todos los mambises era conocido el amor y la fe devotísima del Titán de Bronce, Lugarteniente General Antonio de la Caridad Maceo y Grajales, por la Virgen Morena que llevaba consigo como parte de su nombre: por eso, al terminar la Guerra del 95, cuando tuvo lugar la celebración pública del 7 de diciembre de 1898 por la muerte del Lugarteniente General Antonio de la Caridad Maceo, los actos solemnes se celebraron en la Catedral Primada de Santiago de Cuba, donde fue multitudinario, y en el Santuario de Nuestra Señora, la

---

[821] Archivo del Arzobispado de La Habana (AALH). Novena a la Santísima Virgen de la Caridad del Cobre, Patrona de Cuba. Recuerdo de la Guerra de Independencia, La Habana, enero de 1898. La autora de esta novena fue la Sra. Da. Dolores Díaz, viuda de Ferrer. En: Portuondo Zúñiga, Olga. La Virgen de la Caridad del Cobre, Símbolo de Cubanía. Editorial Oriente, Santiago de Cuba, 1995, p. 238

Virgen de la Caridad del Cobre, donde la ceremonia tuvo mayor intimidad y recogimiento, con la participación de miembros del Ejército Libertador[822]. Se ha dicho al respecto que

Desde las vísperas, las campanas tocaron los 50 dobles que se acostumbraban a dar cuando fallecía un Capitán General durante el gobierno colonial de la Isla.

Ahora se doblaba por el héroe de la Patria Nueva. La Catedral fue arreglada según el ritual de difuntos, con crespones negros, catafalco solemne rodeado de cirios.

Celebró la Santa Misa el Deán Lic. D. Mariano de Juan Gutiérrez, acompañado de orquesta y coro.

En el sitial del Coro destinado antes a los títulos de Castilla se sentaron los generales cubanos Julio Sanguily, Silverio Sánchez y Quintín Banderas.

El elogio fúnebre estuvo a cargo del Ilustre Señor Doctor Francisco de Paula Barnada, Canónigo Penitencial, a quien Bacardí catalogó como mariscal cubano; era la primera oración fúnebre que se hacía en el recinto de la Iglesia. El Padre Barnada enumeró las grandes virtudes de aquel hijo insigne de Santiago.

Las naves y el atrio de la Catedral quedaron abarrotados de pueblo santiaguero.

*Una agencia de prensa norteamericana emitió un cable que fue reproducido por el Diario de la Marina de La Habana. **y que entre otras cosas clasificaba la ceremonia relilligiosa de «imponente».***

*El Gobierno de ocupación había prohibido la entrada a la ciudad de Santiago de tropas cubanas portando armas. Según la noticia, los americanos no fueron avisados con anterioridad y sólo se enteraron **«cuando se vieron desfilar por las calles de la población los soldados cubanos y los hombres civiles, precedidos de un centenar de jinetes e infantes portando fusiles Remington».***

Las tropas pasaron por delante de la Casa de Gobierno camino a la Catedral, en el primer «desfile», aunque ilegal, del Ejército Libertador.

Quiero resaltar que los dos actos oficiales que realizó el Ejército Libertador estuvieron relacionados con la celebración de la Eucaristía y que fueron celebrados en el Santuario Nacional de Nuestra Señora de la Caridad del Cobre y en la Basílica Catedral de Santiago de Cuba.

---

[822] Suárez Polcari, Mons. Ramón. Historia de la Iglesia Católica en Cuba. Ediciones Universal, Miami, 2003, tomo II, p. 208

La Misa de Acción de Gracias fue celebrada en presencia del General Cebreco y el Estado Mayor del General García[823]

Vamos a hablar ahora de la Misa de Acción de Gracias. Desde el fin de la II Guerra de Independencia, numerosos veteranos de la contienda buscaron, por encima de todo, el consuelo de su Madre del Cielo, la querida Virgen de la Caridad. No era para menos: la amenaza de la anexión de la Isla a los Estados Unidos, que pendía sobre Cuba como una amenaza constante, junto con la existencia de la Enmienda Platt, atentaban contra las bases de la lucha de Cuba contra la dependencia colonial de España, y fue por esta causa que entre algunos oficiales del más alto rango del Ejército Libertador, como nuestro conocido el Mayor General Agustín Cebreco Sánchez, que era natural del pueblo de El Cobre y bautizado ante la Madre de la Caridad, con el apoyo de sacerdotes partidarios de la independencia como el Padre Desiderio Mesnier.

En las ideas de aquellos veteranos de las Guerras de Independencia, la querida y Mambisa Virgen de la Caridad del Cobre, Patrona de Cuba, siempre estaba unida a las nociones de una Patria Libre y de una República Cristiana. Fue por esta causa que en el momento de celebrarse la Primera Misa de Acción de Gracias por la Victoria, ofrecida a Nuestra Señora por el Estado Mayor del Ejército Libertador de Cuba el 8 de septiembre de 1898, el P. Desiderio Mesnier, Coronel del Ejército Libertador que desde sus tiempos de seminarista colaboraba con la causa de la libertad[824], subió a la Cátedra Sagrada para presentar el tema *«El Pueblo Cristiano tiene en María una corredentora, los cubanos tienen en la Virgen de la Caridad una Madre que los enseñará a consolidar una República Cristiana».*

En las crónicas de la época, el momento trascendental en el que se unieron los luchadores por la independencia con un sacerdote ilustre, partidario de la causa cubana, unidos en el noble pensamiento de fundar una República Cristiana, expresado a los pies de la Virgen de la Caridad, quedó recogido con estas palabras:

---

[823] Ibídem, pp. 208-209. Se refiere al Mayor General Calixto García

[824] Larrúa Guedes, Salvador. Grandes Figuras y Sucesos de la Iglesia Cubana. Santo Domingo, 1996, p. 179

Acta de la primera misa en acción de gracias, en el viejo Santuario de Nuestra Señora de la Caridad en el Cobre, ofrecida por el Estado Mayor del Ejército Libertador de Cuba, el 8 de septiembre de 1898, un mes y días antes del Tratado de París

En la villa del Cobre a los ocho días del mes de Septiembre de mil ochocientos noventa y ocho, a las ocho de la mañana, siendo Capellán de este Santuario de Nuestra Señora de la Caridad el Señor Prebendado de la Santa Basílica Metropolitana Don Andrés Ramírez Cobos, se celebró la primera fiesta religiosa en Cuba Libre e Independiente. Asistieron el Señor General de División Agustín Cebreco y Sánchez, acompañado de su Jefe de Estado Mayor el Teniente Coronel Miguel Balanzó y Díaz, Jefe de Sanidad Militar Dr. Guillermo Fernández Mascaró, oficiales de Estado Mayor José L. Espino y Rodríguez, Faustino Lee y Francisco Bonne, Comandante Militar de la Plaza Bartolomé Falcón y General de Brigada Silverio Sánchez Figueras. También asistieron al acto el Coronel del Ejército Americano Henry Osgood, Comandante Gordon y Teniente Rooney.

Ocupó la Cátedra Sagrada el Presbítero Desiderio Mesnier, desarrollando el siguiente tema: «El Pueblo Cristiano tiene en María una corredentora, los cubanos tienen en la Virgen de la Caridad una Madre que los enseñará a consolidar una República Cristiana».

Y para constancia se firma la presente:

Agustín Cebreco Sánchez, General de División / Silverio Sánchez Figuera, General de Brigada / Dr. Guillermo Fernández Mascaró, Coronel Jefe de Sanidad Militar / Miguel Balanzó Díaz, Teniente Coronel, Jefe de Estado Mayor / José L. Espino Rodríguez, Teniente del Estado Mayor / Bartolomé Falcón, Comandante Militar de la Plaza / Ledo Francisco Brioso, Auditor Accidental de la División / Faustino Lee, Sub-Teniente del Estado Mayor / José Francisco Gasso, Capitán del Ejército Cubano / Francisco Bonne, Ayudante de Estado Mayor / Rafael Inciarte, Músico Mayor de la Banda de Música / Desiderio Mesnier Cisneros, sacerdote católico a cuyo cargo estuvo la predicación / Bembenuto Rodríguez, Comandante del Ejército Cubano / Pacual (ilegible) del Ejército Cubano / Ricardo Núñez, Teniente del Ejército Libertador / Ricardo García. /[825]

Muchos males se hubieran evitado con aquella República Cristiana, dirigida por el pensamiento católico y cristiano de occidente y constituida bajo la protección de la Virgen de la Caridad.

---

[825] Archivo de la Cancillería del Obispado de Holguín (ACOH). Acta de la Primera Misa en Acción de Gracias, en el viejo Santuario de Nuestra Señora de la Caridad en El Cobre, ofrecida por el Estado Mayor del Ejército Libertador de Cuba, el 8 de septiembre de 1898, un mes y días antes del Tratado de París.

14
Solicitud de los Veteranos de las Guerras de Independencia para que la Virgen de la Caridad sea declarada Patrona de Cuba

Veteranos de la Independencia

Consejo Territorial de Oriente

Santiago de Cuba

Ru. Nc.

A

S. S.

BENEDICTO XV.

SANTÍSIMO PADRE:

Los que suscriben, hijos de la Santa Iglesia Católica Apostólica Romana a S. S. humildemente exponen:

Que son miembros unos y simpatizadores otros, del Ejército Libertador Cubano, título que constituye el timbre de nuestra mayor gloria, por sintetizarse en él, el supremo bien de la Libertad e Independencia de nuestra Patria; que junto a ese título, ostentamos otro, que es el de pertenecer a la Iglesia Católica Apostólica Romana, en cuyo seno nacimos, al amparo de sus preceptos vivimos y de acuerdo con ellos queremos dejar de existir; y esos dos títulos hacen que hoy, reunidos en la Villa del Cobre, en donde se encuentra el Santuario de la SANTÍSIMA VIRGEN de la CARIDAD, y postrados reverentemente ante su altar, acordemos acudir a S. S. para que realice la más hermosa de nuestras esperanzas y la más justa de las aspiraciones del alma cubana, declarando Patrona de nuestra joven República a la Santísima Virgen de la Caridad del Cobre, y de precepto para Cuba, el día que lleva su Santísimo nombre, ocho de Septiembre.

No pudieron ni los azares de la guerra, ni los trabajos para librar nuestra subsistencia, apagar la fe y el amor que nuestro pueblo católico profesa a esa Virgen venerada; y antes al contrario, en el fragor de los combates y en las mayores vicisitudes de la vida, cuando más cercana estaba la muerte o más próxima la desesperación, surgió siempre como luz disipadora de todo peligro, o como rocío consolador para nuestras almas, la visión de esa Virgen cubana por excelencia, cubana por el origen de su secular devoción y cubana porque así la amaron nuestras madres inolvidables, así la bendicen nuestras

547

amantes esposas y así la han proclamado nuestros soldados, orando todos ante ella para la consecución de la victoria, y para la paz de nuestros muertos inolvidados; y acusaría una vergonzosa ingratitud por nuestra parte, el que a los beneficios que esa Virgen excelsa nos prodiga, permaneciéramos inactivos o mudos, y no levantáramos nuestra voz ante el sucesor de San Pedro, para que haciéndose intérprete de los sentimientos del pueblo católico de Cuba y de los de su Ejército Libertador que profesan la religión de nuestros antepasados, y usando de las facultades de que se encuentra investido, declare, previo los trámites correspondientes, como Patrona de la República de Cuba a la Virgen de la Caridad del Cobre y de fiesta eclesiástica en ella, el día que lleva su santo nombre.

P o r   t a n t o ,

A Su Santidad suplicamos humildemente, se sirva acceder benigno a nuestra solicitud.

Villa del Cobre a veinticuatro de Septiembre de mil novecientos quince.

15
Decreto de la Sagrada Congregación de Ritos declarando a la Virgen de la Caridad del Cobre como Patrona de Cuba
(10 de Mayo de 1916)

La antigua imagen de la Virgen Madre de Dios, con el título que ella misma ostenta «de la Caridad», venerada antiguamente en España, desde tiempos remotos, es honrada en la Isla de Cuba como la principal Patrona de dicha República, ante Dios.

Dicha imagen, según refiere una constante tradición, fue donada por uno de los primeros colonizadores de la Isla a cierto jefe de tribu o cacique y después de muerto éste, permaneció oculta hasta que se encontró milagrosamente sobre las olas del mar, siendo entonces trasladada a la villa denominada «El Cobre», de donde tomó el nombre.

Desde tiempo remoto, en este propio lugar, la Bienaventurada Virgen de la Caridad ha sido objeto de tan gran veneración para los católicos de Cuba que no dudaron elegirla su Celestial Patrona, confiando en que la Sede Apostólica confirmaría la elección. Y así, de acuerdo con los Reverendísimos Cabildos y Clero, los Prelados de todo el territorio cubano, como también los Superiores de las Órdenes Religiosas que en dicho territorio se encuentran establecidas, el pueblo fiel y PRINCIPALMENTE LOS JEFES VETERANOS Y SOLDADOS DEL VALEROSO EJÉRCITO DE CUBA, suplicaron a nuestro Santísimo padre Benedicto XV se dignara declarar a la Bienaventurada Madre de Dios de la Caridad, llamada «del Cobre», Patrona Principal de la República de Cuba; pidieron también que su fiesta principal se celebrase el día 8 de Septiembre, con el oficio y la Misa de Natividad de la Bienaventurada Virgen María, en todas las Diócesis de la Isla, con correspondiente rito doble de primera clase, con octava; y finalmente que permitiera se celebrase otra fiesta el día 27 de Octubre, aniversario del hallazgo de la milagrosa imagen de la Madre de Dios.

Su Santidad, accediendo benignamente a estos deseos manifestados a la Sagrada Congregación de Ritos por el cardenal Pro-Prefecto infrascrito, en virtud de su Suprema Autoridad declaró e instituyó a la B. Virgen María «de la Caridad», llamada «del Cobre», Patrona Principal de toda la República de Cuba, concediendo a la misma todos los privilegios y honores que por derecho corresponden a los Patronos principales de los lugares; determinó también Su Santidad se declarase, según el anunciado rito con octava, la fiesta de dicha patrona, el día 8 de Septiembre, con el Oficio y Misa de la Natividad de la misma Bienaventurada Virgen María.

Benignamente también se dignó a conceder Su Santidad, que en cada una de las Iglesias u oratorios públicos, que serán designados según la voluntad de los respectivos Ordinarios, se celebre todos los años el día 27 de Octubre la solemnidad externa en honor de la Madre de Dios «de la Caridad del Cobre», con privilegio de una Misa Solemne y otra rezada del Patrocinio de la B. Virgen María, guardando en todo caso las disposiciones litúrgicas.

No obstante cualquier cosa en contrario, en Roma a 10 de Mayo de 1916.

A. Cardenal, Obispo de Oporto y Santa Rufina,
Pro-Prefecto de la Sagrada Congregación de Ritos.

16
Secretaría de Estado de Su Santidad al Excmo. Sr. Arzobispo de Santiago de Cuba

Excmo. Y Rmo. Señor:

En reciente carta hiciste saber al Santo Padre que en el próximo mes de Diciembre, se celebraría en esa ciudad un Congreso Eucarístico, con el cuál coincidirían las solemnes fiestas de la Coronación de la Beatísima Virgen María, escudo y ornamento de la república Cubana.

La religión y piedad que caracterizan a ti y a tu grey, son feliz augurio de que dichas fiestas se distinguieran tanto por su magnificencia como por los frutos que de las mismas se han de derivar.

Prudente y acertada idea ha sido la de aprovechar las indicadas festividades para establecer sólidamente la Acción Católica en tu jurisdicción, propósito que de antiguo acariciabas y para realizarlo no era posible escoger mejor ocasión. Por ventura ¿no es la Acción Católica fruto de piedad, testimonio de bondad, obra de caridad? Y ciertamente es así; porque derivándose del misterio del cuerpo místico de Cristo, todo cuanto siente y proyecta, todo cuanto desea y practica, lo deriva también de esta fuente de amor como de limpio y abundantísimo manantial. La totalidad del pueblo cristiano es regia y sacerdotal; y aunque hay diferencia entre los que han recibido orden sagrado y el resto de los fieles, todos los miembros de este cuerpo cuya cabeza es Cristo, deben unirse en diversas actividades aunque con igual empeño, para que, cimentados en una virtud sólida, transmitan a los demás el jugo de la sana doctrina y les preparen los caminos de la gracia. Y así regenerados por el agua bautismal, tendrán éxito y triunfarán, si constantes en la obediencia y trabajando con empeño, trasmiten a sus prójimos lo que, por la misericordia divina, ellos recibieron; y celosos de la salvación de los demás, merecerán su propia salvación.

Y esta vida de gracia tan robusta y exuberante, cuya difusión debemos recuperar, la estableció Cristo mediante el agua de regeneración, y la sustenta El mismo en el Misterio de la Eucaristía, donde está la mesa del Señor, el alimento de vida, el manantial de dulzura, la fuente de bondad y el sacramento de amor.

Quien desprecia este alimento no siente deseo de trabajar con empeño por la Gloria de Dios y la salvación de las almas, sino, que, languideciendo en vergonzosa inacción, se apega a las cosas terrenas que, al fin, las perderá y le perderán.

Por tanto, acertadamente has determinado trabajar con empeño a fin de que cuantos se alisten en las filas de Acción Católica, den culto, visiten y reciban la Sagrada Eucaristía. Así serán humildes en su obediencia, si con piedad y respeto contemplan la majestad del Redentor oculta bajo el velo del Sacramento, e imitarán al Hijo de Dios que se anonadó tomando la forma de siervo, haciéndose obediente al Padre hasta morir en la Cruz; y dándose en la Sagrada Comunión. Perseverarán contentos en su trabajo, si alimentados con este celestial manjar adquieren solo vigor que los haga temibles a las fuerzas enemigas: las contrariedades de la vida no harán decaer el ánimo de quienes acuden a Dios y se alimentan de Dios.

Y el hecho de brotar la bella y aromática flor de la Acción de Católica precisamente cuando la Virgen Madre del Amor hermoso va a ser honrada con esplendoroso culto, nos hace augurar su rápido incremento.

La Reina de los Apóstoles que con su presencia, consejos y fervorosas oraciones dio protección a la ardua tarea de anunciar el Evangelio en su principio, e infundió entusiasmo y fortaleza a los primeros predicadores, también, implorada su protección con abundantes súplicas y oraciones, infundirá ardiente caridad a cuantos bajo las gloriosas banderas de Cristo Rey se hagan acreedores a recompensa, y como ejército auxiliar ayudará a la Jerarquía eclesiástica, para que se extienda, robustezca y consolide el reino de Dios.

El Augusto Pontífice, deseando vivamente que todo resulte felizmente, movido de especial benevolencia hacia ti y hacia el clero y pueblo que está bajo tu dirección, os envía la Bendición Apostólica que os granjeará luz y auxilio para llevar al cabo lo que con empeño y provecho habéis comenzado.

Me profeso de tu Excelencia Rma. afectísimo;

E. Card. Pacelli

17
Autorización del Venenerable Capítulo Vaticano para hacer la Coronación Litúrgica de la Ssma. Virgen de la Caridad del Cobre

La coronación solemne de las imágenes de la Ssma. Virgen y el Niño Jesús está reservada al Venerable Capítulo del Vaticano y era necesario obtener facultad especial del mismo para hacer la coronación que se deseaba.

Con el fin de hacer una petición colectiva, como convenía en un asunto de esta índole, el Señor Arzobispo reunió en su Arzobispado en el mes de Mayo a los señores Curas Párrocos y Superiores de las Ordenes Religiosas de la ciudad, como también a otros Sacerdotes seculares y regulares de gran respeto, y les comunicó el acuerdo que los señores Obispos de la República habían tomado de hacer la Coronación Nacional de la Ssma. Virgen de la Caridad del Cobre, Patrona principal de Cuba, trayendo para ello la Imagen del Santuario del Cobre a la Alameda de Santiago de Cuba. Les leyó la solicitud que tenía escrita para el Venerable Capítulo del Vaticano, pidiendo la debida autorización para coronar la Virgen, y un documento que habían de firmar los presentes y en que se declaraba que la Imagen que se trataba de coronar tenía las condiciones necesarias de antigüedad, veneración y fama de milagros para el efecto.

Todos aprobaron el proyecto por unanimidad, firmaron el documento a que se hace referencia. Inmediatamente se enviaron la solicitud del Sr. Arzobispo y el documento de los señores Sacerdotes al Capítulo Vaticano

y la respuesta no se hizo esperar. Fue como sigue:

18
Carta del Venerable Capitulo Vaticano
Autorizando la Coronación de la Virgen de la Caridad del Cobre

EUGENIO, del título de los Santos Juan y Pablo, de la Santa Iglesia Romana Presbítero Cardenal PACELLI, Arcipreste de la Basílica Patriarcal del príncipe de los Apóstoles, Prefecto de la Sagrada Congregación de la Rev. Fábrica (de S. Pedro) el Cabildo y Canónigos de la misma.

Al Ilmo. y Rmo. Sr. Fray Valentín Zubizarreta, Arzobispo de Santiago de Cuba, salud en el Señor.

A nuestro Cabildo, al que pertenece el privilegio y honor de coronar las sagradas imágenes de la Bienaventurada Virgen María célebres por la antigüedad del culto que se les tributa o por la fama de sus milagros, acudió recientemente tu Excelencia manifestando que dentro de los límites de Tu Arzobispado y lugar que llaman «El COBRE» se venera, desde hace tres siglos, una antiquísima y devota imagen de madera que representa a la Madre de Dios, bajo el título de Nuestra Señora de la Caridad a la que anualmente se dirigen en peregrinación ya particular, ya colectiva, los fieles de toda la región, quienes se enriquecen con abundantes gracias espirituales.

Por lo cuál, movido de un afecto de amor singularísimo hacia la Madre de Dios, has pedido con mucha instancia que tan Augusta imagen sea coronada, con Nuestra autorización y con rito solemne, con corona de oro; lo que constituye deseo vehemente tanto de los Obispos como de los fieles de esa Provincia eclesiástica, de numerosos Párrocos y Superiores de Ordenes e Institutos Religiosos y de todas las clases sociales de Santiago de Cuba.

Nosotros, pues, que siempre estamos prontos, cuando de honrar a la Santísima Virgen se trata, y que siempre procuramos que Ella sea más y más obsequiada por la devoción de todos los pueblos, gustosamente hemos accedido a las indicadas súplicas. Reunidos, por lo tanto, el 18 de Junio del presente año en nuestra Aula Capitular y costándonos por los documentos presentados que en dicha Ssma. Imagen concurren todos los requisitos que para la solemne coronación se necesitan, por unanimidad hemos decretado y mandado que la Santa Imagen de la Beatísima Virgen de la Caridad del Cobre, venerada como ya se ha dicho, sea coronada solemnemente con corona de oro.

Y conferimos el cargo de llevar al cabo esta solemne coronación al Excmo. Y Rmo. Señor Jorge Caruana, Nuncio Apostólico en Cuba, al que facultamos para que pueda sub- delegar, si así le pareciere, en otro Arzobispo u Obispo de esa República.

En Roma a 2 de Julio año del Señor de 1936, XV del Pontificado de nuestro Señor Pío Papa XI.

Juan Bressan, Canónigo Actuario
Juan Ferraro, Canciller

En otra comunicación decía el mismo Canónigo Actuario:
«En el decreto de Coronación de la Virgen va Comprendida, aunque no se exprese, la facultad de coronar
también al Niño Jesús».

Juan Bressan, Canónigo Actuario.

19
Carta Pastoral sobre el Ssmo. Sacramento
con motivo del Congreso Eucarístico Diocesano

NOS Fr. VALENTIN ZUBIZARRETA Y UNAMUNZAGA, por la gracia de Dios y de la Santa Sede Apostólica Arzobispo de Santiago de Cuba, al Excmo. Cabildo Metropolitano, a los RR. Vicarios, Curas Párrocos y demás Clero secular y regular, a las religiosas y fieles de nuestra Archidiócesis, salud y paz en nuestro Señor Jesucristo.

> *Cum dilexisset suos,qui erant in mundo, in Finem dilexit eos. Joan., 13,1.*
> *Como hubiese amado a los suyos, que vivían en el mundo, al fin señaladamente los amó.*

Venerables hermanos y amados hijos:

Dos acontecimientos, a cuál más importante, van a tener lugar este año en Santiago de Cuba. El Congreso Eucarístico Diocesano y la Coronación Nacional de la Ssma. Virgen de la Caridad del Cobre, Patrona de Cuba.

El año de 1918 se proyectó por primera vez levantar en una de las colinas del Cobre el Santuario Nacional, dedicado a la Ssma. Virgen de la Caridad, Patrona de Cuba. Se prepararon los planos, y hasta se hizo ceremonia de bendecir y colocar la primera piedra del templo. A consecuencia de una carta pastoral colectiva que publicaron los Sres. Arzobispo y Obispo de la República y propusieron la solemne coronación de la Ssma Virgen de la Caridad, para cuando estuviera terminada la Iglesia, algunas Señoras y Señoritas de la Habana se desprendieron de sus joyas para engarzar la corona de su santísima patrona, pero por causas que ignoramos no se realizó el proyecto.

Cuando el año 1925 nos hicimos cargo de esta archidiócesis de Santiago de Cuba, lanzamos nuevamente la idea de construir un Santuario digno de la Madre de Dios y patrona de Cuba. El pueblo de Cuba, sin distinción de personas y clases, respondió generosamente, y vio con asombro que con las limosnas que se habían recogido se levantó y fue inaugurado el templo en menos de dos años.

Todavía faltaban muchos detalles, y sobre todo faltaba el altar mayor en que se pudiera colocar decorosamente la Imagen de la Madre de Dios.

No tardó en llegar uno muy espléndido. Reunióse un grupo de Señoras y Señoritas de la mejor sociedad de Santiago de Cuba bajo la presidencia de la Señora Buenaventura Bover de Barceló, y acordó hacer una colecta entre sus amistades de Santiago de Cuba, Habana y Otras ciudades de la República. El resultado fue magnífico, y el altar de mármol construido en los talleres del Caballero Fernando Palla, de Pietra Santa, Italia, llegó y fue colocado en su lugar antes de terminar el año 1931, y pudo inaugurarse solemnemente el día 20 de Mayo de 1932. Es el que todos conocemos y lo admiramos con razón.

Desde entonces estaba en el ambiente el deseo y la idea de coronar solemnemente con todas las ceremonias que el caso requería, la pequeña imagen colocada en su trono, pero se esperaba una ocasión propicia.

Cuando así se comentaba el deseo de proceder a la coronación, los directivos de 58 Asociaciones católicas, establecidas en las Iglesias de Santiago de Cuba, se Nos presentaron y Nos propusieron el proyecto de celebrar en la capital de Oriente un Congreso Eucarístico Nacional juntamente con la solemne coronación de la Ssma Virgen de la Caridad del Cobre, Patrona de Cuba. Obtenido el consentimiento de los Sres. Obispos, al principio se pensó en Celebrar un Congreso Eucarístico Nacional, pero después, razones que Nos parecieron atendibles, Nos indujeron a convertirlo en Diocesano, y de acuerdo con los Sres. Obispos de la República anunciamos oficialmente que a fines de este año se celebraría un Congreso Eucarístico Diocesano y la coronación Nacional de la Ssma. Virgen de la Caridad del Cobre, Patrona de Cuba, en la Ciudad de Santiago de Cuba.

No se nos oculta la magnitud de la obra, ni desconocemos las dificultades de todo género que hemos de encontrar en el camino. La situación económica del país no es de todo halagüeña, es necesario preparar asientos para una gran muchedumbre de fieles que ha de asistir, debemos vestir a más de cinco mil niños, para que la comunión general se haga con esplendor, es justo que a todos los niños se les dé el desayuno en el mismo lugar o sea el campo eucarístico, no se puede prescindir de micrófonos y altavoces en el lugar de la reunión; un altar artístico en que se coloquen el Ssmo. Sacramento y la imagen de la Ssma. Virgen, Patrona de Cuba, ha de presidir nuestros actos; y el alojamiento de muchos miles de personas que han de afluir es asunto de difícil situación, pero el entusiasmo que el proyecto ha despertado en el pueblo, parece indicar que Jesús Sacramentado y su Ssma. Madre quieren que realicemos el pensamiento.

Os vamos a explicar en esta carta pastoral los motivos que Nos inducen a emprender esta obra, y que son los Congresos Eucarísticos así como la razón por qué se hace la Coronación Nacional de la Ssma. Virgen.

Presencia real de Jesucristo en la Sagrada Eucaristía

Venerables hermanos y amados hijos:

Siendo Dios autor de todas las cosas, bondad infinita y bienhechor por su naturaleza, no ha querido nunca apartarse de sus criaturas, sino que de diferentes maneras se comunica con ellas, principalmente con los hombres.

Es dogma de fe que todos los cristianos lo creemos y aún lo explicamos con razones convincentes, que Dios está en todas las cosas y nosotros en él. In ipso enim vivimus, et movemur et sumus: En él vivimos, nos movemos y existimos (Act..., 17,28) La acción con que Dios nos sacó de la nada, sigue todavía conservándonos en el ser, porque, como dicen los teólogos, la conservación es una continua creación. Este favor que continuamente estamos recibiendo de Dios, es ciertamente para nosotros motivo de agradecimiento. El recuerdo de que estamos cerca de Dios o, mejor dicho, en Dios, nos excita fuertemente y nos obliga a practicar la virtud y a corresponder a los beneficios divinos.

En esta comunicación íntima de Dios con el alma por la gracia santificante y dones sobrenaturales se nos dan las tres divinas personas, y constituyen nuestra mayor felicidad en la tierra, muy superior a todos los placeres de este mundo. Los que se engolfan en las riquezas y en los deleites sensuales, y los que se contentan con una vida lánguida en el servicio de Dios, nunca podrán apreciar el valor de los consuelos que el Señor tiene reservados a los que le aman con fervor.

Aún hay otra unión de Jesucristo con la Iglesia y sus Pastores, para que no yerren en las doctrinas de Fe y costumbres, y es la que prometió con estas palabras: Estad ciertos que yo mismo estaré con vosotros hasta la consumación de los siglos. (S. Mat. 28,20)

Bien se ha visto esta asistencia de nuestro Señor Jesucristo en los 19 siglos que la Iglesia vive y triunfa. Mientras las demás sociedades se disuelven, los imperios sucumben, las dinastías desaparecen, las repúblicas se desbaratan y las sectas apartadas de la Iglesia Católica cambian, la Iglesia Católica se conserva una con unidad de fe, culto y régimen; santa en su esencia, doctrina, sacramentos y miembros; católica de derecho y de hecho, extendida por todo el mundo; y apostólica por ser fundada en los apóstoles y continuada en identidad de doctrina y legítima sucesión de sus Pastores. *Stat crux, dum voliviyur orbis.*

En esta asistencia del hijo de Dios se funda la infalibilidad de la verdadera Iglesia y su cuerpo de Pastores en las cosas de fe y costumbres, y tenemos garantía de que nos enseña la verdad para nuestras inteligencias, y se nos propone el bien para nuestras almas.

Pero en la obra de la redención del género humano entraban otros planes más vastos y amplios, inexplicables a la razón. La redención del mundo era obra de amor, y el amor de Jesús no se contentaba con la acción natural con que sustentaba a las criaturas, ni con las comunicaciones íntimas con que regalaba a los justos en el orden sobrenatural, ni aún con la asistencia que prometió a la Iglesia y a sus Pastores para no errar en sus doctrinas de fe y costumbres, sino que el amor inventó otra manera de presencia que solo a Jesucristo pudo ocurrírsele.

El amor a los hombres obligó al Hijo de Dios, como dice un piadoso escritor, a descender del seno del Eterno Padre para tomar nuestra naturaleza y hacerse nuestro hermano; el amor le obligó a nacer en una oscura cueva y escoger para cuna un humilde pesebre entre brutos animales; el amor le obligó a trabajar ocultamente por espacio de treinta años; el amor le obligó a recorrer la palestina muchas veces y predicar el Evangelio por tres años, recibiendo por todo injurias e insultos; y llegado el momento en que terminó su misión y tuvo que volver a su Padre Celestial, el amor le obligó a instituir la sagrada Eucaristía, en que sin perjuicio de subir al cielo, quedase real y verdaderamente bajo las especies sacramentales, no en un solo lugar de Palestina, sino en todos los altares en que se celebren los divinos misterios.

Y sube de punto la fineza del amor, si se tiene en cuenta que esta determinación la tomó Jesús cuando los hombres más le ofendían y le odiaban, cuando engañados por el espíritu maligno conspiraban contra su vida, cuando uno de sus discípulos trataba de entregarle a sus más rabiosos enemigos, y cuando previa perfectamente los agravios y desacatos que había de recibir en los altares. *Cum dilexisset suos, qui erant in mundo, in finen dilexit eos*. Habiendo amado Jesús a los suyos, que vivían en el mundo, al fin señaladamente los amó. (San Juan, 13,1)

¿Cómo pudo verificarse esto? ¿Como pudo Jesucristo ponerse realmente presente con su cuerpo, alma y divinidad en el Ssmo. Sacramento del altar?

Es un misterio que verdaderamente anonada nuestra inteligencia, pero que es una realidad. Nuestro Señor Jesucristo en la última noche, cuando celebró la cena con sus discípulos, tomó el pan en sus manos y dijo: *Hoc est corpus meun* (Mat. 26,26) Este es mi cuerpo. Estas palabras contienen un argumento que al mismo Lutero

557

le pareció irrebatible, a favor de la presencia real de Jesucristo en la Eucaristía. El decir con muchos disidentes que Jesucristo está en figura en el Ssmo. Sacramento es violentar el sentido natural de las palabras. El texto griego es más claro todavía en nuestro favor. Dice así: Esto, que os doy a comer es el mismo mi cuerpo, el mismo que será entregado por vosotros. (Lucas, 22, 19) Lo que os doy a beber es la misma mi sangre la misma que será derramada por muchos. (Matth. 26. 28)

De esta verdad fundamental parten todas las consideraciones acerca de este Sacramento del amor.

Por más que la inteligencia humana no pueda penetrar en los misterios propiamente dichos, y ser confiese incapaz de demostrar claramente como se pone Jesucristo realmente presente bajo las especies sacramentales, podemos, sin embargo, ayudados por la luz de la fe, vislumbrar y aún exponer con bastante claridad este misterio.

La Iglesia Católica en el Concilio de Trento enseña terminantemente que la presencia real de Jesucristo en la Eucaristía se realiza por una admirable y singular conversión de todo el pan y de todo el vino en cuerpo y sangre de nuestro Señor Jesucristo, conversión que la Iglesia Católica con mucha propiedad la llama Transubstanciación.

Cuando Jesucristo tomó el pan en sus manos y dijo las palabras: Este es mi cuerpo, toda las sustancia del pan se convirtió en su cuerpo, y así se verifica siempre en las manos del sacerdote. Por eso el Concilio de Trento definió solemnemente que en la hostia y en el cáliz después de la consagración no hay pan ni vino, sino solamente el cuerpo y la sangre de Cristo bajo las especies sacramentales. Vemos y palpamos los accidentes de pan y vino, porque los sentidos no perciben más que lo que aparece, pero la inteligencia ilustrada por la fe que bajo aquellas especies está real y verdaderamente nuestro Señor Jesucristo, a quien adoramos en las visitas y le recibimos en la comunión.

Influencia de la Eucaristía sobre la Iglesia Católica

Venerables hermanos y amados hijos:

Decimos muchas veces y es verdad que el Ssmo. Sacramento es la vida de la Iglesia Católica, porque le infunde vigor, actividad y esplendor.

La vida. Todos hablan de la vida, y la vida es todavía un misterio oculto a las miradas de los hombres y a los descubrimientos de la ciencia. En vano a querido la falsa filosofía atribuir la vida a la materia o a la evolución materialista. Se han estrellado todos sus esfuerzos ante la oscuridad impenetrable del misterio. Y hoy como siempre es necesario decir que la vida procede de Dios.

Pero, si no nos es lícito penetrar perfectamente en el secreto de la vida, podemos explicarla a nuestra manera por los efectos que producen en las cosas que viven.

Vemos que los seres vivientes se mueven por una fuerza interior, y que los inertes no pueden moverse más que por los impulsos de los agentes exteriores. Viven las plantas, porque en su crecimiento ocupan nuevos espacios, y se llama vida vegetativa; viven los animales, porque sin impulso exterior se trasladan de un punto a otro, y tienen vida sensitiva; viven los espíritus, porque ejercen sus acciones ahora en un lugar, ahora en otro, y gozan de vida intelectual.

¿Y cómo puede tener vida la Iglesia Católica y quien la produce? ¿Qué movimientos tiene y adonde se mueve la sociedad cristiana?

Según los cálculos de la filosofía la vida es la propiedad o la fuerza que algunos seres tienen de moverse a sí mismos. Entre los movimientos que observamos en los seres hay algunos de excepcional importancia, y por eso es preciso admitir una vida superior a las vidas que hemos enumerado y es la vida sobrenatural que se manifiesta en actos y movimientos sobrenaturales. Informados por la gracia santificante nos movemos de la materia al espíritu, de los vicios a la virtud, de la tierra al cielo y de las criaturas a Dios, y en el desarrollo de esos movimientos adquirimos verdor y lozanía.

Esta vida es la que vino a comunicar nuestro Señor Jesucristo, cuando decía: ***Ego veni, ut vitam habeant et abundantius habeant.*** (Joan, 10.10) Yo he venido para que los hombres tengan vida y tengan vida más abundante. Y quería producir esta vida por la Santa Eucaristía: Quien comiere de este pan, vivirá eternamente. (Joan. 6,25) o, el que me come, vivirá por mí. (Joan. 6,58)

Efectivamente, el Ssmo. Sacramento es el árbol frondoso de sazonados frutos, plantado en la corriente de aguas, que alimenta y vivifica a las almas cristianas; es la fuente de aguas cristalinas que apaga la sed de los peregrinos en este valle de lágrimas; es el pan celestial que mejor que el antiguo maná tiene todo sabor y consolación.

Aquí se inspiraron los santos para sus grandes empresas, aquí se fortalecieron los mártires para sufrir los tormentos, aquí se consolaron los afligidos para sobreponerse a las miserias de esta vida.

¿Quién dio fuerzas a los primeros cristianos para enfrentarse con el paganismo triunfante y dominante por tantos siglos en el mundo, sino Jesús Sacramentado a quien visitaban y lo recibían todos los días en el templo? ¿Quien sostuvo a los mártires, cuando en medio de todas las persecuciones se escondían en las catacumbas para vivir entre los muertos, sino el Ssmo. Sacramento a quien adoraban profundamente en los divinos oficios que en las encrucijadas de aquellas galerías subterráneas celebraba el Pontífice? ¿De donde sacaron luz los apologistas cristianos para combatir los errores que en todos los siglos han aparecido en el mundo contra las doctrinas de la revelación y enseñanzas de la Iglesia Católica, sino de este divino Maestro que preside nuestros actos desde el trono que los católicos les hemos levantado en los altares?

Con razón decía S. Buenaventura: *Per hoc stat Ecclesia, viget christiana religio et divinus cultus.* Por la Eucaristía se mantiene en pie la Iglesia, se conserva la religión cristiana, y resplandece el culto divino. Y nos sirven de gran consuelo las palabras del profeta Isaías: *Haurietis aquas in gaudio de fontibus Salvatoris* (Is. 12,3) Sacareis aguas con gozo de las fuentes del Salvador. Consideramos a Jesucristo en el Ssmo. Sacramento como centro de la vida cristiana, centro siempre vivo y accesible, y acudimos con confianza al sagrario en busca de solución a los grandes problemas de la vida.

Santa Teresa de Jesús que es considerada como una gran apologista del Ssmo. Sacramento, buscaba hasta la salud corporal en la sagrada Eucarística. «Pensáis, decía, que no es mantenimiento aún para estos cuerpos este santísimo manjar, y gran medicina aún para los males corporales? Yo sé que lo es, y conozco a una persona de grandes enfermedades (era ella misma) que, estando muchas veces con grandes dolores, como con la mano se le quitaban, y quedaba buena del todo». Y después de explicar admirablemente los efectos espirituales de una santa comunión añadía: «Pues si, cuando andaba en el mundo, de solo tocar sus ropas sanaban los enfermos, ¿Qué hay que dudar que hará milagros estando tan dentro de mí, si tenemos fe, y nos dará lo que pidiéramos, pues está en nuestra casa? Y no suele su Majestad pagar mal la posada, si le hacen buen hospedaje». (Cam. de perf. c.34)

Jesucristo en la Eucaristía es objeto del culto privado y público

Venerables hermanos y amados hijos:

Jesucristo, por más que esté oculto en la Sagrada Eucaristía, no pierde nada de su grandeza y majestad y allí es objeto de nuestra veneración y amor.

Jesús es el Santísimo Sacramento del altar es precisamente el centro de adoración y culto católico. De allí parten las irradiaciones divinas para ilustrar nuestras inteligencias y encender nuestros corazones.

¿Por qué van las muchedumbres a las iglesia católicas en las ciudades y aldeas, y se arrodillan y aún se postran ante nuestros altares? ¿Por qué arde una lámpara a un lado del altar en que está la hostia consagrada?

¿Por qué se distingue y se adorna con un conopeo el Sagrario en que está prisionero el Redentor del mundo? Y sobre todo ¿Por qué se acercan los fieles al banquete eucarístico en que se alimentan con este manjar celestial? Es que creen firmemente que el mismo Jesucristo que fue concebido en las entrañas de la Ssma. Virgen de Nazaret, nació en Belén, predicó el Evangelio, instituyó la cena y murió en la cruz, está realmente bajo las especies sacramentales.

Pero hablemos detalladamente del culto privado y público.

Cuando nosotros, llevados de un impulso religioso, vamos a la Iglesia, y nos acercamos al Ssmo. Sacramento para avivar nuestra fe y satisfacer nuestra devoción, o manifestamos a Jesús nuestras necesidades, o nos entregamos a profundas meditaciones sobre el gran misterio Eucarístico, o cuando desde lejos dirigimos nuestro pensamiento a este centro de amor, damos un culto privado al Ssmo. Sacramento. Y es ciertamente fuente de gracias y bendiciones. Allí tomamos las grandes resoluciones para reformar nuestra vida y maduramos los grandes proyectos para mejorar las condiciones de la sociedad. Allí realizamos en silencio la obra de nuestra santificación, uniéndonos íntimamente con Dios.

Pero el gran entusiasmo del pueblo cristiano no se contenta con solo adorar privadamente a nuestro divino Redentor, que, habiéndose sacrificado por nosotros, esta oculto en su sacramento de amor. Quiere dar expansión a los sentimientos interiores del alma, cantar solemnemente las glorias de su divina Majestad en el inimitable culto público de la Iglesia.

La Iglesia Católica ha declarado que el cuerpo de Cristo que está en hostia consagrada no se conserva oculto en el sagrario solo para la adoración de los fieles y para su distribución en la sagrada mesa, sino que además se puede trasladar de una parte a otra, llevarlo a los enfermos, exponerlo a la pública veneración y conducirlo en las procesiones.

Es ciertamente admirable el espectáculo que desarrolla la Iglesia Católica en las solemnes funciones del Ssmo. Sacramento.

Ha escrito himnos especiales en que la inspiración y el arte rivalizan con la unción y la piedad: ha compuesto piezas musicales en que no se sabe si admirar más la armonía o el sentido religioso; pronuncia discursos elocuentes sobre la presencia real de nuestro Señor Jesucristo en la hostia consagrada, sobre el amor que el Señor nos profesa, sobre el efecto que produce en las almas, y sobre los gravísimos puntos de controversia. Y estos himnos se cantan, estas músicas se ejecutan, y estos discursos se pronuncian en los grandes templos, bajo las bóvedas de nuestras grandiosas catedrales, de nuestras suntuosas basílicas y de nuestros devotos santuarios.

Seguramente no hay en el mundo cosa que tanto eleve el alma al cielo como las solemnes funciones religiosas celebradas en nuestras basílicas, dirigidas por la sagrada liturgia y solemnizadas por el canto de los himnos y secuencias del Ssmo. Sacramento, conforme a las modulaciones de la música sagrada.

A veces se saca el Santísimo Sacramento en procesión por las calles y plazas de las ciudades y villas, entonando cánticos religiosos y rezando las plegarias. ¿Sabéis por qué? Porque nuestro Señor Jesucristo, Rey de cielos y tierra, tiene derecho, no solo a sentarse en el trono del santuario, sino también a tomar posesión de los lugares públicos y pasearse por las calles y plazas, y bendecir con su presencia a los habitantes del pueblo, y allí justamente, lo mismo que en el templo, lo ensalzamos y glorificamos. ¡Bendito sea por siempre y en todas partes el Santísimo Sacramento del altar!

Congresos Eucarísticos

Venerables hermanos y amados hijos:

La devoción al Ssmo. Sacramento está tomando caracteres especiales en los últimos decenios. A medida que se ha ido conociendo en el pueblo cristiano la conveniencia y aún la necesidad de acercarse a la sagrada Eucaristía, se han hecho nuevos esfuerzos para dar nueva solemnidad a los actos religiosos.

Para esto se han empezado a celebrar los Congresos Eucarísticos que con gran fruto de los fieles vienen celebrándose desde el año 1881 en muchas ciudades de las naciones católicas.

Los Congresos Eucarísticos son grandes reuniones de Obispos, sacerdotes y fieles bajo la presidencia y dirección de las autoridades eclesiásticas para ensalzar y glorificar a Jesús sacramentado y tratar de la eucaristía con relación a múltiples asuntos de la vida cristiana.

Se han celebrado Congresos Eucarísticos internacionales, nacionales y diocesanos, según la mayor o menor extensión que se les haya querido dar. A los internacionales asisten los delegados a todas las naciones, a los nacionales los católicos de toda una nación, y a los diocesanos los feligreses de una diócesis, por más que a todos ellos se suele invitar a toda clase de personas, para que todas den esplendor a los actos solemnes con su presencia y aporten luces con su saber.

El fin directo y principal de los Congresos Eucarísticos es la glorificación de Jesús sacramentado, digno de toda gloria y alabanza, y el fin secundario es el levantamiento del espíritu religioso y formación de la vida cristiana.

Para conseguir el objeto primario se celebran los actos religiosos de misas pontificales, procesiones, comuniones generales y privadas, cánticos religiosos y oraciones; para lograr el segundo fin tienen lugar las asambleas en que se discuten y se estudian los asuntos religiosos, se pronuncian disertaciones científico-morales, y se toman acuerdos.

Son de grandísima utilidad para toda clase de personas. Los que asisten a los Congresos Eucarísticos se ilustran acerca de las verdades de la religión, se animan mutuamente para emprender una vida cristiana, y se acercan a los santos sacramentos.

No hay corazón tan indiferente que resista a la grandiosidad de los actos religiosos que se desarrollan en estas asambleas. Parece que entre cánticos, oraciones y discursos descienden las gracias eucarísticas en abundancia sobre las masas, y se verifica la regeneración social. Se ha visto que hombres y mujeres que vivían alejados de Dios y de la Iglesia, movidos por una gracia interior, y seguramente llamados por la influencia eucarística, se han acercado con actitud edificante a recibir la sagrada comunión.

Para atraer estas bendiciones a nuestro pueblo, hemos acordado celebrar los días 17,18,19 y 20 de Diciembre próximo un Congreso Eucarístico Diocesano en Santiago de Cuba conforme al programa oficial que se publicará oportunamente.

Queremos que todos os preparéis bien para celebrar dignamente este acontecimiento. No solo habéis de tomar parte activa en todos los actos religiosos que han de preceder a las asambleas, sino que habéis de facilitar a vuestros subalternos la manera de hacerse participantes de una gracia tan singular.

En las semanas anteriores al Congreso se han de predicar conferencias eucarístico- misionales en todas las parroquias con la exposición del Ssmo. Sacramento.

En los centros catequísticos se han de preparar los niños que todavía no hayan sido bautizados, para que reciban este sacramento. Deseamos que todos se preparen para la gran Comunión del Congreso Eucarístico.

Para esto conviene que los Comités parroquiales que han sido nombrados en la organización, hagan un censo completo de las poblaciones, consignando en una libreta que se les facilitará las condiciones de cada familia, si los padres de familia están casados por la Iglesia, cuantos hijos tienen, si todos está bautizados y confirmados, etc., etc.

Publicaremos oportunamente las misiones que se han de predicar, los actos religiosos que deben preceder al Congreso y los consejos que fieles deben tener presentes.

Durante los días del Congreso habrá varias misas pontificales con discursos y asambleas públicas, con importantes disertaciones pronunciadas por sacerdotes y caballeros cristianos en el Campo Eucarístico, y reuniones de diversos elementos en las iglesias para estudiar asuntos, tomar acuerdos y deducir conclusiones sobre la vida cristiana.

Coronación nacional de la Ssma. Virgen de la Caridad del Cobre, Patrona de Cuba.

El segundo acontecimiento solemne que va a tener lugar este año en Santiago de Cuba es la Coronación Nacional de la Ssma Virgen de la Caridad del Cobre, nuestra querida Patrona.

Hace ya mucho tiempo que el pueblo cubano tenía especial devoción a nuestra Señora de la Caridad, devoción que la traducía en actos exteriores de no poco sacrificio. Largas caravanas han solido venir con frecuencia de lejanas tierras a visitar su santa imagen que se venera en la colina del Cobre, y la ha escogido para Patrona principal de la República, pero no la ha coronado aún litúrgicamente, y es necesario cumplir ese requisito, para que nuestra madre reciba el homenaje nacional que se merece.

Como ya se ha anunciado en una carta pastoral colectiva de los Señores Obispos de esta República, en uno de los días del Congreso Diocesano, o sea el día 19 de Diciembre de este año a las 4 de la tarde será trasladada la pequeña imagen de Nuestra señora de la Caridad desde el Santuario Nacional del Cobre a la Alameda de Michaelsen de esta ciudad en una carroza artística, que una casa comercial de esta ciudad se encargaba de preparar.

Es una peregrinación santa la que hemos de hacer desde el Cobre a Santiago de Cuba en compañía de la Madre de Dios. Ha de ser una excursión espiritual y un homenaje de amor a nuestra Patrona.

Invitamos a todas las personas de buena voluntad a que nos acompañen en esa peregrinación, y les rogamos que en ese día a las 4 p.m. en punto estén en el Cobre para cantar allí una Salve y emprender el viaje para Santiago con la santa imagen.

Deseamos que a las cinco de la tarde, cuando lleguemos a la avenida de Garzón y plaza de Marte, esté allí el Clero secular y regular, las Asociaciones religiosas, los colegios de ambos sexos y fieles formados para seguir en procesión hasta la Alameda de Michaelsen y colocar allí la imagen en su trono.

Después se ejecutarán los actos que se anunciarán oportunamente.

Pedimos a Dios nuestro Señor que este Congreso Eucarístico Diocesano y la Coronación Nacional de la Ssma. Virgen de la Caridad contribuyan eficazmente a extender y arraigar la devoción de Jesús Sacramentado y a su Ssma Madre, y sea fuente perenne de gracias espirituales para el pueblo cristiano.

Deseamos que los fieles de esta Archidiócesis aprovechen la celebración de estos acontecimientos para su santificación, y que, al postrarse ante Jesús Sacramentado en el Campo eucarístico, o al acompañarle por las calles de nuestra ciudad en solemne procesión pidan con fervor que su divina Majestad se digne bendecir a toda la Archidiócesis, a la ciudad de Santiago de Cuba, a todas las familias cristianas y a todos los fieles en general.

Para que así sea, os enviamos nuestra bendición en el nombre del Padre y del Hijo y del Espíritu Santo, Amén.

†Fr. VALENTIN ZUBIZARRETA
Arz. De Santiago de Cuba.

Pbro. Marcelino Basaldúa, Secretario.

20
Carta Pastoral Colectiva de los Excmos. Rmos. Sres. Arzobispos y Obispos de Cuba sobre la Coronación de la Ssma. Virgen de la Caridad del Cobre

Nos, los infrascriptos Arzobispos y Obispos de las Archidiócesis y diócesis de Cuba a los Excmos. Cabildos a los RR. Vicarios, Curas Párrocos y demás Clero secular y regular, a las religiosas y fieles de las dos Provincias Eclesiásticas de Cuba, salud y paz en nuestro Señor Jesucristo.

Veni, coronaberis. Cant. Cant. 4,8
Ven y serás coronada.

Venerables hermanos y amados hijos:

Es antigua en el mundo civilizado la costumbre de coronar a los héroes y personajes que se hayan distinguido en alguna de las múltiples actividades de la vida. Algunos son coronados por su hermosura, timbre de voz, fuerzas corporales y otras habilidades personales; otros por su ciencia, poesía, música y variedad de bellas artes; muchos por la defensa que hicieron de los derechos de la patria con las armas en la mano y los reyes y príncipes por la dignidad que ostentan. Y es de alabar en esto la sociedad, porque es justo que la patria remunere largamente a los que se han distinguido sobre los demás ciudadanos en alguna de las perfecciones humanas, premiando así los méritos de cada uno y excitando la emulación de los demás.

Dios nuestro Señor santificó esta costumbre, cuando después que se abrieron las puertas del cielo con la redención del género humano, admitió y coronó a los santos, principalmente a la Ssma. Virgen, en el cielo, como diremos después.

Y la Iglesia Católica, siguiendo el ejemplo de su divina Majestad, ha coronado también a los héroes del Cristianismo que se distinguieron por sus victorias. Los santos, y entre ellos en particular la Madre de Dios, fueron héroes en toda la extensión de la palabra, venciendo en lucha continua a los enemigos del alma, y dejando un nombre glorioso a la posteridad.

Para recordar su memoria y excitar nuestra devoción hacia ellos, les hacemos imágenes y las veneramos, y cuando estas hayan adquirido alguna celebridad por sus prodigios, las coronamos.

He aquí el motivo de esta carta pastoral.

Hace mucho tiempo que la Iglesia Católica, más generosa que otra sociedad alguna, viene concediendo la licencia para coronar solemnemente algunas imágenes insignes de Nuestra Señora que por sus prodigios se han hecho célebres y han merecido ser especialmente veneradas en el pueblo cristiano.

El Venerable Capítulo Vaticano que concede la facultad de coronarlas, ha solido exigir que la imagen que se trata de coronar sea insigne por su antigüedad, por los prodigios que ha obrado, por las peregrinaciones que recibe, por la devoción extraordinaria de los fieles, etc.

El fin de la solemne coronación de estas imágenes suele ser celebrar y ensalzar las cualidades excelentes de la Ssma. Virgen María bajo la advocación que lleva la imagen.

¿Cuáles son las advocaciones por las que las imágenes de la Virgen adquieren celebridad y merecen ser coronadas?

Bajo mil títulos y denominaciones, lo mismo en las grandes basílicas del mundo como en las humildes ermitas del campo, lo mismo con los sublimes arranques de la música y de la poesía en las academias como con el culto sencillo del corazón en le hogar domestico, venerada la madre de Dios por el pueblo cristiano, y cada uno de nosotros hemos colocado una corona sobre su cabeza, cuando hemos sentido hacia ella tierna devoción en nuestras almas.

Y cualquiera de las perfecciones que sobresalieron en ella, como su pureza inmaculada, su humildad profunda, su santidad extraordinaria, tiene caracteres de insigne y portentosa, para que merezca la solemne coronación, porque en todo fue ella extraordinaria, y por todo merece demostraciones de amor.

Pero los fieles, según la variedad de aficiones y necesidades de cada uno, invocan a la Ssma. Virgen bajo diversos títulos, como son los del Carmen, Rosario, Dolores, etc., y ella socorre a todos para manifestar su gran generosidad.

Nosotros la veneramos y la invocamos en esta República bajo el título de Nuestra Señora de la Caridad, y su imagen, insigne en prodigios, la tenemos en el Cobre. La hemos escogido por Patrona de esta República, le hemos levantado un hermoso Santuario, la hemos colocado en un precioso altar, y ella desde su trono preside nuestros actos y derrama abundantes gracias sobre todos los habitantes de este país.

Después que ha sido coronada por Dios en el cielo con la corona de Reina y de gloria y las aureolas que mereció, solo falta que terminemos nuestra obra, tejiendo una hermosa corona de oro y piedras preciosas y colocándola sobre la cabeza de la imagen.

Los Sres. Obispos de esta República hemos acordado hacer solemnemente, y con carácter nacional, esta coronación, al mismo tiempo que en Santiago de Cuba se esté celebrando un Congreso Eucarístico Diocesano, y os invitamos a que contribuyáis con vuestras limosnas para hacer una corona espléndida como ella se merece, y asistáis a la gran ceremonia.

Os explicaremos en esta carta pastoral:

1) Qué méritos tuvo la Ssma. Virgen para ser coronada.

2) Cómo fue coronada.

3) Por qué y como debe ser coronada la imagen de la Caridad del Cobre.

Méritos de la Ssma. Virgen para ser coronada

Venerables hermanos y amados hijos:

La criatura más santa que ha salido de las manos de Dios es seguramente la Santísima Virgen, Madre de Dios. La cuál para que no le faltara ninguna perfección, fue adornada de una belleza sin igual.

Aunque la hermosura corporal de una criatura no pueda ser parte para merecer la corona de gloria y las aureolas del cielo, ni sea motivo de la coronación de las imágenes que hacemos en la tierra, sin embargo, la hermosura de la Ssma. Virgen la podemos considerar como espejo de la perfección de su alma, para deducir cuales eran los dones con que el Espíritu Santo la adornó, mientras vivió en la tierra.

Es cierto que la hermosura corporal es una flor que se va marchitando cada día hasta que queda seca en poco tiempo, pero la hermosura de la Ssma. Virgen presentaba caracteres tan especiales, que elevaba a Dios a los que la miraban. Era agradable resplandor de la pureza interior que aventajaba a todas las mujeres, hasta

el punto que San Alberto Magno aseguró que la Virgen Nuestra Señora «tuvo lo sumo de la hermosura que puede haber en cuerpo mortal por obra de naturaleza» (Super Missus est, c. De pulchritudine corporali B. M.) y Santo Tomás para encarecer la modestia y la Virgen dijo que «aunque era hermosa de cuerpo, a nadie inspiraba sentimientos de concupiscencia» (In III Sent. , dist. 2,9.1 a 2,sol. 1 ad 4).

Pero resplandeció mucho más por la hermosura de su alma.

En los consejos eternos de la divina providencia que tenía planes extraordinarios en orden a la redención del género humano, fue ella, por un privilegio especial de Dios nuestro Señor, concebida sin mancha de pecado original, y santificada con la plenitud de gracias sobrenaturales con que Dios enriquece a los santos.

San Efrén, dirigiéndose a nuestro Señor Jesucristo, prorrumpió con razón en estas exclamaciones: *«Realmente tú Señor, y tu madre, sois los únicos puros y hermosos, porque en ti no hay pecado y en tu madre mancha alguna»* (Carm. Nisibena): y Sto. Tomás da razón de ello con estas palabras: *«Aquellos a quienes Dios elige para un oficio, los apareja y dispone de tal manera que los hace idóneos para el ministerio de su elección, según lo que dice el Apóstol: Hízome Dios ministro idóneo del Nuevo Testamento: y habiendo sido la Virgen Ssma. Elegida por la divina ordenación para ser Madre de Dios, no se puede dudar que Dios por medio de su gracia la haya hecho idónea para este fin, y por esto le dijo el ángel: Hallaste gracia cerca de Dios».* (III p., q. 27, a.4).

Esta plenitud de gracia concedida por Dios a la Ssma. Virgen la encomian y encarecen más la Sagrada Escritura y los Santos Padres diciendo que la gracia de esta criatura singular en el momento de su concepción fue superior y más intensa que la gracia de cualquier santo o ángel del cielo: Fundamenta ejus, dice el Salmista, in montibus sanctis (Ps. 86,1) como si dijera: Sus fundamentos o principio de santidad sobre todos los montes de perfección a que han llegado los santos; y por eso añade a continuación: Ama Dios más las puertas de Sión que todos los tabernáculos de Jacob; es decir, ama a Dios más a la Virgen en su entrada en el mundo o en su Concepción, que a los demás santos ya consumados. La gracia que fue para los demás fin y término fue para ella principio y fundamento.

«A los santos, dice San Pedro Crisólogo, se dio la gracia por partes, y a María se le dio en toda su plenitud» (Serm. 143) Y el Pontífice de la Inmaculada Pío IX, refiriéndose al momento de la Encarnación del Hijo de Dios, añadió: *«Considerando los Santos Padres y escritores de la Iglesia en su ánimo y mente, que la Santísima Virgen, al anunciarle el ángel Gabriel la sublimísima dignidad de Madre de Dios, fue llamada en nombre del mismo Dios llena de gracia, enseñaron que con esta singular y solemne salutación jamás oída en otro tiempo, fue morada de todas las gracias divinas, y estuvo adornada de todos los dones del Espíritu Santo, y lo que es más, fue un tesoro casi infinito y un abismo casi inagotable de los mismos dones»* (Bula Ineffabilis)

Ella es, según el mismo Pontífice, *«la sola santa y purísima de alma y cuerpo, que sobrepujó a toda entereza y virginidad, y la sóla hecha toda domicilio de todas las gracias del Espíritu Santo, y que excepto solo Dios, fue superior a todos, y de naturaleza más hermosa, más bella y más santa que los querubines y los serafines, y que todo el ejército de los ángeles, de tal suerte que sus glorias no las pueden celebrar dignamente las lenguas del cielo y de la tierra».*

Con razón se recrean nuestros oídos al escuchar el canto popular: *«más que tú, sólo Dios, sólo Dios».*

Otra de las prerrogativas con que fue adornada la Ssma. Virgen que fue la confirmación en gracia. La confirmación en gracia que se ha concedido a algunos santos y en particular a la Madre de Dios, no es propiamente impecabilidad, ni perseverancia en gracia, sino un don sobrenatural con que el entendimiento se afianza en la verdad y la voluntad en el bien, para que el alma no caiga en pecado. Es la misma gracia santificante con una modalidad especial que pide ser completada por la protección extrínseca de Dios.

Aunque María no era impecable por naturaleza, lo fue por participación, pues la firmeza en la verdad y en el bien que le daba la gracia y la protección especial que su confirmación en gracia la reclamaba Dios, le dieron un carácter especial.

Dios *«la colmó, dice Pío IX, de la abundancia de todos los carismas más celestiales, sacada del tesoro de la divinidad, muy sobre todo los espíritus angélicos, y los santos todos tan maravillosamente, que libre siempre ella enteramente de toda mancha de pecado y toda hermosa y perfecta, mostró una plenitud de inocencia y santidad tal, que en manera alguna se concibe otra mayor debajo de Dios, y que nadie puede abarcar con su pensamiento fuera de Dios»* (Bula Ineffabilis)

Nadie, en efecto, puede hacer cálculos aproximados sobre la generosidad con que la mano del Señor enriqueció de gracias y dones sobrenaturales el alma santísima de la que había de ser Madre de Dios.

Quiso que la medida de las excelencias y prerrogativas de la Virgen se tomase de la grandeza y dignidad a que iba a ser exaltada y como estaba destinada a la incomparable dignidad de la maternidad divina, ordenó que su alma fuera de tanta perfección y pureza, y de tanta hermosura y plenitud de gracia, cuanta se podía conceder a una criatura.

Aumento de gracia. Pero lo más asombroso que observamos en la Ssma. Virgen es el aumento de gracia que durante los años de su vida mereció y recibió en el servicio de Dios.

Es doctrina de la Iglesia Católica, declarada en el Concilio de Trento, que la gracia santificante que recibimos en nuestra justificación, no solo se conserva, sino que se aumenta delante de Dios por nuestras buenas obras. La gracia es como el fuego. Si se le echa combustible, crece, y, si no, se apaga. La gracia con las buenas obras se aumenta.

La Virgen María, mientras vivió en la tierra, no era bienaventurada, sea lo que fuere de la opinión de algunos que dijeron que alguna vez, principalmente cuando concibió al Hijo de Dios, vio la esencia divina, pero, como estaba llena de amor de Dios, practicó continuamente y de un modo heroico las obras buenas, y con ellas mereció el aumento de gracia.

«Cuando naciste, Virgen María, dice un Santo Padre a este propósito, surgió la verdadera aurora... Cuando recibiste al Espíritu Santo, y siendo Virgen concebiste y pariste al Hijo, apareciste hermosa como una luna... Cuando fuiste trasladada a la región del cielo, fuiste elegida como el sol».

Este aumento de gracia lo mereció la Ssma. Virgen con todas las obras virtuosas informadas por la caridad, porque ella, siendo santísima como era, ordenaba todas sus actividades al Señor, y no solo con el amor de Dios, sino también con todos los actos de las virtudes teologales y cardinales creció inmensamente en gracia.

Se dice con razón que esta criatura singular obró en todos sus actos con toda la intensidad de la gracia habitual precedente, y que sus actos duplicaron siempre toda la gracia anterior. Esto nos lo explica de una manera sugestiva el gran teólogo P. Gregorio Valencia con estas palabras: *«Empezó a crecer la gracia de la Virgen y el derecho a la gloria de un grado sublime, superior a los grados de otras gracias... Y mereció el aumento de toda la gracia anterior sin interrupción alguna con todos los actos de su larguísima vida, duplicando los méritos anteriores con cada uno de los actos, por estar informados de la gracia más sublime después de Cristo, y no sentir impedimento alguno por parte de la naturaleza que la retardara. Sabemos por las reglas de la aritmética que un número por exiguo que sea, si se duplica muchas veces con toda la cantidad anterior inmediata llega en poco tiempo a un número casi infinito, como por ejemplo, dos y dos, son cuatro, cuatro y cuatro ocho, ocho y ocho diez y seis, y así sucesivamente»* (In III p., disp. 2, q. 1, p.5)

Otra de las dignidades más excelentes y que se puede considerar como fundamento de todas las grandezas sobrenaturales de que fue adornada la Ssma. Virgen, fue sin duda su maternidad divina. Estaba ella consagrada a Dios y ocupada en hacer progresos extraordinarios en la obra de su santificación, cuando Dios, siguiendo los planes especiales de su providencia, ordenó que el verbo Divino, o sea la segunda persona de la Ssma. Trinidad, se encarnase en sus purísimas entrañas, elevándola a la incomparable dignidad de Madre de Dios. Adornada sobremanera con esta dignidad tomó parte especial en la obra de su Santísimo hijo, mereciendo ser la corredentora del mundo, y echando los fundamentos para que fuera declarada Reina de todos los ángeles y hombres.

Estos fueron los méritos que tuvo la Madre de Dios para ser coronada en el cielo. Con esta preparación se presentó al fin de su vida delante de Dios para recibir el premio.

Como fue coronada la Virgen Ssma. en el cielo

Venerables hermanos y amados hijos:

Creemos ser cierto contra algunos autores que han sostenido lo contrario, que la Ssma Virgen al fin de su vida murió, no en castigo de sus pecados que no los tuvo, sino por defecto de naturaleza; y es probable que murió sin ninguna enfermedad ni dolor, solo por violencia del ardentísimo amor de Dios.

No sabemos si murió en Jerusalén como quieren algunos, o en Efeso, como defienden otros. Lo que sí enseña una tradición bastante respetable es que fue sepultada cerca del huerto de Getsemaní en el lugar en que los cristianos fabricaron más tarde la Iglesia de la Dormición de la Virgen.

En lo que no cabe duda es, porque se considera casi dogma de fe, que Ssma. Virgen, al poco tiempo de estar en el sepulcro, resucitó gloriosa, como correspondía a la Madre de Dios, y en cuerpo y alma subió a los cielos, según enseñan los Santos Padres y con ellos los eximios Teólogos San Alberto Magno y Santo Tomás de Aquino. La Iglesia Católica canta llena de júbilo en el oficio de la Asunción: *Assumpta est María in caelum, gaudent angeli*. Subió María al cielo, y se alegran los ángeles. En esta asunción de la Virgen al cielo no solo se alegraron los ángeles de los coros inferiores, sino también los de las Jerarquías supremas, y todos celebraron la gloria de su Reina, cada uno según su oficio y misterio. *Exaltata est choros angelorum*. Fue levantada sobre todos los coros angélicos, porque tuvo todas las prerrogativas y excelencias de los ángeles y santos y sumo grado.

Ha llegado María a la cúspide de su grandeza y gloria.

La que subía de este destierro era Madre de Dios y Reina del cielo y de la tierra. Y este concepto requiere alguna reflexión, para que se pueda entender bien la doctrina que vamos a exponer.

En cuanto a la materialidad divina está en la conciencia de todos que es la más alta dignidad que el Señor ha concedido a las criaturas. *«La humanidad de Cristo, dice Santo Tomás, por estar unida a Dios, la bienaventuranza criada por ser posesión de Dios, y la Virgen*

Ssma. Por ser Madre de Dios, tienen cierta dignidad infinita derivada del bien infinito, que es Dios, y no puede hacerse cosa mayor, como no puede haber cosa mejor que Dios» (Ip., q. 25. a. ad 4)

El carácter de Reina del cielo y de la tierra la añade más. Esta dignidad le confiere no solo una preeminencia sobre las demás criaturas, sino también una potestad real y positiva, como diremos más tarde, para ejercer su oficio de medianera universal.

Es Reina del mundo, no en el sentido lato e impropio, como el sol se dice que es el rey de los astros, en cuanto es superior a los demás en claridad, sino en toda la extensión de la palabra y en sentido propio con poder y autoridad para regir y gobernar. Es reina en el sentido jurídico, porque posee el derecho de jurisdicción y mando sobre todo el universo. Es soberana con facultad de dispensar el gozo accidental a los bienaventurados del cielo y muchos favores a los que peregrinamos en este valle de lágrimas.

¿Cómo puede ser esto?

Lo aclararemos con la doctrina hoy cierta de la dignidad real de nuestro Señor Jesucristo. *Jesucristo es Rey del universo, y puede ejercer jurisdicción en todo el mundo, porque recibió todo poder en el cielo y la tierra*. (Matt., 28,18) Este título lo hubo Jesucristo principalmente por la unión hipostática verificada en la encarnación del Hijo de Dios, como enseña S. Cirilo Alejandrino y repite el Papa Pío XI, y por derecho de conquista, porque redimió a los hombres del cautiverio.

De una manera parecida, aunque en un grado muy inferior a la Virgen Ssma. Fue elevada a Reina del universo por su unión con el Hijo de Dios, cuando lo concibió, y por derecho de conquista al tomar parte tan activa y continua en la obra de la redención del género humano.

Los comentaristas de la S. Escritura hacen aquí una comparación entre la Reina Ester y la Virgen María. El Rey Asuero dijo a Ester: *¿Cuál es tu pretensión? Aunque pidieres la mitad del reino, te la otorgaré.* (Esther, 5.6) Cuando Dios escogió a la Virgen María, para que fuera Madre de su Hijo, le hizo la misma promesa, extendió su cetro, y la Virgen Ssma., al constituirse Madre de Dios, toco su extremidad, y como dice Santo Tomás, obtuvo la mitad del reino, *«para que ella fuese reina de misericordia, mientras su hijo era Rey de Justicia»* (Sto. Tomás, Exp. A las 7 epístolas canónicas, prefacio).

Adornada así con los títulos de Madre de Dios y Reina del universo y resplandeciente en el inmenso cúmulo de méritos y gracias que ganó en la tierra, se presentó en el cielo para ser coronada con más solemnidad que los Reyes y Príncipes de la tierra, y con más justicia que los héroes del mundo.

Es allí coronada, según convenía a su dignidad y méritos extraordinarios.

¿Y cuál fue la corona que entonces recibió la Ssma. Virgen?

Nos parece que la primera fue la corona de Madre de Dios y Reina del Mundo. Fue coronada como Reina de los cielos y la tierra, participando del poderío universal que nuestro Señor Jesucristo, Rey eterno de los siglos, tenía sobre todo lo creado. Y como Reina es depositaria de todas las misericordias divinas con facultad omnipotente de distribuirlas generosamente, como convenía a Reina tan ilustre y soberana. Con razón dijo San Bernardo, dirigiéndose a ella: «*Se te ha dado ¡oh María! Toda la potestad en el cielo y en la tierra, para que puedas alcanzar cuanto quisieres*».

Coronada en el cielo como reina universal y soberana, quedo rodeada de tanta gloria, que para toda aquella corte celestial fue su presencia un inmenso gozo y bienaventuranza cumplida. Llamamos Reina del cielo y madre y compañera de Dios en el reino de su grandeza.

En esto y en el carácter de corredentora del mundo se funda una de las doctrinas más simpáticas que se han extendido en estos últimos tiempos. Es la doctrina de la mediación universal de la Ssma. Virgen en la distribución de las gracias a los hombres. Ejerce la mediación universal, porque cooperó a la obra de la redención, y porque distribuye desde el cielo a los justos y pecadores. Su intercesión no puede decirse una mera petición a favor de los necesitados, como los ruegos de los santos, sino que tiene más. Incluye la facultad de disponer de las gracias con carácter de Madre y Reina, y con algún dominio.

Otra corona de inestimable valor de que fue adornada la Ssma. Virgen fue el premio de la gloria esencial o sea Aurea de que hablan los teólogos, correspondiente a los méritos y gracias que tuvo en la tierra. Habiendo llegado la Ssma. Virgen a una perfección inconmensurable, y multiplicando sus méritos en la tierra en la proporción que hemos dicho durante su vida, parécenos que fue invitada por Dios con aquellas palabras del Cantar de los Cantares: *Ven de Líbano, esposa, ven de Líbano, ven, y serás coronada*. (Cant. 48)

Y efectivamente fue coronada con infinita satisfacción de la Ssma. Trinidad, con alegría del cielo y entre cánticos y alabanzas de coros angélicos.

¿Y sabéis en qué consistió esta corona de gloria? Consistió en la clara visión de Dios y en las delicias inefables que empezó a gozar.

Consistió en el premio de los inmensos méritos que acumuló durante su vida.

Al sentarse en el trono de su gloria y recibir esta corona, pudo decir mejor que en su vida a Santa Isabel en la montañas de Judea estas palabras: *Mi alma glorifica al Señor, y mi espíritu está trasportado de gozo en Dios mi Salvador; porque a puesto los ojos en la pequeñez de su esclava; por tanto ya desde ahora me llaman bienaventurada todas las generaciones. Porque ha hecho en mi cosas grandes aquel que es todopoderoso, cuyo nombre es Santo.* (Luc. 1, 46- 49)

«Como la sagrada Virgen, dice San Bernardino, está sobre todos los coros y jerarquías de los bienaventurados, de manera que esta sola hace por sí jerarquía incomunicable a otra pura criatura, síguese que ella sola tiene mayor gloria y perfección que todos los coros inferiores, así de ángeles como de hombres, y cualquiera excelencia de gloria y bienaventuranzas que se halle en cualquiera de los santos, así de la naturaleza angélica como de la humana, está en la Virgen de la manera más ilustre y excelente». (Ser. 61)

Esta corona de gloria esencial que constituye la bienaventuranza eterna de los santos se llama, como hemos dicho, Aurea o corona de oro en Teología, y es el premio que se concede a los santos por sus méritos.

La tienen Jesucristo, la Ssma. Virgen y todos los santos.

Pero además la gloria esencial que reciben los bienaventurados en el cielo, a algunos se les concede un premio accidental que se llama aureola o pequeña *corona por especiales victorias que obtuvieron en la tierra.*

«Aureola, dice Santo Tomás, es un premio privilegiado que responde a una insigne victoria. Y según las insignes victorias obtenidas en las tres luchas que contra los tres enemigos del alma se le presentan al hombre, se ponen tres aureolas. En la lucha que el hombre tiene contra la carne obtiene principalmente la victoria quien se abstiene totalmente de las delectaciones venéreas, y así las vírgenes reciben la aureola de Virginidad. En la lucha contra el mundo obtienen la insigne victoria quienes sufren la persecución del mundo sin sucumbir, y ganan la aureola de Martirio. En la lucha contra el diablo, obtiene la victoria, quien no solo vence al enemigo, sino que lo aleja del corazón del prójimo con la predicación y la doctrina, y gana la aureola de Doctor» (In IV Sent. Dist. 49. q. 5. a.5)

Estas tres aureolas de Virgen, Mártir y Doctor las mereció la Santísima Virgen mas perfectamente que ninguna otra criatura.

Ganó la aureola de la Virginidad tanto más excelente, cuanto que guardó mejor que ningún otro la perfección de la virginidad en cuerpo y alma. Es cierto que estuvo libre de batallas y peleas contra las tentaciones de la carne, por no haber tenido el fomes de la concupiscencia, pero no perdió el mérito para la aureola de la virginidad, porque las virtudes cuando están en grado heroico, y apagan la raíz de los movimientos de la naturaleza en contrario, no solamente no pierden el nombre y la perfección de tales, sino que suben de valor y perfección. Y así la aureola de virginidad que la Ssma. Virgen mereció por su pureza, era mucho más preciosa que la de otras Vírgenes que lucharon contra las pasiones.

A este propósito dice San Antonio: «*No porque la Virgen haya dejado de ser tentada, se puede decir que fue menos continente que otros que padecieron tentaciones... Como la victoria sea una manifestación de poder y fortaleza sobre el adversario, más se declara esta fortaleza, cuando el poder que uno tiene sobre su contrario es tan grande y superior, que no puede moverle guerra, ni trabar con él batalla; que cuando después de golpes y heridas le vence*» (Summa, p. 4. Tit. 15. c.10. 10)

Con esto queda demostrado que la virginidad de María Ssma. Fue superior a la de otras vírgenes, y mereció la aureola más preciosa que existe.

Mereció también la aureola del Martirio más excelente que la de otros mártires, y con ella ciñó su cabeza en el cielo. Desde que el anciano Simeón le anunció en el templo que una espada de dolor atravesaría su alma, hasta que vio morir a su Hijo en la cruz, padeció un continuo martirio. Solo el dolor que padeció al pié de la cruz era suficiente, si la providencia especial de Dios no la hubiera sostenido, para causarle la muerte, y todo lo sufrió por Cristo, identificándose con él en la obra de la redención del género humano. Por eso la Iglesia la ha llamado no sólo Mártir, sino Reina de los Mártires.

Ultimamente se vió coronada con la aureola de Doctor o de predicación evangélica. *Los que fueron doctos, dice Daniel, lucirán con el resplandor del firmamento; y los que enseñaron a muchos a obrar justicia, resplandecerán como estrellas en perpetuas eternidades*. (Dan. 12,3)

La Ssma. Virgen, educada en la escuela de Jesucristo e ilustrada por el Espíritu Santo, enseñaba los secretos de Dios, primero practicando obras heroicas y perfectísimas, y luego comunicando a los apóstoles las palabras de su Santísimo Hijo, y lo que es más, dando al mundo la Palabra increada que era el Hijo de Dios.

Así quedó coronada la Madre de Dios en el cielo. Por haber merecido ser Reina del mundo en su unión con la humanidad de Cristo y en su conquista de las almas, recibió la corona de Reina; por los inmensos méritos de la gracia santificante se le dio la corona aurea como premio esencial, y por las insignes victorias que obtuvo en la tierra las tres aureolas como premio accidental.

Por qué y cómo debe ser coronada la imagen de Nuestra Señora de la Caridad del Cobre Patrona de Cuba.

Hemos dicho ya que por acuerdo de los Sres. Obispos de esta República vamos a proceder a la solemne coronación de la pequeña imagen de Nuestra Señora de la Caridad del Cobre, Patrona de Cuba, con carácter nacional, celebrando una de las solemnidades más grandes y simpáticas que han tenido lugar en Cuba.

Las imágenes de la Ssma. Virgen suelen ostentar una corona en la cabeza. Esta corona representa principalmente la corona de Reina del Mundo con que han sido coronada en el cielo, y después la corona Aurea o premio esencial con que Dios ciñó la cabeza de su Madre en la gloria. Las coronas de los Reyes suelen ser de oro, porque el oro es el metal más precioso que se conocía en la antigüedad, y los documentos con que las autoridades eclesiásticas de Roma autorizan esta solemne coronación hablan siempre de la corona de oro, para dar entender que es un trasunto de la autoridad que tiene y de la gloria esencial de que goza la Virgen en la presencia de Dios. Y se adornan las imágenes con joyas tejidas de oro y piedras preciosas, para que exciten en nosotros la memoria del dominio y de las grandezas sobrenaturales y la felicidad eterna de esta criatura singular.

Esto, sin embargo, necesita una explicación. A las imágenes de los santos, por el mero hecho de ser representación de los que están en el cielo, el artista o el devoto cristiano les ciñe la cabeza con una corona.

Pero este mismo acto que los fieles hacen privadamente, puede hacerse y se hace con solemnidad litúrgica y oraciones especiales, cuando se trata de las imágenes de la Ssma. Virgen.

Se obtiene para ello licencia del Venerable Capítulo Vaticano, que delega su autoridad en un Arzobispo u Obispo, y este con las oraciones aprobadas en la liturgia bendice solemnemente la corona y la coloca en la cabeza de la imagen que se quiere coronar.

Esta costumbre tuvo principio en el siglo XIII, y desde entonces se han coronado solemnemente y con edificación del pueblo cristiano, muchas imágenes de la Virgen.

Nos refiere la historia que el día 15 de Agosto de 1837 el Papa Gregorio XVI, acompañado de gran número de Cardenales, Obispos y Prelados se dirigió a la Basílica de Santa María la Mayor, y bendijo la corona de oro con una oración compuesta para aquel acto y la aplicó a la Virgen diciendo: *Sicut per manus nostras coronaris in terris a te gloria et honore coronari mereamur in caelis. Como por nuestras manos eres coronada en la tierra, así también merescamos ser coronados en el cielo.* Cantóse después el Te Deum y la misa Coram Pontifice.

Una cosa parecida pensamos hacer con la imagen venerada de la Virgen de la Caridad del Cobre, Patrona de Cuba. Vosotros lo véis y veneráis con corona, pero nunca ha sido coronada litúrgicamente, y es necesario que para mayor veneración de los fieles sea coronada con toda solemnidad.

Queremos coronarla como Reina del mundo, para que reine en Cuba como soberana, y dispense sus abundantes gracias sobre nosotros,

Hemos dicho que para proceder a esta coronación se exige que la imagen sea insigne por algún concepto.

¿Por qué concepto es insigne la pequeña imagen de la Virgen de la Caridad? ¿Que celebridad ha adquirido, para que hagamos con ella esta distinción? Sería alargarnos demasiado, si quisiéramos referir minuciosamente su milagrosa aparición en la bahía de Nipe y los orígenes de su devoción popular en el Cobre, cosas que nos ha transmitido una respetable tradición. Bástanos exponeros los títulos que nuestra querida Patrona tiene para merecer esta distinción.

Ya sabéis que de muy antiguo se vienen haciendo numerosas peregrinaciones de todos los puntos de la República. Cuando no había tanta facilidad de comunicaciones como ahora, venían los fieles en largas caravanas a visitar la santa imagen y a cumplir las promesas que en su tierra habían hecho. Algún tiempo tomó esta costumbre carácter nacional, y en varias partes, como Camagüey, se trató de construir hospederías para alojar a los peregrinos que de lejanas tierras y con muchas privaciones llegaban de paso para el Cobre. Llegados al Cobre, primero en la humilde ermita que allí existió, y después en el Santuario que la piedad de los fieles construyó, hicieron grandes demostraciones de fe y devoción. Allí fueron los que deseaban tener luz en el estado que iban a tomar; allí los que padecían enfermedades de todas clases: allí los que se sentían atormentados con el peso enorme de sus pecados o eran crucificados con los escrúpulos de conciencia: allí dejaron sus ex- votos y limosnas para el culto de la Virgen.

¡Y cosa maravillosa! Vieron muchas veces cumplidos sus deseos y remediadas sus necesidades.

Después de haber tenido la inmensa satisfacción de orar fervorosamente a los pies de María Ssma., volvían con las mismas penalidades que en el acceso, pero llenos de gozo y alegría, a sus hogares. ¡Cuántos comentarios no se han hecho después en la familias cristianas de Cuba sobre las peregrinaciones y visitas hechas al Cobre! Muchos de los que vinieron una vez quisieron volver a visitarlo.

La Ssma. Virgen a su vez a obrado innumerables prodigios en aquella santa colina. Ha curado a muchos de sus enfermedades, ha despachado favorablemente las peticiones de sus fieles, y ha calmado las conciencias que estaban atormentadas.

No es extraño que el pueblo cubano diera su último paso. El año 1916 por iniciativa de los Jefes Veteranos de la Independencia que mucho los enaltece, se elevaron preces a la Santa Sede, en cuya exposición se dice:

«Desde tiempo remoto en este propio lugar la B. Virgen de la Caridad ha sido objeto de tan gran veneración para los católicos de Cuba que no dudaron en elegirla su Celestial Patrona, confiando en que la Sede Apostólica confirmaría la elección. Y así de acuerdo con los Reverendísimos Cabildos y Clero, los Prelados de todo el territorio cubano, como también los Superiores de las Ordenes Religiosas que en dicho territorio se encuentran establecidas, el pueblo fiel y principalmente los Jefes, Veteranos y Soldados del valeroso Ejército de Cuba, suplicaron a Nuestro Santísimo Padre Benedicto XV se dignase declarar a la B. Virgen Madre de Dios «de la Caridad» Patrona principal de la República de Cuba».

Su Santidad, accediendo benignamente a estos deseos, con fecha 10 de mayo de 1916, «en virtud de su Suprema Autoridad declaró e instituyó a la Virgen María de la Caridad, llamada del Cobre, Patrona principal de toda la República de Cuba, concediendo a la misma todos los privilegios y honores que por derecho corresponden a los Patronos principales de los lugares».

Esta gracia del Sumo Pontífice causó inmensa alegría en el pueblo cristiano de Cuba, y así se lo manifestó al Padre común de los fieles, quien nuevamente envió con este motivo su bendición a los Prelados y pueblo católico de esta República.

Su santidad Benedicto XV no se cansó todavía de colmar de gracias a la venerada imagen del Cobre, y el día 14 de Junio de 1921 elevó la Cofradía de Nuestra Señora de la Caridad a título de Archicofradía con facultad de agregar como a Asociación primaria todas las Cofradías del mismo título que se estableciesen en la República.

Como véis, la pequeña imagen del Cobre, tan milagrosa y venerada, tiene títulos, para que sea solemnemente coronada, y la vamos a coronar.

En uno de los días del Congreso Eucarístico de Santiago de Cuba, o sea el 19 de Diciembre del presente año, a las cuatro de la tarde será trasladada la imagen en una elegante carroza, acompañada de un cortejo de automóviles, desde el Santuario del Cobre hasta la Alameda de Michaelsen, donde será colocada en un trono especial para ser coronada el día siguiente.

El día 20 de Diciembre a las 7 a. m. Se dirá la misa de comunión general en la misma Alameda y delante de la imagen milagrosa, y a las 9:30 a. m. Se hará la Coronación Nacional de la Virgen de la Caridad del Cobre, Patrona de Cuba, se cantará allí mismo un Te Deum y una Misa Pontifical, conduciendo inmediatamente la imagen al Santuario del Cobre.

Solo nos resta, Venerables Hermanos y amados hijos, apelar a vuestra inagotable caridad.

La corona que se ha de tejer, debe ser rica, como corresponde a la excelsa Patrona de Cuba, y la coronación debe originar gastos no pequeños.

Rogamos encarecidamente a los fieles de nuestras diócesis que se desprendan de algunas joyas y las remitan a sus respectivos Sres. Obispos para engarzar la corona, y contribuyan con sus limosnas para cubrir los gastos de la Coronación.

Como testimonio y prenda de amor que os profesamos os enviamos nuestra bendición: En el nombre del Padre, del Hijo y del Espíritu Santo. Amén

Santiago de Cuba, 27 de Junio de 1936.

†MANUEL, Arzobispo de la Habana.
†Fr. VALENTIN, Arzobispo de Santiago de Cuba
†SEVERIANO, Obispo de Matanzas
†ENRIQUE, Obispo de Camagüey
†EDUARDO, Obispo de Cienfuegos.
Pbro. Mons. Marcelino Basaldúa,
Secretario

21
Historia de la aparición de Nuestra Señora, la Santísima Virgen de la Caridad del Cobre, que se conserva entre los documentos custodiados en la sede de la Conferencia de Obispos Católicos de Cuba

A la entrada del golfo de México se levanta del fondo de los mares la isla de Cuba, la más extensa, poderosa y rica de las Indias Occidentales. Por sus bellezas naturales tiene bien justificado el título de Perla de las Antillas, con que es generalmente conocida.

Hállase comprendida entre los 190 48'30 y los 230 12'45 latitud Norte. En su mayor longitud mide mil doscientos seis Kms., su superficie, comprendiendo los islotes que esmaltan sus aguas litorales y que en el país denominan cayos, es de ciento diez y ocho mil, ochocientos treinta y tres kilómetros cuadrados. La población llega ahora a unos cuatro millones de habitantes. El clima es cálido y húmedo y se resiente la proximidad del Golfo de Méjico.

Dos templos hay en la Isla consagrados a la Santísima Virgen, a los cuales van los cubanos en piadosas romerías. El más importante es el dedicado a Nuestra Señora de la Caridad y de los Remedios, más conocida con la advocación de Nuestra Señora del Cobre, de la Villa en que es venerada. El Cobre que dista cuatro leguas de la Ciudad de Santiago, cuenta tres mil quinientos habitantes. Su término es montañoso y muy abundante en minas de metal que da su nombre a la Villa y al ayuntamiento, y lo riegan los ríos Cauto, Casabe, Caimanes y algunos brazos afluentes del Yarayabo.

FELIZ HALLAZGO

En cierta mañana de 1607, o según otros de 1608, dos hermanos indígenas, llamados Juan y Rodrigo de Hoyos, y el criollo Juan Moreno, que frisaba en los diez años, fueron enviados por el administrador de la estancia o hato de Varajagua a buscar sal en las orillas de la bahía de Nipe.

Llegados a la orilla, encontraron el mar agitadísimo a causa del fuerte viento que soplaba acompañado de copiosa lluvia. Como les era imposible ejecutar la tarea, se refugiaron en el bohío llamado Cayo Francés, donde permanecieron tres días, al cabo de los cuales, serenado el tiempo, pudieron embarcarse en débil canoa y dirigirse a las salinas de la costa. Serían como las cinco de la mañana, cuando alcanzaron a descubrir entre las brumas de la aurora un bulto que, flotando entre las aguas, venía hacia ellos. Creyeron al pronto que era una nave acuática que a ellos volaba; pero se vieron agradablemente sorprendidos al reconocer que era una devota imagen de la Virgen María. Venía esta sobre una pequeña tabla en la cuál leíase la siguiente inscripción : *Yo soy la Virgen de la Caridad.*

La altura de la imagen es cómo de quince pulgadas. Su rostro redondo, de color blanco. En el brazo izquierdo tiene a su divino Niño, pequeñito, sosteniendo en una mano la esfera, símbolo del mundo, y la otra levantada, en actitud de dar la bendición. Todo su aspecto inspira respeto y veneración.

Tomaron los felices tripulantes aquella preciosa joya, cuál inestimable don enviado del cielo, y notaron en ella que ni la orla del vestido de la Señora se había mojado. Enajenados de gozo, recogieron de prisa tres tercios de sal, y regresaron a cayo Francés, donde colocaron la imagen en una barbacoa, mientras se preparaba el modo de conducirla al hato de Varajagua.

No tardaron en hacer el traslado; pues noticiosos los dependientes y trabajadores de la visita que les venía, dispusieron un modesto altar y rebosando de alegría salieron a recibirla. El mayoral de hato despachó un mensajero que diera cuenta de lo ocurrido al Administrador Real de Minas del Cobre, D. Francisco Sánchez de Moya. Ordenó este que se le fabricase, desde luego, ermita, y envió una lámpara de cobre para que ardiese constantemente una luz delante de la imagen.

PRIMERA CAPILLA

Tres años permaneció la santa imagen en el templo parroquial, cuando un suceso, que se creyó milagroso, hizo conocer a los vecinos del Cobre que la Señora deseaba tener capilla separada. Una niña inocente, llamada Apolonia, yendo un día a buscar a su madre, que estaba en las minas, creyó ver la imagen bendita sobre una peña, en el mismo sitio donde se hizo el altar. Bajó presurosa al pueblo dando voces de que la Virgen de la Caridad estaba en el cerro. Examinada por el párroco, dio respuestas al parecer tan sinceras, que se resolvió erigir una capilla de cujes y embarrado y cubierta de tela; pero hubo desacuerdo acerca del sitio donde debía erigirse. Unos querían que fuese en la misma roca donde la había visto Apolonia; otros que en el lugar conocido por la Cantera; otros, en fin, decidieron que fuera en un cerrito que está camino de Santiago.

Como no era fácil conciliar tan diversas opiniones, acordaron implorar las luces del Espíritu Santo. En tres noches seguidas vieron tres columnas luminosas que parecían descender desde las nubes hasta el sitio donde dijo Apolonia que había visto a Nuestra Señora. Creyeron que esta era la señal con que Dios mostraba su voluntad; pero como el paraje era demasiado fragoso, trataron de edificar la capilla 190 pasos de distancia sobre la mina que llaman del Ermitaño. Allí se trasladaba con tremenda pompa y general regocijo la imagen milagrosa.

Más pronto hubo de llevarse a otra capilla que se fabricó en el mismo sitio donde brillaron las luces. El motivo fue que, pasando por debajo de la capilla una rica veta de la mina del Ermitaño, el administrador, velando por los intereses del teroso español, mandó enrasar el cerro y edificar nueva capilla; bien que salieron fallidas sus esperanzas, pues la veta de cobre se convirtió en cuarzo de difícil extracción y escasa utilidad.

Para cuidar la capilla Dios proporcionó dos varones de acendrada piedad y desengañados de las vanidades del mundo. El primero llamábase Matías Olivera. Siendo muy joven se había hallado en la célebre batalla de Lepanto, que la armada cristiana capitaneada por D. Juan de Austria, sostuvo contra los turcos y los desbarató enteramente. Después pasó como soldado a Santo Domingo. De esta isla salió en una canoa con dos compañeros y abordaron en las playas de Cuba. Estos dirigieron sus pasos a Santiago, y el se internó en el monte, dispuesto a hacer vida solitaria.

Saliendo a cazar unos vecinos del Cobre, oyeron repetidos ladridos de perros hacia una cavidad del monte; fueron allá, y encontraron a Olivera, varón ya de edad provecta, con larga barba y casi desnudo. Dieron parte al administrador, el cual propuso al solitario cuidase de la capilla de Nuestra Señora, encargo que aceptó benévolamente y continuó hasta su muerte, siendo favorecido con muchos milagros.

Muerto Matías de Olivera, la Santísima Virgen movió el ánimo del portugués Melchor Fernández Pinto a que se dedicara a la custodia de su capilla. Fernández era comerciante que traficaba entre Cartagena, Jamaica y Cuba. Un día cayó prisionero de los ingleses, que lo despojaron de cuanto traía y lo arrojaron a las costas de Bayamo. Viéndose en este desamparo, iluminado por la gracia, resolvió hacer vida penitente y preocuparse únicamente de la salvación de su alma. Quería edificar capilla a una imagen de Nuestra Señora de los Remedios, que llevaba consigo y de quien era ardiente devoto, cuando llegó a confesarse con el docto chantre de la catedral de Santiago, que le aconsejó se consagrase más bien a guardar la

Virgen del Cobre, cuyo guardián había acabado de fallecer. Provisto de la recomendación del canónigo, recibió el destino. Pronto hizo construir un nicho de madera para la Señora, y al colocarla se arrojó a sus pies y le dijo: «*Ea, Señora, aquí tenéis a vuestro esclavo, que ya no buscará más Virgen de los Remedios, porque en vuestra caridad los tengo todos; mostraos ser madre para mí, que yo desde hoy os llamaré mía, de la Caridad y de los Remedios*».

Este es el origen del título de los Remedios, que se añadió al de Nuestra Señora de la Caridad.

En los libros del Santuario se refiere el siguiente prodigio que obró la Santísima Virgen por medio de este ermitaño. Agustín Luyala entregó a Melchor Fernández su hijo domingo para que, viviendo este en su compañía, se instruyese en la ley y santo temor de Dios. Una tarde sin licencia del ermitaño, bajó al pueblo; y por su poca experiencia no vió un carro que venía cargado de metal, que, cogiéndole bajo una rueda, le oprimió la cabeza y mandíbulas con tanta fuerza, que le produjo abundante hemorragia de sangre por boca, oídos y nariz, y los ojos se les saltaron de las órbitas, quedando casi colgados. En tal estado lo llevaron al padre, que luego acudió al ermitaño. Este, con gran fe y lágrimas invocó a la Virgen de la Caridad, y con el aceite de la lámpara ungió los sentidos del moribundo, y al punto, como quien despierta a uno que duerme, le llamó en voz alta: ¡Domingo! Al instante el niño abrió los ojos, respondiendo: ¡Señor ermitaño!

La fama del prodigio se extendió por todo el pueblo, contribuyendo a que se avivase el amor que profesaba a su Patrona.

EL SANTUARIO

A la muerte del ermitaño Melchor Fernández, el Obispo de Santiago confió la guardia de la capilla a capellanes. El primero de ellos fue el presbítero D. Onofre de Fonseca, que por la gran devoción que tenía a la Señora, se cambió de apellido por el de Caridad. Increíble es el celo que desplegó para acrecentar el culto.

En el año 1703, escribió la primera historia de la aparición, que ha quedado inédita. Logró que dos acaudalados caballeros, D. Bartolomé Girón y D. Manuel Portales Ríos, fundaran capellanías para el culto de María y para la subsistencia del sacerdote encargado de la ermita. Pero su obra más meritoria, y que le ha conquistado mayor renombre, es haber edificado el santuario y la hospedería para los romeros, que aún subsiste.

Viendo que de toda la isla y de otras regiones venían devotos a implorar las bondades de la Virgen de la Caridad, comprendió que la ermita era excesivamente pequeña para el concurso; y así zanjó los cimientos del santuario en el mismo paraje donde la había visto la niña Apolonia y donde brillaron las tres columnas luminosas.

Hállase, pues, situado el templo en lo alto de un cerrito que dista 430 pasos de la villa del Cobre, rodeado por un terraplén, el cuál forma una plazoleta de 27 metros cuadrados, llena de plantas y flores. Se sube a él por suave cuesta de ladrillos con escalones de trecho en trecho. El templo es de una sola nave de 24.66 metros de largo por 8.15 de ancho. Las paredes están elegantemente pintadas al fresco y llenas de ex-votos y ricos donativos. Hay cinco altares; el mayor es de piedra y mármol, casi revestido de plata, y en su centro está el camarín de la Virgen. La imagen que ya hemos descrito antes, está vestida con túnica ricamente bordada y manto que pende de la cabeza. Está de pie sobre nube de madera. Demás de la corona de oro fino que ciñe su cabeza, tiene círculo de doce estrellas con una esmeralda en cada una de ellas. Con sus plantas huella media luna de plata y al respaldar campea dorado y resplandeciente sol. El Niño tiene también vestidos de valiosas telas y corona de oro con brillantes en la cabeza.

Las joyas que le han regalado sus devotos representan crecida suma de dinero. Desgraciadamente a principios del año 1899, manos sacrílegas que no fueron de cubanos sino quizás de luteranos, enemigos de la fe católica, forzaron la puerta de la sacristía que da al campo y no contentos con robar las alhajas, especialmente la corona y el resplandor de oro y piedras preciosas, cortaron la cabeza de la santa imagen, que tenía un diamante en la frente y se la llevaron, como también el divino Niño. Espanto y horror causó en toda la isla el sacrílego crimen. Muy pronto se hicieron las debidas pesquisas para averiguar los autores del atentado; y aunque no se logró descubrirlos, encontráronse las alhajas despedazadas y la cabeza y el Niño intactos. Se labraron de nuevo y con los mismos materiales las coronas y el resplandor. Un sacerdote benemérito, regaló otras de gran precio. Celebróse ostentosa función de desagravio, de modo que del mal resultó un día de gloria para la Virgen y de nuevos bríos para los católicos hijos de Cuba.

La fiesta principal del santuario se celebra anualmente el 8 de Septiembre con gran concurso. En años anteriores, según refiere el Dr. D. Vicente de la Fuente, durante los días de la novena y la fiesta, se colocaba la imagen en el centro de la iglesia y en el altar portátil bajo trono de marfil y carey, con adornos e incrustaciones de oro y plata rodeada de doce ángeles que sostenían antorchas en sus manos.

Al santuario del Cobre acuden fieles de toda la isla de Cuba y demás Antillas. Los pobres y los enfermos van en busca de alivio, y son innumerables los prodigios que se dicen alcanzados merced a la santa imagen y muchos de ellos están consignados en las novenas impresas. Militares, eclesiásticos y sabios han ido allí a rendir homenaje a la Madre de Dios. El Bienaventurado Padre Claret, al llegar en 1851 para tomar posesión de su diócesis de Santiago, procuró visitar a nuestra Señora de la Caridad, y le consagró la grey que el cielo le había confiado. La devoción a la Señora se ha extendido mucho. En Guanabacoa hay cofradía y se celebra fiesta en el templo de Santo Domingo; tiene altar en la parroquia de Monserrate y en el santuario de Regla, en Habana, y en otras iglesias de la isla.

Uno de los más activos propagadores del culto de esta imagen fue el Padre franciscano fray José de la Cruz Espí, vulgarmente conocido por el padre Valencia, por haber nacido en dicha ciudad en España. La obediencia le envió a México donde vivió 25 años. Fundo la capilla de San Roque con hospedería de leprosos.

Murió el 2 de Mayo de 1838. Su entierro fue un triunfo; le cortaron pedazos de hábito para reliquia, y hasta se refieren maravillas obradas en esa circunstancia.

D. Gaspar Betancour, conocido por El Lugareño, decía a los leprosos:

Tristes leprosos, adornad de flores
La tumba en que reposa el noble anciano
Que siempre consoló vuestros dolores,
Qué curó vuestras llagas con su mano.

Muros sagrados, do su voz piadosa
Por tantas veces resonó ferviente,
Proteged esa tumba y esa losa,
Conservadlas en paz eternamente.

El 25 de agosto de 1851, el B. Arzobispo Claret reconoció el cadáver. Llevaba trece años de sepultado; y a pesar de la humedad del local, se conservaba con la piel completa, lo mismo que el hábito y la estola morada.

22
Relatos de la Virgen de la Caridad del Cobre durante las guerras de independencia, cuando comenzó a ser llamada la Virgen Mambisa

Al llegar el 8 de Septiembre, el pueblo cubano, en la Isla amada y en el amargo destierro, siente en el hondo del alma, la FE en la Virgen de la Caridad del Cobre, su gloriosa Patrona; fe que nadie ha podido ni podrá jamás arrancar de su corazón cristiano. Es el día de la festividad, desde hace siglos, de la Virgencita que tiene un trono en cada hogar cubano, bajo cuyo manto de ensueño las madres cobijan a sus hijos y que, en la manigua insurrecta, escoltada de palmeras, ganó batallas para la Libertad.

Ella se convirtió en un símbolo de la nacionalidad y del patriotismo. Tanto es así, que en los días azarosos de las guerras por la Independencia, ser devoto de la Virgen de la Caridad era como ser partidario de los mambises. Y Ella fue en los campamentos una Mambisa más y los cubanos aclamaron a la

Virgen de la Caridad del Cobre como Patrona de Cuba

Fue en la madrugada gloriosa del 10 de Octubre de 1868. Se acercaba la hora suprema y Carlos Manuel de Céspedes escribia un Manifiesto dirigido a las naciones diciendoles que

«los cubanos desean ser libres como hizo el Creador a todos los hombres.»

También se ocupaba de la confeccion de la bandera. ¿Con que hacer la bandera? Cuenta el historiador Rousset que Céspedes, apurado, tomó su muceta de abogado, que era roja; el vestido de bodas de su esposa, y cortó un pedazo de la blanca tela; y, faltando el azul, tomó el manto azul de la Virgen de la Caridad que tenía en una urna; y con todo ello se hizo la bandera que momentos después tremolaba al grito de

«¡Viva Cuba Libre!»

en el batey de La Demajagua. El simbolismo reune las esencias mas puras de la sociedad cubana: la idea del Derecho, la idea del Amor y la Familia, y la FE en la Virgen de la Caridad del Cobre siempre presente en los momentos culminantes de la vida cubana. Aquella bandera habría de flotar en el humo de la pólvora.

Y la Guerra Grande se inició. Y el poblado del Cobre fue tomado por las fuerzas libertadoras al mando genial de Maximo Gomez.

587

Avisado Céspedes, quiso el Padre de la Patria visitar la Villa y alla fue. Se dirigió al Santuario de la Virgen, a cuya puerta le esperaba el sacerdote. Le seguía la oficialidad cubana, entre la que descollaban Pedro Figueredo, el autor del Himno de Bayamo; Luis Marcano, Francisco Vicente Aguilera, Calixto García, Máximo Gómez, Donato Mármol; y entre los ayudantes, el comandante Rosendo Arteaga, padre del primer Cardenal cubano. Céspedes se arrodilló ante la Virgen y le rindió su espada Mambisa. El Santuario lleno de insurrectos era escenario de un acto trascendental: los Hombres del 68, los Hombres grandes de la Guerra Grande, postrados ante la Virgen de la Caridad rogándole por la Patria.

El Mayor General Ignacio Agramonte se vio copado por fuerzas superiores. Sólo le quedaba una brecha. Tenía que atravesar con sus noventa y seis hombres y eran trescientos los enemigos que la defendían e impedían el paso. Desenvainando su espada, Agramonte, como en el rescate de Sanguily, arengó a sus reducidas fuerzas, esta vez con un solo grito nacido del alma del bayardo:

«¡Que la Caridad del Cobre nos ilumine!»

Y como tromba desbastadora, la caballería de Agramonte marchó al galope y la brecha fue atravesada y el enemigo burlado.

Narra el General Miró que en el combate de la Mano del Muerto en la gloriosa campaña de Pinar del Río, a las tropas del Lugar Tte. General Antonio Maceo se le habían acabado las municiones. Frente a ella habia un Ejército enemigo, poderoso y bien armado. Cuentan que un ayudante se acercó al General Antonio para insinuarle la retirada. El Titán de Bronce insistió en que se debía atacar. Alguien le interrogó: ¿Con qué vamos a cargar? Y el General Antonio Maceo respondió:

«Vamos a cargar con el machete y con la Caridad del Cobre»

Y ordenó la carga al machete.

El clarín cubano resonó electrizante. Le arrebataron al enemigo el parque que necesitaban. En el fragor de la lucha un soldado español se lanzó sobre Maceo y trató de clavarle un puñal. El arma dio en la medalla de la Virgen de la Caridad que llevaba Maceo sobre su heroico pecho y solo le produjo un rasguño. Terminado el combate, Antonio Maceo dijo estas palabras: «Todos debemos darle las gracias a la Virgen de la Caridad del Cobre, porque Ella también esta peleando en la manigua».

Tal ha sido la Virgen de la Caridad del Cobre para Cuba: fuerza, aliento, fe y esperanza. Madres, novias, esposas, hermanas, prendian en las ropas de los heroes la medalla bendita. Asi la llevaba Ignacio Agramonte. Asi la llevaban los Maceo. Asi la llevo Céspedes, los Moncada, López Coloma, los Garcia, los Rabi, Maximo Gomez.

Y es José Marti, el Apostol de la Independencia Cubana, el que en versos que tituló

«Virgen María»

cuando iba por los caminos del mundo gritando el dolor de Cuba, dirigio a la Virgen este ruego vehemente:

> *«Madre mía de mi vida y de mi alma,*
> *Dulce Flor encendida,*
> *Resplandeciente y amorosa gasa*
> *Que mi espíritu abriga»..*
> *«Mata en mí la zozobra*
> *Y entre la sombra de mi alma brilla....*
> *¡El peregrino muera!*
> *¡Que la Patria no gima».*

En una clara mañana de septiembre, los Veteranos de nuestras guerras, portando una bandera cubana que quisieron ofrendarle a la Virgen, se dirigieron a la Villa del Cobre. Más de dos mil mambises, a caballo, como en los días heroicos, con seis Generales de la epopeya al frente, marcharon hacia el Santuario. Alli se reunieron Generales, Coroneles, Comandantes, Capitanes, Soldados todos del Ejército Libertador; y con ellos el Pueblo. «La Patria cubana —dijo el ilustre orador Manuel García Bernal—ha nacido al calor de vuestra devoción a la Virgen de la Caridad».

Y después, el General Tomás Padró Griñán , dio lectura al documento que los Veteranos de las Guerras de Independencia de Cuba dirigían al Papa, Jefe Supremo de la Santa Iglesia Católica. La voz del Alma Mambisa resonó en aquellos instantes y sus ecos vibrarán por siempre en el alma de Cuba.

Y a nombre del Ejército Libertador y el Pueblo de Cuba se dirigió al Sumo Pontífice Benedicto XV:

> *«No pudieron, Santisimo padre, ni los azares de la guerra, ni los trabajos para librar nuestra subsistencia, apagar la fe y el amor que nuestro pueblo católico profesa a esa Virgen venerada, y--antes al contrario--en el fragor de los combates y en las mayores vicisitudes de la vida, cuando más cercana estaba la muerte o más próxima la desesperación, surgió siempre como luz disipadora de todo peligro, como rocío consolador para nuestras almas, la visión de esa Virgen bendita, cubana por excelencia, cubana por el origen de su secular*

devoción, y cubana porque así la amaron nuestras madres inolvidables, así la bendicen nuestras amantes esposas, y así la han proclamado nuestros soldados, orando todos ante Ella para la consecución de la victoria y por la paz de nuestros muertos queridos; y acusaría una vergonzosa ingratitud por nuestra parte el que a los beneficios que esa Virgen excelsa nos prodiga, PERMANECIÉRAMOS INACTIVOS Y MUDOS y no levantáramos nuestra voz ante el Sucesor de San Pedro para que, haciéndose intérprete de los sentimientos del pueblo católico de Cuba y de los de su Ejército Libertador que profesan la religión de nuestros antepasados, y usando de las facultades de que se encuentra investido, declare, previos los trámites correspondientes, como

PATRONA DE CUBA, a la VIRGEN DE LA CARIDAD DEL COBRE

y de fiesta eclesiástica en ella, el día que lleva su Santo Nombre.

A Vuestra Beatitud suplicamos humildemente se sirva acceder benigno a nuestra solicitud.

Villa del Cobre, 24 de septiebre de 1915»

El Mayor general Agustin Cebreco, Jefe de los Ayudantes del Titán Maceo, tomó en sus manos la bandera de la estrella solitaria y se la ofrendó a la Virgen de la Caridad, como símbolo de la unión eterna de la Patria cubana con la Reina del Cielo, en nombre del Ejército Libertador que la aclamaba por

«PATRONA DE CUBA».

DOCUMENTOS DE LA PEREGRINACIÓN NACIONAL DE NUESTRA SEÑORA, LA VIRGEN SANTÍSIMA DE LA CARIDAD DEL COBRE, EN EL CINCUENTENARIO DE LA REPÚBLICA DE CUBA 1951-1952

23
Comunicado del Cardenal-Arzobispo de La Habana, Mons. Manuel Arteaga Betancourt

La Virgen de la Caridad del Cobre ha bendecido con su presencia tan amada las ciudades y los campos de Cuba: las Iglesias, los hogares, los hospitales, las cárceles, las fincas, doquiera la devoción, la necesidad o el dolor la han llamado.

El pueblo cubano corresponde a la Santísima Virgen con peregrinaciones al Santuario del Cobre, entronizándola en altares hogareños, y colocando sus imágenes y estampas en vehículos, calles y caminos. La devoción a la Santísima Virgen de la Caridad no reconoce límites; y lo que produce un contraste mayor es lo infinitamente pequeño y lo infinitamente grande que hay en ella: tan pequeña imagen, y tan general y pujante devoción. ¡Es que Ella representa a la gran Madre de Dios!

Cuba es el pueblo de la Virgen de la Caridad.

† Manuel Cardenal Arteaga,
Arzobispo de La Habana[826]

---

[826] Mons. Manuel Arteaga Betancourt. Comunicado por la Peregrinación Nacional de la Virgen de la Caridad. Semanario Católico, La Habana, septiembre-octubre de 1952, p. 5

24
Motivos de la Peregrinación Nacional
de 1951-1952

Mons. Enrique Pérez Serantes

Obtenido el pleno beneplácito del Episcopado cubano, nos hemos decidido a sacar procesionalmente por todo el territorio nacional la venerada imagen de Nuestra Señora de la Caridad. Habíamos pensado que era ya llegada la hora de realizar este grandioso acto para la consecución de los nobilísimos fines que a continuación se expresan.

Primero.- Para despertar en unos y afianzar en otros la devoción, que debe anidar en el corazón de todo cubano, a la Santísima Virgen de la Caridad, declarada oficialmente Patrona de Cuba por el Sumo Pontífice a petición de los valientes y cristianos Veteranos de la Independencia.

Segundo.- Para contrarrestar la propaganda protestante, la cual, con empeño digno de mejor causa, trata tesoneramente de descatolizar a nuestro pueblo, invadiendo campos y ciudades. En Cuba cosa averiguada es que la devoción a la Virgen de la Caridad, como camino directo al Corazón de Cristo, ha sido y es medio poderoso para detener en la insensata carrera a los apóstoles de la herejía.

Tercero.- Para unificar, respetando otras advocaciones laudabilísimas, la devoción mariana, robusteciendo la tradición, arraigada en las entrañas del pueblo de Cuba, y seriamente amenazada por quienes de buena fe, aunque equivocadamente, aspiran a una purificación doctrinal y litúrgica, que creemos sólo se puede obtener con éxito práctico por el camino de la evangelización de las masas, de la infiltración del espíritu netamente cristiano en los hogares y en la escuela, hasta lograr que la abundancia y la pureza de la doctrina ahogue la superstición y seque el laicismo, que nos está devorando por no encontrar a su paso la debida resistencia, fuera de la que le viene presentando, en gran parte siquiera, la devoción salvadora a la Virgen de la Caridad.

Cuarto.- Para que el paso de la venerada imagen por el territorio nacional hasta sus últimos confines en esta grandiosa misión, la mayor y de mayores proporciones que se ha dado en Cuba durante un largo año consecutivo, fuese la Madre muy amada derramando copiosa lluvia de gracias sobre Cuba, su pueblo, en el primer cincuentenario de su independencia, logrando hacernos sentir a todos ansias vehementes de espiritualidad, de más acercamiento a Dios y de vivir en todo como buenos cristianos, viendo alejarse de nosotros a los enemigos cubiertos o descubiertos de la fe, a los enemigos de nuestras bellas y caras tradiciones y a los enemigos del orden y de la paz.

Quinto.- Para que afianzadas más y más nuestras creencias cristianas, al calor de la devoción a la Madre común, que tiene su trono en El Cobre, el hogar del catolicismo cubano, vivamos todos como buenos hermanos estrechamente unidos por los vínculos fuertes de la caridad, que es virtud cristiana la que va pregonando el nombre bendito de nuestra excelsa Patrona.

Sexto.- Para despertar ansias de apostolado en la juventud, para lograr que las madres reconozcan el honor que Dios les hace llamando a sus hijos al sacerdocio y a la vida religiosa; para alimentar y aumentar los multicolores y perfumados vergeles de la Isla, encanto y orgullo del mundo cristiano, también para eso hemos organizado esta Peregrinación.

¿Para qué más? Como podrá ver el que leyere este número de «Semanario Católico», esta Peregrinación, que está al terminarse, ha sido lo que debía ser, lo que esperábamos que habría de ser; una grandiosa explosión de fervor religioso del pueblo cubano dentro del marco de la unidad más completa de sentimientos y de aspiraciones al paso triunfal de la imagen varias veces secular de la muy amada Virgen de la Caridad.

Gracias sean dadas a Dios; gracias al insigne capellán de la Virgen Peregrina, y gracias a la Orden Franciscana, que nos lo ha proporcionado.

Todo por Dios y por su Iglesia, todo por Cuba.

Mons. Enrique Pérez Serantes,
Arzobispo de Santiago de Cuba[827]

---

[827] Pérez Serantes, Mons. Enrique. Motivos de esta Peregrinación. Semanario Católico, La Habana, septiembre-octubre de 1952, pp. 6-7

25
Las caridades de la Caridad

Fr. Pedro Urrutia o.f.m.

Muchos han sido los sorprendidos en este viaje. Hay viajes que aleccionan y confortan.

¿Habéis sentido en una mala noche de mar la esperanza emocionante de descanso que despierta el faro de vuestro puerto, cuya luz riela sobre las aguas que navegáis? Pues, emotivas en grado superior y más confortantes han sido para nosotros las luces de fe con que la Virgen ha iluminado nuestro camino de apostolado.

Adelanto el decir que no creíamos en los desatinos de lenguas que no admiten a la Iglesia como obra de Dios, y la ven de continuo zozobrando entre los caprichos de los hombres. Pero, fuerza es confesarlo, ignorábamos, concretamente aquí en Cuba, la labor silente y fecunda de una mano que ha soterrado en cada pecho cubano gérmenes de inmortalidad a los que no basta la luz de nuestro sol, y que —girasoles cara a la eternidad y a la luz del espíritu— claman sedientos por la lumbre que desciende de lo alto. Lo hemos visto. Lo hemos admirado. ¡Cuánta oración! ¡Cuánto sacrificio! Y qué desfiles de triunfo los de estos cubanos tan desfilantes.

Dos fuerzas imponderables

Hasta ahora no había reparado en ello, y no sabía que las masas amorfas y despreocupadas estuvieran trabajadas espiritualmente en las entrañas de su vida. Hay quien realiza esa labor de modo amable, silencioso y eficaz.

Vivimos entre dos fuerzas imponderables. La fuerza de la idea que prepara el futuro, como ha elaborado ateamente los cauces de nuestra vida actual con tendencias marxistas; y la del espíritu asistido por una Madre que no ceja en su empeño de elevarnos al plano de Dios.

Hemos visto multitudes inmensas que nada saben de la Iglesia, nada de los sacerdotes, y sin embargo, sienten en su ser calor de admiración y de querencias filiales hacia la Madre de Dios y Madre nuestra, hacia la Virgen de la Caridad del Cobre.

Ocurrió en la sabana arenosa que separa Real Campiña del pueblo de Aguada de Pasajeros. La Virgencita amada llevaba unos diez minutos de camino en el pisicorre del P. Capellán, Manuel Oroquieta, cuando observan que a campo traviesa y con velocidad de atleta, se les acerca un hombre, cortador de caña a juzgar por la indumentaria, y que con gritos y brazos en alto decía: ¡Por favor, Padre, por favor! A sus voces se detuvo la Virgen. El caminante emocionado, traía un billete de a peso entre los dedos; y se quedó fija su mirada en el rostro de la Madre. Estaba orando. Al darse cuenta el P. Capellán de que no sabía rezar, picó un avemaría en alta voz a sus intenciones, y preguntóle luego por qué había dado aquella carrera. A lo que sencillamente contestó: **«Porque no pude verla ni decirle nada en Real Campiña. También yo tenía que ver a mi Madre».**

Durante la misa pontifical del diez y ocho de Mayo, a pleno sol, en la Avenida del Puerto, acerté a cobijarme bajo una sombrilla caritativa. Había muchos miles en un silencio grandioso. Una mujer de aspecto débil, buscando sombra bajo el periódico de su mano, me hizo esta confidencia: Padre, ¿hasta cuándo va a estar aquí la Virgen? —Hasta mañana por la mañana—. **¡Qué bien!, Padre. Ayer no pude venir a la procesión del recibimiento porque me sentía mala, con treinta y ocho de calentura. Pero hoy sí que me la cobro. Avisaré a casa que no me esperen, y aquí he de estar todo el día, y, si puedo, también la noche, hasta que me la lleven de mis ojos. La quiero tanto...** Y luego como si comenzara a descubrir un secreto, dirigióse a una niña de unos siete años que muy quietecita estaba bajo la sombrilla caritativa, y le dijo estas palabras: **«¡Niña, es nuestra Madre. Pídele mucho. A ti te escucha mejor porque eres inocente, nosotras ya le hemos ofendido!».**

Me sentí emocionado por aquellas palabras dichas casi en público por una mujer. Y con alegría sacerdotal, interpretando que ese era el sentir de aquella masa imponente, miraba a la Virgen, y en su alabanza, me hice estas preguntas: ¿Quién ha enseñado a este pueblo que la Virgen de la Caridad es la Madre de Dios y Madre nuestra; que Ella ha de ayudarnos y salvarnos, que para agradecerle y tenerle propicia hay que vivir sin pecado como ña niña que estaba junto a mí? Porque para probar que la mujer no era de las eclesiásticas basta decir que no conocía a niungún sacerdote; que sólo recordaba el nombre del «P. Oriquita», por quien me preguntó, porque tenía interés en conocer al Padre que acompañaba a la Virgen por toda la Isla, y de quien había oído hablar tanto de las personas que llegaron del Interior.

En Cuba se ama a las madres; y es posible que la idea cristiana de la misión de la madre, facilite la admisión de otra madre espiritual, de quien han oído hablar, acaso, y a su modo, en reuniones más o menos ortodoxas al servicio del espíritu. Pero aquel respeto religioso, aquella sencillez de devoción profundamente cristiana y caritativa y sufrida que veía llegar hasta el trono de la Virgencita pequeña, partiendo por igual de todos los miles y miles de que con el corazón encendido sólo hablaban con los ojos y con el ritmo de los cánticos y con el murmullo bien mascado de las avemarías que dirigía el P. Lucas.

Ante aquel espectáculo, creí que la estrella de la bandera cubana se encendía con nuevas luces. Vi un blanco de camino por donde la Iglesia de Cristo puede transitar aclamada por todos los cubanos, defendida doquier nacionalmente por las luces y gracias de la Madre.

«¡Ahí tienes a tu hijo», sálvalo!, dijo Cristo un día a la Virgen. Y Ella no descansa en su misión. Es obra suya lo que han presenciado nuestros ojos atónitos. Es la labor silenciosa de amor y de redención que la Madre de la Caridad del Cobre ha realizado en un crescendo constante desde su aparición en la bahía de Nipe; desde el diez de mayo de mil novecientos diez y seis en que oficialmente se responsabilizó de patrocinar a los cubanos; y, últimamente, de modo grande y redondo, desde el veinte de Mayo del pasado año en el que, convertida en amor, se le ocurrió visitar a sus hijos que estaban celebrando el Cincuentenario de la libertad patria, y ha visto de hinojos a los pueblos, rendidos a su amor. Ha querido reivindicar los derechos de Mambisa y de forjadora de la mejor de las libertades haciendo sentir su presencia y las maravillas de su gracia en el acto más sentido y universal y prolongado de los destejos del Cincuentenario de la Patria. La Patrona lo puede y lo hace. Y en esas estampas y hechos tenemos lo que el Patronato de la Virgen de la Caridad sobre Cuba significa y vale. Huelgan comentarios y exposiciones doctrinales.

La Caridad anda con sus caridades.

Mundo selvático

Hace tiempo que a Cuba quieren pegarle ribetes de racionalista. Cosa admirable es la razón cuando por los caminos de la luz no niega irracionalmente lo razonable. Esta es la gran pesadilla de los últimos siglos. Y el racionalismo de hoy siente internacionalmente en sus entrañas espasmos y fuertes convulsiones que demandan algo espiritual, algo sobrenatural para el hombre. Hay voluntad de hacer ajustes y cambios en la historia de nuestro tiempo, y se ve que todo está problematizado, que doquier se pintan a la moderna efigies de los viejos errores, por no admitir un Dios personal, cuyos atributos no se ocultaron a la razón de los mismos filósofos paganos. El desengaño de la propia experiencia nos afirma a gritos que no basta lo concreto. Y sin embargo, el hombre se ve engrapado en sus mismas creaciones, sin poder seguir el vuelo, las ansias de su espíritu, condenado a lo suyo finito. Creía el hombre en su soberbia que con las luces de la ciencia experimental se coronaba de inmortalidad, y ocurre que la dimensión irracional ha irrumpido ferozmente contra las posesiones y derechos del hombre racional. Y el nuevo Boabdil camino de la selva, se da cuenta de lo que deja y de lo que pierde.

¿Qué problemas no ha creado la desintegración del átomo en manos de los hombres de ciencia sin conciencia? Y ¿qué augurios de bien común nos presentan en materia de Derecho las autoexpresiones arbitrarias y la intemperancia y la irresponsabilidad de individuos que olvidan la dignidad del hombre? El hastío camina por las calles bajo el flagelo de la carne. La ausencia de Dios aplasta a los hombres bajo los rascacielos de sus grandes creaciones. Y su espíritu llora de pobreza, no tiene virtud. Le falta la justicia, la caridad, la paz.

El hombre ha renunciado a la vida futura, a la revelación de Dios, y lógicamente ha renunciado también a la disciplina interior de templanza, veracidad, responsabilidad, amor al prójimo. La emoliente dulzura de la vida moderna ha rechazado las reglas tradicionales que ordenan la conducta, y el hombre se ve fuera de las fronteras de la disciplina moral. «Moral sin religión equivale a cuerpo sin alma». Grecia sin los dioses del Olimpo se convirtió en un pueblo de fantasía regido por el capricho. Y este es el mal selvático que nos aqueja.

«Es todo el mundo el que necesita rehacerse desde sus fundamentos, afirma Pío XII; que necesita transformarse de selvático en humano, de humano en divino, es decir, según el corazón de Dios. Se espera por millones de hombres un cambio de ruta, y se mira a la Iglesia de Cristo como la legítima y única timonera que, en el respeto de la libertad humana, puede estar a la cabeza de una empresa tan grande, y se pide su guía con abiertos clamores y aún más con las lágrimas ya derramadas, con las heridas aún adoloridad». Espíritu y caridad pide el mundo, y la Caridad del Cobre sigue en su empeño de hacernos humanos y divinos.

Luz de perenne aurora

En este panorama de nuestro mundo necesitado, del mundo aletargado espiritualmente, debe trabajar la Patrona de Cuba; porque su misión es ayudarnos en este campo; porque está puesta para aplastar la cabeza de los enemigos que quieran apartarnos de Dios; porque es la esperanza que desde los orígenes de la humanidad se extiende en nuestro horizonte, con solución de nuestros problemas.

Por eso en el transcurso de nuestra historia, cuando los pueblos sufren, o se han olvidado de que tienen una Madre cariñosamente solícita, Ella la Madre de sus hijos, la Madre a cuya tutela Cristo confiara desde la Cruz a todos los redimidos, ha intervenido, siempre buena y responsable, en los problemas del mundo necesitado.

Un día para luchar contra la furia del infierno, nos dio el Escapulario del Carmen. Más tarde el Rosario, como arma contra las herejías. Y en vísperas de acontecimientos sangrientos nos regaló la Medalla Milagrosa. En el siglo del naturalismo nos visita en Lourdes, y hace que la corriente del Gave se convierta en otra piscina probática, donde nuestros ojos pueden ver el movimiento sobrenatural de los milagros. Y hoy que el materialismo en pugna desaforada quiere ahogar el clamor de la fe, para sustituirlo con el letargo del espíritu y la frialdad de los corazones, vuelve Ella a enseñarnos en Fátima el verdadero amor, el camino de la fe que hemos de seguir para contener las catástrofes que amenazan al mundo si los hombres no vuelven a Dios.

Y nosotros hemos oído sus últimos reclamos y hemos visto sus afanes por las rutas de nuestra Isla, a fin de que los cubanos entren por la práctica de los sacramentos y de la justicia y de la santidad, superando las tendencias arreligiosas y naturalistas de no pocos, y la neutralidad amorfa de muchos que arrastra a un letargo mortal. Esto lo prueban todas las páginas de este número extraordinario del Semanario Católico.

«La Virgen de la Caridad es el faro luminoso que desde las montañas de Oriente arroja haces de luz sobre toda la Isla, alumbrando los caminos de la fe y de la moral, penetrando hasta el último bohío desde Maisí a San Antonio, como penetró antaño en la manigua para alumbrar y alentar a los que fueron valerosos soldados de la Patria», escribe el Ilmo. Arzobispo de Santiago, Mons. Enrique Pérez Serantes.

Para eso nos ha visitado. Por eso la ama el pueblo entero. Y el mismo Sr. Arzobispo ha podido escribir *«que la devoción a nuestra excelsa Patrona, la Santísima Virgen de la Caridad, profundamente arraigada en el alma de nuestro pueblo, es una devoción medularmente cubana, providencialmente vinculada a nuestra vida religiosa y ciudadana. Religión y Patria, nuestros dos grandes amores, se estrechan fuertemente la mano en la loma del Cobre».*
Archicofradía de la Virgen de la Caridad

Ante este espectáculo asombroso y providencial de un pueblo rendido de amor ante la Virgen, hemos oído de varios sacerdotes cubanos frases significativas como esta: «a Cuba le quedan dos asideros inconmovibles, el Bautismo y la Caridad del Cobre». Y el P. Oroquieta que, en la dura y saludable brega de todo un año ininterrumpido de misión con la Virgen, ha presenciado la reacción de todos los pueblos, y los sentimientos filiales aun de los que en otros momentos son hostiles a la Iglesia, me decía entre entusiasmado y decepcionado: *¿qué hacéis en la Acción Católica? Este pueblo es de la Virgen, ama la Caridad. ¿Por qué no vais con Ella a la conquista y formación del mismo? ¿Por qué no os aprovecháis de la Archicofradía de la Virgen de la Caridad para atraer a toda esa masa, ya que de primera intención no puede pertenecer a la Acción Católica?*

Visión certera de un misionero que conoce los resortes que pueden poner en acción a todos los cubanos. La idea ha sido expuesta y bien acogida; y esperamos una campaña nacional organizada por la misma Jerarquía, como complemento necesario de la Acción Católica, a fin de atraer a todos al reino de Cristo, reino de justicia, de amor y de paz.

La dulce estrella orientadora de la Iglesia ha iluminado la Perla de las Antillas; la Caridad sigue con sus caridades, y estamos entre luces y esperanzas que se abren hacia arriba y refulgentes[828].

---

[828] Semanario Católico, septiembre-octubre de 1952, pp. 15-17

26
Luz y amor sobre las olas

Fray B. B. Heredia o.f.m.

Bossuet escribió un día estas palabras: «Los grandes hombres se forman en las rodillas de las madres». Así es. Lo mismo en el campo de las cosas humanas como en ese otro terreno de las altas realidades espirituales. En el principio está siempre la madre... No creamos que la gracia echa a perder los tesoros y valores de la naturaleza. Más bien los realza, los recubre de nuevo y mayor brillo. Soberano tesoro, altísimo valor es la Madre. Y Dios, que es el orden esencial y sapientísimo, cuando ha incrustado en el hondón de nuestro ser *«la semilla de Dios»*, que es la nueva vida espiritual, nos regala la dádiva inestimable de una Madre que asista a la concepción, al nacimiento, al desarrollo y a la madurez de esa vida de los hijos de Dios. Como la vida del cuerpo, también ésta del alma tropieza con muchas dificultades y son muchos los enemigos que la asedian, empeñados en arrancarnos del regazo de nuestro Padre Celestial para lanzarnos a la triste orfandad del pecado.

El hombre es como la hiedra: necesita agarrarse. Busca siempre un apoyo y un refugio. Dios nos lo ha dado, cuando llegamos a estos caminos difíciles de la vida, para recorrerlos con confianza. Cuando, después, Dios tuvo a bien ponernos en la ruta que conduce al Cielo, de nuevo apareció esa imagen inolvidable de la Madre. Por eso creemos y confesamos que María es la Madre espiritual de todos y cada uno de nosotros. Mas esa maternidad de la Virgen no es algo estéril en la Teología, una idea sin contornos y sin pulpa medular. Es más bien algo vivo, palpitante, que tiende a cristalizarse, a convertirse en una forma viviente. Yo columbro la tierra, y la veo cubierta con el manto blanco de los Santuarios de María, que son cabalmente como los hogares donde la Madre aguarda en constante vigilia a sus hijos ausentes. Luego bajo a los redaños del corazón católico, y ausculto los latidos; y las fibras más abundantes, y las palpitaciones más nobles y más fuertes son las del amor a la Virgen, verdadera Madre de los hijos de Dios. Es que la gracia ha soterrado en los surcos del corazón cristiano un amor suave y profundo, tenaz y confiado hacia Nuestra Madre del cielo. Con dolorosa frecuencia es ese amor el único vestigio sobrenatural de piedad de tantas almas cristianas que andan errantes por el mundo, lejos de la Casa del Padre celestial. ¡Qué a menudo la mano bondadosa de la Providencia se ha servido del tenue hilo del amor a la Virgen como de recia maroma para salvar a tantos náufragos de la vida espiritual!

Por eso el católico jamás se siente huérfano. No pueden decir ni sentir otro tanto nuestros hermanos Protestantes. ¡Cuántos de ellos se dan cuenta del agobiador infortunio que se abate sobre quienes no reciben las luces y el calor bendito que brota del corazón de la más cariñosa de las Madres! Hace unos años estampaba un escritor protestante esta dolorosa impresión: «*Hace mucho frío en la iglesia luterana y tenemos que calentarla un poco. ¿Cómo? Trayendo una madre: María. Entonces nos sentiremos mejor. Volvamos a los cánticos marianos; adornemos nuestras iglesias con flores. Haremos fiestas como por el retorno de una madre, porque una Madre ha reaparecido en nuestra iglesia. Sí, una Madre, María, nos hace falta. Vamos a traerla. Que ella embalsame nuestra iglesia, como la rosa que florece sobre la piedra fría de nuestras murallas*».

Y más recientemente suspiraba anhelante un poeta dinamarqués, también luterano, pero simpatizante con la Iglesia católica: «*Nos falta el báculo pastoral, la luz y el incienso de nuestros ritos. Nos hace falta el misterio de la Transustanciación y, sobre todo, nos falta la Madre de Dios, María*».

Gloria suprema de las madres es la fecundidad. Su anhelo más profundo: amar y amparar. Camino para llegar a esa meta: abajarse y adaptarse a la pequeñez y fragilidad del hijito.

En el corazón de la Virgen se albergan idénticas ansias, idénticos sentimientos. Es verdad que San Juan la contempló un día como «*a la mujer vestida de sol, con la luna bajo sus pies y en la cabeza una diadema de doce estrellas*». Pero en lo más recóndito de toda esa magnificencia y apoteosis, palpita con fuerza el corazón más bello, más tierno, más exquisito, que sobre la tierra ha habido después del Corazón de Cristo.

Por eso la Virgen se adapta a sus hijos. Se agacha hasta ellos; casi llega a identificarse con ellos. Y a todo lo largo y ancho de la historia de la Iglesia, la vemos realizar a maravilla su Maternidad espiritual sobre los hombres. Donde brota una lágrima, donde chorrea sangre el corazón de un pueblo, allí aparece la Virgen. En las encrucijadas de la Historia la vemos actuar con toda la solicitud y vigilancia y abnegación de la mejor de las madres. Y va adoptando las más bellas y amables advocaciones para el pobre corazón de sus hijos: la Virgen de los Desamparados, la Virgen de las Angustias, Santa María de las Victorias, la Virgen de las Gracias, la Virgen del Buen Viaje, la Virgen del Espinar... y mil y mil otros nombres gloriosos.

María se hace *«todo para todos, para poder ganarlos a todos para Cristo»*. Ella llora con los que llora, canta con los que cantan, triunfa con los que triunfan...

También la Virgen descendió hasta sus hijos de Cuba. Para andar entre ellos, escogió, si cabe, el más bello nombre, que es como la fuente de todas las caricias y ternezas de María.

Una mañana brumosa de 1607[829], sobre las olas, arribó la Virgen silenciosamente a la bahía de Nipe, a nuestra tierra, silenciosamente detúvose aquí estableciendo su morada perenne. Desde la hora bendita del misterio de su aparición, llena de gracia, comenzó a construir con la urdimbre portentosa de sus dones maternales un solo pueblo y un solo hogar para el pueblo en esperanza que iba a ser la República de Cuba.

A la distancia de tres siglos de aquella manifestación prodigiosa, arrancando a la historia sus mejores páginas, podemos repetir con honda satisfacción las palabras de las Santas Escrituras: *«**Todos los bienes nos han venido juntamente con Ella**»*. Desde los sucesivos tronos que ocupara: choza, capilla humilde, templo y basílica, en un reflujo incontenible de dádivas, viene la Virgen de la Caridad prodigando el aliento de su magnífica maternidad sobre el pueblo cubano, en todas sus horas, en todos sus hijos, en todas sus instituciones, en todas las manifestaciones de su vida.

La Virgen de la Caridad del Cobre es luz y amor. Por eso, aunque sus hijos sientan como San Pedro que se abren las fauces del abismo no deben temer ni dudar. Tienen ellos consigo a la mejor, y más tierna y poderosa Protectora, Luz y Amor sobre las olas[830].

---

[829] En realidad, debió ser 1612

[830] Semanario Católico, septiembre-octubre de 1952, pp. 22-23

27
Los huérfanos de espíritu al paso de la Madre

Fray Ángel Villaronga, o.f.m.

Los pueblos tienen como las almas, una Madre que vela por ellos. Bajo una advocación singular, la Madre del Cielo se ha mostrado a núcleos particulares de hombres, a eso que llamamos patrias, para, al amparo de ese título determinado, ser más Madre y tener un nuevo motivo de que los hijos lo sean mejores, y así Ella mostrarse más compasiva y materiales.

Nuestra Patria no es una excepción: ¡a Dios gracias! las excepciones en este orden de cosas equivalen a abandono y reprobación. Al paso victorioso de la imagen triunfatriz de la Virgen morena, aprendimos que muchos de los que blasonaban vivir la doctrina protestante no pudieron resistir a la voz inapelable de la conciencia, ni pudieron desvirtuar la verdad de una doctrina, de una tradición y de un amor al que un día dieron la espalda, y clamaron a la Virgen de la Caridad, a la Patrona de Cuba, a la Madre de Dios, como Madre de todos los cubanos.

No deja de ser significativo el hecho de que en Aguada de Pasajeros, provincia de las Villas, el alcalde del pueblo, protestante, declaró a la Virgen Peregrina Huésped de Honor, en un hermosísimo discurso; y su señora, la alcaldesa, también protestante, le puso las llaves del municipio, durante un acto muy concurrido.

Ha habido muchos cubanos que en este recorrido de la Virgen conocieron —pues antes alguien se lo ocultó alevosamente, aunque el corazón ya se lo decía— que todos ellos tienen una Madre; y han experimentado que es mucho más hermoso sentirse amado por la Madre del cielo, que no mascar el ajenjo amargo de la orfandad, que no la hizo Dios.

Esta realidad quiere susurrarnos al oído que **el protestantismo en Cuba es una mercancía importada con etiqueta de mala ley**, que difícilmente arraigará, ni jamás satisfará las exigencias de un corazón noble y bueno que busque la verdad, la belleza y el bien; de esos corazones que abundan tanto en Cuba, y que si con frecuencia se les encuentra en predios de sectas protestantes, es más que nada por una ignorancia lamentable.

No quiero decir que todo fue miel sobre hojuelas en lo que respecta a las relaciones de la Virgen Peregrina y nuestros hermanos protestantes, durante su recorrido por la Isla.

La voz centelleante del P. Capellán tuvo que emplearse más de una vez en ripostar los ataques violentos de los dirigentes de diversas sectas protestantes.

Aunque leyendo el diario del P. Manuel[831], encontramos esta frase que escribiera al dejar el **Central Soledad**, de Las Villas: «**Me encantó el cariño de los católicos por la Virgen, y el respeto de los jefes protestantes americanos**»; no obstante, en honor a la verdad, hay que notar, que sobre todo, los dirigentes protestantes son los que, en una contemplación fílmica de la peregrinación, protagonizan las escenas más oposicionistas que se han registrado. Me es grato consignar aquí algunas de ellas —no todas— ya que también así resalta la grandeza de esa Virgen a quienes los buenos cubanos sienten por su dulce Madre.

Una de las manifestaciones más usuales de la propaganda protestante contra la Virgen, durante esta peregrinación, fue la de **imprimir y repartir sueltos y hojas volantes**, en los que una vez se atacó el culto en sí mismo a la Virgen (porque no acaba de pasarles por las mientes que la devoción y la veneración a la Virgen no es idolatría); otras veces se vituperó a las autoridades, porque venían prestando su colaboración y su adhesión, recurriendo para tal censura a algún que otro artículo de la Constitución y no sé a qué frase de Martí. Caibarién, por no citar más que un solo lugar, es testigo de estas hojas, firmadas por los corifeos de la iglesia evangélica; en otras hojas se protestó contra la imagen peregrina y contra su advocación, presentándola, no como Patrona de Cuba, sino como patrona de un Batallón de Voluntarios españoles (contra los que se espetaban unos párrafos escritos con saña de víbora, para así, excitando los protestantes el sentimiento y el dolor nacionalista, les fuera más fácil el engaño de las mentes y la inoculación de todos sus sofismas): estas hojas se repartieron con mucha prodigalidad, y serán pocos los pueblos que no las hayan visto por sus calles. No faltaron papeluchos también de los protestantes, que, al comienzo de la peregrinación, se atrevieron a lanzar la especie de que la peregrinación era un negocio. El Cristo, pueblo cercano a la capital de Oriente, vio repartir muchas de estas insultantes hojas.

---

[831] Se trata del P. Manuel Oroquieta, o.f.m.

No me es posible detallar todo lo que a este particular se refiere; sólo anotaré cómo hubo católicos que emplearon el método de réplica por idénticas hojas volantes, como sucedió por ejemplo en Caibarién; y cómo en otros casos —en todos los casos— el pueblo entero se encargó de dar una respuesta eficaz, levantándose unánimemente con su entusiasmo delirante y fervoroso, y rechazando así, de manera decidida e irrevocable lo que, por muchas que fueran las hojas que volaran, tenían por falso y por ofensa a la propia creencia. Recuérdese el espectáculo que ofreció esa linda villa marítima, a la que últimamente he aludido, donde todo el pueblo, todo, en una manifestación imponente rindió un homenaje, henchido de entusiasmo y de emoción, y de tal pasión por la verdad católica y por el amor a la Virgen de la Caridad, que aun ahora, cuando el P. Capellán evoca la estancia de la Virgen en Caibarién, emplea una expresión que nunca más olvidará: «**los bravos de Caibarién...**» El pueblo se encargó de resolver el reto público que los ministros protestantes lanzaron al Sr. Párroco. Caso similar es el de Santo Domingo. Léase en la crónica de esta Peregrinación el recibimiento y la estancia de la Virgen en Cienfuegos, y admírese el lector, teniendo en cuenta que pocos días antes se había dicho en Placetas, insultando al pueblo cubano, durante un mitin organizado por los protestantes, y por boca del Doctor Mario Ayala —el mismo que tan tenazmente se opusiera en Santa Clara a que la Virgen Peregrina fuera introducida en la Politécnica, cosa que al fin no pudo impedir— **«me avergüenzo de mi pueblo que camina, torpe y servil, como un idiota detrás de un camión con un ídolo que dicen los curas que es la patrona de Cuba».**

La actitud de las sectas protestantes durante la peregrinación nacional, responde a la falsa doctrina que sobre la Virgen María defiende su escuela. No escasean los hechos concretos, que son el reflejo de unas ideas y de una doctrina.

En Holguín los protestantes quemaron públicamente un cuadro de la Virgen de la Caridad. Hubo quien llegó a pedir un desagravio nacional a la Reina del Cielo. Si no nacional, el desagravio lo hizo el mismo pueblo.

En Guaro, provincia de Oriente, pidieron al P. Capellán que prestara la imagen para llevarla al templo protestante: los fines no aparecieron buenos, y ante la negativa del P. Capellán, no faltó un quidam que pretendió dar fuego a la imagen bendita tratando de incendiar antes el nylon que la cubría.

Estos hechos tienen, en la heterodoxia pseudo reformista, una explicación. La misma explicación que unas hojas volantes, arrojadas en el poblado de Mir, en Oriente, cuando éste se aprestaba a recibir a la Caridad del Cobre: «**La falta de lluvia es un castigo de Dios porque los pueblos rinden homenajes sagrados a una «muñeca».** Es que la doctrina protestante no admite el culto de los santos; el culto de la Virgen es idolatría; y esa imagen que nosotros tanto amamos, tiene para ellos, ni más ni menos, el valor de «un pedazo de madera, vestido con harapos y ornamentos», cuya veneración es pecado, según dicen ellos.

Recuerdo ahora la respuesta de una alumna —aventajada debía ser— del Colegio «La Progresiva», de Cárdenas.

Durante la estancia de la Virgen en la Perla del Norte, el P. Capellán pudo oir esta conversación entre dos niñas, colegialas ambas, una católica, y la otra del Colegio «La Progresiva»:

—¿Has ido a ver a la Virgen?

—Yo no voy a ver esa imagen. ¿Y tú, como te atreves a hacerlo?

—¿Por qué no?

—¿No sabes los Mandamientos? Uno de ellos dice: No harás escultura alguna, ni imagen alguna de cosa que esté en el cielo encima, ni de cosa que esté en la tierra debajo, ni de cosa que esté en las aguas debajo de la tierra. No adorarás imagen hecha de manos de hombres.

Los profesores y pastores de aquella niña no supieron darse cuenta, a pesar de todo su talento, que Dios no prohibió, en ese texto, que se hicieran imágenes sagradas, sino que se hiciesen imágenes a las falsas divinidades, y como a tales se les adorase, a lo cual eran muy inclinados los judíos. Y, además, es un precepto circunstancial, válido para los judíos.

Parecía que la oposición protestante había de ser más intensa: sobre todo, más efectiva y destructora. No fue así, aunque muchos lo temieran, Tal vez una explicación que satisfaga suficientemente es la de que ya son muchos los que sienten, en el seno del protestantismo, lo que sinceramente y sin ambages expresara no ha mucho un luterano extranjero: «**Hace mucho frío en la iglesia luterana y tenemos que calentarla un poco. ¿Cómo? Trayendo una Madre: María. Entonces nos sentiremos mejor... Sí, una Madre, María nos hace falta...»** Y nosotros hemos comprobado que en esta tierra del sol hay quien ha sentido un frío entumecedor, y se ha acercado a la Virgen de la Caridad, para sentir su calor de Madre.

OTROS DOCUMENTOS

28
40 años con el exilio cubano
La fiesta de la Caridad: ovaciones, lágrimas y mucha emoción

Dora Amador Morales
La Voz Católica, 2001

MIAMI — De nuevo fue la fiesta de fe, de amor y de patria, todo mezclado, más grande de los cubanos. Y de nuevo fue la Virgen de la Caridad la que los juntó bajo un mismo manto. Esta vez hubo un motivo de celebración mayor al cumplirse 40 años de la llegada de la imagen de la Virgen y de la primera Misa que se le celebró en Miami.

«Yo estaba en aquella Misa de la Caridad del 61, lo recuerdo como si fuera un sueño», comenta Carlos Hernández. Imagínese lo que es estar solo en este país, mis 10 hermanos, mi madre y mi padre se habían quedado en Cuba, encontrarme con el pueblo cubano de nuevo fue muy lindo».

La entrada de la Virgen de la Caridad en la Arena American Airlines, llevada en andas por los miembros de la Archicofradía, de la Ermita fue un momento emotivo de la noche, cuando la muchedumbre exaltada de pie y batiendo sus banderas cubanas, gritó: *«¡Viva la Virgen»* y *«¡Virgen de la Caridad salva a Cuba!»*.

El estadio había seguido el recorrido de la Virgen por el mar desde la Ermita hasta su llegada en las pantallas gigantes colgadas del techo de la Arena. El Canal 51 hizo posible la transmisión. Estas escenas se unieron a un vídeo preparado por el Departamento de Comunicaciones de la Arquidiócesis y fotografías del archivo de La Voz Católica recordando cada evento el 8 de septiembre en Miami.

Antes de su llegada a la Arena, se rezó el rosario con cantos y ovaciones. Hombres y mujeres de distintas provincias cubanas desfilaron al altar para mezclar agua procedente de las 11 diócesis de Cuba. En esa fuente también cayó agua traída de la Bahía de Nipe, donde tuvo lugar la aparición de la Virgen. El público fue rociado con esta agua cubana bendita.

Por primera vez los países latinoamericanos desfilaron, cada uno representado por una pareja vestida con su traje típico, llevándole a la Virgen la llave de su país.

La solemne Eucaristía fue celebrada por el arzobispo de Miami Juan Clemente Favalora y concelebrada por los obispos auxiliares de Miami Agustín Román, Thomas E. Wenski y Gilberto Femández.

Al iniciar la Eucaristía el Arzobispo recordó los hechos de la llegada de la imagen a Miami en 1961 y *bendijo «al noble pueblo cubano por su fidelidad al Señor y a la Iglesia».*

En el altar se hallaban 46 sacerdotes, unos 20 diáconos permanentes y docenas de seminaristas con pañoletas amarillas, el color de la Iglesia.

La emotiva homilía estuvo a cargo del padre Ernesto Molano, quien recibió numerosas ovaciones del público. El sacerdote colombiano hizo un documentado recorrido del acontecer histórico cubano y de la presencia y el significado de la Virgen de la Caridad en la historia de ese pueblo.

«Hay una cifra que nadie ha suministrado hasta hoy: la de un grupo de numerosos seres humildes y bravíos, que desde el principio del exilio hasta nuestros días se lanzaron a la deriva en embarcaciones rudimentarias», dijo el padre Molano. *«Balsas, neumáticos, para buscar su libertad y en cambio encontraron la muerte entre la Isla y los Cayos en el Estrecho de la Florida. A ellos los recordamos hoy tiernamente».* Las palabras del padre Molano provocaron un emotivo aplauso de pie por parte del público.

«La Virgen es la única capaz de unirnos y convocarnos a todos sin necesidad de hacer nada más, simplemente por ser ella, por su presencia», dijo Luis Porrás, habanero que vino de Cuba hace 10 años y quien solía visitar el Santuario del Cobre a pesar, explicó, *«de las limitaciones que sufrimos allá por ser católicos».*

«Nosotros somos sus hijos», afirmó José Angel Acosta refiriéndose a él y a su familia. Acosta, natural de Matanzas, llegó hace seis años y dice deberle muchos favores a la Virgen, a quien siempre le rezó, dijo, con mucha fe en Cuba y aquí.

Un cambio significativo que ha habido en esta devoción popular cubana en los últimos 40 años es que, a diferencia de lo que ocurría en Cuba antes de la revolución, el culto a la Virgen se ha propagado en el exilio sin distinción de clase. *«En Cuba la clase alta tenía otras devociones marianas que no eran a la Caridad. Lo que ocurría es que en casi todos los colegios católicos los sacerdotes y las monjas traían sus devociones de Europa, y se las enseñaban a los estudiantes»*, explica Florinda Alzaga, profesora de filosofía en la Universidad Barry y devota de la Virgen de la Caridad. *«Pero en el exilio eso se ha borrado. La Virgen de la Caridad ha traído una mayor unión entre los cubanos. Ella es el alma de nuestro pueblo allá y acá».*

Al igual que en 1961, la asistencia a la celebración de la Virgen de la Caridad se calculó este año en unas 10,000 personas. Pero a diferencia de entonces, había muchos latinoamericanos de otros países que se han hecho devotos a la patrona de Cuba.

«Tengo muchas amistades cubanas y me han hablado con tanto amor de su Virgen que me han contagiado, por eso vine», explicó Juana Torres, mexicana oriunda de Matamoros.

«Yo me uno a los cubanos en una misma fe y un mismo amor, porque es una misma Madre para todos», dijo Imelda Flores, natural de Chinandega, Nicaragua. *«A nosotros nos ha guiado siempre en este país»*, comentó Libia Sánchez, colombiana. *«Esta Virgen de la Caridad ha sido muy milagrosa conmigo».* Sánchez contó que no podía tener hijos y que está convencida de que fue por un favor de la Virgen que pudo tenerlos.

«A mí me ha protegido de muchas cosas, y la quiero como su hija que soy» dijo María Helena Edouares, haitiana. *«¿Sabías que en Haití hay una iglesia con el nombre de la Caridad del Cobre? Está en Puerto Príncipe y la quieren mucho».*

Mimí León, líder de los Movimientos Apostólicos de la Arquidiócesis, dijo sentirse orgullosa como cubana de que esta devoción a la Virgen de la Caridad se haya propagado entre los latinoamericanos de Miami. *«Los hispanos somos muy marianos. Traen la misma nostalgia nuestra, cuando llegan a la Ermita, la ven como un pedacito de su tierra».*

La Ermita de la Caridad fue declarada Santuario Nacional el año pasado y es uno de los más visitados de los Estados Unidos.

29
Los atributos de la Virgen de la Caridad y su significado

Presentación

Cuando la imagen de la Virgen de la Caridad apareció flotando sobre las aguas de la bahía de Nipe a finales del año 1612, su pequeña figura de 35 centímetros de alto estaba de pie sobre una tabla de madera no muy grande, pero sí de tamaño apropiado para sostenerla. Sobre la madera se habían encajado clavos de plata cuyas cabezas formaban letras, y las letras el título con que se presentaba la Madre de Dios a los cubanos:

YO SOY LA VIRGEN DE LA CARIDAD

Lo mismo que la imagen de María, la tabla puede verse en la Basílica Menor del Santuario de la Caridad del Cobre, en el pueblo del Cobre, a escasos 6 kilómetros de Santiago de Cuba.

Atributos singulares de la imagen

La Virgen de la Caridad, que es Reina y Madre de todos los cubanos, se presentó de pie sobre una media luna con los cuernos hacia abajo, sobre una base que cargan imágenes de serafines. Lleva una Cruz en la mano derecha y un Niño Jesús cargado en el brazo izquierdo: el Niño, a su vez, porta una bola del Mundo en la mano izquierda, y levanta su mano derecha en actitud de bendecir.

Los atributos con que se presentó la imagen de la Virgen de la Caridad son únicos y la diferencian de otras imágenes de la Madre de Dios que tienen en su título la advocación de la Caridad. Por ejemplo, está el caso de dos advocaciones marianas de la Caridad que son tal vez las más famosas de España: la Virgen de la Caridad de Illescas y la Virgen de la Caridad de Sanlúcar de Barrameda, cuyos atributos e imágenes no guardan ninguna semejanza con la Virgen de la Caridad que apareció en Cuba: la Caridad de Illescas es una imagen tallada que se sienta en un trono. No lleva nada en sus manos, que están vacías. Esta advocación se asocia a hospitales y se relaciona con la idea de la muerte, su símbolo es una cruz verde con una calavera[832]. En cuanto a la Virgen de la Caridad de Sanlúcar de

---

[832] Quintanilla y Núñez, Justo. Memoria escrita por el licenciado… rector del Santuario de la Virgen de la Caridad de Illescas estractada del Sacro Paladión del

Barrameda, es una imagen que aparece de pie sin llevar nada en las manos, y sus brazos caen a ambos lados del cuerpo[833]. En España se veneran otras advocaciones de la Virgen de la Caridad en Ávila, Sevilla, Cartagena, Calatayud, Cuenca y otros pueblos[834]. Pero sus atributos e iconografía no tienen nada que las haga similares a la Virgen de la Caridad que veneramos los cubanos.

Mensaje que nos envía la Virgen con sus atributos

Para los indios cubanos, que veneraban en su panteón al cemí Atabex, que al parecer sincretizaron con la Virgen de la Caridad, la luna sobre la que se presenta la Virgen es la propia Atabex o Atabey (deidad de la luna, de la fertilidad, de las aguas y de las mareas para los indios). Atabex fue vencida por la Virgen de la Caridad, como lo denota el hecho de que la Virgen está de pie sobre la luna, que quedó inerme con los cuernos hacia abajo, según la forma de pensar e interpretar de los indios. Para los cristianos, la Virgen está de pie sobre una luna que cargan los ángeles, sencillamente porque Ella es la Reina del Cielo y la Madre de Jesús, Hijo de Dios, Redentor, y nos lo recuerda presentándose sobre el astro que se destaca sobre todos en el cielo, imperando sobre las tinieblas de las noches oscuras.

Por otra parte, la Virgen estaba de pie sobre la tabla de madera que actualmente se conserva en el Santuario del Cobre junto con su imagen bendita, como dándonos con ese simbolismo el mensaje de que Ella, como Gran Intercesora, es nuestra tabla de salvación.

Además, la Virgen de la Caridad lleva una Cruz en su mano derecha, para recordarnos el Sacrificio de la Cruz, que abrió para los hombres las Puertas del Reino de Dios, y sobre el brazo izquierdo carga a su Divino Hijo, quien nos bendice con la diestra en alto mientras sostiene en la mano izquierda la bola del Mundo, para recordarnos que el Evangelio que vino a enseñarnos es la doctrina que mantiene al globo terráqueo, con la cual nos bendice, y al

---

antiguo Lacio de Castilla la Nueva dedicada a Don Alejandro Ferrant con motivo de haber pintado dos lienzos que representan a San Joaquín y Santa Ana y además restaurado y reformado el camarín de la Virgen en agosto del presente año de 1884. Imprenta y Litografía de González, Madrid, 1886

[833] Portuondo Zúñiga, Olga. La Virgen de la Caridad del Cobre, símbolo de cubanía. Editorial Oriente, Santiago de Cuba, 1995, p. 44

[834] Ibídem.

mismo tiempo el símbolo de la catolicidad (universalidad) de su Iglesia.

Conclusión

El simbolismo que forma parte de la iconografía de la Virgen de la Caridad está muy claro. Los cubanos saben muy bien que Ella es nuestra Primera Misionera, y por tanto nuestra Primera Evangelizadora, y que su Mensaje de Caridad, en el que nos explica el Amor Sublime de Dios para nosotros, no puede hacerse espíritu de nuestro espíritu y carne de nuestra carne si no nos acercamos a la Cruz que porta en su diestra, donde su Hijo Divino hizo por nosotros el mayor de los sacrificios, el sacrificio por el cual se mantiene su Palabra en el Mundo que lleva en una mano, otorgándonos con la otra su bendición.

Pero no quiero terminar sin llamar la atención sobre un Momento especialísimo: el Momento de Su Aparición, porque en ese instante quedó dividida para siempre en dos la Historia de Cuba, que fue distinta desde que Ella comenzó a reinar en nuestros corazones.

Según todos los testimonios, había pasado una violenta tempestad, seguramente un ciclón tropical tan fuerte, que a pesar de que las aguas de las bahías, encerradas en un marco de tierra firme, se caracterizan por su serenidad, el mar dentro de la bahía de Nipe estaba tan agitado que los monteros indios Juan y Rodrigo de Hoyos y el negrito Juan Moreno tuvieron que esperar hasta que las aguas se calmaran para poder embarcarse y navegar en su espacio interior. Fue entonces cuando tuvo lugar la maravillosa Aparición: a pesar de la furia del huracán, de la lluvia inclemente, del oleaje alborotado y del mal tiempo, las ropas de la Virgen estaban secas, la tabla en donde se encontraba la imagen no se había volcado, la imagen estaba incólume: y todo esto, junto con los símbolos que trae consigo la Santa Imagen, forma parte de su Enseñanza: Ella, la Virgen de la Caridad, Peregrina y Mensajera del Amor de Dios, no puede hundirse, y ni siquiera las aguas más encrespadas y furiosas pueden humedecerla.

Es que nada puede contra el Amor de Dios en su forma excelsa de la Caridad[835], y Ella llegó para bendecirnos mostrándonos la Cruz donde

---

[835] 1 Aunque hable las lenguas de los hombres y de los ángeles, si no tengo caridad, soy como bronce que suena o címbalo que retiñe.

su Hijo Divino, que lleva los destinos del Mundo en sus manos, murió por nosotros.

Dr. Salvador Larrúa
Miami, junio del 2008

---

2 Aunque tenga el don de profecía, y conozca todos los misterios y toda la ciencia; aunque tenga plenitud de fe como para trasladar montañas, si no tengo caridad, nada soy.

3 Aunque reparta todos mis bienes, y entregue mi cuerpo a las llamas, si no tengo caridad, nada me aprovecha.

4 La caridad es paciente, es amable; la caridad no es envidiosa, no es jactanciosa, no se engríe;

5 es decorosa; no busca su interés; no se irrita; no toma en cuenta el mal;

6 no se alegra de la injusticia; se alegra con la verdad.

7 Todo lo excusa. Todo lo cree. Todo lo espera. Todo lo soporta.

8 La caridad no acaba nunca. Desaparecerán las profecías. Cesarán las lenguas. Desaparecerá la ciencia.

9 Porque parcial es nuestra ciencia y parcial nuestra profecía.

10 Cuando venga lo perfecto, desaparecerá lo parcial.

11 Cuando yo era niño, hablaba como niño, pensaba como niño, razonaba como niño. Al hacerme hombre, dejé todas las cosas de niño.

12 Ahora vemos en un espejo, en enigma. Entonces veremos cara a cara. Ahora conozco de un modo parcial, pero entonces conoceré como soy conocido.

13 Ahora subsisten la fe, la esperanza y la caridad, estas tres. Pero la mayor de todas ellas es la caridad.

1 Corintios 13, 1-13

30
Cronología de la Historia de Nuestra Señora de la Caridad del Cobre, Patrona de la Isla de Cuba, Reina y Madre de todos los cubanos

Dr. Salvador Larrúa Guedes
Miami, marzo del 2007

SIGLO XVII
Aparición de la Virgen de la Caridad del Cobre en la bahía de Nipe. Primeros pasos en Cuba. Construcción del primer Santuario.

1612, 8 de septiembre. Durante la temporada ciclónica, seguramente el 8 de septiembre, aparece una imagen de la Virgen flotando sobre las aguas de la bahía de Nipe, poco tiempo después del paso de un ciclón. La encuentran flotando sobre las aguas dos monteros indios, Juan y Rodrigo de Hoyos, que van en una canoa junto con un aprendiz, el negrito Juan Moreno, para recoger sal en una de las salinas naturales del interior de la gran bahía. La pequeña imagen está de pie sobre una tabla, sujetada por clavos de plata. Sobre la tabla aparecen en alto relieve estas palabras: **YO SOY LA VIRGEN DE LA CARIDAD.**

1612, alrededor del 15 de septiembre. Los indios y el negrito llegan de regreso a la casa de vivienda del hato de Barajagua, donde trabajan como rancheadores y monteros, y presentan la Virgen de la Caridad al mayoral, Miguel de Galán. La imagen fue colocada en una habitación de la vivienda, con una lámpara encendida, y Galán envió al esclavo Antonio Angola para que diera la noticia de la aparición al capitán Don Francisco Sánchez de Moya, administrador de las minas de cobre de la villa de Santiago del Prado, a cuya jurisdicción pertenecía el hato de Barajagua.

1612, a fines de septiembre. Francisco Sánchez de Moya envía instrucciones a Miguel Galán por medio de Antonio Angola: que construyese una casa en el hato de Barajagua, para colocar allí la imagen de la Virgen de la Caridad, y que siempre tuviera una luz encendida para honrar a Nuestra Señora. Envió además una lámpara de cobre para iluminar la imagen.

1612, fines de septiembre o comienzos de octubre. Los trabajadores del hato de Barajagua levantaron un bohío *de guano cercado de tablas de palma (sic)* donde colocaron la imagen de la Virgen de la Caridad sobre un altar. El indio Rodrigo de Hoyos quedó encargado de mantener la lámpara encendida y el altar adornado con flores. Durante los días siguientes se comprobó dos veces que la imagen desaparecía por las noches y al día siguiente se encontraba en su lugar, con las ropas mojadas. Se pensó que su cuidador, Rodrigo de Hoyos, tuviera que ver con los sucesos. Preocupado, el capataz Miguel Galán envió un propio para dar cuenta de estos sucesos al administrador Francisco Sánchez de Moya.

1612, octubre. Francisco Sánchez de Moya dispuso que el Comisario de la Inquisición, el franciscano fray Francisco Bonilla, fuera al hato de Barajagua, para que reconociese a la Virgen y la trajera *en unas andas y en procesión* a la villa de Santiago del Prado, tal vez para evitar una nueva desaparición y la pérdida de la imagen. La noticia del viaje de Bonilla circuló rápidamente por el pueblo.

1612, a mediados de octubre. Fray Francisco Bonilla, acompañado en masa por la población de Santiago del Prado, partió para la sede del hato de Barajagua para reconocer a la Virgen y llevar a cabo el encargo.

1612, finales de octubre. La Virgen de la Caridad llega a Santiago del Prado en una emocionada procesión, encabezada por el Padre Bonilla, *que entonaba el Rosario y las Letanías* en su honor. La gente del pueblo, que la lleva en andas viene rezando y cantando. En el pueblo fue recibida por el administrador Sánchez de Moya y las autoridades, encabezadas por el alcalde, portando el estandarte real, y la tropa formada en honor a Nuestra Señora, que fue llevada a la Iglesia Parroquial, donde la colocaron en un altar, y le hicieron *una fiesta de misa cantada y sermón.*

1612, finales de octubre o primeros días de noviembre. Enterado el Obispo de Cuba, Alonso Enríquez de Armendáriz, decidió que la imagen de la Virgen fuera llevada al hospital *o casa de la Caridad,* puesto que Nuestra Señora estaba identificada con esta advocación. Desde entonces, la Virgen presidirá la capilla del hospital. Ya la Virgen tiene fama por su aparición en la bahía de Nipe y los habitantes recuerdan emocionados la procesión en que ellos mismos la llevaron cantando al pueblo. Los trabajadores de las minas que reciben atención en el hospital invocan a la Virgen para recobrar la salud. Muchos de ellos se curan gracias a la intercesión de María.

1620. Por orden real se hace un inventario de los bienes en las Minas de Cobre de Santiago del Prado. Según este inventario la imagen de la Virgen de la Caridad, que tiene fama de milagrosa por sus curaciones, aparece en la ermita del cerro de las minas «como una imagen de bulto de nuestra señora» sin precisar la advocación, según tesis del P. Guillermo González Arocha, porque no tenía reconocimiento eclesiástico oficial. Tal vez por esta época quedó a cargo de la Virgen, por disposición eclesiástica, el ermitaño Mathias de Olivera.

1620-1640. Los misioneros franciscanos procedentes de Cuba comienzan a difundir en las misiones de la Provincia de la Florida la devoción y el culto a la Virgen de la Caridad del Cobre.

1628-1629. Se levantan los Autos Primitivos sobre el hallazgo de la imagen de la Virgen de la Caridad, siendo obispo de Cuba Mons. Leonel de Cervantes y gobernador de Santiago de Cuba, Don Lorenzo de Cabrera. Estos Autos desaparecieron en un «temporal de agua» según relata el capellán P. Onofre de Fonseca en su Historia de la Virgen de la Caridad.

1631. Se crea el camino llamado la *Entrada del Cobre,* que unía Santiago de Cuba con la villa de Santiago del Prado. Poco después comenzaron a transitar por él que iban a visitar a la Virgen de la Caridad en su primera ermita al principio y después, en su Santuario.

1635, temporada ciclónica. La ermita de Nuestra Señora de Guía, edificada en el cerro de Cardenillo, donde están las minas de cobre, es derribada por un temporal. Es sustituida por la imagen de la Virgen de la Caridad del Cobre encontrada en la bahía de Nipe en 1612.

1638, en el mes de mayo. Una niña, de nombre Apolonia, ha presenciado apariciones de la Virgen y luces en la cima del cerro, y la noticia del suceso pronto llega a conocimiento los trabajadores de las minas y de todos los vecinos. Los habitantes y el párroco del pueblo interpretan los hechos pensando que la Virgen de la Caridad quiere residir en ese sitio, para amparar desde allí a los habitantes y a las minas. Las visiones de Apolonia definen en qué sitio se levantará la Casa de Nuestra Señora, asunto que estaba en discusión por las autoridades eclesiásticas y civiles. Mathias de Olivera sigue consagrado a la atención de la Virgen.

1638, mayo-junio. Se decide levantar una nueva ermita en el cerro de Cardenillo, para que las minas continúen al amparo de la Virgen. En ese momento, el Obispo de Cuba en funciones Don Jerónimo Manrique de Lara y Herrera, que conoce el amor de los habitantes del pueblo por Nuestra Señora, dispone poner la nueva ermita bajo la advocación de la Virgen de la Caridad. Tal vez en este momento se originó el nombre de *Virgen de la Caridad del Cobre.* Junto con la imagen se rinde culto a la Virgen de la Candelaria y a la

Inmaculada Concepción. El ermitaño Mathias de Olivera sigue al tanto de la ermita y de la Virgen. Es protagonista de varios milagros en su persona, y de otros para atraer la lluvia en tiempos de gran sequía con la intercesión de la Virgen, o para realizar maravillosas curaciones a personas que no tenían salvación.

1645. La ermita de la Virgen de la Caridad queda al cuidado del ermitaño Melchor Fernández Pinto, también llamado Melchor de los Remedios. Melchor de los Remedios da un gran impulso al culto que se da a Nuestra Señora. Se dice que también efectuaba curaciones con el aceite de la lámpara que iluminaba a la Virgen en su altar, lo mismo que su antecesor. Parece que entonces se agregó la palabra *Remedios* al título de la Virgen, y muchas personas la reconocían como la *Virgen de la Caridad y Remedios.*

1648. Se realiza un nuevo inventario real. La imagen de la Virgen de la Caridad continúa en la ermita del cerro, junto con las imágenes de la Candelaria y la Inmaculada Concepción, según consta en los documentos del Archivo de Indias.. Desde su llegada, Ella es el centro de la devoción de los vecinos y los trabajadores.

1655. La ermita del cerro de Cardenillo queda definitivamente bajo la advocación de la Virgen de la Caridad, puesto que el fervor de los habitantes se centran en ella. Cada día la Virgen es más famosa por sus milagros. Documentos de época refieren *que esta en el cerro de las minas con sus campanas y ornamentos de celebrar (sic).* Desde ese momento la Virgen de la Caridad es, de hecho, la Patrona del lugar y de sus habitantes. Con todo derecho se le puede llamar *Virgen de la Caridad del Cobre.*

¿1660? Alrededor de este año, según recogen algunas crónicas, comenzaron las peregrinaciones y romerías primero desde Santiago de Cuba para visitar a la Virgen de la Caridad del Cobre, luego desde otros pueblos orientales y del resto de la Isla.

1674-1678. La imagen de la Virgen de la Caridad que preside la ermita del cerro sigue al cuidado de un ermitaño, Melchor de los Remedios, quien impulsa la idea de erigirle un Santuario, con el apoyo de todos los habitantes de Santiago del Prado. El ermitaño se ha hecho famoso por protagonizar varios milagros realizados por la Virgen. Se obtiene la autorización del Obispo de Cuba, Gabriel Díaz de Vara-Calderón (1671-1676) y la construcción del Santuario comienza inmediatamente, hasta los vecinos más humildes hacen donaciones de dinero y trabajan personalmente en las obras.

1678-1679. Se termina la construcción del Santuario de la Virgen de la Caridad del Cobre en el Cerro de Cardenillo:

En este Santuario, los ornamentos son de gran valor. El altar es de plata maciza, y la lámpara del Santísimo Sacramento es del mismo metal y pesa150 libras, lo que da idea de la importancia que tenía para los cubanos en general y particularmente para los pobres vecinos de El Cobre, apenas 60 años después de su aparición en Nipe. Desde entonces, las historias de sus milagros y el culto a la Virgen de la Caridad se difunde con toda la Isla con rapidez extraordinaria si consideramos que Cuba, a fines del siglo XVII, apenas contaba 40,000 habitantes residentes en poblaciones minúsculas que apenas podían comunicarse por falta de caminos, o dispersos en hatos, corrales y estancias muy distantes. Una carta demoraba semanas o meses de un punto a otro de la Isla, y mucho más la difusión de las noticias

El Santuario fue inaugurado con toda solemnidad por disposición expresa del Obispo de Cuba, Dr. Juan García Palacios (1677-1682)

1678, 11 de febrero. Un terremoto devastador afecta la ciudad de Santiago de Cuba, destruye la Capilla de la Catedral y sepulta una imagen muy venerada de Jesús crucificado. La imagen fue recogida por el vecino Fernando de Espinosa que la colocó en el Santuario de la Virgen de la Caridad del Cobre: de esta forma, el Divino Hijo pudo reunirse con su Santísima Madre, y la imagen de Cristo permaneció con Ella desde entonces.

1681. El P. Onofre de Fonseca es designado Capellán del Santuario de la Caridad del Cobre por el Obispo Juan García Palacios, según los capitularios del Sínodo Diocesano de 1680, que reservó esta facultad para el Obispo de Cuba. Sustituyó, por voluntad propia, al ermitaño Melchor de los Remedios en el cuidado y atención a la Virgen y al culto.

1682. En los capitularios del Sínodo Diocesano de 1680, convocado por el Obispo Juan García Palacios, se consignó la Cofradía de la Virgen de la Caridad en la relación de Cofradías oficialmente aprobadas por la Iglesia Católica, con lo que se dio reconocimiento y carácter oficial al culto que se daba a la Virgencita de Nipe.

1683, agosto. El P. Onofre de Fonseca se hace cargo de la capellanía del Santuario del Cobre, en la villa de Santiago del Prado.

1687-1688. Declaran los testigos de la aparición de la Virgen. Siendo Obispo de Cuba Don Diego Evelino y Vélez de Compostela (1685-1704) y con la participación y aprobación del Cabildo Catedral de Santiago de Cuba, tiene lugar la toma de declaración de Juan Moreno, testigo presencial de la aparición de la Virgen de la Caridad, ante el párroco del Cobre, P. Juan Ortiz de Montejo, designado por el Obispo, las que fueron recogidas en los denominados «Autos de 1687-1688», juntos con las de otros testigos de hechos posteriores.

1687, 1 de abril. Juan Moreno declara cómo apareció la imagen de la Virgen de la Caridad, su traslado a la villa de Santiago del Prado y los sucesos posteriores, incluso la forma en que Nuestra Señora se apareció a la niña Apolonia, noticias de milagros y curaciones protagonizadas por el ermitaño Melchor de los Remedios, y la construcción de la ermita y el Santuario.

1687, 2 de abril. Salvador Quiala, negro esclavo de las minas de Santiago del Prado, que narró sus recuerdos sobre la aparición de la Virgen y la forma en que Nuestra Señora realizó varios milagros en favor de habitantes de la villa del Cobre a quienes libró de la enfermedad o de la muerte o condujo a buen recaudo en casos de peligro.

1687, 3 abril. El capitán Juan Santiago Colón testificó la realización de varios milagros por intercesión de la Virgen de la Caridad, por medio del aceite de la lámpara, o por invocaciones que hicieron recuperar la vista a los ciegos, evitar naufragios a navegantes a quienes libró de tormentas, y hacer caer la lluvia benefactora en tiempos de gran sequía.

1687, 5 de abril. Pedro Suárez de Alcántara refiere varios milagros en los que personas moribundas han vuelto a la vida y otros muy enfermos recobraron la salud gracias a las invocaciones a la Virgen de la Caridad y el uso del aceite de la lámpara que la ilumina.

1687, 9 de abril. El P. Francisco Vejarano, Sacristán Mayor de la Catedral de Santiago de Cuba, narró su conocimiento de numerosos y reconocidos milagros que tuvieron lugar por la intercesión de Nuestra Señora de la Caridad y Remedios y otros hechos relacionados con la erección de su Santuario del Cobre.

1687, 12 de abril. Germán Phelipe, esclavo de las minas de cobre, habló sobre las visiones que tuvo la niña Apolonia para la construcción del Santuario y refirió milagros realizados por la Virgen de la Caridad, de los que tuvo conocimiento.

1688, 1 de junio. El P. Roque de Castro Machado, Cura Rector del Sagrario de la Catedral de Cuba, firmó ante Notario Público el Auto de Presentación de las declaraciones de los testigos de los hechos de la Virgen de la Caridad del Cobre, desde el momento de su milagrosa aparición, y a petición del P. Francisco Vejarano, para la aprobación del Obispo Diego Evelino y Vélez (Hurtado) de Compostela, prelado de Cuba, Jamaica y Provincias de la Florida, de acuerdo con las disposiciones del Concilio de Trento, en la *sesión XXV cum, declarat, et remiss. de invocatione et veneratione et reliquis sacrarum et sacris imaginibus,* para su aprobación episcopal.

1689. Se coloca solemnemente una imagen de la Virgen de la Caridad en la Iglesia de Santo Tomás Apóstol, de Santiago de Cuba, con la correspondiente autorización y placet del benemérito Obispo Diego Evelino y Vélez de Compostela.

1696, 25 de noviembre. En este día falleció el capitán Juan Moreno, el negrito de la Virgen, a la edad de 93 años. Sus restos mortales fueron trasladados y depositados en el Santuario de Nuestra Señora de la Caridad.

SIGLO XVIII
Difusión del culto a la Virgen de la Caridad por tierras de Cuba. Surgen nuevas Iglesias de la Caridad en la Isla

1701. El P. Onofre de Fonseca escribe la primera versión conocida de la historia de la Virgen de la Caridad, tomando como base los Autos de 1687-1688, que contienen las declaraciones de los testigos.

1703. Se funda el Ingenio de la Virgen de la Caridad a orillas del río Yarayabo, por los Pbros. Balthasar Moreno Girón y Manuel Cabral de Melo. El P. Onofre de Fonseca está a cargo de la capellanía del ingenio.

1705. El Santuario de la Caridad del Cobre cuenta con una capellanía dotada con una imposición de 7,000 pesos fuertes, suma muy grande en esa época.

1706. Los jefes de las tropas cubanas que acudieron en defensa de la Provincia de la Florida y su capital San Agustín en 1702, erigen en San Cristóbal de La Habana, en la iglesia del Espíritu Santo, la primera Cofradía de la Virgen de la Caridad que existió en la capital de Cuba.

1710. En la Misión de San Buenaventura de Guadalquini, provincia de la Florida, se manifiesta la devoción a la Virgen de la Caridad del Cobre. Entre los restos arqueológicos de la misión apareció una medalla con la efigie de la Virgen.

1711. El P. Maestro Thomas Bravo se hace cargo de la capellanía de la Virgen de la Caridad en el Santuario del Cobre sustituyendo al P. Onofre de Fonseca, que falleció en 1710.

1717. El Pbro. Silvestre Alonso, con la aprobación de Mons. Jerónimo de Nostis y de Valdés, (1704-1729) Obispo de Cuba, erige una ermita que fue puesta bajo la advocación de la Virgen de la Caridad del Cobre, en la villa de Sancti Spíritus.

1723. En momentos de gran pobreza, los cobreros vecinos de Santiago del Prado imploran la ayuda y favor de la Virgen de la

Caridad. En ese mismo año el gobernador oriental, Carlos de Sucre, entregó aperos de labranza y herramientas a los cobreros, además de aumentar a 10 reales el pago por cada arroba de mineral extraído. La Virgen de la Caridad velaba por sus hijos más humildes.

1731. Los cobreros vecinos de Santiago del Prado se rebelan ante las injusticias y malos tratos del gobierno. El Deán Morell de Santa Cruz logra pacificarlos al tiempo que consigue beneficios para aquellas personas tan pobres y tan queridas por Nuestra Señora de la Caridad.

1732. El P. Francisco Suárez y Calderín es designado capellán del Santuario del Cobre por el Deán de la Catedral de Cuba, Pedro Agustín Morell de Santa Cruz, para sustituir al P. Thomas Bravo.

1734. En este año se erigió una Iglesia bajo la advocación de la Virgen de la Caridad del Cobre a solicitud del Ayuntamiento y Cabildo de la villa de Santa María de Puerto Príncipe, con la aprobación de Mons. Juan Laso de la Vega y Cansino, Obispo de Cuba (1731 - 1752), para la edificación espiritual de los peregrinos que pasaban por el camino del Santuario del Cobre, que pasaba por la villa, y participaban en las Ferias de la Caridad que tenían lugar en la misma. El puente por donde los peregrinos cruzaban el río Tínima fue bautizado con el nombre de Puente de la Caridad, y el barrio donde está enclavada la Iglesia recibió también ese nombre.

1734, 8 de septiembre. El Obispo Mons. Juan Lazo de la Vega y Cansino consagra la Iglesia de la Caridad de Puerto Príncipe y coloca solemnemente en la misma *el Divinísimo y la imagen de la Virgen de la Caridad.*

1735, 5.VII. El Obispo Juan Laso de la Vega y Cansino designó al P. Julián Joseph Bravo capellán del Santuario del Cobre, en sustitución del P. Thomas Bravo.

1737, 7.VII. Por Real Cédula de esta fecha Su Majestad, al tanto de la importancia de la Virgen de la Caridad pide información sobre la Capellanía del Santuario del Cobre.

1738. Los indios de nación ibaja de la Provincia de la Florida manifiestan su devoción a la Virgen de la Caridad a través de las promesas de su cacique, Juan Ignacio de los Reyes, que participó con otros indios conversos en la defensa del territorio contra los invasores ingleses e hizo promesas a la Virgen impetrando su favor y ayuda.

1740, 26. IV. Por Real Cédula de esta fecha, Su Majestad designa al Deán Pedro Agustín Morell de Santa Cruz facultándolo para nombrar los capellanes beneficiados del Santuario de la Virgen de la Caridad.

1747. También con la aprobación del Obispo Mons. Juan Lazo de la Vega y Cansino se erigió este año otra Iglesia bajo la advocación de la Virgen de la Caridad del Cobre en el pueblo de Quemados, actual provincia de La Habana.

1750. Primera referencia a la Virgen de la Caridad del Cobre en uno de nuestros primeros textos de historia: la *Descripción de la Isla de Cuba,* publicada por el santiaguero Nicolás Joseph de Ribera.

1754. El gran Obispo Pedro Agustín Morell de Santa Cruz, en el informe de su Visita Eclesiástica, dejó una pormenorizada descripción del Santuario de la Virgen de la Caridad erigido en la villa de Santiago del Prado.

1755. El Obispo Pedro Agustín Morell de Santa Cruz, durante su Visita Canónica, erigió la Iglesia de la Virgen de la Caridad de la villa de Sancti Spíritus convirtiéndola en auxiliar de la Parroquial Mayor de San Cristóbal de La Habana, capital de Cuba.

1756. El Obispo Morell de Santa Cruz dispone la fundación de un Hospital bajo la advocación de la Virgen de la Caridad en la villa de Santiago del Prado, para sustituir al primitivo hospital, ya desaparecido.

1756. Morell de Santa Cruz, en un informe redactado en este año, deja constancia de su impresión sobre el Santuario de la Virgen de la Caridad: *En conclusión, el Santuario del Cobre, es el más rico, frecuentado y devoto de la Ysla, y la Señora de la Caridad la más milagrosa efigie de quantas en ella se veneran.*

1756. En el informe de su Visita Eclesiástica, Morell de Santa Cruz menciona la existencia de una ermita puesta bajo la advocación de la Virgen de la Caridad, erigida en la villa de San Isidoro de Holguín.

1762. Se tienen noticias de que en este año ya se veneraban imágenes de la Virgen de la Caridad en las Iglesias parroquiales de las villas de Nuestra Señora de la Asunción de Baracoa y San Salvador de Bayamo.

1766. Un fuerte terremoto destruyó casi por completo la ciudad de Santiago de Cuba, cuyos habitantes huyeron en masa y subieron descalzos, de rodillas o portando cruces las abruptas montañas para pedirle a la Virgen de la Caridad, en su Santuario del Cobre, que los amparara e hiciera cesar los temblores de tierra, como en efecto ocurrió.

1767. Ante la catástrofe que arrasó Santiago de Cuba, y para mayor edificación de sus ciudadanos, el capellán Julián Joseph Bravo escribió una nueva *Historia de la milagrosa aparición de Nuestra Señora de la Caridad del Cobre...*

1774. El gran obispo Santiago José de Echevarría y Elguezúa llega a este año a Santiago de Cuba y dona 1000 onzas de plata para el altar de la Virgen de la Caridad del Cobre en su Santuario.

1774. El obispo Echevarría dispone la colocación de una imagen de Nuestra Señora de la Caridad del Cobre en uno de los altares de la Catedral de Santiago de Cuba.

1775. Por disposición del Cabildo de Santiago de Cuba, un hato mercedado en la zona de Cacocum recibe el nombre de *La Caridad.*

1777. El capellán del Santuario del Cobre, Bernardino Ramírez, escribe una exégesis de la historia de la Virgen de la Caridad redactada por su antecesor, Julián Joseph Bravo.

1778. El capellán Bernardino Ramírez compone y publica este año una Novena a la Virgen Santísima de la Caridad del Cobre, en Santiago de Cuba.

1780. Vicente Manuel de Céspedes, gobernador del Departamento Oriental, envía un informe al Rey en el que hace resaltar la importancia que ha adquirido el culto a la Virgen de la Caridad y el inmenso prestigio del Santuario del Cobre.

1780. Zarpa de La Habana la expedición del general Bernardo de Gálvez para conquistar las Provincias de la Florida. Todos los integrantes del ejército miembros del Regimiento de Fijos de La Habana y los miembros del batallón de pardos y morenos, también cubanos llevaban como escarapela y divisa la imagen de la Virgen de la Caridad del Cobre que ya era, de hecho y de derecho, la Patrona de Cuba, y a quien los combatientes criollos confiaban sus vidas y la victoria.

1783-1784. Los cobreros de Santiago del Prado, unidos en la devoción a la Virgen de la Caridad, envían representaciones e informes a Su Majestad protestando por abusos y despojos que pretenden realizar los hacendados del territorio. La Virgen intercedió otra vez favoreciendo a sus humildes hijos.

1785. Se realiza un intento para esclavizar a cobreros que ya eran libres desde mucho tiempo antes, y que invocan a la Virgen de la Caridad pidiendo su amparo. Madrid falla nuevamente dando la razón a los pobres.

1789. Documentos antiguos refieren que al menos desde este año, existía una ermita puesta bajo la advocación de la Virgen de la Caridad en la villa de San Salvador de Bayamo.

1789, 24.XI. Al ser nombrado Arzobispo de Santiago de Cuba, Mons. Antonio Feliú y Centeno, el mismo día de su desembarco, se postró a los pies de la Virgen de la Caridad, en su Santuario del Cobre, pidiendo a Nuestra Señora que le diera *fuerza, paciencia, caridad y humildad* para *que este pobre viejo* (sic) pueda llevar a cabo su nueva tarea y poder cargar con su nueva y tremenda responsabilidad.

1792, 6.X. El nuevo Arzobispo de Santiago de Cuba, Mons. Joaquín Osés de Alzúa y Cooparaccio desembarca este día en el puerto de la ciudad y de inmediato sube al Santuario del Cobre para poner el destino de su episcopado en manos de la Virgen de la Caridad.

1795. El Arzobispo Mons. Joaquín Osés de Alzúa y Cooparaccio erigió la Iglesia de la Caridad de Santa María de Puerto Príncipe en auxiliar de la Parroquial Mayor, para impulsar el culto a Nuestra Señora en el territorio central de la Isla.

1796. Doña Josefa Agüero donó este año a la Iglesia de la Caridad de Santa María de Puerto Príncipe, una preciosa custodia de plata y una lámpara para iluminar el Santísimo.

1800, 7 de abril. Por Real Cédula de Su Majestad... de España firmada este día, los esclavos mineros de Santiago del Prado obtuvieron su libertad, gracias a los esfuerzos de su director y guía, el P. Alejandro Paz Ascanio, capellán del Santuario del Cobre.

1800, 15 de agosto. Alrededor de esta fecha comenzaban a efectuarse en Cuba las peregrinaciones al Santuario de la Virgen de la Caridad del Cobre, que culminaban el 8 de septiembre, día de la gran fiesta de Nuestra Señora.

SIGLO XIX

Expansión y arraigo definitivo del culto a la Virgen de la Caridad en tierras de Cuba. Nuestra Señora se convierte en el Primer Símbolo de la Nación y de la Patria, es reconocida como Patrona de la Isla, y se convierte para los libertadores en la Virgen Mambisa

1801. El P. Alejandro Paz Ascanio, capellán del Santuario del Cobre, dio lectura solemne a la Real Cédula dictada en 7.IV.1800 que proclama la libertad de los esclavos que trabajaban en las minas de Santiago del Prado.

1803, 24. XI En este día, Mons. Joaquín de Osés fue designado primer Arzobispo de Santiago de Cuba. De inmediato subió al Santuario del Cobre, se postró ante la Virgen de la Caridad y oró durante largas horas, pidiendo a Nuestra Señora que le diera *fuerza, paciencia, caridad y humildad* para *que este pobre viejo* (sic) pueda llevar a cabo su nueva tarea y poder cargar con su nueva y tremenda responsabilidad.

1804. Mons. Joaquín Osés de Alzúa, ante la asiduidad y frecuencia de peregrinos y romeros **decidió la aprobación de las Ferias de Septiembre en El Cobre** por el Cabildo santiaguero. Su progreso favoreció **la apertura de un camino de ruedas con puente y**

calzada desde la ciudad (Santiago de Cuba) **hasta el poblado** (del Cobre), que comenzó a construirse ese año.

1806. El Arzobispo Osés de Alzúa dispuso la impresión de la Historia de la Virgen de la Caridad redactada en el siglo XVIII por el capellán P. Onofre de Fonseca, con la exégesis del también capellán Bernardino Ramírez

1807. El Arzobispo Joaquín Osés apoyó las reconstrucciones y ampliaciones de los edificios eclesiásticos del Santuario del Cobre, la construcción del camino y la calzada, y todas aquellas medidas que fortalecieran el culto a la Virgen de la Caridad, facilitando el trabajo de los ermitaños e incorporando *un sacristán y un capellán de órgano al Santuario.*

1814. El Arzobispo Mons. Joaquín Osés de Alzúa, muy devoto de la Virgen de la Caridad, ordenó este año la impresión de una estampa que portaba los atributos de la imagen que apareció en la bahía de Nipe: la cruz en la mano derecha, el nimbo, la media luna invertida que sirve de base a la imagen, y el Niño Jesús que carga en el brazo izquierdo. La imagen que se admira en la estampa está adornada con su corona y un resplandor de oro y brillantes, tal como podemos verla hoy. En la estampa, la imagen estaba situada en el centro de la parte superior, orlada por seis viñetas que mostraban diversos momentos de la historia.

1831. Por disposición del Obispo de La Habana, Mons. Juan José Díaz de Espada y Fernández de Landa, se consagró a la Virgen de la Caridad del Cobre en la Iglesia de la Virgen de Guadalupe (antes ermita del Cristo de la Salud) sita en Salud y Manrique, Centro Habana, La Habana. A partir de comienzos del siglo XX esta Iglesia se convirtió en el Santuario Occidental de la Virgen de la Caridad.

1831, 19 de junio. El Apóstol de Camagüey, Fray José de la Cruz Espí, conocido por el Padre Valencia, comenzó este año la construcción de una Hospedería bajo la advocación de San Roque, y una ermita a la Virgen para albergar a los peregrinos y romeros que hacían escala en Santa María de Puerto Príncipe antes de continuar la peregrinación que debía estar el 8 de septiembre a los pies de la Virgen de la Caridad, en el Santuario del Cobre.

1832. Comienzan a celebrarse las llamadas Misas Sabatinas, en honor a la Virgen de la Caridad, en la villa de Santa María de Puerto Príncipe, ante una imagen de la Virgen del Cobre colocada en el altar de la ermita de San Francisco de Paula, en el centro de la ciudad.

1833. El Obispo de La Habana, Mons. Juan José Díaz de Espada, dispuso este año que la Iglesia de la Caridad de Sancti Spíritus fuera erigida en Parroquia.

1833, 25 de marzo. Mons. Cirilo de Alameda y Brea, nuevo Arzobispo de Santiago de Cuba, encabezó este día una solemne procesión de rogativas, en la que marchaba la imagen de la Virgen de la Caridad de la Iglesia de Santo Tomás Apóstol, *para que Dios libre a esta ciudad (Santiago de Cuba) del cólera morbo que está en La Habana.*

1833, 4-5 de mayo. Mons. Cirilo de Alameda y Brea, nuevo Arzobispo de Santiago de Cuba, marchó directamente al Santuario de la Caridad del Cobre y allí pasó la noche sin dormir, rezando a los pies de la Virgen, rogándole su intercesión para que la temida epidemia no llegara a Santiago de Cuba. Al día siguiente, 5 de mayo, Fray Cirilo de Alameda y Brea, celebró una solemne misa pontifical en el Santuario del Cobre para que «*la Virgen de la Caridad nos libre del cólera*».

1833, octubre. El Arzobispo Alameda volvió a visitar a la Virgen en su Santuario del Cobre, para pedirle nuevamente orientación y ayuda: en esta ocasión el prelado iba a participar, junto con el gobernador del Departamento Oriental y los representantes eclesiásticos, civiles y militares de rigor, en la solemne ceremonia de inaugurar el Ayuntamiento y Cabildo de la villa del Cobre.

1835, febrero. A mediados de Febrero de 1835 se concluyó el Hospital de San Roque contiguo a San Lázaro que erigió el P. Valencia recogiendo limosnas y fatigándose por el bien común, logrando el fin de todas sus buenas obras. **El domingo 23 de Febrero, se celebró la primera Misa en dicho Hospicio de San Roque con asistencia del Excmo. Sr. Arzobispo y quedó de manifiesto la Magestad Divina hasta la tarde en que salió la Procesión con la Imagen de S. Roque desde la Iglesia auxiliar de Santa Ana (sic),** donde estaba depositada, hasta el nuevo Hospicio donde se colocó en su Altar.

1835, agosto. El Arzobispo Alameda subió al Santuario del Cobre y se postró a los pies de la Virgen para pedirle el éxito de la Visita Pastoral que comenzó inmediatamente después.

1835, 4 de septiembre. El Arzobispo Alameda subió otra vez al Santuario del Cobre para compartir sus inquietudes con la Virgen, y después de compartir con ella sus temores, el 6 de septiembre, dos días antes de la festividad de Nuestra Señora, comenzó un solemne novenario de rogativas (a la Caridad del Cobre) en la Catedral, para que el cólera que está en Puerto Príncipe, no llegue a esta ciudad (Santiago de Cuba)

1836, 6 de enero. El Arzobispo Alameda inauguró la Hospedería de San Roque y la ermita de la Caridad. El P. Valencia consignó el suceso con estas palabras: *Día de Reyes vino el Sr. Arzobp. con todo el Clero y Cabildo, tropa, y todo el pueblo, y gran Acompañam° se hixo* *al Sr. Sn. Roque, y cantó el te Deum, y al Niño Jesús con María y José desde la Puerta. Cuetes y Músicas y dio una onza... Gs. ac Deo Nostro ce DaN. in hoc anno e.0 diebus vitae meae.*

1836, 29 de julio. El Arzobispo Alameda nombró capellán beneficiado del Santuario de la Virgen de la Caridad del Cobre, al P. Manuel María Miyares.

1848. El Vicario General de Santiago de Cuba, P. Jerónimo Mariano Usera y Alarcón, *se dirigió desde este año a estimular el amor de los cubanos por la Virgen de la Caridad, reorganizando el Santuario y la hospedería en la villa del Cobre[836]*, en momentos en que resultaba materialmente imposible albergar las muchedumbres de peregrinos que visitaba el Santuario cuando llegaba la fecha de la Virgen, al comprender que la fe en la Virgen del Cobre debía ser el faro de la Evangelización para los fieles de Cuba

1850. Un informe del P. Jerónimo Mariano Usera al Ministro de Gracia y Justicia, en Madrid, expone textualmente la necesidad de *estimular el amor de los cubanos a Santa María (la Virgen de la Caridad del Cobre) organizando el Santuario y hospedería en la villa del Cobre para brindar el mejor servicio a los peregrinos.*

1850, 6 de octubre. En este día tuvo lugar la consagración episcopal de Antonio María Claret y Clara, nombrado Arzobispo de Santiago de Cuba. Proféticamente, el Santo adoptó un lema episcopal inspirado en la Virgen de la Caridad: *Charritas Cristo urgen nos (la Caridad de Cristo nos apremia).* Poco después Claret embarcó hacia su destino.

1851, 16 de febrero. Al llegar la embarcación a la bahía de Santiago de Cuba, el Arzobispo Claret pidió al capitán que, para saludar a la Virgen, enfilara la proa hacia El Cobre y disparara una salva de artillería. Después todos cantaron la Salve, para honrar a la Madre de Dios en su advocación cubana de la Caridad

1851, 18 de febrero. San Antonio María Claret tomó posesión de la Arquidiócesis de Santiago de Cuba, y volviéndose a la imagen de María esculpida en su báculo, puso su episcopado en manos de la Virgen de la Caridad con estas palabras: *la Prelada será la Virgen Santísima. Mi forma de gobierno será la que Ella me inspire.*

1851, 3 de marzo. Claret sube al Santuario del Cobre, donde encomienda la dirección de la Arquidiócesis a la Virgen de la Caridad, y pone en sus manos el buen éxito de la primera Misión que va a dar en territorio oriental.

---

[836] Larrúa Guedes, Salvador. Historia de la Iglesia Cubana (en su contexto socioeconómico y cultural). Tomo III, p. 215, La Habana, 1994, (inédito)

1851, principios de agosto. El Arzobispo Claret comienza la Santa Misión en la ciudad y territorio de Puerto Príncipe, en la Iglesia de la Caridad, ante la imagen de la Virgen.

1851, 25 de agosto. San Antonio María Claret visita la tumba de fray José de la Cruz Espí, el Padre Valencia. Ora ante los restos del inspirado franciscano y ante la imagen de la Virgen de la Caridad en la pequeña celda del Padre, a la que siempre dedicaba sus oraciones

1852, a mediados de mayo. Inspirado por Nuestra Señora de la Caridad del Cobre, el Arzobispo Claret tiene la premonición de que grandes terremotos causarán severos daños en la ciudad de Santiago de Cuba. El Santuario del Cobre también experimentó algunos daños.

1852, 8 de septiembre. San Antonio María Claret invoca a la Virgen de la Caridad del Cobre para que con su infinita misericordia viniera a socorrer a los habitantes de la casi destruida Santiago de Cuba, en medio de tantas penas y tan severa destrucción. Desde ese día predica en la Alameda y en otras calles y plazas de la capital de Oriente.

1852, agosto. Se recibe de Italia un precioso altar mayor de mármol, obra del escultor Galerito, que encargó el Arzobispo Claret para el Santuario de la Virgen de la Caridad del Cobre que ha sido afectado por el reciente terremoto

1852, 23 de agosto. Antonio María Claret decide trasladar la imagen de la Virgen de la Caridad del Cobre para la Iglesia Parroquial de la villa, porque las afectaciones provocadas por el terremoto en el Santuario pudieran provocar derrumbes.

1852, 9 de octubre. Como secuela del terremoto, aparece el cólera en Santiago de Cuba. La actividad de Claret es incesante realizando rogativas a la Virgen de la Caridad, visitando a los enfermos en los hospitales, consolando, ayudando, remediando. Hubo 2,734 víctimas en una ciudad de apenas 20,000 habitantes.

1852, octubre. Epidemia de cólera. El clero de Santiago, inspirado por Dios y la Virgen de la Caridad, se comportó de forma heroica durante el cólera. El Arzobispo Claret y los sacerdotes atendieron a los enfermos con gran riesgo de su vida para socorrerlos espiritual o corporalmente. Sólo uno murió, despreciando el peligro, por no parar su obra de Caridad, era el encargado de la parroquia del Cobre, siempre muy cercano al Santuario de la Virgen... Claret dejó estas palabras sobre él: *Este fue el cura párroco del Cobre. Se sentía un poco atacado ya, pero con el remedio tenía esperanzas de curar. Se hallaba en cama, le avisaron para un enfermo, y él dijo: «**Conozco que si me voy, moriré, porque se va a agravar mi mal, mas como aquí no***

hay otro sacerdote, allá voy; prefiero morir a dejar de asistir al enfermo que me llama. Fue, al volver se metió en la cama, y murió».

1852, diciembre. Por disposición del Arzobispo Claret comienzan a realizarse grandes reparaciones en el Santuario del Cobre. Los trabajos, de gran magnitud, continuaron hasta su culminación en 1875.

1853, enero. Comienzan nuevos recorridos misioneros en los territorios de Oriente y Camagüey. El Arzobispo Antonio María Claret no comienza ninguna misión sin encomendarla previamente a la Virgen de la Caridad.

1855, 25 de agosto. Claret funda por decreto el Instituto Apostólico de María Inmaculada. Manda reimprimir su obra *El Camino recto*, y suplica con gran énfasis que *en lugar de la imagen de la Virgen, que está en la página 188, haga poner **la Virgen de la Caridad**, que es (a) la que tienen más devoción (los cubanos).*

1856, enero. Según su costumbre, el Arzobispo Antonio María Claret subió al Santuario del Cobre en 1856 y antes de comenzar su cuarta Visita Pastoral, la encomendó a la Virgen de la Caridad

1856, febrero. La Virgen de la Caridad salva al Arzobispo Claret para que no muera en un incendio cuando sus enemigos pegan fuego a una vivienda donde estaba alojado al comenzar la Santa Misión.

1868, poco antes del 10 de octubre. Confección de la primera bandera cubana, la que alzó Céspedes en La Damajagua. Días antes del 10 de octubre, con la tela del dosel de la Virgen de la Caridad que se veneraba en la casa solariega de los Céspedes, y la tela roja de la muceta de abogado del propio Carlos Manuel, las señoras de la familia confeccionaron la primera enseña nacional que ondeó en los campos de Cuba Libre.

1868, 13 de octubre. Carlos Manuel de Céspedes y su tropa depositan la bandera y las armas de Cuba ante el altar de la Virgen de la Caridad que se venera en la Iglesia de Barrancas, a los pies de la Virgen. El Padre Jerónimo Emiliano Izaguirre bendijo la bandera y las armas, cerró la Iglesia y se marchó con Céspedes, como primer capellán del Ejército Libertador.

1868, 17 de octubre. El Ejército Libertador entra en San Salvador de Bayamo y los mambises entran en la Parroquial. Los Padres Izaguirre, Batista y Soleilac reparten estampas y oraciones de la Virgen de la Caridad a los soldados del Ejército Libertador. *La Caridad, que es la Patrona de Cuba, pasa a ser también la Virgen Mambisa.*

1868, a fin de año. El pueblo del Cobre fue tomado por las fuerzas al mando de Máximo Gómez. Avisado Céspedes, del gran acontecimiento visitó la villa y se dirigió al Santuario, donde esperaba el capellán. Lo seguía oficiales del Ejército Libertador como Pedro Figueredo, autor del Himno de Bayamo, Luis Marcano, Francisco Vicente Aguilera, Calixto García, Máximo Gómez, Donato Mármol; y, entre los ayudantes, el comandante Rosendo Arteaga, padre del que sería el Primer Cardenal de Cuba, Mons. Manuel Arteaga Betancourt. En el Santuario Céspedes se arrodilló de nuevo ante la Virgen de la Caridad y le rindió su espada mambisa. La Santa Casa, llena de insurrectos, fue un escenario trascendental: los Hombres del 68, *los Hombres grandes de la Guerra Grande, se postraron ante la Virgen Mambisa rogándole por la libertad de la Patria*

1868-1878. Guerra de los 10 Años. Los mambises celebran el día 8 de septiembre, fiesta de la Virgen, en los campos de Cuba, encendiendo velas en honor de Nuestra Señora. Los Mayores Generales Ignacio Agramonte y Antonio Maceo, en numerosas ocasiones, la invocaban antes de entrar en combate, como lo hicieron desde el primer momento Carlos Manuel de Céspedes, Calixto García, Máximo Gómez, Jesús Rabí...

1872, 8 de septiembre. Un testimonio de la celebración de esta fecha en los campos de Cuba Libre:

Viernes 7, Sábado 8 de Setiembre (1872)

*El fanatismo del pueblo de Cuba, raya en la locura. **La fiesta de la Caridad es un delirio para él**. Sin tener qué comer, pasa dedicado estos días en buscar cera para hacer la fiesta al estilo mambí, esto es, encendiendo muchas velas y suponer que la imagen de la Virgen está presente. En todos los ranchos no se ve fuego para cocinar sino velas encendidas a la Virgen de la Caridad.*

1879. Un testimonio sobre la Virgen de la Caridad en la Guerra del 68. El Dr. Fermín Valdés Domínguez, fraternal amigo de José Martí, dejó escrita esta confirmación: *la milagrosa y cubana Virgen de la Caridad es Santa que merece todo mi respeto porque fue un símbolo en nuestra guerra gloriosa.*

1895-1898. Testimonio sobre la Virgen de la Caridad en la Guerra del 95. Un testimonio de Pedro Valiente y del Monte que abarca los años 1893, 1895 y 1898, nos proporciona una prueba de la *constancia de la continuidad de la festividad y culto a la Virgen del Cobre, durante esos años, como un hecho de arraigo popular: hombres y mujeres (que venían) desde Camagüey, o de toda la Isla, llegaban allí a pie y descalzos. Muchos subían las escalinatas de rodillas hasta hacérselas sangrar. Las mujeres y los niños, en pago de promesas, solían concurrir con trajes listados de azul y amarrados a la cintura con un cordón; mientras los exvotos de oro y plata se* *amontonaban por cantidades en forma de ojos, dientes, piernas, manos, cabezas; se vendían velas, medallas, medidas de la Virgen que reportaban un dineral...*

1898, 12 de octubre. El Mayor General Calixto García Íñiguez, al no poder entrar con sus tropas en Santiago de Cuba para estar presente durante la rendición del ejército español, envió al general Agustín Cebreco, con el Estado Mayor y el grueso del ejército, a celebrar el triunfo de las armas cubanas en el Santuario del Cobre: en ese acto, donde se ofició una misa solemne y se cantó el Te Deum por el triunfo de las armas cubanas, los mambises pusieron su victoria a los pies de la Virgen, y se leyó la que pasó a la historia con el nombre de *Declaración Mambisa de la Independencia del Pueblo Cubano*

SIGLO XX
La Virgen de la Caridad del Cobre durante la República de Cuba (1902-1958)

La Patrona de Cuba: una Luz en la oscuridad (1959-?)

19...? En diversas fechas del siglo XX, sobre todo después de 1960, la Virgen de la Caridad del Cobre ha salido de Cuba para llevar su presencia salvífica a diversos lugares del Mundo. Así la encontramos presidiendo la Parroquia de la Caridad de Caracas, Venezuela, y entronizada en altares de la Basílica de Luján, en la Argentina; en el Santuario de Torreciudad en Aragón, España; en la Catedral de San Juan Bautista y en el Santuario de Montserrat, en Puerto Rico; en el Santuario de la Virgen de Guadalupe en Mérida, Yucatán; en la Catedral Metropolitana de México, D.F., y en la Basílica de la Inmaculada Concepción de Washington, D.C., en los Estados Unidos.

1901. En 1901 el Arzobispo de Santiago de Cuba, Mons. Francisco de Paula Barnada y Aguilar, el primer cubano que ocupó la sede primada de la Isla, realizó conjuntamente con Mons. Donato Sbarretti, Obispo de La Habana, los primeros trámites para que la Santa Sede Apostólica proclamara Patrona de la Isla de Cuba a Nuestra Señora, la Virgen de la Caridad del Cobre como parte del creciente reconocimiento eclesiástico a la más querida advocación mariana

1902. El Pbro. Tirso Sánchez publicó en este año una **Historia de la aparición de la Santísima Virgen de la Caridad y de los Remedios del Cobre** en Santiago de Cuba

1902. En este año, fray Paulino Alvarez o.p., dominico, residente en el Convento de San Juan de Letrán, publicó la *Breve historia de la Virgen de la Caridad del Cobre seguida de un triduo y novena*, en la Tipografía El Santísimo Rosario, Vergara, España

1902, 21 de mayo. Este día, que siguió a la emocionante ceremonia de cambio de banderas y toma de posesión del primer gobierno cubano, cuando los corazones vibraban acompasadamente, con alegría desbordada, cada vez que retumbaban las salvas de artillería, un elocuente orador sagrado, el P. Luis A. Mustelier, pronunció en la Iglesia de la Salud, ante una muchedumbre de fieles, *un magnífico elogio a Nuestra Señora, Primer Símbolo de la Patria e Inspiradora de nuestra Libertad*. En su discurso, el P. Mustelier, después de referir que todos los pueblos del Mundo dedican diversos títulos y advocaciones a la Virgen, todos fundamentados *en algún rasgo de su maternal misericordia*

1906, 11 de mayo. En este día el desprendimiento de un trozo de terreno que cayó al vacío de galerías excavadas de forma irresponsable en el pozo Richard, bajo el edificio del Santuario del Cobre, provocó una colosal ondulación y estremecimiento que causó grandes grietas en las paredes y fracturas en los arcos y cimientos, de forma que por un verdadero milagro de la Virgen de la Caridad no se desplomó el templo

1906, 12 de mayo. Ante el peligro de que el Santuario se desplomara, la imagen de Nuestra Señora de la Caridad fue trasladada en primera instancia a una casa segura del pueblo del Cobre, y después de que la Iglesia Parroquial fue reparada por el Arzobispo Barnada y Aguilar, pasó a ocupar el sitio de honor en el altar mayor

1915, 24 de septiembre. En este día inolvidable, *para solicitar a Su Santidad que declarada Patrona de Cuba a la Virgen de la Caridad del Cobre*, se reunieron dos mil veteranos del Ejército Libertador en una nutrida agrupación, y marcharon a caballo desde Santiago de Cuba hasta El Cobre para leer allí, a los pies de la Virgen, *el documento que dirigían a Su Santidad el Papa Benedicto XV, el más importante que se ha escrito en nuestra Isla*. Estaban encabezados por Jesús Rabí y Agustín Cebreco, que ostentaban el grado máximo de Mayor General del Ejército Libertador, los Brigadieres Generales Luis Bonne, Tomás Pedro Griñán, Vicente Miniet y Tomás Pedro Camacho, el Coronel Pedro Díaz, los Tenientes Coroneles Arturo Villalón, Francisco Pérez y José D. Vicente, y los Comandantes Antonio Santa Cruz Pacheco, Rafael Gutiérrez y Ramón Garriga Prieto

1916, 10 de mayo. Por Decreto de esta fecha aprobado por Su Santidad el Papa Benedicto XV y firmado por A. Cardenal, Obispo de

Oporto y Santa Rufina y Pro-Prefecto de la Sagrada Congregación de Ritos, *se declaró que la Virgen de la Caridad y los Remedios era la Patrona de la República de Cuba*

1917. Reunidos los Arzobispos y Obispos de Cuba ante la necesidad urgente de enfrentar la construcción de un nuevo Santuario para la Virgen de la Caridad del Cobre, proyectando además la Coronación Canónica de la Patrona de Cuba, publicaron en este año, en La Habana, la que fue titulada *Carta Pastoral que acerca de la construcción del Santuario del Cobre y de la Coronación de la Virgen Santísima de la Caridad dirigen al Clero y pueblo fiel de sus Diócesis los Yllmos. y Rvdmos. Sr. Arzobispo y Obispos de la Provincia Eclesiástica de Santiago de Cuba*

1918, 8 de septiembre. *En este día se colocó solemnemente en las alturas de La Maboa, la Primera Piedra, del nuevo Santuario del Cobre bendecida por el Arzobispo Mons. Valentín Zubizarreta. Estaba presente Doña Mariana Seva, esposa del Presidente Mario García Menocal y Primera Dama de la República de Cuba*

1927, 8 de septiembre. Inauguración del Santuario del Cobre. En 1927 apenas quedó espacio para las 6,000 personas que podía albergar la sede del Santuario: la multitud que llegó de todas partes de la Isla ocupó totalmente las calles, las plazas, muchas casas particulares y los cafés del pueblecito. Este año, a punto de inaugurarse el Santuario de La Maboa, tuvo lugar un momento de gran emoción, solemne patriotismo y reconocimiento a la Virgen de la Caridad que era al mismo tiempo la Patrona de Cuba y la Virgen Mambisa, *cuando la concurrida procesión llevó la imagen de Nuestra Señora a su Casa sobre la urna giratoria y estallaban vibrantes las notas del Himno Nacional*

1936, 20 de diciembre. Coronación Canónica de la Virgen de la Caridad del Cobre. En este día, el Arzobispo de Santiago de Cuba, Mons. Valentín Zubizarreta y Unamunsaga, en el Campo Eucarístico de la Avenida Michaelsen, llevó a cabo la Coronación Canónica de la Virgen de la Caridad del Cobre ante el pueblo todo de Santiago en medio de una inmensa alegría popular, mientras desde varios aviones se arrojaban flores y la muchedumbre entonaba canciones a María y aclamaba a Nuestra Señora.

1937. Este año se coloca una Imagen de la Virgen de la Caridad del Cobre en la Basílica de Santa Teresita del Niño Jesús en Lisieux, Francia.

194...? Poco después de comenzar la década de los 40, fue entronizada una gran Imagen de la Virgen de la Caridad del Cobre en la Parroquia de San Juan del pueblo de Tineo, Navelgas, Asturias,

España. Su fiesta se celebra el último domingo de agosto. La devoción a la Patrona de Cuba en este pueblo es muy antigua: comenzó en la década de los 80 del siglo XIX, y la imagen primitiva fue presa de la llamas en 1936 durante la Guerra Civil. La imagen actual fue donada por Don Faustino Rodríguez, asturiano que vivió muchos años en Cuba. Antiguamente la fiesta de la Caridad se celebraba los 31 de agosto, tal como lo expresa este canto popular:

Virgen de la Caridad,
coloradina en el rostro,
te vendremos a visitar
el treinta y uno de agosto...

1952, 17 de mayo. La Virgen de la Caridad salió este día de su Santuario del cobre para iniciar una Peregrinación Mariana por toda la Isla. En la Avenida del Puerto se realizó la Misa solemne con Te Déum por el 50 Aniversario de la República de Cuba. Luego la Virgen regresó al Santuario para realizar una restauración

1952, 21 de mayo. La antigua imagen de la Virgen Mambisa que se veneraba en la Iglesia de Santo Tomás de Santiago de Cuba, después de ser bendecida por el Arzobispo Mons. Enrique Pérez Serantes, salió este día del Santuario para recorrer toda la Isla, de oriente a occidente

1953. En este año se envió una imagen de la Virgen de la Caridad del Cobre a la Misión de Cuttack, en la India, donde fue colocada en un altar junto a la bandera cubana

1954. El escritor norteamericano colocó a los pies de la Virgen de la Caridad, en su Santuario del Cobre, la medalla del Premio Nobel de Literatura que le fue otorgado en este año

1954, 8 de septiembre. Una imagen en bronce de la Virgen de la Caridad del Cobre fue colocada este día en la cúspide del Pico Real del Turquino, la montaña más alta de la Isla de Cuba, para que desde ella Nuestra Señora la Virgen María imperara sobre todo el territorio de la Nación

1959. Primeros meses del año. Multitudes de peregrinos llegaban a diario al Santuario de la Virgen de la Caridad del Cobre para dar las gracias a la Virgen por haber salvado la vida a familiares y amigos comprometidos en la lucha contra la dictadura de Fulgencio Batista

1959, 21 de noviembre. La Virgen de la Caridad, Patrona de Cuba, va a salir de su Santuario del Cobre para recorrer la Nación de Oriente a Occidente. Va a presidir el Congreso Católico Nacional que tendrá lugar en La Habana y que culminará en una emocionante Eucaristía, ante una inmensa muchedumbre de pueblo, en la Plaza

Cívica. Un impresionante maratón de relevistas lleva una Antorcha encendida con el fuego del Santuario, que va a recorrer toda la Isla.

1959, 22 de noviembre. En la mañana del 22, la Antorcha llegaba a Contramaestre, que estaba engalanado para recibirla. De allí pasó a Baire y a Jiguaní, cuyos federados la llevarían hasta Bayamo. En la Ciudad Monumento la Antorcha fue recibida con una gran caravana de bicicletas que se extendía más de dos cuadras... el acto se prolongó hasta el anochecer del domingo. Luego siguió hacia Holguín, en manos de los federados de Bayamo y de Manzanillo. En Holguín, las tiendas habían cerrado: todo el pueblo participó en el gran acto en honor a la Virgen de la Caridad

1959, 23 de noviembre. Eran las 9 de la noche del lunes 23 de noviembre cuando llegó la antorcha que anunciaba a la Virgen de la Caridad a Victoria de las Tunas, luego continuó su marcha con escalas en Guáimaro, Cascorro y Sibanicú hasta llegar a Camagüey. En la Ciudad Prócer, donde nacieron los primeros luchadores de la independencia de Cuba junto con las ideas de Patria y Libertad, iba a tener lugar el acto más emocionante y espectacular de toda la ruta: *Una interminable caravana de autos, bicicletas y público siguió al corredor desde la entrada de la ciudad hasta la Plaza de las Mercedes. Allí S. E. el Sr. Obispo de Camagüey recibió la Antorcha de manos del maratonista. Televisión Camagüey trasmitió el acto por control remoto. El público sobrepasó con mucho las diez mil personas...*[837] Desde Camagüey la Antorcha continuó a Ciego de Ávila, donde llegó el miércoles 23 tomando rumbo hacia Sancti Spíritus y Santa Clara

1959, 24 al 28 de noviembre. La Antorcha con la Luz de María de la Caridad llegó a Cienfuegos el 24 por la noche y al mediodía del día 25 entraba en Colón para seguir hasta Matanzas, adonde arribó el 28. La ruta hacia La Habana se hacía cada vez más difícil desde que la Antorcha salió de Matanzas, por la incontable caravana de vehículos de todas clases llenos de peregrinos de toda Cuba que iban a participar en el Congreso

1959, 28 de noviembre. A las 7 de la noche de este día la Antorcha entraba en La Habana por la Virgen del Camino, y unos minutos después de las ocho el último de los maratonistas la entregaba al Presidente Nacional de la Juventud Masculina de Acción Católica, quien procedió a colocarla en un trípode ante la estatua del Apóstol José Martí, en el Parque Central de La Habana. La luminaria encendida con el fuego del Santuario del Cobre había recorrido más de mil kilómetros y había pasado por las manos de más de mil federados. Ahora, en la llama

---

[837] Ibídem,

prendida ante la estatua de Martí, se comenzaban a encender miles y miles de antorchas: la luz se multiplicaba en decenas de miles de luces como si las estrellas del cielo hubieran bajado a La Habana para saludar a la Virgen de la Caridad realizando en su honor un grandioso desfile

1959, 28 de noviembre. Cerca de las 4 de la tarde del sábado 28 aterrizaba en Rancho Boyeros el Avión Presidencial, en el que algunos miembros del ejército habían acompañado la imagen venerada de la Patrona de Cuba, que venía a recibir el homenaje de su pueblo. La comitiva que acompañó a la Virgen desde el Santuario estaba presidida por el Arzobispo de Santiago, Mons. Enrique Pérez Serantes. Los más altos dignatarios de la Iglesia, el Comité Organizador del Congreso y autoridades del gobierno, recibieron a la Virgen y muy pronto se puso en marcha seguida de una gran caravana de autos que la llevó en triunfo desde el Aeropuerto de Rancho Boyeros hasta la Catedral donde fue recibida por Mons. Manuel Arteaga Betancourt, Cardenal Arzobispo de La Habana, y por miles de devotos que se apiñaban en la vetusta plaza ante la Iglesia... *millares de cubanos hicieron guardia continua hasta las diez de la noche, hora en que fue colocada en la urna de cristal sobre la carroza, para desfilar con el pueblo hasta la Plaza Cívica*

1959, 28 de noviembre. Por la noche. En la Plaza Cívica la muchedumbre esperaba a la Virgen rezando y cantando. Cuando apareció la pequeña imagen morena dentro de su urna de cristal, ya perlado por la lluvia, se alzaron las antorchas, las cruces y las banderas y más de un millón de pañuelos blancos se agitó en la noche mientras una voz poderosa, coreada por la multitud, entonaba las letanías de Nuestra Señora: «*Ave inesperada, Gaviota de Nipe, Paloma del Cobre, Madre de la Caridad, Patrona de Cuba, Virgen Mambisa...*» algunos soldados llevaron la querida imagen hasta su altar y de inmediato comenzó la Santa Misa en la que ofició Mons. Enrique Pérez Serantes, Arzobispo de Santiago de Cuba, quien dirigió emotivas palabras a la multitud. En primera fila se encontraba Fidel Castro con las más altas figuras del gobierno. Como siempre, la traición quería estar en la primera fila... era el acto cumbre del Congreso Católico Nacional: un momento solemne en el que la Gracia del Señor se derramó, extensa y numerosa, sobre los presentes. *Mucho necesitábamos aquella Gracia en momentos en que se iniciaban la confusión y el desconcierto: quién sabe qué habría sido de nosotros si la Virgen y Dios no hubieran estado presentes*

1961, 10 de septiembre. En este día iba a tener lugar en La Habana la tradicional Procesión para festejar el 8 de septiembre, natalicio de la Virgen de la Caridad del Cobre. Elementos provocadores insultaron el cortejo y poco después se escucharon disparos que ocasionaron numerosos heridos y la muerte del joven católico de 17 años, Arnaldo Socorro, miembro de la Juventud Obrera Católica y natural de Unión de Reyes, que llevaba en alto un cuadro con la imagen de la Virgen, ya que se intentó impedir la salida en Procesión de la imagen

1965. Este año se entronizó una Imagen de la Virgen de la Caridad del Cobre cuyas fiestas se celebran los días 23, 24 y 25 de agosto de cada año, en la Parroquia de la Santa Cruz de Gallegos en La Palma de Gran Canaria, que se erigió en 1944.

1977, 30 de diciembre. El Santuario Nacional de la Virgen de la Caridad del Cobre fue proclamado Basílica Menor por Su Santidad el Papa Paulo VI en virtud de una Bula Apostólica de Concesión de 6 de junio de 1968 que fue traída a Cuba por el Cardenal Bernardin Gantin, Prefecto Emérito de la Congregación para los Obispos y Decano emérito del Colegio de Cardenales

1982. Durante este año la imagen original de la Virgen de la Caridad que se venera en el Cobre fue sometida a una restauración en la que intervino el estilista Zenón Bizarro

1993, 8 de septiembre. Este día, *en la fiesta de la Virgen de la Caridad*, la Conferencia de Obispos Católicos de Cuba dio a conocer su fundamental mensaje pastoral, *«El amor todo lo espera»*, cuyo nombre es la síntesis mejor de la reiterada proposición del amor como único camino de salvación para nuestro pueblo.

1998, 22 de enero. Su Santidad Juan Pablo II, en la Misa efectuada este día en Santa Clara ante cientos de miles de personas, dejó este mensaje: *«¡Cuba: cuida a tus familias para que conserves sano tu corazón!».* Juan Pablo II llegó a Santa Clara, para denunciar la situación en la que se encuentra la familia cubana y asegurar que el futuro de este país se encuentra precisamente en esta «célula fundamental de la sociedad». *Nuestra Señora de la Caridad del Cobre es la Madre de la familia cubana...*

1998, 23 de enero. Su Santidad Juan Pablo II ofició la Misa este día, en honor a la juventud cubana, *hija de la Virgen de la Caridad del* Cobre, ante una colosal muchedumbre reunida en la Plaza Ignacio Agramonte, en la ciudad de Camagüey

1998, 24 de enero. La Virgen de la Caridad del Cobre recibe la Coronación Canónica de manos del Sumo Pontífice, Su Santidad el Papa Juan Pablo II, en su histórica visita a la Isla de Cuba. Este día el Papa celebró la Santa Misa en Santiago de Cuba, ante una muchedumbre de fieles emocionados. Nuestra Señora saldrá de nuevo de su Santuario para recorrer la Isla puesta bajo su Patronazgo Maternal. A continuación presentamos la

ORACIÓN DEL PAPA JUAN PABLO II AL CORONAR LA VIRGEN NUESTRA SEÑORA DE LA CARIDAD DEL COBRE
El 24 de enero, de 1998

¡Virgen de la Caridad del Cobre.
Patrona de Cuba!
¡Dios te salve, María, llena de gracia!
Tú eres la Hija amada del Padre,
la Madre de Cristo. nuestro Dios,
el Templo vivo del Espíritu Santo.
Llevas en tu nombre, Virgen de la Caridad,
la memoria del Dios que es Amor
el recuerdo del mandamiento nuevo de Jesús,
la evocación del Espíritu Santo:
amor derramado en nuestros corazones,
fuego de caridad enviado en Pentecostés
sobre la Iglesia,
don de la plena libertad de los hijos de Dios.

¡Bendita tú entre las mujeres
y bendito el fruto de tu vientre, Jesús!
Has venido a visitar nuestro pueblo
y has querido quedarte con nosotros
como Madre Y Señora de Cuba,
a lo Largo de su peregrinar
por los caminos de la historia.
Tu nombre y tu imagen están esculpidos
en la mente Y en el corazón de todos los cubanos,
dentro fuera de la Patria,
como signo de esperanza y centro de comunión fraterna.

¡Santa María. Madre de Dios Y Madre nuestra!
Ruega por nosotros ante tu Hijo Jesucristo,
intercede por nosotros con tu corazón maternal,
inundado de la caridad del Espíritu.
Acrecienta nuestra fe, aviva la esperanza,
aumenta Y fortalece en nosotros el amor
Ampara nuestras familias,
protege a los jóvenes y a los niños,
consuela a los que sufren.
Sé Madre de los fieles y de los pastores de la Iglesia,
modelo y estrella de la nueva evangelización.
¡Madre de la reconciliación!
Reúne a tu pueblo disperso por el mundo.

Haz de la nación cubana un hogar de hermanos y hermanas
para que este pueblo abra de par en par
su mente, su corazón y su vida a Cristo,
único Salvador y Redentor, que vive y reina con el Padre y el Espíritu Santo,
por los siglos de los siglos.

Amén.

1998, 25 de enero. En La Habana, capital de Cuba, y ante una impresionante concentración de un millón de personas, Su Santidad Juan Pablo II celebró la Santa Misa *en el altar presidido por Nuestra Señora de la Caridad, que vino desde su Santuario en la Basílica Menor del Cobre para presidir la Eucaristía*

2003, 9 de noviembre. En esta fecha se entronizó una Imagen de la Virgen de la Caridad del Cobre en la Parroquia de Nuestra Señora del Rosario en Canyamelar, Valencia, España, adonde fue llevada por Mons. Héctor Peña Gómez, que fuera Obispo de Holguín, Cuba.

2008. Los obispos católicos de Cuba emiten la Pastoral «A Jesús por María, la Caridad nos une» convocando al pueblo la próxima Peregrinación Nacional de la imagen de la Virgen de la Caridad en el marco del trienio preparatorio para la conmemoración del 400 Aniversario del encuentro de la imagen de la Virgen flotando sobe las aguas de la bahía de Nipe.

NUESTRA SEÑORA DE LA CARIDAD DEL COBRE Y LAS COMUNIDADES CUBANAS DEL EXILIO

1961, 8 de septiembre. Llega a la ciudad de Miami una imagen de la Virgen de la Caridad que se encontraba en la Parroquia de Guanabo, La Habana, y era propiedad del P. Armando Jiménez Rebollar. La imagen fue trasladada al estadio deportivo de Miami donde 30,000 exiliados, que conocían su próxima llegada y que la aguardaban ese día, la esperaban y oraban expectantes. La alegría fue inmensa cuando llegó la Patrona de Cuba y a continuación se celebró una Misa Solemne en la que ofició el Arzobispo de Miami, Mons. Coleman F. Carroll. La Imagen de Nuestra Señora, proféticamente, presidió la primera reunión masiva del exilio cubano. Después de recorrer varios templos de Miami en los primeros años del destierro, la Virgen halló asiento adecuado en nuestra Ermita de la Caridad, hoy Santuario Nacional, y desde entonces ha acompañado a los cubanos en su destierro y ha acogido las súplicas de peregrinos de todo el mundo.

1961 a 1965. En este cuatrienio la Imagen de la Virgen recorrió los campamentos de la Diócesis de Miami que habían acogido a los niños que sus padres enviaban de Cuba para librarlos de la dictadura comunista entronizada en la Isla, lo que fue un gran consuelo para ellos. En esos campamentos residía parte de los más de 14,000 niños con los que se había responsabilizado la Diócesis.

1965 a 1967. La Imagen de Nuestra Señora de la Caridad fue colocada en la Parroquia de San Juan Bosco de Miami, primera que fue erigida por los cubanos desde 1962.

1961 a 1966, 8 de septiembre. Durante estos seis años, las celebraciones del 8 de septiembre tuvieron lugar en el Miami Stadium, con capacidad suficiente para que se reuniera el exilio cubano.

1967, 20 de mayo. Ante la convocatoria del Obispo Mons. Agustín Román, los cubanos de Miami se organizaron para construir una *Ermita a la Virgen de la Caridad en el exilio*. La primera piedra de la capilla provisional se colocó en la histórica fecha del 20 de mayo de 1967 y se celebró la Santa Misa

1967-1968, 8 de septiembre. En estos dos años, la gran fiesta del 8 de septiembre se efectuó junto al mar, en el terreno donde se alza la Ermita de la Caridad.

1968, 10 de marzo. El Arzobispo de Miami fundó el Comité de Recaudación y Construcción y solicitó que se organizara la Cofradía de la Caridad, a fin de que la obra de la Ermita no sólo se desarrollara materialmente, sino también desde el punto de vista espiritual.

1968, 21 de mayo. el Arzobispo Carroll de Miami, ordena la fundación de la *Cofradía de la Virgen de la Caridad* para reunir a los devotos para honrar a la Virgen, y con ella evangelizar. En el mismo año comenzaron las *peregrinaciones de los 126 municipios de Cuba* que han continuado organizadamente desde entonces.

1968, 15 de junio. Se fundó la Cofradía de la Caridad en la capilla. Sus primeros Coordinadores fueron Tarciso y Gina Nieto. El poder de convocatoria de la Cofradía fue tan grande y tan entusiastas los cubanos, que en la primera semana la Cofradía tenía más de 200 miembros, cifra a la que se aspiraba llegar con el paso del tiempo. Pero en pocos meses, ya contaba miles de participantes.

Los miembros de la Cofradía visitaban las factorías y otros centros de trabajo mostrando la maqueta del primer proyecto de la Ermita, apoyando el esfuerzo del Comité de Recaudación y Construcción. Fueron tantas las pequeñas ofrendas de los fieles que en seis años se recaudaron los fondos para erigir la Ermita. Se pensó construir un monumento gigante con una pequeña capilla en lo alto, y llamarlo Santuario. Pero los cubanos querían terminar rápido la obra y confiaban en un pronto regreso a la Patria, y la manifestación de su fervor hizo que el nombre definitivo fuera ***Ermita de la Caridad, y que se convirtiera en un templo de devoción especialísima a Nuestra Madre Celestial, la Virgen de la Caridad del Cobre.***

1968-1973. En estos años, la Cofradía organizaba las Peregrinaciones de los Municipios de Cuba en el Exilio que se realizaban los lunes, miércoles y viernes. Cada año peregrinaban los 126 Municipios, organizados según las provincias de procedencia. El primer Municipio en realizar la Peregrinación anual era el Cobre en Oriente, (se seguía un orden de oriente a occidente) y se terminaba con el último de Pinar del Río.

1969 -1970, 8 de septiembre. Las celebraciones del 8 de septiembre tuvieron por escenario de nuevo el Miami Stadium, en estos dos años.

1971 a 1991, 8 de septiembre. Durante los 21años comprendidos entre éstos, el 8 de septiembre se celebró en el Marine Stadium.

1972. Las Hijas de la Caridad comienzan a atender la Ermita desde el punto de vista pastoral. Todos los días venían desde la Parroquia del Gesu.

1973. Mons. Armando Jiménez Rebollar, el que trajo la Imagen de la Virgen de la Caridad de la Parroquia de Guanabo a Miami en 1961, propició este año que se entronizara en la Basílica del Santuario Nacional de la Inmaculada Concepción en Washington, D.C., una estatua de tamaño natural que fue elaborada en mármol de Carrara por el escultor cubano Manuel Rodulfo Tardo, sobre base de mármol verde.

1973, 2 de diciembre. ***En este día se dedicó la Ermita de la Virgen de la Caridad con el esfuerzo de un pueblo desterrado que ganaba su pan con los trabajos más humildes..*** Presidió la Sagrada Eucaristía el cardenal Kroll, Arzobispo de Philadelfia, entonces presidente de la Conferencia de Obispos de Estados Unidos, con la presencia del Arzobispo Carroll de Miami y los obispos Boza Masvidal (exilado de Cuba) y Gracida, que concelebraron la Misa de Campaña ante una multitud de cubanos exiliados que habían perdido todo lo material pero conservaban el tesoro más preciado: ***la devoción ancestral a la Virgen de la Caridad del Cobre, que era el legado más precioso de sus antepasados y el Primer Símbolo de la Patria.***

1975, 25 de mayo. Llegan a la Ermita las Hijas de la Caridad para residir de forma permanente en el edificio, que fue convertido en su Convento.

1975-1976. Durante un año el pintor Teok Carrasco, que nació junto a la histórica bahía de Nipe donde apareció la Virgen, pintó detrás del altar el famoso Mural de la Ermita que representa la Historia de Cuba y tiene a la Virgen de la Caridad como personaje central y principal.

1977, 8 de septiembre. Se inaugura el Mural de la Ermita de la Caridad de Miami, del pintor holguinero Teok Carrasco, donde aparece Nuestra Señora de la Caridad del Cobre, nuestra Patrona, como centro, faro y personaje más importante de la historia civil y eclesiástica de Cuba.

1981, 31 de julio. Se inauguró el Salón de Trabajo de las Hijas de la Caridad al lado del Convento, donde las Hermanas realizan el trabajo pastoral con los voluntarios de la Cofradía.

1987, mes de septiembre. Al visitar el Santo Padre Juan Pablo II la ciudad de Miami, *la imagen de la Virgen de la Caridad del Cobre* se trasladó a la residencia del Arzobispo McCarthy para presidir la Capilla privada del Santo Padre. El Papa, en su homilía, hizo mención de la *Reina y Madre de todos los cubanos*

1992, 8 de septiembre. En este año, la gran fiesta de la Virgen tuvo lugar en Bayfront Park.

1993, 8 de septiembre. La conmemoración de la gran fiesta de la Patrona de Cuba se efectuó este año en Dinner Key.

1994, 31 de marzo. *Este día el Arzobispo McCarthy consagró solemnemente el altar de la Ermita de Nuestra Señora de la Caridad del Cobre*, que debajo guarda visiblemente la primera piedra. Esta piedra contiene tierra de las distintas provincias de Cuba que se fundieron con agua que llegó en una balsa en la cual perecieron los quince tripulantes que buscaban escapar de Cuba

1994 a 1999, 8 de septiembre. Durante estos seis años, el 8 de septiembre se conmemoró solemnemente en el Hialeah Race Track.

1996, 7 de julio. Se empezó la ampliación de la Ermita de la Caridad hacia los costados este y oeste, con lo que se logró más espacio para facilitar el trabajo pastoral que crecía más y más cada día.

1997, 8 de octubre. Se terminó de remodelar la Capilla del Santísimo Sacramento en la Ermita, el Salón de Trabajo, y el que hoy se denomina Salón Boza Masvidal.

1998, 31 de mayo. El Arzobispo John Clement Favalora bendijo la nueva ampliación y la Capilla del Santísimo Sacramento, elevando la Cofradía al rango de Archicofradía de la Caridad, y reconociendo así el buen trabajo realizado durante 30 años en la Ermita.

1999, 26 de mayo. Este día comenzó la construcción del Salón Félix Varela.

2000, 27 de octubre. Este día se comenzó a realizar la estatua del Padre Félix Varela y se inició la construcción del Rincón Criollo en los terrenos de la Ermita.

2000, 16 de diciembre. El Arzobispo John Clement Favalora bendijo este día el Salón Padre Félix Varela.

SIGLO XXI
Nuestra Señora, la Virgen de la Caridad del Cobre, Patrona de Cuba, Reina y Madre de todos los cubanos, en el Tercer Milenio de la Era Cristiana

2000 al 2004, 8 de septiembre. Durante estos años, la fiesta de la Virgen se celebró en los terrenos de American Airlines.

2001. 25 de febrero. Este día, conmemoración de la muerte del P. Félix Varela, el Arzobispo John Clement Favalora bendijo la estatua y el Rincón Patriótico.

2002, 26 de julio. Se dio comienzo a la última etapa de la construcción de la Ermita, levantando el muro de la entrada principal.

2002, 9 de septiembre. Este día concluyó la construcción del muro, con lo que se culminaron las obras comenzadas el 7 de julio de 1996.

2003, 7 de abril. El P. Jordi Rivero publicó en Miami una Breve Historia de la Virgen de la Caridad del Cobre.

2005, 8 de septiembre. En este año, la celebración de la Virgen de la Caridad tuvo lugar en Miami Arena.

2006, 8 de septiembre. La gran fiesta de la Patrona de Cuba tuvo lugar en el Bank United Center, en el 2006.

2007, 8 de septiembre. En esta fecha se celebrará solemnemente la Fiesta de la Virgen de la Caridad del Cobre, Patrona de todos los cubanos, así como la memorable fecha del 40 Aniversario de la inauguración de la Ermita de la Caridad

2010, 20 de agosto. Comienza la II Peregrinación Nacional de la Virgen de la Caridad en la Isla de Cuba, como parte de los actos del trienio de celebraciones para conmemorar en el año 2012 el Aniversario Cuatrocientos de la Aparición de la Sanrísima Virgen de la Caridad en la bahía de Nipe.

Dr. Salvador Larrúa Guedes
Miami, marzo del 2007

31
Iglesias bajo la advocación de la Virgen de la Caridad

Localización de la Capillas, Iglesias o Parroquias
bajo la advocación de la Virgen de la Caridad

Diócesis de Pinar del Río
1. Parroquia de la Caridad, Pinar del Río (f. 1923)
2. Parroquia de la Caridad, Minas de Matahambre
3. Iglesia de la Caridad, Playa Punta de Cartas, San Juan y Martínez
4. Iglesia de la Caridad, La Coloma
5. Iglesia de la Caridad, Finca Los Almácigos, Consolación del Sur
6. Iglesia de la Caridad, Pilotos (f. 1896)
7. Capilla de la Virgen de la Caridad, Barrio Chirigota, San Cristóbal (f. 1761)
8. Capilla de la Caridad, San Juan y Martínez (f. 1761)
9. Iglesia de la Caridad, Barrio Santa María, San Luis
10. Capilla de la Caridad, Las Ovas

Arquidiócesis de la Habana
11. Parroquia Santuario Occidental de la Virgen de la Caridad, (f. 1909), Centro Habana, La Habana
12. Capilla de la Caridad en la Habana Vieja
13. Capilla de la Caridad, Barrio Parcelación Moderna, La Habana
14. Iglesia de la Caridad de Arroyo Apolo
15. Capilla de la Caridad, Reparto Capdevila
16. Capilla de la Caridad, Reparto Náutico
17. Iglesia de la Caridad, Punta Brava (se restauró 1935)
18. Capilla de la Caridad, Playa Santa Fe, Isla de Pinos
19. Capilla de la Caridad, Reparto Capellanía, La Habana
20. Iglesia de la Caridad de Minas, Barreras, La Habana
21. Iglesia de la Caridad de Boca Ciega, Habana del Este
22. Capilla de la Caridad, Zaragoza
23. Capilla de la Caridad, Los Palos (f. 1938)
24. Capilla de la Caridad, Reparto Capdevila
25. Capilla de la Caridad, La Ceiba
26. Capilla de la Caridad, Playa Baracoa

27. Capilla de la Caridad, Quinta San Vicente
28. Parroquia de la Caridad, Caimito del Guayabal
29. Iglesia de la Caridad, La Salud (f. 1911)
30. Iglesia de la Caridad, Quemados de Güines (f. 1734)

Diócesis de Matanzas

31. Parroquia de la Caridad en Matanzas (f. 1956)
32. Parroquia de la Caridad en Cantel (f. 1882)
33. Iglesia de la Caridad en Playa Larga
34. Iglesia de la Caridad de Guareiras
35. Iglesia de la Caridad, La Isabel
36. Iglesia en el Central España Republicana (f. 1863), Perico
37. Iglesia de la Caridad, Güira de Macuriges
38. Iglesia de la Caridad en Unión de Reyes (1876)
39. Iglesia de la Caridad en Cárdenas

Diócesis de Santa Clara

40. Capilla de la Caridad, Barrio San Gil, Malezas, Santa Clara
41. Parroquia de la Caridad, Manacas, Santo Domingo
42. Iglesia de la Caridad, Barrio La Güira, Caibarién
43. Iglesia de la Caridad, Buena Vista, Remedios
44. Iglesia de la Caridad, Jarahueca
45. Iglesia de la Caridad, Perea, Zaza del Medio
46. Iglesia de la Caridad, Central Héctor Rodríguez (Sta. Teresa) (f.1832), Sagua la Grande
47. Parroquia de la Caridad, Sancti Espíritus
48. Iglesia de la Caridad, Tunas de Zaza
49. Iglesia de la Caridad, Central Aracelio Iglesias (Nela), (f. 1914), Yaguajay
50. Parroquia de la Caridad en Zulueta, Remedios
51. Iglesia de la Caridad, Santa Clara

Diócesis de Cienfuegos

52. Capilla de la Caridad, Barrio O'Bourke, Cienfuegos (esta en la parroquia de la Virgen del Rosario)
53. Parroquia de la Caridad, Ariza, Palmira
54. Capilla de la Caridad en Congojas, Rodas

55. Parroquia de la Caridad en Cartagena, Santa Isabel de las Lejas (f.1863)
56. Iglesia de la Caridad en El Guayo, Cruces (f. 1912)
57. Capilla de la Caridad, Central Ciudad Caracas (Caracas), (f.1902), Sta. Isabel de las Lajas
58. Capilla de la Caridad, Central Espartaco (Hormiguero) (f. 1839) San Fernando de Camarones
59. Capilla de la Caridad en Topes de Collantes, Villa Caburí
60. Capilla de la Virgen de la Caridad, Trinidad

Arquidiócesis de Camagüey
61. Iglesia de la Caridad, Barrio de la Caridad, Plaza de la Caridad, Camagüey (f. 1734)
62. Iglesia de la Caridad, Central Noel Fernández (Senado), (f.1883), Nuevitas
63. Iglesia de la Caridad, Piedrecitas
64. Iglesia de la Caridad, Central Ignacio Agramonte (Agramonte), (f.1915), Florida
65. Iglesia de la Caridad en Nuevitas
66. Iglesia de la Caridad, Jiquí, Esmeralda (se restauró en 1935)
67. Iglesia de la Caridad, Central Haití (Macareño) (f.1920), Sta. Cruz del Sur
68. Iglesia de la Caridad, Central Colombia (Elia), Rpto. Progreso, Guáimaro (f.1915)

Diócesis de Ciego de Ávila
69. Capilla de la Caridad, Jicotea
70. Iglesia de la Caridad, Morón
71. Capilla de la Caridad, Florencia
72. Capilla de la Caridad en Piedras, Chambas
73. Capilla de la Caridad, Central Máximo Gómez (Punta Alegre), (f.1915),Morón
74. Capilla de la Caridad, Central Ciro Redondo (Morón) (f.1912), Morón

Diócesis de Holguín
75. Parroquia de la Caridad, Reparto Vista Alegre, Holguín
76. Parroquia de la Caridad, Banes
77. Capilla de la Virgen de la Caridad, Nicaro

78. Capilla de la Caridad, Puerto de Manatí, Tunas
79. Capilla de la Caridad, Central Antonio Guiteras (Delicias) (f.1911), Puerto Padre
80. Iglesia de la Caridad, Holguín
81. Iglesia de la Caridad en Los Alfonsos, Holguín (f. 1935-1936)

Arquidiócesis de Santiago de Cuba
82. Capilla de la Caridad, Reparto Cuabita
83. Iglesia de la Caridad, Barrio San Vicente
84. Basílica Menor de la Virgen de la Caridad en el Santuario, El Cobre (f. 1671)
85. Iglesia de la Caridad en Alto Songo

Diócesis Bayamo-Manzanillo
86. Capilla de la Caridad en Caimito, Jiguaní
87. Capilla de la Caridad en Cayo Espino, Manzanillo
88. Capilla de la Caridad en Babiney, Cauto Cristo (f. 1854)
89. Capilla de la Caridad, Carretera del Aeropuerto Km. 3, Manzanillo
90. Iglesia de la Caridad, Zarzal
91. Capilla de la Caridad, Media Luna (f. 1929)

Diócesis Guantánamo-Baracoa
92. Capilla de la Caridad, Caimanera (se reparó en 1935 o 1936)
93. Ermita de la Caridad, Central Costa Rica (f. 1915), Guantánamo
94. Iglesia de la Caridad, San Antonio Sur, Rpto. MINCIN, Guantánamo, (Santuario Diocesano a la Virgen de la Caridad)

32
Relación de los ermitaños y capellanes
del Santuario de la Virgen de la Caridad del Cobre
1635-2008[838]

Ermitaños
1. Juan Moreno, 1635-1638
2. Pedro de la Caridad, Juan de San José, Pedro de Jesús y Bartolo mé de Aragón[839]
3. Mathias de Olivera, 1645-1678

Capellanes
4. Onofre de Fonseca, 1683-1711
5. Tomás Bravo, 1711-1734
6. Francisco Calderín, 1734-1743
7. Julián Joseph Bravo, 1743-1755
8. José López, 1755-1760
9. José de Aguilera, 1760-1761
10. Bernardino Ramírez, 1761-1778
11. Tomás Alonso Betancourt, 1778-1794
12. Alejandro Paz y Ascanio, 1794-1836
13. Manuel María Miyares, 1836-1851
14. Claudio Martínez, 1851-1855
15. José C. Acosta Delgado, 1855-1870
16. Serafín Ichaso Zalduendo, 1870-1874
17. Antonio de Lara, 1874-1878
18. Bernardo Iribarne, 1878-1880
19. Abrahan Sánchez, 1880- 1881
20. Joaquín Carbó, 1881-1886
21. Francisco Carbó, 1886-1894
22. Braulio Odio Pécora, 1894-1895
23. Ricardo Elisario López, 1895-1895

---

[838] Relación enviada por Mons. Pedro Meurice Estíu

[839] Según Julián Joseph Bravo en «Aparición prodigiosa...» o.c.

24. Anastasio Miguel Martínez, 1895-1897
25. Andrés Ramírez, 1897-1898
26. Bernabé Gutiérrez, 1898-1901
27. Enrique Fusté Soler, 1901-1915
28. Victoriano Toirán Fernández, 1915-1921

Últimos Capellanes
29. Antonio Veyrunes 1921-1946
30. Andoni de Andonequi, 1946-1948
31. Mario Carassou Bordelois, 1948-1992
32. Rafael Couso Falcón, 1992-1994
33. Jorge Palma Arrúe, 1994...

33
A Jesús por María, la Caridad nos une

Marco teológico pastoral de la celebración de los 400 años del hallazgo y la presencia de la imagen de la Virgen de la Caridad del Cobre en Cuba

Presentación

1. La celebración de los cuatrocientos años del hallazgo y la presencia de la imagen de la Virgen de la Caridad es un acontecimiento singular para la Iglesia en Cuba, que vive y desarrolla su misión en medio del pueblo. La reflexión teológica, espiritual y pastoral, que se ofrece a continuación, pretende iluminar, desde la fe pensada y vivida en la Iglesia, tal acontecimiento celebrativo y lo que de él se deriva. Recogiendo las intuiciones y sugerencias plasmadas anteriormente en el marco operativo, elaborado por la Comisión Nacional formada a tal efecto, en una introducción, tres capítulos y una conclusión, se desarrollan contenidos doctrinales, teniendo en cuenta las dimensiones teológica, espiritual y pastoral de la vida de la Iglesia.[1]

2. La introducción se centra en la explicación del objetivo general y el lema que nos acompañará en estos años de preparación al Jubileo del 2012, a partir de un análisis de la realidad socio-religiosa de nuestro pueblo en la perspectiva de la misión evangelizadora de la Iglesia. En el primer capítulo se aborda el tema del primer año de preparación 2008-2009: María de la Caridad, regalo de Dios para nuestro pueblo. El segundo capítulo está dedicado al tema del segundo año 2009-2010: María de la Caridad peregrina con los cubanos y nos lleva a Jesús. El tercer capítulo nos da la perspectiva del tercer año 2010-2011: María de la Caridad anima y acompaña a la Iglesia que quiere servir a su pueblo. En la conclusión, bajo el título María de la Caridad, madre de todos los cubanos, se ofrece una reflexión contextualizada sobre el significado del Jubileo del 2012.

3. La línea explicativa de cada capítulo pasa por mirar a María en la perspectiva de la historia de la salvación de Dios para la humanidad, como madre del Verbo encarnado, partiendo de lo que nos dice sobre ella la Sagrada Escritura, para después observar su presencia en la historia de la Iglesia y su Magisterio hasta nuestros días, en el aquí y ahora del pueblo cubano y de nuestras comunidades que la invocan como Virgen de la Caridad del Cobre.

4. El marco teológico pastoral pretende ofrecer la base doctrinal para una actualización y revitalización pastoral, elaborada a partir del Plan Global Pastoral 2006-2010[2] y del Documento de Aparecida[3] en el contexto de la celebración mariana jubilar del 2012; de hecho nuestros obispos han propuesto prolongar la vigencia del actual PGP dos años más, es decir, hasta el Año Jubilar 2012. Por tanto, el presente documento, y lo que se propone en él, viene a dar una nueva iluminación a lo que ya venimos haciendo, en la perspectiva pastoral de nuestra iglesia en Cuba, y en línea con el sentir y el hacer de las iglesias hermanas de Latinoamérica y el Caribe.[4] La novedad consiste en mirar a Santa María, Virgen de la Caridad, Madre de Jesús, Madre de la Iglesia y de todos los cubanos, para con ella y desde ella, primera discípula y misionera, seguir anunciando a Cristo como Camino, Verdad y Vida, para que nuestro pueblo, en Él, tenga vida abundante, verdadera, eterna.

5. Celebrar los 400 años del hallazgo y la presencia de la venerada imagen de la Virgen de la Caridad es motivo de alegría y júbilo para la iglesia y el pueblo. Es tiempo de gracia y conversión. La Virgen de la Caridad sigue siendo contacto insuperable con la gente humilde, vínculo indiscutible entre el pueblo cubano y la fe cristiana católica. Celebrar significa festejar, congratularse, felicitarse, dar gracias, sin exclusiones o exclusivismos, con generosidad y espíritu de reconciliación. Nuestra celebración ha de ser una gran manifestación de acción de gracias al Señor por habernos hecho este hermoso regalo de la Virgen de la Caridad; que nuestras expresiones vayan siempre acompañadas de la acción de gracias, poniendo los ojos más en nuestros tesoros que en nuestras carencias. Santa María de la Caridad es uno de los mejores tesoros de la fe y la cultura de la Iglesia y del pueblo. Y del corazón agradecido brota la esperanza en un futuro mejor; esperanza fundamentada no en promesas humanas o estrategias más o menos acertadas sino en que Dios, Padre bueno, por medio de María, Madre de la Caridad, seguirá acompañando a su pueblo en esta tierra cubana.

6. A la Bienaventurada Siempre Virgen María, nuestra Señora de la Caridad del Cobre, Madre de todos los cubanos, encomendamos la preparación y el desarrollo del Jubileo «con la confianza de que la maternal protección de la Patrona de Cuba fecundará los esfuerzos evangelizadores de la Iglesia católica para el bien y la prosperidad de nuestro pueblo».[5]

Notas

1 Los párrafos de este documento van numerados no por división temática, sino para su mejor localización y estudio.

2 COCC, Construyendo juntos el mañana. Plan global de pastoral 2006-2010. (A partir de ahora: PGP)

3 CELAM, V Conferencia general del Episcopado latinoamericano y del Caribe. Documento conclusivo. Aparecida 2007. (A partir de ahora: Aparecida)

4 La idea de novedad en la continuidad, que se explicita claramente en el marco teológico del PGP, también nos sirve aquí; cf. PGP, 22: «Este nuevo proyecto pastoral no parte de cero sino que se sitúa en continuidad con el mismo ENEC y con los planes pastorales precedentes, cuyos diagnósticos y objetivos no han perdido vigencia, si bien las nuevas situaciones demandan nuevas respuestas».

5 PGP, 4.

Introducción

A Jesús por María, la Caridad nos une

7. La presencia multisecular de la devoción a la Bienaventurada Siempre Virgen María, Madre de nuestro Señor Jesucristo, en nuestra patria se remonta a los orígenes de ésta[6]. La evangelización y el crecimiento de la Iglesia en el suelo cubano desde los tiempos de la conquista hasta nuestros días, pasando por los tiempos de la colonia española, fue acompañada por la piedad mariana traída por los primeros evangelizadores, bajo diversas advocaciones, según los lugares de origen de aquellos, su pertenencia a distintas congregaciones religiosas o sus preferencias devocionales;[7] entre todas las advocaciones, imágenes y lugares marianos, la imagen de la Virgen de la Caridad del Cobre fue adquiriendo más auge y se convirtió, sobre todo a partir de las luchas por la independencia, en signo de unidad patria y cubanía.

8. Con la independencia, los templos, capillas, cofradías, fiestas y manifestaciones públicas de su culto se multiplicarían notablemente. Cuba y La Caridad quedaron unidas. La devoción mariana presente en Cuba desde los inicios de la conquista, colonización y evangelización, se constituyó en una advocación preferente entre otras: Nuestra Señora de la Caridad del Cobre, a la que se le darían otros títulos de honor (Patrona en 1916, Reina en 1936 y Coronación por Juan Pablo II en 1998).

9. La Virgen de la Caridad es un elemento esencial en la vida de Cuba y de la fe católica de Cuba. Por eso, en el aquí y ahora de nuestro pueblo, Ella puede ser, aun más, signo y vínculo de unidad entre todos los cubanos que, desde dentro o fuera de la patria, piensan y desean lo mejor para Cuba, y que, desde distintas creencias, ideologías o modos de pensar, ven a la Virgen de la Caridad como símbolo de cubanía, como expresión de bondad para todos sin distinción y perciben que la Caridad nos une,[9] la Caridad, Virgen de la Caridad y la caridad, amor cristiano, entendida como esencia del ser y existir de la persona humana.

10. Pues es la preocupación por la persona humana el hilo conductor de la misión evangelizadora de la Iglesia.[10] «La dignidad de la persona humana se convierte así en criterio que supera las limitaciones y contradicciones de las diversas ideologías y proyectos humanos».[11] Todos los caminos de la Iglesia conducen a la persona humana, al hombre de hoy en toda la verdad de su vida, «primer camino que la Iglesia debe recorrer en el cumplimiento de su misión… camino trazado por Cristo mismo».[12] Todo ser humano y todo el ser humano, creado a imagen de Dios en Cristo,[13] creatura única entre las demás obras creadas, está hecho para amar por el Dios que es Amor,[14] y sólo en Él puede descubrir y realizar la sublimidad de su vocación divina y plenificar su existencia hacia la vida eterna. María, madre de Jesús y madre nuestra desde la Cruz, vivió como nadie la vocación al amor y por eso puede ser llamada Virgen de la Caridad. Ella, como la Iglesia, es maestra en humanidad, y puede engendrar sentimientos nobles de amor a Dios y al prójimo en quienes con corazón humilde a ella se acercan.

11. La devoción mariana fue decisiva en la evangelización de Cuba: muchos hombres y mujeres de nuestra tierra llegaron a Jesús por María. Celebrar hoy la presencia de la Virgen de la Caridad entre nosotros puede y debe llevar a un encuentro con Jesucristo de todos los cubanos, a una reevangelización ad intra de la Iglesia católica y a un nuevo impulso misionero en la evangelización ad extra.[15] El pueblo cubano en general, al que la Iglesia sirve en su misión evangelizadora, ha ido pasando por distintas etapas en su itinerario religioso; consideramos que este momento de su historia es particularmente importante, entre otras cosas, por el nuevo despertar de la religiosidad. El sentido religioso de la vida, la apertura natural a la trascendencia, tiende a expresarse a veces en formas primitivas y poco comprometedoras, que satisfacen precariamente el hambre espiritual: biblismos literalistas y desencarnados; formas sincréticas de santería y espiritismos; supersticiones de corte «New Age»; formas de religiosidad popular poco cristianas.

12. El primitivismo religioso emergente, que se condensa en la fórmula do ut des (te doy para que me des), ha de ser evangelizado; las personas que viven este despertar religioso son terreno para sembrar la semilla del Evangelio que Cristo nos propone: una religiosidad basada en la gratuidad del Amor de Dios, y que nos invita a encontrar el sentido pleno y último del ser humano en el amar como Él nos ha amado, en la caridad que María como mujer y madre encarnó.[16] Caridad que es fundamento insustituible de la reconciliación a la que la Iglesia católica en Cuba continuamente está llamando, especialmente a través del magisterio de nuestros obispos.

13. El momento es muy oportuno para que, desde la sencillez de la figura de María como madre de Jesús y primera discípula, ayudemos al pueblo, destinatario de la misión de la Iglesia, a encontrar en Jesucristo su propia identidad, a saciar el hambre de Dios, a encontrarse con el Dios vivo y verdadero manifestado en Jesucristo como el Hombre nuevo y perfecto, que revela plenamente el hombre al propio hombre y le descubre la sublimidad de su vocación, el sentido último de su existencia.[17] María sigue siendo el mejor camino para llegar a Cristo;[18] el amor de Dios manifestado en ella la convierte en vínculo de unidad para todos los hombres y mujeres de buena voluntad que a ella acuden, en sublime modelo humano y cristiano de discípula y misionera que vivió la fe, la esperanza y el amor.

14. En este momento privilegiado de la historia, es necesario una nueva mirada a nuestro pueblo con los ojos de la fe de María. ¿Qué necesita Cuba? Conocer, amar y adorar a Dios, Creador y Padre amoroso que nos ha creado a su imagen y que se nos ha revelado definitivamente por medio de su Hijo Jesucristo, único Salvador, y que perpetúa su presencia en medio de nosotros por la acción vivificante del Espíritu Santo. Conocer, amar y venerar a María, hija amada del Padre, madre de Jesús y madre de todos los hombres, que bajo la advocación de la Caridad ha permanecido entre nosotros como Patrona y Señora nuestra, fuente de inspiración y belleza, de unidad y de paz, de esperanza y reconciliación. El pueblo cubano, la familia cubana, cada cubano y cubana donde quiera que estén, como quiera que piensen, han de seguir sintiendo a la Virgen de la Caridad como alguien que les escucha, que les protege, que les acoge, que les anima en los caminos del mundo a ser hombres y mujeres nuevos, según su vivo ejemplo.

15. La misión de la Iglesia en Cuba seguirá siendo la de presentar la verdad sobre Dios y sobre la persona humana, pues Dios quiere que todos los hombres se salven y lleguen al conocimiento de la verdad;[19] responder a la necesidad de conocer y amar a Dios que es Creador, Padre y Amor; presentar la verdad sobre Jesucristo, Hijo del Padre, nuestro único Salvador que nos llama a ser sus discípulos; sobre María de la Caridad, madre de Jesús y madre nuestra, que nos ha acompañado a lo largo de nuestra historia personal y nacional, que sigue en medio de nosotros como camino para llegar a Dios, para ser discípulos de Cristo, para ser hombres y mujeres dignos y coherentes. Tarea de la Iglesia que ha de tener en cuenta los grandes desafíos del momento presente en todos sus niveles y dimensiones, especialmente, el despertar religioso pluriforme y multicolor del sincretismo y la religiosidad popular católica, el deseo de respuestas trascendentes en ateos y agnósticos desencantados, el ecumenismo como testimonio de la unidad y la caridad cristianas.

Notas

6 La devoción a la Virgen María es un elemento esencial y fundante en la historia del pueblo cubano. Fe cristiana católica, manifestaciones artísticas y religiosas, nombres de pueblos, ciudades, templos, propiedades y personas, evidencian una impronta cultural insoslayable. La primera villa fundada por los españoles lleva el hermoso y sugestivo nombre de «Nuestra Señora de la Asunción de Baracoa», en una conjunción del nombre cristiano castellano con el indio. La última de las siete villas fundadas, también lleva el nombre de la Virgen, «Santa María del Puerto del Príncipe».

7 Entendemos que, para ayudar a la gente sencilla de nuestro pueblo, es bueno insistir en identificar a la Virgen María, madre de Jesús, Madre de Dios y madre nuestra, con todas y cada una de las advocaciones e imágenes marianas veneradas en nuestras iglesias, entre las que destaca la Virgen de la Caridad. Nuestra Señora del Carmen, de la Merced, del Rosario, de los Dolores, de la Candelaria y la fiesta de la Purísima Concepción de María, constituyen las devociones marianas más difundidas en el período colonial. Sin embargo, una advocación, llegada en 1612, en una pequeña imagen hallada en la Bahía de Nipe, y situada más tarde en una ermita encima de una de las lomas de El Cobre, irá abriéndose paso en la preferencia del corazón de cubanos y peninsulares residentes en Cuba. Hacia finales de la dominación española, pero sobre todo, en los comienzos de la República, la devoción a la Virgen de la Caridad del Cobre será la más extendida en toda Cuba. Ello explica la petición de su patronazgo al Papa Benedicto XV por un grupo de mambises

8 Sería bueno explicar la distinción entre la Virgen de la Caridad y su imagen o sus imágenes; cuando hablamos del «hallazgo» nos referimos a la imagen de la Caridad del Cobre; cuando decimos «presencia» nos referimos a la devoción y amor a la Virgen en Cuba bajo su advocación de la Caridad.

9 La Virgen de la Caridad del Cobre no tiene fronteras geográficas ni ideológicas. Nuestra celebración ha de ser siempre ecuménica e incluyente.

10 Cf. PGP, 7.

11 PGP, 8.

12 Cf. Juan Pablo II, Redemptor hominis, 14.

13 Cf. Gn 1,26; Col 1,15-16.

14 Cf. 1Jn 4,8.

15 Cf. PGP, 8: «La conciencia de la necesidad de esta Nueva Evangelización en nuestra Patria es clara, …y esto como una vía para redimir la dignidad humana del cubano».

16 Cf. PGP, 9: «El mandamiento del Amor al que nos invita Jesús encuentra, en medio de nuestra peculiar situación social, su expresión como mensaje de esperanza para nuestro pueblo».

17 Cf. Gaudium et spes, 22.

18 Cf. PGP, 8: «Para abrir las puertas de nuestros campos y ciudades, los católicos cubanos tenemos en María del Cobre la Estrella de la Evangelización. Ella es camino que nos lleva a Jesús, fuente de nuestra esperanza».

19 Cf. 1Tim 2,4.

Capítulo primero

María de la Caridad, regalo de Dios para nuestro pueblo

16. «Tanto amó Dios al mundo que dio a su Hijo único, para que todo el que crea en Él no perezca sino que tenga vida eterna» (Jn 3,16); Jesucristo es el gran regalo de Dios Padre a todos nosotros; es la Gracia de Dios, el signo supremo de la Nueva Alianza, el Sumo y Eterno Sacerdote, el único Mediador de salvación entre Dios y los hombres.[20] Pero Jesús vino al mundo como todo ser humano, «nacido de mujer, nacido bajo la ley» (Gal 4,4). María, madre de Jesús, fue el instrumento incólume en la providencia divina para que Dios mismo se hiciera hombre. En este sentido, María es regalo de Dios para la humanidad, como Madre de Dios, como primera discípula de Jesucristo su hijo, como modelo sin pecado del hombre nuevo que todos estamos llamados a ser, llena de gracia redimida desde su concepción.[21]

17. María es llamada por los Santos Padres de la Iglesia la Nueva Eva.[22] Al igual que Eva, prototipo de la primera mujer, fue dada por Dios Creador como regalo a Adán, prototipo del primer hombre (cf. Gn 2,22), así María es el regalo de Dios a toda la humanidad como prototipo del hombre nuevo y la mujer nueva que, en Cristo, todos estamos llamados a ser. La fidelidad de la Virgen a la Palabra de Dios, coronada, al final de su vida terrena, con su asunción a los cielos, la convierte en el primer ser humano que ya ha alcanzado la realización de la nueva humanidad, hacia la que camina el resto de los hombres de buena voluntad.[23]

18. Pudo ser regalo de Dios porque dijo sí a Dios Padre y, sólo de esa manera, en la obediencia de la fe, Dios Padre actuó en ella por medio del Espíritu, engendrando al Verbo encarnado. «He aquí la esclava del Señor; hágase en mí según tu palabra» (Lc 1,39). Al decir sí a Dios se convirtió en don para el mundo, regalo fecundo.

19. María pudo decir sí porque escuchó a Dios y escuchándole deja que el Altísimo le explique su proyecto y cambie su futuro;[24] y en este sentido es mujer orante, modelo de oración para los orantes. La oración es escucha de la Palabra de Dios. Escucha meditada… María meditaba todas esas cosas en su corazón.[25] Escucha comprometida… ¿Quiénes son mi Madre y mis hermanos? dijo Jesús: aquellos que escuchan la Palabra de Dios y la cumplen.[26] Dichosa, bienaventurada me llamarán todas las generaciones, dijo María a Isabel.[27] Dichosa y bienaventurada la llama una mujer del pueblo, a la que Jesús responde dichosos y bienaventurados los que escuchan la Palabra de Dios y la ponen por obra.[28]

20. Al igual que Jesús es presentado en la escena de la vida pública por Dios Padre que, en su teofanía del Jordán junto al Bautista, dice «este es mi Hijo Amado, en quien me complazco» (Mt 3,17), así María, en la casi teofanía del anuncio del ángel Gabriel, es presentada como la hija amada del Padre[29] que halló gracia ante Dios, como la llena de gracia porque ha creído en la Palabra de Dios.[30] «¡Feliz la que ha creído que se cumplirían las cosas que le fueron dichas de parte del Señor!» (Lc 1,45). María es mujer de fe porque ha creído y ha creído porque ha escuchado a Dios Padre en el silencio de su corazón, en la soledad de su existencia llena del silencio de Dios.[31]

21. Esta es la espiritualidad de María, la espiritualidad de la obediencia de la fe[32] y de la confianza en el Padre eterno vividas en el silencio de las horas y los días... sin comprender del todo... sin ver despuntar el día anunciado por Simeón[33] ... es la espiritualidad de Nazaret: días, meses, años sin ver nada, sin un signo, sin una señal clara... sólo escuchando, meditando, viendo crecer al hijo de sus entrañas, en sabiduría, en estatura y en gracia, bajo su cuidado acompañada de su esposo José, varón justo y fiel.[34]

22. Por ello, María es maestra en espiritualidad. «Hoy soñamos con una espiritualidad centrada en Jesucristo y encarnada, que cultive el espíritu misionero y exprese la dimensión social de la fe. Una espiritualidad en clave de esperanza».[35] Una espiritualidad que genere vida abundante, que signifique verdadero desarrollo del espíritu humano, que tenga como base el deseo de seguir a Cristo, que nos configure con el Maestro,[36] que cultive los principios y valores del Reino anunciado por Él, que tenga en cuenta lo más noble y bello del ser humano creado a imagen de Dios en Cristo, que sea participación del Espíritu de Dios;[37] espiritualidad que nos encamine a la santidad auténtica como desarrollo de nuestra consagración bautismal,[38] espiritualidad sin espiritualismos desencarnados, espiritualidad desde muchas espiritualidades, espiritualidad abierta a todo lo que de verdadero, bueno y bello hay en cada corazón humano, en cada cubano; una espiritualidad que, más allá de lo devocional, estructure a cada ser humano como persona, como persona humana, inteligente, libre y capaz de amar.[39]

23. Una espiritualidad que podemos imaginar realizada en María, mujer creyente y orante, mujer de fe, oración y cruz. Necesitamos abrir los ojos para descubrir el hambre de Dios en nuestro pueblo, el deseo de espiritualidad, la búsqueda de sentido de la vida por medio de la fe y de la oración.[40]

24. La fe como virtud teologal, por tanto como gracia y don de Dios,[41] es la base de la más auténtica y genuina espiritualidad cristiana, alimentada continuamente por la oración, entendida principalmente como escucha del Dios Creador y Padre manifestado en Jesucristo.[42] Para el creyente la oración es el camino por el que se llega a Dios y el camino por el que Dios llega a nosotros; la oración es hablar y dejarse interpelar, como dice Santa Teresa de Jesús, por quien sabemos que nos ama. El cristiano auténtico, creyente en el Dios vivo y verdadero revelado en Jesucristo, hace de la oración su mejor método para encontrarse con Dios, para crecer en la fe, en la esperanza y en el amor.[43] «La adhesión a Cristo, centro de la espiritualidad del discípulo, se nutre de la oración y particularmente de los sacramentos... La intimidad con Jesucristo en la oración nos hace 'permanecer en Él como Él está en nosotros'[44] y 'esta reciprocidad es el fundamento mismo, el alma de la vida cristiana y una condición para toda vida pastoral auténtica'[45]»[46].

25. En este primer año de preparación al Jubileo del 2012 ponemos el énfasis en la revisión y renovación en el ad intra de nuestra iglesia; se nos presenta así la oportunidad inigualable para que nuestras comunidades profundicen en el conocimiento y la vivencia de Dios, revelado por Jesucristo, como Creador de todo y de todos, que nos ha creado por amor y para amar, Padre bueno, amor entrañable. Y para que reflexionen sobre el significado de la Virgen en la espiritualidad y en la fe personal de cada uno y en el quehacer pastoral comunitario; el trabajo participativo de los consejos parroquiales y de comunidad, de los distintos equipos, grupos y movimientos, ha de estar iluminado por la mirada a María, Virgen de la Caridad, primera discípula y misionera de Jesús.

26. Nuestra condición de cristianos brota del sacramento del bautismo como sacramento de la fe.[47] El bautismo aparece siempre ligado a la fe.[48] «El bautismo es el fundamento de toda la vida cristiana, el pórtico de la vida en el espíritu y la puerta que abre el acceso a los otros sacramentos».[49] Por el bautismo hemos sido purificados del pecado y regenerados a la vida divina para ser hijos de Dios[50] en el Hijo único; el bautismo, como sacramento que actualiza en nosotros el misterio pascual de Cristo, manifestado en la teofanía del Jordán, nos incorpora a su Muerte para resucitar con Él,[51] significa un nacer de nuevo a una vida nueva según el Espíritu;[52] por el bautismo llegamos a ser miembros de Cristo y somos incorporados al Pueblo de Dios, que es la Iglesia, para ser partícipes de su misión.

27. En este año primero de preparación al Jubileo del 2012, estamos invitados a renovar la reflexión en nuestra condición de bautizados, a revisar los catecumenados en nuestras diócesis, los procesos de iniciación cristiana,[53] a insistir en la toma de conciencia y en el sentido de pertenencia a la Iglesia para identificarnos más con su mensaje y su tarea evangelizadora. En los procesos formativos y catequéticos, a veces hemos confundido precariedad con improvisación; y esto ha provocado lagunas doctrinales, espirituales y morales en nuestros cristianos católicos de hoy, y no pocos abandonos.[54] Ser cristianos es ser discípulos y misioneros de Cristo, como María, en la fe, la esperanza y el amor.

28. «La máxima realización de la existencia cristiana como un vivir trinitario de 'hijos en el Hijo' nos es dada en la Virgen María quien, por su fe (cf. Lc 1,45) y obediencia a la voluntad de Dios (cf. Lc 1,38), así como por su constante meditación de la Palabra y de las acciones de Jesús (cf. Lc 2,19.51), es la discípula más perfecta del Señor.[55] Interlocutora del Padre en su proyecto de enviar su Verbo al mundo para la salvación humana, María, con su fe, llega a ser el primer miembro de la comunidad de los creyentes en Cristo, y también se hace colaboradora en el renacimiento espiritual de los discípulos. Del Evangelio, emerge su figura de mujer libre y fuerte, conscientemente orientada al verdadero seguimiento de Cristo. Ella ha vivido por entero toda la peregrinación de la fe como madre de Cristo y luego de los discípulos, sin que le fuera ahorrada la incomprensión y la búsqueda constante del proyecto del Padre».[56]

Notas

20 Cf. 1Tim 2,5; Hch 4,12.

21 Cf. Catecismo de la Iglesia Católica 1992 (a partir de ahora, Catecismo), 491.

22 Cf. Lumen gentium, 56: «Con razón, pues, piensan los Santos Padres que María no fue un instrumento puramente pasivo en las manos de Dios, sino que cooperó a la salvación de los hombres con fe y obediencia libres. Como dice San Ireneo, 'obedeciendo se convirtió en causa de salvación para sí misma y para todo el género humano'. Por eso no pocos Padres antiguos afirman gustosamente con él en su predicación que 'el nudo de la desobediencia de Eva fue desatado por la obediencia de María; que lo atado por la virgen Eva con su incredulidad, fue desatado por la virgen María mediante su fe'; y comparándola con Eva, llaman a María 'Madre de los vivientes', afirmando aún con mayor frecuencia que 'la muerte vino por Eva, la vida por María'.» Cf. Catecismo, 411, 494, 726; también cf. García Paredes, J.C.R., Mariología, Madrid 2001, 191-223.

23 Cf. Lumen gentium, 56.

24 Cf. Lc 1,34: «¿Cómo será esto, pues no conozco varón?».

25 Cf. Lc 2,19.51

26 Cf. Lc 8,19-21.

27 Cf. Lc 1,48.

28 Cf. Lc 11,27-28.

29 El Concilio Vaticano II la llama: «hija predilecta del Padre»; cf. Lumen gentium, 53.

30 Cf. Lc 1,28-30.

31 Como Sara, Raquel, Ruth y Judith y otras fuertes mujeres del Antiguo Testamento; pero con una gran diferencia con respecto a éstas, pues con María nació la fe en Jesús. Fue la primera que en este mundo tuvo fe en Él, porque fue la primera creyente en la encarnación del Verbo.

32 Cf. Catecismo, 148-149: «La Virgen María realiza de la manera más perfecta la obediencia de la fe. ...Durante toda su vida, y hasta la última prueba (cf. Lc 2,35), cuando Jesús, su hijo, murió en la cruz, su fe no vaciló. María no cesó de creer en el «cumplimiento» de la palabra de Dios. Por todo ello, la Iglesia venera en María la realización más pura de la fe».

33 Cf. Lc 2,33-35.

34 Cf. Lc 2,39-40.51-52.

35 PGP, 9. El objetivo específico del primer reto (espiritualidad cristiana) en el marco operativo se formula así: «Promover una espiritualidad centrada en el encuentro con Jesucristo, que ilumine la vida en todas sus dimensiones y posibilite un estilo de vida comprometido, generador de esperanza y coherente con nuestra identidad cristiana». PGP, 50.

36 Cf. PGP, 47: «La vivencia auténtica de la espiritualidad cristiana es necesariamente un conformarse por la acción del Espíritu Santo a Cristo, el primer evangelizador, el que se encarnó tomando la figura de siervo (Jn 1,14), el que tenía por alimento hacer la voluntad del Padre (Jn 4,34), con quien se mantuvo en comunión permanente por la oración (Jn 14,9) y el que vino enviado por el Padre con la fuerza del Espíritu Santo (cf. Jn 20,21) con la misión de salvar lo que estaba perdido (Mt 18,11). La genuina espiritualidad cristiana es así esencialmente encarnada, orante y misionera (cf. Instrucción pastoral para la promulgación del documento final del ENEC, 33-34)».

37 Cf. Aparecida, 129-153.

38 Cf. PGP, 35.

39 Cf. PGP, 30: «Es que lo que denominamos 'espiritualidad' no es un conjunto de prácticas piadosas sino una vida inspirada por el Espíritu y motivada y enraizada en la de Jesús, un 'vivir y caminar según el Espíritu (Gal 5,25; Rm 8,9), que es lo mismo que un 'vivir en Cristo' (Col 13,3; Gal 2,20). Se trata pues de un reclamo de 'ser' como condición previa al 'actuar' (el actuar sigue siempre al ser)... una praxis pastoral y misionera que no esté sustentada por una auténtica espiritualidad no deja de ser un activismo sin alma. Aquí nos situamos en continuidad con la iglesia del ENEC que busca servir al pueblo cubano y encarnarse en la realidad desde una identidad muy clara».

40 Cf. PGP, 13: «La fe para la mayoría de nuestros fieles es 'la aceptación de Dios en la vida'. Buscan a la Iglesia como el lugar para encontrarse con Dios».

41 Cf. Catecismo, 153, 1814-1816, 1842, 2087-2089.

42 Cf. PGP, 13: «La gran mayoría considera que el término 'espiritualidad' significa creer en Jesús y vivir sus enseñanzas».

43 Cf. PGP, 14: «Nuestros fieles consideran que la oración es una conversación con Dios, rezan diariamente y dirigen su oración sobre todo a Dios Padre. Leen la Biblia con frecuencia, la aprecian como la Palabra de Dios. Aman a María, a ella se dirigen en su oración como a la madre de Dios».

44 Cf. Jn 15,4.

45 Juan Pablo II, Novo millennio ineunte, 32.

46 PGP, 36.

47 Cf. Mc 16,16; cf. Catecismo, 1253-1254: «Pero la fe tiene necesidad de la comunidad de creyentes. Sólo en la fe de la Iglesia puede creer cada uno de los fieles. (…) En todos los bautizados, niños o adultos, la fe debe crecer después del Bautismo».

48 Cf. Catecismo, 1226.

49 Catecismo, 1213.

50 Cf. PGP: «El sacramento del bautismo es el más valorado por la gente porque por él nos hacemos hijos de Dios. Este sacramento no es igualmente apreciado en el sentido de que es la puerta que nos introduce en la comunidad de la Iglesia».

51 Cf. Rm 6,3-4; Col 2,12.

52 Cf. Jn 3,3-8.

53 Cf. Aparecida, 286-294: «… Tenemos un alto porcentaje de católicos sin conciencia de su misión de ser sal y fermento en el mundo, con una identidad cristiana débil y vulnerable. Esto constituye un gran desafío que cuestiona a fondo la manera como estamos educando en la fe y como estamos alimentando la vivencia cristiana; … Se impone la tarea irrenunciable de ofrecer una modalidad operativa de iniciación cristiana que, además de marcar el qué, dé también elementos para el quién, el cómo y el dónde se realiza. Así, asumiremos el desafío de una nueva evangelización, a la que hemos sido reiteradamente convocados».

54 Cf. PGP, 31: «El que es constituido discípulo por el Bautismo, debe esforzarse por asumir auténticamente, con la ayuda de la gracia, todas las exigencias de su vocación cristiana. Asumir plenamente la condición de discípulo precisa también, pues, de una adecuada formación, que lleve a asumir consecuentemente las exigencias de la fe cristiana».

55 Cf. Lumen gentium, 53.

56 Aparecida, 266.

Capítulo segundo

María de la Caridad
peregrina con los cubanos y nos lleva a Jesús

29. «Yo soy el Camino, la Verdad y la Vida. Nadie va al Padre sino por mí» (Jn 14,6). De muchos modos y maneras había hablado Dios a los hombres y les sigue hablando… pero llegada la plenitud de los tiempos nos ha hablado por medio del Hijo,[57] la Palabra hecha carne que puso su morada entre nosotros,[58] el idioma definitivo del Padre, el nuevo Moisés,[59] la Gracia de Dios,[60] el único Mediador de salvación[61] de cuya plenitud hemos recibido gracia tras gracia.[62]

30. Jesucristo es el Camino hacia Dios Padre al mismo tiempo que es el camino hacia el hombre, hacia cada ser humano;[63] revela la Verdad plena sobre el Dios vivo y verdadero y conocemos por Él la verdad toda sobre la persona humana, la verdad que nos hace libres;[64] manifiesta la Vida de Dios al mundo, el misterio de su Amor, y en Él encontramos la vida plena, verdadera y eterna, a la que estamos llamados, hombres y mujeres, como creaturas hechas a imagen de Dios en Cristo.[65] «Muéstranos al Padre y nos basta», le diría Felipe (Jn 14,8); este sigue siendo el anhelo, a veces sosegado y otras angustioso, de tantos hombres y mujeres de buena voluntad que quieren saber de Dios, que quieren conocer a Dios. ¡Tanto tiempo con ustedes y todavía no me conocen! diría Jesús.[66] ¿Por qué no te conocen? ¿Por qué no le conocen?[67]

31. María es la llena de gracia, la primera agraciada, que encarnando al Verbo de Dios[68] se pone en camino hacia la montaña para visitar y ayudar a su pariente Isabel (cf. Lc 1,39), llevando en sus entrañas purísimas al mismo Cristo, que se nos revela como el Camino, la Verdad y la Vida. María, poniéndose en camino, se convierte también en camino hacia Dios y hacia los hombres, peregrina de la fe y mensajera de la esperanza; viviendo en la Verdad de Dios se convierte en modelo de verdad realizada para los hombres; llevando en su seno la Vida, engendrando al Verbo de Dios, hace de su vida un don para los demás y engendra vida nueva en quien a ella se acerca. María es madre y discípula de su Hijo Jesucristo porque, escuchando su Palabra, la cumple a la perfección encarnándola, haciendo de ella la vida de su vida. Es la primera discípula de Jesús, porque fue la primera en creer en la encarnación del Hijo de Dios, cuando dio su asentimiento a las palabras del ángel.[69] Isabel se lo celebra: «¡Feliz la que ha creído que se cumplirían las cosas que le fueron dichas de parte del Señor!» (Lc 1,45).

32. María es fiel espejo donde podemos ver reflejado a su hijo Jesús. A través de María, que encarna plenamente a su hijo Jesús escuchando y cumpliendo la Palabra, Dios le habla a la humanidad en lenguaje femenino. De esta manera, podríamos llegar a afirmar y entender que la Virgen de la Caridad representa el rostro materno de Dios para el pueblo cubano.

33. Por eso decimos que María lleva a Jesús y nos lleva a Jesús, sin suplantarlo, sin reducirlo, sin deformarlo; en la imagen de la Virgen de la Caridad, María nos muestra desde su brazo a Cristo, Camino, Verdad y Vida para todos los cubanos, para todos los hombres y mujeres de buena voluntad. Una de las mejores imágenes de la vida humana es el camino… la vida es caminar… «La vida humana es un camino. ¿Hacia qué meta? ¿Cómo encontramos el rumbo? La vida es como un viaje por el mar de la historia, a menudo oscuro y borrascoso, un viaje en el que escudriñamos los astros que nos indican la ruta. Las verdaderas estrellas de nuestra vida son las personas que han sabido vivir rectamente. Ellas son luces de esperanza. Jesucristo es ciertamente la luz por antonomasia, el sol que brilla sobre todas las tinieblas de la historia. Pero para llegar hasta Él necesitamos también luces cercanas, personas que dan luz reflejando la luz de Cristo, ofreciendo así orientación para nuestra travesía. Y ¿quién mejor que María podría ser para nosotros estrella de esperanza, Ella que con su «sí» abrió la puerta de nuestro mundo a Dios mismo; Ella que se convirtió en el Arca viviente de la Alianza, en la que Dios se hizo carne, se hizo uno de nosotros, plantó su tienda entre nosotros (cf. Jn 1,14)?»[70] María nos enseña que la vida es camino hacia Dios, cumpliendo la voluntad del Padre,[71] camino hacia la interioridad de uno mismo, meditando todo en el silencio del corazón,[72] y camino hacia los demás, saliendo generosamente al encuentro de quien Dios pone en su camino.[73] María es la mujer peregrina, la mujer caminante, que peregrinando con nosotros nos enseña el camino hacia su hijo Jesús.

34. María, poniéndose en camino, sale al encuentro de Isabel, alguien que la necesita... y, por eso, es modelo para nosotros de mujer misionera, de mujer servidora de los demás, a imagen de Cristo; por eso es Virgen de la Caridad. ¡Cuántos necesitados le salieron a Jesús pidiendo ayuda por el camino! Leprosos, ciegos, cojos...[74] Jesús mismo pone en la escena del camino al buen samaritano en la parábola, quizás más bella, sobre el ejercicio de la caridad cristiana como amor desinteresado al prójimo desconocido.[75]

35. Al igual que en aquel tiempo, hoy Cristo sale al encuentro del hombre en el camino de la vida a través de quienes, como María de la Caridad, son testigos de su amor y su verdad en el sacrificio por los demás, misioneros de la esperanza para muchos que han perdido toda ilusión. Cristo necesita las manos de quienes formamos su Iglesia para, desde ellas, como desde las manos de la Virgen de la Caridad, seguir siendo presentado al pueblo cubano, especialmente a los más débiles y necesitados. A la vez, a través de ellos mismos, los humildes y pequeños, nos sigue saliendo al encuentro para que, sirviéndoles a ellos, los bienaventurados,[76] nos encontremos con Él y podamos también ser llamados bienaventurados.[77]

36. Por eso, María es la primera misionera;[78] qué es ser misionero sino ponerse en camino para llevar a Cristo a los demás; qué es ser misionero sino propiciar que los otros por medio de ti se encuentren con Cristo. En el hoy de la historia y de la Iglesia en Cuba, con y como María de la Caridad, «nos proponemos fortalecer la misión anunciando a Jesucristo y comprometiéndonos en la edificación de su Reino con renovado ardor, creatividad y audacia».[79] ¡Ay de nosotros si no anunciamos a Cristo y su Evangelio![80] Al igual que María engendra a Jesús en sus entrañas purísimas, los cristianos estamos llamados a engendrar a Cristo en los corazones de todos los hombres.

37. La Iglesia es esencialmente misionera;[81] «como la Iglesia es misterio y sacramento universal de salvación,[82] su misión no puede ser otra que realizar lo que ella es: de su ser íntimo dimana su quehacer, su tarea, su misión».[83] «La misión no es una tarea más, entre otras, de la Iglesia, sino su razón de ser, el centro de su vida. Ella no existe para sí misma sino para evangelizar, lo cual constituye su 'dicha y su vocación propia y su identidad más profunda'[84]».[85]

38. La misión de la Iglesia se concreta en la evangelización y en la implantación del Reino. Jesús envió a sus apóstoles a anunciar el Evangelio y a bautizar en el nombre del Padre, del Hijo y del Espíritu Santo (cf. Mt 28,19). Tres son los contenidos fundamentales de la misión: anuncio de Jesús y su Evangelio, edificación de la comunidad por medio de la iniciación cristiana y promoción de los valores del Reino.[86] Por tanto, la misión de la Iglesia es evangelizar y bautizar, como puerta a los demás sacramentos que nos hacen cristianos; no se puede ni oponer, ni excluir, ni reducir lo uno a lo otro. La misión encomendada por Cristo a los Apóstoles es una sola, es decir, hacer discípulos bautizándoles y enseñándoles. Los cristianos se hacen, no nacen.[87] «La misión de la Iglesia es, pues, esencialmente edificadora de Iglesia, de comunidad eclesial, tanto en su dimensión ad gentes, haciéndola nacer donde aún no existe, como en su dimensión pastoral, haciéndola madurar y desarrollarse donde ya está presente».[88]

39. Y la misión de la Iglesia está al servicio de la vida plena de todos los hombres. Cristo se encarnó para que tuviéramos vida, vida abundante, vida plena, vida eterna. Él es la Vida. La misión de la Iglesia es que todos tenga vida nueva en Cristo, vida que primero se hace realidad en los discípulos-misioneros, que están llamados por Cristo a ser comunicadores de vida.[89] «Las condiciones de vida de muchos abandonados, excluidos e ignorados en su miseria y su dolor, contradicen este proyecto del Padre e interpelan a los creyentes a un mayor compromiso a favor de la cultura de la vida».[90]

40. Volviendo de nuevo la mirada a María, notamos que, además de visitar a Isabel, tuvo que ponerse en camino otras muchas veces más a lo largo de su vida… humillada porque era pobre y no tenía sitio en la posada,[91] para que Jesús naciera… perseguida huye a Egipto,[92] para que Jesús no pereciera… olvidada en el anonimato, regresa a Nazaret,[93] para que Jesús volviera a su tierra, creciera y realizara su proyecto mesiánico… atemorizada de nuevo vuelve a Jerusalén para recuperar a su hijo Jesús, perdido entre los doctores del Templo, porque había venido a cumplir la voluntad del Padre.[94]

41. María es la peregrina de la fe.[95] Y este ponerse en camino significó en ella una continua «conversión», entendida, no como superación del pecado, que ella nunca experimentó, sino como abandono en las manos del Padre, cambio de mentalidad constante, confianza absoluta en el proyecto de Dios que, meditándolo, pero sin comprenderlo en plenitud, la desinstalaba en cada momento y desbordaba todas sus previsiones.

42. He aquí el fundamento de la esperanza cristiana:[96] la confianza total en Dios Padre bueno que nos acompaña y guía por el camino del mundo, que nos ha prometido en Cristo estar siempre con nosotros por medio del Espíritu de la Verdad, que nos llama a una plenitud que todavía no se da en el aquí y ahora pero que ya ha comenzado en la medida en que, como María, encarnamos a Cristo y lo mostramos al mundo, a nuestro pueblo necesitado de esperanza. María de la Caridad es la mensajera o, también, la misionera de la esperanza para el pueblo, porque ella nos lleva a Cristo, única esperanza verdadera para todo ser humano, para todos los cubanos.[97] «El encuentro personal con Cristo, y su aceptación como Salvador de nuestras vidas y Señor de la historia, es el fundamento de nuestra esperanza y el sentido más profundo de nuestra existencia».[98]

43. «La Iglesia en Cuba aspira a llevar adelante una acción evangelizadora esperanzada y esperanzadora. Esperanzada porque pone su confianza en la fidelidad de Dios, que siempre cumple sus promesas, y se sostiene en la presencia permanente de Cristo y del Espíritu en su Iglesia, quienes la guían y asisten a través de las vicisitudes de la historia hasta la plenitud de un futuro que pertenece por entero al mismo Dios. De esta esperanza, que se nutre permanentemente de las Promesas del Señor, saca la Iglesia el ardor y el gozo apostólicos para el desarrollo de su misión, aun en medio de las mayores adversidades. Y esperanzadora, porque pretende compartir con todos los cubanos el tesoro de su propia esperanza como uno de los mayores servicios fraternos que puede brindar. Este servicio de animación de la esperanza pasa necesariamente por el anuncio de Jesucristo, objeto de nuestra esperanza, con toda su carga de sentido plenificante y sus profundas consecuencias renovadoras para la existencia del hombre y de la sociedad en que vive. Se trata, en resumen, 'de anunciar, al cubano de hoy, la verdad de Jesucristo y sobre el mismo hombre, a fin de que pueda tener esperanza'[99]»[100].

44. Por ello, María es modelo de conversión para nosotros. ¡Qué es la conversión sino un volver la mirada constantemente a Dios Padre para confiar más en Él!, para decirle: ¿qué quieres de mí? habla Señor que tu siervo escucha; aquí estoy para hacer tu voluntad.[101] La Iglesia cubana, en este momento privilegiado de la historia, teniendo a María como modelo y ejemplo, necesita conversión. Mirando constantemente a Dios como Padre, como fin último de todo ser humano, no vamos a errar el camino. Convertirse es «aceptar, con decisión personal, la soberanía de Cristo y hacerse discípulos suyos»,[102] es mirar de nuevo a Cristo vivo[103] con los ojos de María para, desde Él, mirar de nuevo al hombre y al mundo, confiadamente, con esperanza.

45. La Iglesia en Cuba necesita ponerse nuevamente en camino hacia el hombre concreto de nuestra tierra y de nuestro pueblo, para comprenderlo desde Cristo, para encaminarlo hacia Cristo, verdad y vida de todos los hombres. ¿Por qué no me conocen? nos pregunta Jesús. ¿Por qué no le conocen? nos preguntamos los cristianos.[104] De esta pregunta debiera surgir la auténtica conversión que nos impulse a la misión; conversión personal de nuestros pecados, conversión estructural hacia una iglesia más evangelizada y evangelizadora, conversión pastoral hacia una iglesia más misionera.[105] Conversión personal que implique poner nuestra vida a la luz de Cristo para abandonar el pecado y todo aquello que nos impide reflejar su rostro; conversión estructural que impulse a revisar todas nuestras estructuras para que reflejen mejor los valores del Evangelio de Jesús y, de esa manera, el rostro visible de la Iglesia sea mas creíble; conversión pastoral que signifique cambiar la mirada sobre el mundo y sobre el hombre, perdiendo nuestros complejos y prevenciones, para que nuestro trabajo evangelizador sea menos miedoso y prejuiciado, más vivo y eficaz, más lleno de vida y de verdad, más apoyado por las obras de caridad, más confiado en la gracia del Espíritu. La auténtica conversión lleva a crecer en la fe, en la esperanza y en la caridad.

46.   «La conversión personal y comunitaria a Aquél sin el cual nada podemos hacer (cf. Jn 15,5) es fundamental para la renovación eclesial y para el ejercicio de la misión, pues los evangelizadores lo serán de verdad si ellos mismos están evangelizados. La conversión sigue siendo el presupuesto necesario e irrenunciable de la misión y como tal la primera opción pastoral.[106] Y conversión no sólo al Dios revelado en Jesucristo, sino también a nuestra realidad en la que ese mismo Dios quiere hacerse presente salvíficamente. Por eso, a la conversión se une el necesario discernimiento a la luz del Espíritu y de los signos de los tiempos para crecer, personalmente y comunitariamente, en fidelidad a las exigencias del Reino».[107]

47.   La necesaria conversión en los católicos cubanos y el esfuerzo por llevarla a cabo nos debe conducir a una auténtica conversión en nuestra sociedad, cuyas pautas pueden ser: respeto total a la vida humana desde sus inicios hasta su final, paso de la práctica de la simulación a la cultura de la verdad, superación del engaño como excusa de supervivencia, responsabilidad en el ejercicio de las obligaciones familiares, laborales y ciudadanas, crecimiento en la tutela de las libertades individuales como servicio a la convivencia pacífica y respetuosa entre ciudadanos de distinta forma de pensar.

48.   Como fruto de la conversión en todas sus dimensiones, viene la reconciliación con Dios, con los hermanos, con uno mismo. La Iglesia en Cuba ha de seguir llamando constantemente a la reconciliación, pero desde la conversión. La auténtica reconciliación nace de dentro hacia fuera; reconciliarse con la esencia de uno mismo y con Dios, como sustento de nuestra existencia, es el paso previo y necesario para reconciliarnos sinceramente con los demás. Reconciliarse significa reconocerse, encontrarse de nuevo; si no me reconozco en Dios, y a Dios en los demás, difícilmente podré vivir la reconciliación en profundidad. Reconciliarse implica perdonar y olvidar. Perdonar como Dios nos perdona, gratuitamente, sin exigir nada a cambio.

49. Tarea de la Iglesia en Cuba sigue siendo perdonar y enseñar a perdonar. Como discípulos y misioneros de Cristo hemos de fomentar en el pueblo cristiano el perdón como actitud consciente y constante. No nos pueden perdonar si no perdonamos. La Iglesia en Cuba tiene que perdonar de corazón y también tiene que pedir perdón por las veces que no ha brillado en ella el amor de Cristo. El rostro visible de la Iglesia ha de reflejar en todo momento y ocasión la misericordia infinita del Dios Amor sobre cada uno de nosotros, los discípulos de Cristo, que se proyecta sobre todos los hombres y mujeres de buena voluntad que, reconociendo sus culpas, humildemente se acogen a ella. Viviendo la misericordia y el perdón de Dios, como discípulos de Cristo, a través del sacramento de la reconciliación,[108] seremos los mejores maestros en el enseñar a perdonar y acoger la misericordia divina.

50. Con ocasión del Jubileo del 2012 y su preparación, se nos ofrece la oportunidad de promover la tan deseada reconciliación entre todos los cubanos. María de la Caridad es la primera mujer reconciliada y reconciliadora; mirando todos juntos a la Virgen de la Caridad nos sentiremos reconciliados y reconciliadores: esta es nuestra esperanza. María, «como madre de tantos, fortalece los vínculos fraternos entre todos, alienta a la reconciliación y el perdón, y ayuda a que los discípulos de Jesucristo se experimenten como una familia, la familia de Dios».[109]

Notas

57 Cf. Heb 1,1-4.

58 Cf. Jn 1,14.

59 Cf. Jn 5,46.

60 Cf. Rm 5,15.

61 Cf 1Tim 2,5-6.

62 Cf. Jn 1,16.

63 Cf. Gaudium et spes, 22; cf. Juan Pablo II, Redemptor hominis, 13: «Jesucristo es el camino principal de la Iglesia. Él mismo es nuestro camino 'hacia la casa del Padre' y es también el camino hacia cada hombre. En este camino que conduce de Cristo al hombre, en este camino por el que Cristo se une a todo hombre, la Iglesia no puede ser detenida por nadie».

64 Cf. Jn 8,32. La esencia de la dignidad de la persona humana radica en la libertad que ha de ser entendida como el signo eminente de la imagen de Dios en nosotros, como aquello que más nos asemeja a Dios, la capacidad que

paradójicamente nos habilita para decirle no a Dios o para realizar en nosotros su designio de amor que es nuestra propia divinización. Cf. Gaudium et spes, 17.

65 Cf. Jn 3,14-15.

66 Cf. Jn 14,8-11.

67 Cf. Rm 10,14-15: «Pero, cómo invocarán a aquel en quien no han creído? ¿Cómo creerán en aquel a quien no han oído? ¿Cómo oirán sin que se les predique? Y ¿cómo predicarán si no son enviados? Como dice la Escritura: ¡Cuán hermosos los pies de los que anuncian el bien!».

68 Cf. Catecismo, 466, 495, 2677. María es verdaderamente Madre de Dios, «Theotokos». Así lo definieron los Padres conciliares en el III Concilio ecuménico que tuyo lugar en Éfeso el año 431. Es Madre de Dios por ser madre de Jesucristo, Dios y Hombre verdadero.

69 Cf. Juan Pablo II, Redemptoris Mater, 46.

70 Benedicto XVI, Spe Salvi, 49

71 Cf. Lc 1,38.

72 Cf. Lc 2,19.51.

73 Cf. Lc 1,39.

74 Cf. Lc 17,11-19; 18,35-43.

75 Cf. Lc 10,29-37.

76 Cf. Mt 5,3-12.

77 Cf. Mt 25,34-40.

78 Cf. Aparecida, 269: «María es la gran misionera, continuadora de la misión de su Hijo y formadora de misioneros. Ella, así como dio a luz al Salvador del mundo, trajo el Evangelio a nuestra América… Con gozo, constatamos que se ha hecho parte del caminar de cada uno de nuestros pueblos, entrando profundamente en el tejido de su historia y acogiendo los rasgos más nobles y significativos de su gente… Ella les pertenece y ellos la sienten como madre y hermana».

79 PGP, 9.

80 Cf. 1Cor 9,16.

81 Cf. Ad gentes, 2.

82 Cf. Lumen gentium, 48.

83 ENEC, 243.

84 Pablo VI, Evangelii nuntiandi, 14.

85 PGP, 24.

86 Cf. PGP, 25; cf. Juan Pablo II, Redemptoris missio, 34.

87 Cf. Tertuliano, Apol.18,4 (CCL 1,118); cf. De test. anim. 1,7 (CCL 1,176).

88 PGP 26. Cf. Juan Pablo II, Redemptoris missio, 33. Cf. ENEC, 255: «Evangelizar siempre será colaborar en el encuentro personal y comunitario del hombre con Cristo; hacer presente, con la palabra y con la vida, el amor universal de Dios».

89 Cf. Aparecida, 347-364.

90 Aparecida, 358.

91 Cf. Lc 2,1-7.

92 Cf. Mt 2,13-15.

93 Cf. Mt 2,19-23.

94 Cf. Lc 2,41-50.

95 Cf. Lumen gentium, 58; cf. Juan Pablo II, Redemptoris Mater, 18; cf. Catecismo, 165.

96 Cf. Rm 4,18. Cf. Catecismo, 1817-1821, 1843, 2090-2092.

97 Cf. Benedicto XVI, Discurso a los obispos de Cuba en visita ad limina: «En este momento de la historia, la Iglesia en Cuba está llamada a ofrecer a toda la sociedad cubana la única esperanza verdadera: Cristo nuestro Señor, vencedor del pecado y de la muerte (cf. Spe salvi, 27). Esta es la fuerza que ha mantenido a los creyentes cubanos firmes en la senda de la fe y del amor».

98 PGP, 35.

99 COCC, Démonos fraternalmente la paz, 3.

100 PGP, 29.

101 Cf. 1Sam 3,10; Sal 40,8-9.

102 Juan Pablo II, Redemptoris missio, 46.103

103 Cf. PGP, 26; cf. Juan Pablo II, Ecclesia in America, 12.

104 Cf. Rm 10,14.

105 Cf. Aparecida, 365-372.

106 Cf. ENEC, 331.

107 PGP, 35.

108 Cf. Catecismo, 1422-1498. Cf. PGP, 15: «El sacramento de la reconciliación es el menos estimado. La mitad de las parroquias tienen una o dos celebraciones penitenciales comunitarias al año».

109 Aparecida, 267.

Capítulo tercero

María de la Caridad
anima y acompaña a la Iglesia que quiere servir a su pueblo

51. Cristo vino al mundo a cumplir la voluntad del Padre, y la voluntad del Padre es que todos, en Él, tengan vida, vida abundante, nueva y eterna. Por eso se puso a servir y no a ser servido, para dar su vida en rescate por muchos; «el que quiera ser el primero entre ustedes, sea el servidor de todos», les había dicho a sus discípulos. Habiendo amado a los suyos, los amó hasta el extremo… y se ciñó la toalla y les lavó los pies, y les dijo: «Yo les he dado ejemplo para que también ustedes hagan como yo he hecho con ustedes». «¿Tú eres rey?» le preguntó Pilatos. «Yo soy rey; yo para esto he nacido y para esto he venido al mundo, para dar testimonio de la verdad». Pero su Reino no es de este mundo y su reinado consiste en ganarse los corazones de los hombres obrando el bien, curando a los oprimidos por el mal, dando la vida, porque nadie tiene mayor amor que quien da la vida por sus amigos. Pasó por uno de tantos, como un hombre cualquiera, haciéndose obediente hasta la muerte y muerte de Cruz. Desde la Cruz nos lo dio todo, hasta lo último que le quedaba, su propia madre: «Mujer, ahí tienes a tu hijo; y luego dice al discípulo: ahí tienes a tu Madre. Desde aquella hora el discípulo la acogió en su casa» (Jn 19,25-27). La «hora» suprema de la encarnación del Verbo fue la entrega voluntaria de la propia vida al Padre: «todo está cumplido», «en tus manos pongo mi espíritu». Jesucristo es el rostro visible del Dios que es Amor; Jesús es el Siervo de Yahvé y el servidor de la humanidad; es la Caridad de Dios, el amor divino humanado, el amor humano divinizado, es el Dios Amor encarnado.

52. María, en las bodas de Caná, adelanta la «hora» de su Hijo, propicia el inicio de su misión redentora, la manifestación de su verdad y amor, y nos invita a cumplir su voluntad: «Hagan lo que Él les diga» (Jn 2,5). María, presente en todos los momentos de la vida de su hijo Jesús, desde Belén hasta el Gólgota, desde el pesebre hasta la cruz, acompaña también desde el primer momento a la Iglesia naciente, visible en los discípulos de su Hijo. Ella es, en definitiva, la que como primera discípula, desde la encarnación, comienza a construir la Iglesia, la asamblea de los creyentes en Cristo.

53. Por eso María es Madre de la Iglesia, porque engendra a Cristo y porque «engendra» también a los discípulos, indicándoles el camino a seguir: cumplir la voluntad del Padre eterno, poner por obra las palabras de Cristo. Porque es Madre de Cristo, es Madre de la Iglesia; su papel con respecto a la Iglesia deriva directamente de su unión con Cristo. «Por su total adhesión a la voluntad del Padre, a la obra redentora de su Hijo, a toda moción del Espíritu Santo, la Virgen María es para la Iglesia el modelo de la fe y de la caridad. Por eso es 'miembro muy eminente y del todo singular de la Iglesia', incluso constituye 'la figura' (typus) de la Iglesia. Pero su papel con relación a la Iglesia y a toda la humanidad va aún más lejos. 'Colaboró de manera totalmente singular a la obra del Salvador por su fe, esperanza y ardiente amor, para restablecer la vida sobrenatural de los hombres. Por esta razón es nuestra Madre en el orden de la gracia' ».

54. «Como en la familia humana, la Iglesia-familia se genera en torno a una madre, quien confiere 'alma' y ternura a la convivencia familiar. María, Madre de la Iglesia, además de modelo y paradigma de humanidad, es artífice de comunión. Uno de los eventos fundamentales de la Iglesia es cuando el 'sí' brotó de María. Ella atrae multitudes a la comunión con Jesús y su Iglesia, como experimentamos a menudo en los santuarios marianos. Por eso la Iglesia, como la Virgen María, es madre». María, en nuestra tierra, en el hoy de nuestra historia, anima y acompaña a la Iglesia cubana como madre y maestra bajo la advocación de la Caridad. También la Iglesia, como María, quiere y debe ser madre y maestra para el pueblo cubano, ejerciendo la caridad, sirviéndole generosamente.

55. «Llenen las tinajas de agua» (Jn 2,7) es el mandato de Jesús a los sirvientes, ante la presencia de su madre; y de ahí parte su primer signo milagroso. Una constante en los milagros de Jesús es que siempre cuenta con la colaboración y compromiso de quienes le rodean; en la multiplicación de los panes: «denles ustedes de comer» (Mc 6,37); en la pesca milagrosa: «rema mar adentro y echen las redes para pescar» (Lc 5,4); en la resurrección de Lázaro: «muevan la piedra»; «desátenlo y déjenle andar» (Jn 11,39-44). Jesús hace sentir a sus discípulos que su acción salvífica divina pasa por el compromiso y la implicación de quienes de ella participan. El amor de Dios, que pasa por las manos de Jesús, necesita de las manos de los discípulos para llegar definitivamente a los hombres y mujeres de su tiempo. María fue la primera discípula comprometida con la misión de su Hijo, y por eso la llamamos Virgen de la Caridad. Supo intuir la necesidad de los esposos en Caná para comprometerse con ellos. María de la Caridad es modelo de compromiso encarnado para todos los discípulos misioneros que, en Cuba, queremos seguir encarnando a Cristo.

56. «Con los ojos puestos en sus hijos y en sus necesidades, como en Caná de Galilea, María ayuda a mantener vivas las actitudes de atención, de servicio, de entrega y de gratuidad que deben distinguir a los discípulos de su Hijo. Indica, además, cuál es la pedagogía para que los pobres, en cada comunidad cristiana, 'se sientan como en su casa'. Crea comunión y educa a un estilo de vida compartida y solidaria, en fraternidad, en atención y acogida del otro, especialmente si es pobre o necesitado. En nuestras comunidades, su fuerte presencia ha enriquecido y seguirá enriqueciendo la dimensión materna de la Iglesia y su actitud acogedora, que la convierte en 'casa y escuela de la comunión' y en espacio espiritual que prepara para la misión».

57. «Y el agua se convirtió en vino» (Jn 2,9). Jesús viene al mundo para transformar la realidad humana, para convertir las tristezas en alegrías, para curar los corazones desgarrados, para liberar a los oprimidos; el ejercicio de la caridad cristiana es transformar el mundo y la vida de los hombres según el plan de Dios. La alegría humana más auténtica y duradera es la que brota de la acción liberadora de Cristo, fruto de la caridad cristiana. La caridad es el alma de la santidad de la Iglesia y el corazón de su misión. «El menor de nuestros actos hechos con caridad repercute en beneficio de todos, en esta solidaridad entre todos los hombres, vivos o muertos, que se funda en la comunión de los santos». La caridad es la fuerza divina, virtud teologal y don sobrenatural, que nos impulsa a amar a Dios sobre todas las cosas y al prójimo como a uno mismo, a amar como Cristo nos ha amado, a cumplir sus mandamientos, a vivir en la paz y en la libertad de los hijos de Dios, a practicar gozosamente el perdón y la misericordia. «La caridad representa el mayor mandamiento social. Respeta al otro y sus derechos. Exige la práctica de la justicia y es la única que nos hace capaces de ésta. Inspira una vida de entrega de sí mismo: 'Quien intente guardar su vida la perderá; y quien la pierda la conservará' (Lc 17,33)». Al final de la vida, los discípulos de Cristo seremos examinados en el amor caritativo, pues «cada cosa que hicieron a uno de estos mis humildes hermanos, a mí me lo hicieron» (Mt 25,40).

58. La caridad es el servicio que presta la Iglesia para atender constantemente los sufrimientos y las necesidades, incluso materiales, de los hombres. El ejercicio de la caridad pertenece a la naturaleza de la Iglesia y es manifestación irrenunciable de su propia esencia. La justicia nace de la caridad. «El amor —caritas— siempre será necesario, incluso en la sociedad más justa. No hay orden estatal, por justo que sea, que haga superfluo el servicio del amor. Quien intenta desentenderse del amor se dispone a desentenderse del hombre en cuanto hombre. Siempre habrá sufrimiento que necesite consuelo y ayuda. Siempre habrá soledad. Siempre se darán situaciones de necesidad material en las que es indispensable una ayuda que muestre un amor concreto al prójimo». La actividad caritativa de la Iglesia ha de ser la respuesta a las necesidades inmediatas de los pobres, independiente de partidos e ideologías, sin ningún afán proselitista.

59. El papel fundamental de los laicos en la vida de la Iglesia, en relación con el mundo, es transformar la realidad, viviendo su vocación laical en la fe, la esperanza y la caridad. «El deber inmediato de actuar a favor de un orden justo en la sociedad es más bien propio de los fieles laicos. ...la caridad debe animar toda la existencia de los fieles laicos y, por tanto, su actividad política, vivida como 'caridad social'». El amor de Cristo nos apremia para comprometernos en la construcción de una sociedad más justa y caritativa, más acorde con los principios del Evangelio. Hemos de seguir haciendo nuestra, la opción preferencial por los pobres, tan sentida y vivida en nuestras Iglesias hermanas de América Latina y el Caribe. La Iglesia en Cuba ha de seguir creando nuevos espacios para la asistencia social, para la promoción humana, para el diálogo con el mundo de la cultura y de la política; hay que buscar caminos nuevos y creativos, propios o en colaboración, a fin de responder a los efectos de la pobreza en todas sus manifestaciones. En Cuba también hay pobres... pobres en lo material y pobres en lo espiritual. En palabras de la Beata Madre Teresa de Calcuta, pobre es el que no tiene a Cristo. El modelo que tenemos en María de la Caridad nos reclama constantemente una caridad vivida y encarnada en lo concreto de la vida cotidiana.

60. «Uno de los objetivos prioritarios del Plan de Pastoral que ustedes han elaborado —dijo el Papa a nuestros obispos— es justamente la promoción de un laicado comprometido, consciente de su vocación y misión en la Iglesia y en el mundo. Les invito, por tanto, a promover en sus Iglesias particulares un auténtico proceso de educación en la fe en los diversos niveles, con la ayuda de catequistas debidamente preparados. Procuren que todos los fieles tengan acceso a la lectura y meditación orante de la Palabra de Dios, así como a la recepción frecuente del sacramento de la Reconciliación y la Eucaristía».

61. Por el sacramento del bautismo, incorporados a Cristo, los laicos participan de la misión de la Iglesia, sacerdotal, profética y caritativa, según su carácter propio secular. La confirmación es el sacramento que perfecciona la gracia bautismal y que nos da en plenitud el Espíritu Santo para incorporarnos más firmemente a Cristo y hacer más sólido nuestro vínculo con la Iglesia, asociándonos todavía más a su misión, ayudándonos a dar testimonio de la fe cristiana por la palabra acompañada de las obras. Por la confirmación, que es la plenitud del bautismo, el discípulo de Cristo es revestido de la fuerza del Espíritu Santo para ser su testigo, recibe el poder de confesar la fe de Cristo públicamente como tarea o misión.

62. En el tercer año de preparación al Jubileo del 2012, se nos invita a revisar la disciplina del sacramento de la confirmación en relación con el bautismo y la Eucaristía, que completan la iniciación cristiana. La promoción de la identidad laical pasa por fundamentar su especificidad en la gracia sacramental del bautismo y de la confirmación. La gracia de la confirmación es la plenitud del don del Espíritu Santo que impulsa a los laicos a la misión y al compromiso con la transformación de la sociedad, siendo testigos de Cristo con la palabra y las obras. María acompañó a los Apóstoles en la espera del Espíritu Santo. La Virgen fue uno de los miembros de la Iglesia de Jerusalén. Ella, en esa comunidad eclesial, transmite los primeros hechos y experiencias de la vida salvadora de su Hijo, recogidos posteriormente en los Evangelios de Mateo y Lucas. Que Santa María de la Caridad también acompañe a todos los cubanos y cubanas que, cristianos católicos por el bautismo, quieren comprometerse con Cristo y su Iglesia para siempre, recibiendo el sacramento de la confirmación, como discípulos misioneros.

63. Y de nuevo ponemos los ojos en Santa María de la Caridad. «Detenemos la mirada en María y reconocemos en ella una imagen perfecta de la discípula misionera. Ella nos exhorta a hacer lo que Jesús nos diga (cf. Jn 2,5) para que Él pueda derramar su vida en América

Latina y el Caribe. Junto con ella, queremos estar atentos una vez más a la escucha del Maestro, y, en torno a ella, volvemos a recibir con estremecimiento el mandato misionero de su hijo: Vayan y hagan discípulos a todos los pueblos (Mt 28,19). Lo escuchamos como comunidad de discípulos misioneros, que hemos experimentado el encuentro vivo con Él y queremos compartir todos los días con los demás esa alegría incomparable».

Notas

110 Cf. Sal 40,8-9; Lc 2,49; Jn 4,34; 17,4; Mt 26,39; Lc 22,42.

111 Cf. Jn 6,38-40.

112 Cf. Mt 20,25-28.

113 Cf. Jn 13,1-16.

114 Cf. Jn 18,36-37.

115 Cf. Hch 10,38.

116 Cf. Jn 15,13.

117 Cf. Flp 2,7-8; cf. Heb 5,7-10.

118 Cf. Jn 19,30; cf. Lc 23,46.

119 Cf. Benedicto XVI, Deus caritas est, 12. Cf. Aparecida, 392: «Nuestra fe proclama que Jesucristo es el rostro humano de Dios y el rostro divino del hombre».

120 Al inicio de la vida pública de Jesús, encontramos a María en las bodas de Caná, cuando su Hijo realiza su primer milagro, como consecuencia de la intercesión de la Virgen. El imperativo de la madre de Jesús a los sirvientes de la fiesta matrimonial, «hagan lo que él les diga», traspasará las fronteras del pequeño marco de Caná en el siglo I, para indicar a los hombres y mujeres de todos los tiempos, la obediencia a la palabra salvadora de Jesús. Justamente, la narración del primer milagro del Señor, esclarece, de modo admirable, desde la relación de la Virgen con su Hijo, el lugar de ella en la Iglesia: no suplanta a Jesús, pues Él es quien obra el milagro; María sólo intercede. Ella lleva a hombres y mujeres a su Hijo, no a sí misma; pues el Salvador es Jesús. Sigue a Jesús hasta la cruz, cuando es abandonado por la casi totalidad de sus Apóstoles; asociándose al sacrificio de la cruz, la Iglesia la llama con razón la Virgen fiel. Y allí, en la cruz, Jesús agonizante la entregó como Madre a Juan, como Madre de la Iglesia naciente.

121 Cf. Mt 7,21-27.

122 Cf. Catecismo, 963-975.

123 Lumen gentium, 53.

124 Lumen gentium, 63.

125 Lumen gentium, 61.

126 Catecismo, 967-968.

127 Aparecida 268.

128 Cf. PGP, 30: «El Evangelio de la vida, que la Iglesia en Cuba pretende encarnar en la historia concreta de nuestro pueblo, implica el compromiso de los

cristianos hasta la entrega de la propia vida («no hay mayor amor que dar la vida», Jn 15,13) en el anuncio de Jesucristo, en la defensa y promoción de la plena dignidad humana y en la construcción de un mundo más humano y fraterno».

129 Juan Pablo II, Novo millennio ineunte, 50.

130 Juan Pablo II, Novo millennio ineunte, 43.

131 Aparecida, 272.

132 Cf. Lc 4,18-22.

133 Cf. Catecismo, 826.

134 Catecismo, 953; cf. 1Cor 13,1-13.

135 Cf. Catecismo, 1822-1829.

136 Catecismo, 1889.

137 Cf. Benedicto XVI, Deus caritas est, 19.

138 Cf. Benedicto XVI, Deus caritas est, 25; cf. ENEC, 273: «Toda la actividad de la Iglesia es, simplemente, 'címbalo que resuena' (1Cor 13,1) si no nace de la caridad, se nutre de ella y apunta a la concreción de la misma en actitudes y realizaciones de servicio fraterno y desinteresado».

139 Benedicto XVI, Deus caritas est, 28.

140 Cf. Benedicto XVI, Deus caritas est, 31.

141 Cf. Benedicto XVI, Deus caritas est, 39: «Fe, esperanza y caridad están unidas. La esperanza se relaciona prácticamente con la virtud de la paciencia, que no desfallece ni siquiera ante el fracaso aparente, y con la humildad, que reconoce el misterio de Dios y se fía de Él incluso en la oscuridad. La fe nos muestra a Dios que nos ha dado a su Hijo y así suscita en nosotros la firme certeza de que realmente es verdad que Dios es amor».

142 Catecismo, 1939.

143 Benedicto XVI, Deus caritas est, 29: «La Iglesia nunca puede sentirse dispensada del ejercicio de la caridad como actividad organizada de los creyentes y, por otro lado, nunca habrá situaciones en las que no haga falta la caridad de cada cristiano individualmente, porque el hombre, más allá de la justicia, tiene y tendrá siempre necesidad de amor».

144 Cf. Aparecida, 380-430.

145 Cf. PGP, 46.

146 Cf. Aparecida, 409.

147 Benedicto XVI, Discurso a los obispos de Cuba en visita ad limina. Cf. PGP, 9: «Queremos un laicado que, consciente de su vocación y misión, privilegie su acción pastoral entre y con las familias y los jóvenes, y participe en la transformación de la realidad tanto eclesial como social».

148 Cf. Lumen gentium, 31; cf. PGP, 38.

149 Cf. Catecismo, 1285-1321.

150 Cf. Benedicto XVI, Sacramentum caritatis, 17-19.

151 Cf. Hch 1,14.

152 Aparecida, 364.

Conclusión

María de la Caridad, madre de todos los cubanos

64. «Nuestra Iglesia se llena de júbilo por la cercana celebración de los 400 años del hallazgo de la bendita imagen de la Virgen de la Caridad en la Bahía de Nipe, en el año 1612. Ella es la Madre y Patrona del pueblo cubano. A las muchas iglesias y casas donde se encuentra su imagen acuden y rezan los cubanos de toda clase, condición y pensamiento. Alrededor de ella se da la unidad de hijos y hermanos».[153] Con estas palabras saludaron al Papa nuestros obispos en Roma en la reciente visita ad limina.

65. En el año 2012, la Iglesia católica en Cuba invitará a los cubanos a celebrar el gran acontecimiento de los 400 años del hallazgo y la presencia de la imagen de la Virgen de la Caridad del Cobre, fiesta que es de todos. Viviremos intensamente ese Año Jubilar con actos e iniciativas hermanadas que expresen nuestro agradecimiento a Dios Padre por el gran regalo de María bajo la advocación de la Caridad. ¡Cuántos, a través de estos 400 años, nos hemos dirigido a Ella, y hemos encontrado en su dulce mirada y en su manto maternal, el refugio y el aliento para vivir!

66. Pero, ¿qué es un Jubileo? El término «jubileo» expresa alegría, no sólo interior, sino también júbilo que se manifiesta exteriormente.[154] Por eso la Iglesia cubana invita a todos a la celebración alegre y gozosa de este acontecimiento.

67. El uso de los jubileos comenzó en el Antiguo Testamento y continúa en la historia de la Iglesia. El jubileo era un tiempo dedicado de modo particular a Dios. Se celebraba cada siete años, según la ley de Moisés: era el «año sabático», durante el cual se dejaba reposar la tierra, se liberaban los esclavos y se perdonaban todas las deudas.[155] Una de las consecuencias más significativas del año jubilar era la emancipación de todos los habitantes necesitados de liberación y la recuperación de la posesión de la tierra heredada de los padres.[156] El año jubilar debía devolver la igualdad entre todos los hijos de Israel, abriendo nuevas posibilidades a las familias que habían perdido sus propiedades, e incluso, la libertad personal. Era un modo de restablecer la justicia social.[157]

68. «El jubileo, para la Iglesia, es verdaderamente el 'año de gracia', año de perdón de los pecados y de las penas por los pecados, año de reconciliación entre los adversarios, año de múltiples conversiones y de penitencia sacramental y extrasacramental».[158] Se celebran como jubileos los años conmemorativos del misterio de la Encarnación y de la Redención, pero también se pueden celebrar jubilarmente otros acontecimientos particulares significativos para la vida de la Iglesia.

69. La celebración de los cuatrocientos años del hallazgo y la presencia de la imagen de la Virgen de la Caridad es un acontecimiento jubilar para nuestra Iglesia en Cuba. Y es, asimismo, motivo de alegría para toda Cuba, de la que también forman parte nuestros compatriotas que viven más allá de las fronteras geográficas del país, porque somos un solo pueblo.

70. En nuestras ansias de gracia y renovación jubilar para nuestra sociedad cubana es necesario valorar la familia; institución medular de la sociedad que necesita reconciliarse, perdonarse, sanar sus heridas. Solo así y desde el ámbito enriquecido de nuestras familias, podremos fortalecer y construir el pueblo cubano, el pueblo cuya Madre común es la Virgen del Amor, que quiere lo mejor para sus hijos.

71. Deseamos que, con motivo del Jubileo del 2012, nuestra Iglesia católica en Cuba viva un nuevo Pentecostés; queremos que nuestra Iglesia, acompañada por María de la Caridad, se sienta renovada y reconfortada por los dones del Espíritu Santo; anhelamos que el pueblo cubano viva cada vez más los valores del Evangelio de Jesucristo. «En este camino nos precede y acompaña siempre María de la Caridad, 'estrella de la evangelización' y modelo de nuestra Iglesia. Ella ha acompañado a nuestro pueblo, prácticamente desde los inicios de su historia. Ella ha acompañado también el despertar evangelizador de nuestras comunidades y sostenido la fe de nuestra gente sencilla. Y seguirá inspirando siempre nuestra misión en cuanto ella es un signo vivo de la unidad del pueblo cubano y de la comunión a la que estamos llamados todos los cubanos en Cristo por el amor».[159]

72. En unión con el Santo Padre y toda la Iglesia universal, cuando nos disponemos a preparar la celebración del Cuarto Centenario del hallazgo de la venerada imagen de nuestra Señora de la Caridad del Cobre, a ella nos encomendamos con todas nuestras intenciones, y le pedimos que nos proteja y dé fortaleza en nuestra misión de construir el Reino de su hijo Jesucristo en esta tierra en medio del pueblo cubano.

73. Santa María de la Caridad del Cobre, Patrona y Reina de Cuba, ruega por nosotros. Amén.

Notas

153 Alocución del presidente de la COCC, Mons. Juan García Rodríguez, ante el Santo Padre en la visita ad limina.

154 Cf. Juan Pablo II, Tertio millennio adveniente, 16.

155 Cada siete años sabáticos se celebraba un año jubilar, que tenía lugar, por tanto, cada cincuenta años; en el año jubilar se ampliaban las prácticas del sabático y se celebraban con mayor solemnidad. Cf. Ex 23,10-11; Lev 25,1-28; Dt 15,1-6.

156 Cf. Lev 25,10.

157 Cf. Juan Pablo II, Tertio millennio adveniente, 11-13.

158 Juan Pablo II, Tertio millennio adveniente, 14.

159 PGP, 48.

TESTIMONIO DE UN INDIO CONVERSO DE LA FLORIDA EN 1740 SOBRE UNA PROMESA A LA VIRGEN DE LA CARIDAD

Dr. Salvador Larrúa

La guerra de la oreja de Jenkins en la Florida: los ingleses de Georgia atacan San Agustín

El inicio de la guerra de la oreja de Jenkins vino a reforzar los propósitos del general James Edward Oglethorpe, el gobernador de la colonia británica de Georgia que siempre había querido expandir su territorio hacia el sur apoderándose de la provincia española de la Florida. La recién comenzada contienda le vino como anillo al dedo, y comenzó a hacer febriles preparativos de campaña. Armó a los colonos, reunió abastecimientos de boca y de guerra, y renovó los antiguos pactos con los indomables indios creeks a los que dotó con armas y regaló una abundante provisión de «agua de fuego», porque el whisky aseguraba la lealtad y la ferocidad de sus antiguos aliados.

Una vez que juzgó que estaban asegurados los pactos con los indios, Oglethorpe comenzó la marcha hacia el sur, en dirección a San Agustín, ocupando las posiciones españolas y las haciendas. La guerra de la oreja de Jenkins ya había comenzado, y era el marco más propicio para llevar adelante los objetivos del general. Eran momentos en que los españoles se preocupaban ante la presencia de fuerzas navales británicas en el Caribe y pensaban utilizar tropas y embarcaciones para lanzar un ataque contra Georgia desde La Habana, y en medio de estas circunstancias, Oglethorpe trató de adelantarse a sus enemigos y atacó las guarniciones de los fuertes Pupo y Picolata en enero de 1740. En mayo, los ingleses ocuparon varias posiciones abandonadas por los españoles y llegaron hasta el Fuerte Mose, poco después, el 5 de junio, comenzaron el sitio de San Agustín. Como veremos más adelante, la oportuna aparición de las tropas cubanas convirtió en un desastre el intento de Oglethorpe, que tuvo que desistir del sitio y retroceder en desbandada para impedir que la derrota alcanzara proporciones de catástrofe.

La promesa de un indio floridano en 1740 a la Virgen de la Caridad

Los estrechos vínculos entre indios africanos y los expedicionarios cubanos dieron lugar a interesantes adaptaciones culturales, que se

678

pueden vislumbrar de vez en cuando porque quedaron consignadas en hechos históricos. El indio de nación Ibaja Juan Ignacio de los Reyes, un converso bautizado por los franciscanos de la aldea (misión) de Pocotalaca, fue uno de los guerrilleros de la milicia que tenían toda la confianza del gobernador Manuel de Montiano durante el asedio dirigido por el general James Edward Oglethorpe, de la colonia británica de Georgia, en 1740. El indio Juan Ignacio se destacó tanto en diversas acciones de guerra, comportándose como un verdadero héroe, que terminado el sitio, Montiano ordenó a Juan que fuera a La Habana para presentar un informe de reconocimiento al Capitán General Don Juan Francisco Güemes y Horcasitas, por la ayuda prestada a los sitiados de San Agustín.

Para sorpresa del gobernador Montiano, el indio ibaja se rehusó, y el alto funcionario, en un informe al rey fechado el mismo año, explicó su actitud de esta forma:

> *Juan Ignacio tenía que declarar, me dijo, que había hecho una promesa cierta o voto a la Virgen de la Caridad del Cobre, cierta o voto, en caso de que la guerra tuviera un final feliz, por el que desde ese momento de su promesa se comportaría como hombre libre y no como un militar sujeto a disciplina y obediencia, y que el cumplimiento del voto era más importante que recibir honores por cumplir su deber de soldado. Como quiera que Montiano no estaba dispuesto a ponerle a bordo de una embarcación para que se presentara al Capitán General de Cuba obligado por la violencia, lo dejó ir a su propia y libre voluntad de presentarse a Su Excelencia sin el sometimiento a una orden militar directa, para que pudiera cumplir su promesa a la Virgen de la Caridad[840].*

En la carta de Manuel Montiano al monarca resaltan dos aspectos: la sencillez del indio que había cumplido su deber y que no quería premios, sino cumplir su voto a la Virgen, y la actitud comprensiva del alto funcionario, que respetó los sentimientos Juan Ignacio esperando que realizara su encargo por voluntad propia y no por cumplir una orden.

---

[840] Letters of Montiano, Siege of St. Augustine. Collections of the Georgia Historical Society (Savannah, 1909), pp. 20-43, Topping 1978: xv-xvi (Cartas de Montiano, Sitio de San Agustín. Colecciones de la Sociedad Histórica de Georgia (Savannah, 1909), pp. 20-43, editada en 1978: xv-xvi. Ver: Cf. Landers, Jane. An Eighteenth-Century Community in Exile: The Floridanos in Cuba. Department of History, Vanderbilt University, Nashville, TN

Cómo llegó la Virgen de la Caridad a la Florida

El indio converso de nación ibaja Juan Ignacio de los Reyes, puso su promesa a la Virgen de la Caridad del Cobre por encima de cualquier disposición de índole militar. Para él, la santidad de su promesa estaba por encima de los reglamentos e incluso del Capitán General de la Florida, Montiano, o del de la Isla de Cuba, Güemes y Horcasitas. Es interesante conocer de qué forma llegó a tener este indio converso aquella fe y devoción tan fuerte a la Patrona de Cuba, a la que tal vez llegó a conocer por medio del contacto con los soldados cubanos, que por aquella época ya llevaban consigo escarapelas con la imagen de la Virgen, y por tanto contribuyeron a difundir en la Florida la fe en la advocación cubana por excelencia de la Madre de Dios. Por otra parte, no se puede descartar la idea de que la Virgen de la Caridad fuera conocida en la Florida desde una época muy anterior, porque eran muy fuertes los vínculos comerciales, económicos y religiosos entre la isla y la península, subordinada en lo civil a los Capitanes Generales y en lo eclesiástico a los Obispos de Cuba. Los franciscanos de la Provincia de Santa Elena de la Florida, que tenían su sede en La Habana, eran los encargados de las misiones de la península del norte. Muchos de los superiores provinciales fueron cubanos, y también lo fueron numerosos frailes que vivieron su fe en las misiones floridanas e incluso alcanzaron en ellas la palma del martirio, como fray Luis Sánchez y fray Tiburcio Osorio. Como quiera que los franciscanos de Cuba tenían fuertes vínculos históricos con la Virgen desde 1612, año de la aparición, no puede extrañarnos que fueran los franciscanos cubanos quienes difundieran con más éxito la devoción a la Virgen de la Caridad entre los indios conversos de la Florida.

En 1702, el Capitán General Diego de Córdoba encargó al capitán Esteban Berroa el mando de las tropas cubanas que fueron con la doble misión de romper el sitio de la ciudad de Pensacola, amenazada por los ingleses, y proteger San Agustín. Los soldados cubanos integrantes la expedición llevaban escarapelas con la imagen de la Virgen de la Caridad del Cobre, lo mismo que los de la expedición enviada a San Agustín de la Florida en 1718. De la misma forma, los miembros de la expedición enviada por el Capitán General Juan Francisco Güemes en 1740 para socorrer al gobernador Montiano, de San Agustín de la Florida, llevaban escarapelas con la Santa Imagen de la Virgen María de la Caridad, a quien hacían votos y ofrecían promesas, según costumbre antigua que llega hasta hoy, para que la Madre de Dios los amparara y librara de los horrores de la guerra[841]. El indio Juan Ignacio de los Reyes era uno de los jefes militares de más confianza para Manuel Montiano, el gobernador de San Agustín. Probablemente ya conocía a la Virgen de la Caridad, y su fe se incrementaría con la presencia de cientos de soldados cubanos que llevaban consigo la Santa Imagen de su querida Madre y Patrona.

Personalmente pienso que la Virgen de la Caridad fue conocida muy pronto en la Florida, a través de los frecuentes contactos de todas clases con Cuba, ya que eran muy frecuentes los viajes entre La Habana y San Agustín llevando y trayendo soldados, mercancías, misioneros, sacerdotes seculares, obispos y delegados apostólicos en función de Visita Pastoral. A finales del siglo XVII, tal vez antes de que se ordenara levantar los Autos de 1687-1688, por alguno de estos medios o por todos, debe haber llegado la Virgen a la Florida, haciéndose parte de la vida y de la fe de los colonos y sobre todo de los indios conversos, para quienes debió ser muy importante la noticia de que habían sido dos indios los que descubrieran la Santa Imagen de María de la Caridad, flotando sobre las aguas del Mar de las Antillas que baña por igual las playas de la Gran Isla y de la península que se le acerca desde el norte.

Hialeah, 2 de septiembre de 2009

---

[841] Cf. Larrúa, Salvador. Historia de la Virgen de la Caridad del Cobre, Patrona de la Isla de Cuba, Reina y Madre de todos los cubanos. Miami, 2008 (inédito)

TRAYECTORIA DE LA VIRGEN DE LA CARIDAD EN CUBA A PARTIR DE 1612 SEGUN LA HISTORIA, LA TRADICIÓN Y LOS DOCUMENTOS DE ARCHIVOS NACIONALES Y EXTRANJEROS

Dr. Salvador Larrúa
Miami, 2010

Abreviaturas utilizadas en este trabajo para archivos, autores, obras editadas y otras fuentes:

AGI   Archivo General de Indias

AASC   Archivo del Arzobispado de Santiago de Cuba

ACSC   Actas Capitulares del Ayuntamiento de Santiago de Cuba

ANC   Archivo Nacional de Cuba

APA   P. Alejandro Paz Ascanio

APSC   Archivo Provincial de Santiago de Cuba

AUSC   Audiencia de Santiago de Cuba

AUT1   Autos Primitivos levantados en 1628 o 1629 por decisión del Obispo Leonel de Cervantes y el gobernador de Santiago de Cuba Alonso de Cabrera, para reconocer la Virgen de la Caridad y dar carácter oficial a su culto

AUT2   Autos de 1687-1688 con las declaraciones de los testigos del hallazgo de la Virgen de la Caridad en 1612 (AGI, SD, 363)

BR   P. Bernardino Ramírez. Versión expurgada en 1782, de la Historia de la aparición milagrosa... escrita por Onofre de Fonseca en 1701

FOF   Fernando Ortiz Fernández. La Virgen de la Caridad del Cobre, Historia y Etnografía (1928). Impreso por Fundación Fernando Ortiz, La Habana, 2008

FS Félix Soloni. Tríptico. Editorial Soloni, La Habana, 1927

GGA P. Guillermo González Arocha. La piadosa tradición de la Virgen de la Caridad del Cobre. Archivos del Folklore Cubano, Vol. III, abril-junio 1928

IRSP08 Inventario Real en Santiago del Prado, 1608 (AGI, SD, 451)

IRSP20 Inventario Real en Santiago del Prado, 1620 (AGI, SD, 1631)

IRSP48 Inventario Real en Santiago del Prado, 1648 (AGI, SD, 104)

JJB P. Julián Joseph Bravo. Aparición prodigiosa de la Ynclita Ymagen de la Caridad que se venera en Santiago del Prado, y Real de Minas del Cobre (1766).

MSC Mons. Pedro A. Morell de Santa Cruz. La Visita Eclesiástica, Editorial Ciencias Sociales, La Habana, 1985

OPZ Olga Portuondo Zúñiga. La Virgen de la Caridad del Cobre, Símbolo de Cubanía. Editorial Oriente, Santiago de Cuba, 1995

OFA P. Onofre de Fonseca y Arce de Bracamonte: Historia de la aparición milagrosa de Nuestra Señora de la Caridad del Cobre (1701)

RSP Mons. Ramón Suárez Polcari. Historia de la Iglesia Católica en Cuba, Miami, 2003

SD Santo Domingo. Signatura del Archivo General de Indias, AGI, conocida con este título

SLG Historia de la Virgen de la Caridad del Cobre, Patrona de la Isla de Cuba, Reina y Madre de todos los cubanos (en proceso)

Trayectoria de la Virgen de la Caridad y lugares donde ha sido venerada según las crónicas y relatos históricos, así como relatos de testigos en autos y documentos de época, inventarios reales y otras fuentes como el Archivo General de Indias y los archivos cubanos

A continuación se presentan los lugares donde ha sido venerada la Virgen de la Caridad citando en cada caso las fuentes históricas, tradiciones y documentales de donde se obtiene la información.

1. Hallazgo de la imagen de la Virgen flotando sobre una tabla con el letrero «Yo soy la Virgen de la Caridad», en aguas de la bahía de Nipe, probablemente en septiembre de 1612. (AUT2, Declaración de Juan Moreno, AGI, SD, 363; OPZ: 93, OFA: 14-15, o.c., JJB, o.c., FOF, o.c. GGA, o.c.; RSP, o.c., SLG, o.c.)

2. La imagen es trasladada al Hato de Barajagua y se coloca en un altar en la casa de vivienda, probablemente en septiembre de 1612. Se envía un propio al Real de Minas del Cobre (pueblo del Cobre o de Santiago del Prado) para informar del hallazgo al administrador de las minas, capitán Francisco Sánchez de Moya. (AUT2, Declaración de Juan Moreno, AGI, SD, 363; OPZ: 92 (ver mapa) o.c, OFA: 15-16, JJB, o.c., FOF, o.c. GGA, o.c., RSP, o.c., SLG, o.c.)

3. Por orden del citado administrador se construye una ermita para la Virgen en el Hato de Barajagua, al parecer frente a la casa de vivienda, y se coloca la imagen en un altar alumbrado por una lámpara de cobre, fundida con el mineral de las minas por orden de Sánchez de Moya. El indio Rodrigo de Hoyos se encarga del cuidado de la Virgen. (AUT2, Declaración... AGI, SD, 363, OPZ: 93, OFA: 16, JJB, o.c., FOF, o.c. GGA, o.c., RSP, o.c., SLG, o.c.)

4. Llega al Hato de Barajagua fray Francisco Bonilla, portador de un encargo de Sánchez de Moya, para «inspeccionar el caso... enterarse de cómo había ocurrido (el hallazgo de la imagen)... y conducir la sagrada Virgen al Real de Minas...» (probablemente en septiembre de 1612). AUT2, Declaración... AGI, SD, 363, OFA: 16, OPZ: 93, JJB, o.c., FOF, o.c., GGA, o.c., RSP, o.c., SLG, o.c.).

5. La imagen de la Virgen de la Caridad es trasladada a la villa del Cobre o Real de Minas de Santiago del Prado (probablemente entre fines de septiembre y noviembre de 1612). Etapa I: de la ermita erigida en el Hato de Barajagua hasta el Hatillo, a 12 kilómetros del Real de Minas. Etapa II: de el Hatillo al Real de Minas, donde la imagen fue recibida por «mucha infantería» (del pueblo) que salió a recibirla. Esto debe haber sucedido a fines de 1612 (AUT2, Declaración... AGI, SD, 363, OPZ: 93, OFA: 18, GGA, o.c., RSP, o.c., SLG, o.c.).

6. La Virgen fue colocada en un altar de la Parroquia del Real de Minas (según los relatos en el altar mayor), puesta bajo la advocación del Apóstol Santiago. Va a estar allí durante tres años, desde 1613 hasta 1616. (AUT2, Declaración... AGI, SD, 363, OFA: 21, OPZ: 308, FOF, o.c., GGA, o.c., RSP, o.c., SLG, o.c.).

7. La imagen de la Virgen de la Caridad pasa a presidir su propia ermita, seguramente al comenzar 1617. Esta ermita, según el Inventario Real de 1620 (AGI, SD, 1631, IRSP 1620) está puesta bajo la advocación de Nuestra Señora de Guía Madre de Dios de Illescas (aspecto corroborado por FOF: 115, SLG, o.c., OPZ: 97.) y la citada ermita es la misma que existía desde antes de 1608 en el cerro de las minas (AGI, SD, 451, IRSP 1608; FOF: 109; OPZ: 83-84, SLG, o.c.). Además de la imagen de Nuestra Señora de Guía el inventario informa que hay otra imagen de la Virgen. Dice textualmente el Inventario Real:

> *Una ermita que está en el cerro de la mina de la advocación de Nuestra Señora de Guía Madre de Dios de Illescas, cubierta de texa y sobre pilares de madera **con una sta. ymagen de nra. señora de bulto pequeña** y otras ymágenes... (AGI, SD, 1631; también SD, 100).*

La imagen es pequeña, y la Virgen de la Caridad del Cobre sólo tiene 35 centímetros, menos de 14 pulgadas, poco más de un pie de alto). Además, la imagen de la Virgen de la Caridad es una imagen de bulto, y como la Virgen de la Caridad acababa de llegar a Cuba, no había sido reconocida oficialmente por la iglesia y no se podía hacer constar su advocación. Por eso se habla simplemente de *una sta. ymagen de nra. señora de bulto pequeña...*

¿Cuál fue el dictamen que dió la autoridad eclesiástica sobre el asunto?

El hecho de que la ermita estuviera bajo la advocación de Nuestra Señora de Guía no impidió que la imagen de la Virgen de la Caridad también se colocara en el pequeño templo, según el autorizado dictamen del canónigo y rector del Seminario San Carlos, P.

Guillermo González Arocha, quien explicó *que la Virgen de la ermita, aunque el documento de 1620 diga que era Nuestra Señora de Guía, era realmente la Virgen de la Caridad, porque lo portentoso de la aparición hizo probable que la autoridad eclesiástica, ante una nueva advocación y la devoción de los creyentes y devotos, no permitiese que fuese dedicada la ermita o se pusiese bajo patronato de una nueva advocación o devoción, sin tener todos los fundamentos para ello; y que autorizara la dedicación de la ermita a la Santísima Virgen con una advocación ya probada, y por ello nada de particular tiene que el señor Sánchez de Moya hubiese indicado la de Nuestra Señora de Guía Madre de Dios de Illescas, que se veneraba en su país, para llenar lo prescrito; aunque se toleraran los cultos de la imagen aparecida en Nipe. También pudiera ser que en los primeros momentos hubiera muchos que se opusieran o que impugnaran los sucesos de la aparición y dudaran de ella. Como ha acontecido en todas las apariciones que después fueron confirmadas y probadas* (P. Guillermo González Arocha. La piadosa tradición de la Virgen de la Caridad del Cobre. Archivos del Folklore Cubano, Vol. III, abril-junio 1928). Agrega el P. González Arocha que el citado documento o Inventario Real de 1620 *no dice que la imagen de bulto fuese la patrona de la ermita, o sea, la de Nuestra Señora de Guía, sino de Nuestra Señora, sin título ni advocación, pues es probable que una de las imágenes de estampa que se mencionan (en el citado inventario) fuese la de Nuestra Señora de Guía; y puede creerse más bien que esa de bulto pequeña fuese la de la Caridad del Cobre (aparecida en Nipe), y no se hiciese mención de ella, ni en el reconocimiento del apéndice II, ni esté en este, pues sería probable no se autorizara el que se ostentase con esa advocación, aunque los devotos la llamasen con el de la aparecida diciendo «Yo soy la Virgen de la Caridad». No importa que una iglesia estuviese dedicada a una advocación o santo para que su imagen fuese la mejor y ocupara lugar preferente, pues eran muchas las iglesias en que así sucedía...* con estas palabras el P. González Arocha terminó el análisis del asunto (GGA, o.c.). La imagen de la Virgen de la Caridad continuó en la ermita hasta 1637, año en que el pequeño templo fue destruido por el paso de un huracán (OPZ: 102, 103; FOF: 51 (no da fecha para el paso del fenómeno meteorológico); OFA: 22)

8. En 1628 o 1629[842] el Obispo Leonel de Cervantes y Carvajal y el gobernador de Santiago de Cuba, Alonso de Cabrera, hicieron levantar unos Autos (denominados Autos Primitivos de la Virgen de la Caridad, en documento que se consigna como AUT1), en los que se plasmó la historia de la Virgen hasta esa fecha. Es probable que la ermita del cerro de las minas se pusiera bajo la advocación de la Virgen de la Caridad a partir de ese momento, ya que los Autos Primitivos constituían el reconocimiento oficial de la Iglesia Católica y la autoridad civil a la Virgen aparecida en Nipe en 1612 (FOF: 50-57; FS, o.c.; OFA: 22). Los Autos Primitivos desaparecieron destruidos por un «temporal de agua» (sic) durante el ciclón que pasó por la villa del Cobre en 1637 (OFA: 22; FOF: 51, OPZ: 103).

9. En sustitución de la ermita destruida por el paso del huracán de 1637, se construye un nuevo templo entre 1637 y 1638 (OPZ: 102; FOF: 70-71; SLG, o.c.), *que está en lo alto del cerro donde están las minas, la qual es nueba y cubierta de teja*, datos que consigna expresamente el Inventario Real levantado en 1648, unos años después (AGI, SD, 104, IRSP48). Según se consigna en el mismo Inventario Real, *la ermita está puesta bajo la advocación de la Virgen de la Caridad.* Este documento es el más antiguo que se conoce hasta el momento, en el cual aparece el nombre de la Virgen de la Caridad, así como la ermita puesta bajo su advocación con todos los útiles que conforman su inventario.

10. Hacia 1678 los cobreros financian la construcción de un nuevo Santuario de la Virgen de la Caridad (OPZ: 121; SLG, o.c.; AGI, SD, 1627), que se mantendrá funcionando con diversos altibajos hasta 1906.

11. Para designar capellanía en el Santuario del Cobre, el cabildo catedralicio de Santiago de Cuba decide levantar los Autos de 1687-1688, cuya importancia está dada por el reconocimiento oficial del culto a la Virgen de la Caridad por el citado cabildo, con la anuencia del Obispo Diego Evelino y Hurtado (Compostela) y de Su Majestad el rey Carlos II (1665-1700) en virtud del Real Patronato. La tarea se encomendó al P. Juan Ortiz Montejo de la Cámara, cura rector de la parroquia del Cobre, por comisión del P. Roque de Castro Machado,

---

[842] En algún momento entre 1628 y 1629, pues fue en este período que se encontraron juntos el obispo y el gobernador en las eclesiástica y civil de Santiago de Cuba, de forma simultánea.

juez oficial, Provisor y Vicario General de Santiago de Cuba y su distrito (AUT2, AGI, SD, 363; OPZ, o.c.; SLG, o.c.). En el expediente de rigor los Autos de 1687-1688 aparecen precedidos por una Real Cédula de S. M. Felipe V que data de 1737, y sucedidos por informes del obispo Mons. fray Juan Lazo de la Vega y Cansino, que datan de 1737-1738. Estos agregados que forman parte del expediente incorporan 20 páginas al texto del documento original.

12. En 1756 el Obispo Pedro Agustín Morell de Santa Cruz describió el Santuario de la Virgen de la Caridad en su exterior e interior y relacionó los ornamentos de la Virgen (MSC, o.c.; OPZ, o.c.; SLG, o.c.).

13. En 1766 el capellán beneficiado del Santuario del Cobre, Julián Joseph Bravo, escribe su «Aparición prodigiosa de la Ynclita Ymagen de la Caridad que se venera en Santiago del Prado, y Real de Minas del Cobre».

14. En 1805 se agranda el Santuario del Cobre gracias a las limosnas de los creyentes, incrementando su capacidad (ACSC, Ayuntamiento de Santiago de Cuba, Actas Capitulares No. 18, 10.XII.1805).

15. En 1832 se decidió suspender las excavaciones de túneles mineros cercanos al Santuario por temor a posibles derrumbes. Se tomaron precauciones para garantizar la seguridad de la imagen de la Virgen (ANC, AUSC, legajo 880, no. 30980, Santiago de Cuba, 19.XII.1834, P. Alejandro Paz Ascanio).

16. El 20 de agosto de 1852 un terremoto conmovió Santiago de Cuba y su distrito. Se desplomó la torre del Santuario de la Virgen de la Caridad. Las paredes de la capilla se cuartearon, el presbiterio quedó bastante deteriorado. La imagen de la Virgen fue trasladada primero a la parroquia y después a una capilla improvisada en la plaza de la villa, por temor a que se derrumbara la iglesia[843] (AASC. Informe de Francisco Ramón de Vega, El Cobre, 31.VIII.1852; oficio de Francisco Ramón de Vega al Provisor y Vicario General del Arzobispado de 13.VIII.1852).

---

[843] Estorch, Miguel. Apuntes para la historia sobre el terremoto que tuvo lugar en Santiago de Cuba y otros puntos el 20 de agosto de 1852 y temblores subsiguientes,. Imprenta de Loreto Espinel, Santiago de Cuba, 1852, p. 25

17. Entre 1852 y 1875 se añadieron dos naves laterales a la nave central del Santuario de la Virgen de la Caridad. El altar mayor se hizo de mármol y el piso se cubrió de losetas de ese mismo material. Se le adicionaron dos torres, una para reloj, regalo de la Compañía Consolidada (de las minas); la otra, para campana y cúpula. También se edificaron dos altares más y ventanas con vidrios de colores[844].

18. A fines de 1868 Carlos Manuel de Céspedes, que reconocía la tradición religiosa y estimaba la devoción a la Virgen de la Caridad como poderoso recurso de la unión entre los cubanos, visitó el Santuario acompañado por las tropas mambisas y los moradores (del Cobre) quienes «acompañándose con sus tumbas, marugas y otros instrumentos de origen africano» le rindieron un tributo patriótico a la Virgen[845].

19. En 1898, el 12 de octubre, el Mayor General Calixto García Íñiguez, al no poder entrar con sus tropas en Santiago de Cuba para estar presente durante la rendición del ejército español, envió al general Agustín Cebreco, con el Estado Mayor y el grueso del ejército, a celebrar el triunfo de las armas cubanas en el Santuario del Cobre: en ese acto, donde se ofició una misa solemne y se cantó el Te Deum por el triunfo de las armas cubanas, los mambises pusieron su victoria a los pies de la Virgen, y se leyó la que pasó a la historia con el nombre de *Declaración Mambisa de la Independencia del Pueblo Cubano.*

20. En 1901 el Arzobispo de Santiago de Cuba, Mons. Francisco de Paula Barnada y Aguilar, el primer cubano que ocupó la sede primada de la Isla, realizó conjuntamente con Mons. Donato Sbarretti, Obispo de La Habana, los primeros trámites para que la Santa Sede Apostólica proclamara Patrona de la Isla de Cuba a Nuestra Señora, la Virgen de la Caridad del Cobre como parte del creciente reconocimiento eclesiástico a la más querida advocación mariana.

21. 1902. El Pbro. Tirso Sánchez publicó en este año una **Historia de la aparición de la Santísima Virgen de la Caridad y de los Remedios del Cobre en Santiago de Cuba,** y en este mismo año, fray Paulino Alvarez o.p., dominico, residente en el Convento de San Juan

---

[844] Salcedo, Max. Breve historia del Santuario del Cobre. Perfiles, 1 (16), El Lápiz Rojo, septiembre de 1929.

[845] Pirala, Antonio. Anales de la Guerra de Cuba. Tomo I, Felipe González Rojas, ed., Madrid, 1896, p. 234

de Letrán, publicó la ***Breve historia de la Virgen de la Caridad del Cobre seguida de un triduo y novena***, en la Tipografía El Santísimo Rosario, Vergara, España

22. Derrumbes en las galerías subterráneas de las minas próximas al Santuario de la Virgen de la Caridad pusieron en gran peligro la integridad del edificio, el 11 de mayo de 1906. La Santa Imagen fue trasladada a una casa del pueblo del Cobre y el 7 de septiembre de 1910 se decidió trasladarla y fue colocada en la parroquia (AASC, legajo 26. Santiago de Cuba, 26.V.1908). Allí permaneció hasta 1927, año en que se concluyó la construcción del Santuario del Cobre.

23. En 1915 los veteranos de las guerras de independencia de Cuba solicitan a Su Santidad Benedicto XV que la Virgen de la Caridad sea declarada Patrona de Cuba, en acto solemne celebrado en el Santuario del Cobre. Por rescripto pontificio de 10 de mayo de 1916 se declaró a la Virgen de la Caridad, Patrona de la República de Cuba.

24. En 1916 la antigua Iglesia de Guadalupe de La Habana pasa a ser el Santuario Occidental de la Virgen de la Caridad del Cobre.

25. En 1917 los Obispos Católicos de Cuba emiten una Carta Pastoral sobre la construcción de un nuevo Santuario y la coronación de la Virgen Santísima de la Caridad[846].

26. El 8 de septiembre de 1918 se colocó la primera piedra del nuevo Santuario del Cobre en las alturas de La Maboa, en presencia de la Santa Imagen de la Virgen que fue trasladada a este sitio desde la parroquia del pueblo del Cobre (OPZ, o.c.; SLG, o.c.).

27. Bajo los auspicios del Arzobispo de Santiago de Cuba, Mons. Valentín Zubizarreta y Unamunsaga, las obras del nuevo Santuario de la Virgen de la Caridad quedaron concluidas en 1927 (OPZ, o.c.; SLG, o.c.).

28. El día 28 de noviembre, por la noche, la Virgen de la Caridad del Cobre, que había viajado desde Oriente, llegó a La Habana para presidir el Congreso Católico Nacional. En la Plaza Cívica la muchedumbre

---

[846] Carta Pastoral que acerca de la construcción del Santuario del Cobre y de la Coronación de la Virgen Santísima de la Caridad dirigen al clero y pueblo fiel de sus Diócesis los Yllmos. y Rvdmos. Sr. Arzobispo y obispos de la Provincia Eclesiástica de Santiago de Cuba, Habana, 1917

esperaba a la Virgen rezando y cantando. Cuando apareció la pequeña imagen morena dentro de su urna de cristal, ya perlado por la lluvia, se alzaron las antorchas, las cruces y las banderas y más de un millón de pañuelos blancos se agitó en la noche mientras una voz poderosa, coreada por la multitud, entonaba las letanías de Nuestra Señora: «*Ave inesperada, Gaviota de Nipe, Paloma del Cobre, Madre de la Caridad, Patrona de Cuba, Virgen Mambisa...*» algunos soldados llevaron la querida imagen hasta su altar y de inmediato comenzó la Santa Misa en la que ofició Mons. Enrique Pérez Serantes, Arzobispo de Santiago de Cuba, quien dirigió emotivas palabras a la multitud. En primera fila se encontraba Fidel Castro con las más altas figuras del gobierno. Como siempre, la traición quería estar en la primera fila... era el acto cumbre del Congreso Católico Nacional: un momento solemne en el que la Gracia del Señor se derramó, extensa y numerosa, sobre los presentes. *Mucho necesitábamos aquella Gracia en momentos en que se iniciaban la confusión y el desconcierto: quién sabe qué habría sido de nosotros si la Virgen y Dios no hubieran estado presentes.*

29. El 30 de diciembre de 1977, el Santuario Nacional de la Virgen de la Caridad del Cobre fue proclamado Basílica Menor por Su Santidad el Papa Paulo VI en virtud de una Bula Apostólica de Concesión de 6 de junio de 1968 que fue traída a Cuba por el Cardenal Bernardin Gantin, Prefecto Emérito de la Congregación para los Obispos y Decano emérito del Colegio de Cardenales.

30. El 22 de enero de 1998, Su Santidad Juan Pablo II, en la Misa efectuada este día en Santa Clara ante cientos de miles de personas, dejó este mensaje: «*¡Cuba: cuida a tus familias para que conserves sano tu corazón!*». Juan Pablo II llegó a Santa Clara, para denunciar la situación en la que se encuentra la familia cubana y asegurar que el futuro de este país se encuentra precisamente en esta «célula fundamental de la sociedad». *Nuestra Señora de la Caridad del Cobre es la Madre de la familia cubana...*

31. Al llegar el 23 de enero de 1998, Su Santidad Juan Pablo II ofició la Misa en honor a la juventud cubana, *hija de la Virgen de la Caridad del Cobre*, ante una colosal muchedumbre reunida en la Plaza Ignacio Agramonte, en la ciudad de Camagüey

32. El 24 de enero de 1998, S.S. Juan Pablo II efectúa la II Coronación Canónica de la Virgen de la Caridad. La Virgen de la

Caridad del Cobre recibe la Coronación Canónica de manos del Sumo Pontífice, Su Santidad el Papa Juan Pablo II, en su histórica visita a la Isla de Cuba. Este día el Papa celebró la Santa Misa en Santiago de Cuba, ante una muchedumbre de fieles emocionados. Nuestra Señora saldrá de nuevo de su Santuario para recorrer la Isla puesta bajo su Patronazgo Maternal. A continuación presentamos la

ORACIÓN DEL PAPA JUAN PABLO II
AL CORONAR LA VIRGEN
NUESTRA SEÑORA DE LA CARIDAD DEL COBRE
El 24 de enero, de 1998

¡Virgen de la Caridad del Cobre.
Patrona de Cuba!
¡Dios te salve, María, llena de gracia!
Tú eres la Hija amada del Padre,
la Madre de Cristo. nuestro Dios,
el Templo vivo del Espíritu Santo.
Llevas en tu nombre, Virgen de la Caridad,
la memoria del Dios que es Amor
el recuerdo del mandamiento nuevo de Jesús,
la evocación del Espíritu Santo:
amor derramado en nuestros corazones,
fuego de caridad enviado en Pentecostés
sobre la Iglesia,
don de la plena libertad de los hijos de Dios.

¡Bendita tú entre las mujeres
y bendito el fruto de tu vientre, Jesús!
Has venido a visitar nuestro pueblo
y has querido quedarte con nosotros
como Madre y Señora de Cuba,
a lo Largo de su peregrinar
por los caminos de la historia.
Tu nombre y tu imagen están esculpidos
en la mente Y en el corazón de todos los cubanos,
dentro fuera de la Patria,
como signo de esperanza y centro de comunión fraterna.

¡Santa María. Madre de Dios y Madre nuestra!
Ruega por nosotros ante tu Hijo Jesucristo,
intercede por nosotros con tu corazón maternal,
inundado de la caridad del Espíritu.
Acrecienta nuestra fe, aviva la esperanza,
aumenta Y fortalece en nosotros el amor

692

Ampara nuestras familias,
protege a los jóvenes y a los niños,
consuela a los que sufren.
Sé Madre de los fieles y de los pastores de la Iglesia,
modelo y estrella de la nueva evangelización.
¡Madre de la reconciliación!
Reúne a tu pueblo disperso por el mundo.
Haz de la nación cubana un hogar de hermanos y hermanas
para que este pueblo abra de par en par
su mente, su corazón y su vida a Cristo,
único Salvador y Redentor, que vive y reina con el Padre y el Espíritu Santo,
por los siglos de los siglos.

Amén.

33. El 25 de enero de 1998, en La Habana, capital de Cuba, y ante una impresionante concentración de un millón de personas reunidas en la Plaza Cívica, presidida por una gran imagen de Jesús, Su Santidad Juan Pablo II celebró la Santa Misa *en el altar presidido por Nuestra Señora de la Caridad, que vino desde su Santuario en la Basílica Menor del Cobre para presidir la Eucaristía.*

Miami, 9 de enero, 2010

VIRGEN DE LA CARIDAD: HALLAZGOS EN EL ARCHIVO DE INDIAS ENRIQUECEN LAS HISTORIAS DE CUBA Y DEL ESTADO DE LA FLORIDA.
PRIMERA PARTE

Dr. Salvador Larrúa

Aparecen documentos antiguos sobre la Virgen de la Caridad

Después de un año de investigaciones y consultas con el Archivo General de Indias, Sevilla, España, el 14 de enero de 2010 se dio a conocer el hallazgo de documentos para la historia de la Virgen de la Caridad del Cobre que completaban el legajo con las declaraciones de Juan Moreno sobre el hallazgo de la imagen en 1612 flotando sobre la bahía de Nipe, encontrado en 1973 por el Dr. Leví Marrero, pero sólo se conocía parte del expediente que mandó formar el rey de España a comienzos del siglo XVIII, que se completó con los nuevos documentos localizados en 2009-2010.

Entre los documentos que aparecieron está el Inventario Real de 1648 en el pueblo del Cobre, que mandó realizar el rey de España, donde se lee que la Virgen de la Caridad ya estaba en su ermita. Es el documento más antiguo de la historia de Cuba en que aparece el nombre de la Virgen, 40 años anterior al que localizó el Dr. Marrero en 1973, que data de 1688.

Septiembre, 2010: exitosas investigaciones en el Archivo de Indias

Con la seguridad de que en el Archivo de Indias se conservaban otros documentos vinculados a esa historia, se procedió a realizar una investigación preliminar en los ocho primeros meses del 2010 y finalmente viajé a Sevilla donde permanecí del 1 al 30 de septiembre. En el Archivo de Indias examiné 36 legajos y se contrató la microfilmación de unas 20,000 páginas de documentos históricos desconocidos sobre la trayectoria de la Virgen durante la época colonial del siglo XVII al XIX. Entre ellos, algunos dan fe de que su devoción llegó a la Florida en el transcurso del siglo XVII, porque los misioneros franciscanos, soldados y personas residentes en Cuba, la trajeron consigo y su imagen llegó a ser conocida y venerada por los indios de este territorio.

La voluminosa información vinculada a la Virgen prueba de forma la fuerza e importancia que alcanzó su culto. El hallazgo de un Inventario Real del año 1622 proporciona pistas sobre la Virgen de la Caridad en ese año, y pasa a ser el documento más antiguo que conocemos, 26 y 65 años anterior al Inventario de 1648 y a las declaraciones de Juan Moreno en 1687-1688, respectivamente. Otro Inventario de 1655, en el que se nombra a la Virgen, contribuye a localizar y fijar la trayectoria de la querida imagen a lo largo del tiempo.

Muchos testimonios enriquecen la historia, como una narración de 1769, inédita, en la que un capellán del Santuario narra la aparición y los acontecimientos vinculados a la Virgen hasta ese año, así como correspondencia de obispos, cartas de gobernadores, permisos para erigir templos y fundar cofradías de la Virgen, como la primera que se creó en 1706 en La Habana en la iglesia del Espíritu Santo, descripciones de los Santuarios del Cobre realizadas en momentos diferentes a lo largo del tiempo, la historia de la villa del Cobre, contenida en legajos que suman más de 3,000 páginas que narran acontecimientos cuyo protagonista principal es la Virgen, misivas de los delegados del Cobre a las Cortes españolas, donde se menciona a la Virgen como personaje central que inspira la existencia de la villa, cartas, informes y expedientes sobre su culto en Cuba y fuera de Cuba...

Infinidad de documentos que hablan de la Virgen. Permisos para colocar imágenes en altares (como en la Iglesia de Santo Tomás Apóstol, en Santiago de Cuba), Sancti Spíritus, Bayamo, El Caney, Jiguaní, Puerto Príncipe, La Habana), otros sobre la erección de ermitas bajo la advocación de la Virgen, cartas y documentos importantes de los capellanes del Santuario, una descripción detallada de su construcción y de la empinada escalinata de un cuarto de legua que sube la montaña, edificada con maderas cubanas de la Sierra del Cobre y piedras de cantera que se subían en carretas o a hombros, declaraciones sobre los prodigios de la Virgen durante la construcción.

También legajos de historia de la Iglesia que abarcan la correspondencia de los obispos de Cuba desde 1608 hasta 1850, material valiosísimo e indispensable para la Historia Eclesiástica y Civil de Cuba, en particular la correspondencia regular, edictos, autos, oficios, sínodos, documentos sinodales... informes detectados en 14 legajos de la Florida colonial que tratan de materias eclesiásticas, Visitas Pastorales de obispos de Cuba y delegados episcopales en función de visitadores pastorales, órdenes religiosas y en particular los franciscanos, clero secular, los obispos cubanos en funciones en el territorio, e información sobre la Virgen de la Caridad en la Florida. Todo de gran valor para la historia de este estado, ya que la documentación encontrada, unida a la que hemos reunido en Archivos cubanos, permite una profunda visión del acontecer de la sociedad y la Iglesia en la Florida española y facilita el conocimiento y la redacción de su historia desde el siglo XVI.

Los documentos encontrados en septiembre y los que irán apareciendo con el examen minucioso de los microfilms que serán remitidos desde España en varias etapas (ya que era imposible leer más de 30,000 páginas de documentos antiguos durante un mes de trabajo en el Archivo, y el examen detallado se realizará a su llegada a Miami) dan una idea de la gigantesca magnitud del fenómeno religioso que protagonizó y protagoniza la Virgen de la Caridad del Cobre, Patrona de Cuba.

Importancia de estos hallazgos

Hace 20 años comencé estudios sobre la Patrona de Cuba, en el marco de mis primeros libros de historia de la iglesia cubana. Pronto advertí la enorme influencia de la Virgen cubana por excelencia, en el acontecer de mi país, y su enorme poder de convocatoria que descansa en la fe colectiva y en el hecho de ser Ella el emblema fundamental del catolicismo y la religiosidad popular. Al mismo tiempo, era y es el centro de otro fenómeno de carácter patriótico religioso: el de ser el primer símbolo de la Patria y de la Nación cubana.

¿Cómo y por qué sucedió y sucede todo esto? ¿Por qué la Virgen María, en su advocación de la Caridad[847], ejerce este inmenso poder sobre el pueblo de Cuba? Todos los cubanos conocen la pequeña imagen, de 35 centímetros de alto, que fue encontrada flotando hace ya cuatrocientos años, flotando en las aguas de la gran bahía de Nipe, todavía estremecidas por el paso reciente de un huracán: su aparición dio comienzo a un fenómeno de religiosidad colectiva de grandes proporciones, porque la imagen desplazó las advocaciones marianas que habían sido importadas de España, algunas muy famosas y queridas en la península, para imperar sola de forma indiscutible en la fe de los cubanos.

Desde entonces, la fama de la Virgen de la Caridad no ha dejado de crecer, y bastaría recordar que su historia es una parte muy importante y poco conocida de la historia nacional porque la Patrona de Cuba es el Primer Símbolo de la Patria, anterior al himno, la bandera y

---

[847] Caridad: reina de las virtudes teologales y la más importante, es la expresión más pura y sublime del amor de Dios.

el escudo, y el ícono mayor de la religiosidad católica de los cubanos. Ella presidió el inicio y el fin de las luchas por la independencia en 1898, cuando en el Santuario del Cobre se efectuó la Misa Solemne con Te Deum por la victoria de las armas de Cuba sobre España, y se leyó la Proclamación Mambisa de la Independencia de Cuba a los pies de la Virgen.

Desde entonces se han filmado películas, se han escrito cientos de poemas en su honor, varios libros de historia desde el 1700 hasta el momento actual, miles y miles de homilías, sermones artículos, innumerables promesas, se levantaron dos Santuarios en la isla, el primero en 1670, 88 templos, y una ermita en la Florida que es otro Santuario de la Virgen... Nuestra Madre de la Caridad, centro e inspiración de las luchas por la independencia, fue y sigue siendo objeto de peregrinaciones nacionales, se le han dedicado estampas y gozos, su presencia se manifiesta en todas las casas, donde nunca faltan un cuadro, una imagen o un pequeño altar de la Virgen de la Caridad, en la religiosidad popular, en las manifestaciones de religiosidad sincrética, y todo eso tiene lugar donde quiera que esté un cubano, en Cuba y fuera de Cuba. La Virgen de la Caridad es Cuba, Cuba es la Virgen de la Caridad. Dijo Su Santidad el Papa Pío XII en una alocución radial al pueblo de Cuba, el 24 de febrero de 1947, estas palabras proféticas:

«Cuba es la tierra de la Madre de Dios, porque sobre ella reina como Patrona desde hace casi medio siglo, **Nuestra Señora de la Caridad del Cobre»**,

y efectivamente Ella es el alma de Cuba, tocada por la virtud de la Caridad, y lo fue tanto en los tiempos antiguos de los que se ha perdido la memoria, como en el momento actual.

Dr. Salvador Larrúa
Miami, 9 de noviembre de 2010

BIBLIOGRAFÍA DE LA HISTORIA DE NUESTRA SEÑORA, LA VIRGEN DE LA CARIDAD DEL COBRE, PATRONA DE LA ISLA DE CUBA, REINA Y MADRE DE TODOS LOS CUBANOS

Archivo General de Indias (AGI), Sevilla, España. Signaturas fundamentales: Santo Domingo, Patronato Regio, Papeles de Cuba, Indiferente General, Secretaría de Guerra, Ultramar, Nueva España

Archivo Nacional de Simancas (ANS)

Otros Archivos españoles

Archivo Nacional de Cuba (ANC)

Archivo del Arzobispado de La Habana (AAH)

Archivo del Arzobispado de Santiago de Cuba (AASC)

Archivo del Arzobispado de Camagüey (AAC)

Archivo de la Delegación Franciscana de Cuba (ADFC)

Archivo de la Iglesia de la Merced, de La Habana (AIM)

Archivo de la Florida Colonial Hispana (AFCH)

Archivo de la Sociedad Histórica de Georgia (ASHG)

BIBLIOGRAFÍA ACTIVA Y PASIVA

Abdala Pupo, Oscar. Los primeros culíes chinos en Santiago de Cuba. Rev. Del Caribe, no. 21, Santiago de Cuba, 1993

Abril Amores, Eduardo. Adentro, bien adentro del alma cubana. Editorial El Arte, Manzanillo, 1945

Academia de la Historia de Cuba. Papeles existentes en el Archivo General de Indias relativos a Cuba y muy particularmente a La Habana, tomos I y II, Imprenta El Siglo XX, La Habana, 1931

Acción Católica Universitaria (ACU)). Encuesta de la Acción Católica Universitaria sobre la religiosidad en Cuba. Buró de Información y Propaganda de la ACU, La Habana, 1954

Acosta y Albear, Francisco. Compendio histórico del pasado y presente de Cuba y de su guerra de insurreccional hasta el 11 de marzo de 1875, con algunas apreciaciones relativas á su porvenir. Imprenta de Juan José de las Heras, Madrid, 1875

Acta de la Visita Canónica de Antonio María Claret. Camagüey, Iglesia de San Lázaro, 25.VIII.1851

Adán Galarreta, Luis. La Obra de San Juan de Dios. Un cubano héroe de la Caridad: Fray José Olallo Valdés. Camagüey, 1916

Agramonte, Arturo. Cronología del Cine Cubano. Ediciones ICAIC, La Habana, 1996

Aguilar, Alberto. Illescas: Historia de la Caridad. Boletín de la Sociedad Española de Excursiones no. 42, 1935

Aguilar, Alberto. Illescas: Notas históricas. Boletín de la Sociedad Española de Excursiones no. 35, 1927

Aguilar, Alberto. Illescas: Relicario de la Iglesia del Hospital de la Caridad. Boletín de la Sociedad Española de Excursiones no. 1, 1942

Aguirre, Sergio. Historia de Cuba 1492-1790. Editora Nacional de Cuba, La Habana, 1966

Ahumada y Centurión, José. Memoria histórico-política de la Isla de Cuba. Librería e Imprenta de A. Pego, 1874

Alonso, Gustavo CMF. Al servicio de una comunidad misionera. Escritos del Padre General a la Congregación Claretiana (1979-1991). Roma-Madrid, 1991

Álvarez Pedroso, Armando. Cristóbal Colón. Premio Nacional de Cuba por unanimidad en el Segundo Congreso de Historia Latinoamericana convocado por la Oficina de Cooperación Intelectual de la Unión Panamericana, Washington, D.C. Ediciones Cultural S.A., La Habana, 1944

Alvarez, fray Paulino. Breve historia de la Virgen de la Caridad del Cobre seguida de un triduo y novena. Tipografía El Santísimo Rosario, Vergara, 1902

Amador Morales, Dora. La fe de los balseros y la Virgen. Art. en Cuba Católica, 17 de noviembre del 2007

Amodio, Emmanuela. Relaciones interétnicas en el Caribe indígena. Una reconstrucción a partir de los primeros testimonios europeos. Art., Revista de Indias, 51, España

Andueza, J. M. de. Isla de Cuba pintoresca, histórica, literaria, mercantil e industrial. Boix Ed., Madrid, 1841

Anónimo. Artículo «Romerías de Mayo». Dirección Municipal de Cultura. Holguín, 2006

Anónimo. Breve noticia de la hermandad de la Santa Caridad de nuestro señor Jesucristo y descripción de su iglesia y hospital. Imprenta y Lib. de Sobrino de Izquierdo, Sevilla, 1921

Anónimo. El Cine Cubano (1897-1971): Esbozo de su Trayectoria. (Inédita). Cinemateca de Cuba, La Habana

Anónimo. El Padre Olallo: Corona Fúnebre, Periódico El Camagüeyano , Camagüey, 10 de marzo de 1889

Anónimo. Las fiestas de ayer en la villa del Cobre. Diario de Cuba, Santiago de Cuba, 9.IX.1918

Anónimo. Historia de la imagen de Nuestra Señora de la Caridad que se venera en Sanlúcar de Barrameda... (...) Ver: Portuondo Zúñiga, Olga.

La Virgen de la Caridad del Cobre, Símbolo de Cubanía. Editorial Oriente, Santiago de Cuba, 1995

Anónimo. Nra. Sra. de Belén, Lib. Novena de Nuestra Señora de la Caridad del Cobre. La Habana, (s/f)

Anónimo. Rezo y rogativa dedicado a la virgen santísima de la Caridad del Cobre. Seoane y Fernández, La Habana, s/f

Antuña, Rosario. Órbita de Emilio Ballagas. Ediciones Unión, La Habana, 1965

Archivio Segreto Vaticano (ASV). (Archivo Secreto Vaticano)

Archivo de la Catedral de Santiago de Cuba (ACSC). Cabildo Eclesiástico

Archivo del Arzobispado de Santiago de Cuba (AASC). Inventario de Nuestra Señora de la Caridad y Remedios, villa del Cobre, 13.IX.1851

Archivo del Museo Catedral de Santiago de Cuba (AMCSC)

Archivo General de Indias (AGI). Audiencia de Santo Domingo

Archivo General de Indias (AGI).Colección de Documentos Inéditos

Archivo Histórico de la Orden Franciscana en Cuba (AHOFC)

Archivo Histórico de los Padres Paúles. Biblioteca de la Iglesia de la Merced, La Habana

Archivo Histórico de Santiago de Cuba (AHSC). Ayuntamiento, Actas Capitulares

Archivo Histórico Nacional (AHN). Ecco., Inquisición

Archivo Histórico Provincial de Camagüey (AHPC). Fondo Jorge Juárez Cano

Archivo Literario de la Biblioteca del Instituto de Literatura y Lingüistica (ALBILL). La Habana, Cuba. Fernando Ortiz: Virgen de la Caridad. Apuntes, opiniones, notas, documentos, investigaciones

Archivo Nacional de Cuba (ANC). Academia de la Historia

Archivo Nacional de Cuba (ANC). Fondo: Correspondencia de los Capitanes Generales

Archivo Nacional de Cuba (ANC). Realengos

Archivo Nacional de Madrid (ANM)

Archivos del Folklore Cubano, vol. III, 1, enero-marzo de 1982

Armas, Emilio de. Un regalo de Dios al pueblo de Cuba. Mons. Pedro Meurice Estíu cumple 50 años de servicio pastoral. La Voz Católica, Arquidiócesis de Miami

Armas y Céspedes, José de. Frasquito. Imprenta y Papelería La Universal, La Habana, 1894

Arnaiz, Francisco José. El mundo religioso taíno visto por la fe católica española. La Cultura taína, Sociedad Estatal V Centenario, Ed. Turner, España, 1989

Arrate, José Ma. Félix de. Llave del Nuevo Mundo, Antemural de las Indias Occidentales. 3ª. edición, México, 1727

Arrom, José Juan. Certidumbre de América. Editorial Letras Cubanas, La Habana, 1980

Arrom, José Juan. Criollo: definición y matices de un concepto. Art. Rev. Hispania, 34, USA, mayo de 1951

Arrom, José Juan. La lengua de los taínos; aportes lingüísticos al conocimiento de su cosmovisión. La Cultura taína, Sociedad Estatal V Centenario, Ed. Turner, España, 1989

Arrom, José Juan. Mitología y artes prehispánicas de las Antillas. Siglo Veintiuno ed., Méjico, 1975

Art. Entrevista a Mons. Agustín Román. La Voz Católica, Miami, IX 2001

Arzobispado de La Habana. Novena a la Santísima Virgen de la Caridad del Cobre patrona de Cuba; recuerdo de la Guerra de Independencia (Habana, enero de 1898). Imprenta La Universal, La Habana, 1926

Arzobispado de Santiago de Cuba. Carta Pastoral que acerca de la construcción del Santuario del Cobre y de la Coronación Canónica de la Virgen Santísima de la Caridad dirigen al Clero y pueblo fiel de sus Diócesis los Yllmos. y Rvdmos. Sr. Arzobispo y Obispos de la provincia eclesiástica de Santiago de Cuba, La Habana, 1917

Arzobispado de Santiago de Cuba. Relación de Capellanes del Santuario de Nuestra Señora de la Caridad del Cobre

Bacardí Moreau, Emilio. Doña Guiomar: tiempos de conquista, t. I. Instituto Cubano del Libro, La Habana, 1931

Bacardí y Moreau, Emilio. Crónicas de Santiago de Cuba, tomos I al X, Tipografía Arroyo Hermanos, Santiago de Cuba, 1924

Bacardí y Moreau, Emilio. Vía Crucis. Editorial Letras Cubanas, La Habana, 1979

Bachiller y Morales, Antonio. Tipos y costumbres de la Isla de Cuba. La Habana, 1871

Balboa y Troya de Quesada, Silvestre de. Espejo de Paciencia. Instituto Cubano del Libro, Editorial Arte y Literatura, La Habana, 1975

Ballagas, Emilio. Cielo en rehenes. Huerga y Fierro Editores, Madrid, 1999

Baquero, Gastón. La sensibilidad religiosa en Cuba. En: Libro de Cuba, Edición Conmemorativa del 50 Aniversario de la Independencia 1902-1952, y del 100 Aniversario del Nacimiento de José Martí, 1853-1953. Publicaciones Unidas S.A., La Habana, 1954

Baralt, Francisco. Ferias del Cobre. El Redactor, Santiago de Cuba, p. 1, 26.IX.1847

Barnet, Miguel. Raíces. En: La fuente viva. Editorial Letras Cubanas, La Habana, 1983

Barrajón, Pedro A. San Rafael Guízar Valencia, Obispo Misionero. Asociación Cultural Carrasco, S.C., México, 2006

Barrios, Emiliano. Centenario del P. Valencia. Camagüey, 1938

Basulto de Montoya, Flora. Tierra Prócer. Camagüey, 1955

Beaín, Fr. Victorio. Labor Pastoral de los Franciscanos en Cuba (desde la Restauración... hasta la Revolución). Archivo Franciscano del Santuario de San Antonio de Padua, La Habana, 2004. Fotocopia del original

Benítez Rojo, Antonio. Para una valoración del libro de viajes. Revista Santiago 26-27, Santiago de Cuba, junio-septiembre de 1977

Berenguer y Sed, Antonio. Tradiciones villaclareñas I y II. Imprenta y Papelería de Rambla, Bouza y Cía., La Habana, 1929-1932

Betancourt Ronquillo, Agustín. Discurso sobre el P. Olallo, Camagüey, Archivo del Arzobispado de Camagüey (AAC). Fondo Asuntos Históricos, 2.VI.1889

Betancourt, I. Ramón de. Una feria de la Caridad en 183..., Cuento camagüeyano redactado en 1841. Imprenta Militar de Soler, La Habana, 1858

Biaín, Fr. Vitorio, o.f.m. Labor Pastoral de los Franciscanos en Cuba (desde la restauración hasta la revolución). San Antonio de Padua, La Habana, 2000

Boix Comas, Alberto. Así es Cuba. Artes Gráficas, La Habana, 1948

Boletín Eclesiástico de La Habana (BELH)

Bolívar Aróstegui, Natalia. Los orishas en Cuba. Ediciones Unión, La Habana, 1990

Bolívar Aróstegui, Natalia; Porras Potts, Valentina. Orisha Ayé: unidad mitológica del Caribe al Brasil. Ediciones Pontón S.A., Guadalajara, España, 1996

Borges Morán, Pedro. Conquista y evangelización: influencias mutuas. En: Descubrimiento y fundación de los reinos de Indias (1475-1600). La huella de España en América. Colección Oficial de Doctores y Licenciados de Madrid, 1988

Bosch, Juan. Cuba, la isla fascinante. Colección América Nuestra. Ed. Universitaria S.A., Santiago de Chile, 1955

Boza Masvidal, Mons. Eduardo. Los Cuatro Tronos de la Virgen de la Caridad. En: Voces del Destierro, Miami, 1997

Boza Masvidal, Mons. Eduardo. Art. Voz en el Destierro. Revista Ideal, Miami, 1997

Bravo, Juan Joseph. Aparición prodigiosa de la Ynclita Ymagen de la Caridad que se venera en Santiago del Prado, y Real de Minas del Cobre. Santiago de Cuba, 1766

Buró de Información y Propaganda de la Acción Católica Universitaria (ACU).Encuesta de la Acción Católica Universitaria, 1954

Busch López, Emeterio. Años y experiencias. P. Fernández y Cía., Santiago de Cuba, 1956

Busch López, Emeterio. Del Santiago Colonial. Editorial Ross, Santiago de Cuba, 1944

Busch López, Emeterio. Historia de Santiago de Cuba. Editorial Lex, La Habana, 1947

Calcagno, Francisco. Diccionario Biográfico Cubano. Imprenta y Librería de N. Ponce de León, New York, 1878

Callejas, José María. Historia de Santiago de Cuba. Imprenta La Universal, La Habana, 1911

Cambra, P. Osvaldo. Síntesis biográfica del P. Valencia. Camagüey, 1998

Cantero, Araceli M. Las Hijas de la Caridad y la Archicofradía atienden a miles de peregrinos. Artículo en La Voz Católica, Miami, 2007

Carbonell, Néstor. Papeles existentes en el Archivo General de Indias relativos a Cuba y muy particularmente a La Habana, Imprenta El Siglo XX, La Habana, 1931

Carta Pastoral del Excmo.e Iltmo. Sr. Arzobispo de Santiago de Cuba, Fray Francisco Sáenz de Urturi y Crespo. Tipografía de Manuel Morales y Hernández, Santiago de Cuba, 1897

Casas, Bartolomé de las. Brevísima relación de la destrucción de Las Indias. Editorial de Ciencias Sociales, La Habana, 1977

Casas, Bartolomé de las. Historia de las Indias (3 t.). Editorial Aguilar, Madrid, s/f

Casas, Bartolomé de las. Historia de las Indias. Madrid, 1961

Casas, Juan Bautista. La guerra separatista de Cuba; sus causas medios de terminarla y de evitar otras. Ed. Tipográfico San Francisco de Sales, Madrid, 1896

Cassá, Roberto. Los indios de Las Antillas. Editorial Mapfre, Madrid, 1992

Castellanos, Gerardo. Historia en Santiago, reflejos de un Congreso. Talleres Tipográficos Alfa, La Habana, 1946.

Castellanos, Gerardo. Huellas del pasado; viajes por Cuba. Editorial Hermes, La Habana, 1925

Castellanos, Gerardo. Relicario Histórico de Guanabacoa. La Habana, 1948

Castro Ruz, Fidel. La Historia me Absolverá. La Habana, 1961

Cavero, s.j., P. Donato.Vida Católica, hoja semanal. Vedado, La Habana, 1978, 19.V.1968.

Cisneros, Rafael Antonio. La Danza de los Millones. Imp. Hermann´s Erben, Hamburgo, 1923

Claret, Antonio María. Escritos Autobiográficos. La Editorial Católica S.A., Madrid, 1981

Colón, Cristóbal. Enciclopedia Microsoft ® Encarta ® 99, ® 1993-1998, Microsoft Corporation

Conferencia de Obispos Católicos de Cuba. Encuentro Nacional Eclesial Cubano. Editora Amigo del Hogar, Santo Domingo, 1988

Congreso Catequístico Nacional de La Habana, 1937.Álbum de Recortes de Pnensa. En: Biblioteca de la Iglesia de la Merced, Casa Central de los Paúles, La Habana

Consejo Episcopal Latinoamericano (CELAM). Iglesia y religiosidad popular en América Latina. Ponencias y Documento Final. Secretariado General del CELAM, Santafé de Bogotá, 1977

Corral, José Isaac. Derecho Minero Cubano. Sociedad Editorial Cuba Contemporánea, La Habana, 1920

Crónica Oficial del Primer Congreso Catequístico Diocesano de La Habana. Archivo Franciscano del Santuario de San Antonio de Padua. La Habana, 1937

Cutié, Alberto. Haznos un solo pueblo bajo tu manto protector. La Voz Católica, Miami, Fl., 30.IX.2003

Chamah, F. David y Diego Grullón, José Editores. Álbum Conmemorativo del Primer Congreso Eucarístico Diocesano y de la Coronación Nacional de la Virgen de la Caridad del Cobre, Patrona de la República, celebrado en Santiago de Cuba en 1936, P. Fernández y Cía. S. en C., La Habana, 1927

Chaurrondo Izu C.M., P. Hilario Recopilación de datos e informes de la Congregación de la Misión en la Provincia de las Antillas. Tomo I, Iglesia de la Merced, La Habana

Chaurrondo Izu C.M., P. Hilario. Relación de los Obispos de Cuba. Instituto del Libro, La Habana, 1968

Chaurrondo, P. Hilario C.M. Historia de las Misiones Parroquiales 1953-1954. En: Biblioteca de la Iglesia de la Merced, La Habana

Chaurrondo, P. Hilario C.M. Los Paúles en las Antillas. Cuba, 1925-1962. Copia mecanografiada. En: Biblioteca del Arzobispado de La Habana

Chaurrondo, P. Hilario C.M. Obra de las Misiones Parroquiales 1927-1928. Imprenta La Milagrosa, La Habana, 1928

Chaurrondo, P. Hilario C.M. Relación de los Obispos de Cuba. Instituto Cubano del Libro, La Habana, 1960

Conferencia de Obispos Católicos de Cuba (COCC). Devociones Marianas en Cuba. Documentos del Primer Congreso Eucarístico Nacional, La Habana, 1947

De Dios, Horacio. Crónicas de un Viajero. Colección Crónicas,. Ediciones Universal, Miami, 2002

De Herrera-Vaillant, Antonio A. La Virgen de la Caridad del Cobre, el Hidalgo Sánchez de Moya y la supervivencia de Santiago de Cuba. Ed. Hidalguía, Madrid, 1982

De la Torre, Rogelio. El Sistema Educacional. Cuban Center for Cultural, Social & Strategic Studies, Inc., Miami, 1999

De Rojas, Alma. Cubanía and Caridad. A comparative analysis of Cuban Marianism. Florida International University, Miami, Fl., 2004

del Niño Jesús, P. Eusebio, c.d. Compendio biográfico del Padre Valencia. Camagüey, 1926

del Valle, P. Raúl. El Cardenal Arteaga – Resplandores de la púrpura cubana. La Habana, 1954

Díaz de Villar, Delia. Historia de la Virgen de la Caridad. Enciclopedia de Cuba, Enciclopedia y Clásicos Cubanos, t. 6, 1974

Duany Berié, Antonio. El Cobre y su término. Apuntes históricos. Tipografía Hermanos Arroyo, Santiago de Cuba, 1929

Dussel, Enrique D. Historia General de la Iglesia en la América Española, tomo I/1. CEHILA, Ediciones Sígueme, 1983

Encuentro Nacional Eclesial Cubano (ENEC). Documento Final. Tipografía Don Bosco, Roma, 1987

Enríquez de Armendáriz, Fray Alonso, Obispo de Cuba (1610-1624). Relación de lo espiritual y temporal del Obispado de Cuba, vida y costumbres de todos sus eclesiásticos, escrita por orden del rey Don Felipe III, por Fray Alonso Enríquez de Armendáriz, Obispo de Cuba. Memorias de la Sociedad Patriótica de La Habana, Sección de Antigüedades, 2da. Serie, t. III, La Habana, 1847

Erenchun, Félix. Anales de la isla de Cuba. Diccionario administrativo, económico, estadístico y legislativo. Imprenta La Antilla, La Habana, 1858

Errasti, fr. Mariano o.f.m. América Franciscana. CEFEPAL, Santiago de Chile, 1986

Escoto, Augusto. Colón y la Orden de San Francisco. En: Revista San Antonio de Padua, La Habana, 12.X.1918

Escoto, Augusto. Contribución a la Historia de la Primera Orden Franciscana en la Isla de Cuba. La Habana, 1918

Eseverri Chaverri, Cecilio. En el Umbral del Amor. El Siervo de Dios José Olallo Valdés, O.H. Barcelona, 1995

Estorch, Miguel. Apuntes para la historia sobre el terremoto que tuvo lugar en Santiago de Cuba y otros puntos el 20 de agosto de 1852 y temblores subsiguientes. Santiago de Cuba, 1853

Fernández Santalices, Manuel. Cuba: catolicismo y sociedad en un siglo de independencia. Caracas, 1996

Figueredo Socarrás, Fernando. Oriente, apuntes de un viaje. Imprenta el Siglo XX, La Habana, 1914

Fita Colomer, P. Félix, s.j. artículo en el Boletín de la Academia de la Historia (de España), XVIII, 1981

Flores Peña, Ysamur and Evanchuk, Roberta J. Santeria Garments and Altars: Speaking without a Voice. Jackson: UP of Mississippi, 1994

Flores, Stefano de, y Meo, Salvatore. Nuevo Diccionario de Mariología. Ediciones Paulinas, Roma, 1988

Foner, Philip S. La Guerra Hispano-Cubano-Americana y el nacimiento del imperialismo norteamericano. Madrid, 1975

Fonseca, Onofre de; Ramírez, Bernardino; y Veyrunes Dubois, Antonio. Historia de la Milagrosa Aparición de Nuestra Señora de la Caridad, Patrona de Cuba, y de su Santuario de la Villa del Cobre. Imprenta del Real Consulado de Santiago de Cuba Loreto Espinel, 1830

Fonseca, Pbro. Dn. Onofre de Historia de la aparición milagrosa de Nuestra Sra. de la Caridad del Cobre. (Introducción del P. Alejandro Paz Ascanio). Impresa en el Real Consulado de Santiago de Cuba por D. Loreto Espinel, 1830

Fonseca, Presbítero Onofre de. Historia de la aparición milagrosa de Nuestra Señora de la Caridad del Cobre, sacada de un manuscrito. Imprenta Fraternal, La Habana, 1840

Fonseca, Presbítero Onofre de. Historia de la aparición milagrosa de Nuestra Señora de la Caridad del Cobre sacada de un manuscrito que (...) primer capellán que fue de ella, componía por el año de mil setecientos tres, y sacada de los autos que en el mil seiscientos ochenta y ocho se formaron ante juez competente, los cuales se hallan en el archivo de la Santa Casa, por el presbítero Don Bernardino Ramírez; capellán que también fue de la Virgen. Imprenta de Daniel Bermúdez, La Habana, 1916

Forte, Maximilian C. Extinction: The Historical Trope of Anti-Indigeneity in the Caribbean. Caribbean Amerindian Studies, Vol.VI, no.4, August 2004-August-2005

Gaceta Oficial de la República de Cuba, 14.VIII.1960

Galarreta, Luis Adán. Artículo: El Padre Valencia y la epidemia de cólera. El Pueblo, Camagüey, octubre 12, 1835

García de Arboleya, José. Manuel de la Isla de Cuba; compendio de su historia, geografía, estadística y administración. Segunda edición. Imprenta del Tiempo, La Habana, 1859

García del Pino, César. Documentos para la Historia Colonial de Cuba. Editorial de Ciencias Sociales, La Habana, 1988

García Enseñat, Ezequiel. La media luna de la imagen de la Virgen del Cobre. Nota en Archivos del Folklore Cubano, 5(1): 33, La Habana, enero-marzo, 1930

García, Mons. Juan, Arzobispo de Camagüey. Intervención en la V Conferencia Episcopal de América Latina y el Caribe, el 9 de junio del 2007, en el Santuario Nacional de Nuestra Señora de la Concepción Aparecida, en Brasil

García Pons, César. El Obispo Espada y su influencia en la cultura cubana. Ministerio de Educación, La Habana, 1951

García, Alicia. Investigación del CECREM. Tesis de grado sobre la arquitectura religiosa colonial. La Habana, 2007

Gerart, R.H. Álbum gráfico e historia de la Virgen de la Caridad del Cobre, Patrona de los Cubanos; su aparición milagrosa. Imprenta J. Hernández Lápido, La Habana, 1930

González del Valle, Francisco. El clero en la revolución cubana. Revista Cuba Contemporánea, 18 (2), p. 163, octubre de 1918

González Loscertales, Vicente; Roldán de Montaud, Inés. La minería del cobre en Cuba. Su organización, problemas administrativos y repercusiones sociales 1828-1849. Revista de Indias (159-162): 256-299, Madrid, enero-diciembre, 1980

González y Arocha, Guillermo. Estudio del escrito de Miss Irene Aloha Wright: Nuestra Señora de la Caridad del Cobre, Santiago de Cuba, Nuestra Señora de la Caridad de Illescas, Castilla, España. Seoane y Fernández, La Habana, 1928

González y Arocha, Guillermo. Historia de la Virgen de la Caridad del Cobre. Boletín de las provincias Eclesiásticas de la República de Cuba, (8-3), La Habana, agosto de 1932 a marzo de 1933

González y Arocha, Guillermo. Historia de Nuestra Señora de la Caridad del Cobre. Semanario Católico, La Habana, 1930

González y Arocha, Guillermo. La piadosa tradición de la Virgen de la Caridad del Cobre. Archivos del Folklore Cubano, 3 (2), La Habana, abril-junio, 1928

Graham, Margaret. Religious Penetration and Naturalism in Cuba: United States Methodism Activities 1898-1958. Puerto Rico, 1978

Grenier, Guillermo and Pérez, Lisandro. The Legacy of Exile: Cubans in the United States. Pearson Education, New York, 2003

Guerra y Sánchez, Ramiro. Manual de Historia de Cuba. Editorial de Ciencias Sociales, La Habana, 1968

Guerra y Sánchez, Ramiro; Pérez Cabrera, José M.; Remos, Juan J.; Santovenia, Emeterio S. Historia de la Nación Cubana. Editorial Historia de la Nación Cubana S.A., La Habana, 1952

Guerrero Suárez, Jorge. Cuadernos de la Cineteca Nacional Mexicana, tomo 8, Ediciones Cineteca Nacional, Ciudad de México, D.F., diciembre de 1978

Hall, Stuart. Cultural Identity and Diaspora. Diaspora and Visual Culture: Representanting Africans and Jews. Ed. Nicholas Mirzoeff. New York, Routledge, 2000

Hernández Balaguer, Pablo. Los villancicos, cantadas y pastorelas de Esteban Salas. La Habana, 1986

Hernández de Ribadeneira, Santiago (Conde de Villamar). Crónica Fragmentaria del P. Valencia

Hernández, Jorge Luis. Artículo: Una visita a El Cobre en marzo de 1993. Revista del Caribe no. 21, Santiago de Cuba, 1993

Hernández, M. Historia de la Virgen de la Caridad del Cobre, Patrona de los Cubanos. Su aparición milagrosa. Imprenta M. Comas, La Habana, 1915

Herrera, Antonio de. Historia de las Indias. Madrid, 1946

Herrera, María Cristina. Fundadora Instituto de Estudios Cubanos (IEC) Miami. Art. La huella de la Iglesia en Cuba 1959-2007, Miami, 3.II.2007

Hewitt, Julia Cuervo. Ifá: Oráculo Yoruba-Lucumí. Revista Cuban Studies, University of Pittsburgh, Winter, 1983

Ibarra Albuerne, Raúl. Breve historia de Santiago de Cuba. Santiago de Cuba, 1948

Ibarra Albuerne, Raúl. Narraciones y leyendas de Santiago de Cuba. Santiago de Cuba, 1945

Ibarra, Jorge. Nación y cultura nacional. Editorial Letras Cubanas, La Habana, 1981

Imbelloni, Rafael. Concepto y Praxis del Folklore como Ciencia. Buenos Aires, 1943

Jacobs, H.P. The Spanish Period of Jamaica History. The Jamaica Historical Society, Kingston, march 1957

Jiménez II, Mariano. Pueblos y lugares de Cuba: Guanabacoa. La Habana, 2007

Juan Pablo II. Mensajero de la verdad y la esperanza. Textos de la visita de Su Santidad Juan Pablo II a Cuba. Ediciones Universal, Miami, 1998

Juan Pablo II. Discurso Inaugural de la IV Conferencia General del Episcopado Latinoamericano, Santo Domingo, República Dominicana, octubre de 1992. Copyright®Librería Editrice Vaticana

Juárez Cano, Jorge. Apuntes de Camagüey. Imprenta El Popular, Camagüey, 1929

Juárez Cano, Jorge. Artículo «La Romería», periódico El Camagüeyano, 1938

Junta Nacional de la Acción Católica Cubana. Primer Catálogo de las Obras Sociales Católicas de Cuba. La Habana, 1953

Kirk, John M. Between God and the Party: Revolution and Politics in Revolutionary Cuba. University of South Florida Press, Tampa, 1989

Lachataignerai, Dr. Rómulo. Artículo: La religión santera y el milagro de la Caridad del Cobre. Diario de Cuba, Santiago de Cuba, 27.XI,1936

Larrúa Guedes, Salvador. Cinco Siglos de Evangelización Franciscana en Cuba. Custodia Franciscana del Caribe, Puerto Rico, 2004

Larrúa Guedes, Salvador. Entrevista al P. Luis Morín Moro, s.j. Iglesia del Sagrado Corazón (Reina), La Habana, 2002

Larrúa Guedes, Salvador. La Virgen de la Caridad del Cobre. L´Osservatore Romano no. 4, Ciudad del Vaticano, 23 de enero de 1998

Larrúa Guedes Salvador. Primera entrevista a Mons. Agustín Román. Ermita de la Caridad, Miami, 24.V.2007

Larrúa Guedes, Salvador. Grandes Figuras y Sucesos de la Iglesia Cubana. Publicaciones del Centro de Estudios Sociales P. Juan Montalvo s.j., Santo Domingo, 1997

Larrúa Guedes, Salvador. Grandes Figuras y Sucesos de la Orden Franciscana en Cuba. Custodia Franciscana del Caribe, Puerto Rico, 2004

Larrúa Guedes, Salvador. Historia de la Iglesia Cubana (en su contexto socioeconómico y cultural). Original en poder del autor. La Habana, 1994

Larrúa Guedes, Salvador. Historia de la Orden de Predicadores en la Isla de Cuba. Siglo XXI Impresores LTDA., Santafe de Bogotá, Colombia, 1998

Larrúa Guedes, Salvador. La Academia Católica de Ciencias Sociales y el Primer Código del Trabajo de Cuba. Gráficas ANAROL, MÁLAGA, 2002

Larrúa Guedes, Salvador. La aparición de Nuestra Señora de la Caridad del Cobre: tres hipótesis. Palabra Nueva, órgano de la Arquidiócesis de La Habana, no. 50, septiembre de 1996

Larrúa Guedes, Salvador. La Obra Social de la Iglesia Católica en Cuba de 1902 a 1958. Arquidiócesis de La Habana, revista Palabra Nueva, no. 108, La Habana, 2002

Larrúa Guedes, Salvador. La religiosidad popular en Cuba – de la colonia a la República. Conferencia Magistral dictada en The University of Alabama, Tuscaloosa, Al., marzo del 2004

Larrúa Guedes, Salvador. Por la Senda de los Misioneros: Historia de los Padres Paúles en Cuba. La Habana, 1994

Larrúa Guedes, Salvador. Presencia de los Dominicos en Cuba. Universidad de Santo Tomás, Santafe de Bogotá, 1997

Larrúa Guedes, Salvador. Vida y Obra del Padre Valencia. Imprenta Nátcher S.L., Valencia, 2004

Le Riverend, Julio. Breve historia de Cuba. Editorial de Ciencias Sociales, La Habana, 1978

Le Roy y Cassá, Jorge. Historia del Hospital San Francisco de Paula. La Habana, 1958

Lebroc Martínez, P. Reynerio. San Antonio María Claret, Arzobispo Misionero de Cuba. Orinoco Artes Gráficas S.A., Madrid, 1992

Leiseca, Juan Martín. Apuntes para la historia eclesiástica de Cuba. Editorial Caracas, La Habana, 1938

López, Carmela. Boletín de Maestras Católicas: Conozca Camagüey a través de sus lugares históricos, leyendas y tradiciones... 9.II.1956

Loret de Mola, Carlos. Ángel sin ojos – la vida milagrosa de San Rafael Guízar Valencia. Segunda edición, México, 2006

Lozano, Juan Manuel. El Corazón de María en San Antonio María Claret. Madrid, 1963

Marrero Companioni, Abel. Tradiciones camagüeyanas. Camagüey, 1960

Marrero, Levi. Cuba: Economía y Sociedad. Editorial Playor, Madrid, 1974

Marrero, Levi. Los esclavos y la Virgen del Cobre: dos siglos de lucha por la libertad. Conferencia en Re-encuentro cubano, 1979. Ver: Indice, julio-agosto, año I, no. 2, 1994

Mártir de Anglería, Pedro. Décadas del Nuevo Mundo. Ediciones Bajel, Buenos Aires, 1944

Matthews, Herbert. Artículo en el New York Times, 15.VI.1957

Maza Miquel, P. Manuel s.j. El alma del negocio y el negocio del alma. Departamento de Publicaciones, Pontificia Universidad Católica Madre y Maestra, Santo Domingo, 1990

Maza Miquel, P. Manuel s.j. El clero cubano y la independencia. Publicaciones del Centro de Estudios Sociales P. Juan Montalvo s.j., Santo Domingo, 1993

Maza Miquel, P. Manuel s.j. Entre la ideología y la compasión. Guerra y Paz en Cuba 1895-1903. Santo Domingo, 1997

Medina, José Toribio. La imprenta en Bogotá y la Inquisición en Cartagena de Indias, Editorial ABC, Bogotá, 1952

Mensaje de la Conferencia de Obispos Católicos de Cuba. El Amor todo lo Espera (La Habana, 8 de septiembre de 1993). La Voz de la Iglesia en Cuba: 100 Documentos Episcopales. Obra Nacional de la Buena Prensa, México, D.F., 1995

Miranda, Salvador. Episcopologio de la Iglesia Católica en Cuba © 2000-2006 (hasta 23.II.2006). Biblioteca de la Universidad Internacional de la Florida

Miyares, Manuel María. Artículo «Invitación religiosa». El Redactor, Santiago de Cuba, p. 3, 19.IX.1847

Mora, Justino de la. Apuntes Biográficos del Beato Mons. Rafael Guízar y Valencia, quinto Obispo de Veracruz (México). Xalapa, 1994

Morales Patiño, Osvaldo. Jamaica Española. Escuela de Estudios Hispanoamericanos, Sevilla, 1952

Morales, Fray Francisco o.f.m. Franciscanos en América. Quinientos Años de Presencia Evangelizadora. Méjico, 1993

Morejón Hernández, Danilo. Las huellas del dragón en La Habana. (Artículo). Universidad Nacional

Morell de Santa Cruz, Pedro Agustín. Historia de la Isla y Catedral de Cuba. Academia de la Historia de Cuba, La Habana, 1929

Morell de Santa Cruz, Pedro Agustín. La Visita Eclesiástica. Editorial de Ciencias Sociales, La Habana, 1985

Nápoles Fajardo, Juan Cristóbal. Poesías Completas. Editorial Arte y Literatura, La Habana, 1974

Núñez Jiménez, Antonio. El Pico Turquino: exploración y estudio. Sociedad Espeleológica de Cuba, La Habana, 1945

Núñez Lloret C.M., P. Raúl. Testimonio sobre Mons. Pedro Meurice Estíu, durante una entrevista realizada en el año 1998 en los claustros de la Iglesia de la Merced, de La Habana

O´Kelly, James. La tierra del mambí. Instituto del Libro, La Habana, 1968

Ortega Alamino, Card. Jaime L. Te Basta mi Gracia. Ediciones Palabra, S.A., Madrid, 2002

Ortega Alamino, Mons. Jaime. Homilía pronunciada por S. E. el Cardenal Jaime Ortega en la Santa Madre Iglesia Catedral de La Habana, el 23 de abril del 2007, al celebrarse dos años del inicio del Pontificado de Su Santidad Benedicto XVI. Palabranueva.net, Revista de la Arquidiócesis de La Habana, no. 163

Ortiz, Fernando. Archivo de la Biblioteca de Literatura y Lingüística, La Habana, Cuba. Fondo Fernando

Ortiz, Fernando. La expresión musical de los negros africanos. En: Órbita de Fernando Ortiz. Ediciones Unión, La Habana, 1973

Ortiz, Fernando. Los Cabildos Afrocubanos. La Habana, 1921

Ortiz, Fernando. Los factores humanos de la cubanidad. Orbita de Fernando Ortiz., Ed. Julio Le Riverend, Unión de Escritores y Artistas de Cuba (UNEAC), La Habana, 1973

Ortiz, Fernando. Los negros brujos. Editorial de Ciencias Sociales, La Habana, 1995

Ortiz, Fernando. Los negros esclavos. Editorial de Ciencias Sociales, La Habana, 1996

Ortiz, Fernando. Recortes del Dr. D. Fernando Ortiz. En: Biblioteca Cubana de Literatura y Lingüística (ALBILL), La Habana

Ortiz, Fernando. Notas de Fernando Ortiz para el estudio de la Virgen de la Caridad. En: Biblioteca Cubana de Literatura y Lingüística (ALBILL), La Habana

Osés Alzúa y Cooparaccio, Joaquín de. Libro que contiene la erección de la Santa Iglesia Catedral de Santiago de Cuba, autos de ordenanzas... reales cédulas... etc., todo lo que se mandó compilar por el Illmo. Sr. Dr. D. Joaquín de Osés Alzúa y Cooparaccio, Obispo de Cuba, en el Año de 1796. Imprenta Ángela y María, Enramadas bj. 32, Santiago de Cuba, 1887

Osés y Alzúa, Illmo. Sr. Dr. Joaquín de. Fomento de la Agricultura e Industria de la parte oriental de la Isla de Cuba. Memorias de la Sociedad Patriótica de La Habana, La Habana, 1880

Padre Valencia. Archivo del Arzobispado de Camagüey (AAC). Cartillas de Rezos.

Pané, Fray Ramón. Relación acerca de las antigüedades de los indios. Editorial de Ciencias Sociales, La Habana, 1990

Panet, Carolina. Cantares locales cubanos. Archivos del Folflore Cubano, La Habana. Vol. I

Parra R., P. René, Pbro. Reencuentro con Mons. Pedro Meurice, Cubacatolica Artículos y Opiniones. 06.27.06, Miami, 2006

Peláez Prineda, Rosa. Art. Presencia de la Virgen de la Caridad en la historia del pueblo cubano. Revista Vitral, Diócesis de Pinar del Río

Pérez Cabrera, José M. Historiografía de Cuba, IPGH, Méjico, 1962

Pérez Cabrera, José Manuel. Breves apuntes para la Historia de la Iglesia en Cuba. Mecanografiados. En: Biblioteca del Seminario de San Carlos y San Ambrosio, La Habana

Pérez Varela, Mons. Angel. Apuntes para una historia de la Iglesia en Cuba (mecanografiados), Biblioteca del Arzobispado de La Habana

Pérez Varela, Mons. Angel. Historia de la Iglesia en Cuba y en América Latina. Original mecanografiado. Iglesia de Regla, La Habana, 1992

Pérez, Maritza. Explotación de las Minas de El Cobre 1900-1918. Inédito.

Pérez-Beato, Dr. Manuel. Habana Antigua: Tomo I, Toponimia. Seoane, Fernández y Ca. Impresores, La Habana, 1936

Pérez Serantes, Mons. Enrique. Circular «Por Dios y por Cuba». Arzobispado de Santiago de Cuba, mayo de 1960

Periódico «El Redactor», Santiago de Cuba, Plan Apostólico del P. Usera, 12.VI.1850, 11.VII.1850, 5.IX.1850

Pezuela, Jacobo de la. Diccionario geográfico, estadístico, histórico, de la Isla de Cuba. Madrid, 1866

Pichardo Moya, Felipe. Los indios de Cuba. Citado en: Barreiro, José. Los taínos sobrevivientes. En: Indigenous Resurgence in the Contemporary Caribbean: Amerindian Survival and Revival, ed. Maximilian C. Forte (New York: Peter Lang, In Press)

Pichardo Tapia, Francisco. Apuntes biográficos del V. P. Fray José de la Cruz Espí, conocido por el Padre Valencia. Imprenta de M. W. Siebert, New York, 1863

Pichardo, Hortensia. Descripción de la Isla de Cuba. Nicolás Joseph de Ribera. Editorial de Ciencias Sociales, La Habana, 1973

Pichardo, Hortensia. Documentos para la Historia de Cuba. Editorial de Ciencias Sociales, La Habana, 1968

Pichardo, Hortensia. Facetas de nuestra Historia. Editorial Oriente, Santiago de Cuba, 1989

Pichardo, Hortensia. Noticias de Cuba. Revista Santiago no. 20, Santiago de Cuba, diciembre de 1975

Piedra Bueno, Andrés de. La Virgen María en la Literatura Cubana. Edición del Boletín de las Provincias Eclesiásticas de Cuba, La Habana, 1955

Pirala, Antonio. Anales de la Guerra de Cuba. Felipe González Rojas editor, Madrid, 1896

Piron, Hippolyte. L´ille de Cuba. E., Plon et Cie., Imprimeurs-editeurs, Paris, 1876

Portuondo Zúñiga, Olga. La Virgen de la Caridad del Cobre: Símbolo de Cubanía. Editorial Oriente, Santiago de Cuba, 1995

Portuondo Zúñiga, Olga. La Virgen de la Caridad: mito, historia y cultura nacional. Revista Del Caribe No. 21, Santiago de Cuba, 1993

Portuondo Zúñiga, Olga. Viajeros en El Cobre. Revista Santiago no. 60, Santiago de Cuba, 1985

Poviones-Bishop, María del Pilar. The Braids of the Virgin. Taino Roots of the Early Cult of la Virgen de la Caridad del Cobre in Cuba. M. A. Thesis, Religious Studies. Florida International University, Miami, 2002

Prieto, Daniel. Castro preocupado. Miami, Art. Diario de las Américas, 19.I.1998

Pruna, Pedro M. Apuntes sobre la minería del cobre en el siglo XVII. Revista de la Biblioteca Nacional José Martí, no. 1, La Habana, enero-abril, 1989

Quintanilla y Núñez, Justo. Memoria escrita por el lic. rector del santuario de la Virgen de la Caridad de Illescas. Imp. y Litograf. de González, Madrid, 1886

Ramírez, Bernardo. Historia de la Aparición Milagrosa de Nuestra Señora de la Caridad. Santiago de Cuba, 1853

Ramírez, P. Bernardo. Novena de la Virgen Santísima de la Caridad del Cobre. Imprenta La Dichosa, Santiago de Cuba, s/f

Ramírez, Pbro, Bernardino. Novena a la Virgen Santísima de la Caridad del Cobre. Compuesta por el (...) Capellán que fué de Ntra. Sra. de la Caridad, de 1761-1778, y Aumentada con «Florecitas» que deben ofrecerse a Ntra. Sra. y rogativa que se hace el día 8 de cada mes, reeditada por el Capellán actual Mons. J. Antonio Veyrunes Dubois. Imprenta Ros, Santiago de Cuba, 1939

Ramiro López, Francisco. El Padre Jerónimo M. Usera y sus religiosas del Amor de Dios. Zamora, 1956

Ramos, Marcos Antonio. Panorama del Protestantismo en Cuba. San José de Costa Rica, 1986

Ravelo y Asensio, Juan María. La ciudad de la historia y la Guerra del 95. Editorial Ucar García, La Habana, 1951

Revista Caribe Franciscano (Puerto Rico-Cuba-República Dominicana) año 22, abril de 1998, nro. 109

Revista de la Biblioteca Nacional de Cuba

Rivero de la Calle, Manuel y Dacal Mouré, Ramón. Arqueología Aborigen de Cuba. Editorial Gente Nueva, La Habana, 1978

Rivero, Nicolás. Una imagen de la Virgen de la Caridad. Actualidades, Cultural S.A., La Habana, 1929

Rivero, P. Jordi. Virgen de la Caridad del Cobre, Patrona de Cuba – Historia (Artículo). La Voz Católica, Miami, 2007

Roca, Arturo y Juárez Cano, Jorge. Héroes Obscuros: Fray José Olallo Valdés. Camagüey. Cuba y España, 20.VIII.1912; «El Popular», III.1928

Rodríguez y Díaz, José Trinidad. Breves noticias sobre la fundación de las iglesias y capillas del arzobispado de Santiago de Cuba. Imprenta Ibérica de Francisco Fossas, Barcelona, 1890

Rodríguez, Fabriciano. Brevísimas reflexiones acerca de la imagen de la Santísima Virgen bajo el tírulo de la Caridad del Cobre, Imprenta de Miguel Antonio Martínez, Santiago de Cuba, 1868

Rodríguez, Miguel. Artículo «Crónica Religiosa». Diario de Cuba, Santiago de Cuba, 10.IX.1932, p. 15, 8.IX.1942

Rodríguez Herrera, Mons. Adolfo —Presidente de la Conferencia Episcopal Cubana— Discurso Inaugural del Encuentro Nacional Eclesial Cubano, 17 de Febrero de 1986

Rodríguez, P. Antonio. Obispos y Sacerdotes de la Diócesis de Pinar del Río en esta Centuria. Pinar del Río, Revista Vitral no. 56, julio-agosto del 2003

Roldán de Montaud, Inés. Organización municipal y conflicto en la villa de El Cobre (1827-1845). En Revista Santiago, no. 60, p. 42, Santiago de Cuba, XII.1985

Román, Mons. Agustín; Castañeda, P. Oscar. La Virgen de la Caridad: Llamamiento de Dios a los Cubanos. Ermita de la Caridad, Miami, 2006

Román, Mons. Agustín. La Ermita de la Caridad: 40 años de Historia. La Voz Católica, Arquidiócesis de Miami, 2006

Román, Monsignor Agustín. La Virgen de la Caridad en el Centenario de la República de Cuba. La Voz Católica, Miami, Fl., V.2002

Rousset, Ricardo V. Historial de Cuba. Primera Edición, tomo II, La Habana, 1918

Ruhi-López, Angelique. La Virgen de la Caridad: Madre de todos los que acuden a ella. Artículo en La Voz Católica, Miami, 2003

Sáenz y Sáenz, Eusebio. La Siboneya ó episodios de la guerra de Cuba. Imprenta de Manuel Muñiz y García, Cienfuegos, 1881

Salcedo, Max. Breve historia del Santuario del Cobre. En Perfiles, 1 (6). El Lápiz Rojo, Santiago de Cuba, septiembre de 1929

San Antonio María Claret. Autobiografía. Biblioteca de Autores Cristianos (BAC).Madrid, 1959

San Bernardo, Abad. Sermones. Sermón, Domingo infraoctava de la Asunción, 15 de septiembre

Sánchez y Cisneros, Pbro. Tirso. Historia de la aparición de la Sma. Virgen de la Caridad y de los Remedios del Cobre. Santiago de Cuba, 1902

Santos de la Hera, José. Representación documentada del muy ilustre ayuntamiento de Santiago de Cuba y otras cororaciones a la Reina Nuestra Sra. sobre los importantes servicios hechos á esta ciudad y provincia por el Ecmo. Sr. Mariscal de Campo Don José Santos de la Hera, Gobernador y Comandante General que fue de ella. Publicadas por acuerdo de la misma corporación municipal, Imp. de la Real Sociedad Económica, La Habana, 1835

Sarabia, Nidia. Ana Betancourt Agramonte. Editorial de Ciencias Sociales, La Habana, 1970

Secretariado General de la Conferencia de Obispos Católicos de Cuba (COCC). 100 Documentos Episcopales. Obra Nacional de la Buena Prensa, México, D.F., 1995

Secretariado Económico y Social de la Junta Nacional de Acción Católica. Primer Catálogo de las Obras Sociales Católicas de Cuba. La Habana, 1953

Stevens-Arroyo, Anthony M. The Contribution of Caribbean Syncretism: Tha Case of la Virgen de la Caridad del Cobre in Cuba. Arch. de Sc. Soc. des Rel. vol. 117, jan-mar, 2002

Suárez Polcari, Mons. Ramón. Historia de la Iglesia Católica en Cuba. Ediciones Universal, Miami, 2003

Testé, P. Ismael. Historia Eclesiástica de Cuba. MEDINACELI S.A., Barcelona 1974

Tirado Torres, Brenda. Pasión por el Evangelio: Vida y Obra de Mons. Agustín Román. Art. en La Voz Católica, Miami

Torre Rodríguez, Francisco de la. El Padre Olallo – Un cubano testigo de la misericordia. Postulación General OH, Barcelona, 1994

Torre Rodríguez, Francisco de la. El Padre Olallo – Un cubano testigo de la misericordia. FISA – Escudo de Oro, Barcelona, 1994

Torres-Cuevas, Eduardo. Obispo Espada: Ilustración, Reformas y Antiesclavismo. Editorial de Ciencias Sociales, La Habana, 1990

Trincado, María Nelsa. El aborigen y la formación de la nacionalidad cubana. El Caribe Arqueológico no. 1, La Habana, 1999

Tweed, Thomas. Our Lady of Exile: Diasporic Religion at a Cuban Catholic Shrine in Miami. Oxford UP, New York, 1997

Valdés Domínguez, Fermín. La Virgen de la Caridad. Periódico «Patria», publicado en Nueva York el 9.VI.1894 (fechado en Key West el 25.V.1894)

Varios Autores. Album Conmemorativo del Congreso Eucarístico Diocesano y Coronación de la Santísima Virgen de la Caridad del Cobre. Año 1936

Varios Autores. Las mitologías en el cine mexicano. Objetivo Visual: Cuadernos Investigativos de la Cinemateca Nacional Venezolana, No. 1, Cinemateca Nacional Caracas, Venezuela, enero-abril de 1993

Varios Autores. Colección de Documentos Inéditos relativos a Cuba y en especial a La Habana. La Habana, 1931

Varios Autores. Colección de Documentos Publicados por la Academia de la Historia de Cuba, 1930

Varios Autores. Conferencia de Obispos Católicos de Cuba (COCC). Devociones Marianas en Cuba. Documentos del Primer Congreso Eucarístico Nacional, La Habana, 1947

Varios Autores. Congreso Catequístico Nacional. Álbum de recortes de prensa. En: Biblioteca de la Iglesia de la Merced.

Varios Autores. Congreso Católico Nacional de 1959. Memorias. La Habana, 1959

Varios Autores. Crónica del Certamen Histórico-Literario en Homenaje al Cardenal Fray Francisco Jiménez de Cisneros. Orden de San Francisco, La Habana, 1918

Varios Autores. Crónica Oficial del I Congreso Eucarístico Diocesano de La Habana, La Habana, 1937

Varios Autores. Crónicas del Certamen Histórico-Literario... en honor al Cardenal Cisneros. La Habana, 1918

Varios Autores. Cuban Ecclesial Reflection Communities in the Diaspora. CRECED: Final Document. Transl. José Roig. Ramallo Brothers, Puerto Rico, 1996

Varios Autores. Encuentro-Reflexión sobre la Historia Franciscana en Cuba. Folleto. Convento de Santo Domingo, Guanabacoa, 21-24.X.98

Varios Autores. Fichero de Cineastas Nacionales. Dicine No. 33, México, D.F., 1990

Varios Autores. La Voz de la Iglesia en Cuba: 100 Documentos Episcopales. Méjico, 1995

Varios Autores. Las actividades de producción cinematográfica en Cuba desde 1897 a la etapa sonora, folleto mimeografiado, Dpto. de Actividades Culturales, Universidad de La Habana, La Habana, 1985

Varios Autores. Memoria que los PP. Dominicos de La Habana dedican a su excelso fundador Santo Domingo de Guzmán en el VII Centenario de su Preciosa Muerte (1221-1921). Imp. Seoane y Fernández, La Habana, 1921

Varios Autores. Panorama de la Religión en Cuba. Editora Política, La Habana, 1996

Varios Autores. Recopilación de Leyes de los Reynos de Indias. Madrid, 1971

Varios Autores. Revista Estudios Afro-Cubanos. Universidad de La Habana, 1990

Varios Autores. Secretariado Económico y Social de la Junta Nacional de Acción Católica. Primer Catálogo de las Obras Sociales Católicas de Cuba. La Habana, 1953

Varios Autores. Nuestra Señora de la Caridad del Cobre: Peregrina Nacional. Semanario Católico, I tomo: nros. de septiembre y octubre de 1952

Varios Autores. Revista Caribe Franciscano (Puerto Rico-Cuba-Santo Domingo). Año 22, abril 1998, no. 109

Vega, Eduardo de la. *Juan Orol*, Universidad de Guadalajara, Guadalajara, 1987

Ventura, Victorio. Novenario compuesto en honor de Nuestra Señora de la Santísima Virgen de la Caridad que se venera en el Real Minas del Cobre (Isla de Cuba). Librería La Azucena, Barcelona, 1900

Veyrunes Dubois, P. Antonio J. Historia de la Aparición Milagrosa de Nuestra Señora de la Caridad del Cobre (reedición de la historia de Onofre de Fonseca expurgada por Bernardino Ramírez en 1782). Santiago de Cuba, 1935

Villaverde, P. Alberto, s.j. Santa María, Virgen de la Caridad del Cobre. Mecanografiado. Puerto Rico, 1994

Virgen de la Caridad del Cobre. Auto del Cura Rector de la Parroquial de Santiago del Prado, Sr. Beneficiado Juan Ortiz Montejo de la Cámara. **Informe de la aparición y milagros de la Virgen de la Caridad,** de 1.IV.1687. Transcripción de Documentos Originales que se custodian en la Conferencia de Obispos Católicos de Cuba (COCC)

Virgen de la Caridad del Cobre. Auto del gobernador de Santiago de Cuba, general Don Francisco A. Cagigal de la Vega, 21.V.1738. Transcripción de Documentos Originales que se custodian en la Conferencia de Obispos Católicos de Cuba (COCC)

Virgen de la Caridad del Cobre. Auto del Juez Oficial, Provisor y Vicario General de Santiago de Cuba y su distrito, Sr. Lcdo. Don Roque de Castro Machado, de 15.VII.1738. **Sobre los milagros realizados por la Virgen de la Caridad.** Transcripción de Documentos Originales que se custodian en la Conferencia de Obispos Católicos de Cuba (COCC)

Virgen de la Caridad del Cobre. Auto del Notario Mayor Público Dn. Antonio González Villarroel de 22.V.1738, sobre la declaración del Cura Rector del Cobre, Juan Ortiz Montejo de la Cámara, con Petición de Francisco Vejarano, Presbítero, Mayordomo de Ntra. Sra. de la Caridad, para que la relación de los milagros de la Virgen se impriman y sean de conocimiento público, y Decreto para que así se realice. Transcripción de Documentos Originales que se custodian en la Conferencia de Obispos Católicos de Cuba (COCC)

Virgen de la Caridad del Cobre. Autos de 1687-1688: Auto del Cura Beneficiado Sr. Lcdo. Dr. Roque de Castro Machado, Cura Rector del Sagrario de la S. I. Catedral de Santiago de Cuba, Juez Provisor y Vicario General de ella y su distrito. **Informa que por decisión del Obispo de Cuba, S.S.A. Illma. Sr. Dr. Don Diego Evelino Hurtado (Compostela), se le remiten los documentos y declaraciones de los Autos de 1687-1688,** con fecha 1.VI.1688. Con una Suscripción del Canónigo Magistral Dn. Pedro de Torres y Ayala: avala que los documentos concuerdan con los originales. Transcripción de Documentos Originales que se custodian en la Conferencia de Obispos Católicos de Cuba (COCC)

Virgen de la Caridad del Cobre. Autos de 1687-1688: Declaración del Capn. Juan Moreno, negro, natural del Cobre de 85 años, de 1.IV.1687, **sobre la aparición de Nra. Sra. de la Caridad del Cobre**. Según la transcripción de manuscritos originales que se custodian en la Conferencia de Obispos Católicos de Cuba (COCC)

Virgen de la Caridad del Cobre. Autos de 1687-1688: Declaración de Agustín Quiala, negro esclavo de las minas de Cobre, de 60 años, de 2.IV,1687. **Declara sobre la aparición y milagros de la Virgen de la Caridad.**

Transcripción de Documentos Originales que se custodian en la Conferencia de Obispos Católicos de Cuba (COCC)

Virgen de la Caridad del Cobre. Autos de 1687-1688: Declaración del Capitán Juan Santiago Colón, pardo, natural del Cobre, de 55 años, de 3.IV.1687. **Declara sobre la aparición y milagros de la Virgen de la Caridad.** Transcripción de Documentos Originales que se custodian en la Conferencia de Obispos Católicos de Cuba (COCC). Ref. Archivo General de Indias (AGI). Santo Domingo, 363

Virgen de la Caridad del Cobre. Autos de 1687-1688: Declaración de Pedro Suárez Alcántara, natural de Santiago de Cuba, de 40 años. **Declara sobre la aparición y milagros de la Virgen de la Caridad.** Transcripción de Documentos Originales que se custodian en la Conferencia de Obispos Católicos de Cuba (COCC)

Virgen de la Caridad del Cobre. Autos de 1687-1688: Declaración del Lcdo. Francisco Vejarano, Sacristán Mayor de la S.I. Catedral de Santiago de Cuba. **Declara sobre la aparición, hechos y milagros de la Virgen de la Caridad.** Transcripción de Documentos Originales que se custodian en la Conferencia de Obispos Católicos de Cuba (COCC)

Virgen de la Caridad del Cobre. Autos de 1687-1688: Declaración de Germán Phelipe, esclavo de las minas de Cobre, de veinte y seis años. **Declara sobre la aparición, hechos y milagros de la Virgen de la Caridad.** Transcripción de Documentos Originales que se custodian en la Conferencia de Obispos Católicos de Cuba (COCC)

Virgen de la Caridad del Cobre. **Carta de los Veteranos de las Guerras de Independencia de Cuba a la Beatitud de S. S. Benedicto XV, solicitando que la Virgen sea declarada Patrona de Cuba.** Transcripción de Documentos Originales que se custodian en la Conferencia de Obispos Católicos de Cuba (COCC)

Virgen de la Caridad del Cobre. **Carta Pastoral de los Excmos. y Rvmos. Sres. Arzobispos y Obispos de la Isla de Cuba sobre la Coronación Canónica de la Ssma. Virgen de la Caridad del Cobre, de 27.VI.1936.** Transcripción de Documentos Originales que se custodian en la Conferencia de Obispos Católicos de Cuba (COCC)

Virgen de la Caridad del Cobre. Carta Pastoral de Mons. Valentín Zubizarreta, Arzobispo de Santiago de Cuba, **sobre el Ssmo. Sacramento, con motivo del Congreso Eucarístico Diocesano de 1936**, en 1936. Transcripción de Documentos Originales que se custodian en la Conferencia de Obispos Católicos de Cuba (COCC)

Virgen de la Caridad del Cobre. Despacho y Auto del Canónigo Magistral de la S.I. Catedral de Santiago de Cuba, Dr. Dn. Pedro Ignacio de Torres y Ayala, de 15.VII.1738: **fundación del Santuario de Nra. Sra. de la**

Caridad. Transcripción de Documentos Originales que se custodian en la Conferencia de Obispos Católicos de Cuba (COCC)

Virgen de la Caridad del Cobre. E. Card. Pacelli, Secretaría de Estado de Su Santidad al Excmo. Sr. Valentín Zubizarreta, Arzobispo de Santiago de Cuba. **Sobre el establecimiento de la Acción Católica en la Arquidiócesis, 1936**. Transcripción de Documentos Originales que se custodian en la Conferencia de Obispos Católicos de Cuba (COCC)

Virgen de la Caridad del Cobre. E. Card. Pacelli, Ven. Capítulo Vaticano. **Autorización para la Coronación Caónica de la Virgen de la Caridad, encargada al Nuncio de S. S., Mons. Jorge Caruana, 2.VII.1936.** Transcripción de Documentos Originales que se custodian en la Conferencia de Obispos Católicos de Cuba (COCC)

Virgen de la Caridad del Cobre. **Historia de la Aparición de Nuestra Señora de la Caridad del Cobre.** Transcripción de Documentos Originales que se custodian en la Conferencia de Obispos Católicos de Cuba (COCC)

Wright, Irene. Los orígenes de la minería en Cuba. Las Minas del Prado hasta 1600. En: La Reforma Social, no. 7, abril-julio, La Habana, 1919

Wright, Irene. Nuestra Señora de la Caridad del Cobre (Santiago de Cuba); Nuestra Señora de la Caridad de Illescas (Castilla, España). En: Archivos del Folklore Cubano, no. 3, enero-marzo, La Habana, 1928

Wright, Irene. Our Lady of Charity. Hispanic American Historical Review vol. 5, no. 4, november, 1992

Wright, Irene: Santiago de Cuba and its district (1607-1640). Establecimiento Tipográfico de Felipe Peña Cruz, Madrid, 1918

Zayas García, Margarita. Corona Fúnebre (del Padre Olallo, artículo). Camagüey, 1889

Zubillaga, Félix. Historia de la Iglesia en la América Española desde el Descubrimiento hasta el Siglo XIX. Biblioteca de Autores Cristianos (BAC), Madrid, 1965

Zelada, Rogelio. Art. Por ser cubana y mambisa. En: La Voz Católica, Miami

Zulaica, Fr. José R. Bio-Bibliografía Franciscano-Cubana (1723-1942). La Habana, 1942

IMÁGENES DE LA VIRGEN DE LA CARIDAD

**Virgen de la Caridad del Cobre, Patrona de Cuba,
que apareció en Nipe en 1612**

Virgen de la Caridad del Cobre, primer símbolo de la patria

Imagen tradicional de la Virgen de la Caridad, siglo XX

Ermita de la Virgen de la Caridad, Miami

Santuario de la Virgen de la Caridad del Cobre en la Sierra del Cobre, Cuba

Mural tras el altar de la Ermita de la Caridad, Miami

Virgen de la Caridad en el mural de la Ermita

Imagen de la Virgen de la Caridad en la Ermita, Miami

Juan Pablo II corona a la Virgen de la Caridad en Cuba, 1998

Virgen de la Caridad en Miami, óleo

Imagen moderna de la Virgen de la Caridad

Virgen de la Caridad, una representación

Cuadro de la Virgen de la Caridad del Cobre del artista plástico cubano
Francisco Montesinos Lorenzo

Estampa de la Virgen de la Caridad del Cobre

Balseros

Obra del pintor cubano Ángel Larrúa

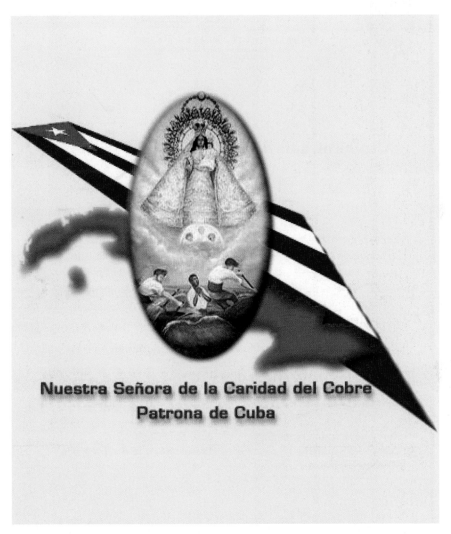

Nuestra Señora de la Caridad del Cobre Patrona de Cuba

Imagen de propaganda de la Peregrinación Nacional

SANTUARIO NACIONAL
ERMITA DE LA CARIDAD
NATIONAL SHRINE OF OUR LADY OF CHARITY
3609 South Miami Avenue, Miami, Florida 33133
Phone: (305) 854-2404 • Fax: (305) 854-2405
Email: ermita@ermitadelacaridad.org

Archicofradía de la Virgen de la Caridad

Es un honor para la Archicofradía de la Virgen de la Caridad en su Santuario Nacional de la Arquidiócesis de Miami, en este Año Jubilar 2011-2012 en que celebramos el hallazgo de la bendita imagen en el norte oriental de Cuba, patrocinar la documentada obra del Dr. Salvador Larrua titulada: Historia de la Virgen de la Caridad, Patrona de Cuba, Reina y Madre de todos los Cubanos.

Oramos porque nuestro pueblo al leerla se entusiasme en vivir el lema: "A Jesús por María, la Caridad nos une".

Rev. Juan Rumin Domínguez
Rector del Santuario
Director Espiritual

José Luis Cano
Presidente de la Archicofradía

"TODAS LAS GENERACIONES ME LLAMARAN BIENAVENTURADA" LUC 1:48
"ALL GENERATIONS WILL CALL ME BLESSED" LUK 1:48